Vivendo a história

Título original:
Living History

Preparação: Beatriz de Freitas Moreira
Revisão: Gênese Andrade, Camila Abreu e Adriana G. Cerello
Índice: Maria Sílvia Mourão Netto

Carta de John F. Kennedy reproduzida com permissão.
Carta da sra. Lyndon Johnson reproduzida com permissão.
Exceto quando creditadas de outra forma, todas as fotografias são do acervo
pessoal da autora, da Casa Branca e de The Clinton Presidential Materials
Project. Todos os esforços foram feitos para identificar os detentores dos
copyrights. Se necessário, correções serão feitas na próxima edição.

Créditos das fotos: Caderno I: 12, 13, 15, Wellesley; 21, David P.
Garland; 26, Donald R. Broyles/Office of Governor Clinton; 38, Steven
D. Desmond/ Desmond's Prime Focus; 47, cortesia de Lissa Muscatine;
49, Eugenie Bisulco. Caderno II: 37, India's Park Service;
60, Diana Walker; 66, AP/Wide World Photos c2002;
73, Alfred Eisenstaedt/ TimesLife Pictures/ Getty Images.

Caderno de fotos: pesquisa, edição e design by Vincent Virga.
Assistentes: Carolyn Huber e John Keller.

1ª edição 2003 / 2ª reimpressão 2003

Dados Internacionais de Catalogação na Publicação (CIP)
(Câmara Brasileira do Livro, SP, Brasil)

Clinton, Hillary Rodham
    Vivendo a história / Hillary Rodham Clinton ; tradução Cid
Knipel, Domingos Demasi. – São Paulo : Globo, 2003.

    Título original: Living history
    ISBN 85-250-3693-5

    1. Clinton, Bill, 1946- 2. Clinton, Hillary Rodham 3. Esposas de
presidentes – Estados Unidos – Biografia 4. Estados Unidos – História
- 1993- 5. Estados Unidos – Política e governo – 1993-2001 6.
Mulheres legisladoras – Estados Unidos – Biografia I. Título

03.3750   CDD-923.20973

Índices para catálogo sistemático:
1. Esposas de presidentes : Estados Unidos : Biografia 923.20973
2. Estados Unidos : Esposas de presidentes : Biografia 923.20973

Direitos de edição em língua portuguesa, para o Brasil,
adquiridos por Editora Globo S. A.
Av. Jaguaré, 1485 – 05346-902 – São Paulo – SP
www.globolivros.com.br

Hillary Rodham Clinton

VIVENDO A HISTÓRIA

tradução:
Cid Knipel e
Domingos Demasi

EDITORA
GLOBO

Para meus pais,
meu marido,
minha filha —
e a todas as almas boas ao redor do mundo
cuja inspiração, orações, apoio e amor
abençoaram meu coração e me encorajaram
nos anos em que vivi a história.

SUMÁRIO

NOTA DA AUTORA

EM 1959, ESCREVI MINHA AUTOBIOGRAFIA como trabalho escolar para a sexta série. Em 29 páginas, quase todas preenchidas com garranchos esforçados, descrevia meus pais, irmãos, animais de estimação, casa, passatempos, escola, esportes e planos para o futuro. Quarenta e dois anos mais tarde, comecei a escrever sobre outras memórias, desta vez relativas aos oito anos que passei na Casa Branca, vivendo a história com Bill Clinton. Rapidamente percebi que não poderia explicar a minha vida como primeira-dama sem refazer o caminho desde o princípio, registrando como me tornei a mulher que, em 20 de janeiro de 1993, entrou pela primeira vez na Casa Branca para assumir um novo papel e viver experiências que me testariam e transformariam de maneiras imprevisíveis.

No momento em que ultrapassava o umbral da Casa Branca, eu era uma pessoa até então moldada pelos valores de minha família, da educação que havia recebido, da minha fé e de tudo que já havia aprendido antes — como filha de um pai dogmático e conservador e de uma mãe mais liberal, estudante ativista, defensora dos direitos das crianças, advogada, esposa de Bill, mãe de Chelsea.

A cada capítulo havia mais idéias que desejava apresentar do que o espaço permitia; mais pessoas para incluir do que eu poderia citar; mais lugares visitados do que poderia descrever. Se eu mencionasse todas as pessoas que me impressionaram, inspiraram, ensinaram, influenciaram e ajudaram ao longo do caminho, este livro se tornaria uma série de volumes. Embora tenha precisado excluir bastante material, espero ter conseguido transmitir o vaivém dos acontecimentos e relacionamentos que me afetaram e continuam a influir e enriquecer o meu mundo ainda hoje.

Depois de deixar a Casa Branca, iniciei uma nova fase de minha vida, como senadora pelo estado de Nova York, uma honrosa e desafiadora responsabilidade. O relato completo de minha mudança para Nova York, incluindo a campanha para o Senado e a honra de trabalhar pelas pessoas que me elegeram terá de ficar para uma próxima oportunidade, mas espero ilustrar, nesta autobiografia, como a minha bem-sucedida candidatura para o Senado decorreu de minhas experiências na Casa Branca.

Durante o período em que fui a primeira-dama, aprendi muito sobre como o governo pode servir o povo, como o Congresso realmente funciona, como as pessoas percebem a política e as políticas através do filtro da mídia, e como os valores dos EUA podem ser traduzidos em progresso econômico e social. Aprendi a importância do envolvimento dos Estados Unidos com o resto do mundo e estabeleci relacionamentos com líderes estrangeiros, ao lado de uma compreensão de outras culturas, que hoje são de grande valia. Aprendi também como manter o foco da minha atenção, vivendo ao mesmo tempo no olho de diversos furacões.

Fui criada para amar meu Deus e meu país, ajudar os outros, e proteger e defender os ideais democráticos que vêm inspirando e guiando as pessoas livres há mais de duzentos anos, ideais que me foram incutidos desde o início da vida. Já em 1959, eu queria ser professora ou física nuclear. As professoras eram necessárias para "educar os jovens cidadãos" e sem elas não se teria "um grande país". Os EUA precisavam de cientistas porque os "russos têm cinco vezes mais cientistas que nós". Já naquele tempo eu era plenamente um produto do meu país e da minha época, assimilando os ensinamentos da minha família e absorvendo as necessidades dos Estados Unidos, enquanto pensava no meu próprio futuro. Minha infância nos anos 50 e a política dos anos 60 despertaram em mim a noção de uma obrigação para com meu país e me comprometi a servi-lo. A vida universitária, a faculdade de direito e, a seguir, o casamento levaram-me ao epicentro dos Estados Unidos.

Como digo freqüentemente, viver na política é receber uma educação continuada sobre a natureza humana, inclusive a nossa própria. Meu envolvimento com os bastidores de duas campanhas presidenciais e minhas obrigações como primeira-dama levaram-me a todos os estados da união e a 78 nações. Em cada um desses lugares, conheci alguém ou vi alguma coisa que serviram para me abrir a cabeça e o coração e aprofundaram o meu entendimento das preocupações universais, compartilhadas pela maioria dos seres humanos.

Eu sempre soube que os EUA importam para o resto do mundo; minhas viagens me ensinaram como o resto do mundo importa para os EUA. É essencial a um futuro de paz e segurança, tanto aqui como em outros países, que escutemos o que as pessoas do mundo todo estão dizendo para tentarmos compreender como percebem o lugar que ocupam. Tendo isso em mente, incluí vozes que não ouvimos tanto, vozes de pessoas de todos os recantos do globo querendo o mesmo que nós: o fim da fome, da doença e do medo; a liberdade de comandar o próprio destino independentemente de seu DNA ou situação de vida. Dediquei um espaço significativo nestas páginas às minhas viagens a outros países porque acredito que essas pessoas e lugares são importantes, e o que aprendi com elas faz parte de quem sou hoje.

Os dois mandatos do presidente Clinton compreenderam um período de transformações não só na minha vida, mas também na dos Estados Unidos. Meu marido assumiu a Presidência decidido a reverter o quadro de declínio da economia nacional, e de déficits orçamentários e desigualdades sociais cada vez maiores, que comprometiam as oportunidades para as futuras gerações de americanos.

Apoiei seu programa de governo e me empenhei em traduzir sua visão em ações que melhorassem a vida das pessoas, fortalecessem a nossa noção de comunidade e promovessem nossos valores democráticos tanto em âmbito nacional, como no exterior. Ao longo de ambos os mandatos, enfrentamos oposição política, desafios jurídicos, tragédias pessoais e cometemos a nossa razoável cota de erros. Mas quando Bill deixou o cargo, em janeiro de 2001, os Estados Unidos eram uma nação mais forte, melhor e mais justa, pronta para enfrentar os desafios de um novo século.

Evidentemente, o mundo que habitamos hoje é muito diferente daquele descrito neste livro. Enquanto escrevo estas palavras, em 2003, parece impossível que meu período na Casa Branca tenha terminado a apenas dois anos. Tenho mais a sensação de que foi em outra vida, depois dos acontecimentos de 11 de setembro de 2001. As vidas perdidas. O sofrimento humano. A cratera fumegante. O metal retorcido. Os sobreviventes em frangalhos. As famílias das vítimas. A inominável tragédia daquilo tudo. Aquela manhã de setembro me transformou e mudou o que eu tinha a fazer como senadora, nova-iorquina e cidadã americana. E mudou os Estados Unidos de maneiras que ainda estamos descobrindo. Estamos todos sobre um novo chão que, de alguma forma, devemos tornar um mesmo chão.

Meus oito anos na Casa Branca desafiaram minha fé, minhas crenças políticas, meu casamento e a nossa Constituição. Tornei-me um pára-raios nas batalhas políticas e ideológicas travadas em torno do futuro do país, e um ímã para os valores e opiniões — positivas e negativas — que dizem respeito às opções e papéis das mulheres. Este livro é o relato de como vivi esses oitos anos como primeira-dama e esposa do presidente. Pode ser que questionem a exatidão desta narrativa, envolvendo fatos, pessoas e acontecimentos muito recentes, dos quais ainda faço parte. Fiz o melhor que pude para apresentar minhas observações, pensamentos e sentimentos, tais como os vivenciei. Este livro não tem a intenção de ser uma história completa, somente um registro pessoal de quem viu de dentro e por dentro um período extraordinário de sua vida e da vida dos Estados Unidos.

1

UMA HISTÓRIA AMERICANA

NÃO NASCI PRIMEIRA-DAMA NEM SENADORA. Não nasci democrata nem advogada. Não nasci defensora dos direitos das mulheres nem dos direitos civis. Não nasci esposa nem mãe. Nasci americana na metade do século XX, um lugar e tempo promissores. Tive a liberdade para fazer escolhas impossíveis para gerações passadas de mulheres de meu país e inconcebíveis para muitas mulheres no mundo de hoje. Tornei-me adulta no auge de uma conturbada mudança social e participei nas batalhas políticas travadas em torno do significado dos Estados Unidos e de seu papel no mundo.

Minha mãe e minhas avós jamais poderiam ter vivido a minha vida; meu pai e meus avôs nem poderiam tê-la imaginado. Mas legaram a mim a promessa dos Estados Unidos, que possibilitou minha vida e minhas escolhas.

Minha história começou nos anos que se seguiram à Segunda Guerra Mundial, quando homens como meu pai, que haviam servido a seu país, voltavam para casa para se estabelecer, ganhar a vida e criar família. Era o começo da explosão demográfica do pós-guerra, um tempo de otimismo. Os Estados Unidos haviam salvado o mundo do fascismo e agora nossa nação estava trabalhando para unir ex-adversários no pós-guerra, estendendo a mão a aliados e a ex-inimigos, garantindo a paz e ajudando a reconstruir a Europa e o Japão devastados.

Embora a Guerra Fria estivesse começando com a União Soviética e o Leste Europeu, meus pais e sua geração se sentiam seguros e esperançosos. A supremacia americana resultava não do poderio militar, mas também de nossos valores e das abundantes oportunidades disponíveis a pessoas como meus pais, que trabalhavam duro e assumiam responsabilidades. A classe média americana estava radiante com a recente prosperidade e tudo o que a acompanha — casas novas, ótimas escolas, áreas arborizadas e comunidades seguras.

No entanto, no período pós-guerra, nosso país ainda tinha assuntos pendentes, particularmente no que dizia respeito à raça. E foi a geração da Segunda Guerra Mundial e seus filhos que despertaram para os desafios da injustiça social, da desigualdade e para o ideal de estender a promessa americana a todos os seus cidadãos.

Meus pais eram típicos de uma geração que acreditava nas possibilidades ilimitadas do país e cujos valores estavam enraizados na experiência de sobreviver à Grande Depressão. Acreditavam no trabalho árduo, não na concessão de direitos; na auto-suficiência, não na acomodação.

Foi nesse mundo e nessa família que nasci no dia 26 de outubro de 1947. Éramos da classe média, do Meio-Oeste e, em grande parte, fruto de nosso tempo e lugar. Minha mãe, Dorothy Howell Rodham, era uma dona-de-casa cujo cotidiano girava em torno de mim e de meus dois irmãos mais novos, e meu pai, Hugh E. Rodham, possuía uma pequena empresa. Os desafios de suas vidas fizeram-me valorizar ainda mais as oportunidades de minha própria vida.

Ainda me admiro de como minha mãe, da solidão de sua infância, tornou-se uma mulher tão afetuosa e equilibrada. Ela nasceu em Chicago em 1919. Seu pai, Edwin John Howell Jr., era bombeiro em Chicago e a mulher dele, Della Murray, era um dos nove filhos de uma família com ancestrais franco-canadenses, escoceses e indígenas americanos. Meus avós maternos certamente não estavam preparados para ser pais. Della praticamente abandonou minha mãe quando ela tinha apenas três ou quatro anos, deixando-a sozinha por dias a fio, com vales-refeição para ela usar num restaurante vizinho ao apartamento em que moravam num prédio de cinco andares, sem elevador, na zona sul de Chicago. Edwin lhe dedicava atenção esporádica e era melhor para trazer um presente ocasional, como uma enorme boneca ganha num parque de diversões, do que para garantir qualquer tipo de vida familiar. A irmã de minha mãe, Isabelle, nasceu em 1924. As meninas geralmente ficavam num vaivém de um parente para outro e mudando de escola em escola, jamais permanecendo em lugar algum por tempo suficiente para fazer amizades. Em 1927, os jovens pais de minha mãe finalmente se divorciaram

— o que era raro naquele tempo e uma terrível vergonha. Nenhum dos dois estava disposto a cuidar dos filhos e, assim, enviaram as filhas de trem, de Chicago, para morarem com seus avós paternos em Alhambra, uma cidade próxima às montanhas de San Gabriel, a leste de Los Angeles. Na viagem de quatro dias, Dorothy, então com oito anos de idade, era quem cuidava da irmã de três anos.

Minha mãe ficou dez anos na Califórnia, sem nunca ver a mãe e vendo raramente o pai. Seu avô, o velho Edwin, ex-marinheiro inglês, deixou as meninas com sua esposa, Emma, uma mulher severa que vestia roupas pretas vitorianas e rejeitava e ignorava minha mãe, exceto para aplicar as regras rígidas da casa. Emma inibia visitas e raramente permitia que minha mãe fosse a festas ou outras reuniões sociais. Num Halloween, quando apanhou minha mãe no gostosuras-ou-travessuras com amigos de escola, Emma decidiu trancá-la em seu quarto durante um ano inteiro, apenas deixando-a sair durante as horas em que freqüentava a escola. Ela proibiu minha mãe de comer à mesa da cozinha ou de ficar no jardim da frente da casa. Esse castigo cruel prosseguiu durante meses até que a irmã de Emma, Belle Andreson, chegou para uma visita e pôs um fim naquilo.

Era na vida ao ar livre que minha mãe encontrava um pouco de alívio das condições opressivas da casa de Emma. Ela percorria os laranjais que se estendiam por vários quilômetros no vale de San Gabriel, entregando-se ao cheiro dos frutos amadurecendo ao sol. À noite, fugia para dentro de seus livros. Era uma aluna excelente e seus professores a estimulavam a ler e a escrever.

Quando fez catorze anos, não conseguiu mais suportar a vida na casa da avó. Encontrou trabalho como babá, cuidando de duas crianças pequenas em troca de quarto, comida e três dólares por semana. Dispunha de pouco tempo para as atividades extracurriculares que adorava — atletismo e teatro — e nenhum dinheiro para roupas. Lavava a mesma blusa todo dia para usar com sua única saia e, na estação mais fria, seu único suéter. Mas, pela primeira vez, ela morava numa casa em que o pai e a mãe davam a seus filhos o amor, a atenção e a orientação que ela nunca recebera. Minha mãe costumava me dizer que sem essa residência temporária, com uma família sólida, ela não teria sabido como cuidar de seu próprio lar e de seus filhos.

Quando concluiu o colégio, minha mãe fez planos para ir para a Universidade na Califórnia. Mas Della a procurou — pela primeira vez em dez anos —, e a convidou para ir morar com ela em Chicago. Della acabara de se casar novamente e prometeu à minha mãe que ela e o novo marido pagariam seus estudos lá. Quando minha mãe chegou a Chicago, porém, descobriu que Della a queria somente como empregada e que não receberia nenhuma ajuda financeira para a faculdade. Desapontada, mudou-se para um pequeno apartamento e encontrou emprego em um escritório, que pagava treze dólares por uma semana de trabalho de cinco dias e meio. Certa vez, perguntei a minha mãe por que ela voltara para Chicago. "Eu desejava tanto que minha mãe me amasse que tive de correr o risco e descobrir", disse-me ela. "Quando vi que não me amava, eu não tinha mais para onde ir."

O pai de minha mãe morreu em 1947, por isso nem o conheci. Mas conheci minha avó, Della, uma mulher fraca e acomodada, absorvida por novelas de televisão e desligada da realidade. Quando eu tinha cerca de dez anos, e Della estava cuidando de meus irmãos e de mim, machuquei o olho num portão de alambrado no *playground* da escola. Corri três quarteirões até minha casa, chorando e segurando a cabeça enquanto o sangue escorria pelo meu rosto. Quando me viu, Della desmaiou. Tive de pedir ao vizinho para me ajudar a tratar do ferimento. Quando Della acordou, queixou-se de que eu a havia assustado e que ela poderia ter se machucado quando caiu. Tive de esperar minha mãe voltar para me levar ao hospital para dar pontos no machucado.

Nas raras ocasiões em que Della deixava alguém entrar em seu mundo limitado, conseguia ser encantadora. Ela adorava cantar e jogar cartas. Quando a visitávamos em Chicago, ela costumava nos levar para a Kiddieland ou o cinema local. Ela morreu em 1960, uma mulher infeliz e, ainda, um mistério. Mas o que ela fez foi levar minha mãe para Chicago, onde esta conheceu Hugh Rodham.

Meu pai nasceu em Scranton, Pensilvânia, e era o filho do meio de Hugh Rodham e Hannah Jones. Herdou seus traços de uma linhagem de mineradores de carvão, galeses de cabelos negros, pelo lado de sua mãe. Como Hannah, ele era cabeça-dura e geralmente rude, mas, quando ria, o som vinha lá do fundo e parecia envolver cada parte de seu corpo. Herdei sua risada, a mesma gargalhada comprida que faz as cabeças se voltarem num restaurante e afugenta os gatos da sala.

A Scranton da juventude de meu pai era uma rude cidade industrial de olarias, tecelagens, minas de carvão, pátios ferroviários e sobrados de madeira. Os Rodham e os Jones eram trabalhadores dedicados e metodistas severos.

O pai de meu pai, o velho Hugh, era o sexto de uma família de onze filhos. Começou a trabalhar na Scranton Lace Company quando ainda era menino e terminou como supervisor, cinco décadas depois. Era um homem dócil, de fala mansa, o oposto exato de sua terrível esposa, Hannah Jones Rodham, que insistia em usar seus três nomes. Hannah cobrava aluguel das casas que possuía e controlava sua família e todos que estivessem em seus domínios. Meu pai a venerava e freqüentemente contava a mim e a meus irmãos a história de como ela salvou seus pés.

Por volta de 1920, ele e um amigo haviam pegado carona na traseira de uma carroça de gelo puxada a cavalo. Quando os cavalos mourejavam para subir uma ladeira, um caminhão trombou na traseira da carroça, esmagando as pernas de meu pai. Ele foi levado às pressas para o hospital mais próximo, onde os médicos avaliaram que suas pernas e pés estavam irrecuperavelmente perdidos e o prepararam para a amputação de ambas. Quando Hannah, que correra para o hospital, foi informada da intenção dos médicos, postou-se na passagem para a sala de operação onde estava seu filho, dizendo que ninguém tocaria nas pernas dele a menos que pretendessem salvá-las. Ela exigiu que seu cunhado, o dr. Thomas Rodham, fosse imediatamente trazido do hospital em que trabalhava. O dr. Rodham examinou meu pai e anunciou: "Ninguém vai cortar as pernas desse menino!". Meu pai havia desmaiado de dor; quando acordou, viu sua mãe montando guarda, garantindo-lhe que suas pernas estavam salvas e que ele levaria uma surra de chicote quando chegassem em casa. Esse era um caso de família que ouvimos muitas e muitas vezes, uma aula sobre enfrentamento da autoridade e sobre nunca entregar os pontos.

Hannah me impressiona como uma mulher determinada cujas energias e inteligência dispunham de pouca vazão, o que a levava a intrometer-se na vida de todos. Seu filho mais velho, meu tio Willard, trabalhava como engenheiro para o município de Scranton, mas nunca saiu de casa nem se casou, e morreu em 1965, logo depois de minha avó. O filho caçula, Russel, era seu preferido. Destacou-se nos estudos e nos esportes, tornou-se médico, serviu no Exército, casou-se, teve uma filha e voltou para Scranton para exercer a medicina. No início de 1948, entrou numa debilitante depressão. Meus avós pediram a meu pai que voltasse para casa para ajudar Russel. Pouco depois da chegada de meu pai, Russell tentou se matar. Meu pai o encontrou quando acabava de tentar se enforcar no sótão, cortou a corda e o tirou de lá. Trouxe Russel de volta para Chicago para morar conosco.

Eu tinha oito ou nove meses de vida quando Russel chegou para ficar. Ele dormia no sofá da sala de estar de nosso apartamento de um quarto, enquanto fazia tratamento psiquiátrico no hospital dos veteranos de guerra. Era um homem simpático e, nos cabelos e feições, mais bonito que meu pai. Certo dia, quando eu tinha uns dois anos, bebi de uma garrafa de Coca-Cola cheia de aguarrás, que fora deixada por um trabalhador. Russell imediatamente me fez vomitar e correu comigo para o pronto-socorro. Logo depois disso, abandonou a medicina e dizia, de brincadeira, que fui sua última paciente. Ele ficou na região de Chicago, onde freqüentemente nos visitava. Morreu em 1962, num incêndio provocado por um cigarro aceso. Fiquei muito triste por meu pai, que durante anos tentara mantê-lo vivo. Os antidepressivos modernos poderiam tê-lo ajudado; quem dera fossem disponíveis naquela época. Papai queria dar pessoalmente a notícia da morte de Russell a seu pai e esperou até que meu avô viesse nos visitar. Quando finalmente soube da morte de Russell, meu avô sentou-se à mesa da cozinha e chorou. Três anos depois, desconsolado, morreu.

Apesar de mais tarde ter tido sucesso financeiro na vida, meu pai não era considerado — nem por si mesmo nem por seus pais — tão consciencioso e confiável quanto seu irmão mais velho, Willard, nem quanto seu irmão caçula, Russell. Sempre se metia em problemas ao dirigir o carro novinho de um vizinho ou ao patinar pelo corredor da igreja metodista da rua Court durante um culto noturno. Quando se formou no colégio Central em 1931, pensou que iria trabalhar na cordoaria ao lado de seu pai. Em vez disso, seu melhor amigo, que fora recrutado pelo estado da Pensilvânia para a equipe de futebol, disse ao técnico que somente iria se seu parceiro favorito de equipe também fosse. Papai era um atleta robusto e o técnico concordou; papai foi para a faculdade estadual e jogou no Nittany Lions. Também lutou boxe e entrou para o grêmio Delta Upsilon, onde, segundo me disseram, tornou-se especialista em fabricar gim. Formou-se em 1935 e, no auge da Depressão, regressou a Scranton com um diploma de educação física.

Sem avisar os pais, saltou para dentro de um trem de carga para Chicago a fim de procurar trabalho e encontrou um emprego para vender tecidos para cortinas pelo Meio-Oeste. Quando voltou para contar aos pais e fazer a mala, Hannah ficou furiosa e o proibiu de ir. Mas meu avô ponderou que estava difícil encontrar emprego e a família poderia usar o dinheiro para a faculdade e a formação médica de Russell. Com isso, meu pai se mudou para Chicago. Toda semana, ele viajava pelo norte do Meio-Oeste, de Des Moines a Duluth; depois, na maioria dos fins de semana, ia de carro a Scranton para entregar seu cheque de pagamento à mãe. Embora sempre sugerisse que suas razões para sair de Scranton fossem econômicas, creio que meu pai sabia que teria de romper com Hannah se quisesse ter vida própria.

Dorothy Howell estava se candidatando a um emprego como datilógrafa numa companhia têxtil quando despertou a atenção de um caixeiro-viajante, Hugh Rodham. Ela se sentiu atraída por sua energia e autoconfiança e seu rude senso de humor.

Depois de um longo namoro, meus pais se casaram no início de 1942, logo depois de os japoneses bombardearem Pearl Harbor. Mudaram-se para um pequeno apartamento na área de Lincoln Park de Chicago, perto do lago Michigan. Meu pai se alistou num programa especial da Marinha que tinha o nome do campeão dos pesos pesados do boxe, Gene Tunney, e foi designado para o Posto Naval dos Grandes Lagos, a uma hora ao norte de Chicago. Tornou-se suboficial responsável pelo treinamento de milhares de jovens marinheiros antes de eles embarcarem para o mar, especialmente para o Pacífico. Ele me contou quanto se sentia triste quando acompanhava seus aprendizes para o embarque na Costa Oeste, pois sabia que alguns não sobreviveriam. Depois que meu pai morreu, recebi cartas de homens que haviam servido sob seu comando. Muitas vezes, incluíam uma foto de determinada turma de marinheiros, o meu orgulhoso pai na frente ou ao centro. Minha foto favorita o mostra de uniforme, com um sorriso amplo, tão bonito aos meus olhos quanto qualquer astro do cinema dos anos 40.

Meu pai mantinha laços estreitos com sua família em Scranton e levou de carro cada um dos filhos, de Chicago até Scranton, para ser batizado na igreja metodista da rua Court, que ele freqüentava quando criança. Vovó Rodham morreu quanto eu estava com cinco anos e, quando a conheci, estava ficando cega, mas me lembro que toda manhã ela tentava me vestir e pentear. Eu era muito mais ligada a meu avô, que, quando nasci, já se aposentara com um relógio de ouro por cinqüenta anos de trabalho. Era um homem generoso e correto, que orgulhosamente carregava seu relógio de ouro numa corrente e todo dia vestia terno com suspensórios. Quando vinha nos visitar em Illinois, tirava o paletó e arregaçava as mangas da camisa para ajudar minha mãe na casa.

Meu pai sempre foi rigoroso com os filhos, mas era mais duro com os meninos do que comigo. Vovô Rodham freqüentemente intervinha em defesa deles, tornando-se ainda mais querido por nós. Quando crianças, meus irmãos e eu ficávamos muito tempo em seu sobrado na avenida Diamond em Scranton, e todo verão passávamos a maior parte do mês de agosto no chalé que ele construíra em 1921 a cerca de 35 quilômetros a noroeste de Scranton, nas montanhas Pocono, com vista para o lago Winola.

A cabana rústica não tinha aquecimento nenhum, exceto pelo fogão de ferro fundido na cozinha, e nenhum banheiro ou chuveiro interno. Para ficarmos limpos, nadávamos no lago ou parávamos sob a varanda dos fundos enquanto alguém despejava um barril de água sobre nós. A grande varanda da frente era nosso local favorito para brincar, onde nosso avô jogava cartas com meus irmãos e eu. Ele nos ensinou a jogar Pinochle, o melhor jogo de cartas do mundo, em sua opinião. Lia histórias para nós e nos contou a lenda do lago, cujo nome, segundo ele, se originara de uma princesa índia, Winola, que se afogou quando seu pai não a deixou desposar um bonito guerreiro de uma tribo vizinha.

A cabana ainda é de nossa família, bem como muitas de nossas tradições de verão. Bill e eu levamos Chelsea para o lago Winola pela primeira vez quando ela ainda não completara dois anos. Todo ano, meus irmãos passam parte dos verões lá. Agradecidos, eles têm feito algumas melhorias. Dois anos atrás até instalaram um chuveiro.

No início dos anos 50, poucas pessoas dependiam da rodovia de pista única que passava na frente do chalé, e havia ursos e linces nos bosques da montanha atrás da cabana. Quando crianças, explorávamos o meio rural das imediações, de carona ou em carro próprio, pelas estradas vicinais, pescávamos e andávamos de barco no rio Susquehanna. Meu pai me ensinou a atirar atrás do chalé e praticávamos a mira em latas ou pedras. Mas o centro de nossas atividades era o lago, do outro lado da estrada e descendo a trilha depois do armazém de Foster. Nos verões, eu fazia amigos que me levavam para esquiar no lago ou para assistir a filmes que eram projetados em lençóis num espaço aberto na praia do lago. Pelo caminho, eu encontrava pessoas que jamais teria encontrado em Park Ridge, como, por exemplo, uma família que meu avô chamava de "povo da montanha", que vivia sem luz elétrica nem automóvel. Um garoto dessa família, mais ou menos da minha idade, certa vez apareceu no chalé, montado em pêlo num cavalo, e me perguntou se eu queria dar uma volta.

Quando eu tinha ainda dez ou onze anos, jogava Pinochle com os homens — meu avô, meu pai, tio Willard e diversos outros, entre os quais personagens memoráveis como o "velho Pete" e Hank, que eram notórios maus perdedores. Pete morava no final de uma estrada de terra e todo dia aparecia para jogar; invariavelmente saía xingando e pisando duro quando começava a perder. Hank vinha apenas quando meu pai estava lá. Chegava manquitolando com sua bengala até a varanda da frente e subia a elevada escada gritando: "Aquele safado de cabelo preto está em casa? Eu quero jogar cartas". Ele conhecia meu pai desde que nascera e o havia ensinado a pescar. Tal como Pete, não gostava nada de perder e, de vez em quando, virava a mesa após uma derrota particularmente vexatória.

Depois da guerra, papai abriu um pequeno negócio de fazendas para cortinas, a Rodrik Fabrics, no Merchandise Mart do Centro Comercial de Chicago. Sua primeira sede dava vista para o rio Chicago e tenho lembrança de ter ido lá quando tinha ainda três ou quatro anos de idade. Para me manter afastada das janelas, que ele deixava abertas para receber ar fresco, ele me dizia que um lobo mau morava lá embaixo e me comeria se eu caísse. Mais tarde, abriu sua própria estamparia num prédio na zona norte da cidade. Ele contratava trabalhadores diaristas, além de convocar minha mãe, meus irmãos e eu quando estávamos com idade suficiente para ajudar na estamparia. Despejávamos cuidadosamente a tinta na beirada da tela de serigrafia e arrastávamos o rodo para imprimir a estampa no tecido embaixo dela. Depois erguíamos a tela e seguíamos adiante pela mesa, repetindo o processo, criando belos desenhos, alguns concebidos por meu pai. Meu favorito era "Escadaria para as Estrelas".

Em 1950, quando eu tinha três anos e meu irmão Hugh ainda era bebê, meu pai havia ganho o suficiente para mudar-se com a família para o subúrbio de Park Ridge. Havia subúrbios mais elegantes e na moda ao norte de Chicago, à beira do lago Michigan, mas meus pais se sentiam à vontade em Park Ridge, entre todos os outros veteranos que escolhiam o local por suas excelentes escolas públicas, parques, ruas arborizadas, calçadas largas e residências familiares confortáveis. A cidade era de classe média branca, um lugar onde as mulheres ficavam em casa para criar os filhos enquanto os homens viajavam para trabalhar no Centro Comercial de Chicago, a quase trinta quilômetros de distância. Muitos pais tomavam o trem, mas papai tinha de fazer visitas de vendas a clientes potenciais e, por isso, todo dia ia para o trabalho no carro da família.

Meu pai pagou em dinheiro por nossa casa de alvenaria de dois andares no terreno de esquina das ruas Elm e Wisner. Tínhamos dois terraços, uma varanda fechada e um quintal cercado onde os meninos da vizinhança vinham brincar ou roubar frutos de nossa cerejeira. Era o auge da explosão demográfica do pós-guerra e havia enxames de crianças por toda parte. Uma vez, minha mãe contou 47 crianças que residiam em nosso quarteirão.

Na casa vizinha, moravam os quatro filhos dos Williams e, na casa da frente, os seis dos O'Callaghan. O sr. Williams inundava seu quintal no inverno para criar um rinque de gelo onde patinávamos e jogávamos hóquei durante horas, depois da escola e nos fins de semana. O sr. O'Callaghan montou uma tabela de basquete em sua garagem, que atraía meninos de todos os cantos para jogar "rebote" e os velhos favoritos, HORSE [cinco arremessos] e a versão mais curta, PIG [três arremessos]. As brincadeiras de que eu mais gostava eram as que criávamos, como a elaborada competição de equipe chamada "pega e corre", uma forma complexa de esconde-esconde, e as quase diárias maratonas de *softball* e *kickball*, disputadas na esquina de casa usando como bases as tampas do esgoto.

Minha mãe era uma dona-de-casa clássica. Quando penso nela naquele tempo, vejo uma mulher em constante movimento, arrumando as camas, lavando os pratos e servindo a mesa do jantar exatamente às seis horas. Todo dia, eu vinha da escola Field para casa para almoçar — sopa de macarrão com tomate ou frango, queijo derretido ou manteiga de amendoim, pão com lingüiça. Enquanto comíamos, minha mãe e eu ouvíamos programas de rádio como *Ma Perkins* ou *Favorite Story*.

"Conte-me uma história", começava o programa.

"Que tipo de história?"

"Qualquer uma."

Minha mãe também descobria muito do que as pessoas hoje chamam de "tempo de qualidade" para meus irmãos e eu. Foi só no início dos anos 60 que ela aprendeu a dirigir, por isso íamos a pé para toda parte. No inverno, ela nos amontoava num trenó e nos puxava até a mercearia. Depois, segurávamos e equilibrávamos as compras para a viagem de volta. Em meio a sua tarefa de pendurar roupas no varal do quintal, minha mãe às vezes parava para me ajudar a praticar arremesso de beisebol ou deitava-se comigo na grama para descrever as formas das nuvens lá do céu.

Certo verão, ela me ajudou a criar um mundo de fantasia numa grande caixa de papelão. Usamos espelhos como lagos, gravetos como árvores e escrevi contos de fadas para minhas bonecas interpretarem. Em outro verão, ela incentivou Tony, meu irmão mais novo, a realizar seu sonho de escavar um buraco até a China. Ela começou a ler para ele sobre a China e todo dia ele passava um tempo cavando seu buraco ao lado da casa. De vez em quando, ele achava um *hashi* ou um biscoito da sorte que minha mãe havia escondido ali.

Meu irmão Hugh era ainda mais aventureiro. Quando ainda engatinhava, empurrou e abriu a porta para o terraço e alegremente cavou um túnel em meio a um metro de neve até que minha mãe o resgatou. Mais de uma vez, ele e seus amigos saíram para brincar nos terrenos em construção que haviam surgido por todo o nosso bairro e teve de ser escoltado de volta para casa pela polícia. Os outros meninos entraram na viatura, mas Hugh insistiu em voltar a pé, ao lado do carro, dizendo à polícia e a meus pais que estava obedecendo o aviso de nunca entrar no carro de um estranho.

Minha mãe queria que aprendêssemos sobre o mundo lendo livros. Teve mais sucesso comigo do que com meus irmãos, que preferiam a escola da adversidade. Toda semana ela me levava para a biblioteca e eu adorava percorrer todos os livros da seção infantil. Tivemos um aparelho de televisão quando eu tinha cinco anos, mas ela não nos deixava assistir muito. Jogávamos intermináveis partidas com baralhos — War, Memória, Slapjack — e jogos de tabuleiro como Banco Imobiliário e Detetive. Tal como ela, acredito que os jogos de tabuleiro e de cartas ensinam às crianças habilidades matemáticas e estratégia. Durante o ano letivo, eu podia contar com a ajuda de minha mãe para fazer as lições de casa, exceto as de matemática, que ela deixava a cargo de meu pai. Ela datilografava meus trabalhos e salvou minha desastrada tentativa de fazer uma saia para a disciplina de economia doméstica do colegial.

Ela adorava seu lar e sua família, mas se sentia limitada pelas escassas opções de sua vida. Quase não percebemos hoje, quando as escolhas das mulheres chegam a parecer excessivas, mas havia muito poucas para a geração de minha mãe. Ela começou a freqüentar cursos universitários quando estávamos maiores. Nunca tirou um diploma, mas acumulou montanhas de créditos em matérias que iam da lógica ao desenvolvimento infantil.

Minha mãe se sentia ofendida pelos maus-tratos a qualquer ser humano, especialmente às crianças. Ela sabia por experiência própria que muitas crianças — por nenhuma culpa delas — levavam desvantagem e sofriam discriminação desde o nascimento. Odiava a hipocrisia, as pretensões de superioridade moral e incutia em meus irmãos e em mim que não éramos nem melhores nem piores do que os outros. Quando criança na Califórnia, ela vira nipo-americanos em sua escola sofrerem flagrante discriminação e insultos diários dos alunos brancos americanos. Depois que voltou para Chicago, freqüentemente se perguntava sobre o que teria acontecido com um determinado menino de quem ela gostara. Os meninos o chamavam de "Tosh", forma abreviada de Toshihishi. Ela o viu novamente quando voltou para Alhambra para atuar como mestre-de-cerimônias na sexagésima reunião da turma de seu colégio. Conforme ela imaginava, Tosh e sua família haviam sido confinados durante a Segunda Guerra Mundial e sua fazenda fora confiscada. Mas ficou animada ao saber que, após anos de labuta, Tosh se tornara um próspero horticultor.

Cresci em meio ao cabo-de-guerra entre os valores de meus pais, e minhas convicções políticas são um reflexo disso. O abismo entre os gêneros começou em famílias como a minha. Minha mãe era basicamente democrata, embora mantivesse isso em sigilo na republicana Park Ridge. Meu pai era um republicano conservador empedernido, acreditava no esforço pessoal e se orgulhava disso. Era também um mão-de-vaca, não confiava em vendas a crédito e administrava seu negócio numa base estritamente à vista. Sua ideologia se baseava na auto-suficiência e na iniciativa pessoal, mas, ao contrário de muitos que hoje se dizem conservadores, compreendia a importância da responsabilidade fiscal e apoiava investimentos de contribuintes em rodovias, boas escolas, parques e outros bens públicos importantes.

Meu pai não tolerava o desperdício pessoal. Como tantos que cresceram na época da Depressão, o medo da pobreza marcou sua vida. Minha mãe raramente comprava roupas novas, ela e eu negociávamos com ele por semanas a fio para aquisições especiais, como um vestido novo para a formatura. Se um de meus irmãos ou eu esquecíamos de tampar a pasta de dentes, papai a atirava pela janela do banheiro. Tínhamos de ir lá fora, mesmo na neve, para procurá-la nos arbustos na frente da casa. Era sua maneira de nos lembrar para que não desperdiçássemos nada. Até hoje, devolvo para o vidro as azeitonas não consumidas, embrulho os pedaços mais ínfimos de queijo e me sinto culpada quando jogo alguma coisa fora.

Ele era um capataz rígido, mas sabíamos que se importava conosco. Quando eu ficava preocupada por demorar muito na resolução de problemas de matemática nas competições semanais da quarta série da srta. Metzger, ele me acordava cedo para tomar minhas tabuadas de multiplicação e me ensinar divisão com números de mais de dois algarismos. No inverno, ele desligava o aquecimento à noite para economizar dinheiro; depois, acordava de madrugada para ligá-lo de novo. Muitas vezes, acordei ao som de meu pai bradando suas canções favoritas de Mitch Miller.

Meus irmãos e eu éramos obrigados a realizar tarefas domésticas sem nenhuma expectativa de mesada. "Eu alimento vocês, não alimento?", dizia papai. Consegui meu primeiro emprego de verão quando tinha treze anos, trabalhando três manhãs por semana para a secretaria de parques de Park Ridge, na supervisão de um pequeno parque a poucos quilômetros de casa. Como meu pai saía cedo para o trabalho com nosso único carro, eu empurrava para lá e para cá um carrinho de mão cheio de bolas, tacos, cordas de pular e outros materiais. Daquele ano em diante, sempre tive um emprego de verão e muitas vezes trabalhava em outras épocas do ano.

Papai era homem de opiniões fortes, para dizê-lo de forma branda. Todos concordávamos com seus pronunciamentos, a maioria sobre comunistas, empresários de reputação duvidosa ou políticos corruptos, para ele as três formas mais inferiores de vida. Nas discussões familiares animadas, às vezes acaloradas, em torno da mesa da cozinha, normalmente sobre política ou esportes, aprendi que era possível a convivência de mais de uma opinião sob o mesmo teto. Quando estava com doze anos, eu já possuía opiniões próprias sobre muitos assuntos. Também aprendi que uma pessoa não era necessariamente ruim só porque não se podia concordar com ela e que, se você acreditasse em algo, era melhor estar preparado para defendê-lo.

Ambos os meus pais nos condicionavam para sermos duros a fim de sobreviver ao que a vida colocasse em nosso caminho. Esperavam que nos defendêssemos por nós mesmos, tanto eu como meus irmãos. Logo depois que nos mudamos para Park Ridge, minha mãe percebeu que eu relutava em sair para brincar. Às vezes, eu entrava chorando em casa, queixando-me de que a menina do outro lado da rua estava sempre me maltratando. Suzy O'Callaghan tinha irmãos mais velhos e estava acostumada a brincadeiras rudes. Eu tinha apenas quatro anos, mas minha mãe receava que, se eu me entregasse a meus medos, isto se repetiria pelo resto de minha vida. Certo dia, entrei correndo em casa e ela me conteve.

"Volte para lá", ordenou ela, "e se Suzy bater em você, você tem minha permissão para revidar. Você precisa se defender por si mesma. Nesta casa não há lugar para covardes." Mais tarde, ela me disse que ficou olhando por trás da cortina da sala de jantar enquanto eu erguia os ombros e marchava atravessando a rua.

Alguns minutos depois, voltei, radiante com a vitória. "Agora posso brincar com os meninos", disse eu. "E Suzy será minha amiga!"

Ela foi e ainda é.

Como fadinha, e depois bandeirante, eu participava dos desfiles do Quatro de Julho, campanhas de alimentos, vendas de biscoitos e toda e qualquer atividade que resultasse em condecoração por mérito ou aprovação dos adultos. Comecei a organizar as crianças do bairro nas brincadeiras, eventos esportivos e festinhas de quintal, tanto por diversão como para levantar um dinheirinho para campanhas beneficentes. Há uma velha foto de nosso jornal local, o *Park Ridge Advocate*, em que apareço com um bando de amigos exibindo um saco de dinheiro para a United Way. O dinheiro foi arrecadado com a simulação de uma Olimpíada em nosso bairro quando eu tinha doze anos.

Cercada por um pai e irmãos fanáticos por esportes, tornei-me uma aficionada séria e, de vez em quando, também competia. Eu ajudava as equipes de nossa escola e freqüentava todos os jogos possíveis. No beisebol, eu torcia para os Cubs, tal como minha família e a maioria das pessoas de nosso lado da cidade. Meu ídolo era o sr. Cub em pessoa, Ernie Banks. Em nosso bairro, era quase uma heresia torcer para o rival White Sox da Liga Americana, por isso adotei os Yankees como o meu time da Liga, em parte porque adorava Mickey Mantle. Anos mais tarde, minhas explicações sobre as rivalidades esportivas de Chicago caíram em ouvidos surdos durante minha campanha para o Senado, quando os nova-iorquinos céticos ficaram incrédulos de que uma nativa de Chicago pudesse afirmar ter torcido na juventude para um time do Bronx.

Joguei pelo colégio numa liga de *softball* de verão para meninas e a última equipe em que atuei era patrocinada pelo distribuidor local de doces. Vestíamos meiões brancos, shorts pretos e camisas cor-de-rosa, em homenagem às cores dos confeitos Good & Plenty. As meninas de Park Ridge andavam em turmas para baixo e para cima em Hinckley Park, nadando no verão nas águas frias da piscina e patinando no inverno no grande rinque de gelo ao ar livre. Andávamos a pé ou de bicicleta por toda parte — às vezes, no rastro dos lentos caminhões municipais que aspergiam uma névoa de DDT ao final da tarde durante os meses de verão. Na época, ninguém achava que os pesticidas fossem tóxicos. Simplesmente achávamos divertido pedalar pela névoa, respirando o cheiro agridoce de grama cortada e de asfalto quente enquanto arrancávamos mais alguns minutos de diversão da luz que definhava.

Às vezes, patinávamos no gelo do rio Des Plaines, enquanto nossos pais se aqueciam em volta de uma fogueira e falavam de como a expansão do comunismo estava ameaçando nosso modo de vida, que os russos tinham a bomba e que, devido ao *Sputnik*, estávamos perdendo a corrida espacial. Mas a Guerra Fria era uma abstração para mim e meu mundo imediato parecia seguro e estável. Eu não conhecia nenhuma criança cujos pais fossem divorciados e, até entrar no colegial, não conhecia ninguém que tivesse morrido de outra coisa que não de velhice. Admito que esse casulo benigno era uma ilusão, mas uma ilusão que eu desejaria para todas as crianças.

Cresci num período contido e conformista da história americana. Mas, em meio à nossa criação de *Papai Sabe Tudo*, aprendi a resistir à pressão dos colegas. Minha mãe nem queria ouvir falar do que minhas amigas estavam vestindo ou do que pensavam de mim ou do que quer que fosse. "Você é única", diria ela. "Você é capaz de pensar por si mesma. Não me importo se todo mundo está fazendo isso. Nós não somos todo mundo; você não é todo mundo."

Por mim, tudo bem, já que normalmente eu pensava o mesmo. É claro que eu fazia certo esforço para me adaptar. Na adolescência, eu era vaidosa o bastante para às vezes me recusar a usar os óculos fundo-de-garrafa que precisei usar desde os nove anos para corrigir uma péssima visão. Uma amiga da sexta série em diante, Betsy Johnson, me guiava pela cidade funcionando como um cachorro de cego. Às vezes, eu encontrava colegas e não os cumprimentava — não porque eu fosse presunçosa, mas porque não identificava ninguém. Foi só aos trinta anos que aprendi a usar lentes de contato gelatinosas e fortes o bastante para corrigir minha visão.

Betsy e eu tínhamos permissão para ir sozinhas ao cine Pickwick nas tardes de sábado. Certa vez, vimos duas vezes seguidas *Volta meu amor*, com Doris Day e Rock Hudson. Depois, fomos a um restaurante para tomar Coca-Cola e comer batatas fritas. Achamos que mergulhar as fritas no ketchup era invenção nossa quando a garçonete no Robin Hood's nos disse que nunca vira alguém fazer aquilo antes. Eu apenas soube o que era uma refeição *fast-food* quando minha família começou a ir ao McDonald's por volta de 1960. O primeiro McDonald's foi aberto na cidade vizinha de Des Plaines em 1955, mas minha família só descobriu a rede quando um deles foi inaugurado mais perto de nós, em Niles. Mesmo assim, íamos apenas em ocasiões especiais. Ainda me lembro de quando vi o número de hambúrgueres vendidos passar dos milhares para os milhões na placa dos arcos dourados.

Eu gostava da escola e tive a sorte de ter alguns excelentes professores na escola Eugene Field, no ginásio Ralph Waldo Emerson e nos colégios municipais Maine Leste e Maine Sul. Anos depois, quando presidi a Comissão de Normas Pedagógicas do Arkansas, percebi a sorte que tive por freqüentar escolas plenamente equipadas, com professores extremamente preparados e uma ampla gama de opções acadêmicas e extracurriculares. É engraçado o que lembro agora: a srta. Taylor lendo toda manhã trechos do *Ursinho Pooh* no meu primeiro ano. A srta. Cappuccio, minha professora do segundo ano, nos desafiando a escrever números de um a mil, tarefa que mãos pequenas segurando lápis grossos levavam uma eternidade para terminar. O exercício me ajudou a aprender o que significava começar e terminar um grande projeto. A srta. Cappuccio, mais tarde, convidou nossa sala para o seu casamento, quando se tornou a sra. O'Laughlin. Foi um gesto muito gentil e, para meninas de sete anos de idade, ver a professora como uma linda noiva foi um marco naquele ano.

Durante todo o curso primário, fui considerada uma menina durona. Minha turma da quinta série tinha os meninos mais incorrigíveis da escola e, quando a sra. Krause saía da sala, pedia a mim ou a uma das outras meninas para "tomar conta". Tão logo a porta se fechava atrás dela, os meninos começavam a pintar o sete e a causar problemas, sobretudo porque queriam irritar as meninas. Ganhei fama por conseguir enfrentá-los, o que pode ter motivado minha eleição como co-capitã da patrulha de segurança para o ano seguinte. Foi um grande acontecimento em nossa escola. Meu novo *status* me forneceu a primeira lição sobre as estranhas maneiras pelas quais certas pessoas reagem na política eleitoral. Uma das meninas de minha turma, Barbara, me convidou para almoçar em sua casa. Quando chegamos lá, sua mãe estava passando o aspirador de pó e sem a menor cerimônia mandou que sua filha e eu fôssemos preparar sanduíches com manteiga de amendoim; foi o que fizemos. Achei aquilo natural até que ficamos prontas para voltar para a escola e estávamos nos despedindo de sua mãe. Ela perguntou à filha por que estávamos saindo tão cedo e Barbara respondeu: "Porque Hillary é a capitã da patrulha e precisa estar lá antes dos outros meninos". "Ah, se eu soubesse", disse ela, "teria preparado um bom almoço para vocês."

Minha professora da sexta série, Elisabeth King, nos exercitava na gramática, mas também nos incentivava a pensar e a escrever de modo criativo e nos desafiava a experimentar novas formas de expressão. Quando ficávamos com preguiça de responder a suas perguntas, ela dizia: "Vocês estão mais lerdos do que lesmas subindo a montanha no inverno". Muitas vezes, ela parafraseava o verso de Matthew: "Não escondam sua luz dentro de um candeeiro; usem-na para iluminar o mundo". Ela instigou a mim, Betsy Johnson, Gayle Elliot, Carol Farley e Joan Throop a escrever e produzir uma peça sobre cinco meninas fazendo uma viagem imaginária à Europa. Foi um trabalho pedido pela sra. King que me levou a escrever uma autobiografia. Eu a reencontrei numa caixa de papéis velhos depois que deixei a Casa Branca e, ao lê-la, me vi de volta àqueles anos experimentais às vésperas da adolescência. Eu ainda era uma criança com aquela idade e a maior parte do que escrevi dizia respeito à família, à escola e aos esportes. Mas a escola elementar estava terminando e era hora de ingressar num mundo mais complicado do que aquele que eu conhecera.

2

UNIVERSIDADE DA VIDA

"O QUE NÃO SE APRENDE COM A MÃE, aprende-se com o mundo" é um provérbio que certa vez ouvi da tribo Masai, do Quênia. No outono de 1960, meu mundo estava em expansão e o mesmo acontecia com minha sensibilidade política. John F. Kennedy venceu a eleição presidencial, para consternação de meu pai. Ele apoiava o vice-presidente Nixon, e meu professor de estudos sociais da oitava série, o sr. Kenvin, também. O sr. Kenvin chegou à escola no dia seguinte à eleição e nos mostrou ferimentos que ele afirmava ter sofrido quando tentou questionar as atividades dos escrutinadores da máquina do partido democrata em sua seção eleitoral em Chicago no dia da eleição. Betsy Johnson e eu ficamos indignadas com os casos que ele contou, que reforçavam a convicção de meu pai de que a contagem criativa de votos do prefeito Richard J. Daley havia ganho a eleição para o presidente John Kennedy. Durante nosso intervalo de almoço, fomos até um telefone público ao lado da lanchonete e tentamos ligar para o gabinete do prefeito Daley para reclamar. Falamos com uma mulher muito gentil, que nos garantiu que passaria o recado ao prefeito.

Alguns dias depois, Betsy ficou sabendo que um grupo de republicanos estava pedindo voluntários para comparar listas de eleitores e endereços e descobrir fraude eleitoral. O anúncio pedia aos voluntários que se reunissem num hotel no centro da cidade às nove horas de uma manhã de sábado. Betsy e eu decidimos participar. Sabíamos que nossos pais jamais permitiriam e, por isso, não pedimos. Tomamos o ônibus para o centro da cidade, andamos até o hotel e fomos encaminhadas para um pequeno salão de baile. Chegando a uma mesa de informações, dissemos que estávamos ali para ajudar. O número de voluntários devia ter sido menor do que o esperado. Cada uma de nós recebeu um maço de listas de registro de eleitores e foi designada a equipes distintas que, segundo disseram, nos levariam de carro até nossos destinos, nos deixariam lá e, algumas horas depois, nos apanhariam de volta.

Betsy e eu nos separamos e partimos com pessoas totalmente desconhecidas. Fiquei com um casal que me levou para a zona sul, deixou-me num bairro pobre e me disse para bater nas portas e perguntar os nomes das pessoas que atendessem para que eu pudesse compará-los com as listas de registro e encontrar provas que invalidassem a eleição. E lá fui eu, intrépida e estúpida. De fato, encontrei um terreno vago que estava listado como endereço para cerca de uns dez pretensos eleitores. Acordei muita gente que chegava tropeçando até a porta ou gritava lá de dentro para que eu fosse embora. E entrei num bar, onde havia homens bebendo, para perguntar se algumas pessoas de minha lista realmente moravam ali. Os homens ficaram tão espantados em me ver que ficaram em silêncio enquanto eu fazia as perguntas, até que o *barman* me disse que eu teria de voltar mais tarde porque o proprietário não estava.

Quando terminei, fiquei parada na esquina esperando para ser apanhada, feliz por ter desenterrado prova da alegação de meu pai de que "Daley fraudou a eleição em favor de Kennedy".

É claro que quando voltei para casa e disse a meu pai onde estivera, ele ficou uma fera. Já era muito ruim ir até o centro sem a companhia de um adulto, mas ir sozinha até a zona sul o deixou aos berros. E, além do mais, disse ele, Kennedy ia ser o presidente, quer gostássemos disso ou não.

Meu ano de caloura no colégio Maine Leste foi um choque cultural. Os filhos da geração pós-guerra levaram as matrículas a quase 5 mil alunos de diferentes grupos étnicos e econômicos. Lembro-me de ter saído de minha sala no primeiro dia de aula abraçando as paredes para não ser esmagada pelos alunos, todos parecendo maiores e mais maduros do que eu. De nada valera minha decisão na semana anterior de fazer um penteado mais "adulto" para começar meus anos de colegial. Assim começaram minhas eternas brigas com o cabelo.

Eu usava meus cabelos longos e lisos, num rabo-de-cavalo ou presos para trás por uma travessa, e sempre que minha mãe ou eu precisávamos de um permanente ou corte visitávamos sua querida amiga Amalia Toland, que outrora havia sido cabeleireira. Amalia nos atendia em sua cozinha enquanto conversava com minha mãe. Mas eu queria aparecer no colégio com um corte estilo pajem ou gatinho, como o das garotas mais velhas que eu admirava, e implorei a minha mãe para me levar a um verdadeiro salão de beleza. Uma vizinha recomendou um homem que tinha um salão numa pequena sala sem janela nos fundos de um supermercado local. Lá, dei a ele uma foto do que eu queria e esperei para ser transformada. Brandindo a tesoura, ele começou a cortar, o tempo todo conversando com minha mãe, muitas vezes se virando para insistir em algum ponto. Observei horrorizada quando ele cortou um enorme naco de cabelo do lado direito de minha cabeça. Soltei um grito estridente. Quando ele finalmente olhou para onde eu estava apontando, disse: "Oh, minha tesoura deve ter escorregado, terei de acertar o outro lado". Chocada, observei o resto de meu cabelo desaparecer, deixando-me — pelo menos aos meus olhos — parecida com uma alcachofra. A coitada da minha mãe tentava me animar, mas eu sabia: minha vida estava arruinada.

Recusei-me a sair de casa por vários dias, até que resolvi que, se comprasse um rabo-de-cavalo postiço na Ben Franklin's, poderia prendê-lo no topo da cabeça, passar uma fita em volta e fingir que o desastre do escorregão da tesoura jamais acontecera. Foi o que fiz, o que me poupou de me sentir constrangida e embaraçada naquele primeiro dia — até descer a grandiosa escadaria central entre uma aula e outra. Subindo as escadas, vinha Ernest Ricketts, conhecido como "Ricky", que era meu amigo desde o dia em que fomos juntos pela primeira vez para o jardim-de-infância. Ele me cumprimentou, esperou até passar por mim e, então, como havia feito dezenas de vezes antes, esticou o braço para puxar meu rabo-de-cavalo — só que, desta vez, ficou com ele na mão. O motivo por que ainda hoje somos amigos é que ele não aumentou minha desolação; em vez disso, devolveu meu "cabelo", disse que sentia muito ter me escalpelado e seguiu adiante sem chamar mais a atenção para o pior momento — pelo menos, até aquele dia — de minha vida.

Isso agora é clichê, mas o meu colégio no início dos anos 60 se parecia com o filme *Nos tempos da brilhantina* ou com o programa de TV *Happy Days*. Tornei-me presidente do fã-clube local de Fabian, ídolo *teen*, que era formado por mim e mais duas meninas. Toda noite de domingo assistíamos ao *Ed Sullivan Show* com nossas famílias, exceto na noite em que os Beatles se apresentaram, 9 de fevereiro de 1964, que tinha de ser uma experiência grupal. Paul McCartney era meu Beatle favorito, o que resultava em debates sobre os méritos respectivos de cada um, particularmente com Betsy, que sempre defendia George Harrison. Consegui ingressos para o concerto dos Rolling Stones no McCormick Place de Chicago em 1965. "(I Can't Get No) Satisfaction" tornou-se um hino para todo tipo de angústia adolescente. Anos depois, quando conheci os ícones de minha juventude, como Paul McCartney, George Harrison e Mick Jagger, não sabia se apertava suas mãos ou se ficava pulando e gritando.

Apesar da "cultura jovem" em desenvolvimento, definida sobretudo pela televisão e pela música, havia grupos distintos em nossa escola que determinavam a posição social de cada um: atletas e líderes de torcidas; ativistas do grêmio; *chicanos* e marginais. Havia corredores pelos quais não me atrevia a passar porque, diziam-me, os caras da "oficina" encaravam a gente. Os assentos no refeitório eram ditados por fronteiras invisíveis que todos nós respeitávamos. Em meu primeiro ano, as tensões subjacentes irrompiam em brigas entre os grupos depois da aula no estacionamento e nos jogos de futebol e basquete.

A administração agiu prontamente para intervir e estabeleceu um grupo estudantil chamado Comitê de Valores Culturais, constituído por alunos representantes de diferentes grupos. O diretor, o dr. Clyde Watson, me convidou para entrar no comitê, dando-me a chance de conhecer e conversar com rapazes que eu não conhecia e que anteriormente teria evitado. Nosso comitê propôs recomendações específicas para promover a tolerância e reduzir a tensão. Vários de nós fomos convidados a nos apresentar em um programa de televisão local para discutir o que nosso comitê havia feito. Essa foi minha primeira aparição na televisão e minha primeira experiência com uma campanha organizada para enfatizar os valores americanos do pluralismo e do mútuo respeito e compreensão. Esses valores precisavam ser cultivados, mesmo em meu colégio do subúrbio de Chicago. Embora o corpo discente fosse homogêneo, ainda descobríamos formas de nos isolar e demonizar uns aos outros. O comitê me propiciou a oportunidade de fazer novos e diferentes amigos. Alguns anos depois, quando estava num baile numa ACM local e alguns caras começaram a me assediar, um dos antigos membros do comitê, tido como *chicano*, interveio ordenando que os outros me deixassem em paz porque eu era "legal".

Nem tudo, porém, foi "legal" durante o meu tempo no colégio. Eu estava assistindo à aula de geometria no dia 22 de novembro de 1963, atrapalhada com um dos problemas do sr. Craddock, quando outro professor entrou para nos contar que o presidente Kennedy havia sido baleado em Dallas. O sr. Craddock, um de meus professores favoritos e nosso padrinho de turma, gritou: "O quê? Não pode ser", e correu para o corredor. Quando voltou, confirmou que alguém havia atirado no presidente e que provavelmente era algum "John Bircher", uma referência a uma organização de direita que se opunha ferozmente ao presidente Kennedy. Ele nos pediu que fôssemos para o auditório para aguardar novas informações. Os corredores estavam silenciosos enquanto milhares de alunos caminhavam atônitos e incrédulos para o auditório da escola. Finalmente, o diretor entrou e disse que seríamos dispensados mais cedo.

Quando cheguei em casa, encontrei minha mãe diante do televisor assistindo ao programa de Walter Cronkite. Cronkite anunciou que o presidente Kennedy morrera à uma da tarde, horário do centro dos Estados Unidos. Minha mãe confessou que votara em Kennedy e estava muito triste por sua mulher e filhos. Eu também. Além disso, eu lamentava por nosso país e queria ajudar de alguma forma, embora não tivesse a menor idéia de como fazê-lo.

Evidentemente eu esperava trabalhar para ganhar a vida e não me sentia limitada em minhas opções. Tive a sorte de ter pais que nunca tentaram me moldar em nenhuma categoria ou carreira. Simplesmente me encorajavam a me destacar e ser feliz. De fato, não me lembro de um pai de amigo ou amiga, nem de um professor, dizendo a mim ou a minhas amigas que "meninas não podem fazer isto" ou "meninas não devem fazer aquilo". Às vezes, porém, a mensagem era passada de outras maneiras.

A escritora Jane O'Reilly, que se tornara adulta nos anos 50, escreveu um famoso ensaio para a revista *Ms.* em 1972, relatando os momentos de sua vida em que ela percebeu que estava sendo desvalorizada por ser mulher. Ela descrevia o instante da revelação como um *clique!* — como o mecanismo que aciona uma lâmpada de *flash*. Podia ser tão gritante quanto os anúncios de empregados procurados que, até a metade dos anos 60, eram divididos em colunas separadas para homens e mulheres, ou tão sutis quanto o impulso a ceder o primeiro caderno do jornal para o homem que estivesse por perto — *clique!* —, contentando-se com as páginas femininas até que ele tivesse terminado de ler as notícias sérias.

Houve alguns momentos em que senti esse *clique!*. Sempre fui fascinada com a investigação e as viagens espaciais, em parte, talvez, porque meu pai se preocupava muito com o atraso dos Estados Unidos em relação à Rússia. A promessa do presidente Kennedy de colocar homens na Lua me entusiasmou e escrevi para a NASA para me candidatar para o treinamento de astronautas. Recebi uma resposta informando-me de que não estavam aceitando meninas no programa. Foi a primeira vez que me choquei contra um obstáculo que eu não poderia superar com muito trabalho e determinação, e fiquei indignada. É claro que minha deficiência visual e aptidões físicas medíocres teriam, no final, me desqualificado, independentemente do meu gênero. No entanto, a rejeição sumária me magoou e, mais tarde, me deixou mais solidária com todos os que enfrentavam qualquer tipo de discriminação.

No colégio, uma de minhas colegas mais inteligentes abandonou os cursos intensivos porque seu namorado não os freqüentava. Outra não queria que suas notas fossem anunciadas porque sabia que tiraria notas melhores do que o rapaz que ela estava namorando. Essas garotas haviam captado os sinais culturais sutis e não-tão-sutis-assim que as pressionavam a conformar-se aos estereótipos sexistas, a reduzir suas próprias realizações a fim de não ultrapassar os rapazes de seu convívio. Eu estava interessada nos rapazes do colégio, mas nunca namorei firme nenhum deles. Simplesmente não me passava pela cabeça desistir de uma formação universitária ou de uma carreira para me casar, tal como algumas amigas minhas pretendiam fazer.

Desde cedo, me interessei pela política e adorava afiar minhas habilidades de debate com meus amigos. Eu pressionava o pobre Ricky Ricketts em debates diários sobre a paz mundial, placares de beisebol, todo tópico que me ocorresse. Concorri com sucesso para o grêmio estudantil e para vice-presidente de turma do primeiro ano. Também fui ativista da juventude republicana e, mais tarde, Garota Goldwater, chegando até a vestir o traje de vaqueira e chapéu de *cowboy* adornado com o slogan "AuH$_2$O" [símbolo químico do ouro (*gold*) mais água (*water*)].

Meu professor de história da nona série, Paul Carlson, foi, e ainda é, um pedagogo dedicado e um republicano muito conservador. O sr. Carlson me incentivou a ler o livro que acabara de ser publicado do senador Barry Goldwater, *The Conscience of a Conservative* [A consciência de um conservador]. O livro me inspirou a escrever meu trabalho de fim de curso sobre o movimento conservador americano, que dediquei "A meus pais, que sempre me ensinaram a ser um indivíduo". Eu gostava do senador Goldwater porque ele era um individualista inflexível que nadava contra a maré política. Anos depois, admirei seu apoio explícito aos direitos individuais, o que considerei coerente com seus antiquados princípios conservadores: "Não ameace com o inferno os gays, os negros e os mexicanos. As pessoas livres têm o direito de fazer o que bem entenderem". Quando Goldwater descobriu que eu o havia apoiado em 1964, enviou para a Casa Branca uma caixa de apetrechos e temperos para churrasco e me convidou para ir visitá-lo. Finalmente, em 1996, fui até sua casa em Phoenix e passei uma hora maravilhosa conversando com ele e sua dinâmica esposa, Susan.

O sr. Carlson também venerava o general Douglas MacArthur e por isso ouvíamos sem parar as fitas de seu discurso de despedida ao Congresso. No encerramento de uma dessas sessões, o sr. Carlson exclamou entusiasmado: "E acima de tudo, lembrem-se, 'Melhor morto que vermelho!'". Ricky Ricketts, sentado à minha frente, começou a rir e fiquei contagiada. O sr. Carlson perguntou, severo: "Do que vocês estão achando tanta graça?". E Ricky respondeu: "Caramba, senhor Carlson, eu só tenho catorze anos e prefiro estar vivo do que qualquer outra coisa".

Meu envolvimento ativo com a Primeira Igreja Metodista Unida de Park Ridge abriu-me os olhos e o coração para as necessidades dos outros e contribuiu para instilar em minha fé um sentido de responsabilidade social enraizada. Os pais de meu pai diziam ter se tornado metodistas porque seus bisavós foram convertidos nas pequenas aldeias de mineradores de carvão em torno de Newcastle, no norte da Inglaterra, e no sul do País de Gales por John Wesley, que fundou a Igreja Metodista no século VIII. Wesley ensinava que o amor de Deus se expressa por boas obras, o que ele explicava com uma regra simples: "Fazei todo o bem que puderdes, por todos os meios possíveis, em todos os sentidos possíveis, em todos os lugares possíveis, em todos os momentos possíveis, para todas as pessoas que puderdes, por todo o tempo que for possível". Sempre haverá mérito no debate sobre qual definição de "bem" se adota, mas, como adolescente, acatei sinceramente a orientação de Wesley. Meu pai orava toda noite ao lado da cama e a oração se tornou para mim uma fonte de consolo e orientação já quando eu era criança.

Eu passava bastante tempo em nossa igreja, onde fui crismada na sexta série junto com alguns de meus mais antigos amigos, como Ricky Ricketts e Sherry Heiden, que freqüentaram a igreja comigo durante todo o período do colégio. Minha mãe lecionava na escola dominical, em grande parte, segundo diz, para vigiar meus irmãos. Eu freqüentava a escola bíblica, a escola dominical, o grupo de jovens e participava ativamente dos cultos e do grupo do altar, que limpava e preparava o altar nos sábados para os cultos de domingo. Minha tentativa de conciliar a insistência de meu pai na auto-suficiência e as preocupações de minha mãe com a justiça social foi favorecida com a chegada, em 1961, de um jovem ministro metodista chamado Donald Jones.

O reverendo Jones acabara de sair do Seminário da Universidade de Drew e de quatro anos na Marinha. Estava repleto de ensinamentos de Dietrich Bonhoeffer e Reinhold Niebuhr. Bonhoeffer enfatizava que o papel do cristão era um papel moral de engajamento total no mundo com o objetivo de promover o desenvolvimento humano. Niebuhr alcançava um equilíbrio convincente entre um realismo esclarecido sobre a natureza humana e uma paixão incansável pela justiça e a reforma social. O reverendo Jones enfatizava que uma vida cristã era "fé em ação". Eu nunca havia conhecido ninguém como ele. Don chamava suas sessões do grupo de jovens metodistas das noites de domingo e quinta-feira de "a Universidade da Vida". Estava sempre ávido para trabalhar conosco porque esperava que nos conscientizássemos mais sobre a vida fora de Park Ridge. Certamente alcançou seus objetivos comigo. Graças à "Universidade" de Don, li pela primeira vez e. e. cummings e T. S. Eliot; vivenciei as pinturas de Picasso, particularmente *Guernica*, e debati o significado do "Grande Inquisidor" nos *Irmãos Karamazov* de Dostoiévski. Eu voltava para casa toda alvoroçada e compartilhava com minha mãe o que aprendera, e ela rapidamente passou a ver em Don um espírito afim. Mas a Universidade da Vida não tratava apenas de arte e literatura. Visitávamos igrejas negras e hispânicas do centro de Chicago para intercâmbios com seus grupos de jovens.

Nas discussões que fazíamos nos porões das igrejas, descobri que, apesar das diferenças óbvias em nossos ambientes, esses jovens eram mais parecidos comigo do que eu jamais teria imaginado. Também sabiam mais sobre o que estava acontecendo no movimento pelos direitos civis no Sul. Eu ouvira falar apenas vagamente de Rosa Parks e do dr. Martin Luther King, mas as discussões despertaram meu interesse.

Assim, numa semana, quando Don avisou que nos levaria para ir ver o dr. King falar no Orchestra Hall, fiquei entusiasmada. Meus pais me deram permissão, mas os pais de alguns de meus amigos se recusaram a deixar que fossem ouvir tamanho "agitador".

O discurso do dr. King era intitulado "Remaining Awake Through Revolution" ["Permanecendo consciente durante a Revolução"]. Até então, eu estivera pouco consciente da revolução social que estava ocorrendo em nosso país, mas as palavras do dr. King iluminaram a luta que estava em curso e questionaram nossa indiferença: "Estamos hoje na fronteira da Terra Prometida da integração. A velha ordem está morrendo e uma nova ordem está chegando. Devemos todos aceitar esta ordem e aprender a conviver como irmãos numa sociedade mundial ou pereceremos todos".

Embora meus olhos estivessem se abrindo, na maioria das vezes eu papagueava a sabedoria convencional da política de Park Ridge e de meu pai. Enquanto Don Jones me lançava em experiências "liberalizantes", Paul Carlson me apresentava a refugiados da União Soviética que faziam relatos assustadores sobre a crueldade do domínio comunista, o que reforçou ainda mais minhas fortes opiniões anticomunistas. Don comentou certa vez que ele e o sr. Carlson estavam travando uma batalha pela conquista de minha cabeça e de minha alma. O conflito entre eles, porém, ia muito além, e chegou a um ponto crítico em nossa igreja, da qual Paul também era membro. Paul discordava das prioridades de Don, entre as quais o currículo da Universidade da Vida, e insistia que Don devia ser afastado da igreja. Após muitos confrontos entre os dois, Don decidiu deixar a igreja, depois de apenas dois anos, em favor de um cargo de ensino na Universidade de Drew, da qual acabara de se aposentar como Professor Emérito de Ética Social. Permanecemos em estreito contato ao longo dos anos, e Don e sua esposa Karen faziam freqüentes visitas à Casa Branca. Ele ajudou no casamento de meu irmão Tony no Jardim Rosa, no dia 28 de maio de 1994.

Agora entendo o conflito entre Don Jones e Paul Carlson como um indicador precoce das fissuras culturais, políticas e religiosas que se desenvolveram por todo o país nos últimos quarenta anos. Eu gostava de ambos como pessoas, e não via suas convicções como diametralmente opostas, tanto naquela época como hoje.

Ao final de meu primeiro ano no Maine Leste, nossa turma do básico foi dividida em duas, e metade de nós tornou-se a primeira turma de formandos do colégio municipal Maine Sul, construído para comportar os filhos do pós-guerra. Concorri para presidente do grêmio estudantil contra sete rapazes e perdi, o que não me surpreendeu, mas, mesmo assim, me magoou, particularmente porque um de meus opositores me disse que eu era "realmente estúpida se pensava que uma garota poderia ser eleita presidente". Assim que a eleição se encerrou, o vencedor me pediu para liderar o Comitê de Organizações, que, segundo eu suspeitava, deveria fazer a maior parte do trabalho. E aceitei.

Aquilo, na verdade, se mostrou divertido porque, enquanto primeira turma de formandos, estávamos iniciando todas as tradições colegiais, como os desfiles e bailes de despedida, eleições do conselho estudantil, assembléias de confraternização e festas de formatura. Encenamos um debate presidencial para a eleição de 1964. Um jovem professor de ciência política, Jerry Baker, assumiu a mediação. Ele sabia que eu estava apoiando ativamente Goldwater. Eu até convencera meu pai a nos levar, Betsy e eu, para ouvirmos Goldwater falar quando ele passou numa rodada de campanha por trem pelos subúrbios de Chicago.

Uma de minhas amigas, Ellen Press, era a única democrata que eu conhecia em minha turma e apoiava declaradamente o presidente Johnson. O sr. Baker, em um ato inesperado de brilhantismo — ou perversidade —, indicou-me para representar o presidente Johnson e Ellen para representar o senador Goldwater. Ambas nos sentimos afrontadas e protestamos, mas o sr. Baker disse que isso obrigaria cada uma de nós a conhecer as questões do ponto de vista do outro lado. Assim, mergulhamos — pela primeira vez — nas posições democráticas do presidente Johnson sobre direitos civis, saúde e a política em relação à pobreza e às relações exteriores. Eu lamentava cada hora passada na biblioteca lendo a plataforma dos democratas e as declarações da Casa Branca. Mas enquanto me preparava para o debate, vi-me argumentando com algo mais do que fervor teatral. Ellen deve ter passado pela mesma experiência. No momento em que nos formamos no colegial, cada uma de nós havia mudado de filiação política. Mais tarde, o sr. Baker trocou o magistério por Washington, onde atuou durante muitos anos como conselheiro jurídico da Associação dos Pilotos de Companhias Aéreas, um cargo que aproveita bem sua capacidade de entender tanto a perspectiva democrática como a republicana.

Estar no último ano do colegial também significava pensar na faculdade. Eu sabia que estava a caminho, mas não tinha a menor idéia de para qual delas. Fui visitar nosso sobrecarregado e despreparado orientador para o ensino superior, que me forneceu alguns folhetos sobre faculdades do Meio-Oeste, mas não ofereceu nenhuma ajuda nem conselho. Obtive orientação de duas recém-formadas em faculdades que estavam estudando para o seu mestrado em pedagogia na Universidade Northwestern, e que haviam sido designadas para ministrar aulas de ciência política no Maine Sul: Karin Fahlstrom, formada na Smith, e Janet Altman, formada na Wellesley. Lembro-me da srta. Fahlstrom dizendo à nossa turma que desejava que lêssemos um jornal diário diferente do *Chicago Tribune* do coronel McCormick. Quando perguntei qual, ela sugeriu o *New York Times*. "Mas esse é um joguete do *establishment* do Leste!", respondi. A srta. Fahlstrom, nitidamente surpresa, disse: "Ora, então leia o *Washington Post!*". Até aquele momento, eu nunca havia visto nenhum desses jornais e não sabia que o *Chicago Tribune* não era o dono da verdade.

Em meados de outubro, tanto a srta. Fahlstrom como a srta. Altman me perguntaram se eu sabia onde queria fazer faculdade; eu não sabia, e elas recomendaram que me inscrevesse para a Smith e para a Wellesley, duas das sete principais faculdades para mulheres. Disseram-me que, se eu fosse para uma faculdade de mulheres, poderia me concentrar nos estudos durante a semana e me divertir nos fins de semana. Eu nem sequer havia considerado deixar o Meio-Oeste para fazer faculdade, e apenas visitara a Universidade do Estado de Michigan porque seu programa de estudos avançados convidava finalistas do Merit Scholar [sistema nacional de reconhecimento acadêmico] para conhecerem o campus. Mas assim que a idéia foi apresentada, interessei-me. Convidaram-me para participar de eventos para conhecer alunos e ex-alunos. A reunião da Smith foi numa grande e magnífica residência em um dos abastados subúrbios à margem do lago Michigan, ao passo que a da Wellesley foi num apartamento de cobertura na rua Lake Shore em Chicago. Em ambas me senti deslocada. Todas as garotas não só pareciam mais ricas como mais vividas do que eu. Na reunião da Wellesley, uma delas estava fumando cigarros coloridos em tom pastel e falava sobre o verão que passara na Europa. Aquilo parecia muito distante do lago Winola e de minha vida.

Disse a minhas duas orientadoras que não sabia se queria "ir para o Leste" para estudar, mas elas insistiram que eu falasse com meus pais sobre a inscrição. Minha mãe achava que eu deveria ir para onde eu quisesse. Meu pai disse que eu era livre para fazer isso, mas que não pagaria se eu fosse para o oeste do Mississippi ou para Radcliffe, que, segundo ele ouvira dizer, estava cheia de *beatniks*. Smith e Wellesley, das quais ele nunca ouvira falar, eram aceitáveis. Nunca visitei nenhum dos campi e, assim, quando fui aceita, decidi por Wellesley com base nas fotos do campus, particularmente seu pequeno lago Waban, que me lembrava o lago Winola. Sempre fui grata a essas duas professoras.

Eu não sabia de mais ninguém que iria para Wellesley. Muitos amigos meus estavam freqüentando faculdades do Meio-Oeste para ficar perto de casa. Meus pais me levaram de carro até a faculdade e, por algum motivo, perdêmo-nos em Boston, indo parar em Harvard Square, o que apenas confirmou as opiniões de meu pai sobre os *beatniks*. Entretanto, não havia nenhum à vista em Wellesley e ele pareceu tranqüilizar-se. Minha mãe disse que chorou durante os mil e tantos quilômetros de volta de Massachusetts até Illinois. Agora que passei pela experiência de deixar minha filha numa universidade distante, compreendo exatamente como ela se sentia. Mas, naquela época, eu estava pensando apenas em meu próprio futuro.

3

A TURMA DE 1969

EM 1994, FRONTLINE, A SÉRIE TELEVISIVA DA PBS, produziu um documentário sobre a turma da Wellesley de 1969, "a turma de Hillary". Era a minha turma, certamente, mas era muito mais do que isso. A produtora, Rachel Dretzin, explicou por que *Frontline* decidira investigar nossos 25 anos pósformatura: "Elas percorreram uma trajetória diferente de qualquer outra geração, em meio a um período de profunda transformação e sublevação para as mulheres".

Minhas colegas de turma disseram que Wellesley era uma escola de garotas quando começamos o curso e, quando saímos, uma faculdade de mulheres. Essa impressão provavelmente dizia tanto sobre nós quanto sobre a faculdade.

Cheguei em Wellesley trazendo as convicções políticas de meu pai e os sonhos de minha mãe, e saí com os primórdios de mim mesma. Mas, naquele primeiro dia, à medida que meus pais se afastavam no carro, senti-me sozinha, derrotada e deslocada. Conheci garotas que haviam freqüentado internatos particulares, morado no exterior, falavam fluentemente outros idiomas e eram dispensadas de cursos básicos por suas notas altas em provas das mesmas matérias feitas no colegial. Eu havia saído do país apenas uma vez — para conhecer o lado canadense das cataratas do Niágara. A única vez em que tive contato com línguas estrangeiras foi com o latim do colegial.

Não foi de imediato que me tornei efetivamente aluna da Wellesley. Matriculei-me em cursos que se mostraram muito desafiadores. Minhas lutas com a matemática e a geologia me convenceram de uma vez por todas a desistir de qualquer idéia de me tornar médica ou cientista. Meu professor de francês delicadamente me disse: *"Mademoiselle,* os seus talentos estão em outro lugar". Um mês depois de começar os estudos, liguei para casa a cobrar e disse a meus pais que não me achava inteligente o bastante para ficar ali. Meu pai me disse para voltar e minha mãe disse que não queria que eu fosse uma covarde. Após um começo vacilante, as dúvidas desapareceram, e percebi que realmente não podia voltar para casa novamente e, assim, também poderia fazer aquilo dar certo.

Numa noite de neve durante o primeiro ano, Margaret Clapp, então reitora da faculdade, chegou inesperadamente em meu dormitório, o Stone-Davis, que ficava um pouco acima do lago Waban. Ela entrou no refeitório e pediu voluntárias para ajudá-la a agitar suavemente a neve dos galhos das árvores das imediações para que não se quebrassem com o peso. Caminhamos de árvore em árvore, com neve à altura dos joelhos sob um céu claro e estrelado, lideradas por uma mulher forte e inteligente, atenta às surpresas e vulnerabilidades da natureza. Era com o mesmo cuidado que ela orientava e questionava suas alunas e o corpo docente da faculdade. Naquela noite concluí que encontrara o lugar ao qual pertencia.

Madeleine Albright, que trabalhou como embaixadora das Nações Unidas e secretária de Estado na administração Clinton, começou a cursar Wellesley dez anos antes de mim. Conversei com ela muitas vezes sobre as diferenças entre seu tempo e o meu. Ela e suas amigas do final dos anos 50 estavam mais francamente empenhadas em encontrar um marido e menos fustigadas pelas mudanças no mundo exterior. No entanto, também se beneficiaram com o exemplo e as elevadas expectativas da Wellesley de que as mulheres poderiam se realizar se tivessem uma chance. No seu tempo e no meu, Wellesley enfatizava o serviço. Seu lema em latim é *Non ministrari sed ministrare* — "Não ser servida, mas servir" —, uma frase em consonância com minha própria criação metodista. Na época em que cheguei, na metade de uma era de ativismo estudantil, muitas alunas encaravam o lema como um chamado às mulheres para que se engajassem mais em moldar suas vidas e influenciar o mundo a sua volta.

O que mais valorizei em Wellesley foi a amizade para toda a vida e a oportunidade que uma faculdade de mulheres nos oferecia para abrir as asas e a mente na jornada permanente rumo à autodeterminação e à identidade. Aprendíamos com os casos que contávamos umas às outras, sentadas em nossos dormitórios ou nos demorados almoços no refeitório todo em vidro.

Permaneci os quatro anos no mesmo dormitório, o Stone-Davis, e terminei morando num corredor com cinco alunas que se tornaram amigas para sempre. Johanna Branson, uma alta dançarina de Lawrence, Kansas, tornou-se especialista em história da arte e compartilhava comigo seu amor pela pintura e pelo cinema. Johanna explicou em *Frontline* que, desde o primeiro dia em Wellesley, nos disseram que éramos '*la crème de la crème*'. Isto soa hoje muito pedante e elitista. Mas, na época, era uma coisa maravilhosa de ouvir quando se era uma garota... não tínhamos de sentar depois de ninguém". Jinnet Fowles, de Connecticut, outra aluna de história da arte, formulava questões de difícil resposta sobre o que eu julgava que se poderia realmente realizar por meio da ação estudantil. Jan Krigbaum, uma livre pensadora da Califórnia, trazia um incansável entusiasmo para toda iniciativa e ajudou a criar um programa de intercâmbio com estudantes latino-americanos. Connie Hoenk, uma loura de cabelos compridos de South Bend, Indiana, era uma garota prática, terra-a-terra, cujas opiniões freqüentemente refletiam nossas raízes comuns no Meio-Oeste. Suzy Salomon, uma garota inteligente e esforçada de outro subúrbio de Chicago, que tinha o riso solto, estava sempre disposta a ajudar.

Duas alunas mais velhas, Shelley Parry e Laura Grosch, tornaram-se minhas mentoras. Novata em meu dormitório quando cheguei como caloura, Shelley tinha graça e porte incomuns para uma jovem. Ela olhava para mim, tranqüila, com olhos enormes e inteligentes, enquanto eu discursava sobre alguma injustiça real ou observada no mundo e depois delicadamente sondava a origem de minha paixão ou a base factual para a minha postura. Após a graduação, ela lecionou em Gana e em outros países da África, onde conheceu seu marido australiano e, por fim, estabeleceu-se na Austrália. A colega de quarto de Shelley era a indômita Laura Grosch, uma jovem de grandes emoções e talento artístico. Quando vi *Fooly Scare*, uma das pinturas de Laura no quarto de seu dormitório, gostei tanto do quadro que o comprei no curso de anos em pequenas prestações. Ele está hoje pendurado em nossa casa em Chappaqua. Todas essas garotas se tornaram mulheres maduras cuja amizade me sustentou e apoiou ao longo dos anos.

Nossa faculdade só de mulheres garantia um foco na realização acadêmica e na liderança extracurricular, que poderíamos ter perdido em uma faculdade mista. Nós, mulheres, não só administrávamos todas as atividades estudantis — desde o diretório estudantil até o jornal e os clubes — como também nos sentíamos mais livres para correr riscos, cometer erros e até fracassar uma diante da outra. Era ponto pacífico que a presidente de nossa turma, a editora do jornal e a melhor aluna de cada área seria uma mulher. E podia ser qualquer uma de nós. Ao contrário das garotas inteligentes de meu colégio, que se sentiam pressionadas a abandonar suas próprias ambições em favor de vidas mais tradicionais, minhas colegas de Wellesley queriam ser reconhecidas por seu talento, trabalho dedicado e realizações. Talvez isso explique por que há um número desproporcional de diplomadas em faculdades de mulheres trabalhando em profissões nas quais as mulheres tendem a ser pouco representadas.

A ausência de alunos do sexo masculino liberava muito espaço psíquico e criava uma zona de segurança para nos esquivarmos às aparências — em todos os sentidos da palavra — de segunda até a tarde de sexta-feira. Concentrávamo-nos em nossos estudos sem distração e não tínhamos de nos preocupar com nossa aparência quando íamos para a aula. Mas sem homens no campus, nossas vidas sociais eram canalizadas para viagens e rituais de namoro chamados "misturadores". Quando cheguei, no outono de 1965, a faculdade ainda assumia o papel de pai substituto para as alunas. Não podíamos ter rapazes em nossos quartos exceto de duas às cinco e meia da tarde de domingo, quando tínhamos de deixar a porta entreaberta e obedecer o que chamávamos de regra dos "dois pés": dois (entre os quatro) pés tinham de estar no chão em todos os momentos. Tínhamos toques de recolher à uma da madrugada nos fins de semana e a Rota 9 de Boston a Wellesley parecia uma corrida de Grand Prix nas noites de sexta e sábado, quando nossos namorados disparavam loucamente para nos levar de volta para o campus para que não tivéssemos problemas. Tínhamos mesas de recepção nos saguões de entrada de cada dormitório, onde os convidados tinham de se registrar e ser identificados mediante um sistema de campainhas e anúncios que nos informavam se a pessoa que desejava nos ver era homem ou mulher. Uma "turista" era mulher, uma "visita", homem. O aviso de uma visita inesperada nos dava tempo para nos arrumar ou mandar alguém avisar a aluna de plantão que não estávamos disponíveis.

Minhas amigas e eu estudávamos muito e namorávamos rapazes de nossa idade, a maioria de Harvard e outras escolas do nordeste dos Estados Unidos, os quais conhecíamos por meio de amigas ou nos misturadores. A música normalmente era tão barulhenta nesses bailes que não se conseguia entender nada do que se dizia, a menos que se saísse dali, o que apenas se fazia com alguém que despertasse nosso interesse. Certa noite, dancei durante horas no salão Alumni de nosso campus com um jovem cujo nome pensei ser Farce, só para descobrir mais tarde que era Forrest. Tive dois namorados sérios o bastante para conhecerem meus pais, o que, dada a atitude de meu pai com relação a todos que eu namorava, parecia mais um trote de calouro do que um encontro social. Os dois jovens sobreviveram, mas nossos relacionamentos não.

Considerando o teor dos tempos, logo nos irritamos com as regras arcaicas da Wellesley e exigimos ser tratadas como adultas. Pressionamos a administração da faculdade para que eliminasse os regulamentos paternalistas, o que finalmente fizeram quando fui presidente do diretório acadêmico. Essa mudança coincidiu com a eliminação de um currículo obrigatório que as alunas também consideravam opressivo.

Rememorando aqueles anos, tenhos alguns arrependimentos, mas não tenho muita certeza de que a eliminação tanto dos requisitos de cursos como da supervisão quase paternal representou um avanço inquestionável. Dois dos cursos dos quais tirei o máximo eram obrigatórios e agora tenho uma apreciação melhor do valor de cursos básicos numa série de matérias. Entrando no dormitório misto de minha filha em Stanford, vendo rapazes e garotas deitados e sentados nos corredores, perguntei-me como alguém consegue concluir algum estudo hoje em dia.

Na metade dos anos 60, o campus sóbrio e protegido da Wellesley começara a absorver o choque de eventos do mundo exterior. Embora eu tivesse sido eleita presidente das Jovens Republicanas de nossa faculdade durante meu ano de caloura, minhas dúvidas sobre o partido e suas políticas estavam aumentando, particularmente quando se tratava de direitos civis e da Guerra do Vietnã. Minha igreja havia concedido aos formandos do colegial uma assinatura da revista *motive*, que era publicada pela Igreja Metodista. Todo mês eu lia artigos que expressavam opiniões que contrastavam agudamente com minhas fontes habituais de informação. Também comecei a ler *The New York Times*, para grande consternação de meu pai e deleite da srta. Fahlstrom. Li discursos e ensaios escritos por falcões, pombas e todas as demais variedades de comentaristas. Minhas idéias, novas e velhas, eram diariamente testadas pelos professores de ciência política, que me forçavam a expandir minha compreensão do mundo e a examinar meus próprios preconceitos, justo quando os acontecimentos em curso forneciam material mais do que suficiente. Não demorou muito para que eu percebesse que minhas convicções políticas não estavam mais em sincronia com o Partido Republicano. Era hora de renunciar à presidência das Jovens Republicanas.

Minha vice-presidente e amiga, Betsy Griffith, não só se tornara a nova presidente como permaneceu no Partido Republicano, junto com seu marido, o consultor político John Deardourff. Ela batalhou muito para evitar que seu partido desse uma forte guinada para a direita e foi uma firme defensora da Emenda da Igualdade de Direitos. Obteve seu doutorado em história e escreveu uma bem recebida biografia de Elizabeth Cady Stanton, antes de usar seu feminismo e credenciais de pedagogia feminina para trabalhar como diretora da Escola Madeira para Meninas no norte da Virgínia. Tudo isso, porém, estava ainda distante no futuro quando deixei oficialmente as Jovens Republicanas da Faculdade Wellesley e me dediquei a descobrir tudo que pudesse sobre o Vietnã.

É difícil explicar aos jovens americanos de hoje, particularmente com um Exército inteiramente voluntário, quanto muitos de minha geração eram obcecados com a Guerra do Vietnã. Nossos pais viveram durante a Segunda Guerra Mundial e nos haviam contado histórias sobre o espírito de sacrifício dos Estados Unidos durante aquele período e o consenso entre as pessoas, após o bombardeio de Pearl Harbor, de que o país precisava entrar na guerra. Com o Vietnã, o país ficou dividido, deixando-nos confusos em relação a nossos próprios sentimentos. Minhas amigas e eu constantemente debatíamos a guerra. Conhecíamos rapazes que estavam em programas de treinamento de oficiais da reserva e não viam a hora de servir quando se formassem, bem como rapazes que pretendiam resistir ao alistamento. Mantínhamos longas conversas sobre o que faríamos se fôssemos homens, sabendo muito bem que não tínhamos de enfrentar as mesmas decisões. Era uma agonia para todos. Um amigo de Princeton finalmente abandonou a faculdade e se alistou na Marinha, porque, segundo ele, estava enjoado da controvérsia e da incerteza.

O debate sobre o Vietnã articulava posturas não só quanto à guerra, mas quanto ao dever e ao amor ao país. Seria honrar seu país combater numa guerra que se considerava injusta e contrária aos interesses americanos? Você seria antipatriota se usasse o sistema de adiamentos ou o sorteio para evitar combater? Muitos estudantes que conheci, que debatiam e contestavam os méritos e a moralidade da guerra, amavam os Estados Unidos tanto quanto os homens e mulheres corajosos que serviam sem questionar ou aqueles que serviam primeiro e faziam perguntas depois. Para muitos e muitas jovens ponderados e conscientes, não havia respostas fáceis e havia maneiras diferentes de expressar o patriotismo.

Alguns escritores e políticos contemporâneos tentaram menosprezar a angústia daqueles anos como uma corporificação da acomodação dos anos 60. De fato, existem muitos que gostariam de reescrever a história para apagar o legado da guerra e da sublevação social que ela gerou. Gostariam de nos fazer crer que o debate era frívolo, mas não é dessa forma que me lembro dele.

O Vietnã foi importante e mudou para sempre o país. Esta nação ainda detém um reservatório de culpa e reconsideração por aqueles que serviram e por aqueles que não o fizeram. Ainda que como mulher eu soubesse que não poderia ser convocada, passei horas sem fim me engalfinhando com meus sentimentos contraditórios.

Em retrospecto, 1968 foi um divisor de águas para o país e para minha própria evolução pessoal e política. Acontecimentos nacionais e internacionais se desenrolavam em rápida sucessão: a ofensiva do Tet, a renúncia de Lyndon Johnson à corrida presidencial, o assassinato de Martin Luther King, o assassinato de Robert Kennedy e a escalada implacável da guerra.

No momento em que me tornei caloura da faculdade, passei de Garota Goldwater para o apoio à campanha antibélica de Eugene McCarthy, um senador democrata de Minnesota que estava desafiando o presidente Johnson na primária presidencial. Embora eu admirasse as realizações do presidente Johnson no país, achava que seu apoio obstinado a uma guerra que ele herdara era um erro trágico. Junto com algumas de minhas amigas, viajamos de carro de Wellesley a Manchester, New Hampshire, numa sexta-feira ou sábado, para enviar cartas e fazer campanha de porta em porta. Tive a oportunidade de conhecer o senador McCarthy quando ele parou em seu comitê eleitoral para agradecer aos estudantes voluntários que haviam se unido em torno de sua oposição à guerra. Ele quase derrotou Johnson na primária de New Hampshire e, no dia 16 de março de 1968, o senador Robert F. Kennedy, de Nova York, entrou na corrida.

O assassinato do dr. King no dia 4 de abril de 1968, próximo do final do primeiro ano da faculdade, me encheu de pesar e raiva. Distúrbios irromperam em algumas cidades. No dia seguinte, juntei-me a uma gigantesca marcha de protesto e luto na Praça do Correio em Boston. Regressei ao campus usando uma tarja negra no braço e aflita com relação ao tipo de futuro que se apresentava ao país.

Antes de chegar a Wellesley, os únicos afro-americanos que eu conhecia eram pessoas que meus pais empregavam na firma e em nossa casa. Eu havia ouvido o dr. King falar e participado de conversas com adolescentes negros e hispânicos por intermédio de minha igreja. Mas não tive nenhum amigo, vizinho ou colega de escola negro até que fui para a faculdade. Karen Williamson, uma aluna jovial e de espírito independente, tornou-se ali uma de minhas primeiras amigas. Certa manhã de domingo, ela e eu saímos do campus para participar de um culto na igreja. Ainda que eu gostasse de Karen e quisesse conhecê-la melhor, sentia-me inibida por minhas motivações e extremamente consciente de que estava me distanciando de meu passado. À medida que passei a conhecer melhor minhas colegas de turma negras, descobri que também elas se sentiam inibidas. Tal como eu chegara a Wellesley vindo de um ambiente predominantemente branco, elas haviam vindo de ambientes predominantemente negros. Janet McDonald, uma garota elegante e segura de si de New Orleans, relatou uma conversa que tivera com seus pais pouco depois de chegar. Quando ela lhes disse: "Odeio este lugar, todos aqui são brancos", seu pai concordou em deixá-la sair, mas sua mãe insistiu: "Você não pode fazer isto e vai ficar". Essa conversa foi semelhante à conversa que tive com meus pais. Nossos pais desejavam — e até ansiavam — que voltássemos para casa; nossas mães estavam nos dizendo para ficar. E ficamos.

Karen, Fran Rusan, Alvia Wardlaw e outras estudantes negras fundaram o Ethos, a primeira organização afro-americana no campus, para funcionar como rede social para estudantes negras na Wellesley e como um grupo de pressão no trato com a administração da faculdade. Após o assassinato do dr. King, o Ethos instigou a faculdade a tornar-se mais sensível racialmente e a recrutar mais professoras e alunas negras e ameaçou convocar uma greve de fome se a faculdade não atendesse a suas reivindicações. Esse foi o único protesto estudantil explícito em Wellesley no final dos anos 60. A faculdade respondeu convocando uma assembléia na capela do Houghton Memorial para que os membros do Ethos pudessem explicar suas preocupações. O encontro começou a desintegrar-se numa disputa caótica de gritos. Kris Olson, que, junto com Nancy Gist e Susan Graber, iria comigo para a Faculdade de Direito de Yale, preocupava-se que as alunas pudessem fechar o campus e entrar em greve. Eu acabara de ser eleita presidente do diretório da faculdade e, por isso, Kris e os membros do Ethos me pediram que tentasse tornar o debate mais produtivo e traduzisse os agravos legítimos que muitas de nós sentíamos com relação a instituições autoritárias. Para crédito da Wellesley, um esforço foi feito no sentido de recrutar professores e alunos de minorias que começou a frutificar nos anos 70.

O assassinato do senador Robert F. Kennedy, dois meses mais tarde, no dia 5 de junho de 1968, aprofundou meu desalento com relação aos acontecimentos no país. Eu já estava de volta à minha casa quando a notícia chegou de Los Angeles. Minha mãe me acordou porque "uma coisa muito terrível aconteceu novamente". Fiquei ao telefone praticamente o dia todo com meu amigo Kevin O'Keefe, um chicaguense irlando-polonês que adora os Kennedys, os Daleys e a emoção da política de apostas altas. Sempre gostamos de conversar sobre política e, naquele dia, estávamos com raiva de perder John e Robert Kennedy quando nosso país precisava tanto de sua liderança forte e habilidosa. Conversamos muito, tanto naquela ocasião como nos anos seguintes, sobre se a ação política valia a dor e o penoso esforço; na época, como hoje, concluímos que valia, no mínimo, nas palavras de Kevin, para manter "os outros caras distantes do poder sobre nós".

Eu me inscrevera no Programa de Estágio da Wellesley em Washington e, embora desanimada e irritada pelos assassinatos, ainda estava decidida a ir para Washington. O programa de nove semanas do verão designava estudantes para órgãos governamentais e escritórios do Congresso para uma visão de primeira mão de "como o governo funciona". Foi uma surpresa para mim quando o professor Alan Schechter, diretor do programa e um excelente professor de ciência política, além de meu orientador de tese, designou-me para estagiar na bancada republicana. Ele sabia que eu viera para a faculdade como republicana e estava me afastando das opiniões de meu pai. Ele achava que esse estágio me ajudaria a continuar mapeando meu próprio caminho — não obstante o que eu finalmente decidisse. Objetei em vão e acabei me apresentando para o trabalho com um grupo chefiado pelo então líder da minoria Gerald Ford, e que incluía o congressista Melvin Laird de Wisconsin e Charles Goodell de Nova York, que me ajudaram e aconselharam.

Os estagiários posavam para suas fotos obrigatórias com os membros do Congresso e, anos depois, quando era primeira-dama, disse ao ex-presidente Ford que eu estivera entre os milhares de estagiários a quem ele fornecera uma visão introdutória do interior do Capitólio. Minha foto com ele e os líderes republicanos deixou meu pai muito feliz; ele a tinha em seu quarto quando morreu. Também autografei uma cópia dessa foto para o presidente Ford e dei-lhe de presente com agradecimentos e desculpas por ter me afastado do redil.

Penso naquela primeira experiência em Washington toda vez que me reúno com estagiários em meu escritório no Senado. Lembro-me particularmente de uma sessão em que Mel Laird reuniu-se com um grande grupo de nós para discutir a Guerra do Vietnã. Embora ele pudesse ter nutrido preocupações sobre como a administração Johnson financiara a guerra e se a escalada ultrapassava a autoridade congressual concedida pela resolução do Golfo de Tonkin, ele continuava publicamente a dar apoio como congressista. Na reunião com os estagiários, justificou o envolvimento americano e defendeu vigorosamente o aumento da força militar. Quando parou para responder a perguntas, repeti a advertência do presidente Eisenhower sobre o envolvimento americano em guerras de infantaria na Ásia e lhe perguntei por que ele achava que essa estratégia poderia ter sucesso. Embora não concordássemos, como demonstrava nossa acalorada discussão, saí do encontro com um elevado respeito por ele e valorizando sua disposição de explicar e defender suas opiniões para os jovens. Ele aceitou nossas preocupações com seriedade e respeito. Mais tarde, ele trabalhou como ministro da Defesa do presidente Nixon.

O congressista Charles Goodell, que representava o oeste do estado de Nova York, mais tarde foi indicado ao Senado pelo governador Nelson Rockefeller para substituir Robert Kennedy até a realização da próxima eleição. Goodell era um republicano progressista que foi derrotado em 1970, em uma eleição com três candidatos, pelo muito mais conservador James Buckley, que perdeu em 1976 para Daniel Patrick Moynihan, meu antecessor, o qual ocupou a cadeira por 24 anos. Quando concorri àquela vaga no Senado em 2000, orgulhei-me em dizer às pessoas de Jamestown, cidade natal de Goodell, que eu havia trabalhado para o congressista. Perto do final de meu estágio, Goodell pediu que eu e alguns outros estagiários fôssemos com ele à Convenção do Partido Republicano em Miami, para trabalhar em favor do último recurso do governador Rockefeller para tirar de Richard Nixon a indicação de seu partido. Agarrei a oportunidade e parti para a Flórida.

A Convenção Republicana foi minha primeira visão de dentro da política sucessória e achei a semana irreal e desconcertante. O Hotel Fontainebleau em Miami Beach foi o primeiro hotel de verdade em que estive, já que minha família, no caminho para o lago Winola, preferia dormir no carro ou hospedar-se em pequenos motéis de estrada. O tamanho do hotel, sua opulência e serviço foram uma surpresa. Foi lá que fiz pela primeira vez meu pedido de serviço de quarto. Ainda posso ver o enorme pêssego fresco que veio embrulhado num guardanapo numa bandeja quando pedi pêssegos com cereais pela manhã. Eu dispunha de uma cama de embutir num quarto dividido com mais quatro mulheres, mas acho que nenhuma de nós dormiu muito. Ocupamos a suíte "Rockefeller para Presidente", atendendo telefonemas e enviando e recebendo recados de emissários e delegados políticos de Rockefeller. Certo dia, tarde da noite, um funcionário da campanha de Rockefeller perguntou a todos no escritório se gostaríamos de conhecer Frank Sinatra, e recebeu como resposta os previsíveis gritos de prazer entusiástico diante da perspectiva. Fui com o grupo até uma cobertura para apertar a mão de Sinatra, que gentilmente fingiu interesse em nos conhecer. Desci no elevador com John Wayne, que parecia ligeiramente adoentado e reclamou o tempo todo da comida ruim lá de cima.

Embora eu aproveitasse todas as minhas experiências novas, do serviço de quarto ao contato com celebridades, sabia que Rockefeller não seria indicado. A indicação de Richard Nixon consolidou a ascendência da ideologia conservadora sobre a moderada, uma predominância que ao longo dos anos só se tornou mais acentuada, à medida que o partido continuava seu avanço para a direita e os moderados se reduziam em número e influência. Às vezes penso que não fui eu quem deixou o Partido Republicano, mas sim o contrário.

Voltei para Park Ridge depois da Convenção Republicana sem nenhum plano para as semanas restantes do verão, exceto o de visitar minha família e amigos e me preparar para o último ano da faculdade. Minha família estava na peregrinação anual ao lago Winola, por isso eu dispunha da casa só para mim, o que também era bom, já que tenho certeza de que passaria horas discutindo com meu pai sobre Nixon e a Guerra do Vietnã. Meu pai realmente gostava de Nixon e acreditava que ele daria um excelente presidente. Sobre o Vietnã, ele era ambivalente. Suas dúvidas quanto à prudência do envolvimento americano na guerra eram normalmente vencidas por seu desdém para com os *hippies* cabeludos que protestavam contra ela.

Minha amiga íntima Betsy Johnson havia acabado de regressar de um ano de estudos na Espanha franquista. Embora muita coisa tivesse mudado desde nossos tempos de colégio — os cabelos bem penteados e os conjuntos de suéter que costumávamos usar haviam dado lugar aos cabelos desalinhados e aos jeans desbotados —, uma constante permanecia: eu podia sempre contar com a amizade e o interesse que Betsy partilhava comigo pela política. Nenhuma de nós pretendia ir até Chicago enquanto a Convenção Democrática estivesse na cidade. Mas quando manifestações gigantes de protesto irromperam no centro, soubemos que era uma oportunidade para testemunhar a história. Betsy ligou e disse: "Temos de ir ver isto pessoalmente", e concordei.

Tal como quando havíamos ido até o centro para verificar as listas de votação no começo do colegial, sabíamos que nossos pais não permitiriam que fôssemos se soubessem o que estávamos planejando. Minha mãe estava na Pensilvânia e a mãe de Betsy, Roslyn, pensou numa visita ao centro para fazer compras no Marshall Field's e almoçar no Stouffer's, com luvas brancas e vestido. Por isso, Betsy disse a sua mãe: "Hillary e eu vamos ao cinema".

Ela me apanhou com a *station wagon* da família e lá fomos nós para o Parque Grant, o epicentro das manifestações. Era a última noite da convenção e o inferno inteiro estava à solta no Parque Grant. Dava para sentir o cheiro de gás lacrimogêneo antes mesmo de ver os pelotões da polícia. Na multidão atrás de nós, alguém blasfemou e atirou uma pedra que quase nos atingiu. Betsy e eu nos precipitamos a fugir enquanto a polícia investia com cassetetes contra a multidão.

A primeira pessoa com quem trombamos foi uma amiga do colégio que fazia tempo não víamos. Estudante de enfermagem, ela estava trabalhando como voluntária na barraca de primeiros socorros, fazendo curativos em manifestantes feridos. Ela nos disse que aquilo que estava vendo e fazendo a estava levando a radicalizar e ela acreditava seriamente que poderia haver uma revolução.

Betsy e eu ficamos chocadas com a brutalidade policial a que assistimos no Parque Grant, imagens também captadas pela rede nacional de televisão. Conforme Betsy mais tarde relatou a *The Washington Post*, "tivemos uma infância maravilhosa em Park Ridge, mas obviamente não havíamos captado a história toda".

Naquele verão, Kevin O'Keefe e eu passamos horas discutindo o significado da revolução e se nosso país passaria por uma. Apesar dos acontecimentos do ano anterior, ambos concluímos que não haveria uma revolução e, mesmo que houvesse, jamais poderíamos participar. Eu sabia que, a despeito de minha desilusão com a política, esta era a única via para a mudança pacífica e duradoura numa democracia. Na época, não imaginei que algum dia concorreria a um cargo público, mas sabia que queria participar, tanto como cidadã quanto como ativista. Em minha opinião, o dr. King e Mahatma

Gandhi haviam feito mais pela verdadeira mudança por meio da desobediência civil e da não-violência do que jamais fariam um milhão de manifestantes atirando pedras.

Meu último ano em Wellesley poria à prova e articularia ainda mais minhas convicções. Como objeto de tese, analisei o trabalho de um organizador comunitário, natural de Chicago, chamado Saul Alinsky, a quem eu conhecera no verão anterior. Alinsky era uma figura pitoresca e controversa que conseguiu ofender praticamente todo mundo durante sua longa carreira. Sua receita para a mudança social exigia a organização de movimentos populares que ensinassem as pessoas a ajudarem a si mesmas mediante o enfrentamento do governo e das corporações para obter os recursos e o poder para melhorarem suas vidas. Eu concordava com algumas idéias de Alinsky, particularmente com o valor de capacitar as pessoas a ajudarem a si mesmas. Mas tínhamos um desacordo fundamental. Ele acreditava que seria possível mudar o sistema apenas a partir de fora. Eu não. Mais tarde, ele me ofereceu a oportunidade de trabalhar com ele quando me formei na faculdade e ficou desapontado quando, em vez disso, decidi ir para a faculdade de direito. Alinsky disse que eu estaria perdendo tempo, mas minha decisão era uma expressão de minha convicção de que o sistema podia ser mudado de dentro para fora. Fiz a prova de admissão para direito e me inscrevi em diversas escolas.

Depois de ser aceita por Harvard e Yale, não conseguia me decidir para qual delas ir até que fui convidada para um coquetel na Faculdade de Direito de Harvard. Um amigo estudante de direito me apresentou a um famoso professor de Harvard, saído diretamente do filme *O homem que escolhi*, dizendo a ele: "Esta é Hillary Rodham. Ela está tentando decidir se vem para cá no ano que vem ou se vai se matricular em nossa concorrente mais próxima". O ilustre senhor me lançou um olhar frio, desdenhoso, e disse: "Bem, antes de tudo, não temos nenhuma concorrente próxima. Em segundo lugar, não precisamos de mais nenhuma mulher em Harvard". Eu estava me inclinando mesmo por Yale, mas esse encontro eliminou todas as dúvidas sobre minha escolha.

Restava apenas a formatura em Wellesley, e achei que ela passaria em branco até que minha colega de turma e amiga Eleanor "Eldie" Acheson decidiu que nossa turma precisava de sua própria oradora na formatura. Eu conhecera Eldie, a neta do secretário de Estado do presidente Truman, Dean Acheson, em uma aula de ciência política para calouros, na qual tínhamos de descrever nossos antecedentes políticos. Eldie mais tarde contou a *The Boston Globe* que ficara "chocada por descobrir que não só Hillary, mas outras pessoas muito inteligentes, eram republicanas". A descoberta a "deprimiu", mas "explicava por que, de tempos em tempos, eles venciam as eleições".

Wellesley jamais tivera uma estudante como oradora e a reitora Ruth Adams se opunha a abrir essa porta naquele momento. Ela se sentia incomodada com o meio estudantil dos anos 60. Eu mantinha reuniões semanais com ela em minha condição de presidente do diretório acadêmico e a pergunta que ela comumente me fazia era uma variante da pergunta de Freud: "O que as garotas querem?". Para ser justa com ela, a maioria de nós não tinha a menor idéia. Estávamos presas entre um passado antiquado e um futuro desconhecido. Muitas vezes éramos irreverentes, cínicas e hipócritas em nossas avaliações dos adultos e da autoridade. Assim, quando Eldie anunciou à sra. Adams que ela representava um grupo de alunas que desejava uma aluna como oradora, a resposta negativa inicial era esperada. Então Eldie aumentou a pressão declarando que, caso o pedido fosse negado, ela lideraria pessoalmente uma campanha para encenar uma contradiplomação. E, acrescentou, tinha certeza de que seu avô compareceria. Quando Eldie informou que ambos os lados estavam irredutíveis, fui visitar a reitora Adams em sua casinha às margens do lago Waban.

Quando perguntei a ela: "Qual é a verdadeira objeção?", ela disse: "Isso nunca foi feito". Eu disse: "Bem, podíamos fazer uma tentativa". Ela disse: "Não sabemos quem elas irão convidar para falar". Eu disse: "Bem, elas me convidaram para falar". Ela disse: "Vou pensar nisso". A reitora finalmente autorizou.

O entusiasmo de minhas amigas em relação ao meu discurso me preocupou, porque eu não tinha nenhuma pista sobre o que poderia dizer que se adequasse aos nossos tumultuados quatro anos em Wellesley e fosse um digno bota-fora rumo aos nossos futuros desconhecidos.

Durante meus anos iniciais e finais, Johanna Branson e eu morávamos numa enorme suíte com vista para o lago Waban, no terceiro andar do dormitório Davis. Eu passava muitas horas sentada na cama olhando pela janela para as águas tranqüilas do lago, preocupando-me com tudo, desde relacionamentos até a fé e os protestos contra a guerra. Agora, enquanto pensava sobre tudo o que minhas amigas e eu havíamos vivido desde que nossos pais haviam deixado ali garotas tão diferentes quatro anos antes, eu me perguntava como poderia fazer justiça com esse tempo que havíamos compartilhado. Por sorte, minhas colegas de turma começaram a passar pela suíte para deixar poemas e frases favoritas; passagens irônicas de nossa jornada comum; sugestões de gestos dramáticos. Nancy "Anne" Scheibner, que se especializava em religião, escreveu um longo poema que captava o espírito do tempo. Passei horas conversando sobre o que elas queriam que eu dissesse e outras tantas horas dando sentido aos conselhos díspares e conflitantes que recebia.

Na noite da véspera da formatura, saí com um grupo de amigas e suas famílias e casualmente encontramos Eldie Acheson e sua família. Quando me apresentou a seu avô, ela disse a Dean Acheson: "Esta é a garota que irá discursar amanhã", e ele respondeu: "Não vejo a hora de ouvir o que você tem a dizer". Senti-me nauseada. Eu ainda não tinha certeza sobre o que iria dizer e corri de volta ao dormitório para varar a noite acordada — minha última noite na faculdade.

Meus pais estavam emocionados por sua filha se formar, mas minha mãe vinha tendo problemas de saúde. Um médico havia receitado anticoagulantes e a aconselhara a não viajar por algum tempo. Assim, lamentavelmente, ela não poderia vir para minha formatura e meu pai não estava animado a vir sozinho.

Quando contei a meus pais que seria oradora, porém, ele decidiu que tinha de estar presente. E, à maneira típica de Hugh Rodham, voou para Boston no último vôo da noite da véspera, dormiu perto do aeroporto, tomou o transporte metropolitano até o campus, assistiu à formatura, veio almoçar na Pousada Wellesley com algumas de minhas amigas e suas famílias e depois voltou direto para casa. Tudo que importou para mim foi que ele conseguiu chegar à minha formatura, o que ajudou a reduzir a decepção que senti com a ausência de minha mãe. Em muitos sentidos, esse momento era tanto dela quanto meu.

A manhã de nossa formatura, 31 de maio de 1969, era um dia perfeito para New England. Reunimo-nos no pátio acadêmico para a cerimônia de diplomação, no gramado entre a biblioteca e a capela. A reitora Adams me perguntou o que eu ia dizer e respondi que ainda estava filtrando-o. Ela me apresentou ao senador Edward Brooke, nosso paraninfo oficial e único membro afro-americano do Senado, para quem eu havia feito campanha em 1966 quando ainda era uma Jovem Republicana. Depois de ficar acordada a noite toda tentando montar um discurso com base em um texto escrito comunitariamente, eu estava passando um dia particularmente ruim com o cabelo, agravado pelo barrete de formatura no topo da cabeça. As fotos que tiraram de mim naquele dia são realmente assustadoras.

O discurso do senador Brooke admitia que nosso "país tem problemas sociais profundos e prementes em sua agenda" e que "ele necessita das melhores energias de todos os seus cidadãos, principalmente de seus jovens talentosos, para remediar esses males". Também argumentava contra o que ele chamava de "protesto coercitivo". Na hora, o discurso soava como uma defesa das políticas do presidente Nixon, marcado mais pelo que não dizia do que pelo que dizia. Em vão esperei ouvir uma admissão dos ressentimentos legítimos e das questões dolorosas que tantos jovens americanos traziam com relação ao rumo de nosso país. Esperei alguma menção ao Vietnã ou aos direitos civis ou ao dr. King ou ao senador Kennedy, dois heróis tombados de nossa geração. O senador parecia fora de sintonia com sua platéia: quatrocentas mulheres inteligentes, conscientes, questionadoras. Suas palavras se dirigiam a uma Wellesley diferente, uma Wellesley que antecedia os levantes dos anos 60.

Pensei no quanto Eldie fora premonitória para saber que um discurso previsível como esse seria uma grande frustração após os quatro anos que nós, e os Estados Unidos, havíamos passado. Por isso, respirei fundo e comecei defendendo a "tarefa indispensável da crítica e do protesto construtivo". Parafraseando o poema de Anne Schebner, que citei ao final, afirmei que "o desafio agora é praticar a política como a arte de tornar possível o que parece ser impossível".

Falei sobre a consciência do abismo entre as expectativas que minha turma trouxera para a faculdade e a realidade que vivenciamos. A maioria de nós viera de ambientes protegidos e os acontecimentos pessoais e públicos que encontramos nos levaram a questionar a autenticidade, até a realidade, de nossas vidas pré-faculdade. Nossos quatro anos haviam sido um rito de passagem diferente das experiências da geração de nossos pais, que haviam encontrado desafios externos muito maiores, como a Depressão e a Segunda Guerra Mundial. Por isso, começamos a fazer perguntas, inicialmente sobre as políticas da Wellesley, depois sobre o sentido da educação em artes liberais, em seguida sobre os direitos civis, o papel das mulheres, o Vietnã. Defendi o protesto como "uma tentativa para forjar uma identidade nesta era específica" e como maneira de "acertar as contas com nossa essência humana". O protesto fazia parte da "experiência singular americana", e "se o experimento humano não funcionar neste país, nesta era, não irá funcionar em parte alguma".

Quando eu perguntara à turma, em nosso ensaio da formatura, o que elas queriam que eu dissesse por elas, todas responderam: "Fale sobre confiança, fale sobre a falta de confiança, tanto em relação a nós como em relação à maneira como nos sentimos em relação aos outros. Fale sobre a quebra da confiança". Reconheci quanto era difícil transmitir um sentimento que permeia uma geração.

E, por fim, falei do esforço para estabelecer uma "mutualidade no respeito entre as pessoas". Perpassando todas as minhas palavras, porém, estava um reconhecimento dos temores que muitas de nós nutriam em relação ao futuro. Referi-me a uma conversa que tivera na véspera com a mãe de uma colega, "que disse que não gostaria de estar no meu lugar por nada neste mundo. Ela não queria viver hoje e pensar no que ela vê mais adiante porque está com medo". Eu disse: "O medo está sempre conosco, mas simplesmente não temos tempo para ele. Não agora".

O discurso era, conforme eu admitia, uma tentativa de "compreender algumas coisas não ditas, talvez até indizíveis, que estamos sentindo", já que estamos "explorando um mundo que nenhuma de nós compreende e tentando criar dentro dessa incerteza". Esse discurso pode não ter sido o mais coerente que já proferi, mas encontrou ressonância em minha turma, que me deu uma entusiástica ovação de pé, em parte, segundo acredito, porque meus esforços para dar sentido ao nosso tempo e lugar — interpretado num palco diante de 2 mil espectadores — refletiam as inúmeras conversas, perguntas, dúvidas e esperanças que cada uma de nós trazia para aquele momento, não só como formandas da Wellesley, mas também como mulheres e americanas cujas vidas exemplificariam as mudanças e decisões com que nossa geração se defrontava ao final do século XX.

Posteriormente, naquela tarde, nadei pela última vez no lago Waban. Em vez de ir para a pequena praia ao lado da casa dos barcos, decidi andar pela água perto de meu dormitório, uma área oficialmente proibida à natação. Despi a roupa e fiquei de maiô, deixando meus jeans cortados e a camiseta na praia, com meus óculos de aviador por cima da pilha de roupas. Não tinha nenhuma preocupação com o mundo enquanto nadava em direção ao meio do lago e, por causa da minha miopia, o ambiente à minha volta parecia um quadro impressionista. Eu adorara ter ficado em Wellesley e em todas as estações extraíra grande consolo de sua beleza natural. Nadar era uma despedida final. Quando voltei à praia, não consegui encontrar nem as roupas nem os óculos.

Por fim, tive de perguntar a um vigia do campus se ele havia visto meus pertences. Ele me disse que a reitora Adams, de sua casa, havia me visto nadando e ordenara que ele os confiscasse. Aparentemente, ela se arrependera de ter me permitido falar. Toda molhada, acompanhei-o, um tanto às cegas, para recuperar minhas coisas.

Eu não fazia a menor idéia de que meu discurso geraria interesse muito além de Wellesley. Eu só esperara que minhas amigas pensassem que eu havia sido verdadeira com suas esperanças e sua reação positiva me encorajou. Quando liguei para casa, contudo, minha mãe me contou que ficara desnorteada atendendo telefonemas de repórteres e programas de televisão me convidando para entrevistas e apresentações. Apareci num programa de entrevistas de Irv Kupcinet, num canal local de Chicago, e a revista *Life* fez uma matéria comigo e com um ativista estudantil chamado Ira Magaziner, que discursara na formatura de sua turma na Universidade de Brown. Minha mãe informou que as opiniões sobre meu discurso pareciam estar divididas entre as francamente efusivas — "ela falou por uma geração" — e as excessivamente negativas — "quem ela pensa que é?". Os elogios e os ataques se revelaram uma prévia do que estava por vir: nunca fui tão boa nem tão ruim quanto a maioria de meus mais fervorosos apoiadores e oponentes afirmava.

Com um grande suspiro de alívio, parti para um verão de trabalho pelo Alasca, lavando pratos no Parque Nacional do Monte McKinley (hoje conhecido como Parque e Reserva Nacional Denali) e limpando peixe em Valdez, numa fábrica temporária de salmão montada num píer. Meu trabalho exigia que eu calçasse botas compridas e ficasse de pé em água sanguinolenta enquanto retirava as entranhas do salmão com uma colher. Quando eu não eviscerava com rapidez suficiente, os supervisores gritavam comigo para que acelerasse. Depois, fui transferida para a linha de empacotamento, onde ajudava a embalar o salmão em caixas que eram embarcadas para a grande unidade flutuante de processamento ao largo da costa. Notei que alguns peixes pareciam doentes. Quando contei ao gerente, ele me demitiu e disse para eu voltar na tarde seguinte para apanhar meu último contracheque. Quando voltei, toda a operação havia desaparecido. Durante uma visita ao Alasca, como primeira-dama, brinquei com a platéia dizendo que, de todos os empregos que eu tivera, limpar peixe foi uma excelente preparação para a vida em Washington.

4

YALE

Q<small>UANDO INGRESSEI NA</small> F<small>ACULDADE DE</small> D<small>IREITO DE</small> Y<small>ALE</small> no outono de 1969, fui uma das 27 mulheres dentre 235 estudantes que se matricularam. O número parece hoje desprezível, mas foi um feito na época e significou que as mulheres não seriam mais alunas simbólicas em Yale. Embora os direitos das mulheres parecessem estar ganhando certo peso à medida que os anos 60 marchavam céleres para o seu final, tudo o mais parecia fora dos eixos e incerto. A menos que se tenha vivido naquele tempo, é difícil imaginar o quanto o panorama político americano havia se polarizado.

O professor Charles Reich, que se tornou mais conhecido do público em geral por seu livro *O despertar da América*, estava acampado com alguns estudantes em choupanas no meio do pátio da escola de direito para protestar contra o *establishment*, o que, naturalmente, incluía a Faculdade de Direito de Yale. As choupanas permaneceram durante algumas semanas até serem pacificamente desmontadas. Outros protestos, porém, não foram tão pacíficos. A década de 60, que começara com tanta esperança, terminou num convulsão de protestos e violência. Ativistas antibélicos da classe média branca eram encontrados em seus porões tramando a fabricação de bombas. O movimento não violento pelos direitos civis, principalmente dos negros, rachava-se em facções e novas vozes emergiam entre os negros urbanos pertencentes aos Muçulmanos Negros e ao Partido dos Panteras Negras. O FBI de J. Edgar Hoover infiltrava-se em grupos dissidentes e, em certos casos, infringia a lei a fim de desmantelá-los. Às vezes, a aplicação da lei fracassava, incapaz de distinguir entre comportamento protegido pela constituição, oposição legítima e comportamento criminoso. À medida que aumentava a espionagem interna e as operações de contra-inteligência se expandiam na administração Nixon, parecia, por vezes, que nosso governo estava em guerra com seu próprio povo.

Tradicionalmente, a Faculdade de Direito de Yale atraía estudantes interessados no serviço público e nossas conversas dentro e fora da sala de aula refletiam uma preocupação profunda com os acontecimentos concernentes ao país. Yale também incentivava seus alunos a saírem para o mundo e aplicarem as teorias que aprendiam em sala de aula. Esse mundo e suas realidades desabaram em Yale em abril de 1970, quando oito Panteras Negras, entre os quais o líder do partido, Bobby Seale, foram levados a julgamento por assassinato em New Haven. Milhares de manifestantes furiosos, convencidos de que os Panteras haviam sido vítimas de armação pelo FBI e pelos promotores do governo, se aglomeraram na cidade. Manifestações explodiam dentro e em volta do campus, que estava se mobilizando para uma gigantesca assembléia do primeiro de maio em apoio aos Panteras quando descobri, no final da noite de 27 de abril, que a Biblioteca de Direito Internacional, que ficava no porão da faculdade de direito, estava em chamas. Horrorizada, corri para me juntar a uma brigada de baldes composta por professores, funcionários e estudantes para debelar o incêndio e recuperar livros danificados pelas chamas e pela água. Depois de apagado o incêndio, o reitor da faculdade de direito, Louis Pollack, pediu que todos se reunissem na maior das salas de aula. O reitor Pollack, um ilustre erudito, com um sorriso pronto e uma porta aberta, pediu-nos que organizássemos patrulhas de segurança permanente para o restante do ano letivo.

No dia 30 de abril, o presidente Nixon anunciou que estava enviando tropas americanas ao Cambodja, expandindo a Guerra do Vietnã. Os protestos do primeiro de maio tornaram-se uma manifestação mais ampla, não só para apoiar um julgamento justo para os Panteras, como, também, de oposição às ações de Nixon na guerra. Ao longo da era de protestos estudantis, o reitor de Yale, Kingman Brewster, e o capelão da universidade, William Sloane Coffin, haviam assumido uma postura conciliatória, o que ajudou a Yale a evitar os problemas que ocorriam em outros lugares. O reverendo Coffin tornou-se um líder nacional do movimento contra a guerra por meio de sua articulada crítica moral ao envolvimento americano. O reitor Brewster abordou as preocupações estudantis e admitiu a angústia sentida por muitos. Chegara mesmo a dizer que estava "cético" quanto à capacidade dos "revolucionários negros" de conseguir um julgamento justo em qualquer parte dos Estados Unidos. Diante da perspectiva de manifestantes violentos, Brewster suspendeu as aulas e anunciou que os dormitórios seriam abertos para servir refeições a quem quer que viesse. Suas ações e declarações inflamaram ex-alunos, bem como o presidente Nixon e o vice-presidente Spiro Agnew.

No dia 4 de maio, tropas da Guarda Nacional abriram fogo contra estudantes que protestavam na Universidade Estadual de Kent, em Ohio. Quatro estudantes foram mortos. A foto de uma jovem ajoelhada sobre o corpo de um estudante morto representava tudo o que eu temia e odiava no que estava acontecendo no país. Lembro-me de que saí aos prantos, correndo pela porta da escola de direito e deparei com o professor Fritz Kessler, um refugiado que escapara da Alemanha hitlerista. Ele me perguntou o que estava acontecendo e respondi que não conseguia acreditar no que estava acontecendo; ele me acalmou dizendo que, para ele, tudo aquilo era muito familiar.

Fiel a minha criação, eu advogava o engajamento, não a desordem ou a "revolução". No dia 7 de maio, cumpri uma obrigação anteriormente programada de falar no banquete da convenção do quinquagésimo aniversário da Liga das Sufragistas em Washington, um convite que derivara de meu discurso de formatura da faculdade. Usei uma tarja negra no braço em memória dos estudantes mortos. Minhas emoções, mais uma vez, estavam à beira da explosão quando argumentei que a extensão para o Cambodja do envolvimento americano na Guerra do Vietnã era ilegal e inconstitucional. Tentei explicar o contexto no qual ocorriam os protestos e o impacto que os tiroteios na Universidade de Kent produziram sobre os estudantes de direito de Yale, que haviam vencido por 239 a 12 votos a proposta de reunir mais de trezentas faculdades numa greve nacional de protesto contra "a expansão inescrupulosa de uma guerra que jamais deveria ter sido travada". Eu havia sido mediadora da assembléia de massa em que ocorrera a votação e sabia o quanto meus colegas levavam a sério o direito e suas responsabilidades como cidadãos. Os estudantes de direito, que não haviam anteriormente se juntado a outros setores da universidade em atos de protesto, debatiam as questões de um modo ponderado, embora juridicamente. Não eram "vagabundos", como Nixon costumava rotular todos os manifestantes estudantis.

A oradora que dera o tom na convenção da Liga era Marian Wright Edelman, cujo exemplo contribuiu para que eu me voltasse para minha permanente defesa da causa das crianças. Marian havia se formado na Faculdade de Direito de Yale em 1963 e se tornou a primeira mulher negra a trabalhar num tribunal do Mississippi. Ela passou a metade dos anos 60 administrando o escritório do Fundo de Defesa Legal e Educacional da NAACP (National Association for the Advancement of Colored People) em Jackson, viajando por todo o estado para implantar programas Head Start e arriscando seu pescoço pelo avanço dos direitos civis no Sul. A primeira vez que ouvi falar de Marian foi por seu marido, Peter Edelman, que havia se formado pela Faculdade de Direito de Harvard, secretariara Arthur J. Goldberg na Suprema Corte e trabalhara para Bobby Kennedy. Peter acompanhara o senador Kennedy ao Mississippi em 1967 numa viagem de apuração de fatos para expor a extensão da pobreza e da fome nos estados sulistas. Marian foi uma das guias do senador para suas viagens pelo Mississippi. Após a viagem, continuou trabalhando com Peter e, depois do assassinato do senador Kennedy, os dois se casaram.

Conheci Peter Edelman numa conferência nacional sobre juventude e desenvolvimento comunitário realizada em outubro de 1969 na Universidade do Estado do Colorado em Fort Collins, Colorado, e patrocinada pela Liga, a qual havia convidado ativistas representantes de todo o país para discutir formas pelas quais os jovens podiam se envolver mais positivamente no governo e na política. Fui convidada para trabalhar no Comitê de Coordenação junto com Peter, que na época era Diretor Adjunto do Memorial Robert F. Kennedy; David Mixner, do Comitê da Moratória do Vietnã, e com Martin Slate, um colega da faculdade de direito que era meu amigo desde os tempos em que estava em Harvard e eu em Wellesley. Uma das questões que nos unia era nossa convicção de que a Constituição deveria ser emendada para reduzir a idade dos eleitores, de 21 para dezoito anos. Se os jovens tinham idade suficiente para combater, tinham o direito de votar. A emenda foi finalmente aprovada em 1971, mas os jovens entre as idades de dezoito e 24 anos não optaram pelo voto na proporção em que muitos de nós esperava, e esse grupo ainda hoje tem o menor número de registro e comparecimento de todos os grupos etários. Sua apatia torna menos provável que nossa política nacional reflita suas preocupações e proteja seu futuro.

Durante uma pausa na conferência, eu estava sentada num banco conversando com Peter Edelman quando nossa conversa foi interrompida por um homem elegantemente trajado. "Então, Peter, você não vai me apresentar a esta jovem determinada?", perguntou ele. Este foi meu primeiro encontro com Vernon Jordan, então diretor do Projeto de Educação do Eleitor do

Conselho Regional Sul em Atlanta e defensor da redução da idade para votar. Vernon, um advogado inteligente e carismático, veterano do movimento pelos direitos civis, tornou-se meu amigo naquele dia e, mais tarde, amigo de meu marido. Sempre se pode contar com ele e sua experiente esposa, Ann, para uma boa companhia e sábios conselhos.

Peter me contou dos planos de Marian de criar uma organização de advocacia antipobreza e insistiu para que eu a conhecesse assim que eu pudesse. Alguns meses depois, Marian discursou em Yale. Apresentei-me a ela após sua palestra e pedi um trabalho de verão. Ela me disse que poderia ter um, mas que não podia me pagar. Esse era um problema, já que eu tinha de ganhar dinheiro suficiente para complementar a bolsa que Wellesley havia me concedido para a faculdade de direito e os empréstimos que eu havia assumido. O Conselho de Pesquisa de Direitos Civis dos Estudantes de Direito me concedeu um subsídio, que usei para manter meu trabalho durante o verão de 1970 no Projeto de Pesquisa de Washington que Marian havia iniciado na capital federal.

O senador Walter "Fritz" Mondale, de Minnesota, mais tarde vice-presidente de Jimmy Carter, decidiu realizar audiências no Senado para investigar as condições de vida e trabalho de lavradores migrantes. As audiências coincidiram com o aniversário de dez anos do famoso documentário de televisão de Edward R. Murrow, que chocara os americanos em 1960 com seu relato do deplorável tratamento sofrido pelos migrantes. Marian designou-me para pesquisar a educação e a saúde dos filhos de migrantes. Eu dispunha de uma limitada experiência com filhos de migrantes que freqüentavam minha escola primária durante poucos meses de cada ano e com outros que minha igreja arranjara para que eu fosse babá quando eu estava com catorze anos. Todo sábado de manhã, durante o período da colheita, eu ia com vários amigos da escola dominical até o campo de migrantes, onde cuidávamos das crianças com menos de dez anos enquanto seus irmãos e irmãs mais velhos trabalhavam com os pais no campo.

Conheci uma menina de sete anos, Maria, que estava se preparando para receber a primeira comunhão quando sua família regressasse ao México ao final da colheita. Mas ela não daria valor a essa passagem a menos que sua família poupasse dinheiro suficiente para lhe comprar um vestido branco adequado. Falei com minha mãe sobre Maria e ela me levou para comprar um lindo vestido. Quando o entregamos de presente à mãe de Maria, ela começou a chorar e caiu de joelhos para beijar as mãos de minha mãe. Embaraçada, minha mãe só ficava dizendo que sabia o quanto era importante para uma garotinha sentir-se especial numa ocasião como essa. Anos depois, percebi que minha mãe devia ter-se identificado com Maria.

Embora essas crianças levassem uma vida dura, eram inteligentes, promissoras e amadas por seus pais. As crianças abandonavam tudo o que estivessem fazendo para sair correndo pela estrada quando suas famílias voltavam do campo para casa. Os pais agarravam e erguiam no ar os meninos alvoroçados e as mães se curvavam para abraçar os mais novos. Era exatamente como em meu bairro, quando os pais voltavam da cidade após o trabalho.

Mas enquanto realizava minha pesquisa, descobri a freqüência com que os lavradores e seus filhos eram — e muitas vezes ainda são — privados de coisas básicas como moradia e saneamento decentes. Cesar Chavez fundou a Associação Nacional dos Trabalhadores Rurais em 1962, organizando trabalhadores nos campos da Califórnia, mas as condições na maior parte do país não se alteraram muito depois de 1960.

As audiências a que assisti em julho de 1970 faziam parte de uma série que a Comissão do Senado vinha realizando para tomar depoimentos e testemunhos de agricultores, advogados e empregadores. As testemunhas apresentavam provas de que certas companhias possuíam enormes fazendas na Flórida, onde os migrantes eram tratados tão mal quanto o haviam sido uma década antes. Vários estudantes que eu conhecia de Yale compareceram em nome de clientes empresariais das firmas de advocacia para as quais estavam trabalhando no verão como assistentes. Os estudantes me disseram que estavam tentando descobrir como reabilitar a imagem desgastada de um cliente empresarial. Sugeri que a melhor maneira para fazer isso seria melhorar o tratamento dado a seus trabalhadores rurais.

Quando voltei para Yale para meu segundo ano, no outono de 1970, decidi me concentrar no modo como o direito afetava as crianças. Historicamente, os direitos e necessidades das crianças eram cobertos pelo direito da família e normalmente definidos por aquilo que seus pais decidissem, com certas exceções notáveis, como o direito de uma criança de receber tratamento médico necessário não obstante as objeções religiosas de seus pais. Mas, a partir dos anos 60, os tribunais começaram a descobrir outras circunstâncias nas quais as crianças, numa medida limitada, possuíam direitos independentemente de seus pais.

Dois de meus professores da escola de direito, Jay Katz e Joe Goldstein, incentivaram meu interesse por essa área nova e sugeriram que eu estudasse mais sobre o desenvolvimento da criança por meio de um programa do Centro de Estudos sobre a Criança da Universidade de Yale. Mandaram-me procurar o diretor do centro, o dr. Al Solnit, e sua clínica-chefe, a dra. Sally Provence. Convenci-os a me deixarem passar um ano no centro assistindo a discussões de casos e observando sessões clínicas. O dr. Solnit e o professor Goldstein me pediram para trabalhar como sua assistente de pesquisa para o livro *Beyond the Best Interests of the Child* (Para além dos melhores interesses da criança), que estavam escrevendo com Anna Freud, a filha de Sigmund. Passei também a reunir-me com a equipe médica do Hospital Yale-New Haven para consultas sobre o problema recentemente reconhecido do abuso de crianças e para ajudar a redigir os procedimentos legais a serem adotados pelo hospital ao lidar com casos onde houvesse suspeita de abuso de crianças.

Essas atividades seguiram *pari passu* com minhas atribuições no escritório de serviços jurídicos de New Haven. Um jovem advogado de assistência jurídica gratuita, Penn Rhodeen, ensinou-me como era importante para as crianças contar com seus próprios advogados em situações que envolviam abuso e negligência. Penn me pediu para ajudá-lo na representação de uma mulher afro-americana nos seus cinqüenta anos, que havia trabalhado como mãe de criação de uma menina mestiça de dois anos de idade, desde o parto da criança. Essa mulher já havia criado seus próprios filhos e desejava adotar a garotinha. O Departamento de Assistência Social de Connecticut, porém, seguiu sua política de que pais de criação não eram elegíveis para adoção e retiraram a menina dos cuidados da mulher e a colocaram com uma família mais "adequada". Penn processou a burocracia, argumentando que a mãe de criação era a única mãe que a garotinha havia conhecido e que afastá-la lhe causaria dano duradouro. A despeito de nossos maiores esforços, perdemos o caso, mas isso me incitou a procurar maneiras pelas quais as necessidades e direitos do desenvolvimento da criança pudessem ser reconhecidos dentro do sistema legal. Descobri que o que eu desejava fazer com o direito era dar voz a crianças que não estavam sendo ouvidas.

Meu primeiro artigo acadêmico, intitulado "Children Under the Law" ("As crianças nos termos da lei"), foi publicado em 1974 na *Harvard Educational Review*. Explora as difíceis decisões que o judiciário e a sociedade enfrentam quando as crianças sofrem abuso ou negligência por parte de suas famílias ou quando as decisões dos pais produzem conseqüências potencialmente irreparáveis, tais como a de recusar a uma criança atendimento médico ou o direito de continuar na escola. Minhas opiniões foram moldadas por aquilo que eu observara como voluntária dos Serviços Jurídicos representando crianças cuidadas por mães de criação e por meio de minhas experiências no Centro de Estudos da Criança no Hospital Yale-New Haven; eu aconselhava os médicos em seus turnos enquanto tentavam definir se os ferimentos de uma criança eram resultado de abuso e, nesse caso, se a criança deveria ser retirada de sua família e colocada sob os cuidados incertos do sistema de bem-estar da criança. Eram decisões terríveis de serem tomadas. Sou de uma família sólida e acredito no direito natural presumido de um pai de criar seu filho da maneira que achar adequada. Mas minhas experiências no Hospital Yale-New Haven estavam muito distantes de minha protegida criação suburbana.

Pode ser que houvesse abuso de crianças e violência doméstica em Park Ridge, mas eu não vi. Em New Haven, ao contrário, vi crianças cujos pais as surravam e queimavam; que as deixavam sozinhas durante dias em apartamentos sórdidos; que não procuravam e se recusavam a procurar a assistência médica necessária. A triste verdade, descobri, era que certos pais abdicavam de seus direitos como pais e alguns — preferivelmente um outro membro da família, mas, em último caso, o Estado — tinham de intervir para dar à criança a chance de um lar permanente e carinhoso.

Muitas vezes eu pensava na negligência e maltrato sofrido por minha mãe nas mãos de seus pais e avós e como outros adultos atenciosos preencheram o vazio emocional para ajudá-la. Minha mãe tentou retribuir o favor levando para casa meninas de um grupo local para ajudá-la em seus afazeres de casa. Ela queria lhes dar a mesma chance que tivera de ver, na prática, uma família protetora intacta.

Quem teria previsto que durante a campanha presidencial de 1992, quase duas décadas depois que escrevi o artigo, republicanos conservadores como Marilyn Quayle e Pat Buchanan torceriam minhas palavras para me retratar como "antifamília"? Alguns críticos chegaram até a afirmar que eu queria que as crianças fossem capazes de processar seus pais quando estes as mandassem levar o lixo para a rua. Eu não poderia prever a ulterior deturpação de meu artigo; tampouco poderia ter previsto as circunstâncias que motivariam os republicanos a me denunciar. E certamente eu não sabia que estava prestes a encontrar a pessoa que levaria minha vida a girar em direções que eu jamais teria imaginado.

5

BILL CLINTON

ERA DIFÍCIL NÃO NOTAR BILL CLINTON NO OUTONO DE 1970. Ele chegou à Escola de Direito de Yale parecendo mais um *viking* do que um bolsista de Rhodes regressando de dois anos em Oxford. Ele era alto e bonitão em algum lugar debaixo daquela barba e da juba encaracolada de cor castanho-avermelhada. Ele também tinha uma vitalidade que parecia irradiar de seus poros. Quando o vi pela primeira vez no saguão dos estudantes na escola de direito, ele falava sem parar diante de uma absorta platéia de colegas. Enquanto eu passava, ouvi-o dizer: "... e não só isso, nós cultivamos as maiores melancias do mundo!". Perguntei a um amigo: "Quem é aquele?". "Ah, aquele é Bill Clinton", disse ele. "Ele é do Arkansas e é só disso que ele fala."

Cruzamo-nos pelo campus, mas na verdade não nos conhecemos senão numa noite na biblioteca de direito de Yale na primavera seguinte. Eu estava estudando na biblioteca e Bill estava em pé no corredor conversando com outro aluno, Jeff Gleckel, que estava tentando convencê-lo a escrever para o *Yale Law Journal*. Notei que ele não parava de olhar para mim. Ficou um bom tempo fazendo isso. Por esse motivo, levantei-me da escrivaninha, caminhei até ele e disse: "Se você vai continuar olhando para mim, e vou continuar a olhar de volta, talvez seja melhor nos apresentarmos. Eu sou Hillary Rodham". Foi só. Segundo Bill conta o caso, ele não conseguiu lembrar o próprio nome.

Não tornamos a nos falar novamente até o último dia de aula, na primavera de 1971. Por acaso, saímos ao mesmo tempo do curso de Direitos Políticos e Civis do professor Thomas Emerson. Bill me perguntou para onde eu estava indo. Eu estava a caminho da secretaria de cursos para me matricular para os cursos do semestre seguinte. Ele me disse que também estava indo para lá. Enquanto caminhávamos, ele elogiou minha saia longa com desenhos de flores. Quando eu lhe disse que minha mãe a havia feito, ele perguntou sobre minha família e onde eu havia crescido. Esperamos na fila até que chegamos à funcionária da secretaria. Ela ergueu os olhos e disse: "Bill, o que você está fazendo aqui? Você já se matriculou". Ri quando ele confessou que só queria passar um tempo comigo e saímos para uma longa caminhada que se tornou nosso primeiro encontro.

Ambos queríamos ver uma exposição de Mark Rothko na Galeria de Arte de Yale, mas, por uma disputa trabalhista, alguns prédios da universidade, entre os quais o do museu, estavam fechados. Quando estávamos passando pelo prédio, ele concluiu que poderíamos entrar se nos oferecêssemos para apanhar o lixo que havia se acumulado no pátio da galeria. Observá-lo conversando para que nos deixassem entrar foi a primeira vez que vi sua persuasividade em ação. Tivemos o museu só para nós. Vagamos pelas galerias conversando sobre Rothko e a arte do século XX. Confesso que fiquei surpresa com seu interesse e conhecimento de temas que, a princípio, pareciam incomuns para um *viking* do Arkansas. Acabamos parando no pátio do museu, onde me sentei no amplo colo da escultura *Draped Seated Woman* [*Mulher de túnica sentada*], de Henry Moore, enquanto conversávamos até anoitecer. Convidei Bill para a festa que minha colega de quarto Kwan Kwan Tan e eu estávamos promovendo em nosso dormitório naquela noite para comemorar o final das aulas. Kwan Kwan, uma chinesa que viera de Burma para Yale fazer pós-graduação em estudos jurídicos, era uma companheira encantadora e uma excelente dançarina de música birmanesa. Ela e o marido, Bill Wang, que era também estudante, continuam nossos amigos.

Bill veio à nossa festa, mas mal disse uma palavra. Já que não o conhecia muito bem, achei que devia ser tímido, talvez não muito desembaraçado socialmente, ou que apenas não estivesse se sentindo à vontade. Não vi muito futuro para nós como casal. Além disso, eu tinha um namorado na época e estávamos planejando passar o fim de semana fora da cidade. Quando voltei a Yale no final do domingo, Bill me ligou e me ouviu tossindo e atropelando as palavras por causa de um forte resfriado que eu apanhara.

"Você parece muito mal", disse ele. Uma meia hora depois, ele estava batendo à minha porta, trazendo canja de galinha e suco de laranja. Ele entrou e começamos a conversar. Ele era capaz de conversar sobre qualquer assunto — desde política africana até música *country*. Perguntei-lhe por que estava tão calado em minha festa. "Porque eu estava interessado em saber mais sobre você e seus amigos", respondeu ele.

Eu estava começando a perceber que esse jovem do Arkansas era muito mais complicado do que sugeriam as primeiras impressões. Até hoje, ele me surpreende com as ligações que traça entre as idéias e as palavras e com o modo como faz tudo soar como música. Ainda gosto muito da forma como ele pensa e do jeito que ele olha. Uma das primeiras coisas que notei em Bill foi a forma de suas mãos. Seus punhos são estreitos e os dedos afilados e delicados, como os de um pianista ou de um cirurgião. Quando nos encontramos pela primeira vez como estudantes, adorei observá-lo virando as páginas de um livro. Agora suas mãos mostram sinais da idade, após milhares de apertos de mão, tacadas de golfe e muitos quilômetros de assinaturas. São como o dono, desgastadas pelo tempo, mas ainda expressivas, atraentes e flexíveis.

Logo depois que Bill veio em meu socorro com canja e suco de laranja, tornamo-nos inseparáveis. Entre a virada das provas finais e o encerramento de meu primeiro ano de concentração no estudo das crianças, passamos longas horas viajando em sua *station wagon* Opel laranja 1970 — realmente um dos carros mais feios já fabricados — ou namorando na casa de praia no estreito de Long Island, perto de Milford, Connecticut, onde ele morava com seus colegas Doug Eakely, Don Pogue e Bill Coleman. Certa noite, numa festa ali, Bill e eu acabamos na cozinha, conversando sobre o que cada um de nós queria fazer depois da formatura. Eu ainda não sabia onde iria morar e o que faria, porque meus interesses na defesa de crianças e nos direitos civis não determinavam nenhum rumo específico. Bill estava absolutamente decidido: iria voltar para o Arkansas e concorrer a um cargo público. Muitos de meus colegas de classe diziam que pretendiam se dedicar ao serviço público, mas Bill era o único sobre quem tínhamos certeza de que realmente o faria.

Contei a Bill sobre meus planos para o verão de trabalhar como secretária na Treuhaft, Walker and Burnstein, uma pequena firma de advocacia em Oakland, Califórnia, e ele anunciou que gostaria de ir para a Califórnia comigo. Fiquei admirada. Eu sabia que ele havia se inscrito para trabalhar na campanha presidencial do senador George McGovern e que o chefe de campanha, Gary Hart, havia pedido a Bill que organizasse o Sul para McGovern.

A perspectiva de dirigir de um estado sulista para outro, convencendo democratas a apoiarem McGovern e também a se oporem à política de Nixon no Vietnã o entusiasmava. Embora Bill tivesse trabalhado no Arkansas em campanhas para o senador J. William Fulbright e outros, e, em Connecticut, para Joe Duffey e Joe Lieberman, jamais tivera a oportunidade de estar na linha de frente de uma campanha presidencial.

Eu não sabia o que dizer.

"Por que", perguntei, "você vai abrir mão da oportunidade de fazer uma coisa que você adora para me acompanhar até a Califórnia?"

"Por alguém que amo, eis por quê", disse ele.

Ele havia concluído, segundo me disse, que estávamos destinados um para o outro e não queria me deixar partir quando acabara de me encontrar.

Bill e eu dividimos um pequeno apartamento perto de um grande parque não muito longe da Universidade da Califórnia, no campus de Berkeley, onde se iniciara em 1964 o Free Speech Movement [Movimento do Livre Discurso, movimento estudantil iniciado em 1964 na Universidade de Berkeley]. Eu passava os dias pesquisando e a maior parte do tempo trabalhando para Mal Burstein, redigindo moções e memoriais jurídicos para um caso de custódia de criança. Enquanto isso, Bill explorava Berkeley, Oakland e San Francisco. Nos fins de semana, ele me levava para os lugares que desbravara, como um restaurante em North Beach ou uma loja de roupas antigas na avenida Telegraph. Tentei ensiná-lo a jogar tênis e ambos fazíamos experiências na cozinha. Fiz para ele uma torta de pêssego, algo que eu associava com o Arkansas, embora ainda não tivesse visitado o estado, e juntos produzíamos um apetitoso *curry* de frango para todo e qualquer encontro social que organizássemos. Bill passava a maior parte de seu tempo lendo e depois dividindo comigo suas reflexões sobre livros como *Rumo à estação Finlândia*, de Edmund Wilson. Durante nossas longas caminhadas, muitas vezes começávamos a cantarolar, geralmente uma de suas canções favoritas de Elvis Presley.

As pessoas dizem que eu sabia que Bill seria presidente algum dia e que eu saía dizendo a todos que se dispusessem a ouvir. Não me lembro de ter pensado nisso senão anos mais tarde, mas tive um estranho encontro num pequeno restaurante em Berkeley, onde devia me encontrar com Bill; fiquei presa no trabalho e por isso cheguei tarde. Não havia nem sinal dele e perguntei ao garçom se havia visto um homem com a sua descrição. Um cliente que estava sentado perto disse: "Ele ficou aqui um bom tempo lendo e comecei a conversar com ele sobre livros. Não sei o nome dele, mas algum dia ele vai ser presidente". "Ah, sei", disse eu, "mas sabe para onde ele foi?"

Ao final do verão, voltei a New Haven e aluguei o andar térreo do prédio da avenida Edgewood, 21, por 75 dólares por mês. Por essa quantia, tínhamos uma sala de estar com lareira, um pequeno quarto, um terceiro cômodo que funcionava tanto como área de estudo como de jantar, um banheiro minúsculo e uma tosca cozinha. O piso era tão irregular que os pratos escorregavam da mesa de jantar se não colocássemos pequenos blocos de madeira sob as pernas da mesa para nivelá-las. O vento uivava pela rachaduras nas paredes, que tapávamos com jornais. Mas, apesar de tudo isso, eu adorava nossa primeira casa. Compramos móveis nas lojas da Goodwill e do Exército de Salvação, e ficamos muito orgulhosos de nossa decoração estudantil.

O apartamento ficava a uma quadra do Elm Street Diner, que freqüentávamos porque ficava aberto a noite inteira. Havia uma ACM na rua de casa que tinha um curso de ioga que passei a freqüentar, e Bill concordou em ir comigo — desde que eu não contasse a ninguém. Ele também me acompanhava até a Catedral do Suor, o centro esportivo gótico de Yale, para correr despreocupadamente em volta do mezanino. Ele começava a correr e não parava. Eu não.

Muitas vezes comíamos no Basel's, um de nossos restaurantes gregos favoritos, e gostávamos de ir ver filmes no Lincoln, um pequeno cinema nos fundos de uma rua residencial. Certa noite, depois que uma nevasca finalmente cessou, decidimos ir ao cinema. As ruas ainda não estavam desimpedidas e, por isso, fomos a pé e voltamos pelos montes de neve de trinta centímetros, sentindo-nos muito vivos e apaixonados.

Ambos tínhamos de trabalhar para pagar nosso curso na escola de direito, além dos empréstimos que havíamos feito. Mas ainda encontrávamos tempo para a política. Bill decidiu abrir um comitê de campanha de McGovern para presidente em New Haven, usando seu próprio dinheiro para alugar uma loja comercial de frente para a rua. A maioria dos voluntários era de estudantes e professores de Yale porque o chefe do partido democrata local, Arthur Barbieri, não estava apoiando McGovern. Bill arranjou um encontro nosso com o sr. Barbieri num restaurante italiano. Num almoço demorado, Bill afirmou que tinha oitocentos voluntários prontos para sair às ruas e superar a organização do aparelho normal do partido. Barbieri acabou decidindo apoiar McGovern. Convidou-nos para participar da reunião do partido num clube italiano local, o Melebus, onde ele anunciaria seu apoio.

Na semana seguinte, fomos de carro até um prédio comum, e entramos por uma porta que dava para um conjunto de escadas, as quais levavam a uma série de subsolos. Quando Barbieri se levantou para falar na grande sala de jantar, pediu a atenção dos membros do comitê local — homens, em sua maioria — que estavam presentes. Começou falando sobre a guerra no Vietnã e declinando os nomes dos rapazes da área de New Haven que estavam servindo no Exército e daqueles que haviam morrido. Em seguida, disse: "Esta guerra não merece a perda de nenhum outro rapaz. É por isso que devemos apoiar George McGovern, que quer trazer nossos rapazes para casa". Não era uma posição imediatamente popular, mas à medida que a noite avançou, ele insistiu em seu argumento até que obteve um voto de apoio unânime. E continuou a divulgar seu compromisso, primeiro na convenção estadual e, depois, na eleição, quando New Haven foi um dos poucos lugares dos Estados Unidos em que McGovern venceu Nixon.

Depois do Natal, Bill dirigiu de Hot Springs até Park Ridge para passar alguns dias com minha família. Meus pais o haviam conhecido no verão anterior, mas eu estava nervosa porque papai era muito desinibido para criticar meus namorados. Fiquei a imaginar o que ele diria para um democrata sulista com costeletas de Elvis. Minha mãe me dissera que, aos olhos de meu pai, nenhum homem seria bom o bastante para mim. Ela gostara das boas maneiras e da disposição de Bill em ajudar a lavar a louça. Mas ele realmente a conquistou quando a viu lendo um livro de filosofia de um dos cursos universitários que fizera e passou cerca de uma hora discutindo-o com ela. A princípio, a coisa estava indo mais devagar com meu pai, mas ele se animou com jogos de cartas e diante da televisão, assistindo a jogos de futebol. Meus irmãos gostaram da atenção que Bill lhes dedicou. Minhas amigas também gostaram dele. Depois que o apresentei a Betsy Johnson, a mãe dela, Roslyn, me chamou para o lado quando saíamos de sua casa e disse: "Não me importo com o que você faça, mas não deixe este ir embora. Ele é o primeiro que vi fazer você rir!".

Depois do fim das aulas na primavera de 1972, voltei para Washington para trabalhar novamente para Marian Wright Edelman. Bill assumiu um trabalho em tempo integral na campanha de McGovern.

Minha tarefa primeira no verão de 1972 foi coletar informações sobre o fracasso da administração Nixon em aplicar a proibição legal à concessão de isenção fiscal às escolas particulares segregadas, que haviam proliferado no Sul para evitar as escolas públicas integradas. As escolas especiais alegavam ter sido criadas simplesmente em resposta a pais que decidiam fundar escolas particulares; isso não tinha nada a ver com a integração das escolas públicas determinada pela justiça. Fui para Atlanta para me encontrar com os advogados e trabalhadores dos direitos civis, os quais estavam compilando provas que, ao contrário, evidenciavam que as academias [escolas especiais] foram criadas com o propósito exclusivo de evitar a injunção constitucional das decisões da Suprema Corte, a começar pelo caso Brown versus Conselho de Educação.

Como parte de minha investigação, dirigi-me até Dothan, Alabama, no intuito de me fazer passar por uma jovem mãe de mudança para a área, interessada em matricular meu filho na escola especial local só para brancos. Parei primeiro na seção "negra" de Dothan para almoçar com nossos contatos locais. Entre hambúrgueres e chá gelado adoçado, disseram-me que muitos distritos escolares da área estavam retirando livros e equipamento das escolas públicas locais para enviar para as chamadas academias, o que elas encaravam como alternativas para estudantes brancos. Na escola particular local, eu tinha um encontro marcado com um administrador para discutir a matrícula de meu filho imaginário. Fiz toda a minha encenação, fazendo perguntas sobre o currículo e composição do corpo discente. Foi-me assegurado que nenhum estudante negro seria matriculado.

Enquanto eu estava questionando práticas de discriminação, Bill estava em Miami trabalhando para garantir a indicação de McGovern na Convenção Democrática de 13 de julho de 1972. Após a convenção, Gary Hart pediu que Bill fosse para o Texas junto com Taylor Branch, então um jovem escritor, para se reunir com um advogado local de Houston, Julius Glickman, num triunvirato para gerir a campanha de McGovern naquele estado. Bill me perguntou se eu queria ir também. Eu queria, mas só se tivesse uma tarefa específica. Anne Wexler, uma veterana de campanhas que eu conhecia de Connecticut e que trabalhava para McGovern, ofereceu-me um trabalho: cadastrar eleitores no Texas. Agarrei a oportunidade. Embora Bill fosse a única pessoa que eu conhecia quando cheguei a Austin, Texas, em agosto, rapidamente fiz ali alguns dos melhores amigos que já tive.

Em 1972, Austin era ainda uma cidade sonolenta comparada a Dallas ou Houston. Por certo, era a capital do estado e sede da Universidade do Texas, mas parecia mais típica do passado que do futuro do Texas. Teria sido difícil prever o crescimento explosivo das companhias de alta tecnologia que transformaram a cidadezinha no montanhoso meio rural do Texas numa cidade próspera do cinturão sulista dos Estados Unidos.

A campanha de McGovern montou sua sede numa loja vazia na rua Seis Oeste. Eu tinha um pequeno cubículo que raramente ocupava porque passava a maior parte do tempo no campo, tentando cadastrar os recém-emancipados eleitores de dezoito a 21 anos de idade e andando de carro pelo sul do Texas, trabalhando para cadastrar eleitores negros e hispânicos. Roy Spence, Garry Mauro e Judy Trabulsi, que continuaram atuantes na política do Texas e desempenharam papel importante na campanha presidencial de 1992, tornaram-se a espinha dorsal de nossos esforços para chegar aos eleitores jovens. Pensavam poder cadastrar todos os eleitores de dezoito anos do Texas, que, segundo eles, reverteriam a maré eleitoral em favor de McGovern. Eles também gostavam de diversão e me apresentaram ao Scholz's Beer Garden, onde sentávamos ao ar livre ao final de dezoito ou vinte horas diárias tentando imaginar o que mais poderíamos fazer em face dos índices cada vez mais baixos nas pesquisas.

Era natural que os hispânicos do sul do Texas receassem uma garota loura de Chicago que não sabia falar uma palavra de espanhol. Encontrei aliados nas universidades, entre a mão-de-obra organizada e advogados da Associação de Assistência Jurídica Rural Gratuita do sul do Texas. Um de meus guias na fronteira era Franklin Garcia, um sindicalista calejado nas batalhas que me levava para lugares aos quais jamais poderia ter ido sozinha, e que depunha em meu favor para mexicano-americanos que receavam que eu fosse do serviço de imigração ou de alguma outra entidade governamental. Certa noite, quando Bill estava em Brownsville reunindo-se com líderes do Partido Democrata, Franklin e eu o apanhamos de carro e fomos até a fronteira, em Matamoros, onde Franklin prometeu que faríamos uma refeição que jamais esqueceríamos. De repente estávamos numa espelunca local que tinha uma banda decente de *mariachis* e que servia o melhor — o único — churrasco de cabrito, ou cabeça de bode, que já comi. Bill caiu no sono na mesa enquanto eu comia o mais depressa que a digestão e a educação permitiam.

Betsey Wright, que militara anteriormente no Partido Democrata do estado do Texas e estivera trabalhando para o movimento Common Cause [Causa Comum], chegou para trabalhar na campanha. Betsey fora criada no oeste do Texas e fizera universidade em Austin. Uma ótima organizadora política, rodara por todo o estado e não disfarçava o que já podíamos adivinhar — que a campanha de McGovern estava fadada ao fracasso. Mesmo o brilhante registro de guerra do senador McGovern como piloto de bombardeiros da Força Aérea, mais tarde celebrado no livro de Stephen Ambrose, *The Wild Blue*, que teria dado credibilidade a sua postura antibélica no Texas, foi soterrado sob as críticas dos republicanos e os equívocos de sua própria campanha. Quando McGovern escolheu Sargent Shriver para suceder o senador Thomas Eagleton como seu vice-presidente indicado, tivemos esperança de que tanto o trabalho de Shriver no governo do presidente Kennedy como sua relação com a família Kennedy, por meio de Jack e da irmã de Bobby Kennedy, Eunice, pudessem reavivar o interesse.

Quando se encerrou o prazo de trinta dias até as eleições para o cadastro de eleitores, Betsey me pediu para ajudar a administrar o último mês da campanha em San Antonio. Fiquei com uma amiga da universidade e mergulhei nas imagens, sons, cheiros e comida dessa bela cidade. Eu comia comida mexicana três vezes por dia, geralmente no Mario's da rodovia ou no Mi Tierra, no centro da cidade.

Quando se administra uma campanha presidencial num estado ou cidade, sempre se está tentando convencer a sede nacional da campanha a mandar para lá os candidatos ou outros representantes de alto nível. Shirley MacLaine foi a apoiadora mais famosa que persuadimos a ir a San Antonio até que a campanha anunciou que McGovern voaria para um comício diante do Alamo, um cenário simbólico. Durante mais de uma semana, todos os nossos esforços se concentraram em colocar na rua a maior multidão possível. Essa experiência me levou a perceber quanto é importante para o pessoal da sede da campanha respeitar o povo das localidades. As campanhas enviam pessoal de preparação para organizar a logística de visita do candidato. Foi a primeira vez que vi na prática o trabalho de uma equipe de preparação. Descobri que atuavam em condições de extrema tensão, que queriam para ontem todos os elementos essenciais — telefones, copiadoras, palanque, cadeiras, sistema de som —, e que, numa corrida apertada ou perdedora, alguém precisa se encarregar de pagar as contas. Toda vez que a equipe de preparação pedia alguma coisa, diziam-me que o dinheiro que a pagaria seria imediatamente enviado. Mas o dinheiro nunca aparecia. Na noite do grande evento, McGovern fez um trabalho excelente. Levantamos dinheiro suficiente apenas para pagar os fornecedores locais, o que se revelou a única iniciativa bem-sucedida durante minha estada de um mês.

Minha parceira em tudo isso foi Sara Ehrman, membro da equipe legislativa do senador McGovern que tirara uma licença para trabalhar na campanha e que mais tarde se mudou para o Texas. Veterana na política e dotada de uma efervescente sagacidade, Sara era a corporificação tanto do calor materno como do ativismo despojado. Não tinha papas na língua nem ficava explicando suas opiniões, fosse qual fosse a platéia. E tinha a energia e a ousadia de uma mulher com metade de sua idade — e ainda tem. Ela estava administrando a campanha em San Antonio quando cheguei em outubro e disse a ela que estava ali para ajudar. Mutuamente nos medimos e decidimos que aproveitaríamos juntas a jornada, e assim começou uma amizade que perdura até hoje.

Era evidente para todos nós que Nixon iria derrotar McGovern na eleição de novembro. Mas, como logo descobriríamos, isso não impediu que Nixon e seus agentes utilizassem ilegalmente os fundos de campanha (para não falar dos órgãos oficiais do governo) para espionar a oposição e financiar golpes sujos para ajudar a garantir uma vitória dos republicanos. Uma invasão canhestra nos escritórios do comitê do Partido Democrata no complexo de Watergate, no dia 17 de junho de 1972, resultaria na ruína de Richard Nixon. Isso também figuraria em meus planos futuros.

Antes de regressar a nossos cursos em Yale, para os quais estávamos matriculados mas que ainda não freqüentávamos, Bill e eu tiramos nossas primeiras férias juntos e fomos para Zihuatanejo, México, na época uma pequena e encantadora cidade adormecida na costa do Pacífico. Entre mergulhos nas ondas, passamos o tempo refletindo sobre a eleição e os fracassos da campanha de McGovern, uma crítica que continuou por meses a fio. Tanta coisa dera errado, entre elas a equivocada Convenção Nacional Democrática. Entre outros erros táticos, McGovern chegou ao palanque para seu discurso de confirmação no meio da noite, quando ninguém no país estava acordado, muito menos assistindo a uma convenção política na televisão. Refletindo sobre nossa experiência com McGovern, Bill e eu percebemos que ainda tínhamos muito o que aprender sobre a arte da campanha política e sobre o poder da televisão. Aquela corrida de 1972 foi nosso primeiro rito de passagem político.

Depois de concluir a escola de direito na primavera de 1973, Bill me levou para minha primeira viagem à Europa, para revisitar suas assombrações como bolsista de Rhodes. Aterrissamos em Londres e Bill se mostrou um excelente cicerone. Passamos horas passeando pela Abadia de Westminster, a Tate Gallery e o Parlamento. Caminhamos por Stonehenge e nos deslumbramos com as montanhas mais que verdes do País de Gales. Saímos para visitar o máximo de catedrais que conseguíssemos, com o auxílio de um livro de mapas de caminhadas meticulosamente desenhados e cujas páginas abrangiam, cada uma, cerca de um quilômetro quadrado e meio da zona rural. Enveredamos em meandros que iam de Salisbury passando por Lincoln e Durham até York, fazendo uma pausa para explorar as ruínas de um mosteiro derrubado pelas tropas de Cromwell, ou vagando pelos jardins de uma grande propriedade rural.

Depois, ao crepúsculo, no maravilhoso distrito de Lake na Inglaterra, quando estávamos às margens do lago Ennerdale, Bill me pediu em casamento.

Eu estava perdidamente apaixonada por ele, mas extremamente confusa sobre minha vida e meu futuro. Por isso, respondi: "Não, não agora". O que eu queria dizer era: "Dê-me algum tempo".

Minha mãe havia sofrido com o divórcio de seus pais e sua infância triste e solitária deixara marcas em meu coração. Eu sabia que, quando decidisse me casar, queria que fosse para a vida toda. Evocando agora aquele tempo e a pessoa que eu era, percebo quanto estava assustada com compromissos em geral e, em particular, com a intensidade de Bill. Eu o via como uma força da natureza e me perguntava se estaria à altura da tarefa de passar por todas as suas estações.

Bill Clinton não é nada mais que persistente. Ele fixa metas, e eu era uma delas. Pedia-me em casamento e eu sempre dizia não. Por fim, ele disse: "Bem, não vou mais pedir que se case comigo e, se algum dia você resolver que quer se casar comigo, então terá de me dizer". Ele esperaria.

6

VIAJANTE DO ARKANSAS

LOGO DEPOIS QUE VOLTAMOS DA EUROPA, Bill me convidou para outra viagem — dessa vez para o lugar que ele chamava de lar.

Bill me apanhou no aeroporto em Little Rock em uma manhã clara de verão do final de junho. Levou-me de carro por ruas com casas vitorianas, depois da Mansão do Governador e do Legislativo estadual, construído imitando o prédio do Capitólio de Washington. Passamos pelo vale do rio Arkansas com suas magnólias baixas e adentramos as montanhas Ouachita, parando para admirar a paisagem e em lojas do meio rural, para que Bill me apresentasse às pessoas e aos lugares de que ele gostava. No crepúsculo, chegamos, por fim, a Hot Springs, Arkansas.

Quando Bill e eu nos conhecemos, ele passava horas me falando de Hot Springs, fundada em torno das fontes de água quente sulfurosa nas quais os índios durante séculos se banharam e que Hernando De Soto havia "descoberto" em 1541, acreditando que fossem a fonte da juventude. A corrida de cavalos e os jogos ilegais haviam atraído visitantes como Babe Ruth, Al Capone e Minnesota Fats. Quando Bill era criança, muitos restaurantes da cidade tinham caça-níqueis e as boates apresentavam artistas famosos dos anos 50 — Peggy Lee, Tony Bennett, Liberace e Patti Page. O secretário da Justiça Robert Kennedy fechou as operações de jogo ilegais, o que reduziu o movimento dos grandes hotéis, restaurantes e casas de banho da avenida Central. Mas a cidade renasceu à medida que mais e mais aposentados descobriam o clima ameno da área, seus lagos e sua beleza natural — e o espírito generoso de tantas pessoas que ali viviam.

Hot Springs era o elemento natural de Virginia Cassidy Blythe Clinton Dwire. A mãe de Bill nasceu em Bodcaw, Arkansas, e cresceu na vizinha Hope, cerca de 130 quilômetros ao sudoeste. Durante a Segunda Guerra Mundial, ela cursou a escola de enfermagem e foi lá que conheceu o primeiro marido, William Jefferson Blythe. Depois da guerra, mudaram-se para Chicago e moraram na zona norte, não muito longe de onde meus pais moravam. Quando Virginia ficou grávida de Bill, voltou para Hope para esperar o bebê. Seu marido estava indo de carro para encontrá-la quando sofreu um acidente fatal no Missouri em maio de 1946. Virginia era uma viúva de 23 anos quando Bill nasceu no dia 19 de agosto de 1946. Ela resolveu ir para New Orleans para obter formação como anestesista, porque soube que podia ganhar mais para manter a si e ao filho recém-nascido. Deixou Bill aos cuidados de sua mãe e de seu pai e, quando se formou, regressou a Hope para exercer a profissão.

Em 1950, casou-se com Roger Clinton, um negociante de carros beberrão, e se mudou com ele para Hot Springs em 1953. O alcoolismo de Roger piorou ao longo dos anos, e ele era um homem violento. Com a idade de quinze anos, Bill finalmente era grande o bastante para impedir que o padrasto batesse em sua mãe, pelo menos quando ele estivesse por perto. Ele também tentava tomar conta de seu irmão, Roger, dez anos mais novo. Virginia ficou novamente viúva em 1967, quando Roger Clinton morreu depois de uma longa luta contra o câncer.

Encontrei Virginia pela primeira vez em New Haven, durante uma visita que ela fizera a Bill na primavera de 1972. Ficamos perplexas uma diante da outra. Antes de Virginia chegar, eu havia feito um corte (terrível) de cabelo para economizar dinheiro. Eu não usava maquiagem e, na maior parte do tempo, vestia calças jeans e camisas de trabalho. Não era nenhuma Miss Arkansas e certamente não era o tipo de mulher por quem Virginia esperava que seu filho se apaixonasse. Não obstante o que mais estivesse se passando em sua vida, Virginia acordava cedo e, com seus cílios postiços e um batom vermelho-brilhante, saía porta afora. Meu estilo a confundiu e ela também não gostou de minhas estranhas idéias ianques.

Foi muito mais fácil relacionar-me com o terceiro marido de Virginia, Jeff Dwire, que se tornou um valoroso aliado. Era dono de um salão de beleza e tratava Virginia como uma rainha. Desde o primeiro dia em que nos vimos, ele foi amável comigo e incentivou muito meus esforços constantes de estabelecer uma boa relação com a mãe de Bill. Jeff me disse para dar um tempo que ela se aproximaria.

"Ah, não se preocupe com Virginia", dizia-me. "Ela só precisa se acostumar com a idéia. É difícil duas mulheres fortes se darem bem."

Por fim, Virginia e eu passamos a respeitar nossas mútuas diferenças e desenvolvemos um laço profundo. Descobrimos que aquilo que tínhamos em comum era mais importante do que o que não tínhamos: ambas amávamos o mesmo homem.

Bill estava voltando para o Arkansas e assumindo um cargo de ensino em Fayetteville, na Escola de Direito da Universidade do Arkansas. Eu estava me mudando para Cambridge, Massachusetts, para trabalhar para Marian Wright Edelman no recém-criado Fundo de Defesa das Crianças (FDC). Aluguei o andar de cima de uma velha casa onde morei sozinha pela primeira vez. Adorava o trabalho, que implicava muitas viagens e muito contato com problemas que afetavam crianças e adolescentes de várias partes do país. Na Carolina do Sul, ajudei a investigar as condições nas quais adolescentes eram encarcerados em prisões de adultos. Alguns dos meninos de catorze e quinze anos que entrevistei estavam na prisão por delitos secundários. Outros já eram culpados de delitos graves. Em ambos os casos, nenhum deles deveria estar dividindo celas com criminosos adultos perigosos que poderiam atacá-los ou deixá-los mais treinados para a criminalidade. O FDC empreendeu uma campanha para tirar os jovens desses lugares e lhes proporcionar mais proteção e julgamento mais rápido.

Em New Bedford, Massachusetts, andei de porta em porta tentando identificar a fonte de uma estatística perturbadora. No FDC, pegávamos cifras censitárias de crianças em idade escolar e as comparávamos com as matrículas nas escolas. Freqüentemente encontrávamos discrepâncias significativas e queríamos determinar onde estavam essas crianças não computadas. Bater às portas era uma revelação e um desalento. Encontrei crianças que não estavam na escola por causa de deficiências físicas como cegueira e surdez. Também encontrei meninos em idade escolar em casa, tomando conta de seus irmãos e irmãs mais novos enquanto os pais trabalhavam. Na pequena varanda atrás de uma casa num bairro de pescadores luso-americanos, encontrei uma menina numa cadeira de rodas que me disse que desejava muito ir para a escola. Ela sabia que não podia ir porque não podia andar.

Apresentamos os resultados de nossa pesquisa ao Congresso. Dois anos depois, diante da insistência do FDC e de outros influentes defensores, o Congresso aprovou a lei de Educação para Todas as Crianças com Deficiências, determinando que as crianças com deficiências físicas, emocionais e de aprendizagem fossem educadas no sistema público de ensino.

Apesar da satisfação com meu trabalho, eu estava só e sentia mais saudade de Bill do que era capaz de suportar. Havia prestado concurso para tribunais do Arkansas e de Washington durante o verão, mas meu coração me puxava para o Arkansas. Quando descobri que havia passado no Arkansas, mas não no Distrito Federal, achei que talvez minhas notas nas provas estivessem me dizendo algo. Gastei boa parte de meu salário em contas telefônicas e fiquei muito contente quando Bill veio me ver no dia de Ação de Graças. Passamos o dia explorando Boston e conversando sobre nosso futuro.

Bill me disse que gostava de lecionar e que adorava morar numa casa alugada nos arredores de Fayetteville, uma cidade universitária aprazível e tranqüila. Mas o mundo político o chamava e ele estava tentando recrutar um candidato para concorrer contra o único congressista republicano do Arkansas, John Paul Hammerschmidt. Ele não encontrara outro democrata no noroeste do Arkansas disposto a concorrer contra o popular candidato que ocupava a vaga por quatro mandatos, e eu sabia que ele começara a considerar entrar pessoalmente na disputa. Se ele decidisse fazê-lo, eu não sabia ao certo o que isso significaria para nós. Concordamos que eu iria para o Arkansas depois do Natal de 1973, para que tentássemos entender para onde estávamos indo. No momento em que cheguei para o dia de Ano-Novo, Bill decidira concorrer ao Congresso. Ele acreditava que o Partido Republicano seria prejudicado pelo escândalo de Watergate e que até titulares de mandatos bem entrincheirados poderiam ser vulneráveis. Ele estava entusiasmado com o desafio e começara a montar sua campanha.

Eu tinha conhecimento do anúncio de Washington de que John Doar fora escolhido pela Comissão do Judiciário para presidir o inquérito de *impeachment* do presidente Nixon. Havíamos conhecido John Doar em Yale, quando ele atuou como "juiz" durante um julgamento simulado, na primavera de 1973. Como diretores do Sindicato dos Advogados, Bill e eu éramos responsáveis por supervisionar um caso simulado para crédito de curso. Doar, recrutado como juiz do processo, era um personagem de tipo Gary Cooper: um advogado calado, alto e magro de Wisconsin, que trabalhara no Departamento de Justiça de Kennedy para ajudar a pôr fim à segregação no Sul. Ele defendera alguns dos casos mais importantes do governo sobre direitos de voto no tribunal federal e trabalhara *in loco* no Mississippi e no Alabama durante os episódios mais violentos dos anos 60. Em Jackson, Mississippi, servira de mediador entre manifestantes furiosos e policiais armados para evitar um potencial massacre. Eu admirava sua coragem e seu cumprimento implacável e organizado da lei.

Um dia no início de janeiro, enquanto tomava café com Bill na cozinha de sua casa, o telefone tocou. Era Doar, pedindo que Bill se juntasse à equipe do *impeachment* que ele estava organizando. Ele disse a Bill que havia pedido a Burke Marshall, seu velho amigo e colega da Divisão de Direitos Civis do Departamento de Justiça de Kennedy, que indicasse alguns jovens advogados para trabalharem no inquérito. O nome de Bill estava no topo da lista, ao lado de três outros colegas de Yale: Michael Conway, Rufus Cormier e Hillary Rodham. Bill disse a Doar que decidira concorrer ao Congresso, mas que achava que os outros da lista podiam estar disponíveis. Doar respondeu então que falaria comigo em seguida. Ofereceu-me um cargo de assessoria, explicando que a remuneração seria pequena por muitas horas de trabalho e que a maior parte das tarefas seria penosa e monótona. Era, como se diz, uma oferta irrecusável. Eu não podia imaginar uma missão mais importante naquela conjuntura da história americana. Bill ficou entusiasmado por mim e ambos ficamos um pouco aliviados por deixar em suspenso por algum tempo nossa discussão pessoal. Com as bênçãos de Marian, arrumei as malas e me mudei de Cambridge para um quarto vago no apartamento de Sara Ehrman em Washington. Eu estava a caminho de uma das mais intensas e significativas experiências de minha vida.

Os 44 advogados envolvidos no inquérito do *impeachment* trabalhavam sete dias por semana, entrincheirados no velho Hotel dos Congressistas em Capitol Hill, defronte aos prédios do Legislativo ao sul de Washington. Eu estava com 26 anos, atemorizada pela companhia de que me cercava e pela responsabilidade histórica que havíamos assumido.

Embora Doar liderasse o pessoal, havia duas equipes de advogados: uma, escolhida por Doar e designada pelo presidente democrata da comissão, o congressista Peter Rodino, de Nova Jersey; a outra, designada pelo membro graduado dos republicanos, o congressista Edward Hutchinson, de Michigan, e escolhida por Albert Jenner, o famoso advogado de litígios da firma Jenner & Block, sediada em Chicago. Advogados experientes sob o comando de Doar dirigiam cada área da investigação. Um deles era Bernard Nussbaum, um experiente e combativo promotor público assistente de Nova York. Outro era Joe Woods, advogado empresarial da Califórnia, que com uma espirituosidade seca e padrões meticulosos supervisionava meu trabalho em questões processuais e constitucionais. Bob Sack, advogado com um estilo elegante de redação, que freqüentemente atenuava nossos momentos sérios com trocadilhos e comentários paralelos, foi mais tarde indicado para a magistratura federal por Bill. Mas a maioria de nós era constituída por ávidos jovens formados em direito que estavam dispostos a trabalhar 24 horas por dia em escritórios temporários, analisando documentos, pesquisando e transcrevendo fitas.

Bill Weld, mais tarde governador republicano de Massachusetts, trabalhava comigo na força-tarefa constitucional. Fred Altschuler, um brilhante redator jurídico da Califórnia, me pediu para ajudá-lo a analisar a estrutura organizacional do pessoal da Casa Branca para determinar quais decisões o presidente provavelmente havia tomado. Eu dividia um escritório com Tom Bell, advogado da empresa da família de Doar em New Richmond, Wisconsin. Tom e eu ficávamos até tarde da noite nos engalfinhando em torno de pontos delicados de interpretação jurídica, mas também ríamos muito. Ele não se levava muito a sério e tampouco deixava que eu fizesse o mesmo comigo.

Andrew Johnson foi o único presidente anterior que sofrera *impeachment* e os historiadores em geral concordavam que o Congresso havia abusado de sua solene responsabilidade constitucional com objetivos político-partidários. Dagmar Hamilton, advogada e professora de ciência política na Universidade do Texas, pesquisava casos ingleses de *impeachment*; eu fiquei com os casos americanos. Doar foi encarregado de mover um processo que o público e a história não julgassem como partidários e injustos, fosse qual fosse o resultado. Joe Woods e eu traçamos regras processuais para serem apresentadas à Comissão do Judiciário. Acompanhei Doar e Woods a uma reunião pública da comissão e me sentei com eles à mesa do conselho enquanto Doar apresentava os procedimentos que ele desejava que os membros aceitassem.

Nunca houve vazamento de informações de nossa investigação e, por isso, a mídia se agarrava a qualquer fragmento de interesse humano para noticiar. Uma vez que era raro haver mulheres nesse ambiente, sua mera presença era considerada de interesse jornalístico. O único problema que enfrentei foi quando um repórter me perguntou como era "ser a Jill Wine Volner do inquérito de *impeachment*". Havíamos assistido ao foco da mídia sobre Jill Wine Volner, a jovem advogada que trabalhara para Leon Jaworski. Volner conduzira o memorável interrogatório de Rose Mary Woods, secretária particular de Nixon, sobre o desaparecimento de uma fita de dezoito minutos e meio particularmente importante. As habilidades jurídicas e o encanto de Volner foram assunto de muitas matérias.

John Doar era alérgico a publicidade. Ele implantou uma política rígida de sigilo total e até de anonimato. Alertou-nos para não mantermos agendas, colocarmos lixo confidencial em cestos especiais, nunca falarmos sobre o trabalho fora do edifício, nunca chamar a atenção sobre nós, e evitarmos todo tipo de atividades sociais (como se tivéssemos tempo). Ele sabia que a discrição era a única maneira de conseguir um processo justo e digno. Quando ouviu o repórter fazer a pergunta comparando-me com Volner, eu sabia que ele jamais me deixaria aparecer em público novamente.

Depois de trabalhar nos procedimentos, passei a pesquisar os fundamentos legais para um *impeachment* presidencial e escrevi um longo memorando resumindo minhas conclusões sobre o que constituía — e não constituía — um delito passível de *impeachment*. Anos depois, reli o memorando. Ainda concordei com a avaliação dos tipos de "crimes e contravenções graves" que os redatores da Constituição objetivavam como passíveis de *impeachment*.

De forma gradual e segura, a equipe de advogados de Doar reuniu evidência que constituía um caso convincente para o *impeachment* de Richard Nixon. Revelando-se um dos advogados mais meticulosos, inspiradores e exigentes com quem já trabalhei, Doar insistiu para que ninguém tirasse conclusões até que todos os fatos fossem avaliados. Naquele tempo em que não havia ainda os computadores pessoais, ele nos orientou a usar fichas de catalogação para acompanhar os fatos, o mesmo método que havia aplicado nos casos de direitos civis que ele processou. Datilografávamos um fato por ficha — a data de um memorando, o tópico de uma reunião — e o referenciávamos com outros fatos. Depois, procurávamos repetições. Ao final do inquérito, tínhamos compilado mais de 500 mil fichas.

Nosso trabalho foi acelerado depois que recebemos as fitas requisitadas do júri de indiciamento de Watergate. Doar pediu que alguns de nós escutássemos as fitas para melhorar nosso conhecimento delas. Era um trabalho difícil sentar-se a sós num cômodo sem janelas tentando entender as palavras e pouco a pouco captar seu contexto e significado. E aí houve o que chamei de "fita das fitas". Richard Nixon gravou a si mesmo escutando fitas anteriores que ele havia gravado, com ele discutindo com seu pessoal o que ouvia nelas. Ele justificava e racionalizava o que dissera anteriormente, a fim de negar ou minimizar seu envolvimento em esforços em curso na Casa Branca para desafiar as leis e a Constituição. Eu ouvia o presidente dizendo coisas do tipo: "O que eu queria dizer quando disse isto foi..." ou "O que eu estava realmente tentando dizer foi o seguinte...". Era extraordinário ouvir Nixon ensaiando para acobertar a si mesmo.

No dia 19 de julho de 1974, Doar apresentou propostas de artigos de *impeachment* que especificavam as acusações contra o presidente. A Comissão do Judiciário aprovou três artigos de *impeachment* citando abuso de poder, obstrução da justiça e desprezo pelo Congresso. As acusações contra o presidente Nixon incluíam suborno a testemunhas para que silenciassem ou para influir em seus depoimentos, abuso do serviço da Receita Federal para obter dados de impostos de pessoas físicas, uso do FBI e do serviço secreto para espionar americanos e manutenção de uma unidade de investigação secreta dentro do gabinete do presidente. Os votos foram bipartidários, conquistando a confiança tanto do Congresso como do público americano. Então, no dia 5 de agosto, a Casa Branca divulgou transcrições da fita de 23 de junho de 1972, que freqüentemente foi chamada de fita da "pistola fumegante", na qual Nixon aprovava um encobrimento do dinheiro usado para fins ilegais por seu comitê de reeleição.

Nixon renunciou à Presidência no dia 9 de agosto de 1974, poupando à nação uma votação dolorosa e conflitiva na Câmara e um processo no Senado. O processo de *impeachment* de Nixon em 1974 afastou um presidente corrupto do cargo e foi uma vitória para a Constituição e nosso sistema jurídico. Mesmo assim, alguns de nós da comissão saímos da experiência circunspectos com a gravidade do processo. Os enormes poderes das comissões do Congresso e dos promotores especiais eram tão isentos, justos e constitucionais quanto os homens e as mulheres que os exerciam.

De repente eu estava sem trabalho. Nosso grupo de advogados intimamente ligados se reuniu para um último jantar antes de nos dispersarmos aos quatro ventos. Todos conversavam animados sobre os planos para o futuro. Eu estava indecisa e, quando Bert Jenner me perguntou o que eu queria fazer, disse que queria ser uma advogada processualista, como ele. Ele me disse que isso seria impossível.

"Por quê?", perguntei.

"Porque você não terá uma esposa."

"Que diabo isso significa?"

Bert explicou que sem uma esposa em casa para cuidar de todas as minhas necessidades pessoais, eu nunca poderia administrar as demandas da vida cotidiana, como a de garantir que eu tivesse meias limpas para usar no tribunal. Desde então fiquei a imaginar se Jenner estava fazendo uma brincadeira comigo ou uma observação séria sobre quanto o direito ainda podia ser duro com as mulheres. No final das contas, não importava; optei por seguir o coração em lugar da cabeça. Eu estava de mudança para o Arkansas.

"Você perdeu o juízo?", disse Sara Ehrman quando lhe dei a notícia. "Por que cargas d'água você jogaria fora seu futuro?"

Naquela primavera, eu pedira permissão a Doar para visitar Bill em Fayetteville. Ele não gostou da idéia, mas, a contragosto, concedeu-me um fim de semana de licença. Estando lá, fui com Bill a um jantar festivo onde conheci alguns colegas seus da escola de direito, entre os quais Wylie Davis, então reitor. Quando eu estava saindo, o reitor Davis me disse que o informasse caso algum dia eu pretendesse lecionar. Agora eu decidia aceitar a idéia dele. Liguei para perguntar se a oferta ainda estava de pé e ele disse que sim. Perguntei-lhe o que eu lecionaria e ele disse que me falaria quando eu estivesse lá, cerca de dez dias antes do início das aulas.

Minha decisão de mudar não surgiu do nada. Bill e eu vínhamos ponderando sobre nossa sorte desde que começamos a namorar. Se iríamos ficar juntos, um de nós tinha de ceder terreno. Com o fim inesperado de meu trabalho em Washington, eu dispunha do tempo e do espaço para dar uma chance ao nosso relacionamento — e ao Arkansas. Apesar de suas apreensões, Sara se ofereceu para me levar de carro até lá. A intervalos de poucos quilômetros, ela me perguntava se eu sabia o que estava fazendo, e eu sempre lhe dava a mesma resposta: "Não, mas mesmo assim eu vou".

Algumas vezes tive de ouvir muito meus próprios sentimentos para decidir o que era certo para mim e isso pode explicar certas decisões solitárias que tomamos quando nossos amigos e familiares — para não falar no público e na imprensa — questionam nossas decisões e especulam sobre nossos motivos. Eu me apaixonara por Bill na escola de direito e desejara ficar com ele. Eu sabia que sempre estava mais feliz com Bill do que sem ele e sempre imaginara que poderia ter uma vida de realizações em qualquer lugar. Se eu queria crescer como pessoa, sabia que estava na hora — para parafrasear Eleanor Roosevelt — de fazer o que mais receava. Assim, eu estava me dirigindo para um lugar onde eu nunca vivera e onde não tinha nenhum amigo ou parente. Mas meu coração me dizia que estava seguindo na direção certa.

Em uma noite quente de agosto, no dia em que cheguei, vi Bill fazer um discurso de campanha diante de uma multidão considerável na praça principal de Bentonville e fiquei impressionada. Talvez, apesar das duras adversidades, ele tivesse uma chance. No dia seguinte, estive presente à recepção para os novos professores da escola de direito promovida pela Associação dos Advogados do Condado de Washington na Holiday Inn local. Fazia menos de 48 horas que eu estava no Arkansas, mas já recebera minhas atribuições. Eu lecionaria direito criminal e advocacia processual, e administraria os projetos do escritório de assistência jurídica gratuita e da prisão — ambos exigiam que eu supervisionasse alunos que forneceriam assistência jurídica para os pobres e para os prisioneiros. E eu estaria fazendo o que pudesse para ajudar Bill em sua campanha.

Bill Bassett, presidente da associação de advogados, me acompanhou para encontros com advogados e juízes locais. Apresentou-me a Tom Butt, juiz do tribunal de eqüidade, dizendo: "Juiz, esta é a nova professora de direito. Ela vai lecionar direito criminal e administrar os programas de assistência jurídica gratuita".

"Bem", disse o juiz Butt, medindo-me da cabeça aos pés, "estamos contentes por tê-la conosco, mas é preciso que saiba que não vejo nenhuma utilidade na assistência jurídica gratuita e sou um camarada bem durão."

Consegui sorrir e dizer: "Bem, é um prazer conhecer o senhor também, juiz". Mas eu me perguntava onde diabos estava me metendo.

As aulas começaram na manhã seguinte. Eu nunca havia lecionado em escola de direito antes e era pouco mais velha que a maioria de meus alunos, sendo até mais jovem que alguns. A única mulher no corpo docente além de mim, Elizabeth "Bess" Osenbaugh, tornou-se uma amiga íntima. Conversávamos sobre problemas do direito e da vida, normalmente comendo sanduíches de peru feitos em pãezinhos provenientes da coisa mais parecida com uma mercearia de verdade em Fayetteville. Embora já estivesse com mais de setenta anos, Robert Leflar ainda ministrava seu famoso curso de conflitos do direito em Fayetteville e um curso de igual renome sobre julgamento de apelações na faculdade de direito da Universidade de Nova York. Ele e a esposa, Helen, trataram-me como a uma amiga e, durante o primeiro verão em que estive lá, deixaram-me ficar em sua casa de pedra natural e madeira, projetada pelo laureado arquiteto do Arkansas, Fay Jones. Mantive debates cordiais com Al Witte, que tinha a fama de ser o professor de direito mais durão, mas que, realmente, debaixo da casca, tinha um coração mole. Apreciei a gentileza de Milt Copeland, com quem eu dividia um escritório. E admirei o ativismo e a erudição de Mort Gitelman, um baluarte dos direitos civis.

Logo no início do semestre, o marido de Virginia, Jeff Dwire, morreu subitamente de parada cardíaca. Foi devastador para Virginia, que ficava viúva pela terceira vez, e para o irmão de Bill, Roger, que era dez anos mais novo e desenvolvera uma relação muito próxima com Jeff. Perder Jeff foi doloroso para todos nós. Virginia havia suportado muita coisa ao longo dos anos. Eu estava pasma com sua resistência e vi o mesmo traço em Bill, que saíra de sua infância difícil sem o menor resquício de amargura. Se as experiências por que passava produziam nele alguma coisa, faziam-no mais empático e otimista. Sua energia e disposição atraíam as pessoas e, até as histórias que surgiram durante sua campanha presidencial, muito poucos sabiam das circunstâncias dolorosas por que ele havia passado.

Após o funeral de Jeff, Bill voltou ao roteiro da campanha e explorei a vida numa pequena cidade universitária. Depois da intensa experiência de New Haven e Washington, a afetuosidade, o ritmo mais lento e a beleza de Fayetteville eram um bálsamo benigno.

Um dia, quando estava na fila do supermercado A&P, a garota do caixa ergueu os olhos e me perguntou: "A senhora é a nova professora de direito?". Eu disse que era e ela me disse que eu estava lecionando para um de seus sobrinhos, que havia dito que eu "não era ruim". Em outra ocasião, liguei para informações para saber sobre um aluno que não havia comparecido para uma reunião de turma. Quando disse à telefonista o nome do aluno, ela disse: "Ele não está em casa".

"Como disse?"

"Ele foi acampar", informou-me ela. Eu nunca antes vivera num lugar tão pequeno, amigável e sulista, e adorei aquilo. Fui assistir a jogos do time de futebol dos Arkansas Razorbacks e aprendi a "chamar os porcos". Quando Bill estava na cidade, passávamos as noites fazendo churrasco com amigos e nos fins de semana jogávamos vôlei na casa de Richard Richards, outro de nossos colegas professores da escola de direito. Ou nos reuníamos para uma rodada de charadas organizada por Bess Osenbaugh.

Carl Whillock, então administrador na universidade, e sua divertida esposa, Margaret, moravam numa grande casa amarela defronte à escola de direito. Foram as primeiras pessoas a me convidar para visitá-los e rapidamente ficamos amigos. Margaret fora abandonada por seu primeiro marido quando seus seis filhos tinham menos de dez anos. A sabedoria convencional ditava que nenhum homem assumiria o fardo de casar-se com uma divorciada com seis filhos, por mais dinâmica e atraente que ela fosse. Mas Carl não seguia a convenção e assumiu o contrato com a carga toda. Certa vez, apresentei Margaret a Eppie Lederer, também conhecida como Ann Landers, na Casa Branca. "Querida, seu marido merece ser canonizado!", exclamou Eppie depois de ouvir a história de Margaret. Ela tinha razão.

Ann e Morriss Henry também se tornaram amigos íntimos. Ann, advogada, era atuante em questões políticas e comunitárias em seu próprio nome e no de Morriss, que trabalhava no Senado. Além disso, ela tinha três filhos e se envolvia intensamente com suas escolas e programas esportivos. Ann, que manifestava livremente suas opiniões bem informadas, era uma excelente companhia.

Diane Blair tornou-se minha amiga mais íntima. Como eu, ela se mudara de Washington para Fayetteville com seu primeiro marido. Lecionava ciência política na universidade e era considerada uma das melhores professoras do campus. Jogávamos tênis e trocávamos nossos livros favoritos. Ela escrevia muito sobre o Arkansas e a política sulista, e o livro dela sobre a primeira mulher a ser eleita ao Senado sem depender de ninguém, Hattie Carraway, democrata do Arkansas, fora motivado por suas fortes convicções sobre os direitos e papéis das mulheres.

Durante o debate nacional sobre se o país deveria ou não ratificar a Emenda de Direitos Iguais à Constituição, Diane debateu com a militante ultraconservadora Phyllis Schlafly diante da Assembléia Geral do Arkansas. Ajudei a prepará-la para o confronto do Dia dos Namorados de 1975. Diane venceu facilmente o debate, mas nós duas sabíamos que a combinação entre oposição religiosa e política à Emenda no Arkansas não resultaria em argumentos, lógica ou evidência convincentes.

Diane e eu nos encontrávamos regularmente para almoçar no Centro Acadêmico. Sempre escolhíamos uma mesa ao lado das grandes janelas que davam para os montes Ozark e trocávamos casos e fofocas. Ela e eu também passávamos horas a fio com Ann na piscina do quintal dos Henry. Elas adoravam ouvir sobre os casos com que eu lidava no escritório de assistência jurídica e muitas vezes pedia suas opiniões sobre algumas reações que eu encontrava. Um dia, o promotor do Condado de Washington, Mahlon Gibson, ligou-me dizendo que um prisioneiro indigente acusado de estuprar uma menina de doze anos queria uma advogada. Gibson recomendara que o juiz do tribunal criminal, Maupin Cummings, me designasse para o caso. Eu disse a Mahlon que realmente não me sentia à vontade para defender tal cliente, mas Mahlon delicadamente me lembrou que não era correto recusar o pedido do juiz. Quando visitei o suposto estuprador na cadeia do condado, descobri que ele era um "apanhador de galinhas" analfabeto. O trabalho dele era coletar galinhas das grandes fazendas criadoras para um dos abatedouros locais. Ele negou as acusações contra ele e insistiu que a menina, uma parente distante, tinha inventado a história. Conduzi uma investigação completa e obtive o depoimento especializado de um eminente cientista, o dr. Philip Levine, que lançou dúvidas sobre o validade do sangue e do sêmen como a evidência com que o promotor alegava provar a culpa do acusado no estupro. Por causa desse testemunho, negociei com o promotor para o acusado confessar-se culpado por abuso sexual. Quando me apresentei com meu cliente perante o juiz Cummings para apresentar essa alegação, ele me pediu que saísse da sala do tribunal enquanto ele conduzia o exame necessário para determinar a base efetiva para a alegação. Eu disse: "Juiz, eu não posso sair. Sou a advogada dele".

"Ora", disse o juiz, "eu não posso falar dessas coisas na frente de uma senhora."

"Juiz", tranqüilizei-o, "não pense em mim como outra coisa que não um advogado."

O juiz perguntou ao acusado se ele se considerava culpado ou inocente e em seguida o sentenciou. Foi logo após essa experiência que Ann Henry e eu discutimos a criação da primeira linha telefônica direta para estupros no Arkansas.

Após alguns meses em minha nova vida, recebi o telefonema de uma carcereira da prisão do condado de Benton, ao norte de Fayetteville. Ela me falou sobre uma mulher que fora detida por perturbar a paz pregando o Evangelho nas ruas de Bentonville; a mulher foi intimada a comparecer diante de um juiz, que pretendia encaminhá-la para o hospital estadual de doentes mentais porque ninguém sabia o que fazer com ela. A carcereira me pediu que fosse até lá o mais rápido possível porque ela não achava que a mulher estivesse louca, mas apenas "possuída pelo espírito do Senhor".

Quando cheguei ao tribunal, encontrei-me com a carcereira e a prisioneira, uma pessoa de aparência dócil usando um vestido comprido até os tornozelos e agarrada a sua surrada Bíblia. Ela explicou que Jesus a havia enviado para pregar em Bentonville e que, se fosse libertada, imediatamente sairia para dar continuidade a sua missão. Quando soube que ela era da Califórnia, convenci o juiz a lhe dar uma passagem de ônibus de volta em vez de ordenar que ela fosse encaminhada ao hospital estadual e a convenci de que a Califórnia precisava mais dela do que o Arkansas.

Bill vencera a primária para o Congresso e o desempate democrata em junho, com uma pequena ajuda de meu pai e de meu irmão Tony, que passaram algumas semanas de maio fazendo trabalho rotineiro de campanha, afixando cartazes e atendendo telefonemas. Ainda me admiro que meu teimoso pai republicano tenha trabalhado para a eleição de Bill, um testemunho do quanto ele passara a gostar dele e respeitá-lo.

No Dia do Trabalho, a campanha de Bill estava ganhando ímpeto e os republicanos iniciaram um fogo cerrado de ataques pessoais e golpes baixos. Foi meu primeiro contato de perto com a eficácia das mentiras e da manipulação em uma campanha.

Quando o presidente Nixon esteve em Fayetteville para assistir à partida de futebol entre Texas e Arkansas em 1969, um jovem trepou numa árvore para protestar contra a Guerra do Vietnã — e contra a presença de Nixon no campus. Cinco anos depois, os oponentes políticos de Bill afirmavam que Bill era o sujeito que estava na árvore. Não importava o fato de que, na ocasião, Bill estivesse estudando em Oxford, Inglaterra, a mais de 6 mil quilômetros de distância. Durante anos depois disso, ainda encontrei pessoas que acreditavam na acusação.

Uma das malas-diretas de Bill para os eleitores não foi entregue e, mais tarde, os pacotes de cartões-postais foram encontrados escondidos nos fundos de uma agência de correio. Outros incidentes de sabotagem foram notificados, mas não se pôde provar nenhum jogo sujo. Quando chegou a noite do dia da eleição naquele mês de novembro, Bill perdeu por 6 mil dos mais de 170 mil votos apurados — 48% contra 52%. Muito depois da meia-noite, quando Bill, Virginia, Roger e eu estávamos saindo da casinha que servira como sede da campanha de Bill, o telefone tocou. Apanhei o aparelho, certa de que seria algum amigo ou partidário ligando para se solidarizar. Alguém gritou ao telefone: "Estou muito contente que essa bicha comunista e amiga dos negros do Bill Clinton perdeu", e desligou. O que poderia inspirar tamanho ressentimento?, pensei. Era uma pergunta que eu me faria muitas vezes depois, ao longo dos anos.

Ao término do ano letivo, decidi fazer uma longa viagem de volta a Chicago e à Costa Leste para visitar os amigos e as pessoas que haviam me oferecido trabalho. Eu ainda não tinha certeza do que fazer da vida. A caminho do aeroporto, Bill e eu passamos por uma casa de tijolos aparentes perto da universidade com uma placa de "vende-se" na frente. Comentei casualmente que era uma casinha adorável e não pensei mais nela. Depois de algumas semanas de viagens e reflexões, decidi que queria voltar para minha vida no Arkansas e para Bill. Quando Bill me apanhou no aeroporto, perguntou-me: "Você se lembra daquela casa que você gostou? Bem, eu a comprei. Por isso, é melhor agora você se casar comigo porque não posso viver nela sozinho".

Orgulhosamente, Bill subiu com o carro na entrada e me conduziu para dentro. A casa tinha uma varanda fechada, uma sala de estar com um teto com vigas estilo catedral, uma lareira, uma grande janela de sacada, um quarto bem-proporcionado com banheiro, e uma cozinha que precisava de uma boa reforma. Bill já havia comprado uma velha cama de ferro forjado numa loja de antigüidades local e também lençóis e toalhas no Wal-Mart.

Dessa vez eu disse "sim".

Nosso casamento foi realizado na sala de estar, no dia 11 de outubro de 1975, pelo reverendo Vic Nixon. Vic, ministro metodista local, e sua esposa Freddie haviam trabalhado na campanha de Bill. Presentes à cerimônia estavam meus pais e irmãos; Virginia e Roger; Johanna Branson; Betsy Johnson Ebeling, agora casada com Tom, nosso colega do colegial; F. H. Martin, que havia sido tesoureiro da campanha de Bill em 1974, e sua esposa Myrna Martin; Marie Clinton, prima de Bill; Dick Atkinson, um amigo da Escola de Direito de Yale que havia se juntado a nós no corpo docente da escola de direito; Bess Osenbaugh e Patty Howe, uma amiga íntima da infância de Bill em Hot Springs. Usei um vestido vitoriano de renda e musselina que eu encontrara na noite anterior fazendo compras com minha mãe. Entrei na sala de braço dado com meu pai e, quando o ministro disse: "Quem dará esta mulher?", todos olhamos ansiosos para meu pai. Mas ele não conseguiu suportar. Por fim, o reverendo Nixon disse: "Agora o senhor pode se afastar, senhor Rodham".

Depois da cerimônia, Ann e Morriss Henry deram uma recepção no seu grande quintal, onde uns cem amigos se juntaram para celebrar conosco.

Depois de tudo o que aconteceu desde então, muitas vezes me perguntam por que Bill e eu permanecemos juntos. Não é uma pergunta bem-vinda, mas dado o caráter público de nossas vidas, é uma pergunta que sei que constantemente me farão. O que posso dizer para explicar um amor que persistiu durante décadas e cresceu ao longo de nossas experiências compartilhadas de criar uma filha, enterrar nossos pais e cuidar de nossas famílias ampliadas, amigos de uma vida inteira, uma fé comum e um compromisso duradouro com nosso país? Tudo que sei é que ninguém me entende melhor e ninguém é capaz de me fazer rir como Bill o faz. Mesmo após todos esses anos, ele ainda é a pessoa mais interessante, animadora e plenamente viva que já conheci. Bill Clinton e eu iniciamos uma conversa na primavera de 1971 e, mais de trinta anos depois, ainda estamos conversando.

7

LITTLE ROCK

A PRIMEIRA VITÓRIA ELEITORAL DE BILL CLINTON como secretário da Justiça do Arkansas em 1976 foi anticlimática. Ele vencera a primária em maio e não tinha nenhum oponente republicano. O grande espetáculo daquele ano foi a disputa presidencial entre Jimmy Carter e Gerald Ford.

Bill e eu havíamos conhecido Carter no ano anterior, quando ele fez um discurso na Universidade do Arkansas. Ele enviara dois de seus principais representantes a Fayetteville — Jody Powell e Frank Moore — para ajudar na campanha de Bill de 1974, um sinal claro de que estava sondando o panorama político com a atenção voltada também para um pleito nacional.

Carter se apresentou a mim dizendo: "Oi, eu sou Jimmy Carter e vou ser presidente". Isso chamou minha atenção e, por isso, observei e ouvi atentamente. Ele compreendia o clima do país e apostava que a política pós-Watergate criaria uma abertura para um principiante de fora de Washington que atraísse eleitores do Sul. Carter concluiu corretamente que tinha uma chance tão boa quanto qualquer outro e, como sua apresentação dava a entender, certamente tinha a confiança necessária para empreender a mutilação do ego exigida por uma campanha presidencial.

Ele também deduzia que o perdão do presidente Ford a Richard Nixon seria uma boa vantagem para os democratas. Embora eu acreditasse que o perdão de Ford era a decisão correta para o país, eu concordava com a análise de Carter de que isso lembraria aos eleitores de que Gerald Ford fora o escolhido por Richard Nixon para suceder ao desacreditado Spiro Agnew como vice-presidente.

Ao final de nosso encontro, Carter me perguntou se eu tinha algum conselho a lhe dar.

"Bem, governador", disse eu, "eu não sairia por aí dizendo às pessoas que o senhor será o presidente. Isso poderia ser um pouco desconcertante para alguns."

"Mas", replicou ele com aquele sorriso característico, "eu serei."

Com a eleição de Bill garantida, ambos nos sentimos livres para nos envolver na campanha de Carter quando ele se tornou o indicado dos democratas. Fomos para a convenção de julho em Nova York para conversar com sua equipe sobre trabalhar para ele na eleição. Em seguida, saímos para duas semanas gloriosas de férias na Europa, que incluíam uma peregrinação à cidade basca de Guernica. Eu desejara visitar o local que inspirara a obra-prima de Picasso desde que Don Jones havia mostrado uma reprodução da pintura ao meu grupo de jovens metodistas. A guerra do século XX começou em Guernica em 1937, quando Francisco Franco, o ditador fascista da Espanha, convocou a Luftwaffe, a força aérea de Hitler, para aniquilar a cidade. Picasso captou o horror e o pânico do massacre numa pintura que se tornou um emblema antiguerra. Quando Bill e eu caminhamos pelas ruas de Guernica e tomamos café na praça central em 1976, a cidade reconstruída tinha o aspecto de qualquer outra aldeia montanhesa. Mas a pintura havia marcado a fogo em minha memória o crime de Franco. ,

Ao regressarmos para Fayetteville, a equipe de Carter pediu que Bill chefiasse uma campanha no Arkansas e que eu fosse a coordenadora de campo em Indiana. Indiana era um estado fortemente republicano, mas Carter achava que suas raízes sulistas e antecedentes rurais pudessem atrair até eleitores republicanos. Achei que isso era um tanto improvável, mas eu era ousada para tentar. Meu trabalho era montar uma campanha em cada condado, o que significava encontrar pessoas do local para trabalhar sob a orientação de coordenadores regionais, a maioria trazida de outras partes do país. O escritório de campanha de Indianápolis ficava num prédio que havia abrigado uma loja de eletrodomésticos e uma firma de concessão de fianças. Estávamos bem defronte à cadeia da cidade e a placa de neon piscando "Bail Bondsman" [Concessor de Fianças] ainda pendia sobre os cartazes de Carter e Mondale nas vitrines da fachada.

Aprendi muito em Indiana. Certa noite, jantei com um grupo de homens mais velhos que estavam encarregados dos esforços de conseguir votos para o Partido Democrata no dia da eleição. Eu era a única mulher à mesa. Eles não me diziam nada específico e fiquei pressionando para que dessem detalhes sobre quantos telefonemas, carros e outros materiais eles pretendiam usar no dia da eleição. Subitamente, um dos homens se inclinou sobre a mesa e me agarrou pelo colarinho. "Ora, por que não cala essa boca? Dissemos que o faríamos e o faremos, e você não precisa nos dizer como!" Fiquei apavorada. Eu sabia que ele estivera bebendo e também sabia que todos os olhos estavam fixados em mim. Meu coração estava disparado enquanto eu o olhava nos olhos, retirava suas mãos de meu pescoço e dizia: "Primeiro, não volte a me tocar novamente. Segundo, se vocês fossem tão rápidos nas respostas às minhas perguntas como são com suas mãos, eu teria as informações de que preciso para realizar meu trabalho. Nesse caso, eu poderia deixá-los em paz — e é o que vou fazer agora". Meus joelhos estavam tremendo, mas me levantei e saí.

Ainda que Carter não vencesse em Indiana, fiquei emocionada por ele ter vencido a eleição nacional e ansiei pelo início da nova administração. Mas Bill e eu tínhamos preocupações mais imediatas. Precisávamos nos mudar para Little Rock, o que significava abandonar a casa em que havíamos nos casado. Compramos uma casa de 91 metros quadrados numa mimosa rua na área de Hillcrest, não muito longe do Capitólio. Fayetteville ficava longe demais para viajar para o trabalho, por isso não pude continuar lecionando na universidade, o que me deixou triste porque gostava de meus colegas e alunos. Eu tinha de decidir o que fazer a seguir e não achava uma boa idéia trabalhar para uma instituição estadual ou em algum outro emprego público, como o de promotor, advogado de defesa ou de assistência jurídica gratuita, onde meu trabalho poderia se sobrepor ou entrar em conflito com o do secretário da Justiça. Comecei a pensar seriamente em entrar para uma firma particular, uma opção de carreira a que eu havia resistido anteriormente. Representar clientes particulares, pensei, seria uma experiência importante e nos ajudaria financeiramente, já que o salário de Bill como secretário da Justiça seria de 26.500 dólares anuais.

A firma Rose de advocacia era a mais respeitável do Arkansas e reputada como a mais antiga firma a oeste do rio Mississippi. Eu conhecera um dos sócios, Vince Foster, quando eu dirigia o escritório de assistência jurídica gratuita na escola de direito. Quando tentei enviar estudantes de direito para o tribunal do juiz Butt para representar clientes indigentes, o juiz exigiu que os estudantes qualificassem seus clientes nos termos de um estatuto do século XIX que apenas permitia assistência legal gratuita quando os bens de uma pessoa não valessem mais do que dez dólares e as roupas do corpo. Era um parâmetro impossível de atender, pois quem possuísse um carro caindo aos pedaços ou um televisor ou qualquer outra coisa tinha mais de dez dólares. Eu queria alterar a lei e para isso precisava da ajuda da Associação dos Advogados do Arkansas. Também queria que a associação auxiliasse financeiramente o escritório de assistência jurídica da escola de direito e ajudasse a pagar um administrador e uma secretária jurídica em tempo integral, já que o escritório propiciava experiência prática para futuros advogados. Vince era o chefe da comissão de advogados que supervisionava a assistência jurídica e, por isso, fui visitá-lo. Ele convocara diversos outros advogados importantes para me ajudar, entre os quais Henry Woods, o principal advogado processualista do estado, e William R. Wilson Jr., que se autoproclamava auxiliar de tropeiro de mulas — um "lacaio" —, mas que também era um dos melhores advogados das redondezas. O juiz Butt e eu comparecemos diante de um comitê executivo da associação no estado e apresentamos nossos argumentos opostos. O comitê votou apoiando o escritório e endossando a revogação do estatuto, graças ao apoio conseguido por Vince.

Depois da eleição de 1976, Vince e outro sócio da firma Rose, Herbert C. Rule III, procuraram-me com uma oferta de trabalho. Em harmonia com os constantes esforços da firma no sentido de adotar procedimentos corretos, Herb, um erudito egresso da Universidade de Yale, já obtivera um parecer da Associação Americana dos Advogados que aprovava o emprego por uma firma de advocacia de uma advogada casada com um secretário estadual da Justiça e estabelecia os passos a serem tomados para evitar conflitos de interesse.

Nem todos os advogados da Rose foram tão entusiásticos quanto Vince e Herb acerca de ter uma mulher trabalhando com eles. Nunca houvera um sócio do sexo feminino, embora a firma tivesse contratado uma funcionária administrativa nos anos 40, Elsijane Roy, que permaneceu somente alguns anos antes de sair para se tornar assistente permanente de um juiz federal. Mais tarde indicada pelo presidente Carter para suceder àquele juiz, ela se tornou a primeira mulher indicada para a magistratura federal no Arkansas. Dois dos sócios mais velhos, William Nash e J. Gaston Williamson, eram bolsistas Rhodes, e Gaston participara da banca que escolhera Bill para sua bolsa Rhodes. Herb e Vince me levaram para conhecê-los e aos outros advogados, quinze ao todo. Quando os sócios votaram pela minha contratação, Vince e Herb me entregaram um exemplar de *Tempos difíceis* de Charles Dickens. Quem diria que este seria um presente muito apropriado?

Entrei para o setor de litígios, chefiado por Phil Carroll, um homem inteiramente digno, ex-prisioneiro de guerra na Alemanha e advogado de primeira classe que se tornou presidente da Associação dos Advogados do Arkansas. Os dois advogados com quem eu mais trabalhava eram Vince e Webster Hubbell.

Vince foi um dos melhores advogados que já conheci e um dos melhores amigos que já tive. Basta lembrar da interpretação de Gregory Peck como Atticus Finch, em O sol é para todos, para ter uma idéia sobre Vince. Ele era realmente talhado para o papel e seu comportamento era similar: firme, elegante, astuto mas comedido, o tipo de pessoa que se deseja por perto em tempos difíceis.

Vince e eu tínhamos escritórios adjacentes na firma e utilizávamos uma mesma secretária. Ele era nascido e criado em Hope, Arkansas. O quintal de sua infância confrontava com o quintal dos avós de Bill, com os quais este morou até os quatro anos. Bill e Vince brincavam juntos quando garotos, embora tivessem perdido contato quando Bill se mudou para Hot Springs em 1953. Quando concorreu para secretário da Justiça, Vince tornou-se um forte aliado.

Webb Hubbell era um grandalhão troncudo e atraente, ex-astro de futebol da Universidade do Arkansas e um aficionado pelo golfe, o que desde logo lhe granjeou a estima de Bill. Também era um grande contador de casos num estado onde isso é um modo de vida. Webb tinha riqueza de experiências em todo tipo de campos; acabaria se tornando prefeito de Little Rock e durante certo tempo trabalhou como juiz da Suprema Corte do Arkansas. Era uma pessoa muito divertida com quem trabalhar e um amigo leal e apoiador.

Hubbell parecia um sulista bitolado, mas era um advogado criativo, e eu adorava ouvi-lo falar sobre a abstrusa lei do Arkansas. Sua memória era fenomenal. Também tinha uma coluna manhosa que às vezes o pegava de jeito. Certa vez, ele e eu ficamos no escritório a noite inteira trabalhando num memorial que precisava estar pronto para o dia seguinte. Webb deitou-se com as costas doloridas no chão e ficou cuspindo citações de casos que remontavam até o século XIX; minha tarefa era percorrer a biblioteca forense e localizá-los.

No primeiro caso judicial de que cuidei sozinha, defendi uma companhia de enlatados contra um queixoso que encontrara a extremidade traseira de um rato na lata de carne de porco com feijão que certa noite ele abrira para jantar. Ele nem chegou a comer, mas afirmou que a mera visão era tão nojenta que ele não conseguiu parar de cuspir, o que, por sua vez, interferia em sua capacidade de beijar sua noiva. Durante o julgamento, ficava cuspindo num lenço e com ar de grande sofrimento. Não havia dúvida de que alguma coisa dera errado na fábrica, mas a companhia se recusava a pagar ao queixoso com base no argumento de que ele não havia sido realmente prejudicado; e, além disso, as partes do roedor, que haviam sido esterilizadas, poderiam ser consideradas comestíveis em certos países do mundo. Embora eu estivesse nervosa diante do júri, entusiasmei-me com a tarefa de convencê-los de que meu cliente estava com a razão, e fiquei aliviada quando concederam-lhe apenas prejuízos nominais. Anos depois disso, Bill ficava brincando comigo sobre o caso do "rabo de rato" e imitando a afirmação do queixoso de que não conseguia mais beijar sua noiva porque estava ocupado demais cuspindo.

Também continuei meu trabalho na defesa de crianças ao longo do exercício de minha profissão. Beryl Anthony, promotor em El Dorado, pediu-me para ajudá-lo a representar um casal que desejava adotar um filho de criação que vivera com eles durante dois anos e meio. O Departamento de Serviço Social do Arkansas se recusou, alegando uma política que proibia a adoção por pais de criação. Eu enfrentara a mesma política em Connecticut ao trabalhar como estagiária de direito em serviços jurídicos. Beryl, casado com a irmã mais velha de Vince, Sheila, soubera por seu cunhado sobre meu interesse por essas questões. Agarrei a oportunidade de trabalhar no caso. Nossos clientes, um corretor da bolsa e sua mulher, dispunham dos recursos para custear uma contestação efetiva da política. O Departamento de Serviço Social do Arkansas contava com seus próprios advogados e, por isso, eu não tinha de me preocupar com a possibilidade de indispor-me com o secretário da Justiça.

Beryl e eu apresentamos testemunho especializado sobre as etapas do desenvolvimento de uma criança e o grau em que o bem-estar emocional da criança depende da presença de alguém constante que cuide dela nos primeiros anos de vida. Convencemos o juiz de que o contrato que os pais de criação haviam assinado — concordando em não adotar — não deveria ser aplicável se os seus termos fossem contrários aos melhores interesses da criança. Vencemos o caso, mas nossa vitória não alterou a política estadual oficial quanto à adoção de filhos de criação porque o estado não apelou da decisão. Felizmente nossa vitória serviu de fato como um precedente que o estado acabaria admitindo. Beryl foi eleito ao Congresso em 1978, onde atuou durante catorze anos, e Sheila Foster Anthony se tornou também advogada.

Minha experiência com esse caso e outros me convenceu de que o Arkansas necessitava de uma organização em âmbito estadual dedicada à defesa dos direitos e interesses das crianças. Eu não estava sozinha nessa convicção. A dra. Bettye Caldwell, uma professora de desenvolvimento infantil de renome internacional na Universidade do Arkansas em Little Rock, soube de meu trabalho e me pediu para juntar-me a ela e outros arkansienses preocupados com a situação das crianças no estado. Fundamos a associação Advogados em Defesa das Crianças e Famílias do Arkansas, que liderou reformas no sistema de bem-estar das crianças e até hoje continua a defendê-las.

Enquanto trabalhava em processos judiciários na Rose e assumia casos de defesa de crianças em favor do bem público, também estava aprendendo sobre as expectativas e costumes tácitos do Sul. As esposas de ocupantes de cargos eletivos eram constantemente fiscalizadas. Em 1974, Barbara Pryor, mulher do governador eleito David Pryor, despertara críticas arrasadoras pelo novo permanente que fizera em seus cabelos curtos. Eu gostava de Barbara e achei que a atenção pública a seu cabelo era ridícula. (Mal sabia eu.) Supus que, como mãe ocupada com três filhos, ela estivesse em busca de um penteado mais fácil. Numa demonstração de solidariedade, decidi submeter meu cabelo teimosamente liso a um permanente rígido que, segundo eu pensava, imitaria o de Barbara. Tive de aplicar duas vezes o permanente a fim de obter o efeito desejado. Quando apareci com meu cabelo frisado, Bill apenas meneou a cabeça, perguntando-se por que eu cortara e "embaralhara" meus cabelos compridos.

Um dos motivos pelos quais Vince e Webb se tornaram tão bons amigos foi que me aceitavam como eu era, muitas vezes fazendo troça de meu fervor ou explicando pacientemente por que certas idéias minhas jamais decolariam. Desenvolvemos o hábito de fugir do escritório para almoços regulares, geralmente em um restaurante italiano chamado Villa. Era do tipo toalha xadrez com vela na garrafa de Chianti e ficava perto da universidade, onde podíamos evitar as habituais aglomerações de negócios. Era divertido trocar histórias de guerra sobre nossas batalhas no sistema judicial do Arkansas, ou simplesmente conversar sobre nossas famílias. É claro que isso também produzia certas caras amarradas. Naquela época, em Little Rock, as mulheres não costumavam fazer refeições com homens que não fossem seus maridos.

Embora sendo mulher de um político, além de advogada processualista, e de vez em quando levasse as pessoas a conversarem quando eu saía a público, normalmente eu não era reconhecida. Certa vez, eu e outro advogado fretamos um pequeno avião para ir até Harrison, Arkansas, para comparecer a um tribunal; quando aterrissamos no campo de pouso, descobrimos que não havia táxi. Dirigi-me a um grupo de homens que estavam no hangar. "Há alguém indo de carro para Harrison?", perguntei. "Precisamos ir até o tribunal."

Sem se virar, um homem se ofereceu: "Eu vou. Eu levo vocês".

O homem dirigia uma lata-velha cheia de ferramentas e, por isso, esprememo-nos os três no assento da frente e tocamos para Harrison. Viajávamos naquele aperto ao som alto do rádio até que entrou a seção de notícias e o locutor disse: "Hoje, o secretário da Justiça Bill Clinton disse que estaria investigando o juiz fulano-de-tal por mau procedimento na magistratura…". De repente, nosso motorista gritou: "Bill Clinton! Vocês conhecem esse sacana do Bill Clinton?".

Preparei-me intimamente e disse: "Sim, eu o conheço. Na verdade, sou casada com ele".

Isso chamou a atenção do sujeito e ele voltou os olhos para mim pela primeira vez. "Você é casada com Bill Clinton? Ora, ele é o meu sacana favorito e sou o piloto dele!"

Foi a primeira vez que notei que nosso bom samaritano tinha um disco negro sobre um dos olhos. Ele era conhecido como Jay Caolho e realmente estivera levando Bill por toda parte em pequenos aviões. Agora, eu só esperava que Jay Caolho pilotasse carros tão bem quanto aviões e fiquei grata quando ele nos deixou no tribunal sãos e salvos, ainda que um pouco amarrotados.

* * *

Os anos de 1978 a 1980 estão entre os mais difíceis, animadores, gloriosos e pesarosos de minha vida. Após tantos anos conversando sobre como poderia melhorar as condições no Arkansas, Bill finalmente teve a chance de atuar quando foi eleito governador em 1978. Bill iniciou seu mandato de dois anos com a disposição de um cavalo de corrida disparando da raia de partida. Ele havia feito dezenas de promessas de campanha e começou a cumpri-las em seus primeiros dias no cargo. Em pouco tempo, entregou a cada membro do Legislativo um volumoso e detalhado cronograma orçamentário e, pouco depois, apresentou iniciativas de longo alcance para criar uma nova secretaria de desenvolvimento econômico, reformar a assistência médica rural, elevar o inadequado sistema educacional do estado e consertar as rodovias estaduais. Considerando que novas receitas seriam necessárias para garantir essas medidas, particularmente na melhoria das estradas, era preciso elevar os impostos. Bill e seus conselheiros imaginavam que as pessoas aceitariam um aumento nas tarifas de licenciamento de automóveis em troca da promessa de melhores estradas. Mas isso se mostrou lamentavelmente equivocado.

Em 1979, tornaram-me sócia da firma Rose e dediquei o máximo de energia possível a meu trabalho. Muitas vezes organizei eventos sociais na Mansão do Governador ou presidi reuniões do Conselho Consultivo de Saúde Rural, que Bill me pedira para presidir como parte de seu esforço para melhorar o acesso à assistência médica de qualidade no meio rural do Arkansas. Continuei meu envolvimento com Marian Wright Edelman e o Fundo de Defesa das Crianças e a viajar para Washington a intervalos de poucos meses para presidir reuniões da diretoria do FDC. E o presidente Carter havia me nomeado para o conselho da Legal Services Corporation, cargo para o qual tive de ser confirmada pelo Senado americano. A entidade era um programa federal sem fins lucrativos criado pelo Congresso e pelo presidente Nixon, que financiava assistência jurídica para os pobres. Trabalhei com Mickey Kantor, um ex-advogado de serviços jurídicos gratuitos que representava os trabalhadores migrantes na Flórida. Mais tarde, ele se tornou um próspero advogado em Los Angeles e, em 1992, trabalhou como coordenador da campanha presidencial de Bill.

Como se isso não bastasse, Bill e eu também estávamos tentando ter um filho. Ambos adoramos crianças e todos que têm filhos sabem que nunca há um momento "conveniente" para começar uma família. O primeiro mandato de Bill como governador parecia um momento tão inconveniente quanto outro qualquer. Não estávamos tendo sorte até que decidimos passar umas férias nas Bermudas, mais uma vez defendendo a importância de afastamentos regulares do trabalho.

Convenci Bill a freqüentar comigo as aulas de Lamaze, uma novidade que levou muitas pessoas a se perguntarem por que seu governador estava pretendendo parir nosso bebê. Com quase sete meses de gravidez, eu estava com Gaston Williamson no tribunal cuidando de uma ação e confabulando com o juiz quando mencionei que Bill e eu estávamos tendo aulas de "parto" todo sábado de manhã.

"O quê?", explodiu o juiz. "Eu sempre apoiei seu marido, mas acho que o marido não tem nada o que fazer lá quando o bebê nasce!" E ele não estava brincando.

Por volta dessa mesma época, em janeiro de 1980, o Hospital Infantil do Arkansas estava planejando uma grande reforma e precisava de uma boa cotação em suas ações. A dra. Betty Lowe, diretora médica do hospital e mais tarde pediatra de Chelsea, perguntou se eu poderia me reunir com um grupo de administradores e médicos para ajudar a defender o caso diante das agências de cotação em Nova York. Eu ficara com a barriga tão grande que deixava certas pessoas apreensivas, mas fui, e durante anos Betty disse às pessoas que as agências de cotação concordaram com os planos do hospital para se verem livres da esposa do governador em estado avançado de gravidez antes que ela parisse em seus escritórios.

À medida que se aproximava o mês de março, para quando se previa o parto, meu médico disse que eu não podia viajar, o que significou que perdi o jantar anual da Casa Branca para os governadores. Bill voltou para Little Rock na quarta-feira, 27 de fevereiro, a tempo para o rompimento de minha bolsa. Isso fez com que ele e a patrulha estadual entrassem em pânico. Bill corria de um lado para o outro com a lista Lamaze de coisas a serem levadas para o hospital. A recomendação era levar uma pequena sacola plástica cheia de gelo para chupar durante o trabalho de parto. Quando me arrastava para o carro, vi um patrulheiro enfiando no porta-malas um saco de lixo de 150 litros cheio de gelo.

Depois que chegamos ao hospital, evidenciou-se que eu teria de fazer uma cesariana, algo que não havíamos esperado. Bill solicitou permissão do hospital para me acompanhar até a sala cirúrgica, pedido para o qual não havia precedentes. Ele disse aos administradores que já havia ido com sua mãe assistir a operações e sabia que ficaria bem. O fato de que era o governador certamente ajudou a convencer o Hospital Batista a deixá-lo entrar. Pouco tempo depois, a política foi alterada para permitir que os pais entrassem na sala de parto durante as operações cesarianas.

O nascimento de nossa filha foi o acontecimento mais miraculoso e atemorizante de minha vida. Chelsea Victoria Clinton chegou com três semanas de antecedência, no dia 27 de fevereiro de 1980, às 11h24 da noite, para grande alegria de Bill e de nossas famílias. Enquanto estava me recuperando, Bill levou Chelsea nos braços pelo hospital afora, para os aconchegos "cimentadores" da relação pai-filha. Ele cantava para ela, embalava-a, exibia-a, e no geral insinuava haver inventado a paternidade.

Chelsea diversas vezes nos ouviu contar histórias sobre sua infância: ela sabe que seu nome se deve a uma versão de Judy Collins da canção "Chelsea Morning", de Joni Mitchell, que seu pai e eu ouvimos enquanto passeávamos por Chelsea em Londres, durante as maravilhosas férias que passamos lá no Natal de 1978. Bill dissera: "Se algum dia tivermos uma filha, vamos chamá-la de Chelsea". E começou a cantar. Chelsea sabe o quanto fiquei embasbacada com sua chegada e o quanto era difícil consolá-la quando ela chorava, por mais que eu a embalasse. Ela sabe as palavras que eu lhe dizia em meu esforço para acalmar a nós duas: "Chelsea, isto é novo para nós duas. Nunca fui mãe antes e você nunca foi um bebê. Tudo o que temos a fazer é ajudar uma à outra da melhor forma que pudermos".

No começo da manhã após o parto de Chelsea, meu sócio Joe Giroir me ligou e perguntou se eu precisava de uma carona para o trabalho. Ele estava brincando, é claro, mas até então eu não conseguira convencer meus sócios a adotarem formalmente um plano de licença maternidade/paternidade. De fato, à medida que eu ficava cada vez maior, simplesmente desviavam os olhos e conversavam sobre outra coisa que não os meus planos para quando o bebê chegasse. Quando Chelsea chegou, contudo, disseram para que eu tirasse todo o tempo que fosse preciso.

Consegui tirar quatro meses de licença do trabalho em tempo integral para ficar em casa com nossa filha recém-nascida, embora ganhando menos. Como sócia, continuava a receber um salário-base, mas minha renda dependia dos honorários que eu gerava, o que evidentemente diminuiu durante o tempo em que não estava trabalhando. Nunca me esqueci de que tive muito mais sorte do que muitas mulheres por ter recebido esse tempo com minha filha. Bill e eu reconhecíamos a necessidade da licença maternidade/paternidade, de preferência remunerada. Saímos de nossa experiência decididos a garantir que todos os pais tivessem a opção de ficar em casa com seus recém-nascidos e de contar com creches confiáveis quando voltassem ao trabalho. Foi por isso que fiquei tão emocionada quando o primeiro projeto de lei que ele assinou como presidente foi o da Lei de Licença Médica e Familiar.

Estávamos morando na Mansão do Governador, que era dotada de um sistema de apoio para ajudar com Chelsea. Eliza Ashley, a inestimável cozinheira que trabalhara durante décadas na mansão, adorou ter uma criança na casa. Carolyn Huber, a quem havíamos induzido a deixar a firma Rose para administrar a mansão durante o primeiro mandato de Bill, era como um membro da família. Chelsea passou a pensar nela como uma tia substituta e sua ajuda foi inestimável. Mas jamais tomei como certa nenhuma de nossas bênçãos. Tão logo Bill e eu decidimos criar uma família, eu começara a planejar um futuro financeiro mais estável.

O dinheiro não significa quase nada para Bill Clinton. Não que ele se opusesse a ganhar dinheiro ou possuir imóveis; simplesmente nunca foi uma prioridade. Ele fica feliz quando tem o bastante para comprar livros, assistir a filmes, sair para jantar e viajar. O que também é bom, porque como governador do Arkansas ele jamais ganhou mais do que 35 mil dólares por ano, antes dos impostos. Era uma boa renda no Arkansas, morávamos na Mansão do Governador e tínhamos uma conta de despesas oficiais que cobria refeições, o que a tornava melhor. Mas minha preocupação, uma vez que a política é uma profissão essencialmente instável, era que precisávamos formar uma poupança.

Tenho certeza de que herdei essas preocupações da notória frugalidade de meu pai, que fez investimentos inteligentes, conseguiu que os filhos fizessem a faculdade e se aposentou com conforto. Papai me ensinou a acompanhar o mercado de capitais quando eu ainda estava no curso primário e sempre me lembrava de que "o dinheiro não dá nas árvores". Só por meio de trabalho duro, poupança e investimento prudente é que se consegue ser financeiramente independente. No entanto, nunca pensei muito em poupança ou investimento até perceber que, para nossa família em crescimento ter algum respaldo financeiro, a responsabilidade teria de ser principalmente minha. Comecei a procurar oportunidades nas quais investir. Minha amiga Diane Blair era casada com alguém que conhecia os meandros do mercado de mercadorias e futuros e estava disposto a compartilhar sua experiência.

Com sua fala grave e mansa, compleição enorme e cabelos prateados, Jim Blair era uma figura imponente e um advogado excepcional, cujos clientes incluíam a gigante avícola Tyson Foods. Jim também tinha fortes opiniões políticas. Defendera os direitos civis, opusera-se à Guerra do Vietnã e apoiara os senadores Fulbright e McGovern contra as marés políticas. Era abençoado por um grande calor pessoal e um travesso senso de humor. Quando se casou com Diane, encontrou uma alma gêmea, tal como ela. Bill realizou a cerimônia do casamento deles em 1979 e eu fui "madrinha" dos dois.

O mercado de mercadorias e futuros estava florescendo no final dos anos 70 e Jim havia desenvolvido um sistema de transação que estava lhe trazendo fortuna. Em 1978, estava indo tão bem que incentivou sua família e melhores amigos a entrarem no mercado. Eu estava disposta a arriscar mil dólares, e deixei que Jim orientasse minhas transações por meio do corretor conhecido pelo pitoresco nome de Robert "Red" Bone. Red era ex-jogador de pôquer, o que fazia muito sentido, dada a sua vocação.

O mercado de mercadorias e futuros não se parecia em nada com a bolsa de valores — de fato, tinha mais em comum com Las Vegas do que com Wall Street. O que os investidores compravam e vendiam eram promessas (conhecidas como "futuros") de comprar certos bens — trigo, café, gado — a um preço fixo. Se o preço estiver mais alto quando essas mercadorias chegarem ao mercado, o investidor ganhará dinheiro. Às vezes, é um dinheiro considerável, porque cada dólar investido pode comandar muitas vezes o seu valor em futuros. Flutuações de alguns centavos nos preços são ampliadas por volumes enormes. Por outro lado, se o mercado de miúdos de porco ou milho estiver saturado, o preço cairá e o investidor perderá muito dinheiro.

Empenhei-me ao máximo para me instruir sobre os futuros de gado bovino e demandas de cobertura complementar para tornar a coisa menos assustadora. Ganhei e perdi dinheiro ao longo dos meses e acompanhei atentamente os mercados. Por algum tempo, abri uma conta menor controlada por um corretor de outra firma de investimento de Little Rock. Mas logo depois que fiquei grávida de Chelsea em 1979, perdi a paciência para jogar. Os ganhos que eu havia obtido subitamente pareciam dinheiro de verdade que poderíamos usar para a educação superior de nossa filha. Abandonei a mesa com ganhos de 100 mil dólares. Jim Blair e seus conterrâneos continuaram no mercado por mais tempo e perderam boa parte do dinheiro que haviam ganho.

O grande retorno sobre meu investimento foi examinado *ad infinitum* depois que Bill se tornou presidente, embora nunca tenha se tornado foco de uma investigação séria. A conclusão foi que, como muitos investidores da época, eu tivera sorte. Bill e eu não tivemos tanta sorte com outros investimentos que fizemos durante o mesmo período. Não só perdemos dinheiro num imóvel chamado Whitewater Estates, como também o investimento suscitaria uma investigação, quinze anos depois, que durou todo o tempo que Bill ficou na Presidência.

Tudo começou certo dia da primavera de 1978, quando um empresário e político de longa data chamado Jim McDougal nos abordou com um negócio garantido: Bill e eu entraríamos numa sociedade com Jim e sua jovem esposa Susan para comprar 93 hectares de terra sem benfeitorias na margem sul do rio White, norte do Arkansas. O plano era subdividir o terreno para residências de férias, depois vender os lotes com lucro. O preço era de 202.611,20 dólares.

Bill conhecera McDougal em 1968, quando Jim estava trabalhando na campanha de reeleição do senador J. William Fulbright e Bill era um voluntário de verão, com 21 anos de idade. Jim McDougal era um personagem: sempre charmoso, espirituoso e excêntrico. Com seus ternos brancos e um Bentley azul-bebê, McDougal parecia ter acabado de sair de uma peça de Tennessee Williams. Apesar de seus hábitos excêntricos, tinha uma sólida reputação. Parecia fazer negócios com todos no estado, inclusive com o impecável Bill Fulbright, ao qual ajudou a ganhar muito dinheiro com imóveis. Suas credenciais eram tranqüilizadoras para nós dois. Bill também fizera um pequeno investimento imobiliário com McDougal no ano anterior, que rendera um lucro razoável e, por isso, quando Jim sugeriu Whitewater, pareceu uma ótima idéia.

Havia um *boom* nas montanhas Ozarks ao norte do Arkansas, onde proliferavam segundas residências de pessoas vindas de Chicago e Detroit. A atração era óbvia: terra de matas com impostos imobiliários baixos num meio rural de declividade moderada, rodeado por montanhas e entremeado por lagos e rios que ofereciam as melhores condições para pesca e canoagem no país. Se tudo tivesse saído de acordo com o projeto, teríamos recuperado o investimento após alguns anos e tudo teria se encerrado aí. Tomamos empréstimos do banco para adquirir o imóvel, acabamos transferindo a propriedade para a Whitewater Development Company, Inc., uma entidade distinta na qual nós e os McDougal possuíamos cotas iguais. Bill e eu nos considerávamos investidores passivos; Jim e Susan gerenciavam o projeto, que, segundo se esperava, se financiaria a si mesmo, uma vez que os lotes começassem a ser vendidos. Mas, no momento em que foi feita a demarcação topográfica e os lotes estavam prontos para venda, as taxas de juros haviam subido para a estratosfera, chegando perto dos 20% ao final da década. As pessoas não tinham mais como financiar segundas residências. Em lugar de assumir uma perda monumental, continuamos na Whitewater, fazendo algumas melhorias e construindo uma residência-modelo, na expectativa de uma reviravolta na economia. De tempos em tempos, no curso dos vários anos seguintes, Jim nos pediu para endossar cheques para ajudar a realizar pagamentos de juros ou outras contribuições, e nunca questionamos seu discernimento. Não percebíamos que o comportamento de Jim McDougal estava transpondo o limite do "excêntrico" para o "mentalmente instável", e que ele estava se envolvendo em uma série de esquemas de negócios dúbios. Passaram-se anos até descobrirmos alguma coisa sobre sua vida dupla.

O ano de 1980 foi um grande ano para nós. Fazia pouco tempo que éramos pais e Bill estava concorrendo à reeleição. Seu adversário nas primárias era um criador de perus aposentado, Monroe Schwarzlose, 78 anos, que representava muitos democratas rurais ao criticar o aumento no custo do licenciamento de carros e capitalizava a impressão que alguns tinham de que Bill estava "fora de contato" com o Arkansas. Schwarzlose acabou obtendo um terço dos votos. O fato de que a presidência de Jimmy Carter estivesse cercada de problemas não ajudou. A economia estava gradualmente afundando à medida que as taxas de juros continuavam a subir. A administração foi afastada de seus objetivos por uma série de crises internacionais, culminando na captura de reféns americanos no Irã. Algumas dessas dificuldades transbordaram para o Arkansas na primavera e no verão de 1980, quando centenas de refugiados cubanos detidos — a maioria vinda de prisões e hospitais de doentes mentais, que Castro despachou para os Estados Unidos no infame barco Mariel — foram enviados para um "campo de reassentamento" em Fort Chaffee, Arkansas. No final de maio, os refugiados se amotinaram e centenas deles saíram do forte, dirigindo-se para a comunidade vizinha de Fort Smith. Deputados do condado e cidadãos do local carregaram suas espingardas e esperaram pelo violento ataque. A situação piorou porque o Exército, nos termos de uma doutrina conhecida como *posse comitatus* (força do condado), não tinha autoridade policial fora da base e nem sequer tinha poder para manter os detidos — que tecnicamente não eram prisioneiros — nos terrenos. Bill enviou patrulheiros estaduais e a Guarda Nacional para cercarem os cubanos e controlarem a situação. Em seguida, voou para lá para supervisionar a operação.

As ações de Bill pouparam vidas e evitaram que a violência se generalizasse. Quando Bill voltou, alguns dias depois, para acompanhar, fui com ele. Ainda havia placas nos postos de gasolina: "Não há munições, volte amanhã", e na frente das casas: "Atiramos para matar". Também participei de algumas reuniões tensas que Bill teve com James "Bulldog" Drummond, o frustrado general no comando de Fort Chaffee, e representantes da Casa Branca. Bill queria ajuda federal para conter os detidos, mas o general Drummond disse que suas mãos estavam atadas devido a ordens superiores. A mensagem da Casa Branca parecia ser: "Não se queixe, apenas controle a bagunça que lhe demos". Bill tinha feito exatamente isso, mas havia um grande preço político a pagar por apoiar seu presidente.

Após os tumultos de junho, o presidente Carter prometera a Bill que não seriam mais enviados cubanos ao Arkansas. Em agosto, a Casa Branca quebrou a promessa, fechando áreas em Wisconsin e Pensilvânia e enviando mais refugiados para o Fort Chaffee. Essa reversão prejudicou ainda mais o apoio a Bill Clinton e Jimmy Carter no Arkansas.

Os sulistas têm uma expressão para descrever alguma coisa ou alguém cuja sorte acaba. A essa altura, ficava claro que a presidência de Jimmy Carter era uma *snakebit* [período de infelicidade ou má sorte]. Era mais difícil admitir que o governo de Bill Clinton estivesse sofrendo da mesma sina.

O adversário republicano de Bill, Frank White, começou a veicular anúncios negativos. Enquanto eram exibidas filmagens de amotinados cubanos de pele escura, uma voz anunciava que "Bill Clinton cuida mais de Jimmy Carter do que do Arkansas". A princípio, desconsiderei os anúncios, achando que todos no Arkansas conheciam o bom trabalho que Bill havia feito contendo a violência. Depois comecei a rebater questões nas assembléias da escola e clubes cívicos: "Por que o governador deixou os cubanos se amotinarem?". "Por que o governador não se importa mais conosco do que com o presidente Carter?" Anúncios como este, que demonstravam o poder de uma mensagem negativa, tornaram-se muito comuns em 1980, em grande parte por causa de uma estratégia empregada pelo Comitê de Ação Política Conservadora Nacional, formado pelos republicanos para conceber e veicular anúncios negativos por todo o país. Em outubro, achei que as pesquisas de opinião que mostravam vantagem de Bill estivessem erradas e que ele até poderia perder. Bill havia utilizado um jovem e inflamado pesquisador de opinião de Nova York, Dick Morris, para sua bem-sucedida campanha de 1978, mas ninguém em sua equipe ou em seu gabinete conseguia suportar trabalhar com Morris e, por isso, convenceram Bill a utilizar uma equipe diferente em 1980. Liguei para Morris para perguntar o que ele achava que estava acontecendo. Ele me disse que Bill estava com sérios problemas e provavelmente perderia, a menos que ele fizesse algum tipo de gesto dramático, como o de revogar o imposto de licenciamento de carros ou repudiar Carter. Eu não conseguia convencer mais ninguém a ignorar as pesquisas que apontavam vitória de Bill. Quanto ao próprio Bill, ele estava incerto. Não queria romper publicamente com o presidente nem convocar uma sessão especial para revogar o aumento abrupto no imposto de licenciamento. Assim, ele apenas intensificou sua campanha e continuou a explicar-se aos eleitores.

Imediatamente antes da eleição, tivemos uma conversa perturbadora com um oficial da Guarda Nacional que estivera a cargo de alguns guardas convocados para acalmar os motins na base. Ele disse a Bill que sua idosa tia o havia informado de que pretendia votar em Frank White porque Bill havia deixado os cubanos se amotinarem. Quando esse oficial explicou a sua tia que ele estivera lá e constatara que o governador Clinton havia impedido o motim, sua tia disse que isso não era verdade porque havia visto na televisão o que acontecera. Os anúncios não só fabricaram as notícias, como também o testemunho pessoal. A campanha de 1980, onde a verdade era virada de ponta-cabeça, convenceu-me do poder penetrante dos anúncios negativos para converter eleitores mediante a distorção.

As pesquisas de boca de urna mostravam Bill vencendo por ampla margem, mas ele perdeu de 48% contra 52% dos votos. Foi arrasador. O grande quarto de hotel que sua campanha havia alugado estava cheio de amigos e apoiadores chocados. Ele decidiu que aguardaria até o dia seguinte para fazer quaisquer comentários públicos e me pediu para sair e agradecer a todos por sua ajuda e convidá-los para irem até a Mansão do Governador na manhã seguinte. A reunião no gramado dos fundos foi como uma vigília. Bill agora havia perdido duas eleições — uma para o Congresso, outra como governador em exercício — e muitos se perguntavam se essa derrota o abateria.

Antes de a semana se encerrar, descobrimos uma velha residência para comprar no distrito de Hillcrest de Little Rock, perto de onde havíamos morado antes. Com dois lotes, ela tinha um sótão reformado que reservamos para Chelsea. Bill e eu preferimos casas mais velhas e mobília tradicional, por isso visitávamos brechós e lojas de antiguidades. Quando Virginia veio nos visitar, perguntou por que gostávamos de coisas velhas. Ela explicou: "Passei a vida inteira tentando me livrar de casas e móveis velhos". Quando entendeu nosso gosto, porém, ficou feliz em nos mandar um "sofá de namoro" vitoriano que ela tinha em sua garagem.

Chelsea foi o único ponto de luz nos meses dolorosos que se seguiram à eleição. Ela foi a primeira neta de nossas famílias e, por isso, a mãe de Bill estava mais do que feliz ao servir muito como babá, o mesmo acontecendo com meus pais quando vinham nos visitar. Foi em nossa casa nova que Chelsea comemorou seu primeiro aniversário, aprendeu a andar e falar, e ensinou a seu pai uma lição sobre os perigos de assumir muitas tarefas. Certo dia, Bill a estava segurando enquanto assistia a uma partida de basquete na televisão, falando ao telefone e resolvendo palavras cruzadas. Quando não conseguiu atrair sua atenção, ela lhe deu uma mordida no nariz!

Bill assumiu um trabalho na Wright, Lindsey and Jennings, um escritório de advocacia de Little Rock. Um de seus novos colegas, Bruce Lindsey, tornou-se um dos mais próximos confidentes de Bill. Mas antes que Frank White se mudasse para a mansão, Bill já estava, extra-oficialmente, fazendo campanha para obter seu posto de volta.

As pressões para que eu me conformasse haviam aumentado intensamente quando Bill se elegera governador em 1978. Consegui escapar de ser considerada um pouco anticonvencional como esposa do secretário da Justiça, mas, como primeira-dama do Arkansas, fui lançada sob um holofote sempre aceso. Pela primeira vez, passei a perceber como minhas decisões pessoais podiam influir no futuro político de meu marido.

Meus pais me educaram para que me concentrasse nas qualidades interiores das pessoas, não no modo como se vestiam ou nos títulos que portavam. Isso por vezes dificultava meu entendimento da importância que certas convenções tinham para as outras pessoas. A duras penas descobri que certos eleitores no Arkansas estavam seriamente ofendidos pelo fato de que eu mantivesse meu nome de solteira.

Uma vez que eu sabia que tinha meus próprios interesses profissionais e que não queria criar nenhuma confusão ou conflito de interesses com a carreira pública de meu marido, era totalmente lógico continuar a usar meu próprio nome. Bill não se importava, mas nossas mães sim. Virginia chorou quando Bill lhe contou, e minha mãe endereçava suas cartas para "Sr. e Sra. Bill Clinton". Noivas que mantinham seus nomes de solteira estavam se tornando mais comuns em alguns lugares na metade dos anos 70, mas ainda eram raras na maior parte do país. E isso incluía o Arkansas. Era uma decisão pessoal, um pequeno gesto (pensava eu) para deixar claro que, embora eu estivesse comprometida com nossa união, eu ainda era eu. Também era ser prática. No momento em que nos casamos, eu lecionava, cuidava de casos judiciais, publicando e falando como Hillary Rodham. Mantive meu nome depois que Bill foi eleito para um cargo público em parte porque achava que isso ajudaria a evitar o surgimento de conflito de interesses. E há um caso em que penso que teria perdido se tivesse assumido o nome de Bill.

Eu estava ajudando Phil Carroll a defender uma empresa que vendia e entregava toras de madeira creosotadas por via férrea. Quando uma carga foi descarregada em seu destino, as toras se soltaram de seus suportes em um dos vagões abertos e feriu empregados da empresa que as comprara. A ação que se seguiu na Justiça foi apresentada diante de um juiz que havia sido acusado de prevaricação na magistratura, atribuída principalmente a sua excessiva familiaridade com o álcool. Nos termos da lei do Arkansas, as investigações sobre juízes deveriam ser conduzidas pelo secretário da Justiça, ou seja, meu marido. O juiz, que me conhecia apenas como "srta. Rodham", não tirava os olhos de mim, freqüentemente fazendo comentários do tipo "Como você está bonita hoje" ou "Venha até aqui para que eu possa vê-la direito".

Ao final da exposição do caso do pleiteante, Phil fez a moção para um veredicto direto em favor de nosso cliente, já que não havia prova que vinculasse nosso cliente à suposta negligência que havia provocado o acidente. O juiz concordou e concedeu a moção. Phil e eu juntamos nossas coisas e voltamos para Little Rock. Alguns dias depois, um advogado de um dos outros acusados me ligou para contar o que havia acontecido enquanto o júri deliberava. O juiz havia começado a arengar com os advogados sobre a investigação de Bill Clinton e sobre quanto ele se sentia maltratado. Por fim, um deles o interrompeu e perguntou: "Juiz, o senhor conhece aquela advogada, Hillary Rodham, que estava aqui com Phil Carroll? Ela é esposa de Bill Clinton".

"Ora essa, se eu soubesse disso", exclamou o juiz, "eles jamais teriam conseguido aquela moção!"

No inverno, após a derrota de Bill, alguns amigos e apoiadores passaram a dirigir-se a mim usando "Clinton" como meu sobrenome. Ann Henry me disse que certas pessoas ficavam transtornadas quando recebiam convites para eventos na Mansão do Governador enviados pelo "Governador Bill Clinton e Hillary Rodham". O anúncio do nascimento de Chelsea, no qual também figuravam nossos dois nomes, aparentemente foi um assunto candente de conversas por todo o estado. As pessoas no Arkansas se comportavam comigo de forma muito parecida à de minha sogra quando ela me viu pela primeira vez: eu era esquisita por causa de minhas roupas, meus modos nortistas e por usar o nome de solteira.

Jim Blair brincou sobre encenar um roteiro elaborado nas escadas da Assembléia Legislativa. Bill colocaria o pé em meu pescoço, me arrastaria pelos cabelos e diria algo como "Mulher, você vai usar meu sobrenome e pronto!". Bandeiras seriam hasteadas, hinos seriam entoados e o nome mudaria.

Vernon Jordan chegou à cidade para fazer um discurso e me perguntou se eu lhe serviria um café-da-manhã, incluindo cereais, em nossa casa na manhã seguinte. Em nossa pequena cozinha, aboletado numa cadeira muito pequena, ele comeu meus cereais instantâneos e insistiu para que eu fizesse a coisa certa: passar a usar o sobrenome de Bill. A única pessoa que não me perguntava e nem mesmo falava comigo sobre meu nome era meu marido. Ele dizia que meu nome era assunto meu e que não achava que seu futuro político dependesse disso, de um modo ou de outro.

Concluí que era mais importante para Bill ser governador novamente do que para mim manter meu nome de solteira. Assim, quando Bill anunciou sua candidatura para outro mandato, no segundo aniversário de Chelsea, comecei a me chamar Hillary Rodham Clinton.

A campanha de 1982 foi uma empreitada familiar. Carregávamos Chelsea, com saco de fraldas e tudo o mais, num grande carro dirigido por um verdadeiro amigo, Jimmy Red Jones, e rodávamos por todo o estado. Começamos no sul, onde a primavera se escondera sob os pinheiros, e terminamos em Fayetteville, numa nevasca. Sempre gostei de fazer campanhas e viajar pelo Arkansas, parando em mercearias, celeiros de vendas e churrascarias do meio rural. É uma educação permanente sobre a natureza humana, inclusive a nossa. Eu ficara surpresa quando passara de porta em porta na campanha de Bill de 1978 e encontrei mulheres que me diziam que seus maridos votavam por elas ou afro-americanos que achavam que ainda deviam pagar imposto para votar.

Em 1982, com Chelsea a tiracolo ou segurando minha mão, eu caminhava para cima e para baixo pelas ruas conhecendo eleitores. Lembro-me que encontrei algumas jovens mães na cidadezinha de Bald Knob. Quando disse que tinha certeza de que gostavam muito de conversar com seus bebês, uma delas perguntou: "Por que eu conversaria com ela? Ela não responde". Eu sabia, por meus tempos de estudos sobre crianças em Yale — e por minha mãe —, quanto era importante falar e ler para que os bebês formassem seus vocabulários. E, no entanto, quando tentava explicar isso, as mulheres eram polidas mas duvidavam.

Depois da eleição de Bill em 1982, um governador mais humilde e mais amadurecido retornava ao Palácio do Governo, embora não menos determinado a conseguir o máximo possível em dois anos. E havia muito a ser feito. O Arkansas era um estado pobre, no último ou quase último lugar segundo diversos indicadores, no que dizia respeito a porcentagem de pessoas com formação universitária ou de renda pessoal *per capita*. No primeiro mandato, eu havia ajudado Bill a trabalhar na reforma da assistência à saúde, montando com sucesso uma rede de postos de saúde, recrutando mais médicos, enfermeiras e parteiras nas área rurais — apesar da oposição da associação médica estadual. Quando o governador White tentou cumprir sua promessa da campanha de 1980 de desmantelar a rede, muita gente invadiu a Assembléia Legislativa para protestar e White teve de recuar. Bill e eu concordamos que o Arkansas jamais prosperaria sem melhorar seu sistema educacional. Bill anunciou que estava constituindo uma Comissão de Padrões de Ensino para recomendar reformas educacionais abrangentes e que queria que eu a presidisse.

Eu havia presidido a Comissão de Saúde Rural e Bill me pediu para trabalhar com educação porque desejava sinalizar que estava falando sério. Ninguém, inclusive eu, achava que essa fosse uma boa idéia. Mas Bill não aceitaria um não como resposta. "Olhe para o lado positivo", disse ele. "Se você tiver sucesso, nossos amigos reclamarão que você poderia ter feito ainda mais. E nossos inimigos se queixarão de que você fez demais. Se você não conseguir nada, nossos amigos dirão: 'Ela nunca deveria ter tentado isso'. E nossos inimigos dirão: 'Viram? Ela não conseguiu fazer nada!'." Bill estava convencido de que tinha razão em me indicar e, por fim, aceitei.

Mais uma vez, era um passo politicamente arriscado. Melhorar as escolas exigiria um aumento nos impostos — o que nunca é uma idéia popular. A comissão de quinze membros também recomendava que os alunos fossem submetidos a testes padronizados, incluindo um teste prévio antes de poderem tirar o diploma da oitava série. Mas a base fundamental da proposta de reforma era o teste obrigatório para os professores. Ainda que isso enfurecesse o sindicato dos professores, grupos de direitos civis e outros que eram imprescindíveis ao Partido Democrata no Arkansas, percebíamos que não havia como evitar a questão. Como esperar que as crianças tivessem um desempenho equiparável aos níveis nacionais se os seus professores às vezes ficavam aquém desses níveis? O debate foi tão acirrado que uma bibliotecária de escola disse que eu era "mais baixa que uma barriga de cobra". Tentei me lembrar de que estavam me xingando não por quem eu era, mas pelo que eu representava.

Conseguir a aprovação do Legislativo e custear o pacote de reformas se converteu numa luta de tipo vitória-só-por-nocaute entre os grupos de interesse. Os professores se preocupavam com seus empregos. Os deputados que representavam as áreas rurais se queixavam de que o projeto paralisaria seus pequenos distritos escolares. Em meio a essa disputa, compareci perante uma sessão conjunta da Assembléia Legislativa e do Senado do Arkansas para argumentar em favor da melhoria de todas as escolas, grandes e pequenas. Por algum motivo — provavelmente uma combinação entre talento e muita prática — falar em público sempre foi um de meus trunfos mais fortes. Ri quando Lloyd George, um deputado do condado rural de Yell, mais tarde anunciou ao plenário: "Bem, colegas, parece que elegemos o Clinton errado!". Era mais um exemplo de um fenômeno ao qual chamo de "síndrome do cachorro que fala". Ainda há quem se admire de que uma mulher (aqui incluídas as esposas de governadores, as diretoras de empresas, estrelas do esporte e cantoras de rock) possa se sair bem sob pressão e conseguir ser articulada e aceita. O cachorro consegue falar! De fato, muitas vezes é uma vantagem se as pessoas que você espera persuadir a princípio a subestimam. Eu teria me disposto a latir todo o meu discurso a fim de garantir a reforma da educação!

Conquistamos alguns votos e perdemos outros, e tivemos de lutar contra o sindicato dos professores no tribunal. Mas, ao final do mandato de Bill, o Arkansas tinha um projeto pronto para elevar os padrões escolares, dezenas de milhares de crianças tinham uma chance melhor de realizar seu potencial de aprendizado e os professores obtiveram um aumento salarial desesperadamente necessitado. Fiquei particularmente satisfeita quando Terrel Bell, ministra da Educação do presidente Reagan, elogiou o projeto de reforma do Akansas, comentando que Bill havia sido "um líder de primeira na educação".

O sucesso público da legislação de reforma educacional foi acompanhado por um devastador desafio pessoal. Em julho de 1984, recebi um telefonema no meio da semana de Betsey Wright, que se tornou chefe da Casa Civil de Bill após sua reeleição em 1983. Ela me dizia que Bill estava vindo falar comigo. Eu havia acabado de almoçar com alguns amigos, pedi licença e fiquei do lado de fora do restaurante esperando Bill chegar. Sentamos no carro enquanto ele me contava que o chefe da polícia estadual havia acabado de informá-lo que seu irmão Roger estava sob vigilância da polícia. A polícia tinha uma fita de vídeo que o mostrava vendendo drogas para um informante. O diretor da polícia estadual disse então a Bill que poderiam prender Roger imediatamente ou deixar que as acusações se acumulassem e aumentar o cerco sobre ele para identificar seu fornecedor, o verdadeiro alvo. Roger estava vendendo, disse ele, para financiar uma grave dependência de cocaína. O diretor perguntou a Bill o que ele desejava que se fizesse. Bill respondeu que não havia escolha. A operação contra Roger tinha de seguir seu curso. Como irmão mais velho, contudo, era extremamente doloroso saber que, na melhor das hipóteses, seu irmão iria parar na cadeia e, na pior, que ele poderia se matar pelo abuso de drogas.

Bill e eu nos recriminamos por não perceber os sinais do vício de Roger e não tomar nenhuma providência para ajudá-lo. Nossa preocupação foi também que essa notícia, e seu conhecimento antecipado por Bill, iria magoar profundamente sua mãe. Por fim, a espera terminou. Roger foi detido e acusado de posse e venda de cocaína. Bill explicou a Roger e a Virginia que ficara sabendo da investigação, mas que se sentira compelido pelo dever a não contar a sua mãe nem alertar seu irmão. Virginia ficou chocada com as acusações e por saber que Bill e eu tínhamos conhecimento de que Roger estava para ser preso. Embora entendesse sua dor e sua raiva, achei que Bill havia seguido a única alternativa de que dispunha ao não dar a informação a sua família. Roger aceitou fazer um tratamento antes de partir para cumprir sua pena na prisão. No curso daquelas sessões, Roger confessou quanto odiava seu pai, e Virginia e Bill descobriram, pela primeira vez, quanto Roger havia sido afetado pelo alcoolismo e pela violência de seu pai. Bill entendeu que a convivência com o alcoolismo, e a conseqüente negação e ocultação, também havia gerado seqüelas e problemas para ele, e que levaria anos para resolvê-los. Essa foi uma das muitas crises familiares que enfrentaríamos. Até os casamentos sólidos podem ficar estressados quando surgem problemas. Nos anos seguintes, teríamos rusgas sérias, mas estávamos decididos a superá-las.

A partir de 1987, muitos líderes do Partido Democrata começaram a insistir com Bill para que ele considerasse concorrer à Presidência em 1988, quando se encerraria o segundo mandato de Ronald Reagan. Tanto Bill como eu esperávamos que o senador Dale Bumpers decidisse concorrer e achávamos que ele o faria. Ele havia sido um excelente governador e senador, e poderia ter sido um candidato nacional quase imbatível. No final de março, porém, decidiu não concorrer. O interesse por Bill aumentou e ele me perguntou o que eu achava. Eu pensava que ele não deveria concorrer e lhe disse isso. Parecia que o vice-presidente Bush seria indicado como candidato à sucessão do presidente Reagan, concorrendo para um terceiro mandato alternativo de Reagan. Eu achava que seria difícil vencer Bush. Mas também havia outras razões. Bill fora eleito em 1986 para um quarto mandato recorde como governador e o primeiro mandato de quatro anos, desde a Reconstrução. Ainda não atuara como presidente do Conselho das Lideranças

Democratas (CLD) e havia recém-começado na presidência da Associação Nacional dos Governadores. Ele estava com apenas quarenta anos de idade. Sua mãe estava tendo problemas no exercício de sua profissão de enfermeira e seu irmão estava se readaptando à vida depois da prisão. Se isso não bastasse, meu pai acabara de sofrer um derrame e meus pais estavam se mudando para Little Rock para que Bill e eu pudéssemos ajudá-los. Eu achava que era o momento errado em nossa vida e lhe disse que simplesmente não estava convencida.

Num dia ele achava que se candidataria, no outro estava pronto para dizer que não. Por fim, persuadi-o a fixar uma data para que tomasse uma decisão. Todos que conhecem Bill sabem que ele precisa ter um prazo final ou continuará a examinar todos os prós e os contras possíveis. Ele escolheu o dia 14 de julho e reservou um quarto num hotel para fazer o anúncio, fosse qual fosse sua decisão. Muitos amigos seus de todo o país vieram visitá-lo na véspera. Alguns o estavam incentivando a concorrer; outros achavam que era prematuro e que ele deveria esperar. Bill analisava cada ponto que alguém levantava. Achei significativo que ele ainda estivesse debatendo quando faltavam menos de 24 horas para ele comentar publicamente a decisão. Para mim isso queria dizer que ele estava se inclinando contra candidatar-se, mas não inteiramente pronto para fechar a porta.

Muito se escreveu sobre os motivos para a sua decisão de não concorrer, mas, tendo vivido todo o processo, o motivo se resumia a uma palavra: Chelsea. Carl Wagner, um militante democrata de longa data e pai de uma filha única, disse a Bill que ele efetivamente iria transformar sua filha numa órfã. Mickey Kantor passou a mesma mensagem enquanto estivera sentado com Bill na varanda dos fundos da Mansão do Governador. Chelsea chegou e perguntou a Bill sobre nossos planos para as férias que se aproximavam. Quando Bill disse que não teria férias se concorresse para presidente, Chelsea olhou para ele e disse: "Então mamãe e eu iremos sem você". Isso selou a decisão para Bill.

Chelsea estava começando a entender o que significava ter um pai submetido à atenção pública. Quando ela era pequena e Bill era governador, ela não tinha a menor idéia do que ele fazia. Aos quatro anos de idade, quando alguém lhe perguntou, ela respondeu: "Papai fala ao telefone, toma café e faz discursos".

A campanha de 1986 para governador foi a primeira que ela teve idade suficiente para acompanhar. Ela conseguia ler e assistir às notícias e teve contato com algumas das maledicências que a política parece gerar. Um dos adversários de Bill era Orval Faubus, o infame ex-governador que resistira às ordens judiciais de integração racial do colégio Central de Little Rock em 1957. O presidente Eisenhower enviara soldados para aplicar a lei. Pelas minhas preocupações sobre o que Faubus e seus aliados diriam e fariam, Bill e eu tentamos preparar Chelsea para o que ela poderia ouvir sobre seu pai, aliás, sobre sua mãe também. Sentamo-nos em volta da mesa de jantar na Mansão do Governador fazendo teatrinho com ela, fingindo que estávamos em debates nos quais um de nós fazia o papel de adversário político que criticava Bill por não ser um bom governador. Os olhos de Chelsea se arregalaram diante da idéia de que alguém dissesse coisas tão ruins sobre seu pai.

Eu adorava a crescente afirmação de Chelsea, embora isso nem sempre fosse conveniente. Por volta do Natal de 1988, fui caçar patos com o dr. Frank Kumpuris, um renomado cirurgião e grande amigo meu que me convidara a juntar-me a ele, seus dois filhos médicos, Drew e Dean, e alguns outros rapazes em sua cabana de caça. Desde meus tempos no lago Winola com meu pai, eu não atirava, mas achei que seria divertido. Foi assim que me vi em pé, com água gelada até a cintura, esperando pela alvorada no leste do Arkansas. Quando o sol nasceu, os patos alçaram vôo e dei um tiro feliz, acertando um. Quando voltei para casa, Chelsea estava me esperando, indignada por acordar e saber que eu havia saído de casa antes do amanhecer para ir "matar a mamãe ou o papai de algum pobre patinho". Meus esforços para explicar foram inúteis. Ela não falou comigo durante o resto do dia.

Ainda que Bill resolvesse não concorrer em 1988, o indicado, o governador Michael Dukakis de Massachusetts, pediu a ele que fizesse o discurso de indicação na Convenção Democrata em Atlanta. O discurso se mostrou um fiasco. Dukakis e sua equipe haviam revisado e aprovado de antemão cada palavra do texto de Bill, mas o discurso ficou mais comprido do que os delegados ou as redes de televisão imaginavam. Alguns delegados no auditório começaram a gritar para que Bill terminasse. Foi uma apresentação humilhante à nação e muitos observadores imaginaram que o futuro político de Bill estivesse encerrado. Oito dias depois, porém, ele estava no *Tonight Show* de Johnny Carson, fazendo troça de si mesmo e tocando saxofone. Mais outro retorno à popularidade.

Depois que Bill foi reeleito governador em 1990, democratas de todo o país o abordaram mais uma vez para que concorresse à Presidência. Esse incentivo refletia a avaliação de que George H. W. Bush estava fora de contato com a maioria dos americanos. Embora a popularidade de Bush permanecesse imensa nos anos pós-Guerra do Golfo, eu achava que seu desempenho nas questões internas — particularmente na economia — o tornavam vulnerável. Eu havia percebido quanto o presidente Bush perdera contato com muitos dos problemas do país quando falei com ele numa reunião de cúpula da educação que ele havia convocado com todos os governadores em Charlottesville, Virgínia, em setembro de 1989. Como esposa do co-presidente democrata da reunião de cúpula para a Associação Nacional dos Governadores, eu estava sentada ao lado do presidente Bush num jantar solene realizado em Monticello. Tínhamos uma relação cordial e havíamos nos encontrado diversas vezes na Casa Branca ou nas reuniões anuais dos governadores. Conversamos sobre o sistema americano de assistência à saúde. Eu disse que tínhamos o melhor sistema do mundo quando se tratava de um transplante de coração, mas não quando se precisava que um bebê sobrevivesse a seu primeiro aniversário. Nossa taxa de mortalidade infantil naquela época nos deixava atrás de dezoito nações industrializadas, entre as quais o Japão, o Canadá e a França. O presidente Bush ficou incrédulo e disse: "Não é possível que você esteja certa".

Eu disse a ele: "Eu vou lhe trazer as estatísticas para provar o que digo".

Ele replicou: "Vou trazer as minhas".

No dia seguinte, durante uma reunião com os governadores, ele passou um bilhete para Bill: "Diga a Hillary que ela estava certa".

Dessa vez, concordei que Bill deveria pensar cuidadosamente em concorrer. Em junho de 1991, ele participou da anual Conferência Bilderberg, na Europa, que reuniu líderes do mundo inteiro. Depois de ouvir funcionários da administração Bush defenderem suas políticas, ele me ligou para dizer quanto estava insatisfeito com as receitas da administração para o crescimento econômico e praticamente com tudo o mais. "Isso é loucura", disse. "Não estamos fazendo nada para preparar o país para o futuro." Tanto pelo tom de sua voz como pelas palavras, dava para perceber que ele estava refletindo seriamente sobre os argumentos que usaria se decidisse candidatar-se. Sua reputação nacional havia melhorado graças a sua atuação na Associação Nacional dos Governadores, e suas realizações no Arkansas nos campos da educação, reforma da previdência e desenvolvimento econômico eram consideradas um sucesso. Quando participamos da conferência anual dos governadores em Seattle, em agosto, não me surpreendeu que muitos de seus colegas democratas lhe dissessem que o apoiariam se ele estivesse pensando seriamente em se candidatar.

Após a conferência, Bill, Chelsea e eu tiramos umas férias curtas e fomos para Victoria e Vancouver, no Canadá, para conversarmos sobre o que deveríamos fazer. Chelsea, agora com onze anos, estava significativamente mais madura do que quatro anos antes e pronta para dar suas opiniões. Ela e eu concordamos: Bill daria um bom presidente. Por sorte, a campanha das primárias seria mais curta e mais concentrada do que o habitual porque o senador Tom Harkin, de Iowa, estava concorrendo, o que significava que Bill podia passar por cima da reunião da bancada de Iowa e ir direto para New Hampshire. Ele já havia passado algum tempo lá estabelecendo um núcleo do Conselho das Lideranças Democratas e achava que podia competir contra o senador Paul Tsongas de Massachusetts pelo voto dos "novos democratas". Enquanto discutia conosco os prós e os contras, Bill garantiu a Chelsea que sua programação incluiria todas as datas que eram importantes para ela, como a apresentação anual de *O Quebra-Nozes* pelo Balé do Arkansas e que ainda passaríamos o Fim de Semana de Renascimento durante o Ano-Novo como sempre fizemos. Eu não podia prever tudo o que aconteceria, mas acreditava que Bill estava preparado sobre a essência do que precisava ser feito para o país e sobre como conduzir uma campanha política vitoriosa. Imaginamos: o que temos a perder? Mesmo que a campanha de Bill fracassasse, ele teria a satisfação de saber que havia tentado, não apenas para vencer, mas para fazer uma diferença para os Estados Unidos. Esse parecia ser um risco que valia a pena correr.

8

A ODISSÉIA DA CAMPANHA

TIVE NOÇÃO DO QUE ERA PRECISO para sobreviver a uma campanha presidencial em setembro de 1991, quando trombei com Hal Bruno num corredor do Hotel Biltmore em Los Angeles. Bruno, veterano produtor de televisão e um conhecido superficial, estava na cidade para sondar potenciais candidatos presidenciais durante o encontro de outono do Comitê Nacional dos Democratas.

Ele me perguntou como eu estava.

Devo ter parecido confusa. "Não sei. É tudo novo para mim. Você tem alguma sugestão?"

"Apenas esta", disse ele. "Tome cuidado em quem confiar. Isso é muito diferente de tudo por que você já passou antes. Além disso, tente desfrutar da experiência!"

Era um sábio conselho, embora fosse impossível tocar uma iniciativa tão complexa e tensa quanto uma campanha presidencial sem confiar num número assustador de pessoas. Começamos com um leque de amigos e profissionais de campanha no qual sabíamos que podíamos confiar.

Em setembro, tão logo decidiu ingressar na corrida, Bill contatou uma equipe básica de assessores para ajudá-lo a lançar a candidatura. Craig Smith, auxiliar de longa data, saiu da folha de pagamento do governador para trabalhar nas operações até que se pudesse montar uma campanha plenamente madura, e depois se tornou diretor das operações no estado. No dia 2 de outubro de 1991, diversos assessores de Bill estavam em Little Rock para ajudá-lo a montar seu discurso de confirmação programado para o dia seguinte. O cenário de caos criativo na mansão naquela noite seria típico da campanha como um todo. Stan Greenberg, o pesquisador de opinião, e Frank Greer, o assessor de mídia, junto com Al From, presidente do Conselho das Lideranças Democratas, e Bruce Reed, coordenador político do conselho, reuniram-se o dia inteiro e até à noite com Bill, tentando levá-lo a concluir seu discurso decisivo. Bill dava telefonemas, repassava seus discursos anteriores e mergulhava nas bandejas de comida depositadas na mesa. Chelsea, com onze anos e bailarina em formação, saltitava entre as salas e fazia piruetas em volta de seu pai e nossos convidados até a hora de ir para a cama. Às quatro da manhã, o discurso estava pronto.

Ao meio-dia do dia seguinte, defronte ao velho Palácio do Governo em Little Rock, Bill Clinton, revigorado, postava-se com Chelsea e eu ao seu lado diante de uma massa de microfones e câmeras de TV e declarava sua intenção de concorrer para presidente. Seu discurso esboçava sua crítica à administração Bush. "A população de classe média está passando mais tempo no trabalho, menos tempo com os filhos e trazendo para casa menos dinheiro para pagar mais pela saúde, habitação e educação. Os índices de pobreza estão subindo, as ruas estão mais perigosas e um número cada vez maior de crianças está crescendo no meio de famílias arruinadas. Nosso país está se encaminhando no rumo errado e depressa. Está ficando para trás, está perdendo seu caminho e tudo o que conseguimos de Washington é a paralisia do *status quo*, a negligência e o interesse próprio... não a liderança e a visão."

A campanha que desejávamos realizar seria "sobre idéias, não *slogans*", e ofereceria "liderança que restabeleça o sonho americano, lute em favor da classe média esquecida, forneça mais oportunidades, exija mais responsabilidade de cada um de nós e crie uma comunidade mais forte neste nosso grande país". Por trás de sua retórica, estavam os planos específicos que Bill apresentaria durante o curso da campanha das primárias para persuadir eleitores democratas de que ele tinha a melhor chance para derrotar o presidente Bush.

A mídia dominante não deu a Bill muita esperança de passar pelas primárias, muito menos de ser eleito presidente. Inicialmente ele foi subestimado como um forasteiro obscuro, ainda que animado, simpático e articulado, mas, aos 46 anos, jovem e inexperiente demais para o cargo. À medida que sua mensagem de mudança cativava eleitores potenciais, a imprensa — e os aliados do presidente Bush — começou a prestar mais atenção em Bill Clinton. E em mim.

Se os primeiros 44 anos de minha vida foram uma educação, os treze meses da campanha presidencial foram uma revelação. A despeito de todos os bons conselhos que recebemos e de todo o tempo que Bill e eu havíamos passado na arena política, não estávamos preparados para a política impiedosa e o escrutínio implacável que acompanham uma corrida à Presidência. Bill tinha de defender suas convicções políticas em âmbito nacional e tínhamos de suportar a exaustiva inspeção de cada aspecto de nossas vidas. Tínhamos de nos familiarizar com o corpo da imprensa nacional, que sabia pouco sobre nós e ainda menos sobre nossas origens. E tínhamos de administrar nossas emoções sob o brilho dos holofotes públicos, ao longo de uma campanha cada vez mais maliciosa e pessoal.

Recorri a meus amigos e equipe para nos ajudar ao longo dos trechos duros. Bill montou uma equipe excelente, incluindo James Carville e Paul Begala, que haviam arquitetado a eleição de Harris Wofford para o Senado da Pensilvânia em 1991. James, descendente dos franceses da Louisiana e ex-fuzileiro naval, imediatamente se ligou a Bill; ambos zelavam por suas raízes sulistas, adoravam suas mães e compreendiam que a política presidencial era um esporte de contato. Paul, um texano talentoso que ocasionalmente tinha de servir de tradutor para o jargão metralhado por Carville, corporificava uma paixão pelo populismo e um compromisso com a polidez, uma proeza nada fácil. David Wilhelm, que se tornou coordenador de campanha, era de Chicago e intuitivamente compreendia como vencer na prática a disputa por delegados, pessoa a pessoa. Rahm Emanuel, outro que era de Chicago, tinha habilidades políticas afiadas e um talento inato para levantar fundos, e tornou-se o gerente financeiro. George Stephanopoulos, bolsista de Rhodes e auxiliar do congressista Richard Gephardt, definia como reagir instantânea e efetivamente aos ataques políticos e captar o que era ofensivo na imprensa. Bruce Reed, também bolsista de Rhodes, que vinha para a campanha egresso do Conselho das Lideranças Democratas, tinha talento para expressar idéias políticas complexas em linguagem simples e convincente e foi fundamental na articulação da mensagem de campanha de Bill. O CLD e seu fundador Al From foram fundamentais ao desenvolvimento das políticas de Bill e à campanha.

Bill e eu também contamos com uma equipe exclusiva do Arkansas, que incluía Rodney Slater, Carol Willis, Diane Blair, Ann Henry, Maurice Smith, Patty Howe Criner, Carl e Margaret Whillock, Betsey Wright, Sheila Bronfman, Mack e Donna McLarty, e muitos outros que deixaram suas vidas em suspenso para eleger o primeiro presidente natural do Arkansas.

Eu havia começado a montar minha própria equipe assim que Bill anunciou a candidatura. Isso era um afastamento do protocolo, no qual a equipe do candidato controla a programação e a mensagem de sua esposa. Eu era diferente — alguma coisa que se tornaria cada vez mais evidente nos meses que se seguiriam.

A primeira pessoa que chamei para me ajudar foi Maggie Williams, que então se dedicava a um programa de doutorado na Universidade da Pensilvânia. Maggie e eu havíamos trabalhado juntas no Fundo de Defesa das Crianças durante os anos 80. Eu admirava suas qualidades como líder e comunicadora e achava que ela seria capaz de lidar com segurança com tudo o que acontecesse. Embora apenas no final de 1992 ela viesse para trabalhar em tempo integral, deu conselhos e apoio durante toda a campanha.

Três moças que começaram a trabalhar para mim na campanha adquiriram um valor inestimável e ficaram comigo ao longo dos oito anos na Casa Branca. Patti Solis, filha de imigrantes mexicanos e politicamente atuante, crescera em Chicago e trabalhara para o prefeito Richard M. Daley. Eu nunca estivera na coordenação de uma campanha presidencial e não dispunha de ninguém para me dizer o que eu tinha a fazer e onde e quando fazê-lo, mas Patti se revelou uma planejadora inata, manipulando os desafios da política, das pessoas e dos preparativos com inteligência, determinação e humor. Ela administrou hora por hora de minha vida durante nove anos, tornando-se uma amiga íntima e uma estimada conselheira, em quem ainda hoje confio.

Capricia Penavic Marshall, uma jovem e dinâmica advogada de Cleveland, também era filha de imigrantes — a mãe, do México, e o pai, refugiado croata da Iugoslávia de Tito. Quando viu Bill na televisão fazendo um discurso em 1991, decidiu que queria envolver-se na campanha e trabalhou durante meses reunindo-se com delegados de convenção no Ohio. Por fim, foi contratada para minha equipe para fazer preparativos de visita do candidato, basicamente uma pessoa jovem no jogo e sua primeira experiência educacional na política e na vida. Capricia atirou-se ao trabalho como uma profissional e, apesar de uma frustrada primeira viagem em que ficou esperando por mim no aeroporto errado em Shreveport, nos demos muito bem. Seu refinado bom humor sob pressão lhe foram muito úteis — e a mim — quando ela se tornou secretária social da Casa Branca no segundo mandato de Bill.

Kelly Craighead, uma linda ex-mergulhadora da Califórnia, já era uma experiente promotora de eventos quando se tornou minha coordenadora de viagens, ou seja, era ela quem me supervisionava na estrada. Por toda parte que viajei nos oito anos seguintes, pelo país ou para o exterior, Kelly sempre esteve ao meu lado. Seu *slogan*, "Fail to plan, plan to fail" ["Se fracassar a preparação, prepare-se para o fracasso"], tornou-se um de nossos mantras de campanha. Ninguém se empenhava mais e por mais tempo para acertar até o último detalhe de cada viagem que eu fazia. Sua tarefa era exigente e exaustiva, e necessitava dos talentos combinados de um general e um diplomata. Ela também possuía muita perspicácia, dedicação e energia. Saber que ela estava cuidando de mim deu-me conforto e confiança mesmo nos piores momentos ao longo dos anos de Casa Branca.

Além de todos os jovens contratados para ajudar, Brooke Shearer se apresentou como voluntária para viajar comigo. Brooke, seu marido Strobe Talbort e sua família inteira haviam sido amigos de Bill desde que ele e Strobe foram bolsistas Rhodes. Assim que Bill e eu nos tornamos um casal, tornaram-se também amigos meus. E seus filhos ficaram amigos de Chelsea. Brooke, que morara em Washington e trabalhara com jornalismo, trouxe uma abundância de experiências sobre a mídia nacional e uma visão irônica dos absurdos das campanhas.

Rapidamente descobri que, numa corrida à Presidência, nada é despropositado. Comentários ou piadinhas inocentes eclodem em controvérsias em questão de segundos após serem veiculados pelos canais noticiosos. Rumores se tornam assunto do dia. Mesmo que nossas experiências passadas pudessem nos parecer história antiga, cada detalhe de nossas vidas estava sendo filtrado e maquiado como se fôssemos uma espécie de sítio arqueológico. Eu já havia visto isso antes nas campanhas de outros candidatos: o senador Ed Muskie defendendo sua esposa em 1972 e o senador Bob Kerry contando uma piada indelicada em 1992 sem perceber que havia um microfone por perto. Mas até que estejamos sob o foco de um canhão de luz, simplesmente não dá para imaginar o seu calor.

Certa noite, Bill e eu estávamos fazendo discursos em New Hampshire e ele me apresentou a uma multidão de adeptos. Ao falar de meus vinte anos trabalhando com problemas de crianças, brincou que tínhamos um novo *slogan* de campanha: "Buy one, get one free" ["Compre um, leve outro de graça"]. Ele disse isso como uma maneira de explicar que eu seria uma parceira ativa em sua administração e que continuaria a defender as causas pelas quais trabalhara no passado. Era uma boa frase e minha equipe de campanha a adotou. Amplamente divulgada na imprensa, adquiriu vida própria e passou a ser propagada por toda parte como prova de minhas supostas aspirações de me tornar "co-presidente" com meu marido.

Eu ainda não tivera muito contato com o corpo da imprensa nacional para considerar plenamente a medida na qual a mídia noticiosa era um canal para tudo o que acontecia numa campanha. As informações, as posições e as citações políticas eram filtradas por uma lente jornalística antes de chegarem ao público. Um candidato não pode transmitir suas idéias sem a cobertura da mídia, e um jornalista não pode noticiar efetivamente sem acesso ao candidato. Dessa forma, candidatos e repórteres são adversários e, ao mesmo tempo, mutuamente dependentes. É uma relação manhosa, delicada e importante, e eu não a entendia inteiramente.

O comentário "compre um, leve outro de graça" foi um lembrete para Bill e para mim de que nossas observações poderiam ser tiradas do contexto porque os repórteres noticiosos não tinham tempo ou espaço para fornecerem o texto de uma conversa completa. Simplicidade e brevidade lhes eram essenciais. O mesmo acontecia com ditos espirituosos ou frases de efeito. Um dos mestres da insinuação política aprendeu isso cedo.

A intuição política do ex-presidente Nixon continuava perfeitamente afinada e, numa entrevista durante uma visita a Washington no início de fevereiro, ele comentara: "Se a mulher passa por ser muito influente e inteligente, faz o marido parecer fraco". Em seguida, prosseguiu comentando que os eleitores tendiam a concordar com a avaliação do cardeal Richelieu: "Massa cinzenta numa mulher é anomalia".

"Esse sujeito nunca faz nada sem um propósito", lembro-me de ter pensado quando vi o comentário de Nixon noticiado no *New York Times*. Afora meu trabalho na equipe do *impeachment* em 1974, desconfiei que Nixon compreendia melhor do que muitos a ameaça que Bill colocava à ocupação republicana da Presidência. Provavelmente ele acreditava que denegrindo Bill por agüentar uma mulher que diz o que pensa e caluniando-me como "inconveniente" poderia assustar eleitores desejosos de mudança mas com dúvidas a nosso respeito.

A essa altura, a vida inteira de Bill estava sob o microscópio da mídia. Já lhe haviam feito mais perguntas sobre assuntos pessoais do que a qualquer outro candidato a presidente na história americana. Embora a imprensa dominante ainda evitasse divulgar rumores sem fundamento, os tablóides de supermercado estavam pagando por histórias sensacionalistas do Arkansas. Uma dessas expedições de pesca acabaria fisgando um caso tamanho baleia.

Foi fazendo campanha em Atlanta no dia 23 de janeiro que Bill me ligou para me alertar sobre uma matéria de um tablóide na qual uma mulher chamada Gennifer Flowers afirmava ter tido um caso com ele durante doze anos. Ele me disse que não era verdade.

A equipe da campanha entrou em parafuso com a matéria e eu sabia que alguns deles achavam que a corrida havia terminado. Pedi a David Wilhelm para organizar uma reunião para eu falar com todos. Eu disse que todos estávamos na campanha porque acreditávamos que Bill poderia representar muito para o nosso país e que cabia aos eleitores decidir se teríamos ou não sucesso. "Portanto", finalizei, "voltemos ao trabalho."

Como um vírus muito ameaçador, o caso Flowers ricocheteou entre as diferentes espécies da mídia, desde o *Star*, um tablóide de supermercado, até o *Nightline*, um conceituado programa de notícias da televisão. Não obstante nossos esforços de seguir adiante, a cobertura generalizada da imprensa impossibilitava que a campanha concentrasse a atenção em questões substantivas. E a primária de New Hampshire aconteceria no prazo de poucas semanas. Alguma coisa tinha de ser feita. Nosso amigo Harry Thomason, junto com Mickey Kantor, James Carville, Paul Begala e George Stephanopoulos, reuniram-se com Bill e comigo para discutirmos o que fazer. Recomendaram que fôssemos ao programa televisivo das noites de domingo, *60 Minutes*, logo depois do Super Bowl, quando seríamos vistos pela maior audiência possível. Custei muito a ser convencida de que tal exposição valia os riscos, a perda de privacidade e o impacto potencial sobre nossas famílias, particularmente sobre Chelsea. Por fim, fiquei convencida de que, se não lidássemos publicamente com a situação, a campanha de Bill terminaria antes mesmo que um único voto entrasse na urna.

A entrevista em *60 Minutes* ocorreu no dia 26 de janeiro em uma suíte num hotel de Boston, começando às onze da manhã. O quarto havia sido transformado num estúdio, com fileiras de lâmpadas temporárias em hastes circundando o sofá no qual Bill e eu estávamos sentados. Pouco depois de iniciada a entrevista, um mastro pesado, carregado de lâmpadas, despencou em minha direção. Bill o viu caindo e me tirou do caminho no instante exato em que a torre desabou sobre o lugar em que eu estava sentada. Fiquei abalada e Bill me abraçou forte, sussurrando-me repetidas vezes: "Estou com você. Não se preocupe. Você está bem. Eu amo você".

O entrevistador, Steve Kroft, começou com uma série de perguntas sobre nosso relacionamento e a situação de nosso casamento. Perguntou se

Bill havia cometido adultério e se havíamos nos separado ou pensado em divórcio. Recusamo-nos a responder perguntas tão pessoais sobre nossas vidas privadas. Mas Bill admitiu que havia provocado sofrimento em nosso casamento e disse que deixaria aos eleitores a decisão se isso o desqualificava para a Presidência.

Kroft: Acho que a maioria dos americanos concordaria que é muito louvável que vocês tenham permanecido juntos, que tenham superado seus problemas, que pareçam ter alcançado algum tipo de entendimento e arranjo.

Arranjo? Entendimento? Kroft podia estar tentando nos fazer um elogio, mas o modo como classificava nosso casamento era tão despropositado que Bill ficou incrédulo. Tal como eu.

Bill Clinton: Espere um pouco. Você está olhando para duas pessoas que se amam. Isto não é um arranjo ou um entendimento. Isto é um casamento. É uma coisa muito diferente.

Eu gostaria de ter deixado a ele a última palavra, mas agora era minha vez de acrescentar minha colher e foi o que fiz.

Hillary Clinton: Sabe, eu não estou sentada aqui, como uma mulherzinha postada ao lado de meu homem como Tammy Wynette. Estou sentada aqui porque o amo e o respeito e dou muito valor ao que ele tem passado e ao que temos passado juntos. E sabe de uma coisa, se isso não é o bastante para as pessoas, então, puxa vida, não votem nele.

Ainda que a entrevista tenha durado 56 minutos, a CBS levou ao ar cerca de dez minutos, excluindo muita coisa que era importante — pelo menos no que me dizia respeito. Não fazíamos idéia do quanto cortariam nossas palavras. No entanto, fiquei aliviada porque havia acabado. Bill e eu nos sentimos bem pelo modo como respondemos e o mesmo aconteceu com todos que estavam conosco. Aparentemente, a maioria dos americanos concordou com nosso argumento básico: a eleição dizia respeito a eles, não ao nosso casamento. Vinte e três dias depois, Bill passou a ser conhecido como o "Comeback Kid" ["Garoto da Volta por Cima"] por seu forte segundo lugar na primária de New Hampshire.

Eu não me saí tão bem. A conseqüência de minha referência a Tammy Wynette foi instantânea — como merecia ser — e brutal. É claro que eu queria me referir à famosa canção de Tammy Wynette, "Stand by Your Man", não a ela como pessoa. Mas não tive cuidado em minha escolha das palavras e meu comentário desencadeou uma enxurrada de reações iradas. Lamentei o modo como passei o que queria dizer e me desculpei pessoalmente com

Tammy e, mais tarde, publicamente em outra entrevista à televisão. Mas o estrago estava feito. E outros estavam a caminho.

No início de março, com a temporada das primárias democráticas a pleno vapor, o ex-governador da Califórnia e candidato presidencial democrata Jerry Brown prosseguiu na ofensiva contra Bill, concentrando-se em minha prática jurídica e na firma Rose, da qual eu fora sócia desde 1979. Depois que Bill se tornou governador novamente em 1983, pedi a meus sócios advogados que calculassem minha parte nos lucros, sem incluir honorários ganhos por outros advogados por trabalho realizado para o estado ou qualquer órgão estadual. A Rose havia prestado esses serviços para o governo do estado do Arkansas durante décadas. Não houve nenhum conflito de interesses, mas eu queria evitar toda aparência disso. A firma concordou em me apartar do trabalho e de quaisquer honorários dele derivados. Quando Frank White tentou fazer disso um problema na campanha para o governo do Arkansas de 1986, ficou sem saída quando os fatos confirmaram que outras firmas de advocacia do Arkansas haviam recebido um volume mais significativo de negócios do estado quando Bill era governador.

Amparado por informações falsas fornecidas por adversários políticos de Bill no estado, Jerry Brown reciclou as acusações para o debate em Chicago, dois dias antes das primárias de 17 de março em Illinois e Michigan. Brown acusou Bill de desviar negócios do estado para a firma Rose para aumentar minha renda. Era uma acusação espúria e oportunista que não tinha fundamento nenhum nos fatos. E foi o que levou ao infame incidente do "chá com biscoitos".

Bill e eu estávamos na cafeteria Busy Bee de Chicago, seguidos por um grupo de câmeras e microfones. Com a iminência da primária de Illinois, os repórteres estavam questionando Bill a respeito das acusações de Brown. Foi quando um repórter me perguntou o que eu achava das acusações de Brown contra nós. Minha resposta foi longa e digressiva:

"Achei, em primeiro lugar, que [o comentário] foi patético e desesperado, e também achei interessante porque esse é o tipo de coisa que acontece a... mulheres que têm carreiras e vidas próprias. E acho que é uma vergonha, mas imagino que seja uma coisa com a qual teremos de conviver. Aquelas de nós que procuraram e têm uma carreira — tentaram levar uma vida independente e ser importantes — e certamente têm filhos, como eu mesma... você sabe que tenho feito o melhor que posso na condução de minha vida, mas suponho que ela estará sujeita à crítica. Mas não é verdade e não [sei] o que mais dizer, exceto que acho isso triste."

Em seguida, veio a réplica do repórter — sobre se eu poderia ter evitado uma aparência de conflito de interesses quando meu marido era governador.

"Gostaria que isso fosse verdade", repliquei. "Você sabe, eu imagino que poderia ter ficado em casa preparando biscoitos e chá, mas o que decidi fazer foi realizar minha profissão, na qual ingressei antes que meu marido estivesse na vida pública. E trabalhei muito, muito mesmo, para ser o mais cuidadosa possível e isso é tudo que posso lhe dizer."

Não foi meu momento mais eloqüente. Eu poderia ter dito: "Olhe, afora abandonar minha sociedade na firma de advocacia e ficar em casa, não havia nada mais que poderia ter feito para evitar a aparência de um conflito de interesses. Além disso, já fiz muito biscoito na vida, e servi chá também!".

Meus assistentes, sabendo que a imprensa havia se apegado ao comentário do "chá com biscoitos", sugeriram que eu falasse com os repórteres novamente para explicar em mais detalhes — e de forma mais articulada — o que eu queria dizer. Na mesma hora, dei uma minicoletiva improvisada. Mas produziu pouco efeito. Treze minutos depois que respondi à pergunta, uma matéria corria pela agência AP. A CNN rapidamente também transmitiu uma, e depois um segmento da tarde que fazia pouca referência à pergunta inicial — sobre conflitos de interesses e a firma Rose —, mas reduzia tudo o que eu dissera a "Eu poderia ter ficado em casa preparando chá com biscoitos". O tema para a maioria das organizações noticiosas naquele dia era que eu havia cometido um grave erro político.

Eu fizera uma tentativa canhestra de explicar minha situação e sugerir que muitas mulheres que fazem malabarismos para conciliar suas carreiras e vidas são castigadas pelas escolhas que fazem. Isso se convertia numa matéria sobre meu suposto desdém por mães que ficam em casa. Alguns repórteres fundiam "chá com biscoitos" e "ficar ao lado de meu homem como Tammy Wynette" em uma única citação, como se eu tivesse proferido ambas as frases no mesmo fôlego — não com um intervalo de 51 dias. A controvérsia foi um maná para os estrategistas republicanos. Os dirigentes do partido me rotulavam de "feminista radical", "advogada feminista militante" e até de "líder ideológica de uma administração Clinton-Clinton que implementaria uma agenda feminista radical".

Recebi centenas de cartas sobre "chá com biscoitos". Apoiadores ofereciam seu incentivo e me elogiavam por defender um amplo leque de opções para as mulheres. Os críticos eram venenosos. Uma carta se referia a mim como Anticristo e outra dizia que eu era um insulto à maternidade americana. Muitas vezes me preocupei sobre quanta atenção Chelsea prestava a isso e quanto disso lhe era incutido. Ela não tinha mais seis anos.

Parte das críticas, quer me demonizassem como mulher, mãe e esposa ou distorcessem minhas palavras e posições nas questões, tinha motivação política e se destinava a frear-me. Outras podem ter refletido até que ponto nossa sociedade ainda estava se ajustando à mudança dos papéis das mulheres. Adotei meu próprio mantra: leve as críticas a sério, mas não para o lado pessoal. Se há alguma verdade ou mérito na crítica, tente aprender com ela. Caso contrário, deixe entrar por um ouvido e sair pelo outro. Falar é fácil, dizer é que são elas.

Enquanto Bill falava de mudança social, eu a encarnava. Tinha minhas próprias opiniões, interesses e profissão. Bem ou mal, eu era sincera. Eu representava uma mudança fundamental no modo como as mulheres atuavam em nossa sociedade. E se meu marido vencesse, eu estaria ocupando um posto no qual os deveres não eram explicitados, mas o desempenho era julgado por todos. Logo percebi o quanto as pessoas tinham uma noção fixa do papel correto da esposa de um presidente. Eu era chamada de "teste de Rorschach" para o público americano, e isso era uma maneira adequada de transmitir as reações variadas e extremas que eu despertava.

Nem a admiração aduladora, nem a raiva virulenta pareciam aproximar-se da verdade. Eu estava sendo rotulada e classificada pelas minhas posições e pelos meus erros, e também porque eu me convertera num símbolo para as mulheres de minha geração. Era por isso que tudo o que eu dizia ou fazia — e até o que eu vestia — se tornava um ponto nevrálgico para o debate.

O cabelo e a moda foram minhas primeiras pistas. Durante a maior parte de minha vida, eu prestara pouca atenção às minhas roupas. Eu gostava de travessas. Eram cômodas e eu não podia imaginar que sugerissem algo bom, ruim ou indiferente a meu respeito para o público americano. Mas, durante a campanha, algumas amigas iniciaram uma missão para melhorar minha aparência. Traziam-me roupas para eu experimentar e diziam-me que eu tinha de abolir a travessa.

O que elas entendiam, e eu não, era que a aparência de uma primeira-dama é importante. Eu não estava mais representando apenas a mim mesma. Estava pedindo ao povo americano para que me deixasse representá-lo num papel que transmitia tudo, desde o *glamour* até o consolo maternal.

Minha grande amiga Linda Bloodworth-Thomason sugeriu que um amigo seu de Los Angeles, o cabeleireiro Christophe Schatteman, fizesse meu cabelo. Ela estava certa de que isso melhoraria minha aparência. Achei a idéia toda uma tortura. Mas logo eu estava como uma criança numa loja de doces, experimentando todos os estilos que podia. Cabelo comprido, cabelo curto, franjas, ondas, tranças e coques. Era um universo novo para mim e revelou-se divertido. Mas minha experimentação eclética gerou histórias sobre como eu nunca me contentava com nenhum penteado e o que isso revelava sobre minha psique.

No início da campanha, também tive um vislumbre das dificuldades de atuar numa posição que é, por definição, derivada. Eu era o substituto principal de Bill na trilha da campanha. Eu queria apoiar sua campanha e promover suas idéias, mas, como já havíamos descoberto por seu comentário "compre um, leve outro de graça", eu tinha de olhar com cuidado onde pisava. Tirara licença da firma e me afastara de todos os conselhos de entidades assistenciais e empresariais das quais participava. Isso significava deixar o conselho do Wal-Mart, no qual tivera assento por seis anos a convite de Sam Walton, que me ensinou muito sobre integridade e sucesso empresarial. No conselho, presidi uma comissão que procurava maneiras pelas quais o Wal-Mart poderia tornar-se, em suas práticas, mais sensível ao meio ambiente, e trabalhei para promover um programa chamado "Buy America" que ajudou a colocar pessoas no trabalho e evitou o desemprego em várias partes do país. Renunciar ao conselho do Wal-Mart e outros como o Fundo de Defesa das Crianças me fez sentir vulnerável e deslocada. Eu havia trabalhado em tempo integral durante meu casamento com Bill e valorizava a independência e a identidade que o trabalho proporcionava. Agora eu era exclusivamente "a esposa de", uma experiência estranha para mim.

Uma coisa corriqueira fez cair a ficha sobre minha nova condição: eu solicitara papéis ofício novos para responder a toda a correspondência de campanha que estava recebendo. Eu escolhera papel em tom creme, com meu nome, *Hillary Rodham Clinton*, impresso elegantemente no alto, em azul-marinho. Quando abri a caixa vi que o pedido fora alterado e que o nome no papel era *Hillary Clinton*. Evidentemente, alguém da equipe de Bill decidira que era politicamente mais conveniente retirar "Rodham", como se ele não mais participasse de minha identidade. Devolvi o papel e pedi outro lote.

Depois que Bill venceu as primárias da Califórnia, de Ohio e de Nova Jersey no dia 2 de junho, sua indicação estava garantida, mas não a eleição.

Após toda a publicidade negativa na campanha, ele vinha em terceiro nas pesquisas, atrás de Ross Perot e do presidente Bush. Decidiu reapresentar-se ao país e começou a aparecer em programas populares da televisão. Graças a uma sugestão de Mandy Grunwald, um consultor que aderira à campanha, tocou saxofone no *Arsenio Hall Show*. Sua equipe também o convenceu a dar mais entrevistas e a concordar com uma matéria da revista *People*, com direito a foto de capa que incluía Chelsea. Eu não estava entusiasmada, mas, por fim, fui convencida pelo argumento de que a maioria dos americanos nem mesmo sabia que tínhamos uma filha. Por um lado, eu estava contente porque tínhamos resguardado Chelsea da mídia e a protegido durante a temporada brutal das primárias. Por outro, eu acreditava que ser mãe era o trabalho mais importante que já tivera. Se as pessoas não soubessem disso, certamente não conseguiriam nos compreender. O artigo era bom, mas me impelia a enfatizar minha posição de que Chelsea merecia ter privacidade, o que, penso eu, é essencial para uma criança desenvolver e explorar suas próprias escolhas na vida. Assim, Bill e eu definimos diretrizes: quando Chelsea estivesse conosco como parte de nossa família — participando de um evento com Bill ou comigo —, a imprensa naturalmente poderia noticiar. Mas eu não concordaria com mais artigos ou entrevistas que a incluíssem. Essa foi uma das melhores decisões que Bill e eu tomamos e me aferrei a ela ao longo dos oito anos seguintes. Também sou grata porque a imprensa, com poucas exceções, respeitou sua privacidade e seu direito de ser deixada em paz. Desde que Chelsea não procurasse a atenção da mídia nem fizesse nada de interesse público, ela seria inacessível.

Em julho de 1992, o Partido Democrata realizou sua convenção na cidade de Nova York para formalizar a indicação de Bill e de seu parceiro de candidatura, o senador Al Gore, do Tennessee. Embora nada tivéssemos a ver com a escolha da cidade anfitriã, Nova York era uma das cidades do mundo de que Bill e eu mais gostávamos e ficamos encantados por ter sido ali o lugar em que Bill foi indicado para presidente. Bill havia escolhido Al Gore após um processo exaustivo liderado por Warren Christopher, ex-secretário de Estado adjunto e prestigiado advogado da Califórnia. Eu encontrara Al e sua esposa, Tipper, em eventos políticos durante os anos 80, mas nem Bill nem eu os conhecíamos bem. Alguns observadores políticos ficaram surpresos de que Bill escolhesse um companheiro de chapa tão parecido consigo. Como sulistas de estados vizinhos, tinham quase a mesma idade, a mesma religião e eram considerados estudiosos sérios da política pública. Mas Bill respeitava a folha de serviços públicos de Al e acreditava que ele acrescentaria pontos positivos a seu próprio currículo.

Muita gente me disse que a foto mostrando Al, Tipper e seus filhos, Bill, Chelsea e eu — todos em pé na varanda da Mansão do Governador no dia em que Bill anunciou publicamente sua escolha — captava com perfeição a energia da campanha e seu potencial de mudança. Acho que o que senti naquele dia refletia os sentimentos de muitos americanos. Era a vez de uma nova geração liderar e as pessoas transmitiam otimismo quanto às perspectivas de um novo rumo para o nosso país. Na noite final da convenção, estávamos todos atordoados e exultantes enquanto nos abraçávamos e dançávamos no palco.

Na manhã seguinte, 17 de julho, partimos em nossas excursões mágicas de ônibus, ou, como as chamei, "As maravilhosas aventuras de Bill, Al, Hillary e Tipper".

As viagens de ônibus foram idéia conjunta original de David Wilhelm, coordenador da campanha, e de Susan Thomases, a quem Bill e eu conhecíamos havia mais de vinte anos. Ela era uma amiga afetuosa e uma austera advogada, e entendia que a boa programação de campanha tinha de contar uma história sobre o candidato, ilustrar suas preocupações e projetos para que os eleitores compreendessem o que o motivava e que posições ele defenderia. Susan mudou-se com marido e filho para Little Rock para supervisionar a programação da campanha para as eleições gerais. Ela e David desejavam aproveitar o entusiasmo e a emoção da convenção e acharam que uma viagem de ônibus pelos estados da contenda transmitiria visualmente a parceria e a mudança geracional que Bill e Al representavam, bem como sua mensagem: "O povo em primeiro lugar".

Viajar de ônibus nos dava toda a condição de nos conhecermos melhor. Bill, Al, Tipper e eu passamos horas conversando, comendo, acenando pela janela e parando o comboio de ônibus para realizar assembléias improvisadas. Solto e relaxado, Al era rápido nos ditos espirituosos e comentários impassíveis. Logo descobriu que um pequeno agrupamento à frente na beira da estrada, fosse qual fosse o lugar ou o momento, seria uma tentação para Bill gritar: "Pare o ônibus". Al olhava mais adiante pela janela, via alguma alma solitária acenando ou observando e gritava: "Sinto que se aproxima uma parada". Quando fomos recebidos por centenas de adeptos pacientes ao entrar em Erie, Pensilvânia, às duas da manhã, Al fez uma versão inflamada de seu comício de apelo-padrão: "O que está em alta — custos de assistência médica e taxas de juros — deve baixar, e o que está em baixa — emprego e esperança — deve subir. Temos de mudar de rumo". Depois ele anunciou a nós três — que mal conseguíamos manter os olhos abertos: "Acho que há duas pessoas tomando café no 24 horas ali da esquina. Vamos falar com elas". Mesmo Bill declinou da oferta.

Tipper e eu passamos horas conversando sobre nossas experiências como esposas de políticos, nossos filhos e o que esperávamos que Bill e Al podiam fazer para ajudar a resolver os problemas do país. Tipper se tornara controvertida em 1985 quando se manifestou contra as letras de música violentas e pornográficas. Eu admirava sua disposição de tomar partido e me sentia solidária com ela perante as críticas que havia enfrentado. Eu também admirava o trabalho que ela havia feito em favor dos sem-teto e dos doentes mentais. Fotógrafa talentosa, ela ajudava a registrar a campanha com sua onipresente câmera.

Certa noite, na zona rural do vale do rio Ohio, paramos na fazenda de Gene Branstool para um churrasco e um encontro com fazendeiros locais. Quando estávamos nos preparando para partir, Branstool disse que havia um pessoal reunido na encruzilhada a poucos quilômetros adiante e que deveríamos parar. Era uma bela noite de verão e as pessoas estavam sentadas em seus tratores acenando bandeiras enquanto as crianças ficavam na beirada das plantações exibindo cartazes e nos saudando. Meu cartaz favorito dizia: "Dêem-nos oito minutos que nós lhes daremos oito anos!". À luz crepuscular, ficamos espantados ao ver milhares de pessoas ocupando o amplo campo.

De Vandalia, Illinois, passando por St. Louis, Missouri, Corsicana, Texas e até Valdosta, na Geórgia, fomos recebidos por multidões igualmente grandes irradiando uma energia jovial que eu jamais havia visto em parte alguma na política.

Em Little Rock, o amplo terceiro andar do velho Edifício Arkansas Gazette servia de sede da campanha de Clinton. James Carville insistia que as pessoas de cada setor da campanha — incluindo imprensa, política e pesquisa — trabalhassem juntas no mesmo espaço amplo. Foi uma maneira brilhante e eficaz de reduzir a hierarquia e incentivar o livre fluxo de informações e idéias. Todo dia, às sete da manhã e às sete da noite, Carville e Stephanopolous realizavam reuniões na sala apelidada de "sala de guerra" para avaliar as notícias do dia e formular uma resposta para as reportagens e críticas oriundas da campanha de Bush. A idéia era que nenhum ataque a Bill ficasse sem resposta. A disposição física da sala de guerra possibilitava que Carville, Stephanopolous e a equipe de "resposta rápida" reagisse imediatamente para corrigir distorções veiculadas pela oposição e trabalhasse agressivamente para divulgar nossa mensagem ao longo do dia.

Certa noite, o telefone de Patti Solis tocou nos fundos da sede de Little Rock. Outro auxiliar de campanha, Steve Rabinowitz, correu para atender e, sem nenhum motivo específico, disse intempestivamente: "Hillarylândia!". Ele ficou embaraçado ao ouvir minha voz na linha, mas achei que ele propusera um excelente apelido. Patti também gostou e pregou um cartaz na parede atrás de sua mesa que dizia: "Hillarylândia". O nome pegou.

Com o tempo, minha certeza de que Bill venceria a eleição aumentou. Os americanos desejavam uma nova liderança. Doze anos de republicanos na Casa Branca haviam quadruplicado a dívida nacional, produzido déficits orçamentários grandes e crescentes e levado a uma economia estagnada na qual muitas pessoas não conseguiam encontrar ou manter um emprego digno, nem pagar seguro de saúde para si mesmas e seus filhos. O presidente Bush havia vetado duas vezes a Lei de Licença Médica e Familiar e repelido os direitos das mulheres. Embora adepto do planejamento familiar quando foi embaixador nas Nações Unidas e congressista pelo Texas, Bush tornou-se um vice-presidente e depois um presidente contrário ao direito de escolha. Com a escalada dos índices de criminalidade, desemprego, dependência da previdência e escassez de moradia, a administração Bush parecia cada vez mais fora da realidade.

Para Bill e para mim, nenhuma questão era mais angustiante no país do que a crise da assistência à saude. Por toda parte que passávamos, constantemente ouvíamos casos de iniqüidades do sistema de assistência à saúde. Um contingente cada vez maior de cidadãos estava sendo privado da necessária assistência à saúde porque não tinham seguro nem recursos para pagar suas contas médicas.

Em New Hampshire, Bill e eu conhecemos Ronnie e Rhonda Machos, cujo filho, Ronnie Jr., nascera com um grave problema cardíaco. Quando Ronnie perdeu o emprego e o seguro-saúde, defrontou-se com contas médicas escorchantes para fornecer a assistência de que seu filho necessitava. Os Gore nos contaram sobre a família Philpott, da Geórgia, cujo filho de sete anos, Brett, havia compartilhado um quarto de hospital com o jovem Albert Gore após seu devastador acidente de carro. Al e Tipper freqüentemente falavam do enorme ônus financeiro com que a família Philpott arcara devido à doença de Brett.

Por comovente que fosse cada um dos casos, sabíamos que para cada caso trágico que ouvíamos ou testemunhávamos, haveria milhares de outros que não conhecíamos.

Acho que Bill não imaginava que a reforma da assistência à saúde se tornaria um pedra angular de sua campanha. Afinal de contas, o famoso *slogan* da sala de guerra de James Carville era "É a economia, seus idiotas". Mas quanto mais Bill analisava o problema, mais claro ficava que reformar o seguro-saúde e frear custos estratosféricos era essencial ao reparo da economia, bem como cuidar das urgentes necessidades médicas das pessoas. "Não se esqueça da assistência à saúde", repetia Bill incessantemente a sua equipe. Começaram a coletar dados, inclusive um estudo feito por Ira Magaziner, o influente jornalista sobre quem eu ouvira falar pela primeira vez em 1969, quando fomos matéria da revista *Life* após proferir nossos discursos de formatura da faculdade. Bill o conhecera no mesmo ano, quando Ira chegara à Universidade de Oxford como bolsista Rhodes.

Bill, Ira e uma equipe crescente de assessores especializados começaram a desenvolver idéias sobre como tratar da assistência à saúde depois da eleição. Bill fez uma exposição prévia desses planos num livro de campanha intitulado *Putting People First* [*O povo em primeiro lugar*] e num discurso que pronunciou em setembro definindo suas metas na solução da crise da assistência à saúde. As reformas que ele esboçava incluíam o controle da espiral dos custos de assistência, a facilitação dos procedimentos e a redução da burocracia do setor previdenciário, tornando mais acessíveis os remédios com receita e, o mais importante, a garantia de que todos os americanos tivessem seguro de saúde. Sabíamos que tentar reparar o sistema de assistência à saúde seria um gigantesco desafio político. Mas acreditávamos que, se os eleitores escolhessem Bill Clinton no dia 3 de novembro, isso significaria que o que eles desejavam era mudança.

9

A POSSE

BILL E EU PASSAMOS AS ÚLTIMAS 24 HORAS da campanha de 1992 percorrendo o país para cá e para lá, fazendo paradas em Filadélfia, Pensilvânia; Cleveland, Ohio; Detroit, Michigan; St. Louis, Missouri; Paducah, Kentucky; McAllen e Fort Worth, Texas; e em Albuquerque, Novo México. Vimos o sol nascer em Denver, Colorado, e aterrissamos de volta a Little Rock, onde Chelsea nos esperava no aeroporto por volta das 10h30 da manhã. Após uma rápida parada para trocar de roupa, nós três fomos para nossa seção eleitoral, onde orgulhosamente depositei meu voto em Bill para ser meu presidente. Passamos o dia na Mansão do Governador com parentes e amigos, fazendo ligações para colaboradores de todo o país. Às 10h47 da noite, as redes de televisão declaravam que Bill havia vencido.

Apesar de já esperar uma vitória, senti-me derrotada. Depois que o presidente Bush telefonou para Bill para reconhecer sua vitória, Bill e eu fomos para o quarto, fechamos a porta e rezamos juntos pedindo ajuda a Deus quando ele assumisse essa terrível honra e responsabilidade. Depois reunimos todos para a carreata até o antigo Palácio do Governo, onde, treze meses antes, a campanha havia começado. Juntamo-nos aos Gore diante de uma enorme multidão de arkansienses extasiados e de fervorosos adeptos de todos os cantos do país.

Em poucas horas, a mesa da cozinha da Mansão do Governador se tornou o centro nevrálgico da transição Clinton. Nas semanas seguintes, prováveis indicados ao gabinete entravam e saíam, os telefones tocavam o dia inteiro, pilhas de comida eram consumidas. Bill pediu a Warren Christopher que chefiasse a transição e trabalhasse com Mickey Kantor e Vernon Jordan para avaliar candidatos aos principais cargos. Primeiro concentraram-se na equipe econômica, porque essa era a mais alta prioridade de Bill. O senador Lloyd Bentsen, do Texas, aceitou ser secretário do Tesouro; Robert Rubin, co-presidente do banco de investimento Goldman Sachs, aceitou a oferta de Bill para que fosse o primeiro diretor de um Conselho Econômico Nacional, prestes a ser criado; Laura D'Andrea Tyson, professora de economia da Universidade da Califórnia em Berkeley, tornou-se presidente do Conselho de Assessores Econômicos; Gene Sperling, ex-auxiliar do governador de Nova York Mario Cuomo, tornou-se adjunto de Rubin e mais tarde o sucedeu; e o congressista Leon Panetta, presidente democrata da Comissão de Orçamento da Câmara, tornou-se secretário de Administração e Orçamento. Trabalharam com Bill para formular a política econômica que colocaria nosso país no rumo da responsabilidade fiscal no governo e do crescimento sem precedentes no setor privado.

Também estávamos enfrentando os desafios mais mundanos de toda família que muda de emprego e residência. Em meio à formação da nova administração, tínhamos de desocupar a Mansão do Governador, a única casa de que Chelsea se lembrava. E uma vez que não tínhamos nossa própria casa, tudo iria conosco para a Casa Branca. Amigos ajudaram a organizar e classificar, empilhando caixas em todos os cômodos. Loretta Avent, uma amiga do Arizona que se juntara a mim na campanha após a convenção, encarregou-se dos milhares de presentes que chegavam do mundo inteiro, enchendo uma enorme seção do espaçoso porão. Periodicamente, Loretta gritava, estridente, para o alto da escada: "Espere só para ver o que acabou de chegar". E eu descia para encontrá-la segurando um retrato de Bill feito de conchas do mar sobre um fundo de veludo vermelho, ou uma coleção de cachorros empalhados vestidos em roupas de bebê enviada para o nosso agora famoso gato preto-e-branco, Socks.

Tivemos de encontrar uma nova escola para Chelsea em Washington, que já era adolescente e não estava feliz com a perspectiva de desmantelar sua vida. Bill e eu nos perguntávamos como daríamos a ela uma infância normal na Casa Branca, onde sua nova realidade incluiria proteção do serviço secreto durante 24 horas por dia. Já havíamos decidido levar Socks para Washington, embora tivéssemos sido alertados de que ele não poderia mais passear livremente, juntando pássaros e ratos mortos como troféus. Considerando que a cerca da Casa Branca era larga o bastante para ele sair para o tráfego da rua, relutantemente decidimos que ele teria de ficar numa coleira sempre que estivesse fora.

Eu havia tirado uma licença para trabalhar na campanha, mas agora renunciava ao exercício da advocacia e começava a montar uma equipe para o escritório da primeira-dama, e ao mesmo tempo ajudava Bill de toda maneira que podia. Estávamos nos engalfinhando em torno de qual deveria ser o meu papel. Eu teria um "cargo" mas não um verdadeiro "emprego". Como eu poderia usar essa plataforma para ajudar meu marido e servir meu país sem perder minha própria expressão?

Não há nenhum manual de instruções para primeiras-damas. Você consegue o emprego porque o homem com quem você se casou se torna presidente. Cada uma de minhas antecessoras trazia para a Casa Branca suas próprias atitudes e expectativas, preferências e antipatias, sonhos e dúvidas. Cada uma moldava um papel que refletisse seus próprios interesses e estilo e que equilibrasse as necessidades de seu marido, família e país. O mesmo faria eu. Como toda primeira-dama antes de mim, eu tinha de decidir o que desejava fazer com as oportunidades e a responsabilidade que herdara.

No curso dos anos, o papel de primeira-dama tem sido encarado, em grande parte, como simbólico. Espera-se que ela represente um conceito ideal — e, em grande parte, mítico — da feminilidade americana. Muitas primeiras-damas anteriores eram altamente realizadas, mas as histórias reais do que haviam feito na vida eram desconsideradas, esquecidas ou suprimidas. No momento em que me preparava para assumir o papel, a história estava finalmente alcançando a realidade. Em março de 1992, o Museu Nacional da História Americana do Instituto Smithsoniano corrigiu sua popular Exposição de Primeiras-Damas para dar conta dos variados papéis políticos e imagens públicas dessas mulheres. Além dos vestidos de noite e das porcelanas, o museu exibia a jaqueta de camuflagem que Barbara Bush usava quando visitou as tropas da Tempestade no Deserto com seu marido, acompanhada de uma citação de Martha Washington: "Pareço mais uma prisioneira estadual do que qualquer outra coisa". A curadora-chefe da exposição, Edith Mayo, e o Instituto Smithsoniano foram criticados por retificarem a história e degradarem os "valores familiares" das primeiras-damas.

Enquanto estudava os casamentos dos presidentes anteriores, descobri que Bill e eu não éramos o primeiro casal a se apoiar um no outro como parceiros na vida e na política. Por pesquisas realizadas pelo instituto e historiadores como Carl Sferrazza Anthony e David McCullough, hoje sabemos sobre os conselhos políticos que Abigail Adams dava a seu marido, o que lhe trouxe o pejorativo apelido de "Sra. Presidente"; o papel que Helen Taft desempenhou nos bastidores ao pressionar Theodore Roosevelt a escolher seu marido como sucessor; a "presidência extra-oficial" ocupada por Edith Wilson após o derrame sofrido por seu marido; as tempestades políticas desencadeadas por Eleanor Roosevelt; e a meticulosa análise feita por Bess sobre os discursos e cartas de Harry Truman.

Como o relacionamento de muitos moradores anteriores da Casa Branca, o que Bill Clinton e eu havíamos construído estava enraizado no amor e no respeito, no compartilhamento de aspirações e realizações, vitórias e derrotas. Isso não iria mudar com uma eleição. Após dezessete anos de casamento, um era o maior torcedor do outro, o seu crítico mais duro e o seu melhor amigo.

No entanto, para nenhum de nós estava claro como essa parceria se encaixaria na nova administração Clinton. Bill não podia me indicar para um cargo oficial, ainda que o tivesse desejado. As leis antinepotismo figuravam nos livros desde que o presidente John F. Kennedy nomeou seu irmão Bobby como ministro da Justiça. Mas não havia leis que me impedissem de continuar meu papel de assessora — e, em certos casos, representante — não remunerada de Bill Clinton. Havíamos trabalhado juntos por tanto tempo que Bill sabia que podia confiar em mim. Sempre entendemos que eu contribuiria para a sua administração. Mas não soubemos exatamente qual seria o meu papel senão ao final da transição, quando Bill me pediu para supervisionar seu projeto de assistência à saúde.

Ele estava no processo de centralizar a política econômica na Casa Branca e desejava uma estrutura semelhante para a assistência à saúde. Com tantos órgãos governamentais defendendo seus interesses na reforma, sua preocupação era que as disputas de territórios pudessem sufocar a criatividade e novas abordagens. Bill decidiu que Ira Magaziner deveria coordenar o processo no interior da Casa Branca para desenvolver a legislação e queria que eu liderasse a iniciativa de convertê-la em lei. Bill pretendia anunciar nossas nomeações logo depois da posse. Pela nossa experiência no Arkansas, onde Bill havia me designado para presidir comissões sobre assistência à saúde rural e sobre o ensino público, nenhum de nós passou muito tempo preocupado com as reações que meu envolvimento poderia despertar. Em se tratando de esposas com atuação política, certamente não esperávamos que a capital do país fosse mais conservadora do que o Arkansas.

Estávamos atrasados quando saímos de Little Rock na noite de 16 de janeiro de 1993. Milhares de nossos amigos e colaboradores se aglomeraram em um enorme hangar do aeroporto de Little Rock para uma emocionada cerimônia de despedida. Eu estava entusiasmada com o horizonte à nossa frente, mas meu entusiasmo estava mesclado pela melancolia. Bill ficou à beira das lágrimas quando recitou para a multidão de simpatizantes a letra de uma canção, "Arkansas runs deep in me, and it always will" ["O Arkansas está no fundo de minha alma, e sempre estará"]. Mais tarde, após o que pareceram ser mil abraços e acenos, embarcamos em nosso avião fretado. Assim que estávamos no ar, as luzes de Little Rock desapareceram abaixo das nuvens e nada mais havia a fazer senão olhar para a frente.

Voamos até Charlottesville, na Virgínia, para continuar a viagem até Washington de ônibus, seguindo a rota de quase duzentos quilômetros que Thomas Jefferson havia feito para sua posse em 1801. Achei que era uma maneira apropriada para iniciar a presidência de William Jefferson Clinton.

Na manhã seguinte, encontramo-nos com Al e Tipper e passeamos por Monticello, a grande casa que Jefferson projetara. Depois, embarcamos juntos em outro ônibus, tal como havíamos feito durante a campanha, e nos dirigimos rumo ao norte, para Washington. Em ambos os lados da Rota 29, milhares de pessoas nos aplaudiam, acenavam com bandeiras, seguravam balões e bandeirolas. Alguns seguravam cartazes feitos em casa para nos encorajar, felicitar ou castigar: "Caipiras com Bill", "Estamos contando com vocês". "Cumpram suas promessas — a AIDS não vai esperar", "Vocês são socialistas, estúpidos". Meu favorito era um cartaz simples, escrito à mão, com duas palavras: "Dignidade, Compaixão".

O céu ainda estava claro, mas a temperatura estava caindo quando entramos em Washington. Por algum ato da providência, o nunca pontual presidente eleito estava no horário e chegamos ao Memorial Lincoln cinco minutos antes do primeiro evento oficial — um concerto nos degraus perante uma enorme multidão que se estendia por toda a esplanada. Harry Thomason, Rahm Emanuel e Mel French, outro amigo do Arkansas, eram os produtores das festividades da posse. Harry e Rahm ficaram tão aliviados por nos verem que se abraçaram.

Eu nunca me sentara num compartimento de vidro à prova de balas — uma sensação estranha e um tanto alienante. Fiquei grata, porém, pelos pequenos aquecedores para os nossos pés, porque a temperatura havia caído drasticamente. A diva pop Diana Ross cantou uma versão espetacular de

"God Bless America". Bob Dylan tocou diante da abarrotada esplanada, tal como o havia feito naquele dia de agosto de 1963 quando Martin Luther King pronunciara, dos mesmos degraus, seu discurso "I Have a Dream". Senti-me extremamente feliz por ter visto o reverendo King falar quando eu era adolescente em Chicago, e agora ali estava eu ouvindo meu marido honrar o homem que ajudou esse país a superar sua história dolorosa:

"Vamos construir um lar americano para o século XXI, onde todos tenham um lugar à mesa e nem uma só criança seja esquecida", disse Bill. "Neste mundo e no mundo de amanhã, devemos seguir adiante juntos ou não seguir para parte alguma."

O sol estava se pondo quando Bill, Chelsea e eu lideramos milhares de participantes que ondulavam e cantavam em marcha pela travessia do Memorial.

Paramos do outro lado do rio Potomac para badalar uma réplica do Sino da Liberdade, disparando uma comemoração na qual milhares de "Sinos da Esperança" repicavam simultaneamente por todo o país e até a bordo do ônibus espacial *Endeavor* em sua órbita em torno do planeta. Detivemo-nos um pouco mais enquanto os fogos de artifício iluminavam o céu noturno sobre a capital. Depois teve início outro evento, e ainda outro. A essa altura, todas as comemorações se fundiam em um caleidoscópio de rostos, palcos e vozes.

Durante a semana da posse, nossos parentes e equipe pessoal ficaram conosco na Casa de Blair, a tradicional residência de hóspedes para visitas de chefes de Estado e presidentes eleitos. A Casa de Blair e sua equipe de profissionais, gerida por Benedicte Valentiner, conhecida por todos como Sra. V., e seu assistente, Randy Baumgarten, fizeram com que nos sentíssemos bem-vindos à mansão silenciosamente elegante que se tornou um oásis durante uma semana frenética. A Casa de Blair é famosa por ser capaz de atender qualquer necessidade especial. Nossa equipe era tímida, comparada à de certos chefes de Estado que exigiam que seus guardas ficassem nus para garantir que não portassem armas, ou importavam seus próprios cozinheiros para prepararem de tudo, desde bode até cobra.

Bill fez muitos discursos naquela semana, mas ainda não havia terminado de escrever o maior de sua vida: o discurso de posse. Bill é um magnífico escritor e talentoso orador que faz isso parecer fácil, mas suas constantes revisões e mudanças de última hora são irritantes. Ele nunca encontrou uma frase com a qual não conseguisse fazer piada. Eu estava habituada a seu constante burilar, mas, mesmo assim, senti minha ansiedade aumentar à medida que se aproximava o dia. Bill trabalhava no rascunho sempre que havia um momento entre os eventos.

Meu marido gosta de puxar todos que o rodeiam para dentro de seu tumulto criativo. David Kusnet, seu principal redator de discursos; Bruce Reed, seu conselheiro adjunto de Política Nacional; George Stephanopoulos, seu diretor de Comunicações; Al Gore e eu demos nossos palpites. Bill também convocou dois amigos de longa data: Tommy Caplan, um maravilhoso especialista em palavras e romancista que havia sido um de seus colegas de quarto na Universidade de Georgetown, e o escritor laureado com o Pulitzer Taylor Branch, que havia trabalhado conosco no Texas na campanha de McGovern. Em meio ao processo, Bill recebeu uma carta do padre Tim Healy, ex-reitor de Georgetown e diretor da Biblioteca Pública de Nova York. Ele e Bill tinham um vínculo com Georgetown, e o padre Healy estava escrevendo a carta para Bill quando morreu subitamente de um ataque cardíaco enquanto voltava para casa de uma viagem. A carta foi encontrada na máquina de escrever do padre Healy e enviada a Bill, que encontrou nessa mensagem póstuma uma frase maravilhosa. O padre havia escrito que a eleição de Bill "forçaria a primavera" e levaria a um florescer de novas idéias, esperança e energia que revigorariam o país. Adorei suas palavras e sua metáfora adequada para as ambições de Bill para sua presidência.

Foi fascinante observar meu marido naquela semana enquanto ele literalmente se tornava presidente diante de meus olhos. Ao longo das festividades da posse, Bill recebia instruções de segurança para prepará-lo para as responsabilidades históricas que estava prestes a assumir. Com notável agilidade, ele já estava desviando sua atenção de um discurso importante para notícias sobre aviões americanos que estavam bombardeando o Iraque em resposta ao desprezo de Saddam Hussein às exigências da ONU e para informes sobre o agravamento do conflito na Bósnia.

Ele ainda escrevia seu discurso no dia anterior à posse. Para dar-lhe tempo para trabalhar, concordei em cumprir em seu lugar seus compromissos da tarde, embora eu também tivesse de cumprir minha própria programação. Naquela tarde, também me desdobrei para comparecer a eventos patrocinados por minhas ex-escolas, Wellesley e a Faculdade de Direito de Yale. No caminho de volta do hotel Mayflower, meu carro ficou preso na avenida Pensilvânia, num congestionamento de pessoas e carros de outros estados que iam para a posse, numa distância que dava para avistar a Casa de Blair. Eu estava tão atrasada e frustrada que saltei do carro e saí correndo em meio ao trânsito. Capricia Marshal, que estava observando de uma janela da Casa de Blair, ainda hoje ri quando descreve a cena: eu lançando-me entre os carros, de salto alto e um vestido justo de flanela cinza, com meu assustado segurança correndo atrapalhado atrás de mim.

Bill finalmente acabou de escrever e repassar seu grande discurso uma hora ou duas antes de o sol raiar na manhã de sua posse.

Dormimos muito pouco e depois começou nosso dia extraordinário com um emocionante culto ecumênico na Igreja Metropolitana A.M.E. Depois, fomos para a Casa Branca, onde os Bush nos receberam no Pórtico Norte com seus *cocker spaniels* Millie e Ranger agitando-se em volta de suas pernas. Foram muito receptivos e nos deixaram à vontade. Embora a campanha tivesse sido desgastante para ambas as nossas famílias, Barbara Bush havia sido gentil comigo quando nos encontramos no passado e se oferecera para me levar a conhecer as acomodações da família na Casa Branca após a eleição. George Bush sempre fora amistoso quando o encontrávamos nas reuniões anuais da Associação Nacional dos Governadores e eu havia sentado ao seu lado nos jantares da associação na Casa Branca e na Reunião de Cúpula da Educação em Charlottesville em Monticello, em 1989. Quando se realizou o encontro de verão dos governadores no Maine em 1983, os Bush abriram sua fazenda em Kennebunkport para um grande piquenique. Chelsea, na época com apenas três anos, também foi e, quando teve de ir ao banheiro, o então vice-presidente Bush tomou-lhe a mão e mostrou-lhe o caminho.

Os Gore se juntaram a nós na Casa Branca, junto com Alma e Ron Brown, que era presidente da A.N.G. e em breve prestaria juramento de posse como ministro do Comércio, e Linda e Harry Thomason, que haviam juntos presidido a cerimônia de posse.

O presidente e a sra. Bush guiaram nosso grupo até o Salão Azul, onde tomamos café e conversamos sobre assuntos triviais durante cerca de vinte minutos, até que chegou a hora de partir para o Capitólio. Bill foi na limusine presidencial com George Bush, enquanto Barbara Bush e eu seguimos em outro carro. A multidão em torno da avenida Pensilvânia aplaudia e acenava enquanto passávamos. Admirei o ânimo da sra. Bush enquanto nos preparávamos para observar um presidente, seu marido, ceder lugar a outro.

No Capitólio, paramos na fachada oeste, com sua vista deslumbrante da Esplanada, do Monumento a Washington e do Memorial Lincoln. A enorme multidão transbordava para além do monumento.

Seguindo o costume, a banda de fuzileiros navais dos Estados Unidos tocou "Hail to the Chief" ["Saudação ao Chefe"] uma última vez para George Bush pouco antes do meio-dia, e novamente para o novo presidente alguns minutos depois. Eu sempre me emocionara com esses acordes, e agora me sentia comovida e sem palavras ao ouvi-los tocar para meu marido. Reverentemente, Chelsea e eu seguramos a Bíblia enquanto Bill fazia o juramento do cargo. Depois, Bill cingiu Chelsea e a mim em seus braços e, beijando cada uma de nós, murmurou: "Eu amo muito vocês duas".

O discurso de Bill enfatizou os temas do sacrifício e do serviço pelo país, e invocou as mudanças que ele havia apresentado em sua campanha. "Não há nada de errado com os Estados Unidos que não possa ser sanado por aquilo que é correto nos Estados Unidos", disse ele, conclamando os americanos a "uma temporada de serviços" em benefício dos necessitados no país e daqueles no mundo a quem deveríamos ajudar a construir a democracia e a liberdade.

Após a cerimônia de juramento, enquanto alguns de nossa equipe se apressavam para a Casa Branca para começar a desfazer nossas malas e organizar nossas coisas, Bill e eu almoçamos no Capitólio com membros do Congresso. No momento em que o manto do poder passa de um presidente para o seguinte ao meio-dia no dia da posse, o mesmo acontece com a posse da Casa Branca. Os pertences do novo presidente e sua família não podem ser transferidos para a Casa Branca senão depois que ele tenha feito o juramento. Às 12h01 da tarde, os furgões de mudança de George e Barbara Bush saíam pela entrada de serviço enquanto os nossos entravam. Nossa bagagem, mobília e centenas de caixas foram descarregadas numa louca investida nas poucas horas entre a cerimônia no Capitólio e o final do desfile da posse. Os ajudantes se atropelavam para localizar aquilo que precisaríamos de imediato e enfiavam o resto de nossos pertences em armários e cômodos vagos para lidar com eles mais tarde.

Os procedimentos de segurança da Casa Branca exigem que funcionários essenciais sejam revistados pelos guardas uniformizados do serviço secreto, processo conhecido por seu acrônimo, WAVES, que abrevia "Workers and Visitors Entry System" ["Sistema de Acesso de Trabalhadores e Visitantes"]. Uma lista de convidados ou pessoal pré-verificado é então "WAVE-d" (admitido) à Casa Branca. Infelizmente, minha assistente pessoal, Capricia Marshall, não havia dominado inteiramente o sistema. Ela pensou que ser "waved in" ("acenado para entrar") implicava um gesto de boas-vindas com a mão. Capricia, que naquele dia não perderia de vista meu vestido para a posse, carregou-o da Casa de Blair, acenando para os guardas enquanto passava de portão em portão tentando encontrar alguém que acenasse para ela entrar. Depõe a favor de sua capacidade de persuasão — e sua inclusão final no sistema WAVES — o fato de que meu vestido de baile de renda azul-violeta conseguiu passar pela segurança da Casa Branca no dia da posse.

Após o almoço, Bill, Chelsea e eu seguimos de carro pela rota do desfile do Capitólio até o prédio do Tesouro; ali, com a relutante autorização do serviço secreto, saímos do carro e caminhamos pela avenida Pensilvânia até o palanque de revista defronte à Casa Branca, onde me sentei diante de um aquecedor para observar o desfile. Uma vez que fazia dezesseis anos que os democratas não tinham um candidato vencedor, todos queriam participar. Não podíamos e não queríamos dizer não. Só do Arkansas havia seis bandas marciais, num desfile que durou três horas.

Entramos na Casa Branca, pela primeira vez como seus novos moradores, no começo da noite, após passar o último carro alegórico. Lembro-me de que olhei em volta deslumbrada com essa casa que eu havia visitado como convidada. Agora seria meu lar. Foi ao caminhar rumo à Casa Branca, subir as escadas do Pórtico Norte e entrar no Grand Foyer que me dei conta da realidade: eu era mesmo a primeira-dama, casada com o presidente dos Estados Unidos. Foi a primeira das muitas vezes em que eu seria lembrada na história para a qual estava agora entrando.

Membros da equipe permanente da Casa Branca, cujo número chega quase a uma centena, estavam à espera para nos saudar no Grand Foyer. São esses homens e mulheres que administram a casa e cuidam das necessidades especiais de seus moradores. A Casa Branca possui seus próprios engenheiros, carpinteiros, encanadores, jardineiros, floristas, curadores, cozinheiros, mordomos e faxineiros, que permanecem de uma administração para a seguinte. A operação toda é supervisionada pelos "meirinhos", um termo esquisito do século XIX ainda usado para descrever o pessoal administrativo. No ano 2000, publiquei meu terceiro livro, *An Invitation to the White House* [*Um convite para a Casa Branca*], que era um tributo ao pessoal permanente da Casa Branca e, também, um olhar nos bastidores sobre o extraordinário trabalho diariamente executado.

Fomos escoltados escada acima para a residência privada no segundo andar, que parecia sem graça, já que nossos pertences não haviam sido desempacotados. Mas não tínhamos tempo para nos ocupar com nada disso. Tínhamos de nos preparar para sair.

Um dos aspectos mais convenientes da residência é o salão de beleza, introduzido no segundo andar por Pat Nixon. Chelsea, suas amigas, minha mãe, minha sogra e minha cunhada, Maria, ali nos juntamos e competimos para sermos transformadas, como Cinderelas, para os bailes.

Bill queria participar de todos os onze bailes da posse naquela noite, e não apenas para a habitual passada de cinco minutos de saudações. Iríamos festejar. Quatro amigas de Chelsea do Arkansas nos acompanharam a diversos eventos, entre os quais o Baile da MTV, antes de regressarem para dormir na Casa Branca como convidadas. O Baile do Arkansas, realizado no Centro de Convenções de Washington, foi para nós o maior e mais divertido porque foi ali que nossos parentes e 12 mil de nossos amigos e colaboradores se haviam reunido. Ben E. King passou um saxofone para Bill e a multidão explodiu em aplausos e gritos de guerra dos Razorbacks: "Suuuuuuu-ii!".

Ninguém se divertiu mais que a mãe de Bill, Virginia. Ela foi a beldade de pelo menos três bailes. Provavelmente ela já conhecia metade dos foliões e estava rapidamente conhecendo o restante. Ela também fez uma amiga especial naquela noite: Barbra Streisand. Ela e Barbra selaram uma amizade que continuou com telefonemas semanais durante o ano que se seguiu.

Bill e eu continuamos nos bailes e, ao final da noite, havíamos dançado ao som de tantas versões de "Don't Stop Thinking About Tomorrow" ["Não pare de pensar no amanhã"], a canção tema extra-oficial da campanha, que tive de tirar os sapatos para dar um descanso a meus pés. Nenhum de nós queria que a noite terminasse, mas finalmente consegui persuadir Bill a sair do Baile do Meio-Oeste no Sheraton Hotel quando os músicos começavam a guardar seus instrumentos. Tomamos o rumo de volta à Casa Branca bem depois das duas da madrugada.

Quando saímos do elevador para a residência no segundo andar, olhamos um para o outro, incrédulos: esse era agora o nosso lar. Cansados demais para explorar esse novo e maravilhoso ambiente, desabamos na cama.

Havíamos dormido apenas algumas horas quando ouvimos uma batida enérgica à porta do quarto.

Toc, toc, toc.

"Hã?"

TOC, TOC, TOC.

Bill saltou da cama e tateei em busca de meus óculos no escuro, pensando que devia ser algum tipo de emergência em nossa primeira manhã. Subitamente a porta se abriu e um homem de *smoking* entrou no quarto carregando uma bandeja de prata com o café-da-manhã. Era assim que os Bush começavam seu dia, com um café-da-manhã no quarto às cinco e meia, e era assim que os mordomos estavam acostumados a fazer. Mas as primeiras palavras que o pobre homem ouviu do 42? presidente dos Estados Unidos foram: "Ei! O que está fazendo aqui?".

Nunca se viu alguém sair tão depressa de um quarto.

Bill e eu apenas rimos e voltamos para debaixo das cobertas para tentarmos roubar mais um hora de sono. Ocorreu-me que tanto a Casa Branca quanto nós, seus novos ocupantes, teríamos de passar por alguns ajustes importantes, em termos públicos e privados.

A presidência Clinton representava uma mudança geracional e política que afetaria todas as instituições em Washington. Durante vinte dos 44 anos anteriores, a Casa Branca havia sido um domínio republicano. Seus ocupantes haviam sido membros da geração de nossos pais. Os Reagan costumavam jantar em bandejas em frente à televisão e os Bush sabidamente acordavam de madrugada para dar uma volta com os cachorros e depois liam os jornais e assistiam aos programas matutinos de notícias nos cinco televisores instalados em seu quarto. Após doze anos, a equipe exclusiva permanente acostumou-se a uma rotina e horários regulares previsíveis. Crianças não residiam ali em tempo integral desde que Jimmy Carter deixara o governo em 1981. Imaginei que o estilo de vida informal e o hábito de nossa família de trabalhar o dia inteiro deveriam ser tão desconhecidos para a equipe quanto a formalidade da Casa Branca o era para nós.

A campanha de Bill havia enfatizado O povo em primeiro lugar. Por isso, em nosso primeiro dia inteiro na Casa Branca, queríamos cumprir essa promessa convidando milhares de pessoas para uma casa aberta, muitas escolhidas por sorteio. Todos detinham bilhetes e muitos haviam feito fila no escuro antes do nascer do sol para nos encontrar e aos Gore. Mas não havíamos previsto que tomaria tanto tempo saudar todos eles e não programáramos tempo suficiente. As filas se alongaram pelos terrenos desde o Portão Leste até o Pórtico Sul, e me senti péssima quando percebi que muitas pessoas que esperavam lá fora no frio não conseguiriam chegar até o Salão de Recepção Diplomática antes do momento em que teríamos de sair. Nós quatro fomos lá fora para dizer aos bravos restantes o quanto lamentávamos não poder ficar para saudá-los, mas que eles ainda eram bem-vindos para visitarem a casa que era deles.

Depois que nossas outras obrigações se encerraram no final daquela tarde, Bill e eu finalmente ficamos livres para usar roupas informais e dar uma olhada em nosso novo lar. Queríamos compartilhar esses primeiros dias e noites na Casa Branca com nossos parentes e amigos mais íntimos. Havia dois aposentos de hóspedes no segundo andar, conhecidos como Quarto da Rainha e Quarto de Lincoln, e sete outros aposentos para hóspedes no terceiro andar. Além de Chelsea e suas amigas de Little Rock, nossos pais, Hugh e Dorothy Rodham e Virginia e Dick Kelley, e nossos irmãos, Hugh Rodham e sua mulher, Maria, Tony Rodham e Roger Clinton, ficaram conosco. E também havíamos convidado quatro de nossos melhores amigos, Diane e Jim Blair e Harry e Linda Thomason, para passarem a noite.

Harry e Linda produziram e escreveram diversos programas para a televisão, entre os quais os enormes sucessos *Designing Women* e *Evening Shade*, mas o coração deles sempre estava nas montanhas Ozarks. Harry havia crescido em Hampton, Arkansas, e começara como técnico de futebol do colégio em Little Rock. Linda vinha de uma família de advogados e ativistas de Poplar Bluff, Missouri, pouco depois da fronteira com o estado do Arkansas. A única outra pessoa famosa nascida naquela área do Missouri, contou-nos Linda com uma risada, era Rush Limbaugh, o apresentador de rádio direitista que foi um dos maiores entusiastas de George Bush. As famílias de Linda e de Rush se conheciam e mantinham uma rivalidade permanente e amistosa.

Após o turbilhão da semana de festividades de posse, foi ótimo relaxar com pessoas que havia anos conhecíamos e que gozavam de nossa total confiança. Ao final da noite, decidimos tomar de assalto a pequena cozinha familiar próxima à Sala de Visitas Oeste. Harry e Bill examinavam os armários enquanto Linda e eu abríamos a geladeira. Estava vazia exceto por um item: uma garrafa de vodca pela metade. Usamos o conteúdo para brindar ao novo presidente, ao país e ao nosso futuro.

Nossos pais já haviam ido para a cama e Chelsea e suas convidadas finalmente estavam em silêncio. Na noite anterior, as meninas haviam voltado cedo dos bailes de posse e haviam se divertido muito numa caçada exploratória preparada para elas pelos administradores e meirinhos. Achei que seria uma maneira para ela se distrair e se familiarizar com seu novo ambiente. Os administradores propunham todo tipo de pistas históricas, tais como encontrar "a pintura com o pássaro amarelo" (*Natureza-morta com frutas, cálice e canário*, de Severin Roesen, no Salão Vermelho) e encontrar "a sala onde se diz que às vezes foi visto um fantasma". Era o Quarto de Lincoln, onde convidados diziam sentir brisas frias e ver figuras espectrais.

Não acredito em fantasmas, mas às vezes realmente achávamos que a Casa Branca era assombrada por entidades mais mundanas. Espíritos de administrações passadas estavam por toda parte. Às vezes até deixavam bilhetes. Harry e Linda ficaram naquela noite no Quarto de Lincoln. Quando se deitaram na comprida cama de pau-rosa, encontraram um pedaço de papel dobrado sob um dos travesseiros.

"Prezada Linda, estive aqui primeiro e voltarei", dizia o bilhete.

Trazia a assinatura "Rush Limbaugh".

10

ALA LESTE, ALA OESTE

A CASA BRANCA É ESCRITÓRIO E RESIDÊNCIA DO PRESIDENTE, e é também um museu nacional. Sua cultura organizacional, conforme rapidamente descobri, é como uma unidade militar. Durante anos, as coisas haviam sido feitas de determinada maneira, geralmente por pessoal que ali havia trabalhado durante décadas, aperfeiçoando o modo como a casa era administrada e conservada. O jardineiro-chefe, Irv Williams, começou com o presidente Truman. O pessoal permanente sabia que garantia a continuidade de uma família presidencial para a seguinte. Em diversos sentidos, eram os guardiães da instituição da Presidência na passagem de uma administração para a outra. Éramos moradores apenas temporários. Quando o presidente Bush pai chegou para inaugurar seu retrato oficial durante o primeiro mandato de Bill, encontrou George Washington Hannie Jr., um mordomo que trabalhara na casa por mais de 25 anos. "George, você ainda está aqui?"

O veterano mordomo respondeu: "Sim, senhor. Os presidentes vêm e vão. Mas George está *sempre* aqui".

Como em muitas instituições vetustas, foi lentamente que a mudança chegou à Casa Branca. O sistema telefônico era um regresso a uma outra era. Para ligar para fora, tínhamos de apanhar o receptor e esperar que um telefonista da Casa Branca discasse para nós. Acabei me acostumando com isso e passei a gostar dos amáveis e pacientes operadores que trabalhavam na mesa telefônica. Quando todo o sistema telefônico foi finalmente atualizado para uma tecnologia mais nova, continuei a fazer as chamadas por meio deles.

Eu sabia que nunca me acostumaria ao agente do serviço secreto posta-do ao lado da porta de nosso quarto. Era o procedimento operacional padrão para os presidentes anteriores e o serviço secreto, no princípio, foi inflexível quanto a mantê-lo assim.

"E se o presidente tiver um ataque cardíaco no meio da noite?", pergun-tou-me um agente quando sugeri que ele se posicionasse no andar de baixo em lugar de ficar conosco no segundo andar.

"Ele tem 46 anos e sua saúde é excelente", disse eu. "Ele não vai ter um ataque cardíaco!"

O serviço secreto se adaptou a nossas necessidades e nós às suas. Afinal de contas, eram eles os especialistas quando se tratava de nossa segurança. Simplesmente tivemos de encontrar um meio de deixá-los realizar seu traba-lho e permitir que fôssemos nós mesmos. Durante doze anos, haviam se acostumado a uma rotina previsível em que a espontaneidade era a exceção, não a regra. Nossa campanha, com seu ritmo acelerado, paradas freqüentes e cordões de isolamento, fazia nossos seguranças se engalfinharem. Tive mui-tas e longas conversas com os agentes designados para nos proteger. Um de meus principais agentes, Don Flynn, disse: "Agora entendi. É como se um de nós fosse o presidente. Também gostamos de sair, fazer coisas na rua e ficar acordados até tarde". Esse comentário isolado ajudou a fixar o tom de cooperação e flexibilidade que passou a caracterizar nossas relações com os agentes jurados para nos proteger. Bill, Chelsea e eu só temos a elogiar sua coragem, integridade e profissionalismo, e é uma sorte continuarmos amigos de muitos deles.

Maggie Williams concordara em me ajudar ao final da campanha presi-dencial de 1992, mas só se eu entendesse que ela voltaria à Filadélfia depois da eleição para terminar seu doutorado na Universidade da Pensilvânia. Com a eleição encerrada, percebi que precisava dela mais do que nunca. Pedi, roguei, implorei e insisti com ela para que ficasse ao longo da transição e, depois, entrasse para a administração como minha secretária executiva.

Nosso primeiro trabalho foi recrutar outros integrantes da equipe, esco-lher espaço de trabalho e descobrir a complexidade das obrigações tradicio-nais de uma primeira-dama. Desde a administração Truman, as primeiras-damas e suas equipes haviam operado totalmente fora da Ala Leste, que abriga dois andares de espaço para escritórios, uma grande sala de recepção para visitantes, o cinema da Casa Branca e uma extensa colunata de vidro que corre ao longo da margem do Jardim Leste, que a primeira-dama Bird

Johnson dedicou a Jackie Kennedy. No curso dos anos, à medida que as primeiras-damas expandiam suas obrigações, suas equipes se tornaram maiores e mais especializadas. Jackie Kennedy foi a primeira a ter sua própria assessoria de imprensa. A sra. Johnson organizou a estrutura de seu pessoal de modo a refletir a da Ala Oeste. O diretor de equipe de Rosalynn Carter atuava como um chefe da Casa Civil e participava das reuniões diárias do alto escalão do presidente. Nancy Reagan aumentou o tamanho e a importância de seu pessoal dentro da Casa Branca.

A Ala Oeste é onde se localiza o Salão Oval, junto com a Sala Roosevelt, a Sala dos Ministérios, a Sala de Informes (onde são realizadas reuniões ultra-secretas e onde as comunicações são recebidas e enviadas), o Refeitório da Casa Branca e os escritórios que abrigam o alto escalão do presidente. O restante do pessoal da Casa Branca trabalha no Old Executive Office Building [Prédio Antigo dos Escritórios Executivos], ou OEOB, ao lado da Casa Branca. Nenhuma primeira-dama ou seu pessoal já haviam tido escritórios na Ala Oeste ou no OEOB (depois rebatizado como Edifício Eisenhower de Escritórios Executivos).

Embora o escritório de visitantes, a secretaria social e de correspondência pessoal permanecessem sediados na Ala Leste, parte de meu pessoal integraria a equipe da Ala Oeste e achei que deveríamos nos integrar também fisicamente. Maggie argumentou diante da equipe de transição de Bill em favor do espaço que queríamos na Ala Oeste, e o Escritório da Primeira-Dama passou para um conjunto de salas ao final de um longo corredor no primeiro andar do OEOB. Destinaram-me um escritório no segundo andar da Ala Oeste, logo ao lado do da equipe de política nacional. Este foi outro evento sem precedentes na história da Casa Branca e logo se tornou matéria para comediantes de fim de noite e comentaristas políticos. Uma charge retratava a Casa Branca com um Salão Oval se elevando do telhado do segundo andar.

Maggie recebeu o título de assistente do presidente — suas antecessoras haviam sido assistentes *adjuntas* do presidente — e toda manhã às sete e meia ela assistia à reunião do alto escalão ao lado dos principais assessores do presidente. Eu também tinha um membro da equipe de política nacional designado para trabalhar em tempo integral em meu escritório, além de um redator de discursos presidenciais designado para trabalhar em meus discursos, especialmente os relativos à reforma da assistência à saúde. Minha equipe de vinte pessoas incluía uma secretária executiva adjunta, um assessor de imprensa, um programador de eventos, um diretor de viagens e um organizador de minha agenda. Duas integrantes da equipe original ainda estão hoje comigo: Pam Cicetti, uma experiente assistente executiva que se tornou minha coringa, e Alice Pushkar, diretora de correspondências da primeira-dama, que assumiu com equilíbrio e imaginação uma das tarefas mais assustadoras.

Essas mudanças físicas e de pessoal eram importantes se eu pretendia me envolver na agenda de trabalho de Bill, particularmente no que dizia respeito a questões concernentes às mulheres, crianças e famílias. As pessoas que contratei estavam comprometidas com as questões e com a idéia de que o governo poderia — e deveria — ser parceiro na geração de oportunidades para pessoas que estivessem dispostas a trabalhar duro e assumir responsabilidades. A maioria delas provinha do setor público ou de organizações comprometidas com a melhoria das condições econômicas, políticas e sociais para os sub-representados e desfavorecidos.

Em pouco tempo, meu pessoal foi reconhecido dentro da administração e pela imprensa como atuante e influente, em grande parte devido à liderança de Maggie e de Melanne Verveer, minha secretária executiva adjunta. Melanne e seu marido, Phil, haviam sido amigos de Bill desde o tempo da Universidade de Georgetown, e ela era uma ativista democrata de longa data e uma trabalhadora com experiência em Washington. Uma verdadeira cê-dê-efe da política que adora as complexidades e as nuances das questões, Melanne trabalhara durante anos em Capitol Hill e no mundo da advocacia. Eu costumava dizer de brincadeira que não havia uma única pessoa em Washington que ela não conhecesse. Não era apenas Melanne que era uma lenda na capital da nação — seu fichário Rolodex também era. Numa última contagem, ele continha 6 mil nomes. Não há como catalogar os muitos projetos que Melanne concebeu, primeiro como adjunta e, depois, no segundo mandato, como minha secretária executiva. Ela também se tornou elemento-chave na equipe do presidente, defendendo políticas que afetavam as mulheres, os direitos humanos, os serviços jurídicos e as artes.

Em breve minha equipe passou a ser conhecida na Casa Branca como "Hillarylândia". Estávamos totalmente imersos nas operações diárias da Ala Oeste, mas também éramos nossa pequena subcultura dentro da Casa Branca. Minha equipe primava pela discrição, lealdade e companheirismo, e tínhamos nossa própria postura especial. Enquanto a Ala Oeste tinha tendência a vazar informações, na Hillarylândia isso nunca acontecia. Enquanto os altos conselheiros do presidente manobravam para conseguir grandes escritórios próximos ao Salão Oval, minha equipe executiva compartilhava de bom grado os escritórios com seus jovens assistentes. Tínhamos brinquedos e creions para crianças em nossa principal sala de reuniões, e toda criança que nos visitava sabia exatamente onde escondíamos os biscoitos. Num Natal, Melanne encomendou broches de lapela que diziam, em letras muito pequenas, HILLARYLAND, e ela e eu começamos a conceder filiações honorárias, normalmente para os muito sofridos cônjuges e filhos de meus esfalfados funcionários. A filiação os credenciava a visitas a qualquer momento — e a comparecerem a todas as nossas festas.

* * *

A operação da Ala Oeste estava montada e funcionando, mas minhas obrigações na Ala Leste ainda me davam nos nervos. Apenas dez dias depois da posse, Bill e eu promovíamos nosso primeiro grande evento, o jantar anual da Associação Nacional dos Governadores. Bill havia sido presidente da ANG, e muitos dos que compareceram eram colegas e amigos que havia anos conhecíamos. Queríamos que o jantar corresse bem, e eu estava ansiosa para desfazer a idéia, que estava vazando para a mídia noticiosa, de que eu tinha pouco interesse nas funções habituais do escritório da primeira-dama, entre elas a supervisão dos eventos sociais da Casa Branca. Eu havia gostado dessas atribuições, realizadas numa escala muito menor como primeira-dama do Arkansas, e agora estava com muita expectativa em relação a elas. Mas minha equipe e eu precisávamos de orientação. Eu tinha ido a jantares na Casa Branca desde 1977, quando o presidente e a sra. Carter convidaram o então secretário da Justiça do Arkansas Bill Clinton e sua esposa para um jantar em homenagem ao primeiro-ministro Pierre Trudeau do Canadá e sua esposa, Margaret. Havíamos voltado todos os anos em que Bill era governador para o mesmo jantar que eu estava agora encarregada de planejar. Assistir ao evento como convidados era uma coisa, promovê-lo era outra muito diferente.

Contei com a ajuda de nossa nova secretária social, Ann Stock, uma mulher enérgica, de gosto e estilo impecáveis, que trabalhara na Casa Branca de Carter e depois como alta executiva na Bloomingdale's. Ann e eu experimentamos diversas combinações de toalhas e conjuntos de mesa antes de decidirmos pela porcelana de borda dourada e vermelha adquirida pela sra. Reagan. Trabalhamos na distribuição dos lugares, ansiosas por garantir que nossos convidados se sentissem à vontade com seus vizinhos de mesa. Conhecíamos quase todos e decidimos misturá-los com base nos interesses e personalidades. Pedi conselhos à florista da Casa Branca, Nancy Clarke, enquanto ela arranjava as tulipas que eu havia escolhido para cada mesa. A partir daquele dia, a energia esfuziante de Nancy jamais deixou de me admirar.

Todas as horas da vida na Casa Branca traziam algum obstáculo novo e inesperado. No entanto, havia poucas pessoas com quem eu poderia conversar que entendessem verdadeiramente minha experiência. Meus amigos íntimos eram encorajadores e sempre estavam disponíveis para conversar ao telefone, mas nenhum deles morara na Casa Branca. Felizmente, porém, alguém que conheci havia morado e entendia o que eu estava passando. Ela se tornou uma fonte valiosa de sabedoria, conselhos e apoio.

No dia 26 de janeiro, uma manhã de frio atroz, poucos dias depois da posse, tomei a ponte aérea normal para Nova York. Foi meu único vôo por uma linha aérea comercial durante meus oito anos na Casa Branca. Devido à segurança necessária e o incômodo aos demais passageiros, concordei com o serviço secreto em renunciar àquele vínculo com minha vida anterior. Oficialmente, eu estava indo a Nova York para receber o prêmio Lewis Hine por meu trabalho com os problemas da infância e visitar a P.S.115, uma escola pública local, para promover aulas particulares voluntárias. Mas eu também estava fazendo uma pausa particular para almoçar com Jacqueline Kennedy Onassis em seu maravilhoso apartamento na Quinta Avenida.

Eu já me encontrara algumas vezes com Jackie e a visitara uma vez durante a campanha de 1992. Ela fora uma das primeiras apoiadoras de Bill, contribuindo financeiramente e participando da convenção. Era uma figura pública proeminente, alguém que desde sempre eu admirara e respeitara. Jackie Kennedy não só havia sido uma excepcional primeira-dama, trazendo estilo, graça e inteligência para a Casa Branca, como, também, realizara um trabalho extraordinário na criação de seus filhos. Meses antes, eu havia lhe pedido conselhos sobre a exposição dos filhos aos olhos públicos e, nessa visita, eu esperava ouvi-la falar mais sobre como ela lidava com a cultura estabelecida na Casa Branca. Fazia trinta anos desde que ela residira lá, mas eu tinha a impressão de que pouca coisa havia mudado.

O serviço secreto me deixou em seu apartamento pouco antes do meio-dia e Jackie me saudou à porta do elevador no décimo quinto andar. Ela estava impecavelmente vestida, trajando calças de seda em uma de suas cores características — uma combinação de bege e cinza — e uma blusa combinando, com faixas num tom sutil de pêssego. Aos 63 anos, continuava tão bonita e digna quanto o era ao entrar pela primeira vez na consciência nacional como a fascinante esposa de 31 anos do segundo presidente mais jovem da história americana.

Depois da morte do presidente Kennedy em 1963, ela se afastara durante muitos anos da atenção pública, casara-se com o magnata armador grego Aristóteles Onassis e depois se lançara numa próspera carreira como editora literária de uma das melhores firmas editoras de Nova York. A primeira coisa que notei em seu apartamento foi que ele transbordava de livros. Estavam empilhados por toda parte — em cima e embaixo de mesas, ao lado de sofás e cadeiras. As pilhas eram tão altas em seu escritório que ela podia descansar seu prato neles se estivesse comendo à sua mesa de trabalho. Ela é a única pessoa que conheci que literalmente decorava seu apartamento com livros — e tinha sucesso nisso. Tentei reproduzir o efeito que vi no apartamento de Jackie e em sua casa em Martha's Vineyard com todos os livros que Bill e eu possuíamos. Como era de esperar, os nossos nunca davam um aspecto tão elegante.

Sentamo-nos a uma mesa no canto da sala de estar, com vista para o Central Park e o Metropolitan Museum of Art, e continuamos a conversa que havíamos começado em nosso almoço no verão anterior. Jackie me deu inestimáveis conselhos sobre como lidar com minha perda de privacidade e me disse o que havia feito para proteger seus filhos, Caroline e John. Garantir uma vida normal a Chelsea seria um dos maiores desafios que Bill e eu enfrentaríamos, disse-me ela. Tínhamos de permitir que Chelsea crescesse e até cometesse erros, mas, ao mesmo tempo, protegê-la da vigilância constante que ela sofreria como filha do presidente. No caso de seus próprios filhos, disse ela, tiveram a sorte de ter muitos primos, colegas e amigos normais para brincar, vários deles com pais também com evidência pública. Ela achava que seria muito mais difícil para uma filha única.

"Você precisa proteger Chelsea a todo custo", disse Jackie. "Cerque-a de amigos e parentes, mas não a mime. Não a deixe pensar que ela é alguém especial ou dotada de poder. Se puder, mantenha a imprensa longe dela e não deixe que ninguém a use."

Bill e eu já havíamos tido uma medida do interesse do público em Chelsea e do fascínio nacional que envolve uma criança que cresce na Casa Branca. Nossa decisão sobre a escola para a qual enviar Chelsea despertara um debate apaixonado dentro e fora do cinturão da capital, em grande parte pela sua importância simbólica. Entendi o desapontamento sentido pelos defensores da educação pública quando escolhemos a Sidwell Friends, uma escola particular dos quacres, particularmente depois que Chelsea havia freqüentado escolas públicas no Arkansas. Mas para Bill e para mim a decisão se baseava num único fato: as escolas particulares eram propriedade privada, conseqüentemente estavam fora do alcance da mídia de notícias. As escolas públicas não. A última coisa que queríamos eram câmeras de televisão e repórteres seguindo nossa filha ao longo de todo o dia na escola, como haviam feito quando a filha do presidente Carter, Amy, freqüentava escola pública.

Até agora, nossa intuição e as recomendações de Jackie haviam se prestado bem a Chelsea. Ela estava se adaptando tão bem a sua nova escola quanto se poderia esperar, embora sentisse falta de suas amigas do Arkansas. Ela estava se acomodando em seus dois quartos no segundo andar. Os quartos haviam sido de Caroline e John e, depois, de Lynda e Luci Johnson, e por isso Jackie sabia exatamente onde ficavam. Um deles era agora o quarto de Chelsea, com duas camas para que eventualmente alguém pudesse passar a noite com ela, e o outro era um gabinete onde ela poderia fazer suas lições de casa, assistir televisão, ouvir música e entreter os amigos.

Eu disse a Jackie o quanto era grata por ela ter criado uma sala de jantar no andar de cima e que estávamos convertendo a despensa do mordomo numa pequena cozinha onde pudéssemos fazer nossas próprias refeições em família numa atmosfera mais relaxada e informal. Certa noite, detonei uma crise culinária. Chelsea não estava se sentindo bem e eu quis preparar para ela ovos mexidos moles e molho de maçã, a comida prática que eu sempre tinha à mão antes de irmos para a Casa Branca. Procurei os utensílios na pequena cozinha e depois liguei para o andar de baixo e perguntei ao chefe da cozinha se ele podia me arranjar o que eu precisava. Ele e o pessoal da cozinha ficaram arrasados diante da idéia de uma primeira-dama manejando uma frigideira sem supervisão! Chegaram até a ligar para minha equipe para perguntar se eu estava cozinhando porque não estava contente com sua comida. Esse incidente me fez lembrar das experiências parecidas de Eleanor Roosevelt de se adaptar à vida na Casa Branca: "Inadvertidamente, fiz muitas coisas que chocavam os meirinhos", escreveu ela em sua autobiografia. "Minha primeira providência foi insistir em acionar eu mesma o elevador, sem esperar que um dos porteiros o operasse para mim. Isso simplesmente não era feito pela esposa do presidente."

Jackie e eu também discutimos o serviço secreto e os desafios incomuns de segurança que os filhos de presidentes apresentavam. Ela confirmou minha intuição de que, embora a segurança fosse necessária, era importante enfatizar para Chelsea, como ela o fizera com seus próprios filhos, que ela devia respeito aos agentes jurados para protegê-la. Eu já presenciara filhos de governadores se fazendo de mandões e até desafiarem patrulheiros estaduais de meia-idade designados para sua proteção. Jackie me falou da ocasião em que um garoto mais velho havia levado a bicicleta de John e ele pedira para o segurança de serviço que fosse buscá-la de volta para ele. Quando Jackie descobriu, disse a John que ele tinha de se defender por si mesmo. As sucessivas equipes de agentes designados para proteger Chelsea entenderam que, na medida do possível, ela precisava levar a vida de uma adolescente normal.

O serviço secreto usa codinomes para seus protegidos e cada membro da família tem um nome que começa com a mesma letra. Bill se tornou "Eagle" ["Águia"], eu era "Evergreen" ["Sempre-viva"] e Chelsea, muito apropriadamente, foi chamada de "Energy" ["Energia"]. Os codinomes parecem extravagantes, mas disfarçam uma dura realidade: ameaças constantes exigem a vigilância e a intromissão da segurança protetora.

Jackie falou francamente sobre a atração peculiar e perigosa despertada por políticos carismáticos. Ela me advertiu que Bill, tal como o presidente Kennedy, possuía um magnetismo pessoal que inspirava fortes sentimentos nas pessoas. Ela nunca chegou a explicitar, mas deu a entender que ele também poderia ser um alvo. "Ele precisa tomar muito cuidado", disse ela. "Muito cuidado."

Eu ainda estava passando maus bocados para compreender como poderíamos salvar alguma aparência de normalidade em nossas vidas quando tínhamos de ficar olhando sobre os ombros em todos os lugares para onde íamos. Jackie sabia que, ao contrário de casas presidenciais anteriores, não tínhamos nossa própria casa ou refúgio de férias para onde escapar. Insistiu para que eu usasse Camp David e ficasse com amigos que tivessem casas em lugares afastados onde pudéssemos evitar os curiosos e os *paparazzi*.

Mas nem toda a nossa conversa foi séria. Trocamos fofocas sobre amigos comuns e até sobre moda. Jackie foi um dos ícones do lançamento de tendências do século XX. Meus amigos e parte da imprensa haviam se intrometido quanto a minhas roupas, meu cabelo e minha maquiagem desde o dia em que Bill anunciou que seria candidato. Quando perguntei a ela se deveria simplesmente me entregar a uma equipe de consultores famosos como alguns da mídia haviam recomendado, ela pareceu horrorizada. "Você precisa ser você", disse ela. "Você acabará usando a idéia de outra pessoa sobre quem você é e sobre qual deve ser sua aparência. Em vez disso, concentre-se no que é importante para você." Suas palavras foram um alívio. Com a autorização tácita de Jackie, decidi continuar a me divertir sem levar nada disso muito a sério.

Após ficar duas horas, estava finalmente na hora de partir. Jackie insistiu para que eu ligasse ou entrasse em contato sempre que tivesse perguntas ou precisasse conversar. Até sua morte prematura de câncer, dezesseis meses depois, ela continuou a ser fonte de inspiração e conselhos para mim.

Fiquei tranqüila depois de minha visita a Jackie, mas o descanso não durou muito. Eu havia concordado em conceder minha primeira entrevista a um jornal como primeira-dama para Marian Burros do *New York Times*, que era quem normalmente cobria o primeiro grande jantar de gala de cada nova administração. Suas matérias normalmente se concentravam na escolha da comida, flores e entretenimento para a noitada. Achei que a entrevista me oferecia uma oportunidade de compartilhar minhas idéias sobre como eu pretendia fazer da Casa Branca uma vitrine para a comida e a cultura americanas.

Burros e eu nos encontramos no Salão Vermelho, uma das três salas de estar no Andar Diplomático da Mansão Executiva. Instalamo-nos junto à lareira num sofá estilo neoclássico americano do século XIX. Numa das paredes, estava pendurado o famoso retrato de Dolley Madison, esposa do presidente Madison e uma de minhas irascíveis antecessoras, feito por Gilbert Stuart em 1804. Enquanto Burros e eu conversávamos, de vez em quando eu tinha um vislumbre de Dolley pelo canto do olho. Ela era uma mulher extraordinária, bem à frente de seu tempo, famosa por sua sociabilidade, estilo pessoal definidor de modas (ela gostava muito de turbantes), habilidades políticas e grande coragem. Durante a Guerra de 1812, quando as tropas britânicas avançavam sobre Washington, ela passou o dia preparando o que seria seu último jantar festivo na Casa Branca para o presidente Madison e seus conselheiros militares, cujo regresso da frente de batalha era aguardado. Embora ela finalmente percebesse que teria de partir, recusou-se a sair até que os ingleses estivessem praticamente à porta. Ela fugiu carregando as roupas às costas, importantes documentos de Estado e alguns artigos valiosos da mansão. Seu último ato foi pedir que o retrato de corpo inteiro de George Washington feito por Gilbert Stuart fosse recortado de sua moldura, enrolado e levado para um lugar seguro. Logo após sua fuga, o almirante Cockburn e seus homens saquearam a Casa Branca, comeram a comida que ela havia preparado e incendiaram a mansão.

Eu queria que meu primeiro jantar festivo na Casa Branca fosse memorável, mas nem tanto *assim*.

Contei a Burros que desejava imprimir minha marca pessoal na Casa Branca, como os casais presidenciais anteriores haviam feito. Comecei introduzindo a culinária americana no cardápio. Desde a administração Kennedy, a cozinha da Casa Branca fora dominada pelos franceses. Entendi por que Jackie desejara melhorar muita coisa na Casa Branca, da decoração à culinária, mas isso foi naquela época. Nas três décadas depois que ela ocupara a Casa Branca, os chefes de cozinha americanos haviam revolucionado a arte culinária, a começar pela incomparável dupla Julia Child e Alice Waters. Child havia escrito a Bill e a mim no final de 1992, insistindo para que déssemos primazia à culinária americana, e Waters escreveu para nos incentivar a designar um chefe de cozinha americano. Concordei com elas. Afinal de contas, a Casa Branca era um dos símbolos mais visíveis da cultura americana. Contratei Walter Scheib, um experiente chefe de cozinha especializado numa culinária americana de ingredientes mais leves e mais frescos e introduzi mais alimentos e vinhos fornecidos por americanos.

O jantar se mostrou um grande sucesso, sendo as poucas falhas, felizmente, detectáveis apenas por nós. O banquete, em sua maioria de produção americana, incluía camarão marinado defumado, filé de carne de boi assado, brotos de legumes num cesto de abóbora e batatas Yukon Gold com cebolas de Vidalia, Geórgia. Comemos queijo de cabra de Massachusetts e bebemos vinhos americanos. Nossos convidados pareciam genuinamente satisfeitos, particularmente com a revista estilo Broadway para depois do jantar, organizada de última hora por nosso amigo James Naughton, ganhador do prêmio Tony, e estrelada por Lauren Bacall e Carol Channing. Dei um grande suspiro de alívio.

A matéria de Marian Burros saiu na primeira página do *New York Times* no dia 2 de fevereiro, e revelava algumas novidades secundárias. Anunciei que estávamos proibindo o cigarro na Mansão Executiva, bem como nas Alas Leste e Oeste, que o brócolis voltaria à cozinha da Casa Branca (depois de ser exilado pelos Bush) e que esperávamos tornar a Casa Branca mais acessível ao público. Acompanhava o texto uma foto minha num vestido de noite Donna Karan preto, sem alças.

Para mim, a matéria e a foto pareciam bastante inofensivas, mas inspiraram muitos comentários. O corpo jornalístico da Casa Branca não ficou contente por eu ter concedido uma entrevista exclusiva a uma repórter cuja área não era a política da Casa Branca. Na opinião deles, minha escolha sinalizava minha decisão de evitar perguntas desafiadoras sobre meu papel na arena política. Alguns críticos sugeriram que a matéria foi inventada para "atenuar" minha imagem e me retratar como uma mulher tradicional em um papel tradicional. Alguns de meus mais ardorosos defensores também desaprovavam a entrevista e a foto porque ambas não refletiam sua concepção a meu respeito como primeira-dama. Se eu fosse séria sobre questões políticas fundamentais, argumentavam, por que estava falando com uma repórter sobre comida e entretenimento? Inversamente, se eu estivesse realmente preocupada com arranjos florais e a cor das toalhas de mesa, como poderia ter seriedade suficiente para encabeçar uma iniciativa política de maior vulto? Que tipo de mensagem eu estava passando, afinal?

Parecia que as pessoas apenas conseguiam me perceber como uma coisa ou outra – *ou* uma profissional dedicada *ou* uma anfitriã conscienciosa e esmerada. Eu estava começando a entender o que Kathleen Hall Jamieson, ilustre professora de comunicações e decana da Escola Annenberg de Comunicações na Universidade da Pensilvânia, mais tarde denominaria de "nó cego". Estereótipos de gênero, diz Jamieson, prendem as mulheres em categorias, em sentidos que não refletem as verdadeiras complexidades de suas vidas. Estava ficando claro para mim que as pessoas que queriam que eu me ajustasse a uma determinada caixa, tradicionalista ou feminista, nunca ficariam inteiramente satisfeitas comigo como sou — ou seja, com meus papéis muito diferentes e, às vezes, paradoxais.

Minhas amigas viviam o mesmo. Num dado dia qualquer, Diane Blair poderia estar ministrando um curso de ciência política horas antes de preparar o jantar para uma enorme multidão em sua residência à beira do lago. Melanne Verveer poderia estar coordenando uma reunião na Casa Branca num minuto e falando ao telefone com sua neta no minuto seguinte. Lissa Muscatine, bolsista Rhodes de Harvard, que teve três filhos enquanto trabalhava para mim na Casa Branca, poderia estar num avião revisando discursos ou trocando fraldas em casa. Assim, quem era a mulher "real"? Na verdade, a maioria de nós assumia todos esses papéis e outros mais no cotidiano de nossas vidas.

Eu sei quanto é difícil integrar as muitas demandas, escolhas e atividades discrepantes que as mulheres procuram e enfrentam diariamente. A maioria de nós vive com vozes irritantes questionando as escolhas que fazemos e com carradas de culpa, qualquer que seja nossa escolha. Em minha vida, fui esposa, mãe, filha, irmã, cunhada, nora, estudante, advogada, ativista dos direitos das crianças, professora de direito, conselheira política, metodista, cidadã e muita coisa mais. Agora eu era um símbolo — e essa era uma experiência nova.

Bill e eu tínhamos nos preocupado com os problemas que enfrentaríamos quando mudássemos para a Casa Branca, mas nunca imaginei que o modo como defini meu papel como primeira-dama fosse gerar tanta controvérsia e confusão. Na minha cabeça, em certos sentidos, eu era tradicional e, em outros, não. Preocupava-me com a comida que servia para nossos convidados e também queria melhorar a assistência médica para todos os americanos. Para mim, não havia nada de incongruente em meus interesses e atividades.

Eu estava viajando em território não mapeado — e, graças a minha própria inexperiência, contribuí para certas percepções conflitantes a meu respeito. Levei algum tempo para entender que o que podia não ser importante para mim podia parecer muito importante a muitos homens e mulheres do país. Estávamos vivendo numa era na qual certas pessoas ainda sentiam uma ambivalência profunda quanto a mulheres em postos públicos de liderança e poder. Nessa era de papéis de gênero mutáveis, eu era a Prova n.º 1 dos Estados Unidos.

A fiscalização era esmagadora. Desde que me tornara uma protegida do serviço secreto na Convenção Democrática em Nova York em julho de 1992, vinha tentando me ajustar à perda do anonimato. De vez em quando, saía sorrateiramente da Casa Branca usando colantes, óculos de sol e um boné de beisebol. Adorava caminhar pela esplanada do Capitólio, olhando os monumentos, ou pedalando minha bicicleta ao longo do Canal C&O em Georgetown. Negociei com o serviço secreto para que apenas um agente, trajando roupas informais, caminhasse ou andasse de bicicleta atrás de mim. Logo descobri, porém, que eles tinham um desses grandes furgões pretos totalmente equipados, seguindo-me devagar em algum lugar das imediações, só por precaução. Se eu me movesse depressa, mesmo as pessoas que pensassem ter me reconhecido não teriam certeza. Certa manhã, uma família de turistas me pediu que tirasse uma foto enquanto faziam pose na frente do Monumento a Washington. Rapidamente concordei, e assim que estavam todos sorrindo, bati a foto. Quando eu estava partindo, ouvi uma das crianças dizer: "Mãe, aquela senhora parece conhecida". Eu estava fora do alcance da voz antes de ouvir se adivinharam quem era sua fotógrafa.

Esses momentos de calmo anonimato eram passageiros e o mesmo acontecia com o tempo passado junto de amigos íntimos. Vários deles do Arkansas chegaram para trabalhar na administração de Bill, mas, ironicamente, estavam entre as pessoas das quais mais senti falta naquelas primeiras semanas. Simplesmente não tínhamos tempo para vê-las.

No começo de fevereiro, Bill e eu convidamos Vince Foster, então conselheiro adjunto da Casa Branca; Bruce Lindsey, também no escritório do Conselho e ainda um dos conselheiros e companheiros de viagem mais próximos de Bill; e Webb Hubbell, ministro da Justiça adjunto, para um jantar informal na sala de jantar do segundo andar da residência, para comemorar os quarenta anos de nossa amiga Mary Steenburgen. Mary, uma conterrânea do Arkansas, tivera sucesso em Hollywood, ganhara um prêmio da Academia como atriz mas nunca perdera contato com suas raízes. Ela, Bruce, Vince e Webb estavam entre nossos amigos mais íntimos e lembro-me daquela refeição como uma das últimas ocasiões despreocupadas por que passamos juntos. Durante algumas horas, deixamos de lado as preocupações do dia e conversamos sobre a adaptação a Washington e assuntos intemporais — filhos, escolas, filmes, política. Ainda posso fechar os olhos e ver Vince à mesa, parecendo cansado mas feliz, recostando-se na cadeira e ouvindo com um sorriso no rosto. Naquele momento, era impossível imaginar a tensão a que ele estava submetido como um recém-chegado ao mundo político de Washington.

11

ASSISTÊNCIA À SAÚDE

No DIA 25 DE JANEIRO, Bill chamou a mim e mais dois convidados para um almoço no pequeno gabinete do presidente próximo ao Salão Oval: Carol Rasco, a recém-nomeada conselheira de política nacional da Casa Branca que havia atuado na administração de Bill no Arkansas, e nosso velho amigo Ira Magaziner, um próspero consultor empresarial que havia realizado um estudo pioneiro sobre custos de assistência médica.

Alto, anguloso e dramático, Ira tendia a preocupar-se no melhor dos momentos e, nesse dia, ele parecia particularmente ansioso. Dentro de poucas horas, Bill pretendia divulgar uma força-tarefa de assistência à saúde e anunciar que esse grupo produziria legislação de reforma durante seus primeiros cem dias no cargo. Poucos da equipe da Casa Branca sabiam que Bill havia me pedido para coordenar a força-tarefa ou que Ira gerenciaria as operações cotidianas como conselheiro executivo do presidente para política e planejamento. Ira havia sabido de seu novo trabalho apenas dez dias antes da posse.

Bill desejava abordar a reforma da assistência à saúde de uma nova perspectiva e Ira, com sua mente brilhante e criativa, era hábil para propor maneiras inventivas de considerar problemas. Ele também possuía experiência no setor privado como proprietário de uma empresa de consultoria em Rhode Island, que assessorava empresas multinacionais sobre como se tornarem mais produtivas e lucrativas.

Após os comissários da Marinha nos trazerem nossos pratos do Refeitório da Casa Branca, Ira revelou uma notícia perturbadora: alguns veteranos de

Capitol Hill o estavam advertindo de que nosso cronograma de cem dias para entregar um projeto de reforma da assistência à saúde era inviável. Havíamos sido encorajados pelo sucesso eleitoral de Harris Wofford, o novo senador democrata da Pensilvânia que havia feito campanha com uma plataforma de assistência à saúde, e que muitas vezes dizia às multidões: "Se os criminosos têm direito a um advogado, os americanos que trabalham têm direito a um médico". Mas Ira estava recebendo uma mensagem diferente.

"Eles acham que vamos ser assassinados", disse Ira, que mal tocara seu sanduíche. "Precisaremos de pelo menos quatro a cinco anos para montar um pacote que passe pelo Congresso."

"Isso é o que alguns amigos meus estão dizendo também", eu disse. Eu cuidara dessa questão havia muito tempo, bem antes de Bill e eu entrarmos na política, e achava que o acesso a uma assistência à saúde viável era um direito que deveria ser garantido aos cidadãos americanos. Eu sabia que Ira pensava da mesma forma. Isso pode explicar por que não saí correndo da sala quando Bill esboçou pela primeira vez a idéia de que eu liderasse a força-tarefa e trabalhasse com Ira nessa iniciativa que era a marca registrada de sua administração. Nesse dia, foi o ilimitado otimismo de Bill e sua determinação que me mantiveram na cadeira.

"Estou ouvindo a mesma coisa", disse Bill. "Mas temos de tentar. Temos de fazer isso funcionar."

Havia razões convincentes para ir em frente. No momento em que Bill se tornou presidente, 37 milhões de americanos, a maioria trabalhadores e seus filhos, não tinham seguro de saúde. Não obtinham acesso a assistência médica até que estivessem numa crise de saúde. Mesmo para atendimento médico comum, acabariam num pronto-socorro, onde a assistência era mais cara ou iriam à falência tentando pagar do próprio bolso atendimentos de emergência. No início dos anos 90, 100 mil americanos estavam perdendo cobertura a cada mês, e 2 milhões ficavam temporariamente sem cobertura quando mudavam de emprego. As pequenas empresas eram incapazes de oferecer cobertura para seus empregados por causa do custo explosivo dos prêmios de assistência médica. E a qualidade da assistência médica também estava sofrendo: em um esforço para controlar custos, as companhias de seguros muitas vezes recusavam ou retardavam tratamento prescrito por médicos em respeito a seus resultados financeiros.

Os custos crescentes da assistência à saúde estavam minando a economia da nação, prejudicando a competitividade americana, corroendo os salários dos trabalhadores, aumentando as falências pessoais e inflando o déficit orçamentário nacional. Como nação, estávamos gastando mais em assistência à saúde — 14% de nosso PIB — do que qualquer outro país industrializado. Em 1992, até 45 bilhões de dólares em custos de assistência à saúde eram gastos em custos administrativos, em lugar de remunerarem médicos, enfermeiros, hospitais, casas de saúde ou outros fornecedores de assistência médica de atendimento direto.

Esse ciclo terrível de escalada nos custos e cobertura declinante era, em grande parte, resultado de um número crescente de americanos sem seguro-saúde. Pacientes sem seguro raramente podem pagar suas despesas médicas do próprio bolso, por isso seus custos eram absorvidos pelos médicos e hospitais que os tratavam. Médicos e hospitais, por sua vez, aumentavam suas taxas para cobrir a despesa de atender pacientes sem cobertura ou que não podiam pagar, razão pela qual tabletes de aspirina de dois dólares e muletas de 2.400 dólares por vezes aparecem nas contas dos hospitais. As seguradoras, diante da necessidade de ter de cobrir honorários médicos e hospitalares mais elevados, começaram a cortar a cobertura e a elevar o preço dos prêmios, deduções e co-pagamentos para pessoas com seguro. À medida que o preço dos prêmios subia, menos empregadores estavam dispostos ou conseguiam fornecer cobertura para seus trabalhadores e, com isso, mais pessoas perdiam seu seguro. E o ciclo vicioso continuava.

A solução desses problemas era crucial para o bem-estar de dezenas de milhões de americanos e para nosso país como um todo. Mas, mesmo assim, sabíamos que seria uma batalha árdua. Durante a maior parte do século XX, os presidentes haviam tentado reformar o sistema de saúde de nosso país, com mais ou menos sucesso. O presidente Theodore Roosevelt e outros líderes progressistas estiveram entre os primeiros a propor cobertura geral da assistência médica praticamente um século atrás. Em 1935, o presidente Franklin D. Roosevelt projetou um sistema nacional de seguro-saúde como complemento à previdência social, a base essencial de seu New Deal. A idéia não deu em nada, em grande parte devido à oposição da Associação Médica Americana, o grupo de pressão que representava os médicos do país, que receavam o controle governamental sobre suas práticas.

O presidente Truman assumiu a causa da cobertura geral da assistência à saúde como parte de seu Fair Deal e a incluiu em sua plataforma de campanha na eleição de 1948. Também ele foi frustrado pela bem financiada e bem organizada oposição da AMA, da Câmara de Comércio americana e outros que se opunham ao seguro-saúde nacional com justificativas ideológicas, sugerindo que ele estava ligado ao socialismo e ao comunismo. Os opositores também achavam na época, como agora, que o sistema existente funcionava muito bem como estava, a despeito do paradoxo de que os Estados Unidos gastam mais com assistência à saúde do que qualquer outra nação, embora não forneça seguro-saúde para todos. Após o fracasso em superar a oposição, Truman propôs a idéia mais modesta — e prática — de fornecer seguro-saúde para beneficiários da previdência social.

Durante os anos 40 e 50, sindicatos trabalhistas negociaram benefícios de assistência à saúde nos acordos que faziam para os trabalhadores. Outros empregadores começaram a oferecer esses benefícios a empregados não sindicalizados. Isso resultou num sistema extensivo de assistência à saúde baseado no empregador, no qual a cobertura do seguro passava, cada vez mais, a ser vinculada ao emprego da pessoa.

Em 1965, a iniciativa Sociedade Grande do presidente Johnson levou à criação do Medicaid e do Medicare, que fornecem seguro-saúde custeado em nível federal para dois grupos subcontemplados — os pobres e os idosos. Os programas atendem atualmente 76 milhões de indivíduos. O esforço de Johnson, viabilizado por sua vitória esmagadora em 1964 e uma enorme maioria democrata no Congresso, ainda representa o maior sucesso na assistência à saúde do século XX e a realização da meta do presidente Truman.

Custeado por contribuições descontadas na folha de pagamento dos trabalhadores, o Medicare eliminou a preocupação da população com mais de 65 anos ao garantir-lhe o direito a serviços médicos e hospitalares. Embora o Medicare não cubra o aviamento de receitas — e deveria fazê-lo —, continua a ser um serviço popular e crucial para os americanos mais velhos, e seus custos administrativos são muito inferiores aos de companhias particulares de assistência médica que fornecem cobertura. O Medicaid, programa que paga assistência para os americanos mais pobres e aos dotados de deficiências, é custeado conjuntamente pelos estados e pelo governo federal, e é administrado pelos estados de acordo com regras federais. Mais politicamente vulnerável que o Medicare porque os pobres detêm menos poder político que os idosos, foi uma bênção divina para muitos americanos, particularmente as crianças e mulheres grávidas.

O presidente Nixon reconheceu os efeitos debilitantes dos custos de assistência médica sobre a economia e propôs um sistema de atendimento baseado no que é conhecido como uma "obrigação do empregador": todos os empregadores estariam obrigados a pagar benefícios limitados para seus empregados. Embora até vinte propostas diferentes de assistência à saúde fossem apresentadas ao Congresso durante a administração Nixon, nenhuma proposta de cobertura universal obteve maioria de votos de uma comissão do Congresso senão vinte anos mais tarde, em 1994.

Os presidentes Ford e Carter — respectivamente, um republicano e um democrata — também buscaram a reforma nos anos 70, mas esbarraram com os mesmos obstáculos políticos que haviam bloqueado a mudança durante a maior parte do século XX. Ao longo de várias décadas, o setor da assistência médica se tornou cada vez mais forte. Muitas companhias de seguros se opunham à cobertura universal porque receavam que ela pudesse restringir a quantia que poderiam cobrar e limitar sua capacidade de rejeitar pacientes de alto risco. Algumas achavam que a cobertura universal poderia representar o dobre de Finados para o seguro privado.

As condições históricas eram desfavoráveis a Bill porque as posturas em relação à reforma da assistência à saúde eram divergentes, mesmo entre os democratas. Conforme afirmava um especialista, as opiniões são "defendidas em termos teológicos" — portanto, impermeáveis à razão, evidência ou discussão. Mas Bill sentia que devia mostrar ao público e ao Congresso que dispunha da vontade política para avançar e cumprir com sucesso sua promessa de campanha de tomar medidas imediatas no tocante à assistência à saúde. A reforma não só era uma boa política pública que ajudaria milhões de americanos, como, também, estava indissoluvelmente ligada à redução do déficit.

Eu compartilhava das profundas preocupações de Bill quanto à economia e à irresponsabilidade fiscal dos doze anos anteriores, sob as administrações Reagan e Bush. As recentes projeções de déficits feitas pela administração Bush camuflavam o déficit real subestimando os efeitos de uma economia estagnada, o impacto dos custos de assistência à saúde e dos gastos federais sobre a poupança e o resgate de empréstimos. Esses custos haviam contribuído para inflar o déficit projetado para 387 bilhões de dólares ao longo de quatro anos — consideravelmente mais alto do que as estimativas que a Casa Branca de Bush havia divulgado ao final de sua administração. Mas, afora as preocupações orçamentárias, eu acreditava que a reforma da assistência à saúde poderia aliviar a angústia da população trabalhadora de nosso rico país. Como esposa de um governador e agora presidente, eu não tinha de me preocupar com o acesso de minha família à assistência médica. E tampouco achava que qualquer outra pessoa tivesse de se preocupar.

Minha experiência ao atuar no conselho do Hospital de Crianças do Arkansas e coordenar uma força-tarefa estadual na assistência à saúde rural me introduziu nos problemas embutidos em nosso sistema de assistência à saúde, entre eles a espinhosa política de reforma e os apuros financeiros enfrentados por famílias que eram "ricas" demais para se enquadrarem no Medicaid, mas "pobres" demais para pagarem seu próprio atendimento. Viajando pelo Arkansas nos anos 80 e, depois, pelos Estados Unidos durante a campanha presidencial, conheci americanos que reforçaram minha convicção de que tínhamos de consertar o que estava errado no sistema. O compromisso de Bill com a reforma representava nossa maior esperança de garantir a milhões de homens e mulheres trabalhadores a assistência à saúde que mereciam.

Bill, Ira, Carol e eu saímos do Salão Oval, passamos pelo busto de Abraham Lincoln, de Augustus Saint-Gaudens, e pelo estreito corredor até a Sala Roosevelt, onde uma multidão de secretários de gabinete, o alto escalão da Casa Branca e jornalistas estavam aguardando aquilo que a programação oficial relacionava como uma "reunião da força-tarefa".

Entrar na Sala Roosevelt é voltar atrás na história americana. Fica-se rodeado por emblemas de cada campanha militar americana e bandeiras de cada divisão das forças armadas americanas, retratos de Theodore e Franklin Roosevelt e a medalha do Prêmio Nobel da Paz que Theodore Roosevelt recebeu em 1906 por mediar um acordo de paz na Guerra Russo-Japonesa. Durante nossa estada na Casa Branca, acrescentei um pequeno busto de bronze de Eleanor Roosevelt, para que suas contribuições como uma "Roosevelt" também fossem reconhecidas na sala com o nome de seu tio e de seu marido.

Nessa sala histórica, Bill declarou que sua administração apresentaria ao Congresso um plano de reforma da assistência à saúde no prazo de cem dias — um plano que "tomaria medidas drásticas para controlar os custos da assistência à saúde nos Estados Unidos e começar a atender as necessidades de assistência médica de todos os americanos".

Em seguida, ele anunciou que eu coordenaria uma força-tarefa recém-formada para a Reforma da Assistência à Saúde Nacional que incluiria os ministros da Saúde e Serviços Humanos, do Tesouro, da Defesa, de Assuntos dos Veteranos de Guerra, do Comércio e do Trabalho, bem como o diretor do

Escritório de Administração e Orçamento e do alto escalão da Casa Branca. Bill explicou que eu trabalharia com Ira, o gabinete e os demais para desenvolver o que ele havia esboçado na campanha e em seu discurso de posse. "Teremos de tomar algumas decisões duras para controlar os custos da assistência à saúde... e fornecer assistência médica para todos", disse ele. "Sou grato por Hillary ter aceitado coordenar a força-tarefa, e não só porque isso significa que ela estará compartilhando um pouco das críticas adversas que espero gerar."

As críticas vieram de todas as direções. O anúncio foi uma surpresa dentro da Casa Branca e dos órgãos federais. Alguns da assessoria de Bill haviam suposto que eu seria nomeada conselheira de política nacional (coisa que Bill e eu jamais havíamos discutido). Outros achavam que eu trabalharia com educação ou saúde das crianças, em grande parte por causa da minha experiência passada com essas questões. Talvez devêssemos ter contado a mais integrantes do alto escalão, mas informações internas confidenciais já estavam vazando da Casa Branca, e Bill queria revelar pessoalmente a matéria e responder às primeiras perguntas levantadas.

Muitos auxiliares da Casa Branca julgaram que era uma grande idéia. Vários auxiliares diretos de Bill a endossaram entusiasticamente, entre os quais Robert Rubin, presidente do Conselho Econômico Nacional e posterior secretário do Tesouro. Como um de meus favoritos na administração, Bob é admiravelmente inteligente e bem-sucedido, ainda que totalmente modesto. Posteriormente, ele brincou sobre sua extraordinária acuidade política: não achava que minha nomeação geraria tão intensas conseqüências políticas. Eu também fiquei surpresa com a reação.

Alguns amigos nossos faziam advertências leves sobre o que estava por vir. "O que você fez para deixar seu marido com tanta raiva de você?", perguntou-me Mario Cuomo, então governador de Nova York, durante uma visita à Casa Branca.

"O que você quer dizer?"

"Bem", respondeu Mario, "ele devia estar terrivelmente transtornado com alguma coisa para encarregá-la de uma tarefa tão ingrata."

Eu ouvia as advertências, mas não percebia toda a magnitude do que estávamos empreendendo. Meu trabalho no Arkansas coordenando a força-tarefa de assistência à saúde rural e na Comissão de Padrões de Educação não se comparava à escala da reforma da assistência à saúde. Mas ambas as iniciativas foram consideradas exitosas e me deixavam entusiasmada e esperançosa quando assumi esse novo desafio. O problema maior parecia ser o prazo final anunciado por Bill. Ele havia vencido a eleição em uma disputa com três candidatos com menos do que a maioria dos votos populares — 43% — e não podia se dar ao luxo de perder nenhuma fração do ímpeto político de que dispunha no início da nova administração. James Carville, nosso amigo, conselheiro e uma das mentes táticas mais brilhantes na política americana, havia feito a seguinte advertência a Bill: "Quanto mais tempo dermos para que os defensores do *status quo* se organizem, mais eles conseguirão arregimentar oposição ao seu plano, e melhores serão suas chances de destruí-lo".

Os democratas no Congresso também insistiam para que andássemos depressa. Alguns dias depois do anúncio de Bill, o líder da maioria na Câmara, Dick Gephardt, solicitou uma reunião comigo. Ele era conhecido em Capitol Hill por suas raízes e suscetibilidades do Meio-Oeste, bem como por seu domínio das questões orçamentárias. Sua compaixão por pessoas com necessidades refletia sua criação, e seu compromisso com a reforma da assistência à saúde fora reforçado, anos antes, pela luta contra o câncer de seu filho. Graças a sua posição e experiência, Gephardt seria uma voz importante em quaisquer deliberações sobre assistência à saúde na Câmara. No dia 3 de fevereiro, Gephardt e seu principal auxiliar em assistência à saúde vieram a meu escritório na Ala Oeste para discutir estratégia. Durante uma hora ouvimos Gephardt descrever suas preocupações quanto à reforma da assistência à saúde. Foi uma reunião emocionante.

Uma das principais preocupações de Gephardt era que conseguiríamos unir os democratas, que raramente se uniam, mesmo nas melhores circunstâncias. A reforma da assistência à saúde alargou as divisões existentes. Pensei na velha piada de Will Rogers:

"Você é membro de algum partido político organizado?"

"Não, eu sou democrata."

Eu sabia do potencial divisionista, mas esperava que um congresso democrata se unisse em torno de um presidente democrata para demonstrar o que o partido podia fazer pelo país.

Os membros democratas já haviam começado a definir seus próprios modelos de reforma para influenciar os planos do presidente. Alguns propunham um método de "único pagador", formulado com base em modelos dos sistemas europeu e canadense de assistência à saúde, e que substituiriam o sistema corrente baseado no empregador. O governo federal, mediante a arrecadação de impostos, se tornaria o financiador exclusivo — ou único pagador — da maior parte da assistência médica. Alguns preconizavam uma expansão gradual do Medicare que acabaria por dar cobertura a todos os americanos não segurados, começando por aqueles com idade entre 55 e 65 anos.

Bill e outros democratas rejeitaram os modelos do único pagador e do Medicare, preferindo um sistema semiprivado chamado "competição administrada", que confiava às forças do mercado privado a redução dos custos mediante a competição. O governo teria um papel menor, que incluiria a fixação de padrões para pacotes de benefícios e o auxílio na organização de cooperativas de compra. As cooperativas eram grupos de indivíduos e empresas, formadas no intuito de adquirir seguro. Unidos, indivíduos e empresas poderiam negociar com as companhias de seguros em favor de melhores benefícios e preços e utilizar seu poder de barganha para garantir assistência de alta qualidade. O melhor modelo era o Plano de Benefícios de Saúde dos Empregados Federais, que cobria 9 milhões de empregados federais e oferecia um leque de opções de seguros a seus associados. Os preços e a qualidade eram monitorados pelos administradores do plano.

Nos termos da competição administrada, os hospitais e os médicos não mais arcariam com as despesas de tratar pacientes não cobertos porque todos seriam segurados pelo Medicare, pelo Medicaid, pelos planos de assistência à saúde dos veteranos e dos militares ou por um dos grupos de compra. O mais importante, talvez, era que o sistema permitiria que os pacientes escolhessem seus próprios médicos, um item inegociável na visão de Bill.

Dada a multiplicidade de abordagens da reforma da assistência à saúde, as posições no Congresso estavam se radicalizando, disse-nos Gephardt. Apenas uma semana antes, ele havia realizado uma reunião sobre assistência à saúde em seu escritório na Câmara na qual dois membros do Congresso discordaram tão violentamente que quase chegaram às vias de fato. Gephardt foi enfático ao afirmar que nossa melhor esperança de aprovação da reforma da assistência à saúde era vinculá-la a um projeto orçamentário conhecido como Lei de Reconciliação Orçamentária que o Congresso normalmente votava no final da primavera. "Reconciliação" combina uma série de decisões orçamentárias e tributárias do Congresso em um projeto de lei que pode ser aprovado ou rejeitado por uma votação de maioria simples no Senado sem a ameaça de uma tática flibusteira, procrastinadora, freqüentemente usada para matar legislação controversa, que exige sessenta votos para ser quebrada. Muitos itens orçamentários, particularmente os relativos a política tributária, são tão complicados que o debate pode emperrar indefinidamente os procedimentos na totalidade da Câmara e do Senado. A reconciliação é uma ferramenta processual destinada a fazer passar pelo Congresso projetos controvertidos sobre impostos e gastos. Gephardt estava sugerindo que ela fosse usada de uma maneira inédita: para legislar uma transformação maior na política social americana.

Gephardt estava certo de que os republicanos no Senado obstruiriam qualquer pacote de assistência à saúde que apresentássemos. Ele sabia também que os democratas do Senado encontrariam dificuldades para reunir sessenta votos para impedir isso, dado que os democratas detinham uma vantagem de apenas 56 a 44. Conseqüentemente, a estratégia de Gephardt era contornar um flibusteiro mediante a inserção da reforma da assistência à saúde no pacote de reconciliação orçamentária. Seria preciso uma maioria simples para aprovar o projeto de lei, e o vice-presidente Gore poderia dar o voto de desempate de número 51, caso necessário.

Ira e eu sabíamos que a equipe econômica de Bill na Casa Branca provavelmente rejeitaria uma estratégia de reconciliação orçamentária que incluísse a assistência à saúde, porque isso poderia complicar os esforços da administração na redução do déficit e no plano econômico. Encerramos nossa reunião e levei Gephardt para o Salão Oval para que ele defendesse seu argumento diretamente para Bill. Este foi convencido pelo argumento de Gephardt e pediu que Ira e eu explorássemos a idéia com a liderança do Senado.

Armados das sugestões de Gephardt e do encorajamento de Bill, Ira e eu marchamos para Capitol Hill no dia seguinte para nos reunirmos com o líder da maioria George Mitchell em seu escritório no Capitólio. Essa foi a primeira de centenas de visitas que fiz a membros do Congresso no curso da reforma da assistência à saúde. O comportamento afável de Mitchell desmentia sua liderança dura dos democratas do Senado. Respeitei sua opinião, e ele concordou com Gephardt. A assistência à saúde seria impossível de ser aprovada a menos que fizesse parte da Reconciliação. Mitchell também estava receoso com a Comissão de Finanças do Senado, que, em outras circunstâncias, teria jurisdição sobre muitos aspectos da legislação da assistência à saúde. Em particular, sua preocupação era que o presidente da comissão, Daniel Patrick Moynihan, de Nova York, democrata veterano e cético quanto à reforma da assistência à saúde, reagisse mal ao plano. Moynihan era um intelectual influente e acadêmico por formação — lecionara sociologia em Harvard antes de concorrer ao Senado —, além de perito em pobreza e questões de família. Ele desejara que o presidente e o Congresso empreendessem primeiro a reforma da previdência. Não ficou contente quando Bill anunciou sua meta de cem dias para a legislação da assistência à saúde — e deixou isso claro para todos.

A princípio, achei frustrante sua posição, mas comecei a entender. Bill e eu compartilhávamos do compromisso do senador Moynihan com a reforma da previdência, mas Bill e sua equipe econômica acreditavam que o governo jamais obteria o controle do déficit orçamentário federal a menos que os custos da assistência à saúde fossem reduzidos. Eles haviam concluído que a reforma da assistência à saúde era essencial à sua política econômica e que a previdência podia esperar. O senador Moynihan previa o quanto seria difícil fazer passar por sua comissão a reforma da assistência à saúde. Sabia que ele seria responsável por pastorear o pacote de incentivos econômicos de Bill pela Comissão de Finanças e até o plenário do Senado. Por si só, isso exigiria extraordinária habilidade e influência política. Alguns republicanos já estavam tornando públicas suas intenções de votar contra o pacote, fosse qual fosse o seu conteúdo. E alguns democratas talvez precisassem ser convencidos, sobretudo se o pacote implicasse aumento de impostos.

Saímos do escritório de Mitchell com uma noção mais clara do que precisava ser feito, particularmente sobre a Reconciliação. Agora tínhamos de convencer a equipe econômica — notadamente Leon Panetta, diretor da Secretaria de Administração e Orçamento — de que incluir a reforma da assistência à saúde na Reconciliação atenderia a uma estratégia econômica global que o presidente estava adotando, a de não desviar a atenção do plano de redução do déficit. Bill só dispunha desse capital político para trabalhar, e tinha de usá-lo para reduzir o déficit, uma de suas promessas centrais de campanha. O pensamento em certos setores da Ala Oeste era que o foco de Bill na assistência à saúde desviaria os americanos de sua mensagem econômica e turvaria as águas políticas.

Tínhamos também de convencer o senador Robert C. Byrd de West Virginia de que a reforma da assistência à saúde cabia na Reconciliação. Presidente democrata da Comissão de Dotações do Senado, Byrd a essa altura já atuava no Senado por 34 anos. Imponente e grisalho, era o historiador extra-oficial do Senado e um gênio parlamentar, famoso por se postar na tribuna e deslumbrar seus colegas com citações dos clássicos. Também era um defensor das regras de procedimento e do decoro, e inventara uma barreira processual chamada "regra de Byrd" para assegurar que itens introduzidos na Lei de Reconciliação Orçamentária fossem pertinentes à legislação de orçamentos e impostos. Em sua concepção, a democracia era prejudicada se a Reconciliação ficasse atravancada por projetos que tivessem pouco a ver com a aprovação do orçamento da nação. Assistência à saúde, justificadamente, era um projeto de orçamento, já que afetava programas de desembolso, impostos e concessão de direitos. Mas se o senador Byrd pensasse diferente, precisaríamos de uma revogação de sua regra para permitir que a medida entrasse na Reconciliação.

Pouco a pouco, eu estava descobrindo a montanha íngreme que estávamos escalando. Na ausência de uma crise opressiva como a de uma depressão, aprovar o plano econômico ou o de assistência à saúde ia ser um obstáculo difícil; aprovar ambos parecia quase insuperável. A reforma da assistência à saúde poderia ser essencial ao nosso crescimento econômico de longo prazo, mas eu não sabia qual a quantidade de mudanças que o organismo político era capaz de digerir de uma só vez.

Nossas metas eram bastante simples: queríamos um plano que tratasse de todos os aspectos do sistema de assistência à saúde em lugar de um plano que remendasse suas margens. Queríamos um processo que considerasse uma diversidade de idéias e desse margem para a discussão e o debate saudáveis. E queríamos nos apoiar ao máximo nos desejos dos congressistas.

Quase de imediato, deparamos com turbulência.

Bill havia designado a Ira a tarefa de montar o processo para a reforma da assistência à saúde, o que se mostrou um fardo injusto para alguém que não tinha intimidade com Washington. Além da força-tarefa do presidente, que era constituída por mim, os secretários de gabinete e outros funcionários da Casa Branca, Ira organizou um grupo de trabalho gigante de especialistas divididos em equipes que considerariam cada aspecto da assistência à saúde. Esse grupo, compreendendo nada menos que seiscentas pessoas de diferentes órgãos do governo, congresso e grupos de assistência à saúde, e incluindo médicos, enfermeiras, administradores de hospitais, economistas e outros, reunia-se regularmente com Ira para debater e rever detalhadamente partes específicas do plano. O grupo era tão grande que alguns membros concluíam que não se encontravam no centro da ação onde o verdadeiro trabalho estava sendo feito. Alguns ficaram frustrados e deixaram de comparecer às reuniões. Outros passaram a interessar-se intimamente por sua própria fração do programa de trabalho, em lugar de investirem no resultado global do plano. Em suma, a tentativa de incluir o máximo de pessoas e pontos de vista possível — em princípio uma boa idéia — acabou debilitando em lugar de fortalecer nossa posição.

No dia 24 de fevereiro, sofremos um golpe que nenhum de nós esperava. Três grupos filiados ao setor de assistência à saúde processaram a força-tarefa por sua composição, alegando que pelo fato de eu não ser tecnicamente funcionária do governo (as primeiras-damas não recebem salário), eu não estava legalmente autorizada a presidir e nem mesmo a comparecer a reuniões fechadas da força-tarefa. Esses grupos haviam se agarrado a uma obscura lei federal destinada a evitar que interesses privados influíssem sub-repticiamente na tomada de decisões do governo e usurpassem o direito do público de saber. Por certo não havia nada de secreto na participação de centenas de pessoas nesse processo, mas a imprensa, que não era convidada para as reuniões, se agarrou ao assunto. Se eu tinha acesso às reuniões, alegava a ação judicial, as leis de transparência do governo exigiam que as reuniões fechadas fossem abertas a estranhos, entre os quais a imprensa. Era uma tacada política habilidosa, destinada a perturbar nosso trabalho com a assistência à saúde e fomentar uma impressão junto ao público e à mídia de notícias de que estávamos realizando reuniões "secretas".

Logo depois disso, recebemos notícias ainda piores, dessa vez do senador Byrd. Todo emissário democrata que podíamos imaginar, inclusive o presidente, havia lhe pedido que permitisse que a reforma da assistência à saúde entrasse na Reconciliação. Mas, no dia 11 de março, em um telefonema ao presidente, o senador disse que se opunha com base em fundamentos processuais e que a "regra de Byrd" não seria revogada. Era permitido ao Senado debater projetos de reconciliação apenas durante vinte horas, que ele encarava como tempo insuficiente para um pacote de reforma da assistência à saúde de tamanha magnitude. Era uma questão complicada demais para reconciliação, disse ele a Bill. Em retrospecto, e com base em meu serviço no Senado, concordo com sua avaliação. Na ocasião, foi um revés político que nos obrigou a redefinir nossa estratégia e descobrir como fazer a reforma da assistência à saúde passar pelo processo legislativo normal. Rapidamente, realizamos reuniões com membros da Câmara e do Senado para definir os elementos do plano que entregaríamos ao Congresso. Não percebemos que a opinião de Byrd sobre a reconciliação era um gigantesco sinal vermelho. Estávamos tentando andar depressa demais num projeto que fundamentalmente alteraria a política social e econômica americana durante anos por vir. E já estávamos perdendo a corrida.

Nesse clima, e com Bill desgastado por controvérsias sobre homossexuais no Exército e suas indicações para o Ministério da Justiça, saboreávamos quaisquer sucessos que surgissem em nosso caminho. Na metade do mês de março, a Câmara aprovou o pacote de incentivos econômicos de Bill, e minha equipe e eu decidimos fazer nossa pequena comemoração. No dia 19 de março, no total de umas vinte pessoas, reunimo-nos para almoçar no Refeitório da Casa Branca. O salão, com suas paredes revestidas por painéis de carvalho, lembranças históricas da Marinha e cadeiras com almofadas de couro, era um ambiente perfeito para conversas particulares e o máximo de risadas que conseguíssemos dar. A reunião me proporcionou uma oportunidade rara de soltar os cabelos com auxiliares de confiança e manifestar minha opinião sobre qualquer tópico que estivesse em discussão. Desde o momento em que pus o pé na sala, pude sentir meu humor se amenizar e minha mente relaxar pela primeira vez em muitos dias.

O almoço chegou e começamos a compartilhar casos de nossas primeiras semanas na Casa Branca. Foi então que vi Carolyn Huber entrar no salão. Uma de minhas assistentes de longa data no Arkansas que viera conosco para Washington, Carolyn caminhou na direção de minha cadeira e curvou-se para sussurrar em meu ouvido. "Seu pai teve um derrame", disse ela. "Ele está no hospital."

12

O FIM DE ALGUMA COISA

SAí DO REFEITÓRIO DA CASA BRANCA e subi para ligar para Drew Kumpuris, o médico de meu pai em Little Rock. Ele confirmou que meu pai sofrera um grave derrame cerebral e fora levado de ambulância para o Hospital St. Vincent, onde jazia inconsciente na UTI. "Você precisa vir imediatamente", disse Drew. Corri para contar a Bill e colocar algumas roupas na mala. Em poucas horas, Chelsea, meu irmão Tony e eu estávamos num avião para o Arkansas, para uma longa e triste viagem para casa.

Não consigo me lembrar da aterrissagem em Little Rock naquela noite nem do trajeto de carro até o hospital. Minha mãe me encontrou do lado de fora da UTI, parecendo abatida e preocupada, mas agradecida por nos ver.

O dr. Kumpuris explicou que meu pai havia deslizado para um coma profundo e irreversível. Podíamos ir vê-lo, mas era duvidoso que ele soubesse que estávamos ali. A princípio, fiquei preocupada quanto a levar Chelsea para ver seu avô, mas ela insistiu e concordei porque sabia quanto ela se sentia próxima a ele. Quando entramos, fiquei aliviada porque ele parecia quase em paz. Considerando que teria sido inútil os médicos operarem seu cérebro danificado, ele não estava preso aos tentáculos de tubos, drenos e monitores que ele havia necessitado após sua operação de safena dez anos antes. Embora um pulmão mecânico estivesse respirando por ele, havia apenas uns poucos e inócuos suportes para infusões e monitores ao lado da cama. Chelsea e eu seguramos suas mãos. Alisei seu cabelo e falei com ele, ainda apegando-me a um fio de esperança de que ele pudesse abrir os olhos novamente ou apertar minha mão.

Chelsea sentou-se ao seu lado e falou com ele durante horas. Sua condição não pareceu transtorná-la. Fiquei admirada com a calma com que ela lidou com a situação.

Mais tarde naquela noite, Hugh chegou de Miami e se reuniu a nós no quarto de papai. Começou a contar casos de família e a entoar canções, especialmente aquelas que costumavam inflamar meu pai. Uma de suas freqüentes queixas diziam respeito ao gosto — ou falta de gosto — de meu irmão pelos programas de televisão. Ele desdenhava particularmente a canção-tema de *Os Flintstones*. Por isso, Hugh e Tony ficaram um de cada lado de sua cama e cantaram essa canção banal, na expectativa de provocar algum tipo de reação — "Desligue já esse barulho!" —, como acontecia quando éramos garotos. Se ele nos ouviu naquela noite, nunca o demonstrou. Mas quero crer que, de algum modo, ele sabia que estávamos ali para ajudá-lo, tal como ele estivera conosco quando éramos garotos.

O que mais fizemos foi nos revezar sentando-nos ao lado da cama de papai, observando os misteriosos cursores verdes subindo e descendo, sucumbindo ao hipnótico zumbido e clique do respirador. O centro de meu turbulento universo de obrigações e reuniões se contraiu àquele pequeno quarto de hospital em Little Rock até se tornar um mundo em si mesmo, apartado de todas as preocupações exceto das coisas que mais importavam.

Bill chegou no domingo, 21 de março. Fiquei tão contente ao vê-lo e pela primeira vez em dois dias consegui relaxar enquanto ele se encarregava de conversar com os médicos, ajudando-me a pensar sobre a decisão que logo teríamos de tomar sobre as opções médicas de meu pai.

Carolyn Huber e Lisa Caputo haviam vindo de Washington comigo e Chelsea. Carolyn era particularmente próxima de meus pais. Eu a conhecera quando entrei para a firma Rose de advocacia, onde ela trabalhara durante anos como administradora do escritório. Ela administrara a Mansão do Governador do Arkansas durante o primeiro mandato de Bill e nós a havíamos convidado para ir conosco para a Casa Branca para cuidar de nossa correspondência pessoal.

Lisa Caputo havia sido minha assessora de imprensa desde a convenção. Ela e meu pai entraram em sintonia desde a primeira vez em que se encontraram, quando descobriram que ambos eram da mesma região da Pensilvânia. "Hillary, você fez muito bem", disse-me meu pai. "Você contratou alguém da terra de Deus!"

Harry Thomason chegou num vôo da Costa Oeste e também fez arranjos de viagem para Virginia e Dick Kelley, que estavam fora da cidade e que chegaram ao hospital na noite do domingo. Bill e eu achamos que eles estivessem em Las Vegas, seu destino favorito. Mas Harry puxou a mim e Bill para o lado para dar notícias mais trágicas. Ele nos contou, da maneira mais delicada que conseguiu, que Virginia e Dick não haviam ido a Nevada de férias. Haviam estado em Denver, onde Virginia estava experimentando tratamentos alternativos para o câncer que havia retornado e se disseminado depois da mastectomia que fizera dois anos antes. Ela não queria que soubéssemos quanto estava doente, e Harry disse que ela negaria se fôssemos falar com ela. Harry os havia localizado e achava que era uma coisa que precisávamos saber. Bill e eu o agradecemos por seu bom senso e seu bom coração, e voltamos a nos juntar a Virginia e Dick que estavam conversando com minha mãe e meus irmãos. Decidimos respeitar por enquanto a vontade de Virginia; era melhor lidar com uma crise familiar de cada vez.

No dia seguinte à sua chegada, Bill tinha de voar de volta para Washington. Por sorte, Chelsea não precisou perder aulas porque estava no recesso da primavera. Ela ficou comigo em Little Rock e fiquei profundamente grata por sua companhia calma e carinhosa. À medida que as horas se arrastavam em dias, a condição de papai permaneceu crítica. Amigos e familiares começaram a surgir de todo lado para prestar seu apoio emocional. Para passarmos o tempo, jogávamos palavras cruzadas ou cartas. Tony me ensinou a jogar Tetris em seu *palmtop* e eu me desligava durante horas, encaixando as peças geométricas à medida que iam descendo pela tela.

Simplesmente não conseguia me concentrar em minhas obrigações como primeira-dama. Esvaziei minha agenda e pedi a Lisa Caputo que explicasse a Ira Magaziner e a todos os demais que deveriam seguir adiante sem mim. Tipper gentilmente interveio em diversas ocasiões para participar de fóruns previamente programados sobre assistência à saúde, e Al falou em meu lugar para dirigentes da Associação Médica Americana em Washington e presidiu a primeira reunião pública da força-tarefa sobre a Reforma Nacional da Assistência à Saúde. Eu não conseguia deixar meus pais. Normalmente sou capaz de lidar com muitas coisas ao mesmo tempo, mas eu não podia fingir que esse era um tempo normal. Eu sabia que nossa família logo estaria diante da decisão de desligar os aparelhos de sustentação da vida de meu pai.

Talvez para distrair meus sentimentos, nas longas horas que passei no hospital, conversei com médicos, enfermeiras, farmacêuticos, administradores do hospital e familiares de outros pacientes sobre o sistema atual de assistência à saúde. Um dos médicos me disse quanto lhe era frustrante dar receitas para alguns pacientes do Medicare sabendo que eles não podiam pagar por elas. Outros pacientes pagavam seus remédios mas tomavam doses menores do que as receitadas, para que durassem mais tempo. Muitas vezes, esses pacientes acabavam voltando direto para o hospital. Os problemas da política de assistência à saúde que estávamos atacando em Washington eram agora parte de minha realidade cotidiana. Esses encontros pessoais reforçaram minha percepção tanto da dificuldade do encargo que Bill me havia dado como da importância de melhorar nosso sistema.

Bill regressou a Little Rock no domingo, 28 de março, e reunimos nossos parentes mais próximos e falamos com os médicos, que explicitaram nossas opções: Hugh Rodham estava com o cérebro basicamente morto e era mantido vivo por máquinas. Nenhum de nós podia imaginar que o homem com tão extremada independência que havíamos conhecido desejaria que mantivéssemos seu corpo sujeito a tais circunstâncias. Lembrei-me da raiva e da depressão que o abatera após a operação para colocar quatro pontes de safena em 1983. Ele gozara de ótima saúde durante a maior parte de sua vida e valorizava sua auto-suficiência. Ele me disse então que preferia morrer do que ficar doente e desamparado. Isso era muito pior, mas pelo menos ele parecia estar inconsciente de sua condição. Todos os membros da família concordaram que deveríamos tirar-lhe a máscara respiratória naquela noite, após nossas despedidas finais, e deixar que Deus o levasse para casa. O dr. Kumpuris disse-nos que ele provavelmente morreria no prazo de 24 horas.

A alma do ex-jogador de futebol do Nittany Lions e boxeador, porém, não estava totalmente pronta para partir. Após removidos os aparelhos, papai começou a respirar por si mesmo e seu coração continuou pulsando. Bill ficou conosco até terça-feira, quando tinha de retomar sua programação. Chelsea e eu decidimos ficar até o fim.

Embora eu tivesse cancelado todos os compromissos públicos, inclusive a chance de fazer o primeiro lançamento na partida de abertura do Cubs em Wrigley Field, Chicago, havia um outro compromisso ao qual não me parecia possível faltar. Liz Carpenter fora secretária de Imprensa da primeira-dama Bird Johnson e agora, entre suas muitas atividades, promovia uma série de conferências na Universidade do Texas, em Austin. Muitos meses antes, eu aceitara seu convite para falar no dia 6 de abril. Com meu pai oscilando entre a vida e a morte, liguei para ela para cancelar ou adiar. Liz é uma mulher enérgica e extrovertida e, ao seu modo inimitável, não aceitou um não como resposta. Seria apenas algumas horas de meu tempo, disse-me ela, e afastaria minha cabeça da condição de meu pai. Ela havia até pedido à sra. Bird para que me ligasse para me convencer a ir. Liz sabia quanto eu admirava a sra. Bird Johnson, uma mulher encantadora e uma de nossas mais atuantes e influentes primeiras-damas. Por fim, pareceu mais fácil concordar em fazer a palestra do que continuar dizendo não.

No domingo, 4 de abril, meu pai ainda se apegava à vida. Sobrevivera uma semana sem aparelhos nem alimento. O hospital teve de trasferi-lo da UTI para dar lugar a outro paciente. Ele estava agora num quarto normal do hospital, estendido na cama, parecendo ter acabado de cair no sono e prestes a despertar. Parecia descansado e mais jovem do que seus 82 anos. A administração do hospital havia dito à minha mãe e a mim que em breve precisariam que um tubo de alimentação fosse cirurgicamente introduzido para que ele pudesse ser transferido para uma casa de saúde. Ambas ficamos rezando para que aquele pesadelo nos fosse poupado. Pensei como meu pai ficaria horrorizado por ser alimentado por um tubo, enquanto — o que era ainda pior, segundo seu sistema de valores — as economias de sua vida eram drenadas para a casa de saúde. Mas, se o seu estado vegetativo prosseguisse, não haveria outra alternativa.

Chelsea precisava voltar à escola e regressamos à Casa Branca na noite do dia 4 de abril. Dois dias depois, tomei um vôo para Austin. Uma vez que não havia planejado fazer aquela palestra, precisava escrever uma e, quando subi no avião, não tinha a menor idéia do que iria dizer.

Acredito que, quando o coração está ferido pela dor, ficamos mais vulneráveis à mágoa, mas também mais abertos a novas percepções. Não sei o quanto eu estava mudada devido à iminente morte de meu pai, mas muitas questões em que me debatera durante anos passaram a inundar minha mente. A palestra que rascunhei à mão não era consistente, nem muito articulada, mas uma reflexão crua sobre o que eu estava pensando naquela hora.

Anos antes, eu havia passado a carregar comigo um livreto que enchia de anotações, citações inspiradoras, provérbios e trechos favoritos da Bíblia. No vôo para Austin, folheei o livreto e parei num recorte de revista com um artigo escrito por Lee Atwater antes de morrer de câncer no cérebro aos quarenta anos de idade. Atwater foi um gênio político das campanhas dos presidentes Reagan e George H. W. Bush, e um dos principais responsáveis pela influência republicana nos anos 80. Era um político agressivo, famoso por suas táticas impiedosas. Vencer, proclamava ele, era tudo que importava — até que ficou doente. Pouco antes de morrer, escreveu sobre um "vazio espiritual no coração da sociedade americana". Sua mensagem me comovera quando a li pela primeira vez e, agora, parecia ainda mais importante; por isso, decidi citá-lo em minha fala perante as 14 mil pessoas reunidas para a conferência de Liz Carpenter:

"Muito antes de ser acometido de câncer, senti alguma coisa se agitando na sociedade americana", escreveu Atwater. "Havia uma sensação entre as pessoas do país — tanto republicanas como democratas — de que alguma coisa estava faltando em suas vidas — alguma coisa crucial… Eu não estava bem certo sobre o que era. Minha doença me ajudou a perceber que o que estava faltando na sociedade é o que estava faltando em mim: um pouco de coragem, muita fraternidade.

"Os anos 80 significaram aquisição — aquisição de riqueza, poder, prestígio. Eu sei. Adquiri mais riqueza, poder e prestígio que a maioria. Mas podemos adquirir tudo que desejamos e ainda nos sentirmos vazios. Que poder eu não trocaria por um pouco mais de tempo com minha família? Que preço eu não pagaria por uma noite com amigos? Foi preciso uma enfermidade mortal para me colocar frente a frente com essa verdade, mas é uma verdade que o país, preso em suas impiedosas ambições e decadência moral, pode aprender comigo a troco de nada…"

Recorri a diferentes fontes para montar uma proposição sobre a necessidade de "remodelar a sociedade pela redefinição do que significa ser um ser humano no século XX, na passagem para um novo milênio…".

"Precisamos de uma nova política do significado. Precisamos de um novo *ethos* de responsabilidade e zelo individuais. Precisamos de uma nova definição de sociedade civil que responda às perguntas sem resposta levantadas tanto pelas forças do mercado quanto pelas forças governamentais, relativas ao modo como podemos ter uma sociedade que nos preencha novamente e nos faça sentir que somos parte de alguma coisa maior que nós mesmos."

Sugeri uma resposta à questão pungente de Lee Atwater: "Quem nos tirará desse vazio espiritual?". A resposta, disse eu, é a seguinte: "Todos nós".

Quando terminei o discurso, abracei Liz Carpenter, a governadora Ann Richards e a sra. Bird Johnson. Depois, fui para o aeroporto para regressar à Casa Branca, ver como estava minha filha e falar com meu marido antes de partir novamente para ajudar minha mãe a enfrentar a realidade de transferir meu pai para uma casa de saúde.

Foi um alívio ter feito o discurso e achei que tudo terminara ali. Mas, em algumas semanas, minhas palavras eram ridicularizadas numa matéria de capa da *New York Times Magazine*, jocosamente intitulada "Saint Hillary". O artigo desdenhava minha discussão da espiritualidade como "pregação fácil, moralista", formulada no "envoltório diáfano e piegas do jargão da Nova Era". Fiquei grata quando muitas pessoas me ligaram para agradecer por levantar questões sobre o sentido de nossas vidas e da sociedade.

No dia seguinte ao meu discurso em Austin, meu pai morreu.

Não pude deixar de pensar como minha relação com meu pai havia evoluído ao longo do tempo. Eu o adorava quando era pequena. Ficava ansiosa à janela e corria pela rua ao seu encontro quando ele voltava do trabalho. Com seu incentivo e orientação, joguei beisebol, futebol e basquete. Eu procurava trazer boas notas para casa para conquistar sua aprovação. Mas quando fiquei mais velha, meu relacionamento com ele inevitavelmente mudou, tanto por minhas experiências de crescimento, que ocorriam num momento e num lugar diferentes das suas, como porque ele mudara. Pouco a pouco, ele perdeu a energia que o levava lá para fora ensinando passes de futebol para mim e Hugh enquanto corríamos em volta dos olmos defronte à nossa casa. Tal como aqueles olmos magníficos sucumbiram à doença e tiveram de ser cortados em bairros como o nosso por todo o país, sua energia e animação pareceram minguar ao longo do tempo.

Cada vez mais, seu mundo mais próximo parecia se encolher à medida que ele perdia seu pai e ambos os irmãos num intervalo de poucos anos em meados dos anos 60. Depois, no início dos anos 70, ele concluiu que havia ganho e poupado dinheiro suficiente e, por isso, parou de trabalhar e desmantelou sua pequena empresa. Durante meu tempo de colégio e faculdade, nossa relação passou progressivamente a ser definida ora pelo silêncio, enquanto eu procurava alguma coisa a dizer a ele, ora por discussões, geralmente provocadas por mim, porque eu sabia que ele sempre brigaria comigo sobre política e cultura — Vietnã, *hippies*, queima de sutiãs pelas feministas, Nixon. Eu também compreendia que, mesmo quando explodia comigo, ele admirava minha independência e realizações e me amava de todo o coração.

Recentemente, reli cartas que me escreveu quando eu estava em Wellesley e Yale, normalmente em resposta a meu desânimo quando eu ligava para casa a cobrar e manifestava dúvidas acerca de minhas aptidões ou confusão em relação ao rumo que minha vida estava tomando. Duvido que alguém que conhecesse meu pai ou fosse o alvo de suas críticas cáusticas teria imaginado o carinho e os conselhos que ele apresentava para me encorajar, esclarecer e me fazer seguir em frente.

Eu também respeitava a disposição de meu pai de mudar suas opiniões, embora ele raramente admitisse que mudara. Ele começara na vida herdando todos os preconceitos imagináveis de sua família operária e protestante — contra os democratas, os católicos, os judeus, os negros e todos os demais considerados estranhos à tribo. Quando me irritava com essas atitudes durante nossas visitas de verão ao lago Winola, eu anunciava a todos os Rodham que quando eu crescesse me casaria com um democrata católico — uma sina que consideravam a pior que eu poderia encontrar. Com o tempo, meu pai amoleceu e mudou, em grande parte por experiências pessoais com todo tipo de gente. Ele possuía um imóvel no centro de Chicago com um negro, a quem passou a respeitar e admirar, o que o levou a mudar suas opiniões sobre raça. Quando cresci e me apaixonei por um democrata batista do Sul, meu pai ficou aturdido, mas recuperou-se e passou a ser um dos mais fortes apoiadores de Bill.

Quando meus pais se mudaram para Little Rock em 1987, compraram um apartamento vizinho ao de Larry Curbo, enfermeiro, e do dr. Dillard Denson, neurologista. Os dois estavam entre os amigos mais íntimos de minha mãe e começaram a passar para ver como meus pais estavam, a visitar meu pai, conversar sobre a bolsa de valores ou sobre política, e a ajudar minha mãe com a casa. Quando Bill e eu chegávamos de visita, o Exército e o serviço secreto usavam a casa deles como centro de comando. Uma noite, meus pais estavam assistindo a um programa de TV estrelado por personagens gays. Quando meu pai manifestou sua desaprovação aos homossexuais, minha mãe perguntou: "E quanto a Dillard e Larry?".

"O que você quer dizer?", perguntou ele.

Minha mãe explicou então a meu pai que seus queridos amigos e vizinhos eram um casal gay numa relação que já durava muitos anos. Um dos últimos estereótipos de meu pai caiu por terra. Larry e Dillard visitaram meu pai no hospital quando ele jazia em coma. Certa noite, Larry rendeu minha mãe por algumas horas para que ela pudesse ir para casa e descansar um pouco. E foi Larry quem segurou a mão de meu pai e se despediu dele enquanto ele morria. Talvez não por acaso, meu pai passou seus últimos dias no Hospital St. Vincent, um maravilhoso hospital católico, sinal de que mais um de seus preconceitos havia desaparecido.

No início da manhã seguinte, Bill, Chelsea e eu, na companhia de um grupo íntimo de parentes e amigos, voamos de volta para Little Rock para um culto memorial na Primeira Igreja Metodista Unida. Estavam conosco meu irmão Tony, sua futura esposa, Nicole Boxer, minha querida amiga Diane Blair, que estava passando uns dias conosco, Bruce Lindsey, Vince Foster e Webb Hubbell. Fiquei comovida por Al e Tipper terem aparecido com Mack McLarty, um dos melhores amigos de infância de Bill e agora chefe da Casa Civil da Casa Branca, junto com a esposa de Mack, Donna. A igreja, naquela Sexta-Feira Santa, estava cheia para "Um Culto da Morte e Ressurreição" ministrado pelo antigo pastor da igreja, o reverendo Ed Matthews, e pelo pastor que havia feito meu casamento com Bill, o reverendo Vic Nixon. Após o culto, nossa família, acompanhada por Dillard e Larry, Carolyn e pelo dr. John Holden, um dos melhores amigos de meus irmãos dos tempos de Park Ridge, levou meu pai de volta a Scranton. Como era de seu feitio, anos antes meu pai havia escolhido e comprado sua sepultura.

Tivemos um segundo culto fúnebre na Igreja Metodista de Court Street, na rua da casa onde meu pai crescera. Bill pronunciou um panegírico carinhoso que transmitia a rispidez e a dedicação de Hugh Rodham:

"Em 1974, quando eu participava de minha primeira disputa política, fiz uma breve visita a um distrito eleitoral onde havia muitos republicanos do Meio-Oeste. E meu futuro sogro chegou num Cadillac com uma placa de Illinois; em nenhum momento ele disse a quem quer que fosse que eu estava apaixonado por sua filha, só abordava as pessoas e dizia: 'Eu sei que você é um republicano e eu também sou. Acho que os democratas estão apenas a um passo do comunismo, mas esse garoto é bom'."

Nós o enterramos no cemitério da rua Washburn. Era um dia frio e chuvoso de abril e meus pensamentos estavam tão sombrios quanto o céu cinzento. Fiquei parada, ouvindo o corneteiro da Guarda de Honra do Exército tocando o toque de silêncio. Após o enterro, fomos com alguns velhos amigos de meu pai até um restaurante local, onde evocamos acontecimentos passados.

Devíamos estar celebrando a vida de meu pai, mas eu estava dominada pela tristeza pela falta que ele agora me faria. Pensei no quanto ele gostou de ver seu genro servir como presidente e o quanto ele desejava ver Chelsea crescer. Quando Bill estava preparando seu panegírico no avião, estávamos todos contando casos. Chelsea nos lembrou que seu avô sempre lhe dizia que, quando ela se formasse na faculdade, ele alugaria uma grande limusine e iria apanhá-la usando um terno branco. Ele tinha muitos sonhos que não se realizariam. Mas eu senti gratidão pela vida, pelas oportunidades e pelos sonhos que ele me passou.

13

VINCE FOSTER

BILL, CHELSEA E EU QUERÍAMOS PASSAR A PÁSCOA em Camp David e convidamos nossos parentes mais próximos e os amigos que haviam ido até Scranton. Todos precisávamos de tempo para relaxar depois do funeral e das longas semanas de preocupação e Camp David era o único porto em que teríamos a paz e a privacidade que almejávamos. Jackie Kennedy Onassis havia me encorajado a abrigar minha vida íntima familiar nesse retiro protegido, cercado por uma reserva florestal nas montanhas Catoctin, Maryland. Seu conselho simples e pragmático, como sempre, mostrou-se de inestimável valor. Eu também estava contente porque meu pai havia visitado o retiro logo depois da posse. Poderíamos nos lembrar de sua presença naquelas cabanas rústicas e seu prazer em conhecer o lugar que o presidente Eisenhower havia rebatizado com o nome de seu neto, David. Agora estávamos com a neta de meu pai, Chelsea, para prantear seu falecimento.

Aquele fim de semana de Páscoa era frio e chuvoso e se ajustava perfeitamente ao meu humor. Saí com minha mãe para um longo passeio sob a chuva fina e perguntei a ela se queria morar conosco na Casa Branca. Com seu jeito independente característico, disse que ficaria algum tempo, mas que queria ir para casa cuidar de todos os assuntos que acompanhavam a morte de meu pai. Ela me agradeceu por convidar Dillard Denson e Larry Curbo para irem a Camp David. Ela sabia que eles continuariam a ser amigos valiosos já que ela agora enfrentava a vida sozinha.

Assistimos ao culto da Páscoa na recém-construída capela Evergreen, uma estrutura de madeira de tipo chalé com um vitral colorido combinando maravilhosamente com seu entorno arborizado. Sentei-me em meu banco e pensei no quanto eu e meus irmãos ficávamos constrangidos quando meu pai cantava os hinos com sua voz alta e desafinada. Tenho a mesma surdez dele para os tons, mas naquela manhã cantei alto, na esperança de que as notas dissonantes pudessem chegar aos céus.

Física e emocionalmente esgotada, talvez tivesse sido melhor eu ter tirado mais tempo para descansar e consumir minha tristeza. Mas eu não podia ignorar o chamado de volta ao trabalho. Ira vinha me enviando pedidos de socorro, advertindo de que a iniciativa da assistência à saúde estava sendo deixada de lado pelas batalhas orçamentárias. E havia Chelsea, que precisava voltar para a escola e para sua vida. Depois de compartilhar o jantar de Páscoa com nossos convidados, Bill, Chelsea e eu voltamos para Washington.

No momento em que entrei em nosso quarto no domingo à noite, senti que algo estava errado. Comecei a desfazer as malas e percebi que alguns móveis estavam fora de lugar. Objetos de nossos criados-mudos haviam sido mexidos e havia uma fenda no gabinete de madeira da televisão que ficava entre as janelas amplas da parede sul. Voltei para a Sala de Estar Oeste e gabinete de estudo da família e notei que outro móvel não estava no lugar. Liguei para Gary Waiters, o meirinho-chefe, e perguntei a ele o que havia acontecido quando estávamos fora. Ele me disse que uma equipe da segurança havia examinado todos os nossos pertences para verificar se havia dispositivos de escuta e outras brechas de segurança. Ele havia se esquecido de me contar, disse ele.

Ninguém de minha equipe ou da equipe do presidente havia sido informado da operação. Helen Dickey, uma amiga de Little Rock que estava hospedada no terceiro andar, ouviu ruídos na noite de sábado e desceu para ver o que estava acontecendo. Ela foi barrada por homens armados vestidos de preto que ordenaram que ela saísse da área.

De repente me lembrei do bilhete de Rush Limbaugh colocado na cama de Lincoln para Harry e Linda. Perguntei-me também sobre a fonte de certas histórias bizarras veiculadas pela imprensa: uma citando um funcionário anônimo do serviço secreto que afirmava que eu havia atirado um abajur em meu marido. Em outras circunstâncias, teria sido cômico se um periódico importante decidisse publicar matéria tão ridícula com base apenas em um rumor malicioso.

Como muitas coisas boas e ruins que ao longo dos anos foram ditas a meu respeito, os rumores sobre meu "lendário mau humor" são exagerados.

Mas, nesse caso, confesso que eu estava pronta para explodir. Liguei para Mack McLarty, chefe da Casa Civil de Bill, e David Watkins, diretor de Controle e Administração da Casa Branca, para informá-los exatamente o que eu havia descoberto e o que eu pensava a respeito. Eu queria me certificar de que esse tipo de coisa não acontecesse novamente sem nosso conhecimento.

Mack e David deixaram que eu desabafasse um pouco. Depois de examinarem a questão, informaram que os arranjos para a busca haviam sido feitos via escritório do meirinho. Mack emitiu ordens para que não acontecesse novamente a menos que ele fosse informado e o presidente autorizasse.

Eu estava triste com a morte de meu pai e fiquei transtornada com a invasão de privacidade. É verdade que estávamos morando numa casa que pertence à nossa nação. Mas há um entendimento de que os indivíduos que a ocupam disponham de seus próprios aposentos. Os nossos tinham sido violados e isso me fez sentir que não havia nenhum lugar para onde minha família e eu pudéssemos ir para consumir nossa tristeza a sós e em paz.

Não consegui dormir muito naquela noite, e foi uma noite particularmente curta. Por volta das cinco da manhã, pais e filhos começaram a fazer fila do lado de fora dos portões para a rolagem dos ovos de Páscoa que anualmente acontece no Gramado Sul na segunda-feira da Páscoa. Quando olhei pela janela por volta das oito da manhã, vi milhares de crianças reunidas, colher na mão, esperando para empurrar pelo gramado ovos de Páscoa de cores brilhantes. Estavam emocionadas por estarem ali e de modo algum eu iria deixar que minhas preocupações pessoais estragassem seu dia. Assim, vesti-me e saí para o sol. A princípio, eu estava fingindo interesse. Depois, o alvoroço e as risadas das crianças, ondulando pelo amplo gramado verde, tocaram meu coração e melhoraram meu ânimo.

Os últimos meses haviam sido o difícil começo de uma estação inclemente em Washington. Olhando para trás, percebo que o que mais me amparou na maior parte daquele período foi o mesmo que me sustentou ao longo de toda a nossa permanência na Casa Branca: minha família, meus amigos e a fé. Minha fé religiosa sempre foi um ingrediente crucial de minha vida. Até sofrer seu derrame fatal, meu pai toda noite se ajoelhava ao lado da cama para dizer suas orações. E eu partilhava de sua convicção no poder e na importância da oração. Muitas vezes eu disse para as platéias que, se eu não acreditasse na oração antes de 1992, a vida na Casa Branca teria me persuadido a crer.

Antes do derrame de meu pai, recebi um convite de minha grande amiga Linda Lader que, com seu marido Phil, lançou os Fins de Semana de Renascimento, aos quais Bill, Chelsea e eu havíamos comparecido desde 1983 durante o Ano-Novo. Esses encontros sempre foram estimulantes e resultaram em muitas amizades importantes em nossa vida.

Linda convidou Tipper e a mim para um almoço patrocinado por um grupo de oração de mulheres. O grupo incluía democratas e republicanas, entre elas Susan Baker, esposa de James Baker, secretário de Estado do primeiro presidente Bush; Joanne Kemp, esposa do ex-congressista republicano (e futuro candidato a vice-presidente) Jack Kemp; e Grace Nelson, casada com meu agora colega de Senado Bill Nelson, democrata da Flórida. Holly Leachman era a vela de ignição espiritual que mantinha a coisa toda andando para mim e se tornou uma amiga querida. Durante todo o tempo em que estive na Casa Branca, Holly me enviava por fax uma leitura diária da Bíblia ou uma mensagem de fé, e freqüentemente vinha me visitar só para me animar ou rezar comigo.

O almoço no dia 24 de fevereiro de 1993 foi realizado no Cedars, uma fazenda às margens do rio Potomac que serve de sede para o National Prayer Breakfast [Desjejum Nacional da Oração] e os grupos de oração que ele gerou pelo mundo afora. Doug Coe, o veterano organizador do movimento, é uma presença ímpar em Washington: um mentor e guia espiritual genuinamente dedicado a todo aquele que, independentemente de partido ou fé, deseja aprofundar sua relação com Deus e oferecer a dádiva do serviço a outros em necessidade. Doug se tornou uma fonte de força e amizade, e freqüentemente também me enviava bilhetes de apoio. Todas essas relações começaram naquele almoço extraordinário.

Cada uma de minhas "parceiras de oração" me disse que toda semana rezaria por mim. Além disso, presentearam-me com um livro feito à mão, cheio de mensagens, citações e trechos da Bíblia que elas esperavam que me sustentariam durante minha permanência em Washington. De todos os milhares de presentes que recebi em meus oito anos na Casa Branca, poucos foram mais bem recebidos e necessários do que estes doze presentes intangíveis: discernimento, paz, compaixão, fé, companheirismo, visão, perdão, graça, sabedoria, amor, alegria e coragem. Durante os meses e anos que viriam, essas mulheres rezaram fielmente por mim e comigo. Senti gratidão por sua preocupação e sua disposição de ignorar as divisões políticas de Washington para alcançar alguém com necessidade de apoio. Freqüentemente eu consultava seu pequeno livro. Susan Baker me visitava e me escrevia, oferecendo encorajamento e solidariedade em acontecimentos que iam da perda de meu pai às tempestades políticas que cercaram a presidência de Bill.

Ao final de abril, quando a administração se aproximava da marca dos cem dias, ficou óbvio que não cumpriríamos nosso prazo final auto-imposto para um pacote de assistência à saúde, e não porque eu tivesse passado duas semanas em Little Rock. Informações sobre cada proposta em consideração para o pagamento de cobertura de assistência médica universal acabavam na imprensa, agitando os membros do Congresso em torno de estratégias, antes de qualquer decisão ter sido tomada. Já estávamos na defensiva antes de termos um plano. Fiquei surpresa com a rapidez com que as pessoas vazavam informações para os jornalistas. Alguns acreditavam que estavam influenciando acontecimentos; outros pareciam almejar a sensação de importância, mesmo que fossem citados apenas como fontes anônimas.

A nação ainda estava sob o impacto do horrível resultado do impasse em Waco, Texas, quando adeptos da seita Branch Davidian atiraram e mataram quatro agentes da Álcool, Tabaco e Armas de Fogo e feriram outros vinte quando esses agentes tentavam aplicar sanções. No confronto que se seguiu no dia 19 de abril, membros da seita atearam fogo às suas instalações e oitenta de seus membros foram mortos, inclusive crianças. Foi uma perda devastadora de vidas, e embora uma investigação independente concluísse que a liderança da seita foi responsável pelos incêndios e disparos que resultaram em tantas mortes, não conseguiu fazer nada para mitigar o pesar que todos sentimos pela violência e morte provocadas por uma perversão da religião.

Na ex-Iugoslávia, sérvio-bósnios estavam sitiando a cidade muçulmana de Srebrenica num frenesi de "limpeza étnica". Mais um exemplo da exploração das diferenças religiosas com o propósito de obter poder político. A mídia de notícias estava enviando fotos horrorosas de massacres de civis e de prisioneiros famélicos, que lembravam as atrocidades nazistas na Europa. A situação se tornou mais angustiante à medida que aumentava o número de mortes e fiquei enojada com o fracasso das Nações Unidas em intervir ou até em proteger a população muçulmana.

À sombra desses eventos, Bill e eu recebemos doze presidentes e primeiros-ministros na Casa Branca que haviam chegado para a inauguração do Museu do Holocausto no dia 22 de abril. Alguns dirigentes visitantes estavam pressionando os Estados Unidos para que se envolvessem mais no esforço da ONU para deter a matança na Bósnia. O mensageiro mais eloqüente desse ponto de vista era Elie Wiesel, que pronunciou um discurso emocionado sobre a Bósnia na inauguração do museu. Wiesel, sobrevivente de um campo de extermínio nazista e ganhador do Prêmio Nobel da Paz, virou-se para Bill e disse: "Senhor presidente... Eu estive na ex-Iugoslávia... Depois do que vi não consigo mais dormir. Estou dizendo isso como judeu. Precisamos fazer alguma coisa para deter o derramamento de sangue naquele país". Eu tinha lido *Night*, o desalentador relato de Wiesel sobre suas experiências em Auschwitz e Buchenwald, os campos de extermínio na Polônia e Alemanha. Admirei seu texto e dedicação aos direitos humanos e, desde aquele dia, ele e sua esposa, Marion, tornaram-se nossos amigos.

Sentada sob o melancólico chuvisco, concordei com as palavras de Elie, porque me convenci de que a única maneira de deter o genocídio na Bósnia era mediante ataques aéreos seletivos contra alvos sérvios. Eu sabia que Bill estava frustrado com o fracasso da Europa em agir após ele ter insistido que a Bósnia estava em seu próprio quintal e cabia a eles resolver o problema. Bill reuniu seus conselheiros para considerar o envolvimento americano no esforço de paz e outras opções para pôr fim ao conflito. A situação se tornou mais angustiante à medida que se elevava o custo em vidas.

Estávamos nos ajustando ao ritmo vertiginoso de boas e más notícias dentro e fora do país. Em Capitol Hill, os republicanos haviam organizado manobras de obstrução no Senado e derrotaram o pacote de incentivos econômicos do presidente depois que a Câmara já o aprovara. Com tanta coisa acontecendo, alguns dos melhores momentos da administração foram eclipsados. Para comemorar o Dia da Terra, 22 de abril, Bill prometeu assinar um importante tratado internacional de biodiversidade que o presidente Bush havia rejeitado. Na semana seguinte, ele anunciou um programa nacional, o AmeriCorps, que reativaria o idealismo do Peace Corps e do VISTA (Volunteers in Service to America) [Voluntários a Serviço dos Estados Unidos] e canalizaria a energia de jovens voluntários para atender às necessidades de nosso próprio país.

Fossem quais fossem nossas demandas públicas, Bill e eu tentamos nunca perder de vista nossas obrigações como pais de Chelsea. Compareciamos a todo evento escolar e ficávamos acordados com ela até que ela terminasse suas lições de casa. Bill ainda podia ajudar com a álgebra da oitava série e, quando estava em viagem, ela lhe enviava seus problemas por fax e depois discutia as soluções. Também continuamos a insistir em sua privacidade, para desânimo de alguns da mídia e da equipe de Bill. A Secretaria de

Imprensa da Casa Branca havia convencido Bill a permitir que a NBC o acompanhasse para filmar *A Day in the Life* [*Um dia na vida*] do presidente, que iria ao ar no início de maio. Concordei em participar mas disse que Chelsea ficaria de fora. A equipe de Bill tentou me convencer de que seria bom para nossa imagem sermos vistos com Chelsea no café-da-manhã ou discutindo suas lições de casa. Quando não concordei, o produtor do programa tentou me persuadir. Finalmente, o âncora Tom Brokaw ligou. Para mérito de Tom, quando eu disse "absolutamente não", ele disse que respeitava minha decisão.

Também estávamos a meio caminho de tornar nossas acomodações particulares um verdadeiro lar. Isso significava pintar e aplicar papel de parede e instalar estantes de livros em toda parte que pudéssemos. Em meio ao pó, tintas e outros produtos químicos usados na redecoração, Chelsea teve uma assustadora reação respiratória logo depois da Páscoa, e fiquei mais ansiosa do que nunca para ficar o tempo todo perto dela. Tentamos manter em sigilo sua condição e poucas pessoas souberam quanto eu estava preocupada.

Chelsea se recuperou assim que conseguimos manter as alergias sob controle. Para nos animar, levei-a para Nova York para assistirmos ao American Ballet Theatre em sua apresentação de *A Bela Adormecida*. Foi quando meu cabelo me trouxe mais problemas. Susan Thomases me disse que eu devia experimentar o maravilhoso cabeleireiro Frederic Fekkai. Eu estava ridícula e perguntei se ele poderia ir até o nosso quarto do hotel Waldorf-Astoria antes de sairmos naquela noite. Imediatamente gostei dele e, por isso, concordei em tentar algo novo, um corte "desleixado" semelhante ao da jornalista Diane Sawyer. Por certo ficou mais curto e foi uma mudança radical. Seguiram-se manchetes internacionais.

Lisa Caputo, minha assessora de imprensa, ficou sabendo do corte de cabelo por um telefonema, tarde da noite, de Capricia Marshall, que estava comigo em Nova York.

"Não fique brava comigo", disse Capricia. "Ela cortou o cabelo."

"O quê?"

"Susan chegou com esse sujeito em seu quarto no hotel e, quando ela saiu, o cabelo havia desaparecido."

"Oh, meu Deus."

O problema para Lisa não foi uma gafe momentânea de relações públicas — ela estava habituada a lidar com casos de cabelo —, mas um interesse mais complicado da mídia. Considerando que minha equipe achava que haveria um pacote de assistência à saúde a ser apresentado em maio, eu havia permitido que Katie Couric e sua equipe do programa *Today* me seguissem pela Casa Branca antes de uma importante entrevista. A NBC havia passado horas fazendo uma gravação prévia comigo na semana anterior, mostrando a primeira-dama com o cabelo solto até o ombro. A primeira-dama que seria entrevistada ao vivo por Katie Couric tinha um novo visual. E não havia jeito de refazer as filmagens anteriores para que eu tivesse o mesmo visual ao longo de todo o programa.

Katie nem piscou quando chegou à Casa Branca e me viu com o novo corte. Tampouco reclamou que meu conjunto rosa não combinava exatamente com seu traje salmão. Sempre gostei de vê-la na televisão e fiquei contente ao descobrir que na vida real ela era como parecia na tela — e muito simpática também.

Eu ainda estava aprendendo os macetes e descobrindo o que significava ser a primeira-dama dos Estados Unidos. A diferença entre ser esposa de um governador e esposa de um presidente é incomensurável. De repente, as pessoas ao seu redor passam muito tempo prevendo o que fará você feliz. Às vezes essas pessoas não a conhecem bem ou a interpretam mal. Tudo o que você diz é aumentado. E você precisa tomar muito cuidado com o que deseja, senão irá recebê-lo por atacado.

Eu estava fazendo uma de minhas primeiras viagens solo como primeira-dama quando um jovem empregado me perguntou: "O que a senhora gostaria de beber em seu apartamento?".

"Sabe, estou muito a fim de Dr. Pepper diet", respondi.

Anos depois, toda vez que eu abria um frigobar num quarto de hotel, ele estava cheio de Dr. Pepper diet. As pessoas me serviam copos gelados com aquilo. Sentia-me como o aprendiz de feiticeiro, o personagem de Mickey no clássico desenho animado *Fantasia*: eu não conseguia parar a máquina de Dr. Pepper.

Esse foi um caso benigno, mas as implicações eram sérias. Eu tinha de saber quantas pessoas queriam fazer tudo o que pudessem para me agradar e a gravidade com que poderiam interpretar mal o que eu queria. Eu simplesmente não podia dizer: "Bem, cuide disso", quando me apresentavam um problema. Talvez eu devesse ter entendido isso mais cedo. Mas não o fiz, até que fiquei enrascada nas conseqüências de um comentário de improviso que fiz depois de saber de preocupações quanto à malversação e perdas financeiras na Secretaria de Viagens da Casa Branca. Eu disse ao Chefe da Casa

Civil Mack McLarty que, se houvesse tais problemas, esperava que ele "cuidasse do assunto".

O "travelgate", como veio a ser conhecido na mídia, talvez merecesse umas duas ou três semanas da vida de uma pessoa; em vez disso, num clima político-partidário, tornou-se a primeira manifestação de uma obsessão por investigações que continuaram pelo milênio seguinte.

Antes de nos mudarmos para a Casa Branca, nem Bill, nem eu, nem nosso pessoal mais próximo sabia que a Casa Branca tinha uma Secretaria de Viagens. Essa Secretaria freta vôos, reserva quartos de hotel, encomenda refeições e geralmente cuida da imprensa quando esta viaja com o presidente. Os custos são debitados para as empresas de notícias. Embora não soubéssemos muito sobre o que a Secretaria fazia, certamente não queríamos ignorar ou parecer tolerar alegações de mal uso de recursos em nenhum lugar da Casa Branca. Uma auditoria feita pela KPMG Peat Marwick descobrira que o diretor da Secretaria de Viagens mantinha uma contabilidade informal; que, no mínimo, 18 mil dólares em cheques não haviam sido devidamente justificados, e que os registros da Secretaria estavam em "desordem". Com base nessas constatações, Mack e a Secretaria Jurídica da Casa Branca decidiram demitir o pessoal da Secretaria de Viagens e reorganizar o departamento.

Essas medidas, que pareciam corriqueiras para os envolvidos na decisão, desencadeou uma conflagração geral. Quando Dee Dee Myers, a assessora de Imprensa do presidente — e a primeira mulher a ocupar esse cargo — anunciou as demissões, em sua entrevista matutina no dia 19 de maio de 1993, ficamos surpresos com a reação na sala de imprensa. A administração estava tentando cuidar dos interesses financeiros da mídia, bem como do país, ao passo que alguns membros da imprensa se concentravam no fato de que seus amigos na Secretaria de Viagens, que trabalham a critério do presidente, haviam sido demitidos. A administração foi acusada de amadorismo e favoritismo devido ao fato de que um funcionário da Casa Branca, parente distante de Bill e que tinha experiência em organização de viagens, foi temporariamente encarregado da reformulada Secretaria de Viagens. Bill Kennedy, meu ex-parceiro de advocacia e que também trabalhava na Secretaria Jurídica, havia chamado o FBI para investigar o caso, deixando ainda mais inflamada parte da imprensa. Tenho a mais alta consideração pela honestidade e habilidades jurídicas de Bill Kennedy. Como a maioria de nós, porém, ele era um novato em Washington e seus costumes. Não sabia que seu contato direto com o FBI, solicitando que o órgão investigasse a suposta malversação de recursos, seria considerado uma grave quebra do protocolo de Washington.

Depois de uma análise interna, divulgada por completo para a mídia, Mack McLarty repreendeu publicamente quatro funcionários da administração, entre os quais Watkins e Kennedy, por sua falha de julgamento no modo como lidaram com o assunto. Mas pelo menos sete investigações distintas — incluindo as conduzidas pela Casa Branca, a Secretaria de Contabilidade Geral, o FBI e o Escritório Jurídico Independente de Kenneth Stan — não conseguiram detectar nenhuma ilegalidade, transgressão ou conflitos de interesses por parte de ninguém da administração e confirmaram que as preocupações iniciais com a Secretaria de Viagens eram justificadas. O escritório independente, por exemplo, concluiu que a decisão de demitir os funcionários políticos da Secretaria de Viagens era legal e que havia evidência de malversação e irregularidades financeiras. O Departamento de Justiça encontrou provas suficientes para indiciar e processar por desfalque o ex-diretor do setor de viagens. De acordo com reportagens da imprensa, ele estava disposto a confessar-se culpado de uma acusação criminal e cumprir uma breve sentença de prisão, mas o promotor insistiu em continuar o processo com uma acusação de roubo. Depois que vários jornalistas famosos testemunharam em seu favor no julgamento, ele foi finalmente absolvido.

Apesar da conclusão unânime de que não havia ilegalidade na condução do assunto na Casa Branca, foi um primeiro encontro desastrosamente inauspicioso com a imprensa da Casa Branca. Não sei bem se alguma vez aprendi tanto em tão pouco tempo sobre as conseqüências de dizer ou fazer algo sem antes saber exatamente o que está acontecendo. E por muito tempo depois disso, eu acordava no meio da noite preocupada que as ações e reações relativas à Secretaria de Viagens tivessem contribuído para que Vince Foster tirasse sua própria vida. Vince Foster ficou abalado com a questão. Meticuloso, decente e honrado, ele sentia que havia decepcionado o presidente, Bill Kennedy, Mack McLarty e eu por não entender e interromper o problema. Aparentemente o golpe final veio numa série de editoriais maldosos publicados no *Wall Street Journal*, que atacaram a integridade e a competência de todos os advogados do Arkansas na administração Clinton. No dia 17 de junho de 1993, um editorial intitulado "Quem é Vince Foster?" proclamava que o fato mais "perturbador" na administração era "seu descuido em obedecer a lei". Durante o mês seguinte, o jornal continuou sua campanha editorial para retratar a Casa Branca de Clinton e meus colegas da firma Rose como uma espécie de grupo corrupto conspirador.

Talvez Bill e eu tenhamos sido inexperientes em nossos papéis na Casa Branca, mas estávamos bastante escolados no turbulento mundo da política. Sabíamos que precisávamos isolar os ataques e nos concentrar na realidade de nossas vidas. Vince Foster não possuía nenhuma dessas defesas. Ele era novo nessa cultura e levou a crítica muito a sério. Embora jamais possamos saber o que se passava em sua cabeça nas últimas semanas de sua vida, acredito que à medida que absorvia cada acusação, afundava-se cada vez mais na dor e na angústia. Até minha própria morte, estarei desejando ter passado mais tempo com ele e, de algum modo, ter detectado os sinais de seu desespero. Mas ele era uma pessoa muito reservada e ninguém — Lisa, sua esposa, ou seus colegas mais íntimos, ou sua irmã Sheila, de quem ele sempre se sentira próximo — fazia idéia da profundidade de sua depressão.

A última vez que me lembro de ter falado com Vince foi em meados de junho, na noite do sábado antes do Dia dos Pais. Bill estava fora da cidade fazendo um discurso numa formatura e, por isso, fiz planos para sair para jantar com Webb Hubbell, sua esposa Suzy, os Foster e alguns outros casais do Arkansas. Havíamos combinado de nos encontrar entre sete e oito horas na casa dos Hubbell.

Assim que estava prestes a sair da Casa Branca, Lisa Caputo ligou para me dizer que a matéria principal da seção "Style" do *Washington Post* do dia seguinte seria sobre o pai biológico de Bill, William Blythe. A matéria revelaria que ele fora casado pelo menos duas vezes antes de conhecer a mãe de Bill — algo que ninguém na família sabia — e daria o nome de um homem que afirmava ser meio-irmão de Bill. Feliz Dia dos Pais!

A assessoria de imprensa de Bill me pediu que ligasse para ele e o informasse sobre o artigo, para que não fosse apanhado de surpresa pelas perguntas dos repórteres sobre seu pai. Em seguida, Bill e eu teríamos de encontrar Virginia, que também não fazia a menor idéia sobre o passado de seu marido. Eu estava particularmente preocupada porque ela estava piorando do câncer e o que ela menos precisava era de mais tensão.

Quando liguei para a casa de Webb para cancelar minha presença no jantar, Vince atendeu o telefone. Eu disse a ele que não poderia ir naquela noite.

"Eu tenho de localizar Bill, e depois temos de encontrar a mãe dele", disse eu. "Ele precisa ser o primeiro a dizer a ela sobre uma matéria que sairá no jornal."

"Ah, mas que pena", disse Vince.

"O mesmo digo eu. Sabe, estou tão cansada disso tudo."

Foi a última vez que me lembro de ter falado com Vince.

Durante o resto do mês e já em julho, Vince estava ocupado com Bernie Nussbaum, o advogado da Casa Branca, vetando candidatos em substituição tanto ao juiz Byron "Whizzer" White, que se aposentava da Suprema Corte, como a William Sessions, ao qual fora pedido que se afastasse da direção do FBI. Eu ainda estava trabalhando para manter a reforma da assistência à saúde na agenda do Congresso. E estava preocupada com a preparação para a minha primeira viagem para o exterior como primeira-dama. Bill deveria comparecer à reunião de cúpula do G-7, um encontro anual dos sete maiores países industriais, que seria realizado em Tóquio no início de julho, e eu iria com ele.

Eu não via a hora de visitar novamente o Japão. Havia estado lá durante o mandato de Bill como governador, e lembro-me de que fiquei diante dos portões a contemplar as magníficas dependências do Palácio Imperial. Dessa vez estaríamos participando de um jantar formal, promovido pelo imperador e a imperatriz, no interior do palácio. Gentil, sensível e inteligente, esse casal encantador corporifica a graça da arte da nação japonesa, bem como a serenidade dos jardins tranqüilos que finalmente visitei quando estive no palácio. Durante essa viagem, reuni-me também com um grupo de destacadas mulheres japonesas — a primeira das dezenas de reuniões que tive pelo mundo inteiro — para conhecer as questões que as mulheres estavam enfrentando em todos os lugares.

Fiquei especialmente contente por minha mãe poder ir conosco na viagem. Achei que uma mudança radical de paisagem poderia ajudá-la a lidar com a morte de meu pai. Ela passou um período muito agradável conosco no Japão e na Coréia, e depois ela e eu nos encontramos com Chelsea no Havaí, onde compareci a uma reunião sobre o sistema nacional de assistência à saúde no país. No dia 20 de julho, Chelsea e eu tomamos um vôo para o Arkansas para deixar minha mãe e visitar alguns amigos. Naquela noite, em algum momento entre oito e nove horas, Mack McLarty me ligou na casa de minha mãe e me disse que tinha uma notícia terrível: Vince Foster estava morto; parecia suicídio.

Fiquei tão transtornada que ainda não consigo ordenar toda a seqüência de acontecimentos daquela noite. Lembro-me de que chorava e duvidava de Mack. Simplesmente não conseguia acreditar. Ele tinha certeza de que não havia engano? Mack me deu alguns detalhes lacônicos sobre o corpo encontrado num parque, um revólver no local, um ferimento de bala na cabeça. Ele queria meu conselho sobre quando contar ao presidente. Naquele momento, Bill estava no programa da CNN, *Larry King Live,* ao vivo da Casa Branca, e apenas havia concordado em aparecer numa meia hora extra. Mack me perguntou se eu achava que Bill deveria terminar o programa primeiro. Julguei que Mack deveria interromper a entrevista para contar a Bill o mais cedo possível. Eu não conseguia admitir a idéia de Bill recebendo ao vivo na TV a notícia da morte trágica de um de seus amigos mais próximos.

Assim que Mack desligou, contei para minha mãe e para Chelsea. Depois, comecei a ligar para todos que eu imaginava que pudessem conhecer Vince, na esperança de que alguém lançasse alguma luz sobre como e por que aquilo teria acontecido.

Eu ansiava por informações como se precisa de oxigênio. Estava muito frustrada porque me sentia tão distante e não conseguia imaginar o que estava acontecendo. Assim que Bill terminou o programa, liguei para ele. Ele parecia em estado de choque e só ficava dizendo: "Como isto pôde acontecer?" e "Eu deveria ter encontrado uma maneira de impedir isto". Imediatamente depois que falei com Bill, ele foi até a casa que Vince e Lisa haviam alugado em Georgetown. Em uma de nossas muitas ligações, ele me disse que estava impressionado com a força e a eficiência de Webb, que estava se encarregando do funeral que seria realizado em Little Rock, fazendo os preparativos de viagem, cuidando de tudo o que precisava ser feito para a família. Sempre fui grata a Webb por isso e, quando falei com ele, ofereci-me para ajudar no que fosse possível. Também falei com Lisa e com a irmã de Vince, Sheila. Nenhum de nós conseguia acreditar no que estávamos ouvindo. Estávamos todos nos agarrando ainda a uma esperança irracional de que esse terrível pesadelo tivesse brotado de um engano, um caso de identidade errada.

Liguei para Maggie Williams, que gostava muito de Vince e o via diariamente. Tudo o que ela conseguia fazer era soluçar e, por isso, ambas tentamos conversar em meio às lágrimas. Liguei para Susan Thomases, que conhecia Vince desde os anos 80. Liguei para Tipper Gore e perguntei-lhe se ela achava que deveríamos contratar conselheiros para educar o pessoal quanto à depressão. Ao mesmo tempo que me consolava, Tipper me informava, explicando que muitos suicídios chegam de surpresa porque não sabemos ler os sinais de alerta.

Fiquei acordada chorando a noite toda e falando com amigos. Não conseguia parar de me perguntar se essa tragédia poderia ter sido evitada caso eu ou alguém tivesse notado alguma coisa errada no comportamento de Vince. Quando a página editorial do *Wall Street Journal* começou a criticá-lo, eu disse a ele que ignorasse as matérias — conselho que era fácil para eu dar, mas, ao que parece, impossível para Vince aceitar. Ele disse a amigos comuns que ele, seus amigos e clientes sempre haviam lido o periódico em Arkansas, e ele achava que não conseguiria encarar essas pessoas depois que lessem as matérias a seu respeito.

A missa fúnebre de Vince foi realizada na Catedral de St. Andrew em Little Rock. Vince não era católico, mas Lisa e os filhos sim, e realizar ali a missa significou muito para eles. Bill falou com eloquência sobre o homem especial a quem ele conhecera durante toda a sua vida e terminou citando uma canção de Leon Russell, "I love you in a place that has no space or time./ I love you for my life./ Your are a friend of mine" [Eu o amo em um lugar fora do espaço ou do tempo./ Eu o amo pela minha vida./ Você é um amigo meu"].

Depois da missa, seguimos em uma longa e triste caravana até Hope, onde Vince nasceu e cresceu. Era um dia muito quente de verão e o calor se elevava em ondas sobre os campos poeirentos. Vince foi enterrado nos arrabaldes da cidade. A essa altura eu já não conseguia falar. Entorpecida. Tudo o que conseguia sentir era uma vaga noção de que Vince estava agora finalmente a salvo, de volta ao lugar a que pertencia.

Os dias que se seguiram pareciam passar em câmera lenta, enquanto tentávamos retomar uma rotina normal. Mas todos que éramos próximos de Vince ainda estávamos obcecados com a pergunta: por quê? Maggie estava particularmente arrasada. Bernie Nussbaum estava extremamente agitado por ter estado com Vince na manhã de sua morte e não ter captado a menor pista. Tinha sido a melhor semana para a Secretaria Jurídica desde a posse. Ruth Bader Ginsburg estava a caminho da vaga na Suprema Corte, e justamente naquela manhã o presidente havia nomeado o juiz Louis Freeh como novo diretor do FBI. Bernie achou que Vince parecia relaxado, até alegre.

À medida que descobri mais sobre a depressão, porém, comecei a entender que Vince podia ter parecido feliz porque a idéia de morrer lhe dera uma sensação de paz. Como sempre, Vince tinha um plano. O revólver Colt de seu pai já estava em seu carro. É difícil imaginar o tipo de dor que pode fazer a morte parecer um alívio bem-vindo, mas Vince a estava sentindo. Mais tarde, descobrimos que ele buscara ajuda psiquiátrica alguns dias antes do suicídio, mas era muito tarde para salvá-lo. Ele dirigiu o carro até um parque afastado ao longo do Potomac, enfiou o cano do revólver na boca e apertou o gatilho.

Dois dias depois da morte de Vince, Bernie Nussbaum foi até o escritório de Vince e, junto com representantes do Ministério da Justiça e do FBI, analisou ali cada documento que pudesse conter alguma coisa que esclarecesse seu suicídio.

Bernie já havia realizado uma busca superficial, na noite da morte de Vince, para ver se havia um bilhete de suicídio, mas não encontrara nada. De acordo com muitos testemunhos subseqüentes, no curso dessa primeira busca, Bernie descobriu que Vince havia guardado em seu escritório alguns arquivos pessoais contendo trabalho que ele havia feito para Bill e para mim quando era nosso advogado em Little Rock, inclusive arquivos relacionados com a transação imobiliária chamada Whitewater. Bernie passou esses arquivos para Maggie Williams, que os entregou à residência e, logo depois, foram transferidos para o escritório de Bob Barnett, nosso advogado particular em Washington. Considerando que o escritório de Vince não chegou a ser uma cena de crime, essas medidas eram compreensíveis, legais e justificáveis. Mas logo gerariam uma indústria de fundo de quintal de teorias de conspiração e investigadores tentando provar que Vince foi assassinado para encobrir o que ele "sabia sobre Whitewater".

Esses rumores deveriam ter se encerrado com o relatório oficial que determinava sua morte como suicídio e com a folha de papel de carta que Bernie encontrou rasgada em 27 pedaços no fundo da valise de Vince. Não era tanto um bilhete de suicídio quanto um grito sincero, um balanço das coisas que estavam dilacerando sua alma.

"Eu não fui feito para o trabalho sob os refletores da vida pública de Washington. Aqui, arruinar as pessoas é considerado esporte", escreveu ele.

"... O público nunca acreditará na inocência dos Clinton e de sua leal equipe..."

"Os editores do *WSJ* [*Wall Street Journal*] mentem impunemente."

Essas palavras me deixaram agoniada. Vince Foster era um homem bom que queria dar uma contribuição ao seu país. Poderia ter continuado a advogar em Little Rock, para atuar algum dia como presidente da Associação dos Advogados do Arkansas, sem nunca ouvir uma palavra má levantada a seu respeito. Em vez disso, veio para Washington para trabalhar para seu amigo de Hope. Seu curto período no serviço público destruiu sua auto-imagem e, segundo pensava, manchara irreparavelmente sua reputação. Logo após sua morte, um colunista da revista *Time* resumia a triste transformação de sua vida com as próprias palavras de Vince: "Antes de virmos para cá", havia ele dito, "pensávamos em nós mesmos como pessoas boas". Ele não estava falando só por si mesmo, mas por todos nós que havíamos feito a viagem desde o Arkansas.

Os seis meses após a exuberância do dia da posse tinham sido brutais. Meu pai e um amigo próximo mortos; a esposa, filhos, parentes e amigos de Vince arrasados; minha sogra morrendo; os passos canhestros e hesitantes de uma nova administração literalmente convertidos em casos federais. Eu não sabia para onde me voltar, por isso fiz o que freqüentemente faço ao enfrentar a adversidade: atirei-me numa programação tão frenética que não havia tempo para ficar meditando. Agora percebo que eu estava no piloto automático, forçando-me a comparecer a reuniões sobre assistência à saúde no Capitólio e a fazer discursos, muitas vezes à beira das lágrimas. Se eu encontrava alguém que me fazia lembrar de meu pai, ou deparava com um comentário sórdido sobre Vince, sentia as lágrimas encharcarem meus olhos. Tenho certeza de que às vezes pareci frágil, triste e até irritada — porque eu estava. Eu sabia que tinha de continuar e suportar a dor que reservadamente sentia. Foi um dos períodos em que continuei seguindo adiante por pura força de vontade.

A grande batalha do orçamento terminou finalmente em agosto, com a aprovação do plano econômico de Bill. Antes da votação, eu havia conversado com democratas hesitantes, preocupados não só quanto à penosa votação do orçamento, mas também sobre como explicariam votações igualmente difíceis que poderiam se seguir em termos de assistência à saúde, armas e comércio. Uma congressista republicana me ligou para explicar que concordava com a meta do presidente para conter o déficit, mas que sua liderança lhe ordenara que votasse não, independentemente de qual fosse sua convicção. No final, nem um só republicano votou a favor do pacote de equilíbrio orçamentário. Passou raspando pela Câmara por um voto e o vice-presidente Gore, em seu papel oficial de presidente do Senado, teve de votar para quebrar um empate de 50 a 50. Vários democratas corajosos, a exemplo da deputada Marjorie Margolis Mezvinsky, que fizeram o que acreditavam ser do interesse de longo prazo do país, perderam na eleição seguinte.

O plano não era tudo o que a administração desejara, mas sinalizava o retorno da responsabilidade fiscal para o governo e o começo de uma reviravolta econômica para o país, sem precedentes na história americana. O plano cortava o déficit pela metade; estendia a vida do Medicare; expandia um incentivo fiscal chamado Earned Income Tax Credit [Crédito do Imposto sobre a Renda Obtida], que beneficiava 15 milhões de trabalhadores americanos de baixa renda; reformava o programa de empréstimo estudantil, poupando bilhões de dólares aos contribuintes; e criava zonas de capacitação e comunidades empresariais que forneciam incentivos fiscais para o investimento em comunidades carentes. Para pagar essas reformas, o plano aumentava os impostos sobre a gasolina e sobre os americanos de renda mais alta que, por sua vez, obteriam taxas de juros mais baixas e uma grande alta no mercado de títulos à medida que a economia prosperasse. Bill assinou a legislação no dia 10 de agosto de 1993.

Até meados de agosto, estávamos tão envolvidos no trabalho que Bill e eu praticamente tivemos de ser amarrados, amordaçados e atirados no avião para nossas férias no Martha's Vineyard. Para mim foi um período maravilhoso e curativo.

Foram Ann e Vernon Jordan que nos convenceram a ir para o Vineyard, onde durante anos eles haviam passado férias. Reservaram para nós o local perfeito, uma casa pequena, afastada, que pertencia a Robert McNamara, o secretário de Defesa das administrações Kennedy e Johnson. O chalé de dois quartos de Cape Cod ficava às margens da lagoa Oyster, uma das grandes lagoas de água salgada do litoral sul da ilha. Eu dormia, nadava e sentia os meses de tensão começarem a se dissolver.

A festa dos Jordan para comemorar os 47 anos de Bill no dia 19 de agosto estava repleta de velhos amigos e gente nova que me fizeram rir e relaxar. Foi um dos melhores momentos que passei desde a posse. Jackie Kennedy Onassis estava lá com seu companheiro de longa data, Maurice Templesman. A sempre gentil Kay Graham, editora do *Washington Post*, também esteve lá, tal como Bill e Rose Styron, que se tornaram amigos de confiança.

Styron, um sulista sarcástico, profundamente inteligente, com um rosto maravilhosamente maduro e olhos penetrantes, havia acabado de publicar *Darkness Visible: A Memoir of Madness* [*A escuridão visível: Uma memória de loucura*], relatando suas batalhas com a depressão. No jantar, falei com ele sobre Vince e continuamos a conversa no dia seguinte, durante uma longa caminhada por uma das belas praias do Vineyard. Ele descreveu a sensação opressiva de perda e desespero que pode dominar uma pessoa até que o desejo de libertação da dor e da desorientação cotidianas faz a morte parecer uma opção preferível, até racional.

Passei um tempo também com Jackie Kennedy. Sua casa, cercada por algumas centenas dos mais belos hectares do Martha's Vineyard, tinha livros e flores por toda parte e janelas que davam para o alto das dunas suaves que ao longe terminavam no oceano. A casa tinha a mesma elegância despretensiosa que caracterizava tudo o que Jackie fazia.

Fiquei encantada por ver juntos ela e Maurice. Charmoso, inteligente e muito culto, ele irradiava amor, respeito e preocupação por ela, além de prazer por sua companhia. Um fazia o outro rir, um de meus critérios para qualquer relacionamento.

Jackie e Maurice nos convidaram para ir velejar no iate dele com Caroline Kennedy Schlossberg e seu marido, Ed Schlossberg, Ted e Vicky Kennedy e Ann e Vernon Jordan. Caroline é uma das poucas pessoas no mundo que consegue entender as experiências ímpares de Chelsea e, daquela visita em diante, tornou-se uma amiga perspicaz e modelo de papel para minha filha. Ted Kennedy, tio de Caroline e patriarca do clã dos Kennedy, é um dos senadores mais eficientes que já serviram o país, além de *expert* marinheiro. Ele não parava de fazer comentários sobre piratas e batalhas navais, enquanto sua esposa inteligente e fervilhante, Vicky, fornecia detalhes adicionais.

Saímos de barco a motor do porto de Menemsha num glorioso dia de sol e ancoramos próximo a uma ilhota para nadar antes do almoço. Desci para vestir o maiô e, quando tornei a subir para o convés, Jackie, Ted e Bill já estavam na água. Caroline e Chelsea haviam subido a uma plataforma a cerca de doze metros acima da água. Quando olhei para cima, elas saltaram juntas e caíram no oceano espadanando água.

Emergiram rindo e nadaram de volta ao barco para outro salto.

Chelsea disse: "Vem, mãe, experimente!".

É claro que Ted e Bill começaram a gritar: "É, experimente — experimente!". Por motivos que ignoro até hoje, eu disse: "Tudo bem". Já não sou mais a atleta de antes, mas, quando me dei conta, estava seguindo Caroline e Chelsea, subindo uma pequena escada estreita para chegar ao topo. A essa altura eu estava pensando: "Como é que entrei nessa?". Assim que Caroline e Chelsea chegaram à plataforma — bum! Lá foram elas novamente. Agora, empoleirada sozinha ali em cima, olhando para baixo para as figuras minúsculas sob mim sulcando a água, ouvia seus gritos: "Vai, vai! Salta!".

Então ouvi a voz de Jackie se elevando acima das outras: "Não faça isso, Hillary! Não se deixe levar por elas. Não faça isso!".

Pensei comigo: "Agora é a voz da razão e da experiência". Tenho certeza de que houve inúmeros momentos em que Jackie disse: "Não, simplesmente não vou fazer isso". Ela sabia exatamente o que estava se passando em minha mente e vinha em meu socorro.

"Sabe de uma coisa, você tem razão!", gritei de volta.

Lentamente desci com o máximo de dignidade que consegui reunir. Depois, entrei na água e fui nadar com minha amiga Jackie.

1. Minha mãe, Dorothy Howell, casou-se com meu pai, Hugh Rodham Jr., em 1942, quando ele estava na Marinha. Suas experiências de infância haviam-na sensibilizado para os menos favorecidos e despertado nela uma nítida noção de justiça social, que transmitiu a mim e meus irmãos. Dele, herdei a mesma risada escandalosa que faz as pessoas virarem a cabeça no restaurante e espanta os gatos da sala.

2. Minha avó, Hannah Jones Rodham, insistia em usar sempre seus três nomes. Era uma personalidade formidável, mas faleceu quando eu estava com cinco anos e tenho menos lembranças dela do que do meu avô, Hugh Sr., um homem doce e paciente. Meu pai adorava Hannah e falava muitas vezes de como ela salvara seus pés da amputação.

3. Eu tinha oito ou nove meses de idade quando meu tio, Russell Rodham, veio para ficar. Depois de desistir da Medicina, o irmão mais novo de meu pai brincava dizendo que eu tinha sido sua última paciente.

4. O marido de minha avó, Max Rosenberg, era judeu. Aos dez anos de idade, crescendo no Meio-Oeste dos Estados Unidos, fiquei horrorizada ao saber que milhões de pessoas inocentes tinham sido mortas por causa de sua religião. Quando visitei Auschwitz como primeira-dama, lembrei-me de meu pai tentando me explicar até onde os seres humanos são capazes de praticar maldades, e por que nossos soldados tinham tido de combater os nazistas.

5. Após a guerra, meu pai abriu uma pequena loja de tecidos para cortinas e, um a um, foi trazendo os filhos para trabalhar assim que cresciam o suficiente para ajudar nas prensas. Seu êxito nos levou a Park Ridge, Illinois, uma cidade americana que parecia diretamente saída das ilustrações de Norman Rockwell. Nesta foto, de 1959, com a nossa gata Isis, estamos usando nossas roupas especiais de Páscoa.

6. Todo verão, passávamos o mês de agosto quase inteiro no chalé do Vovô Rodham, à margem do lago Winola, a noroeste de Scranton, nas montanhas Pocono. Jogávamos cartas e jogos de tabuleiro o tempo todo, na ampla varanda da frente.

7. Em Park Ridge, eu organizava jogos, eventos esportivos e festas de quintal com as crianças, tanto para nos entreter como para coletar donativos para caridade.

Quando estava com doze anos, o jornal local fotografou a mim e meus amigos no momento em que entregávamos um saco de papel com dinheiro que tínhamos arrecadado para a *United Way*.

8 e 9. Don Jones, ministro metodista de jovens, apresentou-me a "Universidade da Vida" quando chegou em Park Ridge, em 1961, e incentivou nosso grupo de amigos a praticar a fé por meio de ações sociais. Estou em pé, nesta foto, com algumas amigas do grupo, em um de nossos programas mais frívolos.

9

8

10. Desde garota me interessava por política. Fui uma ativa Jovem Republicana e, mais tarde, envolvi-me na Goldwater a ponto inclusive de usar roupa de vaqueira. Mas, durante debates simulados para eleições, no colegial, comecei a ter minhas dúvidas.

11. O Comitê de Valores Culturais foi minha primeira experiência com uma tentativa organizada de enfatizar os valores americanos do pluralismo e do respeito e entendimento mútuos. Nossa reunião com representantes de vários grupos de estudantes foi transmitida pela estação local de TV. Em minha primeira participação num programa de televisão usei o cabelo num coque alto.

12. Alan Schechter foi meu professor de ciências políticas e orientador de tese, em Wellesley. Escolheu-me para o estágio em Washington e com isso me mostrou o caminho.

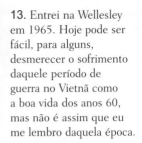

13. Entrei na Wellesley em 1965. Hoje pode ser fácil, para alguns, desmerecer o sofrimento daquele período de guerra no Vietnã como a boa vida dos anos 60, mas não é assim que eu me lembro daquela época.

15

15. Nós, da turma de 1969 da Wellesley, estávamos imobilizadas entre um passado obsoleto e um futuro sem referências. Nunca antes tinha havido uma aluna oradora na cerimônia de formatura. A ovação e os ataques provocados pelo meu discurso mostraram-se uma prévia do que viria pela frente.

16. Patty Howe Criner (à esquerda) e minha colega de quarto na faculdade, Johanna Branson, continuam minhas amigas até hoje. Em 1975, estavam no Arkansas para o meu casamento, junto com o meu pai, um homem de opiniões fortes mas capaz de mudar.

4

14. Em 1968, como estagiária na Convenção Republicana da Câmara, em Washington, trabalhava para um grupo liderado por Gerald Ford (à minha esquerda) que incluía Melvin Laird e Charles Goodell (último à direita). Os dois me acolheram e aconselharam generosamente. Esta foto em que apareço ao lado de líderes republicanos estava no quarto de meu pai, quando ele morreu.

16

17. Fiel à minha natureza e educação, defendia a noção de que o sistema devia ser mudado de dentro para fora e decidi entrar na faculdade de direito, onde participava de julgamentos simulados com Bill.

18

18. Era difícil não enxergar Bill Clinton em 1970, em Yale. Ele parecia mais um *viking* do que um erudito de Rhodes que tinha acabado de voltar de Oxford. Começamos a conversar, na primavera de 1971, quando saímos pela primeira vez, e mais de trinta anos depois ele continua sendo a melhor companhia que conheço.

19

19. John Doar (à esquerda), eleito pelo Comitê Judiciário da Câmara para presidir a investigação que levaria ao *impeachment* do presidente Nixon, ofereceu-me um cargo administrativo na equipe, para pesquisar as bases legais de um *impeachment* presidencial. Trabalhei para Joe Woods, próximo a Doar. O que aprendi então tem sido muito útil.

21. Bill foi solicitado a organizar o Sul para McGovern, em 1971. Ele ficaria diretamente envolvido nos bastidores de uma campanha presidencial, mas preferiu passar o verão quase todo comigo, na Califórnia.

20

20. O exemplo de Marian Wright Edelman ajudou-me a definir a opção profissional de minha vida em defesa das crianças e dos direitos civis.

21

22 e **23**. Obedeci ao meu coração e fui para o Arkansas, quando Bill se candidatou
a um cargo político. Adorávamos nossa vida lá, inclusive nossas freqüentes partidas de vôlei.
Casamos no dia 11 de outubro de 1975, na sala de visitas da nossa casa em Fayetteville.

24. A campanha de Carter de 1976 me convidou para coordenar as ações de campo no estado de Indiana. Carter perdeu o estado, mas eu aprendi muito, e aquele trabalho foi um ótimo teste.

25, 26 e **27.** Em 1979, Bill foi empossado governador do Arkansas. Depois, constituiu um Comitê de Parâmetros Educacionais e nomeou-me presidente. Quando propusemos exames compulsórios para os professores, os debates foram tão acirrados que uma bibliotecária de uma escola disse que eu era "mais baixa que barriga de cobra".

28 e **29.** O nascimento de Chelsea foi o acontecimento mais milagroso de nossas vidas. Ela recebeu esse nome por causa de uma canção intitulada "Chelsea Morning", que seu pai cantarolava durante um passeio que dávamos pelo bairro do Chelsea, em Londres, nas férias que ali passamos em 1978.

30. Bill, Carolyn Huber e eu fomos homenageados com uma serenata pelo Arkansas Boys Choir, um adorável interlúdio na difícil época do Natal de 1980. Bill havia recém-perdido a campanha pela reeleição e estávamos empacotando tudo para sairmos da Mansão do Governador. Não ficaríamos fora por muito tempo.

31. O único período em que não estive empregada, desde meus treze anos, foram os oito anos que passei na Casa Branca. Fui a primeira mulher a se tornar sócia do escritório de advocacia Rose, em Little Rock, e percebi-me desbravando terra incógnita.

32. Os dois advogados do escritório de advocacia Rose com que eu trabalhava mais eram Vince Foster (à esquerda) e Webb Hubbell, que aqui aparece em uma das festas de aniversário de Chelsea. Para mim, Webb era um amigo leal e solidário. Vince foi um dos advogados mais inteligentes que conheci na vida e um dos melhores amigos que tive. Desejarei para sempre ter sido capaz de enxergar os sinais do desespero que ele sentia e ter podido ajudar.

33. Eu podia dar-me ao luxo de algumas "excentricidades" como esposa do procurador-geral, mas como primeira-dama do Arkansas eu estava na mira dos refletores. Pela primeira vez, dei-me conta do impacto de minhas escolhas pessoais sobre o futuro político do meu marido. Muitos eleitores do Arkansas ficaram ofendidos quando mantive meu nome de solteira, Rodham, então mais tarde acrescentei Clinton.

37

38

34. Minha fé tem sido sempre uma parte crucial, embora profundamente particular, de minha vida e da vida de minha família. Quando fui crismada na Igreja Metodista, levei profundamente a sério as palavras de John Wesley: "Faça todo o bem que puder, de todas as formas que puder... por tanto tempo quanto puder".

35

35. Tipper e Al Gore viajaram conosco pelo país em nosso ônibus, durante a campanha presidencial de 1992. Cada vez que encontrávamos duas ou mais pessoas reunidas, Bill queria parar e falar com elas.

36

37 e 38. Meus irmãos, Hugh e Tony, e meu pai juntaram-se a nós no percurso da campanha. Se os primeiros 44 anos de minha vida tinham sido de preparo, os treze meses da campanha presidencial foram uma verdadeira revelação.

36. Na campanha de 1992, tive mais sorte com brócolis do que com biscoitos. Tudo que eu fazia ou dizia, e até o modo como penteava o cabelo, era assunto para acalorados debates.

39. Noite da eleição na Antiga Câmara Estadual em Little Rock, 3 de novembro de 1992. Nosso relacionamento, baseado em sonhos, conquistas, vitórias e \derrotas vividos em comum, assim como nosso amor e apoio recíprocos, iriam nos sustentar e desafiar quando Bill se tornasse presidente.

40. Após a eleição, comemoramos o aniversário de Harry Thomason com sua esposa Linda Bloodsworth-Thomason, na Califórnia. Amigos queridos, Harry e Linda produziram e escreveram alguns dos mais bem-sucedidos programas de televisão, mas em seu coração nunca saíram das montanhas Ozarks. Em 1992, estou com o boné do time da American League pelo qual venho torcendo a vida toda.

40

41. Sempre acreditei que as mulheres devem ser capazes de tomar as decisões que são certas para elas, e pensei que seria o mesmo para uma primeira-dama. Nunca poderia ter pensado que, em alguns aspectos, Washington seria mais conservadora do que o Arkansas.

42. Bill queria participar dos onze bailes da posse, e isso não significava só aquela habitual passadinha de cinco minutos para poucos acenos. Iríamos comemorar. Ensaiamos nossa coreografia por trás das cortinas, em um dos bailes "de aquecimento" do início da semana.

42

43

43. 20 de janeiro de 1993. Dia do início de um novo governo para os Estados Unidos e de uma nova vida para a nossa família. Como primeira-dama tornei-me um símbolo — e essa foi uma nova experiência.

44 e **45**. Encontrei alguém que entendia melhor que ninguém o que eu estava atravessando. Jackie Kennedy Onassis tornou-se uma calma fonte de inspiração e conselhos para mim. "Você precisa proteger Chelsea a todo custo", Jackie me alertou. Ela confirmava minha sensação de que tínhamos de fazer o possível para permitir que nossa filha crescesse longe do olhar do público e cometesse seus próprios erros.

45

HILLARYLAND

46, 47, 48 e **49.** Nenhuma primeira-dama antes teve um escritório na Ala Oeste, mas nós sabíamos que a minha equipe iria fazer parte integrante do time da Casa Branca, e precisávamos de um lugar à mesa — tanto literal quanto figurativamente. Em pouco tempo, minha equipe tornou-se conhecida como "Hillarylândia", com direito a "button" e tudo. Uma extraordinária jovem, Huma Abedin (à esquerda), galgou todos os estágios até se tornar minha assistente pessoal. Maggie Williams (à direita), minha chefe de gabinete no primeiro mandato, é uma das pessoas mais inteligentes, criativas e decentes que já conheci.

50. Meu grupo de oração num almoço ao ar livre, em 14 de novembro de 1993. Ao longo dos anos, essas mulheres foram discretamente ao meu encontro sempre que as coisas ficaram difíceis — apesar de muitas serem republicanas. Sou grata por sua generosidade em transpor as fronteiras da política para ajudar alguém carente de apoio. Rezamos com e para as outras.

51. 51. A Hillarylândia era a nossa própria pequena subcultura dentro da Casa Branca, e tínhamos o nosso próprio *ethos* especial. Minha equipe se orgulhava de praticar ao máximo a discrição, a lealdade e uma excepcional camaradagem — e todas as crianças que foram lá nos visitar sabiam exatamente onde escondíamos os biscoitos.

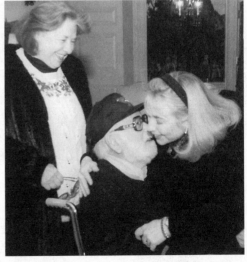

52. As pessoas de quem eu mais sentia falta, nas primeiras semanas, eram os velhos amigos do Arkansas, que agora trabalhavam no governo de Bill. Nós os convidamos para um jantar informal para comemorar o 40º aniversário da nossa conterrânea Mary Steenburgen. Lembro que aquela noite foi um dos últimos bons momentos que vivemos juntos, antes que o suicídio de Vince Foster rasgasse uma ferida em todos nós.

53. Meu pai me havia preparado para enfrentar tudo que a vida me trouxesse, exceto a dor de perdê-lo. O tempo que minha mãe e eu passamos ao seu lado no hospital fortaleceu o meu compromisso com a reforma na assistência à saúde e aprofundou o meu entendimento do que realmente importa na vida.

54. Bill anunciou que eu comandaria a recém-formada força-tarefa do presidente para a Reforma da Assistência Nacional à Saúde, tendo Ira Magaziner como conselheiro titular de Desenvolvimento Estratégico. Sua experiência no setor privado e sua energia criativa e tenacidade tornaram-no um dos mais valiosos conselheiros de Bill. O anúncio do papel que eu iria ocupar desencadeou acalorados comentários dentro e fora da Casa Branca.

54

55. Após Bill haver apresentado seu pacote econômico, em 17 de fevereiro de 1993, numa sessão conjunta do Congresso, começou a ser implantado o plano que iria ajudar o país a ficar novamente sobre os próprios pés. Três anos antes do prazo, o orçamento nacional já estava equilibrado.

56

56. Em setembro de 1993, depois de Bill ter proposto seu plano de assistência à saúde à apreciação do Congresso, fizemos uma festa com a nossa equipe para celebrar o evento, no Escritório Executivo, local que passamos a chamar, daí em diante, de "Sala de Parto". Tínhamos dado início à escalada daquilo que um jornalista chamou de "o monte Everest da política social".

14

A SALA DE PARTO

QUANDO VOLTAMOS A WASHINGTON uma semana antes do Dia do Trabalho com uma importante vitória do orçamento nas mãos da administração, era hora de a Casa Branca se concentrar em tempo integral na iniciativa da assistência à saúde. Ou assim eu esperava. A meta dos cem dias de Bill havia muito fora ultrapassada, a força-tarefa desmontada ao final de maio e a assistência à saúde relegada ao segundo plano durante meses para que o presidente e suas equipes econômica e legislativa pudessem concentrar-se no pacote de redução do déficit. Durante o verão, eu havia ligado para os membros do Congresso, trabalhando muito para ajudar Bill a aprovar seu programa econômico, a chave para tudo o que ele esperava alcançar para o país.

Mas mesmo com a vitória crucial do orçamento alcançada, a assistência à saúde ainda tinha de competir com outras prioridades legislativas. Desde o começo da administração, o secretário do Tesouro Lloyd Bentsen havia advertido sobre o cronograma para a assistência à saúde, cético quanto à possibilidade de que a reforma fosse aprovada em menos de dois anos. Ao final de agosto, Bentsen, além do secretário de Estado Warren Christopher e o conselheiro econômico Bob Rubin estavam inflexíveis no adiamento da reforma da assistência à saúde e pretendiam avançar com o Acordo Norte-Americano de Livre Comércio, conhecido como NAFTA. Acreditavam que o livre comércio também era decisivo à recuperação econômica do país e o NAFTA garantia ação imediata. A criação de uma zona de livre comércio na América do Norte — a maior zona de livre comércio do mundo — ampliaria as exportações norte-americanas, geraria empregos e garantiria que nossa economia colhesse os benefícios, não os encargos, da globalização. Embora impopular entre os sindicatos, a expansão das oportunidades de comércio era uma meta importante da administração. A pergunta era se a Casa Branca poderia concentrar suas energias em duas campanhas legislativas ao mesmo tempo. Eu argumentava que sim, e que adiar a reforma da assistência à saúde debilitaria ainda mais as suas chances. Mas a decisão cabia a Bill e, considerando que o NAFTA tinha um prazo final no Legislativo, ele concluiu que ele tinha de ser encaminhada primeiro.

Bill também estava particularmente empenhado em fortalecer as relações com nosso vizinho mais próximo ao sul. O México não somente era o lar ancestral de milhões de mexicano-americanos, como estava passando por profundas mudanças políticas e econômicas com o potencial de se irradiar pela América Latina. Bill desejava apoiar o presidente Ernesto Zedillo, um economista por formação que estava transformando o governo do país, de um sistema político unipartidário para uma democracia multipartidária que atacaria os antigos problemas da pobreza e da corrupção, além das preocupações com a fronteira, como imigração, drogas e comércio.

Mais uma vez, a assistência à saúde teria de esperar. No entanto, Ira, eu e um quadro de assessores de assistência à saúde continuamos a lançar as bases para um projeto de lei que forneceria assistência à saúde de qualidade e acessível a todos os americanos. As extraordinárias vitórias legislativas de Bill durante o verão nos deixaram otimistas quanto às nossas chances. Entre nós mesmos, insistíamos que a reforma não dizia respeito apenas a políticas públicas complexas, mas às vidas das pessoas, e, em minha busca por soluções, muitas delas me afetavam diretamente.

Enquanto Bill e seus conselheiros elaboravam uma política para aquecer a economia, eu estivera viajando pelo país ouvindo os americanos falarem das agruras para dar conta da elevação dos custos médicos, do tratamento desigual e dos atoleiros burocráticos que diariamente enfrentavam. De Louisiana a Montana e da Flórida a Vermont, minhas viagens reforçaram minha convicção de que o sistema de saúde existente poderia ser mais eficiente e menos dispendioso e garantir que todo americano necessitado de atenção médica a recebesse.

Falei com pessoas que perdiam temporariamente sua cobertura porque trocavam de emprego — o que estava acontecendo a uma média de 2 milhões de trabalhadores a cada mês. Conheci homens e mulheres que descobriram que não poderiam adquirir seguro-saúde se tivessem "uma condição preexistente", como câncer ou diabetes, que já estivesse diagnosticada e fizesse parte de seus registros médicos. Alguns americanos idosos que viviam de renda fixa diziam-me que eram obrigados a escolher entre pagar o aluguel ou comprar remédios. A hospitalização de meu pai me ensinou que, mesmo com a melhor assistência e apoio, perder alguém que se ama é extremamente doloroso. Eu não suportava o pensamento de que era ainda mais doloroso quando a perda podia ser evitada.

Também conheci americanos que fizeram meu coração se encher de esperança. Um dia, quando fui conversar com reformadores da assistência à saúde em Capitol Hill, notei que havia um garotinho na fila da frente sentado em uma cadeira de rodas. Ele tinha o sorriso mais lindo em seu rosto meigo e eu não conseguia desviar meus olhos dele. Pouco antes de começar a falar, fui até ele. Quando me curvei para cumprimentá-lo, ele lançou os braços ao redor de meu pescoço. Eu o ergui no colo e descobri que ele usava um aparelho no corpo inteiro que devia pesar uns dezoito quilos. Dirigi-me à platéia carregando-o nos braços. Foi como conheci Ryan Moore, um menino de sete anos de South Sioux, uma cidade de Nebraska, que nascera com uma forma rara de nanismo. Sua família vivia em constante disputa com a companhia de seguros para pagar as múltiplas cirurgias e tratamentos de que ele precisava. A condição de Ryan retardou o crescimento de seu corpo, mas não prejudicou sua atitude positiva. Ele se tornou tão querido a mim e à minha equipe que Melanne pendurou uma foto gigante dele na parede dos escritórios da Hillarylândia. Casos como o de Ryan mantinham nossa atenção voltada para o prêmio ao longo de nossa luta para propiciar cobertura de assistência à saúde a todos os americanos, e sua coragem e esperança ainda hoje continuam a me inspirar. Ryan está agora no colegial e seu sonho é tornar-se locutor esportivo.

No início de setembro, Bill também estava concentrado nos preparativos para a iminente visita do primeiro-ministro israelense Yitzhak Rabin e do líder palestino Yasser Arafat, para a assinatura de um novo acordo de paz para o Oriente Médio. A reunião histórica que aconteceu no Gramado Sul da Casa Branca no dia 13 de setembro de 1993 foi o resultado de meses de negociações em Oslo, Noruega, e o acordo ficou conhecido como o Acordo de Oslo. Era importante estabelecer o apoio de nosso governo ao acordo porque os Estados Unidos são o único país que poderia pressionar ambos os lados para a implementação efetiva das condições do acordo e no qual Israel confiaria para proteger sua segurança. O povo do Oriente Médio e do mundo também veria o primeiro-ministro Rabin e o presidente Arafat como pessoalmente comprometidos com o que seus representantes haviam acordado.

Eu encontrara pela primeira vez Yitzhak e Leah Rabin no começo daquela primavera, quando fizeram uma visita de cortesia à Casa Branca. O primeiro-ministro, homem de estatura mediana, não fez nada que chamasse a atenção, mas sua calma dignidade e vigor inspiraram simpatia a mim e a muitos outros. Ele criara uma aura de força; ali estava um homem que me fazia sentir segura. Leah, uma mulher marcante, de cabelos escuros e olhos azuis penetrantes, transpirava energia e inteligência. Além disso, era muito culta, perspicaz e conhecedora de arte. Agora, na segunda visita que me fazia, ela notou os lugares para os quais eu havia mudado algumas pinturas da coleção de arte da Casa Branca. Leah era extrovertida, compartilhando suas opiniões sobre personalidades e acontecimentos com comentários francos que rapidamente me fizeram gostar dela. O casal Rabin era realista quanto aos desafios que se apresentavam diante de Israel. Acreditavam que não tinham outra escolha a não ser tentar alcançar um futuro seguro para seu país por meio de negociações com seus inimigos jurados. Sua atitude fazia lembrar o velho ditado "Espere o melhor, planeje para o pior". Também era essa a avaliação de Bill.

Naquele dia auspicioso, Bill convenceu Yitzhak a um aperto de mãos com Arafat, como um sinal tangível de seu compromisso com o plano de paz. Rabin concordou desde que não houvesse beijos, um costume árabe comum. Antes da cerimônia, Bill e Yitzhak se envolveram em um hilariante ensaio do aperto de mãos, com Bill fingindo ser Arafat enquanto praticavam uma manobra complicada que impedisse o líder palestino de chegar muito perto.

O aperto de mão e o acordo, que pareciam oferecer muita esperança, foram encarados por alguns israelenses e árabes como uma repreensão a seus interesses políticos e convicções religiosas, o que mais tarde resultaria em violência e no trágico assassinato de Rabin. Mas naquela tarde perfeita — sob a morna e brilhante luz do sol que parecia conceder a bênção de Deus — só esperei o melhor e me decidi a ajudar de toda forma que pudesse para apoiar a corajosa decisão de Israel de assumir esse risco em favor de uma paz duradoura e segura.

Mesmo enquanto trabalhava nessas questões variadas e prementes, Bill programou uma mensagem ao Congresso, que seria transmitida pela TV em horário nobre no dia 22 de setembro, para descrever o plano de assistência à saúde. Depois disso, eu seria designada para testemunhar perante as cinco comissões do Congresso que considerariam a legislação de assistência à saúde, a qual, segundo esperávamos, seria apresentada no começo de outubro. Era uma programação ambiciosa para setembro e não poderíamos encontrar mais obstáculos no caminho. Embora o projeto em si não estivesse concluído, Bill, Ira e eu queríamos deixar os congressistas democratas familiarizados com ele antes do grande discurso de Bill, de sorte que eles entendessem o raciocínio por trás de nossas decisões. Mas os números crus do projeto precisavam ser calculados e confirmados por peritos em orçamento e isso tomou várias semanas a mais do que o esperado. Em vez de circular um documento inacabado, montamos uma "sala de leitura" onde a equipe de democratas pudesse examinar a proposta sabendo que provavelmente as cifras seriam alteradas. O conteúdo do documento vazou para empresas noticiosas e as matérias que se seguiram deixaram muitos no Congresso pensando que essa versão era o projeto final. Já cauteloso com a reforma da assistência à saúde, o senador Moynihan condenou o empreendimento como um todo, dizendo que ele se baseava em números "fantasiosos".

Os proponentes e os opositores da reforma haviam começado a organizar suas próprias campanhas para influenciar o resultado. Grupos representando consumidores, famílias, trabalhadores, idosos, hospitais infantis e pediatras, em sua maioria, estavam se alinhando em favor da reforma. Mas os grupos empresariais, particularmente os de pequenas empresas, a indústria farmacêutica e as gigantes dos seguros desde muito consideravam a reforma uma ameaça. Além disso, os médicos contestavam elementos específicos do plano.

Não se passou muito tempo para percebermos quanto a oposição era bem organizada e financiada. No início de setembro, a Health Insurance Association of America [Associação Americana de Seguradoras de Saúde], um poderoso grupo de interesses que representa as companhias de seguros do país, veiculou anúncios na televisão destinados a desacreditar a reforma. Os anúncios exibiam um casal a uma mesa de cozinha, analisando suas contas médicas, manifestando suas preocupações de que o governo os iria obrigar a aderirem a um novo plano de assistência à saúde que eles não queriam. "As coisas estão mudando e nem tudo para melhor. O governo pode nos obrigar a escolher entre alguns planos de assistência à saúde elaborados por burocratas do governo", recitava o anunciante. A propaganda era falsa e enganosa, mas era uma tática esperta de intimidação que surtiu o efeito desejado.

No dia 20 de setembro, dois dias antes de Bill revelar seu plano de assistência à saúde para o Congresso e a nação, ele pediu que eu examinasse o rascunho do discurso que ele acabara de receber da equipe de redação. Ao longo dos anos, Bill e eu sempre recorríamos um ao outro como caixas de ressonância. Também nos recrutávamos reciprocamente como editores sempre que estávamos trabalhando em algum discurso ou texto importante. Era uma tarde de domingo e me instalei numa poltrona enorme numa de minhas salas favoritas no último andar da Casa Branca — o Solário — para onde freqüentemente nos retirávamos para relaxar, jogar cartas, assistir televisão e nos sentir como uma família comum. Folheando rapidamente as páginas do discurso, percebi que não estava pronto — e Bill deveria pronunciá-lo dentro de apenas 48 horas. O pânico começou. Apanhei o telefone e pedi à telefonista da Casa Branca que chamasse Maggie. Sempre calma numa tempestade, ela deu uma olhada no discurso e logo convocou uma reunião dos principais conselheiros de assistência à saúde e redatores de discurso para aquela noite. Diante de tigelas de nachos e guacamole, Bill e eu, além de uma dúzia de assessores, reunimo-nos no Solário e sugerimos temas para o discurso. Sugeri que a reforma da assistência à saúde fazia parte da jornada americana, uma metáfora adequada porque, na visão de Bill, essa era a chance de nossa geração responder a um chamado em nome das gerações futuras. Concordamos com o tema da jornada e, com uma sensação mista de urgência e alívio, encaminhamos um rascunho tosco para os redatores de discursos. Com constante edição e correção de Bill, engalfinharam-se no texto até deixá-lo em forma para a apresentação da noite de terça-feira.

Os presidentes fazem pronunciamentos especiais ao Congresso num pódio na sala decorada da Câmara dos Deputados. É uma noite repleta de rituais. À medida que o presidente entra no corredor, um funcionário da casa anuncia em tom sombrio: "O Presidente dos Estados Unidos". A platéia se levanta e o presidente cumprimenta os membros de ambos os partidos que, por tradição, se sentam em lados opostos do corredor. O presidente sobe então ao atril e encara a platéia. O vice-presidente e o porta-voz da Câmara se sentam diretamente atrás dele.

A primeira-dama — junto com convidados da Casa Branca e outros dignitários — se senta numa área especial da galeria, e o jogo de salão favorito em Washington era adivinhar quem estaria sentado ao lado dela. À minha direita naquela noite estava um dos principais pediatras do país e uma das pessoas de quem eu mais gostava, o dr. Berry T. Brazelton, com quem eu havia trabalhado em prol das questões das crianças durante cerca de dez anos. Surpresa maior era o convidado à minha esquerda, o dr. C. Everett Koop. O dr. Koop, cirurgião pediátrico por formação, havia sido cirurgião-general do presidente Reagan, encarregado da supervisão do serviço nacional de saúde pública. Usando barba e óculos, era republicano e um inimigo irredutível do aborto que havia resistido a uma cáustica batalha de legalização. Bill e eu passáramos a admirar o dr. Koop pelas posições corajosas que assumiu como cirurgião-general, advertindo os americanos sobre os perigos do uso do tabaco e a disseminação da AIDS, fazendo campanhas em favor de vacinações, uso de camisinhas, saúde ambiental e melhor alimentação. Tendo testemunhado os fracassos do sistema como clínico e como político, Koop se tornara um veemente defensor da reforma da assistência à saúde e foi um inestimável conselheiro e aliado.

Depois de fazer um gesto para que a audiência se sentasse, Bill começou o discurso. Para seu imenso crédito, nem mesmo eu percebi que algo estava errado. Descobrimos mais tarde que um assistente havia colocado a fala errada no teleprompter — o pronunciamento econômico que Bill havia feito meses antes. Bill é famoso por sua capacidade de falar de improviso, mas esse pronunciamento era muito longo e muito importante para ser feito sem nenhuma preparação. Durante sete minutos de grande tormento, enquanto sua equipe se apressava a corrigir o engano, ele apresentou, de memória, suas observações.

Foi um excelente discurso, com a mistura exata de paixão, sabedoria e substância. Fiquei muito orgulhosa dele naquela noite. Era um caminho corajoso para um novo presidente. Franklin D. Roosevelt havia encontrado uma maneira corajosa de dar segurança econômica aos americanos mais velhos graças ao programa de previdência social; Bill queria, por meio da reforma da assistência à saúde, melhorar imensamente a qualidade de vida para dezenas de milhões de americanos. Ele exibiu um cartão vermelho, branco e azul, o "cartão do seguro-saúde", que ele esperava seria emitido para todo americano, prometendo entregar um plano que garantiria a todo cidadão cobertura do seguro-saúde e atendimento médico acessível e de qualidade.

"Nesta noite vamos juntos escrever um novo capítulo na história americana", disse Bill à nação. "... Após uma espera longa e dolorosa, depois de décadas de falsos começos, precisamos fazer desta a nossa prioridade mais urgente: conceder a todo americano o seguro-saúde, uma assistência à saúde que jamais poderá ser retirada, uma assistência à saúde que sempre esteja presente."

Quando encerrou seu discurso de 52 minutos, a platéia o aplaudiu de pé. Embora alguns deputados republicanos discordassem de imediato de alguns detalhes do plano, muitos representantes de ambos os partidos diziam ter admirado a disposição de Bill de atacar um problema que havia frustrado tantos de seus antecessores. Como afirmou um jornalista, o esforço de reforma era como "escalar o monte Everest da política social". Tínhamos iniciado a jornada. Senti-me entusiasmada, porém apreensiva, bem consciente de que um discurso animador era uma coisa, mas projetar e aprovar a legislação era outra. Mas senti gratidão pelo compromisso e eloqüência de Bill, e acreditei que chegaríamos a um acordo porque o bem-estar econômico e social de longo prazo de nosso país dependia disso.

Depois do pronunciamento, organizamos a carreata e voltamos para a Casa Branca. Tínhamos planejado uma festa pós-discurso no Andar Diplomático, mas decidimos ir primeiro até o velho prédio da secretaria executiva, onde a equipe da assistência à saúde trabalhava em cubículos abarrotados, provisórios, na sala 160. Bill e eu agradecemos a eles por terem passado dias e noites trabalhando pela reforma. Subi numa cadeira e declarei, para risos e aplausos gerais, que com o nascimento iminente do projeto de lei da assistência à saúde, a sala seria rebatizada agora como "a Sala de Parto".

Tínhamos todos os motivos para estar otimistas quanto ao plano de reforma, dado que as resenhas sobre o discurso de Bill e os esboços do plano foram, no geral, positivos. A maioria esmagadora do público apoiava a ação na reforma da assistência à saúde. Reportagens elogiavam o plano e nossos esforços para alcançar consenso bipartidário com manchetes que diziam REFORMA DA ASSISTÊNCIA À SAÚDE; O QUE DEU CERTO?

Embora o projeto levasse mais outro mês para ser "parido", eu estava ansiosa para prosseguir com meu testemunho diante das comissões que analisavam a reforma. Seis dias depois do pronunciamento de Bill, no dia 28 de setembro, tive minha oportunidade. Minha apresentação diante da Comissão de Métodos e Recursos da Câmara marcou a primeira vez em que uma primeira-dama era a principal testemunha em uma iniciativa legislativa maior da administração. Outras primeiras-damas também haviam testemunhado perante o Congresso, entre elas Eleanor Roosevelt e Rosalynn Carter, que se apresentaram diante de uma subcomissão do Senado em 1979 para argumentar em favor de maiores recursos para programas de ajuda a pacientes com problemas mentais e apoio a instalações de tratamento.

A sala de audiências estava lotada quando cheguei, e eu estava extraordinariamente nervosa. Todos os lugares estavam ocupados, e não havia uma polegada de espaço vazio ao longo das paredes laterais e ao fundo. Dezenas de fotógrafos estavam sentados ou deitados no chão à frente da mesa da testemunha, disparando furiosamente suas máquinas enquanto eu tomava meu lugar. Todos as redes televisivas haviam enviado suas equipes de câmeras para registrar o evento.

Eu havia me empenhado muito na preparação de meu depoimento. Em uma de nossas sessões preparatórias, Mandy Grunwald, o perspicaz consultor de mídia que havia trabalhado com James Carville em nossa campanha de 1992 e continuara trabalhando para o Comitê Nacional Democrata, perguntou-me o que eu realmente queria transmitir.

Eu sabia que não poderia me dar ao luxo de cometer erros factuais, mas também não queria que as histórias humanas de angústia e sofrimento se perdessem no esoterismo da política pública. Eu queria que minhas palavras transmitissem a dimensão concreta do problema da assistência à saúde. Decidi começar com a visão pessoal: por que eu me preocupava tão profundamente com a melhoria da assistência à saúde? Às dez da manhã, o presidente Dan Rostenkowski, aquele velho político curto e grosso de Chicago, bateu o martelo pedindo ordem na Comissão de Métodos e Recursos e me apresentou.

"Durante os últimos meses, enquanto trabalhava para me instruir sobre os problemas enfrentados por nossa nação e pelos cidadãos americanos no que diz respeito à assistência à saúde, descobri muita coisa", disse eu. "O motivo oficial pelo qual estou hoje aqui é porque havia assumido essa responsabilidade. Mas o mais importante para mim é que estou aqui como mãe, esposa, filha, irmã, mulher. Estou aqui como uma cidadã americana interessada na saúde de sua família e na saúde de seu país."

Durante as duas horas seguintes, respondi a perguntas de membros da comissão. Mais tarde, naquele dia, depus perante a Comissão de Energia e Comércio da Câmara, presidida por um dos mais antigos membros da Câmara e um paladino de longa data da reforma da assistência à saúde, o congressista John Dingell, democrata de Michigan. Nos dois dias seguintes, compareci perante uma outra comissão da Câmara e duas comissões do Senado. A experiência foi fascinante, desafiadora e extenuante. Fiquei feliz por ter tido a chance de falar publicamente sobre nosso plano e satisfeita porque as análises geralmente eram positivas. Os membros do Congresso aplaudiam o depoimento e, de acordo com reportagens jornalísticas, estavam impressionados por meu conhecimento das complexidades do sistema de assistência à saúde. Isso me deu esperança. Talvez meu depoimento tivesse ajudado as pessoas a entenderem por que a reforma era tão vital para os cidadãos americanos e suas famílias, bem como para a economia do país. Também fiquei claramente aliviada por ter deixado aquilo para trás e não ter embaraçado a mim mesma ou a meu marido, que estava na mira por ter me escolhido para representá-lo num empreendimento de tamanha magnitude.

Conquanto muitos congressistas considerassem genuinamente os pontos mais delicados do debate da assistência à saúde, percebi que algumas respostas elogiosas ao meu depoimento não passavam do mais recente exemplo da "síndrome do cachorro que fala", sobre a qual eu havia aprendido como primeira-dama do Arkansas. Há um pensamento similar atribuído por Boswell ao dr. Samuel Johnson: "Senhor, uma mulher pregando é como um cachorro caminhando só nas patas traseiras. Não é bem-feito; mas ficamos surpresos por descobrir que até pode ser feito".

Grande parte do elogio se concentrava no fato de que eu não havia usado anotações nem consultara meus assistentes, e que eu geralmente conhecia a matéria. Em resumo, até muitos membros das comissões que elogiaram minha apresentação não estavam necessariamente convencidos sobre a substância do plano.

Descobri também que minha popularidade fora de Washington, minha recepção positiva no Capitólio e a aparente disposição do Congresso de considerar a reforma da assistência à saúde dispararam alarmes entre os republicanos. Se Bill Clinton conseguisse aprovar um projeto de lei que garantisse seguro-saúde a todos os americanos, ele seria um vencedor certo para um segundo mandato como presidente. Esse era um efeito que os planejadores do Partido Republicano estavam determinados a evitar. Nossos próprios especialistas políticos percebiam uma estratégia de terra-arrasada surgindo à direita. Steve Ricchetti, o chefe de ligação da Casa Branca com o Senado, estava preocupado. "Eles virão atrás de você", disse-me ele uma tarde em meu escritório. "Você está muito forte nesse processo. Eles precisam tirar um quilo de carne de você, de um modo ou de outro." Garanti a Steve que eu já enfrentara a fúria antes e pelo menos agora a estaria enfrentando por algo em que acreditava.

Após meu depoimento, era hora do que a Casa Branca chamava de "lançamento" da assistência à saúde — uma série de discursos e eventos nos quais o presidente gera atenção e apoio para a política. Bill estava programado para fazer o lançamento durante grande parte da primeira quinzena de outubro, começando por uma viagem à Califórnia no dia 3 de outubro, onde ele realizaria reuniões nos municípios para discutir a reforma e conquistar o maior número possível de adeptos. Mas toda agenda presidencial está sujeita a eventos externos. Bill estava a caminho da Califórnia no dia 3 de outubro quando seus auxiliares receberam uma chamada urgente da Sala de Informes da Casa Branca. Dois helicópteros BlackHawk haviam sido derrubados na Somália. Os detalhes eram vagos, mas estava claro que soldados americanos haviam sido mortos e que poderia haver uma escalada de violência. Soldados haviam sido inicialmente enviados pelo presidente Bush em uma missão de ajuda humanitária ao país assolado pela fome, mas a situação evoluíra para uma campanha mais agressiva de pacificação.

Todo presidente deve rapidamente adotar uma estratégia quando acontecimentos perturbadores se desenrolam: ele pode parar com tudo o mais e se concentrar muito publicamente na crise ou controlar a situação tentando ater-se a seu cronograma oficial. Bill permaneceu na Califórnia mas ficou em contato constante com sua equipe de segurança nacional. Porém as notícias se agravaram: o corpo de um membro das forças armadas americanas havia sido arrastado pelas ruas de Mogadishu, um ato apavorante de brutalidade orquestrado pelo déspota somali general Mohamed Aideed.

Bill também recebeu notícias terríveis sobre a Rússia. Tinha havido uma súbita tentativa de golpe militar contra o presidente Boris Yeltsin. No dia 5 de outubro, na cidade de Culver, Califórnia, Bill interrompeu uma reunião sobre assistência à saúde com a prefeitura e voltou para Washington. Durante as semanas seguintes, Bill, a mídia de notícias e a nação foram absorvidos pela Somália e pela inquietação na Rússia, e a reforma da assistência à saúde ficou em segundo plano.

Inicialmente, havíamos previsto apresentar ao Congresso um esboço de princípios que conformariam a legislação de reforma da assistência à saúde. Mas, posteriormente, descobrimos que o congressista Dan Rostenkowski esperava que produzíssemos um projeto detalhado, já no jargão legislativo. Entregar ao Congresso um projeto abrangente logo de início converteu-se num enorme desafio e num erro tático de nossa parte. Calculávamos que o projeto teria no máximo 250 páginas, mas à medida que o trabalho de redação continuava, ficou claro que o projeto precisava ser mais longo, em parte porque o plano era complexo e em parte porque acatamos pedidos específicos de grupos interessados. A Academia Americana de Pediatria, por exemplo, insistiu que o projeto garantisse nove vacinações infantis no pacote de benefícios, além de seis visitas [well-child]. Essas reivindicações podem ter sido legítimas, mas esse nível de detalhe deveria ter sido negociado depois que o projeto fosse apresentado, não no processo de redação. A Lei do Seguro-Saúde encaminhada pela Casa Branca ao Congresso no dia 27 de outubro tinha 1.342 páginas. Algumas semanas depois, no último dia da sessão do Congresso e com pouco floreio, o líder da maioria no Senado, George Mitchell, apresentou a medida. Embora muitos outros projetos que tratavam de assuntos complexos como energia ou orçamento tivessem mais de mil páginas, os opositores usaram a extensão de nosso projeto contra nós. Estávamos propondo agilizar e simplificar uma política social importante, mas era como se não pudéssemos agilizar e simplificar nosso próprio projeto. Era uma tática inteligente e efetivamente obscurecia o fato de que nossa legislação de assistência à saúde teria eliminado milhares de páginas de legislação e regulamentações relativas à saúde já presentes nos livros.

Com tanta coisa acontecendo, eu facilmente teria esquecido meu aniversário no dia 26 de outubro. Mas minha equipe jamais perdia a oportunidade para uma festa. A turma da Hillarylândia convidou mais de cem de meus parentes e amigos para virem de vários cantos do país para uma festa-surpresa de comemoração na Casa Branca dos meus 46 anos. Percebi que alguma coisa estava sendo tramada quando voltei à noite para a residência depois de reuniões com o senador Moynihan e com a senadora Barbara Mikulski, de Maryland, uma veterana de Capitol Hill conhecida como a "decana" das senadoras.

Todas as luzes na residência estavam apagadas. Um blecaute, me disseram. Esta foi minha primeira pista; a energia elétrica nunca é cortada na Casa Branca. Fui conduzida escada acima e mandaram-me vestir uma peruca preta e uma saia comprida de babados — o visual colonial, certamente, e uma tentativa de reproduzir os modelos usados por Dolley Madison. Em seguida, fui conduzida até o Andar Diplomático, onde fui cumprimentada por uma dúzia de membros de equipe usando perucas louras que representavam "uma dúzia de diferentes Hillarys" — Hillary com travessa, Hillary biscoiteira, Hillary assistência-à-saúde. Bill estava disfarçado de presidente James Madison (com peruca branca e collant de ginasta). Adorei-o por isto, mas fiquei contente porque estávamos vivendo no final do século XX. Ele fica melhor de terno.

15

WHITEWATER

No DIA DAS BRUXAS DE 1993, apanhei um exemplar de domingo do *Washington Post* e descobri que nosso velho empreendimento perdulário no setor de imóveis no Arkansas havia voltado para nos assombrar. Segundo "fontes governamentais" não identificadas, a Resolution Trust Corporation (RTC), uma agência federal que examina empresas de poupança e crédito falidas, havia recomendado a investigação criminal de Madison Guaranty Savings and Loan, de propriedade de Jim McDougal. McDougal e sua esposa, Susan, haviam sido nossos sócios na Whitewater Development Company, Inc., uma entidade totalmente independente criada para deter terra adquirida, quatro anos antes de McDougal comprar a Madison Guaranty. Por nossa ligação com McDougal no passado, porém, fomos injustamente implicados em seus desastres posteriores. Durante a corrida presidencial de 1992, surgiram insinuações na imprensa — imediatamente desmentidas — de que McDougal havia recebido favores especiais do estado quando Bill era governador, por causa de sua relação empresarial conosco. O caso perdeu força quando Bill e eu provamos que havíamos perdido dinheiro no investimento Whitewater e que, enquanto Bill era governador, o Departamento de Valores Mobiliários do Arkansas até havia insistido com as autoridades federais que afastassem McDougal e fechassem a Madison Guaranty.

Agora o *Washington Post* estava noticiando que investigadores da RTC estavam examinando denúncias de que McDougal havia usado sua empresa de poupança e crédito para canalizar dinheiro ilegalmente para campanhas políticas no Arkansas, entre as quais a campanha de reeleição de Bill para o governo do estado em 1986. Eu tinha certeza de que isso não daria em nada. Bill e eu jamais depositamos dinheiro nem tomamos empréstimo na Madison Guaranty. Quanto às contribuições de campanha, Bill havia alterado a legislação do Arkansas impondo um limite rígido de 1.500 dólares de contribuição por eleição. McDougal já havia sido indiciado, processado e absolvido pelo governo federal de acusações relativas a sua operação da Madison Guaranty antes de Bill se candidatar a presidente.

Bill e eu não conseguimos entender o significado político do súbito ressurgimento da Whitewater, o que pode ter contribuído para alguns equívocos de relações públicas no modo como lidamos com a crescente controvérsia. Mas eu jamais poderia prever até onde nossos adversários levariam aquilo.

O nome Whitewater passou a representar uma investigação ilimitada de nossas vidas que custou aos contribuintes mais de 70 milhões de dólares, só para a investigação realizada pelo promotor independente, sem nunca revelar nenhum delito de nossa parte. Bill e eu cooperamos voluntariamente com os investigadores. Toda vez que divulgavam ou levantavam uma nova acusação, tornávamos a voltar atrás para ter certeza de que não deixáramos passar nada nem havíamos negligenciado nenhum ponto essencial. Mas à medida que uma alegação se sucedia a outra, percebemos que estávamos perseguindo fantasmas numa sala de espelhos: bastava correr na direção de um para que outro viesse atrás de nós. Whitewater nunca pareceu real porque não era.

O propósito das investigações era desacreditar o presidente e a administração e desacelerar seu ímpeto. O objeto das investigações não vinha ao caso; só importava que houvesse investigações. Não importava que não tivéssemos feito nada de errado; o importante é que o público tivesse a impressão de que havíamos feito. Não importava que as investigações custassem dezenas de milhões de dólares aos contribuintes; só importava que nossas vidas e o trabalho do presidente fossem constantemente perturbados. Whitewater marcou uma nova tática na guerra política: a investigação como arma de destruição política. "Whitewater" se tornou uma senha conveniente para todo e qualquer ataque que nossos adversários políticos pudessem conceber. Whitewater desde o começo foi uma guerra política e se acirrou ao longo da presidência de Bill Clinton.

Na época, porém, Whitewater me parecia uma nova versão de uma velha história com um elenco de personagens conhecidos — mais um aborrecimento que uma ameaça.

Entretanto, à luz do artigo do *Washington Post* do Dia das Bruxas e de uma matéria similar do *New York Times* que veio a seguir, achamos que deveríamos tomar a precaução de contratar um advogado particular. Nosso advogado pessoal, Bob Barnett, se recusou a envolver-se com Whitewater porque sua esposa, Rita Braver, era uma correspondente da CBS designada para cobrir a Casa Branca. Bob é um democrata de longa data e o interlocutor favorito dos indicados a presidente e vice-presidente democratas. Em debates simulados organizados para preparar candidatos para os estilos retóricos e argumentos políticos de seus oponentes, ele desempenha o perfeito antagonista republicano — assumindo o papel do vice-presidente e depois do presidente George Bush contra a congressista Geraldine Ferraro em 1984, do governador Michael Dukakis em 1988 e do governador Bill Clinton em 1992; interpretando o ex-ministro da Defesa Dick Cheney contra o senador Joe Lieberman no debate para a eleição vice-presidencial de 2000; e até fazendo o papel do congressista Rick Lazio na preparação para o meu próprio debate durante a corrida para o Senado em 2000. Bob se tornou meu advogado e conselheiro em 1992, e eu não poderia esperar um amigo melhor nos anos que se seguiram.

Bob recomendou David Kendall, seu colega na Williams e Connolly, para nos representar no caso Whitewater. Fazia anos que conhecíamos David. Embora fosse alguns anos mais velho que Bill e eu, fomos contemporâneos na Escola de Direito de Yale. Como Bill, David era um bolsista Rhodes. Como conterrâneo do Meio-Oeste — David nascera e crescera numa fazenda da zona rural de Indiana —, ele e eu tínhamos uma comunicação natural. Em breve ele se tornou uma âncora em nossas vidas.

David era perfeito para o trabalho. Havia sido secretário do juiz Byron White na Suprema Corte e tinha experiência em direito comercial e em casos que envolviam a mídia. Havia representado clientes em várias investigações sobre empresas de poupança e crédito nos anos 80 e, por isso, estava familiarizado com as questões. Ao mesmo tempo, tinha uma consciência social inabalável. Na parede de seu escritório, há uma cópia do boletim de ocorrência de sua detenção no Mississippi, onde ele passara um curto período na cadeia em 1964 como ativista dos direitos civis durante a campanha pelos direitos de voto no Verão da Liberdade. Em um de seus primeiros trabalhos como advogado, defendeu casos de pena de morte para o Fundo de Defesa Legal do NAACP.

Como todo bom advogado, David tem o talento para transformar fatos aparentemente fortuitos e desconexos em uma narrativa convincente. Mas a reconstrução do caso Whitewater seria um teste para suas habilidades. Primeiro, David apanhou os arquivos do escritório de Vince Foster que haviam sido confiados a Bob Barnett após a morte de Vince. Em seguida, rastreou outros documentos de Washington até Flippin, Arkansas, próximo ao imóvel da Whitewater.

Durante os três meses seguintes, David se reuniu quase toda semana conosco na Casa Branca. Enquanto eu ouvia fascinada, ele nos municiava com o que descobrira ao preencher lacunas nos registros da Whitewater e localizar os investimentos cada vez mais bizarros de Jim McDougal. Tentar recriar a trajetória dos documentos de McDougal, disse ele, era como ensacar fumaça com uma pá.

Nem Bill nem eu jamais havíamos visitado o imóvel da Whitewater; apenas tínhamos visto fotos. David concluiu que precisava ver o local "em três dimensões e em tempo real" para entender o caso. Tomou um vôo para o sul do Missouri (que ficava mais perto da propriedade do que Little Rock) e alugou um carro. Horas depois de se perder por estradas vicinais, finalmente seguiu por uma trilha acidentada aberta por tratores no meio da mata e que levava ao desolado loteamento da Whitewater. Havia, aqui e acolá, placas de "vende-se", mas ninguém por perto. Se ele tivesse voltado alguns alguns meses mais tarde, depois que a mídia acorrera em grandes contingentes para fotografar e entrevistar alguém ligado à Whitewater, David teria visto um grande cartaz afixado em uma das poucas construções habitadas no local: "Fora daqui, Idiotas".

Por fim, David localizou a propriedade corrente de certos lotes da Whitewater com um corretor local de Flippin chamado Chris Wade. Não ficáramos sabendo que, em maio de 1985, McDougal vendera os 24 lotes remanescentes de sua companhia para Wade. Apesar do fato de que ainda fôssemos sócios na época, McDougal não nos havia informado, nem pedira que assinássemos autorizando à transação, nem se oferecera para dividir os 35 mil dólares da venda. Também não sabíamos que McDougal adquirira nessa transação um pequeno avião Piper Seminole usado que se tornou sua "aeronave empresarial".

Em meados dos anos 80, McDougal presidia um pequeno império empresarial, pelo menos no papel. Em 1982, havia comprado uma pequena empresa de crédito chamada Madison Guaranty e rapidamente abriu a torneira do dinheiro. McDougal aspirava ser um banqueiro populista e tinha idéias grandiosas. Pelo que David Kendall conseguiu inferir, muitas transações de McDougal eram questionáveis. Nos termos amenos de David, McDougal fez "investimentos otimistas demais". Infelizmente, quando não conseguia cobrir os pagamentos, McDougal fazia o dinheiro girar, tomando emprestado de Pedro para pagar a Paulo. Sem conhecimento de nossa parte, ele chegou a usar certa vez a Whitewater Development Company para adquirir propriedade perto de um estacionamento de trailers ao sul de Little Rock, à qual confiantemente chamou de Castle Grande Estates. Seriam necessários anos para desemaranhar sua teia de sócios empresariais e esquemas falidos.

A Madison Guaranty começou como milhares de outras empresas de poupança e crédito que faziam pequenos empréstimos hipotecários para compra de casas. Então, em 1982, a administração Reagan desregulamentou o setor de poupança e crédito. De repente, proprietários como McDougal podiam tomar empréstimos grandes e impensados, fora de seus negócios convencionais, que acabaram levando todo o setor, inclusive a Madison Guaranty, a entrar em sérias dificuldades financeiras. Um dos métodos que os executivos e advogados dessas empresas usavam para salvar seus negócios fracassados era elevar o capital mediante ofertas de ações preferenciais, o que lhes era permitido nos termos da legislação federal, desde que obtivessem autorização do órgão normativo estadual.

Em 1985, Rick Massey, jovem advogado na firma de advocacia Rose, junto com um amigo seu que trabalhava para McDougal, propôs exatamente essa saída para a Madison Guaranty. Uma vez que McDougal havia negligenciado o pagamento de uma conta anterior por serviços jurídicos da Rose, a firma insistiu que ele pagasse um honorário mensal de 2 mil dólares para retenção do serviço, antes de Massey realizar o trabalho. Meus sócios me pediram que eu solicitasse de McDougal o pagamento da retenção do serviço e me tornasse "sócia de faturamento" para Massey porque, como assistente júnior, ele ainda não podia ter cliente próprio. Depois de providenciar o sistema da prestação do serviço, meu envolvimento pessoal com a conta foi mínimo. A oferta de ações não chegou a ser aprovada pelo governo do Arkansas e o organismo federal de controle das empresas de crédito assumiu o controle da Madison Guaranty, afastou McDougal da direção e iniciou um exame das transações da empresa por causa das alegações de que McDougal se envolvera numa prática característica de advocacia em causa própria.

A investigação federal e o processo criminal dela derivado contra McDougal o consumiram durante anos. Em 1986, ele nos abordou e perguntou se concordaríamos em transferir nossa cota de 50% da Whitewater Development Company. Achei que era uma excelente idéia. Havíamos feito nosso investimento oito anos antes e só havíamos perdido dinheiro. Mas antes de transferir nossa cota, pedi a McDougal que retirasse nossos nomes da hipoteca e, em troca de ficar com 100% do patrimônio líquido restante da companhia, assumisse a dívida restante e nos liberasse de quaisquer obrigações remanescentes e futuras. Quando ele se recusou terminantemente a isso, um alarme começou a soar em minha cabeça. Pela primeira vez desde que nos tornamos sócios em 1978, exigi examinar os livros. Perguntaram-me por que eu nunca havia feito isso antes e como eu podia ter ficado tão ignorante das ações de McDougal. Também me perguntei o mesmo. Eu só achava que havíamos feito um mau investimento e que tínhamos de pagar o preço por adquirir imóveis para segundas residências logo quando as taxas de juros disparavam. Estávamos amarrados a um perdedor e tínhamos de esperar uma reviravolta no mercado ou esperar até podermos vendê-los. Eu não tinha nenhum motivo para questionar McDougal, cujos antecedentes de investimento haviam sido impressionantes nos anos 70 e de quem, segundo eu imaginava, não se podia esperar que sempre tirasse leite das pedras. Continuei a pagar tudo o que McDougal dizia que devíamos e a me voltar para as demandas mais iminentes de minha vida, entre as quais a de ter um bebê, participar das eleições de meu marido a cada dois anos e praticar a advocacia. Quando meu contador analisou a documentação da Whitewater que eu havia reunido com a ajuda de Susan McDougal durante muitos meses, percebi que os registros estavam em desordem e que a Whitewater era um fiasco. Decidi que Bill e eu tínhamos de colocar tudo em ordem e depois nos retirar da confusão de McDougal. Dados os problemas de McDougal, isso levou anos.

Em primeiro lugar, eu queria cuidar de toda obrigação imaginável que a empresa tivesse com o imposto de renda, com o Departamento da Receita do Arkansas e com impostos imobiliários locais. A Whitewater nunca havia ganho dinheiro, mas ainda estava obrigada a apresentar declarações de rendimentos, o que, conforme descobri em 1989, McDougal não vinha fazendo nos últimos anos. Ele deixara de pagar impostos sobre a propriedade, apesar de nos garantir o contrário. Para entregar declarações de renda agora, eu precisava da assinatura de um diretor da Whitewater Development Company, Inc., e só os McDougal estavam autorizados. Durante um ano tentei obter procuração de McDougal para poder entregar as declarações, pagar os impostos e vender a propriedade para cobrir a dívida.

Enquanto isso, a vida de McDougal estava se esfacelando. Sua esposa, Susan, o abandonara em 1985 e depois se mudara para a Califórnia. No ano seguinte, ele sofrera um derrame debilitante, que agravou a síndrome maníaco-depressiva contra a qual aparentemente ele vinha lutando havia algum tempo. Eu não estava muito disposta a contatar McDougal e, por isso, em 1990, liguei para Susan na Califórnia, expliquei o que eu queria fazer e perguntei se ela, como secretária da empresa, assinaria. Ela concordou e encaminhei rapidamente os formulários para ela, que assinou e devolveu para mim. Quando McDougal descobriu, falou aos gritos com Susan pelo telefone e ligou para meu escritório para me ameaçar. Eu o transformara num inimigo.

McDougal ficou ainda mais rancoroso depois que foi indiciado e processado por oito acusações criminais federais de conspiração, fraude, declarações falsas e sonegação fiscal. Ele se internou num hospital psiquiátrico antes de seu julgamento em 1990. Ele também pediu a Bill que testemunhasse em favor de seu caráter, mas dissuadi Bill de fazer isso. Bill sempre está disposto a dar a qualquer um, especialmente a velhos amigos, o benefício da dúvida, mas eu simplesmente achava que ele não podia atestar em favor de McDougal. Ambos percebemos que não fazíamos a menor idéia de quem ele realmente era ou no que estivera envolvido naqueles anos todos. Depois que o júri o absolveu, McDougal me ameaçou novamente, dessa vez insinuando que me ressarciria por entregar as declarações de rendimentos da Whitewater.

E foi o que ele fez, com uma considerável ajuda dos adversários políticos de Bill. Sheffield Nelson, um ex-diretor executivo da Arkansas Louisiana Gas Company (Arkla) que se fizera por si mesmo, havia passado para o Partido Republicano para se candidatar a governador em 1990, em oposição a Bill. Acostumado a conseguir o que queria, Nelson tornou-se profundamente vingativo e antipático após sua derrota. Assim que Bill anunciou sua candidatura à Presidência em 1991, Nelson informou a Casa Branca de Bush que ele estaria disposto a prestar qualquer ajuda que pudesse para derrotar Bill. Com esse propósito, convenceu McDougal a manifestar quaisquer queixas que ele tivesse quanto a Bill e a mim, por mais bizarras que fossem.

O resultado foi a primeira matéria sobre a "Whitewater", um artigo que apareceu na primeira página do *New York Times* de um domingo de março de 1992, na metade das primárias do Partido Democrata.

Jim McDougal era citado ao longo da matéria, plantando abundantes informações falsas a respeito de nossa sociedade. O redator atribuía muita importância à nossa "relação complicada" com McDougal e erroneamente insinuava que ele ganhara dinheiro para nós na transação da Whitewater, recebendo favores em troca. Embora o cabeçalho do artigo alardeasse que "os Clinton se juntaram a banqueiro de poupança e crédito em empreendimento imobiliário nas Ozarks", havíamos feito nosso investimento com os McDougal quatro anos antes de Jim adquirir a empresa. A campanha de Clinton imediatamente contratou Jim Lyons, respeitado advogado comercial de Denver que, por sua vez, contratou uma empresa de auditoria contábil para reunir e explicar os registros do investimento da Whitewater.

O relatório de Lyons, que custou 25 mil dólares e apenas três semanas para ser concluído, provou que Bill e eu tínhamos obrigações iguais com os McDougal pelo empréstimo original que havíamos feito para comprar o terreno da Whitewater e que tínhamos perdido dezenas de milhares de dólares no investimento — a cifra final ultrapassava os 46 mil dólares. Dez anos e dezenas de milhões de dólares depois, o relatório final do promotor independente sobre a Whitewater, divulgado em 2002, corroborou os resultados do relatório de Lyons, tal como uma investigação distinta encomendada pela Resolution Trust Corporation. Depois que a campanha divulgou o relatório de Lyons em março de 1992, a imprensa se esqueceu do caso. Alguns republicanos e seus aliados não se renderam com tanta facilidade. Em agosto de 1992, um investigador do baixo escalão da RTC, L. Jean Lewis, encaminhou um parecer criminal relativo à Madison que tentava implicar Bill e eu. Chuck Banks, o promotor federal republicano em Little Rock que havia sido nomeado juiz federal pelo presidente Bush, passou a sofrer pressão do Ministério da Justiça de Bush para que tomasse providências sobre o parecer e emitisse intimações para um júri de indiciamento que inevitavelmente tornaria público e insinuaria que, de alguma forma, estávamos envolvidos numa investigação criminal. Banks se recusou, manifestando surpresa pelo fato de que a RTC não lhe tivesse enviado a informação três anos antes, quando ele estivera investigando Jim McDougal. Banks disse que o parecer não lhe dava nenhuma base para suspeitar de conduta criminal de nossa parte ou para nos investigar, e que ele receava que uma atividade investigativa de última hora poderia vazar e prejudicar a eleição presidencial. De modo um tanto inesperado, o relatório final sobre a Whitewater na verdade documenta o envolvimento da administração Bush na tentativa de criar uma "surpresa de outubro" poucas semanas antes da eleição. Não só o ministro da Justiça William Barr estava envolvido, como, também, o advogado da Casa Branca C. Boyden

Gray tentava encontrar um potencial parecer criminal da RTC que nos envolvesse. Quando as repercussões do caso Whitewater ressurgiram no outono de 1993, nenhum de nós na Casa Branca teria imaginado o leque de forças que estavam prestes a convergir no que se tornaria — para nossos adversários — uma perfeita tempestade política.

Em meados de novembro, enquanto David Kendall estava mergulhado em sua missão de apuração de fatos, o *Washington Post* submetia à Casa Branca uma longa lista de perguntas sobre Whitewater e McDougal. Durante as várias semanas seguintes, um debate interno fermentou no interior da administração sobre como lidar com os pedidos da mídia. Deveríamos responder perguntas? Mostrar documentos? E, nesse caso, quais? Nossos conselheiros políticos, inclusive George Stephanopoulos e Maggie Williams, eram favoráveis a despejar os documentos na mídia. O mesmo pensava David Gergen, que trabalhara na Casa Branca de Nixon, Ford e Reagan e fora incorporado à equipe de Bill. Gergen sustentava que a imprensa não descansaria enquanto não obtivesse informações, mas uma vez que conseguisse, passaria para outra coisa qualquer. Não havia o que esconder e, portanto, por que não? O caso seria propalado por algum tempo e depois morreria.

Mas David Kendall, Bernie Nussbaum e Bruce Lindsey, todos advogados, argumentavam que a liberação de documentos para a imprensa era uma "ladeira escorregadia". Considerando que o relatório ainda era parcial e talvez nunca se concluísse, não sabíamos as respostas a muitas perguntas sobre McDougal e seus negócios. A imprensa não ficaria satisfeita, sempre achando que estávamos escondendo algo quando não tínhamos nada mais a dizer a ela. Como advogada, minha tendência foi concordar com essa visão. Bill não deu muita atenção ao assunto, já que sabia que não tinha feito nada como governador para favorecer McDougal e, além do mais, havíamos perdido dinheiro. Consumido pelas demandas da Presidência, ele me pediu que decidisse com David como lidar com nossa resposta.

Pela nossa experiência com o *impeachment* de Nixon em 1974, Bernie e eu acreditávamos que deveríamos cooperar totalmente com a investigação do governo para que ninguém pudesse ter motivos para afirmar que estávamos usando táticas evasivas ou invocando imunidade executiva. Assim, instruí David que alertasse os investigadores do governo que lhes forneceríamos voluntariamente todos os documentos e cooperaríamos com uma investigação numa audiência de indiciamento. Eu não acreditava — erroneamente, conforme se verificou — que a mídia continuaria a nos torpedear porque não havíamos entregado a eles os mesmos documentos, na medida em que os havíamos fornecido ao Ministério da Justiça.

Antes mesmo que o Ministério da Justiça emitisse uma intimação, concordamos por intermédio de David em cooperar inteiramente e sem demora, dispondo-nos a entregar todos os documentos que pudéssemos encontrar relativos a Whitewater e renunciando a todos os privilégios com respeito aos documentos que estávamos entregando — inclusive qualquer trabalho que Vince Foster tivesse feito para nós como nosso advogado pessoal.

Ainda confiante que esse não-escândalo se dissolveria como aconteceu durante a campanha, partimos para Camp David para passar o dia de Ação de Graças. Foi um momento agridoce para nós. Meu pai não estaria à mesa competindo com Hugh e Tony por uma das coxas do peru ou pedindo mais uvas-do-monte e picles de melancia, dois de seus favoritos da infância. E sabíamos que a saúde de Virginia estava declinando. Esse poderia ser nosso último dia de Ação de Graças com ela, e estávamos decididos a proporcionar-lhe momentos de alegria, cuidando dela sem ser solícitos demais, pois esse não era seu estilo. Virginia necessitava de transfusão de sangue a intervalos de poucos dias e, assim, providenciamos para que recebesse a transfusão em Camp David, que é plenamente equipado para fornecer cuidados médicos para o presidente, sua família e convidados, além dos marinheiros e fuzileiros navais ali estacionados.

O marido de Virginia, Dick, que servira na Marinha no palco do Pacífico durante a Segunda Guerra Mundial, adorou ir a Camp David. Passou um bocado de tempo visitando os jovens fuzileiros de folga, relaxando no pequeno restaurante e bar do chalé Nogueira na base. Virginia gostou de se sentar com ele, enquanto bebericava um drinque, escutando um jovem cabo dos fuzileiros falar sobre sua família e sobre a garota com quem pretendia se casar. Em minha imaginação, vejo Virginia de botas vermelhas, calça branca e suéter e uma jaqueta de couro vermelha, brincando e rindo com Dick e os jovens. Quem quer que tivesse tido o prazer da companhia de Virgínia sabia que ela era uma americana modelo — um grande coração, bem-humorada, divertida e totalmente livre de preconceitos ou pretensões.

No começo de novembro, a imprensa noticiou que seu câncer voltara, mas a maioria das pessoas não sabia quanto era grave a sua condição, dada sua atitude positiva e quanto ela continuava a parecer bem. A maquiagem e os cílios postiços continuavam, não obstante o que ela sentia. Christophe Schatteman, nosso amigo cabeleireiro de Los Angeles, tomara um vôo para o

Arkansas para arrumar as perucas pós-quimioterapia de Virginia para que elas ficassem exatamente como o seu cabelo, um ato de bondade que diz muito sobre ele.

Meu irmão Tony havia recentemente ficado noivo de Nicole Boxer, a filha da senadora Barbara Boxer da Califórnia e de seu marido Stewart. Estávamos planejando um casamento primaveril para Tony e Nicole na Casa Branca, por isso convidei Nicole, seus pais e seu irmão, Doug, para que se juntassem a nós no jantar do dia de Ação de Graças em Camp David.

Camp David era um perpétuo canteiro de obras, já que cada novo presidente e primeira-dama acrescentavam seus toques pessoais ao complexo. Havia sido construído pela CCC (Civilian Conservation Corps) [Corporação Civil de Conservação] e pela WPA (Work Projects Administration) [Administração de Projetos de Obras] das Forças Armadas, como um acampamento de trabalho durante a Depressão dos anos 30. O presidente Franklin Roosevelt decidiu inicialmente usá-lo para um retiro presidencial, chamando-o de "Shangri-la" e melhorando suas instalações. No momento em que chegamos, era instalação militar e retiro. Havia dez chalés rústicos para hóspedes, todos com nomes de árvores. O chalé maior de hóspedes, o Álamo, reservado para o presidente, fica no alto de uma colina que desce para o campo de golfe instalado pelo presidente Eisenhower e para a piscina acrescentada pelo presidente Nixon. As janelas da sala de estar têm vista para a reserva florestal que circunda o acampamento. As cercas de segurança do perímetro, câmeras e patrulhas de fuzileiros ficam longe da vista, permitindo que esqueçamos que esse local tranqüilo é uma base militar, tornada ainda mais segura graças às proteções especiais fornecidas ao presidente.

O centro de atividades do acampamento é o chalé maior, o Loureiro, onde nos reunimos para assistir futebol, jogar, sentar diante da lareira de tijolos de dois andares e fazer juntos nossas refeições. Depois de passar algum tempo lá, achei que a sala central no Loureiro poderia ser mais funcional e aproveitar melhor a vista. Havia poucas janelas na longa parede dos fundos que dava para a mata e um pilar enorme bloqueava o fluxo pela sala. Trabalhei com a Marinha e meu amigo Kaki Hockersmith, decorador de interiores do Arkansas, para desenvolver projetos para uma reforma que abolisse o pilar e acrescentasse janelas para permitir a entrada de mais luz, abrindo a sala para a mudança das estações lá fora.

Os cozinheiros e garçons da Marinha prepararam e serviram o clássico jantar de Ação de Graças que ambos os lados de nossa família esperavam.

Juntar as tradições de minha família com a de Bill significava que tínhamos recheios de pão e broa de milho, tortas de abóbora e de frutas picadas. As mesas do bufê rangiam sob o peso de tanta comida, enquanto todos observavam uma tradição que transcende todas as regiões: a gula.

Durante o fim de semana, dois velhos amigos, Strobe Talbott, na época servindo como embaixador-geral para os novos Estados Independentes da ex-União Soviética, e que mais tarde se tornaria secretário de Estado adjunto, e Brooke Shearer, diretora do Programa Amigos da Casa Branca e minha companheira de campanha, vieram nos visitar com seus filhos. Não falamos muito sobre Whitewater, que considerávamos como um bipe momentâneo na tela do radar. Em vez disso, discutimos os eventos do último ano. Estávamos com mais esperanças do que nunca sobre o futuro do país. Tínhamos passado um ano pessoalmente difícil, mas, tomando por base a agenda de Bill, fora produtivo. Para usar uma metáfora da corrida de cavalos de que Virginia teria gostado, talvez tivéssemos sido lentos na largada, mas estávamos ganhando velocidade. O país estava mostrando sinais de recuperação econômica e aumentando a confiança do consumidor. O índice de desemprego se reduzira a 6,4%, o mais baixo desde o início de 1991. As compras de casas novas estavam aumentando, ao passo que as taxas de juros e a inflação estavam caindo. Além do plano econômico, que era essencial à expansão sem precedentes, Bill havia promulgado a Lei do Serviço Civil Nacional, criando o AmeriCorps; a Lei de Licença Médica e de Paternidade/Maternidade, que o presidente Bush havia vetado duas vezes; a legislação que permitia a quem estava tirando carteira de habilitação cadastrar-se como eleitor no departamento local de trânsito; ajuda financeira direta ao estudante, reduzindo o custo para ingressar na faculdade; e uma das prioridades de Strobe, ajuda econômica para a Rússia, que se destinava a escorar aquela democracia incipiente.

Regressamos dos feriados alguns quilos mais pesados, porém revigorados. Eu estava particularmente contente por Bill ter assinado o projeto Brady no dia 30 de novembro de 1993. Tal como a Lei de Licença Médica e Familiar, esse projeto havia recebido oposição do presidente Bush. Havia muito esperada, era uma legislação de bom senso que exigia um prazo de espera de cinco dias para verificação dos antecedentes de cada comprador de armas. O projeto não teria sido possível sem os esforços incansáveis de James e Sarah Brady. Jim, ex-secretário de Imprensa da administração anterior, havia sofrido lesão cerebral quando recebera um tiro na cabeça em 1981, disparado por um homem perturbado que tentara assassinar o presidente Ronald Reagan. Ele e sua indômita esposa, Sarah, haviam dedicado suas vidas para impedir que armas caíssem nas mãos dos criminosos e mentalmente doentes. Sua perseverança resultou na cena extremamente comovente da Sala Leste quando Bill, ladeado pelos Brady, converteu em lei o mais importante projeto de controle de armas em 25 anos. Nos anos vindouros, nenhum proprietário legal de armas perdeu suas armas, mas 600 mil fugitivos, caçadores clandestinos e criminosos foram impedidos de comprá-las.

O NAFTA foi ratificado no dia 8 de dezembro de 1993 e, com isso, a administração poderia voltar toda a sua atenção finalmente para o apoio à reforma da assistência à saúde. Para manter o ímpeto, o dr. Koop e eu saímos novamente em viagem. No dia 2 de dezembro, falamos para oitocentos médicos e profissionais de saúde que participavam do Fórum Tri-Estadual de Assistência à Saúde Rural em Hanover, New Hampshire.

O dr. Koop se tornara um defensor cada vez mais entusiasta de nosso plano de assistência à saúde. Quando ele falava, era como escutar um profeta do Velho Testamento. Ele conseguia expressar a dura verdade sem ser por isso condenado. Era capaz de dizer: "Temos muitos especialistas em medicina e não temos generalistas suficientes" e uma platéia cheia de especialistas acenava positivamente com a cabeça.

O fórum de New Hampshire foi televisionado e, por isso, foi um evento particularmente importante para nossa causa e uma grande oportunidade para explicar as virtudes do plano Clinton. Fiquei absorvida na discussão. Em algum momento, olhei para a platéia e vi minha assistente Kelly Craighead andando de gatinhas pelo corredor central do auditório. Ela estava gesticulando freneticamente, dando tapas no topo da cabeça e apontando para mim. Continuei a falar e a ouvir, incapaz de entender o que ela estava fazendo.

Era outra crise de cabelo. Capricia Marshall, que estava em Washington assistindo pela televisão, notou que uma mecha de meu cabelo estava espetada diretamente para o alto no centro de minha cabeça. Ela receava que a audiência estivesse atentando para meu cabelo em lugar de escutar o que eu estava dizendo e por isso ligara para o celular de Kelly: "Abaixe o cabelo dela!".

"Não posso, ela está sentada na frente de centenas das pessoas."

"Não importa, faça-lhe um sinal!"

Quando Kelly me contou o caso depois do evento, todos rimos. Com pouco menos de um ano em minha nova vida, eu estava finalmente captando o significado do insignificante. Dali em diante, elaboramos um sistema de gestos de mão, como os de um técnico e um lançador, para saber quando assentar meu cabelo ou esfregar o batom dos dentes.

De volta a Washington, os rituais de Natal da Casa Branca estavam a pleno vapor. Agora eu podia apreciar o planejamento surrealista a que eu fora instada a iniciar num dia morno de maio, quando Gary Walters, o chefe dos meirinhos, disse a mim, "Sabe, senhora Clinton, está ficando tarde para começar os preparativos para o Natal". Ele me disse que eu tinha de resolver por um desenho para o cartão de Natal da Casa Branca, escolher um tema para a decoração e planejar as festas que realizaríamos em dezembro. Eu adoro o Natal, mas o dia de Ação de Graças sempre havia sido um bom momento para começar a pensar sobre ele e, assim, isso representava uma grande mudança em meu estilo de planejamento. Obedientemente, adaptei-me e logo comecei a separar fotos de neve caindo no gramado da Casa Branca enquanto o cheiro das magnólias entrava pelas janelas.

Aqueles meses todos de preparação compensaram. Decidi fazer das artes americanas o meu tema de Natal e convidei artesãos de todo o país a enviarem ornamentos feitos à mão, os quais penduramos nas mais de vinte árvores espalhadas pela residência. Promovemos, em média, uma recepção ou festa diariamente durante três semanas completas. Gostei de planejar cardápios e atividades e supervisionar as dezenas de voluntários que se aglomeram na Casa Branca para ajudar a pendurar os enfeites. Um triste efeito dos ataques de 11 de setembro de 2001 foi que a Casa Branca não é mais tão aberta quanto era enquanto estivemos lá. Naquele primeiro Natal, uns 150 mil visitantes passaram pelos cômodos públicos para ver a decoração e provar um biscoito ou dois. Uma vez que desejávamos incluir pessoas de todos os credos no período dos feriados, acendemos o candelabro menorá que eu havia encomendado para a Casa Branca naquele dezembro para celebrar o *Chanuca*. Três anos depois, realizamos o primeiro evento *Eid al-Fitr* na Casa Branca para comemorar o final do Ramadã, o mês muçulmano do jejum.

O Natal é sempre um grande evento na família Clinton. Bill e Chelsea são entusiásticos compradores, embrulhadores de presentes e decoradores de árvore. Adoro observar os dois podando juntos nossa árvore, parando para relembrar a origem de cada enfeite. Esse ano não foi diferente, embora levasse algum tempo para encontrar os enfeites de Natal da família. Muitos de nossos pertences ficaram em caixas sem etiqueta guardadas em quartos do terceiro andar da Casa Branca ou no depósito presidencial em Maryland.

Finalmente, porém, nossas meias de Natal abarrotadas foram penduradas na prateleira da lareira no Salão Oval Amarelo, em uma casa que estava começando a parecer um lar.

Esse seria o último Natal para Virginia, que estava ficando mais fraca e agora precisava de constantes transfusões. A indômita sra. Kelley estava decidida a viver plenamente cada um de seus últimos momentos de vida. Bill e eu queríamos que ela passasse o máximo de tempo possível conosco e, por isso, nós a convencemos a ficar uma semana. Ela concordou, mas insistiu que não poderia ficar até o Ano-Novo porque ela e Dick iriam ver o concerto de Barbra Streisand em Las Vegas. Virginia criara uma profunda amizade com Barbra, que os havia chamado para serem seus convidados em seu muito esperado retorno ao palco de concertos. Acho que Virginia desejava viver por tempo bastante para fazer a viagem, porque não havia nada de que ela gostasse mais do que um giro pelos cassinos e a chance de ver um show de Barbra Streisand.

A fixação da mídia em Whitewater continuou ao longo dos feriados de fim de ano enquanto o *New York Times*, o *Washington Post* e a *Newsweek* competiam para dar furos de reportagem. Republicanos na Câmara e no Senado — particularmente Bob Dole — pediam uma "revisão independente" do caso Whitewater. Redatores de editoriais pressionaram a ministra da Justiça Janet Reno para que indicasse um promotor especial. A Lei de Promotoria Independente que fora promulgada depois do escândalo de Watergate havia acabado de expirar e as investigações agora tinham de ser autorizadas pelo ministro da Justiça. A pressão aumentava diariamente, ainda que não houvesse nenhum fato que chegasse perto de atender ao único critério para designar um promotor especial: evidência confiável de delito.

Vince Foster estava sendo perseguido mesmo depois de morto. Uma semana antes do Natal, a imprensa noticiou que alguns de seus arquivos, incluindo documentos de Whitewater, tinham sido "misteriosamente tirados" de seu escritório por Bernie Nussbaum. É claro que o Ministério da Justiça estava bem ciente de que os arquivos pessoais haviam sido retirados de seu escritório na presença de advogados do Ministério da Justiça e de agentes do FBI, transferidos para nossos advogados, e que estavam sendo entregues ao Ministério da Justiça para exame. Mas o vazamento dessa "notícia" atirou lenha numa fogueira em extinção.

Logo estávamos sofrendo um ataque partidário ultrajante. No sábado, 18 de dezembro, eu era anfitriã de uma recepção quando David Kendall me chamou ao telefone.

"Hillary", disse ele, "tenho de lhe contar uma coisa muito, muito terrível..."

Sentei-me e ouvi enquanto David resumia um longo e detalhado artigo que sairia no *American Spectator*, uma revista mensal direitista que regularmente criticava a administração. O artigo, escrito por David Brock, estava cheio das histórias mais perversas que eu jamais ouvira, piores do que o lixo obsceno dos tablóides de supermercados. As principais fontes de Brock eram quatro patrulheiros do Arkansas que faziam parte do destacamento de guarda-costas de Bill. Eles afirmavam — entre outras coisas — que haviam arrumado mulheres para Bill quando ele era governador. Anos depois, Brock se retrataria, escrevendo uma confissão surpreendente de seus motivos e diretrizes políticas na ocasião.

"Ora, é só um monte de besteiras, mas vai sair amanhã", disse David. "Você precisa estar preparada."

Minha primeira preocupação foi com Chelsea, minha mãe e Virginia, que já haviam suportado muito.

"O que podemos fazer a respeito?", perguntei a David. "Há alguma coisa que *se possa* fazer?"

Seu conselho foi para que eu permanecesse calma e não dissesse nada. Comentários nossos só ajudariam a dar publicidade ao artigo. Os patrulheiros estavam fazendo um trabalho razoável de descrédito para si mesmos, gabando-se descaradamente que esperavam ganhar dinheiro com as histórias. Dois dos quatro concordaram em ser identificados e estavam em busca de quem comprasse suas histórias para um livro. O que era ainda mais revelador é que estavam sendo representados por Cliff Jackson, outro dos inimigos políticos mais veementes de Bill no Arkansas. Muitas histórias de Brock eram vagas demais para serem verificadas, mas certos pormenores foram facilmente refutados. O artigo afirmava, por exemplo, que eu havia ordenado a destruição dos registros da portaria da Mansão do Governador para acobertar supostas ligações de Bill; a mansão, porém, nunca manteve tais registros. Infelizmente, o fato de que as fontes de Brock eram patrulheiros do estado que haviam trabalhado para Bill davam a suas histórias um verniz de credibilidade.

Acho que o efeito pleno do artigo somente me atingiu na noite seguinte, numa festa de Natal para nossos amigos e parentes na Casa Branca. Lisa Caputo me disse que dois dos patrulheiros estavam vendendo suas histórias na CNN naquela noite e que o *Los Angeles Times* estava prestes a publicar sua própria versão das acusações dos patrulheiros. Era demais. Perguntei-me se o que o Bill estava tentando fazer para o país valia a dor e a humilhação que nossas famílias e amigos estavam prestes a sofrer. Devo ter parecido tão arrasada quanto me sentia, porque Bob Barnett veio me perguntar se podia me ajudar. Eu disse a ele que tínhamos que decidir como responder até o dia seguinte. Sugeri que fôssemos para cima com Bill para discutir um pouco o assunto. Bill andava de um lado para o outro no corredor central. Bob se ajoelhou diante de mim enquanto eu afundava numa pequena poltrona encostada à parede. Com seus óculos enormes e suas feições suaves, Bob parece o tio favorito de todo mundo. Agora ele falava com uma voz tranqüilizadora, numa clara tentativa de ver se, depois de tudo o que havia acontecido naquele ano, ainda tínhamos força para mais outra luta.

Olhei para ele e disse: "Estou tão cansada de tudo isso".

Ele meneou a cabeça. "O presidente foi eleito e você precisa agüentar isso pelo país, por sua família. Por ruim que isso possa parecer, você precisa resistir", disse ele. Não estava me dizendo nada que eu não soubesse, e não era a primeira vez que me aconselhavam que minhas ações e palavras podiam fortalecer ou arruinar a presidência de Bill. Eu queria dizer: "Bill foi eleito, não eu!". Racionalmente, eu entendia que Bob tinha razão e que eu teria de reunir toda energia que me restasse. Eu estava disposta a tentar. Mas só que me sentia tão cansada. E, naquele momento, muito só.

Percebi que os ataques às nossas reputações poderiam pôr em risco o trabalho que Bill estava fazendo para dar ao país um rumo diferente. Já na campanha, eu havia visto a fúria com que os republicanos queriam se manter na Casa Branca. Os adversários políticos de Bill entendiam quanto eram altas as apostas, o que me fez desejar aceitar a luta. Desci para voltar à festa lá embaixo.

Eu havia programado várias entrevistas à mídia que eu não podia cancelar. No dia 21 de dezembro, reuni-me para um balanço de fim de ano com Helen Thomas, a decana da imprensa da Casa Branca e uma lendária jornalista, além de outros repórteres de agências de notícias. Como era de esperar, perguntaram-me sobre o artigo da *Spectator* e decidi dar-lhes uma resposta. Não acreditei que fosse coincidência que esses ataques tivessem aflorado exatamente quando a posição de Bill nas pesquisas de opinião estivesse no nível mais alto desde sua posse e lhes disse isso. Eu também acreditava que as histórias haviam sido plantadas por razões político-partidárias e ideológicas.

"Penso que meu marido provou ser um homem que realmente se preocupa profundamente com este país e respeita a Presidência... E quando tudo estiver dito e feito, é assim que a maioria dos americanos imparciais julgará meu marido. E todo o resto dessa matéria terminará na lata do lixo, onde merece estar."

Não era exatamente a resposta calma e serena que David havia recomendado.

Embora o estrago inicial tivesse sido feito, a mídia começou a examinar as razões dos patrulheiros. Revelou-se que dois deles estavam irados porque achavam que Bill havia sido ingrato com eles. Também haviam sido alvo de uma investigação sobre um suposto esquema de fraude de seguro envolvendo um veículo estadual no qual viajavam e que havia se acidentado em 1990. Outro patrulheiro que, segundo se noticiara, afirmava que Bill lhe havia oferecido um emprego federal em troca de seu silêncio, mais tarde assinou uma declaração jurando que isso nunca acontecera. Mas quase uma década se passaria até que descobríssemos toda o história deprimente por trás do que ficou conhecido como "Troopergate" ["caso dos patrulheiros"].

David Brock, autor do artigo na *Spectator*, foi tomado de um ataque de consciência em 1998 e se desculpou publicamente com Bill e comigo pelas mentiras que ele tinha espalhado a nosso respeito. Ele estava tão absorvido na formação de suas credenciais direitistas que se permitia ser politicamente usado mesmo quando tinha dúvidas sobre suas fontes. Seu livro de memórias, *Blinded by the Right* [*Cego pela Direita*], publicado em 2002, relata o período em que ele se descreve como "capanga da direita". Ele afirma que não só figurava na folha de pagamento oficial da *Spectator*, como também recebia dinheiro por baixo do pano para desenterrar e publicar qualquer sujeira que alguém dissesse a nosso respeito. Entre seus secretos protetores estavam Peter Smith, financista de Chicago, um apoiador-chave de Newt Gingrich. Smith pagou para Brock viajar para o Arkansas para entrevistar os patrulheiros, um arranjo facilitado por Cliff Jackson. De acordo com Brock, o sucesso do artigo com o patrulheiro inspirou Richard Mellon Scaife, bilionário ultraconservador de Pittsburgh, a financiar matérias parecidas por meio de um empreendimento clandestino chamado "o Projeto do Arkansas". Graças a uma fundação educacional, Scaife também injetou centenas de milhares de dólares na *Spectator* para apoiar sua *vendetta* anti-Clinton.

A trama descrita por Brock e outros é emaranhada e o elenco de personagens é absurdo. Mas é importante os americanos conhecerem o que estava acontecendo nos bastidores para entenderem todo o significado do "Troopergate", os escândalos veiculados pelos tablóides, que o antecederam e que o sucederiam. Era uma guerra política total.

"[N]a busca de minha carreira em gestação como caçador direitista de escândalos", escreve Brock, "deixei-me envolver numa tentativa bizarra e às vezes absurda promovida por agentes direitistas bem financiados para manchar Clinton com acusações pessoais inconsistentes. Atuando em conjunto com — mas do lado de fora de — organizações ou movimentos oficiais do Partido Republicano e bem abaixo do radar do público americano e da imprensa à medida que a campanha presidencial se desenrolava, a iniciativa foi muito além da pesquisa de oposição normalmente conduzida pelas campanhas políticas — não só em sua dissimulação e compulsão, mas também em sua falta de fidelidade a qualquer padrão de prova, princípio ou decoro. Essas atividades... foram uma indicação muito precoce do quão longe a direita iria na década seguinte para tentar destruir os Clinton."

Junto com outros membros do secreto Projeto do Arkansas de Scaife, Brock assumiu a missão de plantar e cultivar sementes de dúvida sobre o caráter de Bill Clinton e sua aptidão para governar. De acordo com as memórias de Brock, o "país estava sendo condicionado a ver uma invenção totalmente produzida pela direita republicana... praticamente desde o primeiro momento em que saíram do Arkansas até o palco nacional, o país jamais veria os Clinton novamente".

Numa manhã gelada entre o Natal e Ano-Novo, Maggie Williams e eu estávamos tomando café em nosso local favorito na residência, a Sala de Estar Oeste, defronte a uma grande janela em forma de ventilador. Estávamos conversando e folheando os jornais. Quase todas as primeiras páginas traziam Whitewater de fora a fora.

"Ei, olha isso aqui!", disse Maggie passando-me um exemplar do USA Today. "Diz que você e o presidente são as pessoas mais admiradas no mundo inteiro." Eu não sabia se ria ou chorava. Tudo o que eu podia fazer era esperar que o povo americano conservasse suas reservas de imparcialidade e boa vontade, enquanto eu me empenhava em manter as minhas.

16

O PROMOTOR INDEPENDENTE

O SOM DE UM TELEFONE TOCANDO NO MEIO DA NOITE é um dos mais trauma-tizantes do mundo. Quando o telefone de nosso quarto tocou muito depois da meia-noite no dia 6 de janeiro de 1994, era Dick Kelley ligando para con-tar a Bill que sua mãe havia acabado de morrer dormindo em sua casa em Hot Springs.

Ficamos acordados durante o resto da noite, telefonando e recebendo telefonemas. Bill falou duas vezes com seu irmão Roger. Conseguimos ligar para uma de nossas amigas mais íntimas, Patty Howe Criner, que havia cres-cido com Bill e lhe pedimos que trabalhasse com Dick nos preparativos para o funeral. Al Gore ligou aproximadamente às três da manhã. Acordei Chelsea e a trouxe para nosso quarto para que Bill e eu contássemos a ela. Ela havia se aproximado muito de sua avó a quem chamava de Ginger. Agora, ela havia perdido dois avós em menos de um ano.

Antes do amanhecer, a Secretaria de Imprensa da Casa Branca divulgou a notícia da morte de Virginia e, quando ligamos a TV do quarto, vimos o pri-meiro *flash* de notícias na tela: "A mãe do presidente morreu nessa madruga-da após uma longa batalha contra o câncer". Aquilo fazia sua morte parecer terrivelmente definitiva. Quase nunca víamos as notícias matutinas, mas o ruído de fundo era um alívio para os nossos próprios pensamentos. Depois, Bob Dole e Newt Gingrich estavam no programa *Today* para uma apresenta-ção previamente programada. Começaram a falar sobre Whitewater: "Isto para mim exige a indicação de um promotor governamental independente", disse Dole. Observei o rosto de Bill. Ele estava extremamente abatido. Bill foi criado por sua mãe na crença de que você não bate nas pessoas quando elas estão no chão, que você deve tratar com decência até seus adversários, na vida ou na política. Alguns anos depois, alguém disse a Bob Dole quanto suas palavras haviam ferido Bill naquele dia, e, para crédito de Dole, ele escreveu uma carta a Bill pedindo desculpas.

Bill pediu ao vice-presidente que fizesse em seu lugar um discurso que estava programado para Milwaukee naquela tarde para que ele pudesse ir imediatamente para o Arkansas. Fiquei para trás para contatar parentes e amigos e ajudar nos seus preparativos de viagem. Chelsea e eu tomamos um vôo para Hot Springs no dia seguinte e fomos direto para a casa de Virginia e Dick à beira do lago, onde encontramos os amigos e familiares comprimidos nos modestos cômodos da casa. Barbra Streisand havia chegado num vôo da Califórnia e sua presença adicionou um toque de alvoroço e *glamour* que Virginia teria adorado. Ficamos por ali tomando café e comendo as montanhas de comida que costumam aparecer após qualquer morte no Arkansas. Trocamos casos sobre a espantosa vida de Virginia e sua autobiografia que estava em curso de ser publicada e apropriadamente intitulada *Leading with My Heart* [*Comandando com meu coração*]. Ela não o veria publicado, mas o livro conta uma história extraordinária e honesta. Estou certa de que se ela tivesse vivido para promovê-lo, não somente teria sido um *best-seller* como poderia ter ajudado algumas pessoas a entenderem Bill um pouco melhor. Horas depois, a casa ainda estava tão cheia quanto uma igreja num domingo de Páscoa, mas, sem a presença de Virginia, era como se todo o coro estivesse ausente.

Não havia em Hot Springs uma igreja grande o bastante para acomodar uma vida inteira de amigos de Virginia. A missa em sua memória teria de acontecer no Centro de Convenções no centro da cidade de Hot Springs. Bill me disse: "Se o tempo estivesse melhor, poderíamos ter usado a pista de corridas de Oaklawn. Mamãe teria adorado!". Sorri ao imaginar a pista cheia de milhares de fãs das corridas aplaudindo alguém de seu próprio meio.

Quando a procissão funerária passou por Hot Springs na manhã seguinte, havia filas de pessoas de ambos os lados das ruas prestando silenciosamente suas homenagens. A missa celebrou a vida de Virginia com histórias e hinos, mas nada conseguiria captar a essência dessa mulher singular que havia compartilhado seu amor pela vida com todos que cruzaram seu caminho.

Depois da missa, fomos para o cemitério em Hope, onde Virginia seria levada a seu último repouso ao lado de seus pais e do primeiro marido, Bill Blythe. Virginia havia regressado a Hope.

O Força Aérea Um nos apanhou no aeroporto em Hope para o triste vôo de volta a Washington. O avião estava cheio de familiares e amigos que tentavam melhorar o ânimo de Bill. Mas mesmo no dia em que enterrava sua mãe, Bill não conseguiu ser poupado da perseguição sobre Whitewater.

Os membros da equipe e os advogados da Casa Branca se precipitaram sobre o presidente. A preocupação de todos era que o alarde em torno da nomeação de um promotor especial estava sufocando a mensagem de Bill, mas ninguém era capaz de dizer se o pedido para um promotor especial acalmaria o alarde. No momento em que pousamos na Base Aérea de Andrews e tomamos o helicóptero para a Casa Branca, Bill estava nitidamente cansado do debate. Ele tinha de voltar para Andrews para uma viagem à Europa naquela noite, para comparecer a reuniões que havia muito estavam marcadas para Bruxelas e Praga para discutir a expansão da OTAN, seguida por uma visita oficial à Rússia para tratar da preocupação do presidente Boris Yeltsin acerca dos planos da OTAN de se transferir para o Leste. Antes de Bill partir, ele deixou claro para mim que queria a questão Whitewater solucionada de uma maneira ou de outra, e depressa.

Eu havia planejado encontrar-me com Bill em Moscou para a visita oficial no dia 13 de janeiro. No enterro de Virginia, decidimos que eu levaria Chelsea porque não queríamos deixá-la na Casa Branca num momento tão triste. Eu sabia que antes de partirmos era preciso tomar uma decisão quanto ao promotor especial. Naquele domingo, vários democratas importantes apareceram nos programas de entrevistas políticas para manifestar seu apoio em favor de um promotor especial. Nenhum deles sabia explicar exatamente por que essa medida era adequada ou necessária. Pareciam apanhados de surpresa e cautelosos com a pressão por parte da imprensa. A investida mantinha-se crescente e minha própria determinação estava se desgastando.

Minha reação visceral, como advogada e veterana da equipe de inquérito do *impeachment* por Watergate, era cooperar inteiramente com toda investigação criminal legítima, mas resistir a dar carta branca para alguém sondar de maneira indiscriminada e indefinida. Uma investigação "especial" deveria ser desencadeada apenas por evidência aceitável de delito, e não havia nenhuma nesse sentido. Sem evidência aceitável, pedir um promotor especial definiria um terrível precedente: dali em diante, toda acusação sem fundamento contra o presidente e relativa a eventos durante qualquer período de sua vida poderia exigir um promotor especial.

Os conselheiros políticos do presidente previam que um promotor especial acabaria nos sendo impingido e argumentavam que era melhor indicar um e pôr um fim àquilo. George Stephanopoulos pesquisou promotorias independentes anteriores e citou o caso de presidente Carter e seu irmão, Billy, que foi investigado em torno de uma questão relativa a empréstimo concedido a um armazém de amendoim na metade dos anos 70. O promotor especial requisitado por Carter concluiu a investigação em sete meses e absolveu os Carter. Isso era encorajador. Em compensação, a investigação em torno do que ficou conhecido como "caso Irã-Contras", iniciado na administração Reagan-Bush, prosseguira durante sete anos. Nesse caso, porém, havia atividade ilegal por parte da Casa Branca e outros membros do governo na condução da política externa do país. Diversos funcionários da administração foram indiciados, entre eles o ministro da Defesa Caspar Weinberger e o tenente-coronel Oliver North, que trabalhava no Conselho de Segurança Nacional.

Apenas David Kendall, Bernie Nussbaum e David Gergen concordavam comigo que deveríamos resistir a um promotor especial. Gergen considerava um promotor especial uma "proposição perigosa". A equipe de Bill se uniu para me convencer, um após outro, cada um trazendo a mesma mensagem conhecida: eu destruiria a presidência de meu marido se não apoiasse sua estratégia. Whitewater tinha de ser afastada das primeiras páginas para que pudéssemos seguir com as atividades da administração, entre elas a reforma da assistência à saúde.

Minha convicção era que devíamos distinguir entre nos manter firmes quando estávamos com a razão e ceder diante da conveniência política e da pressão da imprensa. "Requisitar um promotor especial é errado", disse eu. Mas não consegui mudar suas opiniões.

No dia 3 de janeiro, Harold Ickes, um velho amigo e conselheiro da campanha de 1992, havia se juntado à administração como chefe da Casa Civil adjunto. Bill pedira a Harold, um advogado ruivo e hiperativo, que coordenasse a campanha da futura assistência à saúde. Em poucos dias, ele foi desviado para a organização de uma "Equipe de Resposta a Whitewater", composta de vários conselheiros experientes e membros da equipe de comunicações e do escritório do advogado da Casa Branca. Harold era o melhor defensor com que se poderia contar numa briga. Como Kendall, era um veterano do movimento dos direitos civis no Sul — na realidade, Harold havia apanhado tanto ao organizar os eleitores negros no delta do Mississippi que havia perdido um rim. Embora tivesse passado a maior parte de sua vida pregressa evitando sua herança — em dado momento ele trabalhava domando cavalos numa fazenda de gado —, ele era filho de Harold Ickes, pai, um dos mais importantes membros do gabinete de Franklin D. Roosevelt. A política corria nas veias de Harold e a Casa Branca parecia ser seu hábitat natural.

Harold fez o melhor que pôde para manter sob controle o debate sobre Whitewater, mas o tumulto continuava na Ala Oeste. Cada matéria da mídia nos levava para mais perto de uma decisão fatal. No dia seguinte ao que voltei de Hot Springs para a Casa Branca, Harold me disse que havia concluído, relutantemente, que deveríamos pedir um promotor especial.

Na noite de terça-feira, 11 de janeiro, arranjei uma entrevista coletiva com Bill em Praga. David Kendall e eu nos reunimos no Salão Oval com alguns membros do alto escalão de Bill para um debate final sobre o assunto. A cena me fez lembrar uma caricatura que eu havia visto: um homem parado diante de duas portas, obviamente tentando decidir em qual entrar. Uma placa acima da primeira porta dizia: "Se entrar você está perdido". A outra dizia: "Se não entrar, você está perdido".

Era metade da noite na Europa. Bill estava desgastado e exasperado após vários dias sem ouvir nada além de perguntas da mídia sobre Whitewater. Ele também estava com o coração pesado com a perda de sua mãe, a única presença constante ao longo de sua vida e sua principal torcedora, que lhe oferecia amor e apoio incondicionais. Eu sentia por ele e desejava que ele não tivesse de lidar com uma decisão tão crucial nessas circunstâncias. Ele estava terrivelmente afônico e tivemos de nos inclinar para perto do aparelho preto de teleconferência, em forma de asa de morcego, para ouvir sua voz.

"Eu não sei quanto tempo mais vou agüentar isso", disse ele, frustrado porque a imprensa não queria falar sobre a histórica expansão da OTAN, que em breve abriria a porta às ex-nações do Pacto de Varsóvia. "Tudo que querem saber é por que estamos nos esquivando a uma investigação independente."

George Stephanopoulos começou a falar, relacionando calmamente os argumentos políticos em favor da nomeação de um promotor especial. Disse que um promotor especial tiraria a mídia das costas de Bill, que isso era inevitável e que toda demora adicional destruiria nossa agenda legislativa.

Em seguida, Bernie Nussbaum produziu um convincente argumento de último recurso em favor de sua posição. Como eu, Bernie sabia que os promotores sofreriam enorme pressão para propor indícios que justificassem seus esforços. Como Bernie continuava a enfatizar, já estávamos entregando documentos ao Ministério da Justiça e, uma vez que não havia nenhuma evidência aceitável de delito, um promotor especial não poderia, nos termos da lei, ser ordenado. Apenas poderíamos requisitar um, o que parecia realmente absurdo. Um circo político seria bem-vindo, comparado a um processo legal infinito.

Depois de vários rodadas acaloradas de um lado para o outro, Bill, exausto, já ouvira o bastante. Encerrei a reunião, pedindo que apenas David Kendall ficasse para mais algumas palavras com o presidente.

A sala ficou silenciosa por um momento e então Bill falou:

"Olha, acho que simplesmente temos de fazer isso", disse ele. "Não temos nada a esconder, e se isso continuar, vai afogar nossa programa de trabalho."

Estava na hora de jogar meus trunfos. "Sei que precisamos superar isso", disse eu. "Mas cabe a você decidir."

David Kendall concordou veementemente com Bernie. Ambos eram advogados criminais experientes que entendiam que os inocentes podiam ser perseguidos. Mas o seu número era excedido pelos conselheiros políticos que apenas queriam que a imprensa mudasse de assunto. David saiu da sala e apanhei o telefone para falar a sós com Bill.

"Por que você não dorme um pouco antes de tomar a decisão?", disse eu. "Se você ainda estiver disposto a fazer isso, enviaremos um pedido à ministra da Justiça pela manhã."

"Não", disse ele, "vamos acabar logo com isso." Embora ele temesse, tanto quanto eu, que estávamos subestimando as conseqüências dessa decisão, ele me disse que prosseguisse com a requisição. Eu me senti péssima. Ele fora levado a uma decisão sobre a qual não se sentia tranqüilo. Mas dadas as pressões com que nos defrontávamos, não sabíamos mais o que fazer.

Entrei no escritório de Bernie Nussbaum para dar pessoalmente a notícia ruim e abracei meu velho amigo. Embora fosse tarde, Bernie começou a redigir uma carta para Janet Reno, retransmitindo o pedido formal do presidente para que a ministra da Justiça designasse um promotor especial para realizar uma investigação independente da Whitewater.

Nunca saberemos se o Congresso acabaria nos impingindo um promotor independente. E jamais saberemos se a divulgação de um conjunto inevitavelmente incompleto de documentos pessoais ao *Washington Post* teria evitado um promotor especial. Com a sabedoria da visão posterior, gostaria de ter batalhado mais e não ter me deixado persuadir a tomar o caminho da menor resistência. Bernie e David tinham razão. Estávamos sendo engolfados por aquilo que o analista jurídico Jeffrey Toobin mais tarde descreveu como a politização do sistema da justiça criminal e a criminalização do sistema político. O que havia sido promovido como uma solução rápida de nossos problemas políticos minou a energia da administração pelos próximos sete anos, invadiu injustamente as vidas de pessoas inocentes e desviou a atenção do país dos desafios que enfrentávamos internamente e no exterior.

Foi o otimismo e a flexibilidade inatos de Bill que o levaram adiante, inspiraram-me e possibilitaram a implementação da maior parte de seu programa de trabalho para os Estados Unidos ao final de seus dois mandatos. Entretanto, tudo aquilo estava no futuro, enquanto Chelsea e eu embarcávamos no avião para nos encontrar com Bill na Rússia.

A descida em Moscou foi turbulenta e me sentia enjoada quando saí do avião. Chelsea entrou num carro com Capricia Marshall e eu na limusine oficial com Alice Stover Pickering, esposa de nosso embaixador para a Rússia, Thomas Pickering. Ambos haviam estado em diversos postos no serviço diplomático pelo mundo afora. Tom Pickering posteriormente trabalhou com distinção como subsecretário de Estado para Assuntos Políticos sob o comando de Madeleine Albright. Enquanto me dirigia para a cidade para encontrar-me com Naina Yeltsin, sentia o estômago revirado. O cortejo veloz de carros, precedido e seguido por carros da polícia russa, não podia parar. A parte traseira da limusine estava totalmente vazia, sem nenhum vasilhame, toalha ou guardanapo à vista. Abaixei a cabeça e vomitei no chão. Alice Pickering parecia totalmente perturbada e — para diminuir meu embaraço — continuou a apontar para as paisagens. Ela não disse uma palavra a ninguém, fiquei profundamente grata por isso. No momento em que chegamos à Casa Spaso, residência oficial do embaixador, estava me sentindo um pouco melhor. Depois de uma rápida ducha, uma troca de roupa e um encontro decisivo com uma escova de dentes, estava pronta para começar minha programação.

Não via a hora de encontrar a sra. Yeltsin, cuja companhia me encantara em Tóquio no verão anterior. Naina havia trabalhado como engenheira civil em Yekaterinburg, onde seu marido fora chefe de uma regional do partido comunista. Ela tinha um saudável senso de humor, e atravessamos o dia rindo ao longo de nossas aparições em público e das refeições reservadas com dignitários locais.

Essa primeira visita à Rússia se destinava a fortalecer as relações entre Bill e o presidente Yeltsin, para que pudessem abordar construtivamente questões como o desmantelamento do arsenal nuclear da ex-União Soviética e a expansão da OTAN para o Leste. Enquanto nossos maridos realizavam suas conversações de cúpula, Naina e eu visitamos um hospital, recém-pintado em homenagem à nossa visita, para discutir os sistemas de assistência à saúde de nossos países. O da Rússia estava se deteriorando, na ausência do apoio governamental que outrora recebia. Os médicos com que nos reunimos estavam curiosos sobre o nosso plano de reforma da assistência à saúde. Reconheciam a alta qualidade dos remédios americanos, ainda que criticassem nosso fracasso em garantir assistência médica a todos. Concordavam com nossa meta de cobertura universal mas estavam enfrentando dificuldades para alcançá-la.

Finalmente alcancei Bill naquela noite. Os Yeltsin promoveram um jantar de gala que começou com uma fila de recepção no recém-mobiliado Salão de São Vladimir e continuou com jantar no Salão das Facetas, uma sala de múltiplos espelhos e uma das mais belas que já vi em todo o mundo. Sentei-me próxima ao presidente Yeltsin, a quem eu nunca fizera uma visita prolongada, e ele constantemente comentava a comida e o vinho, informando-me com toda a seriedade que o vinho tinto protegia os marinheiros russos nos submarinos nucleares dos efeitos nocivos do estrôncio 90. Sempre gostei de vinho tinto.

Chelsea se juntou a nós depois do jantar para o entretenimento no Salão de São George e depois Boris e Naina nos levaram para um longo passeio pelos aposentos privados do Kremlin, onde passamos a noite. Apreciamos imensamente os Yeltsin e esperei que pudéssemos conhecê-los melhor.

Na manhã seguinte, quando nosso longo cortejo de carros deixou o Kremlin, Chelsea e Capricia por algum motivo ficaram para trás, paradas nos degraus com o único agente do serviço secreto de Chelsea e um dos criados pessoais de Bill. Só perceberam o que estava acontecendo quando viram o último carro arrancar e dois homens enrolarem o tapete vermelho. O agente e Capricia avistaram uma decrépita van branca e correram em sua direção, decididos a se apossar dela. O motorista, que estava entregando jornais, falava inglês. Quando entendeu o caso, embarcou os quatro na parte de trás da van para uma louca investida pelas barreiras rumo ao aeroporto. Conseguiram, só que lhes foi recusado acesso. Os agentes da segurança russa reconheceram Chelsea, mas não conseguiram entender por que ela não estava conosco dentro do aeroporto. Enquanto tentavam esclarecer a confusão, Chelsea e seu grupo apanharam as bagagens e correram para o terminal.

Não descobri que Chelsea estava ausente senão quando estávamos prestes a embarcar no avião e eles chegaram ofegantes ao terminal. Agora parece engraçado, mas na hora fiquei desvairada de preocupação. Decidi não deixar Chelsea ou Capricia sumir de vista durante o resto da viagem.

Nossa próxima parada, Minsk, Belarus, sem dúvida foi um dos lugares mais deprimentes que já visitei, a arquitetura evocando a frieza do estilo soviético e a aura renitente do comunismo autoritário; o tempo, chuvoso e cinza. Apesar dos esforços dos bielo-russos de construir um país independente e democrático, enfrentavam muitas adversidades. Os intelectuais e acadêmicos que encontrei e que estavam tentando gerir o governo depois do colapso da União Soviética não pareciam ser páreo para os comunistas remanescentes. Nosso itinerário foi repleto de lembretes dos desastres do passado bielo-russo. No Memorial Kuropaty, depositamos flores em memória das quase 300 mil pessoas assassinadas pela polícia secreta stalinista. Minha visita a um hospital para crianças com câncer provocado por Chernobyl trazia dolorosamente de volta o acobertamento da União Soviética ao acidente naquela usina e os perigos potenciais da energia nuclear, entre os quais a proliferação de armas nucleares. A única nota de luz foi uma magnífica apresentação de *Carmina Burana* adaptada para o balé no Grande Teatro Acadêmico Estatal de Ópera e Balé. Chelsea e eu nos sentamos na beirada de nossas poltronas totalmente encantadas. Os anos depois de nossa visita não foram generosos para Belarus, que novamente é governado por um regime autoritário de ex-comunistas soviéticos que suprimiram a liberdade de imprensa e os direitos humanos.

No dia 20 de janeiro de 1994, primeiro aniversário da administração, Janet Reno anunciou a nomeação de Robert Fiske como promotor especial. Republicano, Fiske era altamente conceituado como advogado meticuloso e imparcial com experiência promotorial. O presidente Ford o havia nomeado promotor federal para o Distrito Sul de Nova York e ele continuou no cargo durante a administração Carter. Trabalhava agora para uma firma de advocacia de Wall Street. Fiske prometeu uma investigação rápida e imparcial, e tirou uma licença da firma para poder dedicar todo o seu tempo e energia para levar a cabo a investigação. Se lhe tivesse sido permitido continuar em seu trabalho, minhas preocupações, bem como as de Bernie, David e Bill, teriam se mostrado infundadas.

Alguns dias depois, o presidente proferiu o discurso de mensagem à nação. Foi um discurso forte e esperançoso. Depois de uma objeção feita por

David Gergen, Bill acrescentou um pouco de teatro a seus comentários sobre a assistência à saúde: ergueu uma caneta acima do pódio, prometendo vetar qualquer projeto de assistência que não incluísse cobertura universal. Gergen, um veterano das administrações Nixon, Ford e Reagan, receou que aquele gesto teatral fosse demasiado provocador. Concordei com os redatores do discurso e conselheiros políticos que achavam que seria um sinal visual eficaz de que Bill defenderia com firmeza suas convicções. As preocupações de Gergen se mostraram fundadas à medida que batalhávamos por cada terreno no qual chegar a um acordo.

Após semanas de tensão, agarrei a oportunidade de liderar a delegação americana que iria a Lillehammer, Noruega, para as Olimpíadas de Inverno de 1994. Bill me pediu que fosse e decidi levar Chelsea. Apesar do contratempo ao final, ela gostara de nossa visita à Rússia e eu estava contente por vê-la relaxar e sorrir mais. Desde a mudança para Washington, ela passara por tantas perdas: dois avós, um amigo de escola de Little Rock que morrera num acidente com jet-ski, e Vince Foster, cuja esposa, Lisa, havia lhe ensinado a nadar na piscina de sua casa e com cujos filhos ela fizera amizade. Mudar para Washington e fazer parte da família presidencial não havia sido para ela nem um pouco mais fácil do que para o restante de nós.

Uma aldeia encantadora, Lillehammer fornecia um quadro perfeito para sede das Olimpíadas. Para nossa delegação, foram reservados quartos em um pequeno hotel fora da cidade, dotado de sua própria pista de esqui. Para as cerimônias de abertura, onde deveríamos representar nossa nação, Chelsea e eu parecíamos ter vindo do pólo norte, vestidas com tantas camadas de trajes quentes de esqui. Em compensação, a delegação européia, especialmente nobres como a princesa Anne da Inglaterra, desfilavam em elegantes casacos de casimira, sem chapéu. Também vimos noruegueses corajosos acampados nos bosques nevados, para garantirem bons pontos de observação ao longo das trilhas para os eventos em terreno plano. Um ponto alto da viagem foi meu encontro com Gro Brundtland, uma médica que era então primeira-ministra da Noruega.

A primeira-ministra Brundtland me convidou para o café-da-manhã no Museu Popular de Maihaugen, em um chalé rústico com uma grande lareira crepitante. A primeira coisa que ela me disse enquanto nos sentávamos foi: "Eu li o projeto da assistência à saúde e tenho várias perguntas".

A partir daquele momento, ela se tornou para sempre uma amiga. Fiquei tão contente por encontrar alguém que havia lido o projeto e que, ainda por cima, queria conversar sobre ele. É claro que o fato de ela ser médica ajudava, mas fiquei impressionada e encantada. Diante de um banquete de peixe, pão, queijo e café forte, comparamos os méritos relativos dos modelos europeus de assistência médica e depois mergulhamos em outros tópicos relacionados. Bundtland mais tarde abandonou a política norueguesa para dirigir a Organização Mundial de Saúde, onde liderou iniciativas que apoiei no que diz respeito a tuberculose, HIV/AIDS e campanhas antitabagismo.

Essa foi minha primeira viagem oficial ao exterior sem o presidente. Gostei de representar a ele e ao meu país, e aproveitei uma programação relaxada. Pratiquei um pouco de esqui, incentivei nossos atletas, como Tommy Moe, medalhista de descida de ladeiras e pistas com obstáculos, observando pessoas em excelente forma passando a jato por mim como um borrão. Também tive a oportunidade para conversar com Chelsea distante do agito. Ela é perspicaz e curiosa e eu sabia que ela estava acompanhando as notícias da saga de Whitewater. Dava para perceber que ela estava dividida entre a vontade de me perguntar a respeito e deixar que eu me esquecesse do assunto. Eu estava dividida entre compartilhar com ela minhas frustrações com o que estava acontecendo e protegê-la o máximo possível, não só dos ataques políticos mas também de minha própria indignação e desilusão. Era um constante cabo-de-guerra emocional e nós duas tínhamos de nos empenhar muito para manter nosso equilíbrio.

Como se esperava, a nomeação de um promotor especial acalmou por alguns dias a gritaria em torno de Whitewater. Mas, da mesma forma previsível, uma enxurrada de novas acusações e rumores preencheu o vazio do escândalo. Newt Gingrich e o senador republicano de Nova York, Al D'Amato, bradaram em favor de audiências na Comissão de Finanças tanto na Câmara como no Senado para examinar alegações sobre Whitewater.

Robert Fiske conseguiu evitar as audiências, advertindo os republicanos combativos que eles estavam correndo o risco de interferir em sua investigação. Ele estava agindo depressa, conforme prometido, sapecando intimações para testemunhas e levando-as perante júris de indiciação em Washington e Little Rock.

Fiske interrogou diversos auxiliares da Casa Branca sobre os pareceres criminais contra a Madison Guaranty emitidos pela Resolution Trust Corporation, que era um órgão do Ministério da Fazenda. Ele estava interessado em todos os contatos da Ala Oeste com o secretário adjunto do Ministério da Fazenda Roger Altman no que dizia respeito ao parecer e à decisão de

Altman de se afastar de suas funções como diretor temporário da RTC. No meu modo de entender a sucessão de acontecimentos, a Casa Branca e o Ministério da Fazenda apenas discutiam esse assunto quando as perguntas da imprensa — resultantes de vazamentos indevidos da investigação supostamente confidencial da RTC — começaram no outono de 1993 e exigiram que respondessem; caso contrário, o assunto nunca teria merecido sua atenção. Embora Fiske e os investigadores subseqüentes julgassem legais os contatos, como com tantos outros aspectos da embrulhada de Whitewater, os republicanos se mantiveram num fluxo fixo de acusações contra Altman e outros. Quando o relatório final de Whitewater foi publicado em 2002, confirmando os contatos que a Casa Branca de Bush havia feito com funcionários da RTC no outono de 1992, não ouvi nenhum protesto semelhante. Por fim, Roger Altman, um homem honesto e extremamente capaz, com bons serviços ao presidente e ao país, retirou-se para regressar à vida privada, como fez meu velho amigo Bernie Nussbaum, outro dedicado servidor público.

Houve manhãs na primavera de 1994 em que eu acordava lamentando por todos os amigos íntimos, colegas e parentes que haviam saído de nossas vidas ou sido injustamente criticados: meu pai, Virginia, Vince, Bernie, Roger. E certas manhãs, a cobertura da imprensa era tão desordenada que parecia afetar a bolsa de valores. No dia 11 de março de 1994, o *Washington Post* veiculou uma matéria com a manchete: RUMORES SOBRE WHITEWATER FAZ A DOW CAIR 23 PONTOS – SUPOSIÇÕES, E NÃO ACONTECIMENTOS ESPECÍFICOS, ASSOMBRAM OS MERCADOS. No mesmo dia, Roger Ailes, então presidente da CNBC e atual diretor da Fox, acusava a administração de "uma ocultação em relação a Whitewater que inclui... fraude imobiliária, contribuições ilegais, abuso de poder... suicídio disfarçado — possível assassinato".

Em meados de março, Webb Hubbell subitamente renunciou ao Ministério da Justiça. Artigos nos jornais informavam que a firma Rose pretendia mover uma ação contra ele em conjunto com a Associação dos Advogados do Arkansas por práticas de faturamento questionáveis, incluindo cobrança de taxas excessivas dos clientes e superfaturamento de suas despesas. As acusações eram graves o bastante para sua renúncia. A essa altura, porém, eu estava habituada a responder a acusações inverídicas e, por isso, supus que Webb também estivesse sendo alvo de falsas acusações. Reuni-me com ele no Solário, no terceiro andar da Casa Branca, para perguntar o que estava acontecendo. Webb me disse que havia entrado numa disputa com alguns de nossos ex-sócios em torno dos custos de um caso patente de infração que ele havia lidado em caráter de emergência para seu sogro, Seth Ward. Webb perdera a causa e Seth se recusou a pagar as custas do processo. Conhecendo Seth, tive de admitir que isso parecia plausível. Webb me disse que estava trabalhando num acordo com os sócios da Rose e me garantiu que a disputa seria resolvida. Acreditei nele e perguntei o que eu poderia fazer para ajudá-lo e à sua família durante esse período. Ele disse que havia jogado verde para colher maduro e estava confiante de que ficaria bem "até esse mal-entendido passar".

As investigações e perguntas da imprensa sobre Whitewater estavam ameaçando desviar a Casa Branca do trabalho importante que estávamos tentando realizar. Mack, Maggie e outros do escalão superior recomendaram que montássemos a Equipe de Resposta a Whitewater, chefiada por Harold Ickes e apelidada de "os mestres de desastre", para centralizar nosso trato com toda investigação ou discussão sobre Whitewater.

Havia quatro razões para essa decisão. Primeiro, queríamos que a equipe se concentrasse nas prioridades de Bill para o país. Segundo, se uma questão diz respeito a todos, torna-se responsabilidade de ninguém. Terceiro, a equipe de Fiske estava expedindo tantas intimações que tínhamos de ter um sistema organizado para pesquisar arquivos e fornecer respostas. E, finalmente, se os membros da equipe falassem sobre Whitewater com Bill ou comigo ou entre si mesmos, ficariam mais vulneráveis a depoimentos extensos, honorários legais e ansiedades gerais.

Eu estava particularmente preocupada com os participantes de minha própria equipe — Maggie Williams, Lisa Caputo, Capricia Marshall e outros que tanto haviam trabalhado e agora estavam recebendo como prêmio intimações e assustadores custos legais. Uma vez que Maggie fosse alcançada pela investigação, eu não poderia buscar seu conselho a respeito nem poderia lhe oferecer nenhum conforto. Um tributo à sua força pessoal e à resistência de todos que trabalhavam para mim foi que ninguém se queixava nem fugia dos desafios que enfrentávamos.

David Kendall estava se tornando meu principal elo de ligação com o mundo exterior e ele era uma bênção divina. Desde o começo, ele me aconselhou a não ler artigos dos jornais e a não assistir a reportagens da televisão sobre a investigação ou quaisquer "escândalos" relacionados. Minha assessoria de imprensa resumia o que eu precisava saber caso fosse interrogada pela mídia. David insistiu para que eu não me alongasse no restante do assunto.

"Este é meu trabalho", disse ele. "Uma das razões pelas quais você contrata advogados é para fazê-los preocuparem-se em seu lugar." É claro que David lia tudo e se preocupava obsessivamente com o que aconteceria a seguir. Eu mesma também tenho algo de uma personalidade obsessiva, e essas eram instruções difíceis de ser seguidas. Mas aprendi a deixar David assumir a vigilância.

A intervalos de poucos dias, Maggie coçava a cabeça em meu escritório e dizia: "David Kendall quer falar com você". Quando ele entrava, ela saía da sala. A cada reunião, David continuava a desenrolar o caso de Jim McDougal e seus procedimentos pessoais e financeiros, e a cada vez eu aprendia alguma coisa.

Eu tentava lidar sozinha com as novas informações. Apenas falava com Bill quando surgia alguma coisa crítica. Eu procurava poupá-lo para que ele pudesse concentrar-se nas obrigações de seu gabinete. Freqüentemente se diz que o presidente tem o trabalho mais solitário do mundo. Harry Truman se referiu certa vez à Casa Branca como "a jóia da coroa no sistema penal americano". Bill amava seu trabalho, mas eu podia ver a guerra política cobrando seu tributo e tentava protegê-lo de tudo o que eu pudesse.

David conseguiu preencher a maioria das lacunas no registro, o que fundamentava nossa afirmação de que havíamos perdido dinheiro na transação de Whitewater e que nunca havíamos nos envolvido nas tramóias de McDougal com sua firma de poupança e crédito. David também nos trouxe algumas notícias incômodas sobre erros que ele havia encontrado em nossos antigos documentos financeiros. Ele havia peneirado cada pedaço de papel que pudemos encontrar, como um garimpeiro bateando ouro, e voltara com algumas pepitas. Uma delas era um erro no relatório de Lyons que calculava nossas perdas com Whitewater em mais de 68 mil dólares. Tivemos de reduzir a cifra em 22 mil dólares depois que David descobriu que um cheque que Bill havia assinado para ajudar sua mãe a comprar a casa em Hot Springs havia sido incorretamente discriminado como um pagamento de empréstimo a Whitewater. David também descobriu que nosso contador público credenciado em Little Rock havia cometido um erro em nossa declaração de rendimentos de 1980. Uma declaração incompleta de uma empresa de corretagem o levou a declarar uma perda de mil dólares para nós, quando, na realidade, havíamos ganho quase 6.500 dólares nas transações. O estatuto de prescrições havia expirado, mas decidimos voluntariamente acertar as coisas com o estado do Arkansas e com o imposto de renda subscrevendo um cheque de 14.615 dólares por impostos e juros em atraso.

À medida que mais dados de nossos registros financeiros eram divulgados ou vazavam para a imprensa, geravam novas matérias. Em meados de março, o *New York Times* publicou um artigo de primeira página com a manchete: ADVOGADO FAMOSO DO ARKANSAS AJUDOU HILLARY CLINTON A OBTER GRANDE LUCRO. A matéria informava com precisão os lucros que eu havia obtido no mercado de futuros em 1979. Mas insinuava erroneamente que nosso amigo Jim Blair havia de algum modo arquitetado minha sorte súbita para ganhar influência junto a Bill Clinton em nome de seu cliente Tyson Foods. A matéria estava cheia de imprecisões quanto à relação de Blair e Don Tyson com Bill quando este era governador. No entanto, mais uma vez, perguntei-me por que tais matérias eram impressas antes de ser verificadas. Se Tyson tivesse Bill sob seu controle, como alegava o *Times*, por que Tyson apoiou Frank White, adversário de Bill nas eleições de 1980 e 1982 para governador?

Jim era generoso o bastante para compartilhar sua perícia no comércio de futuros com sua família e amigos. Com sua ajuda, entrei nesse mercado volátil e em pouco tempo transformei mil dólares em cem mil. Tive sorte o bastante para perder a paciência e sair antes do mercado desabar. Eu poderia ter feito isto sem Jim? Não. Tive de pagar mais de 18 mil dólares em taxas de corretagem para meu corretor por minhas transações? Sim. Minhas transações com futuros influenciaram as decisões de Bill como governador? Absolutamente não.

Uma vez divulgada a matéria sobre minhas transações, a Casa Branca recrutou peritos para analisar meus registros delas. Leo Melamed, ex-diretor da Bolsa de Mercadorias de Chicago e republicano, advertiu que se pedíssemos sua opinião, ele a daria, fosse qual fosse o impacto. Depois de uma análise meticulosa de minhas transações, ele concluiu que eu não havia feito nada de errado. A controvérsia, em sua opinião, era "uma tempestade em copo d'água". Não me surpreendi com suas conclusões. Nossas declarações de rendimentos de 1979, que haviam informado o significativo aumento em nossa renda devido às transações com futuros, haviam sido examinadas pelo imposto de renda, e nossos registros estavam totalmente em ordem. De fato, o imposto de renda também examinou cada rendimento que declaramos durante todos os anos em que Bill esteve na Casa Branca.

Percebo agora que as constantes acusações haviam abalado minhas relações com a imprensa. Eu havia me mantido distante por tempo demais da assessoria de imprensa da Casa Branca. Uma vez que eu desejava que a mídia noticiasse a reforma da assistência à saúde, eu oferecia entrevistas a correspondentes que cobriam eventos e discursos em todo o país. No entanto, a assessoria de imprensa da Casa Branca tinha pouco acesso a mim. Foi preciso algum tempo para que eu entendesse que o ressentimento era justificado.

Ao final de abril de 1994, senti tanta confiança na pesquisa de David Kendall e em meu entendimento sobre Whitewater e questões conexas que estava pronta a oferecer para a mídia aquilo que ela queria: eu.

Liguei para minha secretária executiva e disse: "Maggie, eu quero fazer isto. Vamos convocar uma entrevista coletiva".

"Você sabe que terá de responder a *todas* as perguntas, seja o que for que eles jogarem para você."

"Eu sei. Estou pronta."

Discuti meu plano de antemão apenas com o presidente, com David Kendall e Maggie. A fim de me preparar, recorri a Lisa, ao advogado da Casa Branca Lloyd Cutler, a Harold Ickes e a Mandy Grunwald. Eu não queria um desfile de conselheiros da Ala Oeste batendo em minha porta com conselhos sobre como lidar com essa ou aquela pergunta. Eu queria falar o mais diretamente possível.

Na manhã de 22 de abril, a Casa Branca anunciou que a primeira-dama responderia a perguntas naquela tarde na Sala de Jantar Oficial. Nossa esperança era que uma mudança de cenário incentivasse uma nova abordagem por parte da mídia.

Não planejei o que iria usar para esse evento — minha escolha de roupas é quase sempre uma decisão de última hora. Tive vontade de usar uma saia preta e um conjunto de malha cor-de-rosa. Alguns repórteres imediatamente interpretaram isso como uma tentativa de "suavizar" minha imagem, e meu encontro de 68 minutos com o quarto poder entraria para a história como a "entrevista coletiva cor-de-rosa".

Sentei-me diante de uma multidão de repórteres e operadores de câmeras que lotaram a sala de jantar.

"Quero agradecer a todos vocês por terem vindo", comecei. "Eu quis fazer isto em parte porque percebi que, apesar de minhas viagens pelo país e de responder a perguntas, na verdade não atendi muitos de vocês quanto a terem suas perguntas formuladas e respondidas. E, na semana passada, Helen disse: 'Eu não posso viajar com ela, então como posso fazer-lhe perguntas?'. Por esse motivo, aqui estamos e, Helen, você faz a primeira pergunta."

Helen Thomas foi direto ao ponto:

"Você tem conhecimento de algum dinheiro que poderia ter saído da Madison para o projeto Whitewater ou para alguma das campanhas políticas de seu marido?", perguntou ela.

"Absolutamente não. Não tenho."

"De fato, sobre o mesmo tema com seus lucros com futuros — é difícil para um leigo, e provavelmente para muitos especialistas, entender o montante do investimento e o tamanho do lucro. Existe algum modo pelo qual poderia explicar..."

E assim comecei a explicar. E explicar. E explicar novamente. Um após outro, os repórteres me perguntaram tudo o que podiam imaginar sobre Whitewater, e lhes respondi até ficarem sem alternativas diferentes para fazer as mesmas perguntas.

Agradeci as perguntas que me deram a oportunidade para explicitar tudo o que eu sabia até aquele ponto. Também consegui abordar um problema que desde o princípio havia me atormentado. Perguntaram-me se eu achava que minha relutância em fornecer informações à imprensa "ajudou a criar uma impressão de que a senhora estava tentando esconder algo?".

"Sim, acho", disse eu. "E penso que isso talvez seja uma das coisas que mais lamento, e uma das razões por que eu quis fazer isto... Penso que, se meu pai ou minha mãe me disseram alguma coisa mais de um milhão de vezes, foi: 'Não dê ouvidos ao que os outros dizem. Não se deixe guiar pelas opiniões das outras pessoas. Você sabe, você precisa respeitar a si mesma'. E acho que este é um bom conselho.

"Mas eu realmente acho que esse conselho e minha convicção nele, associados ao meu senso de privacidade... talvez tenham me levado a ser menos compreensiva do que eu precisava [ser] com a imprensa e o interesse do público, bem como com [seu] direito de saber coisas sobre meu marido e sobre mim.

"Portanto, você tem razão. Eu sempre acreditei em uma zona de privacidade. E outro dia eu disse a um amigo que sinto, depois de resistir por muito tempo, que fui 'rezoneada'."

Essa fala fez todos rirem.

Depois da entrevista coletiva, David e eu tomamos um drinque juntos na Sala de Estar Oeste enquanto o sol se punha além da janela. Embora todos pensassem que eu havia me saído bem, sentia-me melancólica com a situação e, enquanto avaliávamos os acontecimentos do dia, comentei com David: "Sabe, eles não vão parar. Simplesmente irão continuar a vir nos procurar, não importa o que fizermos. Realmente não dispomos de nenhuma boa escolha aqui".

Naquela noite, Richard Nixon, que havia sofrido um derrame quatro dias antes, morreu aos 81 anos de idade. Nixon havia enviado a Bill uma carta cheia de observações perspicazes sobre a Rússia no início da primavera de 1993, e Bill a havia lido para mim, declarando que achava Nixon uma figura brilhante e trágica. Bill convidou o ex-presidente à Casa Branca para discutir a Rússia, e Chelsea e eu o cumprimentamos quando ele saiu do elevador no segundo andar. Ele contou a Chelsea que suas filhas haviam freqüentado a escola dela, a Sidwell Friends. Depois, ele se virou para mim:

"Sabe, tentei consertar o sistema de assistência à saúde mais de vinte anos atrás. Algum dia, isso terá de ser feito."

"Eu sei", respondi, "e hoje estaríamos em melhor situação se sua proposta tivesse encontrado sucesso."

* * *

Uma das mulheres no artigo da *American Spectator* havia discordado de como os patrulheiros do Arkansas a haviam descrito. Embora ela fosse identificada na matéria apenas como "Paula", ela afirmava que seus amigos e parentes a reconheceram como a mulher que supostamente se encontrou com Bill num apartamento de hotel em Little Rock durante uma convenção e depois disse a um patrulheiro que queria ser "namorada regular" do governador.

Numa convenção do Comitê de Ação Política Conservadora em fevereiro, Paula Corbin Jones deu uma entrevista coletiva e parecia se identificar como a Paula do artigo. Cliff Jackson, que estava tentando levantar dinheiro para o "Fundo de Informantes sobre o Troopergate", apresentou-a à imprensa. Ela disse que desejava limpar seu nome. Mas em vez de anunciar um processo contra a *Spectator* por difamação, ela acusou Bill Clinton de assediá-la sexualmente ao fazer investidas indesejadas. Inicialmente, a grande imprensa desconsiderou a afirmação de Jones, porque sua credibilidade estava prejudicada por sua associação com Jackson e os patrulheiros descontentes. Nossa expectativa era que o caso morresse como os outros falsos escândalos.

Mas no dia 6 de maio de 1994, dois dias antes de expirar o estatuto de prescrições, Paula Jones moveu um processo civil contra o presidente dos Estados Unidos, pedindo 700 mil dólares de indenização. Alguém estava aumentando as apostas nesse jogo. Ele havia passado dos tablóides para os tribunais.

17

DIA D

WASHINGTON É UMA CIDADE DE RITUAIS, e um dos mais fielmente cumpridos é o jantar anual do Gridiron, um evento de gala no qual os principais jornalistas de Washington vestem-se com fantasias e interpretam esquetes satíricos e cantam canções que fazem troça do governo em curso, incluindo o presidente e a primeira-dama. Os convidados do jantar incluem os sessenta sócios do clube, como também os seus colegas e dignitários dos mundos da política, dos negócios e do jornalismo. O Gridiron Club mudou vagarosamente com o passar do tempo. Até 1975, mulheres não eram aceitas. (Eleanor Roosevelt costumava dar festas chamadas de "Viúvas do Gridiron", para as esposas e as jornalistas excluídas.) Em 1992, Helen Thomas, repórter setorial que cobre a Casa Branca, foi eleita a primeira presidente mulher. O critério de escolha de sócios do clube continua sendo altamente seletivo, e os convites para o evento da primavera estão entre os mais cobiçados da cidade. Quase sempre, o primeiro-casal comparece, senta-se no tablado do salão de baile e leva tudo na esportiva, não importa o que digam dos dois. Às vezes, eles até mesmo fazem a sua própria caçoada.

Quando foi realizado o 109º Jantar do Gridiron, em março de 1994, Bill e eu sabíamos que não tínhamos vendido o plano do sistema de saúde do governo com clareza e simplicidade suficientes para atrair o apoio público ou para motivar o Congresso a agir, a despeito dos oponentes bem financiados e bem organizados. A Health Insurance Association of America [Associação dos Planos e Seguros Saúde da América] estava preocupada com o fato de o plano do governo poder diminuir as prerrogativas e os lucros das companhias de seguro. Para levantar dúvidas a respeito da reforma, o grupo lançou uma segunda\ série de anúncios estrelados por um casal chamado de Harry e Louise. Sentados a uma mesa de cozinha, Harry e Louise se faziam perguntas habilmente idealizadas sobre o plano, e ficavam imaginando em voz alta quanto isso poderia lhes custar. Como pretendido, os anúncios exploravam os temores — identificados com exatidão por grupos de amostragem — dos 85% de americanos que já tinham plano de saúde e temiam ficar sem ele.

Para o Jantar do Gridiron, Bill e eu decidimos encenar uma paródia do anúncio da TV do *lobby* das seguradoras, com Bill interpretando "Harry" e eu interpretando "Louise". Isso nos daria uma chance de mostrar as táticas amedrontadoras empregadas pelos nossos oponentes e de nos divertir um pouco. Mandy Grunwald e o comediante Al Franken escreveram o roteiro, Bill e eu decoramos as nossas falas e, após alguns ensaios, gravamos em vídeo a nossa versão de "Harry e Louise".

A coisa era assim: Bill e eu sentados em um sofá — ele de camisa de lã xadrez, tomando café, e eu de suéter azul-marinho e saia — examinando uma enorme pilha de papel, como se fosse a Lei da Assistência Médica.

Bill: *Oi, Louise, como foi o seu dia?*

Eu: *Muito bom, Harry... até agora.*

Bill: *Puxa, Louise, até parece que viu um fantasma.*

Eu: *É bem pior do que isso. Acabo de ler o plano de Clinton para a saúde.*

Bill: *A reforma do sistema me parece uma grande idéia.*

Eu: *É, eu sei, mas alguns desses detalhes me metem o maior medo.*

Bill: *Como assim?*

Eu: *Por exemplo, diz aqui, na página 3764, que, com o plano de saúde de Clinton, a gente pode adoecer.*

Bill: *Isso é terrível.*

Eu: *É, eu sei. E veja aqui, a coisa fica pior. Na página 12743... não, eu me enganei... na página 27655, diz que, eventualmente, todos vamos morrer.*

Bill: *Com o plano de saúde de Clinton? Quer dizer que, depois que Bill e Hillary nos enfiarem todos esses burocratas e impostos, todos nós ainda por cima vamos morrer?*

Eu: *Até mesmo Leon Panetta.*

Bill: *Puxa, isso é terrível. Nunca senti tanto medo em minha vida.*

Eu: *Nem eu, Harry.*

Juntos: *Tem que haver um modo melhor.*

Locutor: *"Patrocinado pela Coalizão para Matar Você de Medo".*

Foi uma interpretação atípica para um primeiro-casal e a platéia adorou. O Jantar do Gridiron é supostamente um evento vedado à publicação e os jornalistas presentes, supostamente, não devem escrever sobre ele. Mas, rotineiramente, no dia seguinte, aparecem matérias detalhadas sobre as canções e os esquetes. A nossa atuação em vídeo foi amplamente divulgada e até mesmo reprisada em vários programas jornalísticos da manhã de domingo. Embora alguns entendidos especulassem que a sátira simplesmente atrairia mais atenção para os anúncios verdadeiros de Harry e Louise, fiquei contente por termos levantado dúvidas sobre o tom da campanha do *lobby* das seguradoras e o absurdo das alegações. Além disso, foi muito bom injetar um pouco de frivolidade em uma situação de qualquer modo desprovida de humor.

Ao mesmo tempo que o nosso pequeno esquete provocava risadas nos políticos e jornalistas de Washington, sabíamos que ainda estávamos perdendo a guerra de relações públicas da reforma do sistema de saúde. Mesmo um presidente popular armado de sua posição vantajosa não conseguiria competir com as centenas de milhões de dólares gastos para distorcer um assunto, por meio de anúncios negativos e enganosos e outros meios. Também enfrentávamos o poder da indústria farmacêutica, que temia que o controle de preços dos medicamentos de receita médica pudesse diminuir os seus lucros, e a indústria do seguro, que não poupava despesas em sua campanha contra a assistência universal. E muitos que nos apoiavam estavam perdendo o entusiasmo pelo plano, porque ele não satisfazia a todos os seus desejos. Finalmente, a nossa proposta de reforma era inerentemente complexa — exatamente como o próprio problema da assistência médica —, o que o tornava um pesadelo de relações públicas. Praticamente, cada grupo envolvido conseguia encontrar alguma coisa à qual fazia objeção.

Estávamos descobrindo que certa oposição à reforma do sistema de saúde, do mesmo modo que Whitewater, fazia parte de uma guerra política maior do que Bill ou as questões pelas quais lutávamos. Estávamos na linha de frente de um conflito ideológico cada vez mais hostil entre os centristas democratas e um Partido Republicano que oscilava mais e mais para a direita. Em jogo, estavam as idéias de governo e democracia e a direção que o nosso país tomaria nos anos vindouros. Logo descobrimos que valia tudo nessa guerra, que o outro lado estava muito mais bem armado com os instrumentos da batalha política: dinheiro, mídia e organização.

Quatro meses antes, em dezembro de 1993, os estrategistas republicanos e o escritor William Kristol, o principal assessor do ex-vice-presidente

Dan Quayle e dirigente do Projeto para o Futuro republicano, tinha enviado um memorando aos líderes republicanos no Congresso exigindo que liqui-dassem com a reforma da saúde. O plano, escreveu ele no memorando, é uma "séria ameaça política ao Partido Republicano", e sua extinção seria "um monumental revés para o presidente". Ele não estava fazendo objeções ao plano ou aos seus méritos, mas aplicando a lógica do partidarismo político. Instruiu os republicanos a não negociarem o projeto de lei e nem chegarem a um acordo. A única estratégia proveitosa, de acordo com Kristol, era liqui-dar o plano completamente. O memorando não mencionava os milhões de americanos sem seguro.

De acordo com o memorando de Kristol, Jack Kemp e o antigo membro do gabinete de Reagan William Bennett ajudaram o GOP [Grand Old Party, o Partido Republicano] contra a reforma de saúde, com certeiras mensagens publicitárias pelo rádio e pela televisão em cidades ou lugares que visitei para divulgar o plano. As ondas de rádio e televisão da região seriam inundadas com anúncios criticando a reforma.

O memorando de Kristol para os líderes republicanos no Congresso teve o efeito desejado. Com as eleições do meio do mandato assomando em novembro, os republicanos moderados do Congresso, comprometidos com a reforma, começaram a se distanciar dos planos do governo. O senador Dole estava genuinamente interessado na reforma do sistema de saúde, mas dese-java concorrer para presidente em 1996. Ele não podia beneficiar Bill Clinton com mais nenhuma vitória legislativa, sobretudo depois do sucesso de Bill em relação ao orçamento, a Lei Brady e o NAFTA. Nós tínhamos feito uma oferta para um projeto de lei conjunto com o senador Dole e, por exten-são, para a divisão do crédito com ele, se aprovado. O senador sugeriu que apresentássemos primeiro o nosso projeto e em seguida faria um acordo. Isso nunca aconteceu. A estratégia de Kristol estava funcionando.

A cada passo para a frente, parecíamos dar dois para trás. Dois importan-tes grupos de empresários — a Câmara de Comércio e a Associação Nacional da Indústria — haviam informado a Ira, em meados de 1993, que consegui-riam sobreviver a um componente-chave do projeto, o encargo do empregador, a exigência de que firmas com mais de cinqüenta empregados oferecessem assistência médica aos seus funcionários. Esses grupos de empresários sabiam que a maioria dos grandes empregadores já fornecia seguro-saúde e concluí-ram que o encargo eliminaria os aproveitadores que não o faziam. Perto do fim de março de 1994, porém, depois que uma subcomissão da Comissão de

Receita Pública da Câmara votou por 6 a 5 a favor do encargo do empregador, esses dois grupos, pressionados pelos republicanos e os opositores à reforma, mudaram de posição. O encargo era claramente polêmico e Bill passou a fazer concessões e acordos com o Congresso. Embora tivesse ameaçado vetar qualquer lei que não incluísse a assistência universal, ele deu indicação de que poderia apoiar algo menos. Isso fazia parte do esperado toma-lá-dá-cá natural durante a barganha legislativa e abriu o caminho para o Senado apreciar uma proposta, apresentada pelos membros da Comissão de Finanças do senador Moynihan, cobrindo 95% de todos os americanos, em vez dos 100%. Mesmo essa concessão não produziu significativamente mais aliados. Aliás, perdermos apoio entre alguns linhas-duras, que acharam que estávamos abandonando a causa, por concordar com algo menos que 100%.

Na primavera, Dan Rostenkowski foi denunciado e enquadrado em dezessete artigos de lei por conspiração para defraudar o governo. Perdemos um aliado-chave no Congresso, depois que ele renunciou e foi condenado. Seguiu-se a isso a decepcionante notícia de que George Mitchell, o líder da maioria no Senado, decidira não concorrer à reeleição, o que significava que o democrata mais poderoso do Senado, e defensor de nossa lei, na verdade era agora praticamente uma carta fora do baralho.

Nós também descobrimos que a reforma do sistema de saúde representava um problema de compreensão para não poucos membros do Congresso. Por causa do grande volume de projetos que precisavam votar, a maioria concentrava-se na legislação relacionada aos encargos de sua comissão, sem tempo para apreender a complexidade de cada questão colocada diante da Câmara e do Senado. Mas fiquei surpresa ao encontrar mais de um congressista que não sabia a diferença entre Medicare e Medicaid, ambos programas de assistência médica que tinham verbas federais. Outros não faziam idéia de que tipo de assistência médica recebiam do governo. Newt Gingrich, que em 1995 se tornaria presidente republicano da Câmara, afirmou, em 1994, durante uma entrevista ao programa *Meet the Press*, que não tinha plano de saúde do governo e que pagava o Blue Cross-Blue Shield. Na verdade, o plano dele era um dos muitos oferecidos a funcionários federais por meio do Federal Employees Health Benefits Plan. E o governo cobria 75% dos quatrocentos dólares pagos mensalmente por Gingrich e outros membros do Congresso.

Essa falta de informação tornou-se evidente para mim em uma reunião que tive certo dia, no Capitólio, com um grupo de senadores. Convidada a responder a perguntas sobre o plano do governo, distribuí um folheto informativo resumindo o que estávamos propondo. O senador Ted Kennedy, um dos verdadeiros especialistas do Senado em sistemas de saúde e muitos outros temas, estava com sua cadeira inclinada para trás e apoiada sobre dois pés, enquanto ouvia as perguntas feitas por seus colegas. Finalmente, as duas pernas da frente de sua cadeira bateram no chão, e ele bradou: "Se você consultar a página 34 do folheto, vai encontrar a resposta para essa pergunta". Ele sabia cada detalhe — inclusive os números das páginas — de cor.

Mesmo alguns aliados da comunidade que agia em nossa defesa criaram problemas. Uma das mais importantes organizações na campanha da reforma era a American Association of Retired Persons [Associação Americana dos Aposentados], ou AARP. O poderoso *lobby* do grupo dos idosos começou a divulgar os seus próprios anúncios em março de 1994, insistindo para que o Congresso aprovasse um projeto de reforma do sistema de saúde que cobrisse as despesas com medicamentos de prescrição médica. A AARP era inflexível em relação a remédios prescritos, e eu também. Embora a AARP pretendesse nos ajudar, o anúncio teve um efeito corrosivo, pois fez as pessoas pensarem que o nosso plano não incluía o fornecimento de remédios de receita médica — o que, claro, incluía.

Trabalhei duramente para manter unidas as forças pró-reforma, sob o guarda-chuva do Projeto de Reforma do Sistema de Saúde. Mas conseguimos levantar apenas cerca de 15 milhões de dólares para criar uma campanha de informação e recrutar oradores para divulgá-la pelo país. Estávamos totalmente em desvantagem monetária em relação aos nossos oponentes pesos pesados, empresas que, de acordo com as estimativas, despejaram pelo menos 300 milhões de dólares em suas campanhas para derrotar a reforma.

As distorções apresentadas pela indústria do seguro foram tão eficazes, que muitos americanos não entenderam que os elementos-chave da reforma — que eles apoiavam — faziam parte do plano de Clinton. Uma matéria do *Wall Street Journal,* no dia 10 de março de 1994, resumia o nosso dilema sob o título: MUITOS NÃO PERCEBEM QUE É O PLANO DE CLINTON QUE ELES QUEREM. O redator explicava que, enquanto os americanos apóiam firmemente elementos específicos do plano Clinton, "o sr. Clinton está perdendo a batalha para definir o seu próprio projeto de reforma da saúde. Em meio à cacofonia de anúncios negativos pela televisão e alfinetadas de críticos, os inimigos levantam dúvidas sobre o plano de Clinton mais depressa do que o presidente e Hillary Rodham Clinton conseguem explicá-lo. A não ser que os Clinton consigam atravessar a confusão, será duvidosa a possibilidade de aprovação das partes principais de seu projeto de lei".

Se por um lado Washington estava envolvida com a reforma do sistema de saúde e Whitewater, por outro, o resto do mundo não estava. No início de maio, a ONU aumentou as sanções contra a junta militar do Haiti e uma nova onda de refugiados haitianos seguiu para as praias americanas. Uma crise estava se sendo gerada, e Bill teve de pedir a Al Gore para substituí-lo em uma viagem à África do Sul, para a posse presidencial de Nelson Mandela. Tipper e eu nos juntamos a Al como membros da delegação dos Estados Unidos. Fiquei emocionada com a perspectiva de fazer parte desse acontecimento monumental. Durante os anos 80, eu tinha apoiado o boicote à África do Sul, na esperança de que o regime do *apartheid* se curvasse à pressão internacional. No dia em que Mandela saiu da prisão, em fevereiro de 1990, Bill acordou Chelsea antes do amanhecer, para que, juntos, eles pudessem assistir ao desenrolar desse drama.

Viajei dezesseis horas, até Johannesburgo, em um avião lotado. Meus acompanhantes ficaram acordados até tarde, jogando baralho, ouvindo música e conversando enlevados sobre a mudança histórica que estávamos para testemunhar. Após cumprir uma pena de 27 anos por tramar contra o governo do *apartheid* da África do Sul, Nelson Mandela vencera a primeira eleição inter-racial e se tornara o seu primeiro presidente negro. A luta de libertação na África do Sul estava profundamente ligada ao movimento americano pelos direitos civis e era patrocinada por líderes afro-americanos, muitos dos quais estavam indo conosco para homenagear Mandela.

Pousamos nos arredores de Johannesburgo, uma moderna cidade escarrapachada sobre a seca região montanhosa central da África do Sul. À noite, comparecemos a uma apresentação no famoso Market Theatre, onde, durante anos, Athol Fugard e outros dramaturgos haviam desafiado os censores do governo e mostrado a agonia do *apartheid*. Depois, fomos obsequiados com um jantar-bufê, destacando-se um sortimento de especialidades africanas, ao lado das habituais carnes trinchadas e saladas. Não fui tão aventureira quanto Maggie e o restante dos meus assessores, que desafiaram um ao outro a provar os gafanhotos e larvas de insetos fritos.

A nossa delegação seguiu de carro em direção ao norte, para Pretória, a capital. Como a transmissão oficial do poder só ocorreria depois que o presidente prestasse juramento, a majestosa residência presidencial ainda estava ocupada por F. W. de Klerk. Na manhã seguinte, Al Gore se encontrou com

De Klerk e seus ministros, e Tipper e eu tomamos o café-da-manhã com a sra. Marike de Klerk e as mulheres de outros membros do Partido Nacional, que se despedia do poder. Ficamos instalados em uma sala de café com paredes revestidas de placas de madeira e densamente decoradas com tecidos plissados e penduricalhos de porcelana. Uma plataforma giratória no meio de uma enorme mesa redonda estava repleta de geléias, pães, biscoitos e ovos, de um clássico café-da-manhã de fazenda holandesa. Embora houvesse uma conversa amena sobre comida, filhos e o tempo, a ocasião incorporava um subtexto inarticulado: em poucas horas, o mundo em que aquelas mulheres habitaram desapareceria para sempre.

Cinqüenta mil pessoas compareceram à posse, um espetáculo de celebração, libertação e vindicação. Todos estavam maravilhados com a ordeira transferência de poder em um país que fora tão devastado pelo temor e ódio racistas. Colin Powell, um membro da nossa delegação, ficou comovido às lágrimas durante o sobrevôo de jatos da Força de Defesa Sul-Africana. Suas trilhas riscaram o céu, coloridas de vermelho, preto, verde, azul, branco e dourado, as cores da nova bandeira nacional. Poucos anos antes, os mesmos jatos eram um forte símbolo do poder militar do *apartheid*; agora, mergulhavam suas asas para homenagear o novo comandante-em-chefe negro.

O discurso de Mandela denunciou a discriminação de raça e sexo, dois preconceitos profundamente arraigados na África e na maior parte do restante do mundo. Ao deixarmos a cerimônia, vi o reverendo Jesse Jackson chorar de alegria. Ele se curvou e falou para mim: "Você imaginou que algum de nós viveria para ver este dia?".

Voltamos para a residência presidencial e a encontramos transformada. O longo e sinuoso acesso para carros por meio de verdes gramados, que horas antes estiveram alinhados com soldados armados, agora estava enfileirado com tocadores de tambores e dançarinas de toda a África do Sul, vestidos com roupas de cores vivas. A atmosfera era descontraída e festiva, como se o próprio ar tivesse mudado durante a tarde. Fomos encaminhados ao interior da casa, para um coquetel e para nos misturarmos e nos relacionarmos com as dezenas de chefes de Estado visitantes e suas delegações. Um dos meus desafios, naquela tarde, foi Fidel Castro. As instruções do Departamento de Estado haviam me alertado de que Castro queria se encontrar comigo. Diziam para que eu o evitasse a todo custo, já que não tínhamos relações diplomáticas com Cuba, sem falar no embargo econômico.

"Não pode apertar a mão dele", disseram-me. "Não pode falar com ele." Mesmo se eu lhe desse um encontrão acidental, a facção anticastrista da Flórida ia se enfurecer.

Durante a recepção, fiquei olhando freqüentemente por cima do ombro, alerta para a sua cerrada barba grisalha em meio à multidão de rostos. No decorrer de uma fascinante conversa com alguém como o rei Mswati III da Suazilândia, avistei subitamente Castro avançando em minha direção e recuei o mais depressa que pude para o lado mais distante da sala. Foi ridículo, mas eu sabia que uma única fotografia, uma frase em falso ou um encontro fortuito se tornariam notícia.

O almoço foi servido nos jardins debaixo de uma enorme tenda de lona branca. Mandela levantou-se para se dirigir aos convidados. Adoro ouvi-lo falar daquela maneira lenta e digna, que consegue ser ao mesmo tempo formal e repleta de bom humor. Ele fez os comentários esperados para nos dar as boas-vindas. Em seguida, disse algo que me deixou admirada: ao mesmo tempo em que estava feliz em receber tantos dignitários, sentia-se mais feliz ainda pela presença de três de seus ex-carcereiros da ilha de Robben, que o haviam tratado com respeito durante o seu encarceramento. Pediu que eles se levantassem, para que pudesse apresentá-los à multidão.

Seu espírito generoso foi inspirador e marcado pela humildade. Durante meses, vivi preocupada com a hostilidade em Washington e os ataques maldosos com relação a Whitewater, Vince Foster, escritório de viagens da Casa Branca. Mas ali estava Mandela, homenageando três homens que o mantiveram prisioneiro.

Depois que passei a conhecer melhor Mandela, ele me contou que, na juventude, tinha um temperamento impetuoso. Na prisão, aprendeu a controlar as emoções para poder sobreviver. Seus anos na cadeia tinham-lhe dado o tempo e a motivação para olhar profundamente dentro do próprio coração e lidar com a dor que encontrou. Ele me lembrou que a gratidão e o perdão, geralmente resultado da dor e do sofrimento, exigem uma enorme disciplina. Contou-me que, no dia em que seu encarceramento chegou ao fim, "ao sair pela porta, em direção ao portão que levaria à liberdade, eu sabia que, se não tivesse abandonado a minha amargura e o meu ódio, ainda estaria na prisão".

Na noite em que voltei da África do Sul, ainda meditando sobre o exemplo de Mandela, juntei-me a cinco ex-primeiras-damas no National Garden Gala. Fui a presidente honorária do evento, realizado no Jardim Botânico dos Estados Unidos, a fim de arrecadar recursos para a construção de um novo jardim, um marco vivo no National Mall, dedicado a oito primeiras-damas contemporâneas e à nossa contribuição à nação.

Fiquei encantada por lady Bird Johnson ter podido comparecer. Ela e eu trocamos cartas durante os meus oito anos na Casa Branca, uma correspondente encorajadora e otimista. Eu era admiradora da força e da dignidade serenas com que ela marcara o cargo de primeira-dama. Iniciou um programa de embelezamento, que espalhou flores silvestres ao longo de milhares de quilômetros das auto-estradas dos Estados Unidos, e acentuou o nosso apreço pela paisagem natural. Sob a tutela de lady Bird, uma geração de americanos adquiriu um novo respeito pelo meio ambiente e fomos inspirados a preservá-lo. Também foi a defensora do Head Start, um programa de ensino fundamental para crianças carentes. Quanto a fazer campanha, percorreu o Sul, em 1964, durante a corrida presidencial de seu marido contra Barry Goldwater. Apesar de uma época difícil na Casa Branca, ela compreendia que a política presidencial exigia obrigações e sacrifício. Com sua inteligência e compaixão, manteve-se firme em um mundo dominado pela desmedida personalidade de Lyndon Johnson. Desencorajada por Washington, prezava o seu senso de perspectiva obtido com dificuldade.

As fotos da noite de gala eram memoráveis: lady Bird, Barbara Bush, Nancy Reagan, Rosalyn Carter, Betty Ford e eu. Tratava-se de uma visão e tanto: todas as primeiras-damas vivas juntas num palco — com exceção de uma. Jackie Kennedy não pôde estar conosco.

Alguns meses antes, Jackie Kennedy Onassis recebera o diagnóstico de linfoma de Hodgkin não-agressivo, um câncer às vezes de avanço lento, mas geralmente mortal. Por causa disso, não pôde estar conosco. Tínhamos informação de que ela fizera uma cirurgia, mas não do quanto havia ficado debilitada. Fiel à sua personalidade, ela tentou manter a sua morte da mesma maneira reservada que mantivera a sua vida.

No dia 19 de maio de 1994, Jackie faleceu em seu apartamento de Nova York, tendo ao lado Caroline, John e Maurice. Na manhã seguinte, bem cedo, Bill e eu fomos ao Jardim Jacqueline Kennedy, ao leste da colunata da Casa Branca, junto com membros da imprensa, assessores e amigos, partilhar os nossos pensamentos. Bill reconheceu a contribuição dela ao nosso país e eu falei de sua dedicação altruísta aos filhos e netos: "Certa vez, ela explicou a importância do tempo com a família e disse: 'Se você cria mal os filhos, não acredito que qualquer outra coisa que você faça tenha alguma importância'". Eu concordava plenamente. Compareci à sua missa fúnebre, na cidade de

Nova York, realizada na igreja católica de Santo Inácio de Loiola, e depois voei para Washington, com sua família e amigos íntimos. Bill pegou o avião no aeroporto e seguiu conosco ao túmulo onde Jackie foi enterrada, ao lado do presidente John F. Kennedy, o filho bebê Patrick e uma filha natimorta sem nome. Após a cerimônia de sepultamento, nos juntamos ao extenso clã Kennedy em Hickory Hill, a casa de Ethel Kennedy que ficava nas proximidades.

Duas semanas depois, John F. Kennedy Jr. enviou a Bill e a mim uma carta manuscrita, que guardo com carinho: "Gostaria de dizer aos dois o quanto a nascente amizade de vocês com a minha mãe significava para ela", escreveu ele. "Desde que ela deixou Washington, creio que resistiu a manter contato emocional com a cidade — ou às exigências institucionais de ser uma ex-primeira-dama. Isso tinha muito a ver com avivar as lembranças e o seu desejo de resistir a ficar presa a um papel vitalício que não lhe caía bem. Contudo, ela parecia imensamente feliz e aliviada ao se permitir um novo contato com isso por intermédio de vocês. Isso a ajudou de um modo profundo — seja por discutir os perigos de criar filhos nessas circunstâncias (algo perigoso, realmente), ou talvez por causa das muitas semelhanças entre a presidência de vocês e a do meu pai."

* * *

No início de junho de 1994, Bill e eu viajamos à Inglaterra para as comemorações dos cinqüenta anos da invasão da Normandia, que apressou o fim da Segunda Guerra Mundial na Europa. Sua Majestade, a rainha Elizabeth II, nos convidou para passar a noite no iate real HMS *Britannia*, e eu estava emocionada com a perspectiva de conhecer a família real. Eu havia conhecido o príncipe Charles, no ano anterior, num jantar oferecido pelos Gore. Ele é uma pessoa encantadora, espirituosa e dotada de um humor autodepreciativo. Depois que Bill e eu embarcamos no *Britannia*, fomos levados à presença da rainha, do príncipe Philip e da rainha-mãe, que nos saudou com a oferta de um drinque. Quando apresentei a minha supervisora de viagem Kelly Craighead, a rainha-mãe surpreendeu a todos nós ao perguntar a Kelly se ela gostaria de permanecer no iate para jantar com ela e alguns dos jovens militares ajudantes-de-ordens da rainha. Kelly respondeu que seria um prazer, mas teria de ver se poderia ser liberada de suas obrigações. Kelly seguiu-me até a minha cabine e perguntou o que devia fazer. Disse-lhe que, certamente, deveria ficar. Outra pessoa poderia substituí-la durante o jantar formal daquela noite com a rainha e o príncipe Philip. Ela foi correndo avisar um ajudante-de-ordens e voltou em pânico, pois soube que precisaria se vestir formalmente para o jantar. O seu conjunto preto de calças compridas não serviria. Juntei todos os meus vestidos elegantes e ajudei Kelly a montar uma traje apropriado para ir jantar com a rainha-mãe.

Durante o jantar solene, sentei-me entre o príncipe Philip e o primeiro-ministro John Major, à mesa principal, comprida o bastante para acomodar todos os reis, rainhas, primeiros-ministros e presidentes presentes. Do tablado elevado, olhei para o enorme salão apinhado. Cerca de quinhentos convidados estavam reunidos para comemorar a aliança anglo-americana que se revelou vitoriosa no Dia D. Entre eles, encontravam-se a ex-primeira-ministra Margaret Thatcher, cuja carreira eu havia acompanhado com grande interesse; a filha ainda viva de Churchill, Mary Soames, e seu neto Winston, filho de Pamela Harriman. Major era uma pessoa fácil para conversar. Adorei bater um papo sobre as personalidades presentes e ouvi a sua descrição do terrível acidente de carro que sofrera, quando jovem, trabalhando na Nigéria. Ficou imobilizado durante meses e teve um longo e doloroso restabelecimento.

O príncipe Philip, um hábil conversador, dividiu cuidadosamente o seu tempo entre mim e a mulher do seu outro lado, Sua Majestade a rainha Paola da Bélgica. Literalmente pausando entre "talheradas", ele desviava a cabeça do lado dela para o meu, e vice-versa, enquanto discorria sobre navegação a vela e a história do *Britannia*.

A rainha, sentada perto de Bill, usava uma cintilante tiara de diamantes, que refletia a luz quando ela assentia e ria das histórias dele. Na aparência educada e reservada, ela me lembrava minha mãe. Tive uma grande admiração pelo modo como desempenhou as obrigações que assumiu, ainda jovem, depois da morte do pai. Sustentar um papel exigente e notável, durante décadas, atravessando épocas difíceis e de rápidas mudanças, para mim era difícil imaginar à luz de minha experiência mais limitada. Quando Chelsea tinha nove anos, Bill e eu levamos a Londres para umas férias curtas. Tudo o que ela queria fazer era conhecer a rainha e a princesa Diana, o que, naquela época, não podíamos conseguir. Eu a levei, porém, a uma exposição que documentava a história de todos os reis e rainhas da Inglaterra. Ela estudou cuidadosamente a mostra, levou quase uma hora lendo a descrição de cada monarca e depois começou tudo novamente. Ao terminar, comentou: "Mãe, acho que ser rei ou rainha é um trabalho muito duro".

Na manhã seguinte ao nosso grandioso jantar, encontrei a princesa Diana pela primeira vez, no Drumhead Service, uma tradicional cerimônia religiosa para as "Forças Acometidas", o ponto do qual uma tropa não pode recuar em uma batalha. A cerimônia foi realizada no terreno da base da Marinha Real, em um campo cercado por jardins que se estendiam ao longo da esplanada à beira do oceano. Entre os veteranos e espectadores, encontrava-se Diana, apartada, embora ainda não tivesse se divorciado do príncipe Charles. Ela compareceu sozinha à cerimônia. Observei quando ela saudou a multidão de fãs, que, claramente, a adoravam. Tinha uma presença cativante. Extraordinariamente bela, usava os olhos para atrair as pessoas; baixava a cabeça para cumprimentar você, enquanto levantava os olhos. Ela irradiava vida e um senso de vulnerabilidade que achei angustiante. Embora tivesse havido pouco tempo para conversar, durante essa visita passei a conhecer e a gostar dela. Diana era uma mulher dividida entre necessidades e interesses concorrentes, mas ela queria, verdadeiramente, dar uma contribuição, fazer sua vida valer alguma coisa. Tornou-se uma defensora da vigilância contra a AIDS e da erradicação das minas terrestres. Também era mãe dedicada e sempre que nos encontrávamos discutíamos o desafio de criar filhos estando sob os holofotes do público.

Depois, naquela tarde, embarcamos no *Britannia* e navegamos para o canal da Mancha, onde nos juntamos a uma grande frota de navios que incluía o *Jeremiah O'Brien*, um dos navios usado pelo governo americano para o transporte de suprimentos para a Inglaterra durante a guerra. Fomos transferidos para o USS *George Washington*, um porta-aviões ancorado ao largo da costa francesa. Essa foi a minha primeira visita a um porta-aviões, uma cidade flutuante com uma população de 6 mil marinheiros e fuzileiros. Enquanto Bill trabalhava no discurso que faria no dia seguinte, dei um passeio pelo navio que incluiu o convés de pouso, um dos mais perigosos locais de trabalho das forças armadas. Imagine a coragem e o treinamento exigido para decolar e pousar um caça a jato naquela balouçante faixa de solo americano no meio do oceano. Da ponte de comando acima do convés, observei o enorme porta-aviões e senti o poder que ele representava. Jantei no refeitório do tamanho de um restaurante, com alguns membros da tripulação, a maioria parecendo ter dezoito ou dezenove anos de idade. Cinqüenta anos antes, jovens da idade deles haviam invadido as praias da Normandia no Dia D.

Embora tivesse lido o livro *D-Day*, de Stephen Ambrose, não estava preparada para a altura dos rochedos que precisaram ser escalados pelas tropas dos Aliados, depois de atravessarem as praias lutando. Em 6 de junho de

1944, Pointe-du-Hoc parecia impenetrável, e ouvi com reverência os veteranos que haviam feito aquela escalada.

As relações de Bill com os militares tinham andado meio estremecidas, portanto muita coisa dependia do discurso dele sobre o Dia D. Do mesmo modo que eu, Bill se opusera à Guerra do Vietnã, por acreditar que era mal concebida e impossível de ser vencida. Por causa de seu trabalho durante a faculdade para o senador Fulbright, na Comissão de Relações Exteriores do Senado, no final dos anos 1960, ele sabia então o que agora todos sabemos: o governo dos Estados Unidos havia iludido o público sobre a dimensão de nosso envolvimento, a força de nossos aliados vietnamitas, o incidente do golfo de Tonkin, o sucesso de nossa estratégia militar, o número de baixas e outros dados que prolongaram o conflito e custaram mais vidas. Em 1969, Bill tentara explicar sua profunda apreensão em relação à guerra em uma carta para a direção da Unidade Militar de Treinamento de Oficiais da Reserva da Universidade do Arkansas. Ao decidir retirar-se do projeto e se submeter ao sorteio militar de seleção, ele expressou a luta interna de muitos jovens em relação a um país que amavam e uma guerra que não podiam apoiar.

Quando conheci Bill, conversamos incessantemente sobre a Guerra do Vietnã, o sorteio de convocação e as obrigações contraditórias que achávamos como jovens americanos que amavam o nosso país, mas que se opunham a uma guerra em particular. Nós dois conhecíamos a angústia daquela época e cada um de nós tinha amigos que haviam se alistado, foram sorteados, resistiram ou se tornaram opositores conscientes. Quatro dos colegas de escola secundária de Bill em Hot Springs foram mortos no Vietnã. Eu sabia que ele respeitava o serviço militar, que teria servido, se fosse convocado, e que também teria se alistado com prazer para lutar na Segunda Guerra Mundial, uma guerra cujo propósito era cristalino. Mas o Vietnã pôs à prova o intelecto e a consciência de muita gente da minha geração, pois parecia contrário aos interesses e valores nacionais dos Estados Unidos e não em harmonia com eles. Como o primeiro presidente moderno a atingir a maioridade durante a Guerra do Vietnã, Bill levou consigo para a Casa Branca os sentimentos indefinidos de nosso país em relação a essa guerra. E ele acreditava que estava na hora de reconciliar as nossas diferenças como americanos e iniciar um novo capítulo de cooperação com o nosso ex-inimigo.

Com o apoio de muitos veteranos do Vietnã com cargos no Congresso, Bill suspendeu o embargo contra o Vietnã em 1994, e, um ano depois, normalizou as relações diplomáticas entre os nossos países. O governo vietnamita continuou fazendo sinceras tentativas para ajudar a localizar os soldados americanos desaparecidos em ação ou mantidos como prisioneiros de guerra, e, em 2000, Bill se tornou o primeiro presidente americano a pisar em solo vietnamita, desde a retirada das tropas, em 1975. Suas corajosas ações diplomáticas prestaram um tributo a mais de 58 mil americanos, que sacrificaram suas vidas nas selvas do sudeste da Ásia, e permitiram ao nosso país sarar uma antiga ferida e encontrar um denominador comum entre nós e o povo vietnamita.

Um dos seus primeiros desafios como comandante-em-chefe foi a promessa, feita durante a campanha, de permitir que gays e lésbicas servissem nas forças armadas, desde que a sua orientação sexual não comprometesse de qualquer modo o seu desempenho ou a coesão da unidade. Concordo com o senso comum de que o código de conduta militar deve ser imposto rigorosamente em relação ao comportamento e não à orientação sexual. O assunto veio à tona no início de 1993 e se transformou num campo de batalha entre convicções opostas sustentadas firmemente. Os que sustentavam que os homossexuais tinham servido com distinção em cada uma das guerras da nossa história e deviam ter permissão de continuar servindo eram uma evidente minoria nas Forças Armadas e no Congresso. A opinião pública estava mais proporcionalmente dividida, porém, como sempre é o caso, os que se opunham à mudança eram mais inflexíveis e ruidosos do que os favoráveis a ela. O que achei perturbador foi a hipocrisia. Apenas três anos antes, durante a Guerra do Golfo, soldados sabidamente homossexuais — tanto mulheres quanto homens — foram enviados para a zona de perigo porque o país necessitava deles para cumprir sua missão. Depois que a guerra acabou, quando não eram mais necessários, foram dispensados com base em sua orientação sexual. Para mim, isso pareceu indefensável.

Bill sabia que o tema seria um fracasso político, mas se atormentava por não conseguir convencer o Estado-Maior das três forças a ficarem do lado da realidade — que gays e lésbicas tinham servido, estavam servindo e sempre serviriam, bastando uma mudança apropriada na norma que impunha um padrão de comportamento para todos. Depois que a Câmara e o Senado expressaram a sua oposição por meio de aplicação de veto, Bill concordou com uma solução conciliatória: a norma do "Não Pergunte, Não Responda". Por essa norma, um superior é proibido de perguntar a um membro do serviço militar se ele ou ela é homossexual. Se a pergunta for feita, não há obrigação de respondê-la. Mas a norma não tem funcionado de fato. Ainda há registros de agressão e perseguição a suspeitos de ser homossexuais e o número de dispensa de homossexuais tem aumentado. Em 2000, o nosso mais próximo aliado, a Grã-Bretanha, mudou a sua política para permitir que os homossexuais servissem e não tem havido notícias de dificuldades; em 1992, o Canadá acabou sua proibição de homossexuais. Ainda temos um longo caminho a percorrer como sociedade até esse assunto ser resolvido. Eu gostaria apenas que a oposição ouvisse Barry Goldwater, um ícone da direita americana e um ostensivo defensor dos direitos dos gays, o que ele considera consistente com os seus princípios conservadores. Sobre a questão dos homossexuais nas forças armadas ele declarou: "Você não precisa ser direito [hetero] para lutar e morrer pelo seu país. Precisa apenas atirar direito".

Bill dirigiu-se aos veteranos americanos da geração dos nossos pais, no discurso que fez no Cemitério e Memorial Americano da Segunda Guerra Mundial, em Colleville-sur-Mer, na Normandia: "Nós somos os filhos do seu sacrifício", disse ele. Esses bravos americanos juntaram-se aos exércitos e às forças de resistência da Grã-Bretanha, Noruega, França, Bélgica, Holanda, Dinamarca e outros países, em reação ao nazismo e para fortalecer uma aliança histórica que continua a unir os Estados Unidos e a Europa meio século depois. A "maior das gerações" entendeu que americanos e europeus estavam unidos em um empreendimento comum, que levou à vitória na Guerra Fria, inspirou e espalhou a liberdade e a democracia por vários continentes. Diante das incertezas do mundo atual, os laços históricos dos Estados Unidos com a Europa, tão evidentes naquelas praias da Normandia, permanecem como o meio de acesso a segurança, prosperidade e esperança globais de paz. O discurso do Dia D de Bill foi especialmente emotivo para ele, pois, recentemente, havia recebido uma cópia da ficha militar do pai e a história da unidade dele, que participou da invasão da Itália. Após a história do serviço prestado por seu pai ser publicada em vários jornais, Bill recebeu uma carta de um homem que vivia em Nova Jersey e imigrara de Netuno, Itália. Quando jovem, ele havia feito amizade com um soldado americano que servia na divisão de veículos do exército invasor. O soldado, que ensinara o rapaz a consertar carros e caminhões, era o pai de Bill, William Blythe. Bill ficou emocionado em saber sobre o pai e sentiu que estava fazendo contato com aquele jovem soldado — e o pai que não conhecera — ao tentar expressar a gratidão de nossa geração por tudo que este e milhões de outros haviam feito pela nossa nação e pelo mundo.

Essa viagem também foi emocionante para mim. Eu queria que a presidência de Bill fosse bem-sucedida, não apenas porque ele era o meu marido, mas porque amava o meu país e acreditava que ele era o homem certo para conduzi-lo até o final do século XX.

18

RUPTURA DE METADE DO MANDATO

ARETHA FRANKLIN AGITOU O JARDIM DAS ROSAS em uma inesquecível noite de junho, como parte da série de concertos In Performance que eram realizados na Casa Branca e transmitidos posteriormente pela televisão. Ela passeou como uma rainha por entre as mesas de convidados, que apreciavam embevecidos enquanto Aretha desfilava um repertório de gospel e soul com o cantor Lou Rawls. Depois, dedicou-se a canções de musicais e chegou para perto de Bill, que balançou na cadeira quando ela cantou "Sorria, de que adianta chorar...".

Dez dias depois, Robert Fiske divulgou um laudo preliminar de sua rápida investigação sobre Whitewater: primeiro, ninguém na Casa Branca de Clinton ou no Departamento do Tesouro tentara influenciar o inquérito da RTC. Segundo, Fiske concordava com a opinião do FBI e da Polícia de Park que a morte de Vince Foster foi um suicídio. Mais adiante, concluiu que não havia evidência alguma de que o suicídio dele tivesse algo a ver com Whitewater.

Para o desânimo de muitos da direita republicana, que abertamente haviam alimentado a especulação em torno da morte de Vince, Fiske não fez nenhuma denúncia. Alguns poucos conservadores e membros do Congresso, como o senador republicano Lauch Faircloth da Carolina do Norte, pediram a cabeça de Fiske. Ironicamente, no dia em que o laudo de Fiske se tornou público, meu marido, inadvertidamente, preparou o caminho para a substituição deste, ao assinar o Decreto da Promotoria Independente, que tratava de sua renovação e que lhe fora enviado pelo Congresso. Foi algo que ele prometeu fazer e manteve a sua palavra.

Por causa das crescentes críticas republicanas contra Fiske, tive de argumentar contra a assinatura do ato legislativo, a não ser que Fiske fosse isentado do decreto. Eu temia que os republicanos e seus aliados no Judiciário, liderados pelo juiz presidente da Suprema Corte William Rehnquist, imaginassem um meio de transferir Fiske porque ele era imparcial e diligente. Compartilhei os meus temores com Lloyd Cutler, que havia substituído Bernie Nussbaum como consultor jurídico da Casa Branca. Lloyd é um dos grandes homens de Washington, consultor do presidente Carter e assessor de muitos outros líderes políticos. Advogado de primeira ordem, ele ajudou a formar um dos escritórios de advocacia mais prestigiados dos Estados Unidos. Quando lhe confessei o que temia, ele me disse para não me preocupar. Lloyd, um verdadeiro cavalheiro, supôs estar lidando com homens de modos semelhantes e até mesmo afirmou que "comeria o seu chapéu" se Fiske fosse transferido.

De acordo com a nova lei decretada, a promotoria independente teria de ser escolhida por uma "Divisão Especial", um colegiado formado por três juízes federais indicados pelo juiz presidente da Suprema Corte. Rehnquist havia escolhido a dedo David Sentelle, um republicano ultraconservador da Carolina do Norte, para chefiar a Divisão Especial.

Em meados de julho, de acordo com uma notícia da imprensa, o juiz Sentelle foi visto almoçando com Faircloth e o senador Jesse Helms, outro dos ostensivos críticos do meu marido. Pode ter sido uma coincidência, e, posteriormente, Sentelle alegou que os três eram simplesmente velhos amigos conversando sobre problemas com a próstata. Mas, no dia 5 de agosto, algumas semanas depois do tal almoço, a Divisão Especial anunciou a indicação de uma nova promotoria independente. Robert Fiske estava fora, substituído por Kenneth Starr.

Starr era um republicano de 48 anos, ex-juiz de corte de apelação que dera um passo atrás para se tornar procurador-geral do primeiro governo Bush, um caminho tradicional para a Suprema Corte. Ele era sócio do Kirkland & Ellis, um escritório de advocacia com um lucrativo negócio na defesa das companhias de cigarros. Starr era um dedicado conservador; diferentemente de Fiske, nunca tinha sido promotor. Ele havia falado abertamente sobre o processo de Paula Jones, tendo aparecido na TV naquela primavera para argumentar a favor do direito de Jones processar um presidente no exercício do cargo, insistindo para que o processo fosse instaurado rapidamente. Tinha igualmente se oferecido para redigir em favor dela um "amigo do tribunal" (informação dada à corte por quem não é parte do processo). Baseados nas evidências desses conflitos de interesses, cinco ex-presidentes da Ordem dos Advogados americana apelaram para que Starr se abstivesse de atuar como promotor independente. Também divulgaram uma declaração questionando o colegiado de três juízes que o escolhera.

A indicação de Starr retardou enormemente o progresso das investigações. A maior parte da equipe de Fiske preferiu se demitir a trabalhar para ele; Starr não se licenciou do seu escritório de advocacia, como Fiske o fizera, e, por conseguinte, tratava-se de um trabalhador de meio expediente. Ele não tinha nenhuma experiência em direito penal; portanto, estava aprendendo no trabalho. Apesar de a lei determinar que um promotor independente conduza uma investigação "de modo rápido, responsável e a custo satisfatório", Starr jamais estabeleceu um cronograma ou demonstrou qualquer senso de urgência, em contraste com Fiske, que pretendia encerrar a investigação até o final de 1994. Aparentemente, desde o início o objetivo de Starr era manter o assunto vivo pelo menos até a eleição de 1996.

Diante desses perturbadores conflitos de interesses e iniciais sinais de alerta, ficou claro que Starr estava substituindo Fiske não para continuar uma investigação independente, mas por motivos partidários. Percebi de imediato o que estávamos enfrentando, mas também que nada havia que eu pudesse fazer a respeito. Teria de confiar no nosso Judiciário e torcer pelo melhor. O que fiz, contudo, foi lembrar a Lloyd Cutler sua promessa de comer o chapéu e sugerir que ele comprasse um menor e de fibras naturais.

A politicagem partidária não era algo novo em Washington; ela surgiu juntamente com o território. Mas era a política de destruição pessoal — visceral, campanhas maldosas para destruir as vidas de figuras públicas — que eu achava desalentadora e péssima para a nação.

Durante a primavera e o verão, os entrevistadores de direita de programas de rádio com audiência nacional instigaram os ouvintes com histórias apavorantes sobre Washington. Rotineiramente, Rush Limbaugh falava para os seus 20 milhões de ouvintes que "Whitewater tem a ver com o sistema de saúde". E eu, finalmente, conclui que, sim, tinha. A investigação em curso sobre Whitewater, apesar do laudo de Fiske, tinha a ver com o enfraquecimento, de qualquer modo, da meta progressista. Limbaugh e outros raramente criticavam o conteúdo do Projeto de Reforma do Sistema de Saúde ou qualquer outro plano de ação introduzido pelos democratas. Se você acreditasse em tudo que ouvia pelas ondas de rádio, em 1994 concluiria que o presidente era comunista, que a primeira-dama era uma assassina e que, juntos, eles haviam planejado uma trama para tomar todas as suas armas e forçar você a abrir mão do médico da família (se tivesse um) em troca de um sistema de saúde socialista.

Certa tarde no final de julho, em Seattle, parei na cidade como parte do programa do Expresso da Assistência à Saúde. Inspirados nos Freedom Riders, ativistas dos direitos civis do início dos anos 60 que viajavam de ônibus pelo Sul do país para espalhar a mensagem anti-segregacionista, os defensores da reforma do sistema de saúde organizaram essa viagem de ônibus pelo país durante o verão de 1994. A idéia era divulgar o plano no nível popular e gerar multidões a favor, da Costa Oeste até Washington, para mostrar ao Congresso que havia apoio ao projeto de lei.

Começamos em Portland, Oregon, para onde enviei a primeira tropa de ativistas. Foi um evento concorrido, apesar do calor recorde e das manifestações sonoras que cercavam o local. Enquanto os ônibus arrancavam, um pequeno avião arrastava uma faixa onde se lia: "Cuidado com o Expresso Enganoso". Não foi uma proeza barata.

Pelo menos metade das 4.500 pessoas que foram ouvir o meu discurso em Seattle eram manifestantes contrários. Os locutores das rádios locais e nacionais tinham passado a semana toda incentivando os protestos. Um deles incitara os ouvintes a comparecer e "mostrar a Hillary" o que pensavam de mim. A exortação atraiu centenas de empedernidos direitistas: patrocinadores de milícias, manifestantes contra impostos, piqueteiros de clínicas de aborto.

O Serviço Secreto alertou-me que podíamos enfrentar problemas. Pela primeira vez, concordei em usar um colete à prova de balas. Por essa ocasião, eu já estava acostumada com a constante presença da segurança e a ter conversas ao pé do ouvido com homens e mulheres do Serviço Secreto, que às vezes pensavam saber mais sobre mim do que a minha família e os meus amigos íntimos. Eles haviam me recomendado antes a evitar certos locais ou a vestir roupas protetoras; nessa ocasião, pela primeira vez, levei em conta o alerta. Foi uma das poucas vezes em que me senti correndo um verdadeiro perigo físico. Durante o comício, eu mal conseguia ouvir a minha voz em meio às vaias e à algazarra. Depois que o discurso terminou e estávamos no carro nos afastando do palanque, centenas de manifestantes enxamearam em volta da limusine. O que pude enxergar do interior foi uma multidão de homens que pareciam ter entre vinte e trinta anos. Nunca esquecerei o olhar deles e suas bocas retorcidas, ao gritarem comigo, enquanto os agentes os afastavam aos empurrões. Naquele dia, o Serviço Secreto fez várias prisões e confiscou dois revólveres e uma faca escondidos na multidão.

Nem casual ou tampouco espontâneo, esse protesto fez parte de uma bem organizada campanha para interromper a caravana de ônibus da reforma do sistema de saúde e neutralizar a sua mensagem, de acordo com os jornalistas David Broder e Haynes Johnson. Onde quer que os ônibus parassem, encontrávamos manifestações organizadas. Os manifestantes eram abertamente patrocinados por um grupo que tinha um nome que soava como uma participação política benigna: Citzens for a Sound Economy [Cidadãos para uma Economia Estável]. Posteriormente, repórteres descobriram e revelaram que a CSE agia de comum acordo com o gabinete de Washington de Newt Gingrich. E como Broder e Johnson escreveram em seu livro *The System* [*O sistema*], o generoso patrocinador por trás do grupo era nada mais, nada menos que o relutante, mas crescentemente ativo Richard Mellon Scaife, o bilionário direitista que também financiou o Projeto Arkansas e as histórias dos soldados da polícia estadual.

Quando voltamos a Washington após a viagem de ônibus, continuamos tentando um acordo sobre vários aspectos da reforma com os republicanos do Congresso. Eu admirava o senador John Chafee de Rhode Island pelos seus padrões morais e bons costumes; ele foi um dos patrocinadores iniciais da reforma e defensor da assistência universal. Ele vinha trabalhando com os colegas republicanos para desenvolver uma proposta séria e esperava que, combinando o seu plano com o nosso, ele acumularia suficiente apoio bipartidário para aprovar um projeto de lei. Chafee teve um empenho heróico para construir uma ponte entre o abismo que separava republicanos e democratas, e manteve todo o empenho até ser o solitário republicano ainda a lutar pela reforma. Finalmente, ele também abandonou a causa. Sem o apoio de um único republicano, a reforma do sistema de saúde era como um paciente ligado a aparelhos para quem se dava a extrema-unção.

Mesmo assim, fizemos um derradeiro esforço a fim de atrair os republicanos para algum tipo de acordo. O senador Kennedy pressionou Chafee, mais uma vez, porém foi em vão. Na acalorada reunião realizada na Casa Branca, alguns dos conselheiros de Bill argumentaram que ele devia fazer um pronunciamento público à nação e explicar como a liderança republicana tentava deter a reforma. Ele poderia falar sobre suas tentativas de criar um consenso e perguntar por que Dole, Gingrich e outros se encontravam tão indispostos a se sentar em volta de uma mesa para um acordo. Sua mensagem seria um desafio do presidente para que o Congresso fizesse o seu trabalho. Outro grupo argumentou, veementemente, que era mais prudente deixar o projeto de lei morrer sem qualquer fanfarra. Com a proximidade das eleições, eles acreditavam que não precisaríamos de outra controvérsia, e se preocupavam com o fato de que um pronunciamento presidencial atrairia mais atenção para uma derrota política.

Eu achava que o país precisava ver o presidente lutando, mesmo se perdesse, e que poderíamos tentar uma votação no Senado. O acordo da Comissão de Finanças tinha sido apreciado no âmbito da comissão e o senador Mitchell, como Líder da Maioria, poderia levá-lo diretamente ao plenário. Mesmo se essa estratégia resultasse numa obstrução republicana, como alguns do nosso lado previam, eu achava que isso poderia funcionar a nosso favor. Os membros do Congresso estariam mais sensíveis ao seu eleitorado por causa das próximas eleições de novembro. E os democratas não seriam deixados no pior de dois mundos: os republicanos não tendo que votar contra a reforma e a maioria democrata malogrando em aprovar a nova legislação. A estratégia mais cautelosa venceu e o sistema de saúde sumiu sem deixar vestígios. Ainda acho que foi a jogada errada. Desistir sem uma última batalha pública desmoralizou os democratas e deixou a oposição reescrever a história.

Após vinte meses, admitimos a derrota. Sabíamos que tínhamos frustrado uma vasta gama de especialistas e profissionais da indústria dos planos de saúde, bem como alguns dos nossos aliados do Legislativo. No final das contas, não conseguimos convencer a imensa maioria dos americanos que tinham seguro-saúde de que não precisariam abrir mão dos benefícios e da escolha de médicos para ajudar a minoria de americanos sem assistência. Nem conseguimos persuadi-los de que a reforma os protegeria da perda do seguro e que, no futuro, os seus planos de saúde ficariam mais baratos.

Bill e eu ficamos decepcionados e desencorajados. Eu sabia que havia contribuído para o nosso fracasso, igualmente por causa dos meus passos em falso e porque subestimei a resistência que enfrentaria como uma primeira-dama com uma missão política. O nosso erro mais crucial, porém, foi tentar fazer muito e depressa demais. Também me senti mal, por causa de Ira, que recebera muitas críticas injustas e injustificadas. Bill gostava de seu trabalho e o convidou para chefiar o grupo de trabalho do governo para o comércio eletrônico. Ira fez um excelente serviço em instituir uma política de governo para incentivar o comércio eletrônico. Em pouco tempo passou a ser elogiado pela comunidade do ramo, por seu discernimento, e se tornou conhecido como o "Czar da Internet".

Dito isso, ainda acredito que temos o direito de tentar. O nosso trabalho em 1993 e 1994 pavimentou o caminho para o que muitos economistas apelidaram de "Fator Hillary", a diminuição intencional no aumento dos preços das empresas fornecedoras de produtos médicos e farmacêuticos durante os anos 90. Isso também ajudou a criar as idéias e a vontade política que levaram a importantes reformas menores nos anos seguintes. Graças à liderança do senador Kennedy e da senadora Nancy Kassebaum, uma republicana do Kansas, a nação atualmente tem uma lei garantindo que os trabalhadores não percam o seu seguro, ao mudarem de empregos. Eu trabalhei nos bastidores, com o senador Kennedy, para ajudar a criar o CHIP, Children's Health Insurance Program [Programa de Seguro Saúde Infantil], o qual, em 2003, dará assistência a mais de 5 milhões de filhos de trabalhadores já protegidos pelo Medicaid, mas sem meios para pagar um seguro privado. O CHIP representou a maior expansão da cobertura do sistema de saúde pública desde a aprovação do Medicaid, em 1965, e, pela primeira vez em doze anos, tem ajudado a reduzir o número de americanos sem assistência médica.

Bill assinou uma série de projetos pelos quais trabalhei, inclusive leis que garantiram que mulheres permaneçam hospitalizadas por mais de 24 horas após o parto, fomentaram a mamografia e o exame de próstata, ampliaram a pesquisa sobre o diabetes, e aumentaram para 90% a taxa de vacinação infantil, fazendo com que todas as crianças de dois anos de idade fossem imunizadas contra as doenças mais sérias da infância, o que foi feito pela primeira vez. Bill opôs-se, ainda, ao *lobby* do tabaco e começou a discorrer seriamente sobre a AIDS no país e por todo o mundo. Usou suas prerrogativas presidenciais para estender os direitos de assistência médica a mais de 80 milhões de americanos e seus dependentes inscritos no plano federal de saúde e aos cobertos pelo Medicare, Medicaid e Veterans Health System. Nenhuma dessas ações representou uma mudança sísmica semelhante à do Projeto de Reforma do Sistema de Saúde. Mas, no geral, as reformas das normas do sistema de saúde melhoraram as condições para 10 milhões de americanos.

No todo, creio que tomamos as decisões acertadas em tentar reformar todo o sistema. Em 2002, com a economia novamente enfrentando contratempos e equilibradas as reservas financeiras da assistência administrada dos anos 90, os custos do seguro-saúde voltaram a aumentar muito mais depressa do que a inflação, o número de pessoas sem seguro está aumentando e idosos do programa Medicaid continuam sem assistência para remédios prescritos. O pessoal que financiou os anúncios de Harry e Louise talvez esteja em melhor situação, mas o povo americano não está. Algum dia daremos um jeito no sistema. Quando o fizermos, terá sido o resultado de mais de cinqüenta anos de trabalho, de Harry Truman, Richard Nixon, Jimmy Carter, Bill e meu. Sim, continuo contente por termos tentado.

* * *

O nome de Bill não constava da cédula das eleições de 1994 para o Congresso, realizadas no meio do mandato, mas nós dois sabíamos que o seu exercício na Presidência faria parte do índice eleitoral — e que o revés do sistema de saúde certamente afetaria o resultado. Havia outros fatores, inclusive uma das poucas tendências previsíveis na política americana: a sabedoria convencional diz que o partido que controla a Casa Branca normalmente perde cadeiras no Congresso nas eleições realizadas no meio do mandato. Isso talvez reflita um desejo profundamente arraigado entre os eleitores de manter um equilíbrio de poder em Washington — nunca deixar o presidente ter tanta autoridade que chegue a pensar que pode agir como um rei. Um meio de mantê-lo na linha é reduzir o seu apoio no Congresso. Quando a economia está em baixa, ou outros fatores diminuem a popularidade do presidente, as perdas de meio do mandato podem ser maiores.

Newt Gingrich e sua coorte de autodenominados "revolucionários" republicanos pareciam ávidos em tirar partido dessa tendência. Em setembro, Gingrich postou-se nos degraus do Capitólio, cercado por membros da mesma opinião, e revelou o seu plano para uma vitória de meio de mandato, um "Contrato com a América". O Contrato, que fornecia as bases para as propostas republicanas de abolir o Departamento da Educação, fazer profundos cortes no Medicare, em despesas para o Medicaid, a educação e o meio ambiente, e reduzia o crédito para os trabalhadores pobres, passou a ser conhecido na Casa Branca como "Contrato contra a América", por causa do dano que causaria ao país. Os números por trás de sua meta contraditória não batiam. Não se pode aumentar os gastos militares, diminuir impostos e equilibrar o orçamento federal, a não ser que se corte muita coisa do que o governo faz. Gingrich fiava-se em que os eleitores deixariam a matemática de lado.

O Contrato era uma estratégia para nacionalizar eleições regionais e tornar a corrida para o Congresso um plebiscito em termos republicanos: negativo em relação ao governo Clinton e positivo em relação ao Contrato deles.

Na política americana, os candidatos e membros do Legislativo dependem de pesquisas para emitir opiniões, mas poucos querem admitir isso, pois temem que a mídia e o público os acusem de aliciar os eleitores. Porém não se pode presumir que as pesquisas digam aos políticos no que devem acreditar e que projetos devem adotar; são instrumentos de diagnóstico para ajudar os políticos a se tornarem mais eficientes em determinado tipo de ação, baseados na compreensão da resposta dos eleitores. Médicos escutam o seu coração com um estetoscópio; políticos escutam os eleitores com uma pesquisa. Nas campanhas, as pesquisas ajudam os candidatos a identificar os seus pontos fortes e fracos. Depois de eleitos e no desempenho de seus cargos, criteriosas pesquisas podem ajudá-los em uma comunicação eficaz para levar a cabo os seus objetivos. A melhor pesquisa política é parte ciência estatística, parte psicologia e parte alquimia. O segredo é este: para conseguir respostas proveitosas, você precisa fazer as perguntas certas a um número representativo de prováveis eleitores.

Ao nos aproximarmos das eleições de meio de mandato em novembro, os assessores políticos de Bill nos garantiram que os democratas estavam em relativa boa forma. Mas eu me preocupava. Após semanas voando por todo o país fazendo campanha para os candidatos democratas, não conseguia me livrar da sensação de que as pesquisas realizadas por grupos externos, como também as feitas pelos pesquisadores democratas, estavam totalmente erradas. Eu desconfiava que os pesquisadores não estavam avaliando, por baixo da superfície da política americana, as correntes de oposição veemente da direita e a desanimada indiferença entre os que nos apoiavam. Um dos segredos para entender uma pesquisa é identificar a intensidade dos sentimentos do eleitorado. A maioria de eleitores pode declarar que é a favor de um sensível aumento nas medidas de segurança contra as armas, mas não é tão inflexível quanto à minoria que se opõe a qualquer controle sobre armas. Os eleitores ativos aparecem para votar a favor ou contra um candidato baseados nessa única posição, às vezes conhecida como tema forçado. A maioria vota em função de um grande número de temas, ou não vota. Eu sabia que muitas das conquistas do governo puderiam ser enquadradas como temas forçados. A maioria dos eleitores republicanos opunha-se fortemente ao aumento das alíquotas mais altas do imposto de renda para a redução do déficit, à Lei

Brady de controle de armamentos e à proibição de armas de ataque, que ele aprovou em 1994, tornando ilegal fabricar, vender ou possuir dezenove das mais perigosas armas semi-automáticas. A Associação Nacional do Rifle, a direita religiosa e os grupos influentes contra os impostos estavam mais motivados do que nunca.

Eu também sabia que parte importante dos partidários dos democratas sentia-se desiludida por nosso fracasso na tentativa de reformar o sistema de saúde ou traída pelo bem-sucedido impulso dado ao NAFTA pelo governo, e sabia que a decepção deles podia eclipsar todas as conquistas positivas da administração e da liderança democrática. Parecia haver pouca insistência entre os democratas para conseguir votos. E era cedo demais para muitos eleitores independentes ou indecisos sentirem as melhorias na economia ou perceber os efeitos salutares de um déficit reduzido em taxas de juros e crescimento do emprego.

Em outubro, telefonei para Dick Morris para pedir uma opinião externa sobre as nossas probabilidades. Bill e eu considerávamos Morris um pesquisador criativo e brilhante estrategista, mas ele veio com um um sério empecilho. Antes de tudo, não tinha nenhum remorso em trabalhar para ambas as partes e com todos os lados de uma questão. Embora tivesse ajudado Bill a vencer cinco corridas governamentais, ele também trabalhou para os senadores conservadores Trent Lott do Mississippi e Jesse Helms da Carolina do Norte. A especialidade de Morris era identificar os eleitores indecisos, que oscilavam entre os dois partidos. A orientação que ele dava, às vezes, não era nada convencional; você tinha que peneirá-la para extrair avaliações e idéias. E, em relação ao povo, ele tinha o discernimento de um porco-espinho. No entanto, eu achava que a análise de Morris podia ser instrutiva, se conseguíssemos envolvê-lo cuidadosa e disfarçadamente. Com a sua visão cética da política e das pessoas, Morris servia como um contrapeso ao sempre otimista Bill Clinton. Onde Bill via sinal de bonança em cada nuvem, Morris enxergava tempestade.

Começando em 1978, Morris trabalhou com Bill em todas as suas campanhas governamentais, exceto na única em que ele perdeu, em 1980. Mas, por volta de 1991, Morris já cuidava de mais candidatos republicanos e ninguém da estrutura de poder democrata gostava ou confiava nele. Os assessores de Bill o convenceram a não usar Morris em sua campanha presidencial. Eu telefonei para ele em outubro de 1994.

"Dick", falei, "esta eleição não está me parecendo correta." — Disse-lhe que não acreditava nas pesquisas positivas, e queria saber o que ele pensava. — "Se eu conseguir que Bill ligue para você, vai nos ajudar?"

Morris trabalhava para quatro candidatos republicanos, mas esse não era o motivo de sua relutância.

"Não gostei do modo como fui tratado, Hillary", queixou-se com o seu apressado sotaque de Nova York. "As pessoas foram muitos más para mim."

"Eu sei, eu sei, Dick. Mas as pessoas acham você difícil." Garanti a ele que conversaria apenas com Bill e comigo, e que estávamos tentando entender a tendência do eleitorado e o que os democratas queriam fazer. Morris não conseguiu resistir ao desafio. Na surdina, planejou uma série de perguntas para medir a tendência nacional, e nos revelou o resultado de sua pesquisa, que foi desanimador. Apesar do gigantesco avanço econômico conseguido por Bill — o déficit, finalmente, voltando a ficar sob controle, centenas de empregos haviam sido criados e a economia estava começando a voltar a crescer — a recuperação não era plena e a maioria das pessoas ainda não acreditava nela. Muitos que acreditavam não dariam o crédito aos democratas pela reviravolta. O partido, segundo Morris, estava numa grande enrascada e a melhor tentativa para reverter as coisas seria os candidatos democratas enfatizarem as vitórias concretas que as pessoas eram capazes de reconhecer e aplaudir, como a Lei Brady, de controle de armas, a Family Leave, a licença sem vencimentos para o trabalhador cuidar de emergências familiares e o AmeriCorps, de prestação de serviço nacional. Ele argumentou que, fazendo isso, talvez incrementasse o resultado eleitoral dos democratas. Em vez de ir contra o Contrato, como a maioria dos candidatos democratas estava fazendo, nós precisávamos ser mais assertivos em relação às conquistas dos democratas. Bill concordou e tentou convencer as lideranças no Congresso a reivindicar o crédito pelo que eles haviam realizado e se defender contra os violentos ataques do GOP.

Duas semanas antes do dia da votação, Bill e eu tiramos uma breve folga de nossas preocupações com a eleição de meio do mandato e viajamos ao Oriente Médio, onde Bill presenciou a assinatura do acordo de paz entre Israel e Jordânia. E eu comemorei os meus 47 anos em três países diferentes, Egito, Jordânia e Israel. No dia 26 de outubro, vi as pirâmides em Gizé sob a luz da manhã, e, enquanto Bill se encontrava com o presidente Mubarak e Yasser Arafat para discutir o processo de paz no Oriente Médio, Suzanne, a mulher do presidente Mubarak, oferecia um café-da-manhã de aniversário, com bolo e tudo, em uma sala de jantar com vista para a Esfinge.

Hosni e Suzanne Mubarak são um casal impressionante. Suzanne tem mestrado em sociologia e tem sido uma combatente defensora da melhoria de oportunidades e de educação para mulheres e crianças no Egito, a despeito de alguma oposição a esse empenho feita pelos fundamentalistas islâmicos. O presidente Mubarak tem os modos e o semblante de um antigo faraó — e, hoje em dia, eventualmente, é comparado a um deles. Assumiu o poder desde o assassinato de Anwar Sadat, em 1981. Nessas décadas, vem tentando governar o Egito e, ao mesmo tempo, controlar os extremistas muçulmanos, que já fizeram várias tentativas de assassiná-lo. Semelhante a outros líderes árabes que conheci, Mubarak reconhece o dilema que enfrenta ao governar um país cercado por tensões entre uma minoria educada nos moldes ocidentais, que deseja a modernização, e a maioria mais conservadora, que teme pela extinção de seus valores e a possibilidade de politização de seu modo de vida tradicional. Caminhar nessa corda bamba — e permanecer com vida — é um desafio assustador, e, ocasionalmente, as táticas de Mubarak têm levado a críticas de que ele é por demais autocrático.

Voamos do Cairo até o Grande Vale do Rift, no Jordão, para a assinatura do tratado de paz entre Jordânia e Israel que encerrou um estado de guerra entre os dois países. A paisagem desértica do Arava atravessando a fronteira lembrava-me o cenário de *Os Dez Mandamentos*. Mas a pompa e a grandiosidade do evento cercavam uma história mais dramática do que qualquer outra produzida por Hollywood. Dois líderes visionários assumiam riscos políticos e pessoais em nome da paz. Soldados calejados por batalhas, o primeiro-ministro Yitzhak Rabin e o rei Hussein bin Talal nunca desistiam de ter esperança de um futuro melhor para o seu povo.

Mesmo se alguém não soubesse que Hussein era descendente do profeta Maomé, ficaria imediatamente cativado pela sua impressionante presença e nobreza inata. Apear da baixa estatura, ele possuía ar imponente. Transmitia uma combinação ímpar de suavidade e poder. Seu discurso foi respeitoso, marcado por uma pródiga utilização de "senhor" e "senhora". Contudo, o sorriso fácil e os modos modestos sublinhavam suas dignidade e força. Ele era um sobrevivente, que pretendia assegurar um lugar para a sua nação em uma vizinhança perigosa.

Sua companheira na vida, a rainha Noor, ex-Lisa Najeeb Halaby, é americana de nascimento formada pela Princeton. O pai dela, ex-presidente da Pan American Airlines, era descendente de sírio-libaneses, e a mãe, sueca. Noor, graduada em arquitetura e planejamento urbano, trabalhava como diretora de planejamento da Royal Jordanian Airlines quando conheceu o rei, apaixonou-se e casou-se com ele. Irradiava orgulho e afeto na presença dele e dos filhos, rindo facilmente e geralmente com eles. Envolveu-se intensamente com o desenvolvimento educacional e econômico de seu país adotivo e representava suas posições e aspirações nos Estados Unidos e por todo o mundo. Com sua inteligência e encanto, e apoiada pelo marido, chamou a atenção de sua nação para uma abordagem mais moderna em relação às questões das mulheres e das crianças. Bill e eu ansiávamos por qualquer momento em particular que pudéssemos agendar com o rei e a rainha.

Naquela tarde de calor escaldante no Vale do Rift, Noor, vestida na cor turquesa, e linda como uma modelo, visivelmente deleitava-se com o compromisso de paz assumido pelo seu rei-soldado. Por coincidência, eu também estava de turquesa, o que levou ao comentário de uma mulher na multidão: "Agora sabemos que a cor da paz é turquesa".

Após a cerimônia, Bill e eu seguimos de carro, com o rei e a rainha, para a casa de férias dos dois, em Aqaba, no mar Vermelho. Noor surpreendeu-me com o meu segundo bolo de aniversário do dia, encimado por grossas velas que eu não conseguia apagar. O rei, de brincadeira, levantou-se e se ofereceu para ajudar. Ele não obteve mais sucesso do que eu. Com um piscar de olhos, o rei proclamou: "Às vezes, mesmo as ordens de um rei não são cumpridas". Costumo recordar essa tarde perfeita, quando a esperança da paz era tão grande.

Naquele dia, mais tarde, Bill tornou-se o primeiro presidente americano a discursar numa sessão conjunta do Parlamento jordaniano, na capital Amã. A diferença de fuso horário começava a cobrar seu preço e a comitiva viajante encontrava-se exausta. Fiquei sentada na galeria vendo Bill discursar, e, por toda a minha volta, as cabeças de assessores e funcionários de gabinete da Casa Branca começavam a vacilar, enquanto uma após a outra perdia a batalha para permanecer acordada. Perseverei, enfiando as unhas nas palmas das mãos e beliscando os braços — um truque que os meus agentes do Serviço Secreto me haviam ensinado. Consegui adquirir um novo ânimo a tempo de participar de um jantar privativo com o rei e a rainha, na residência oficial. Em vez de um palácio formal, eles moravam em uma ampla e confortável casa, de bom gosto mas modestamente mobiliada. Nós quatro comemos em uma mesa redonda a um canto de um aposento aconchegante e convidativo. Passamos a noite no Palácio al-Hashimiya, uma moderna casa de hóspedes real sobre uma colina a noroeste da cidade, com esplêndida vista para as colinas alvejadas pelo sol e minaretes do reino do deserto dos hashimitas.

Da Jordânia, seguimos para Israel, onde Leah Rabin tinha um terceiro bolo de aniversário à minha espera, e Bill pronunciou outro discurso histórico —

dessa vez, em Jerusalém, diante do Knesset israelense, o Parlamento unicameral. Voltando para casa, eu acreditava ter deixado Israel um passo mais próximo da paz e da segurança.

Essa viagem foi um dos marcos da política externa de Bill. Além de seu papel de vital importância na diminuição das tensões no Oriente Médio, Bill agora se concentrava nos conflitos na Irlanda do Norte, que vinham se estendendo por décadas. E, após um angustiante ano de diplomacia e do desembarque de tropas americanas no Haiti, a junta governativa finalmente concordara em recuar e devolver o poder a Jean-Bertrand Aristide, o presidente eleito. Longe da vista do público e da imprensa, uma crise nuclear na Coréia do Norte tinha sido contida, por enquanto, como resultado de um acordo de 1994, no qual a Coréia do Norte concordou em congelar e finalmente eliminar seu programa de armas nucleares em troca de uma ajuda dos Estados Unidos, Japão e Coréia do Sul. Embora tivéssemos sabido depois que a Coréia do Norte violou o espírito, se não o conteúdo do acordo, na ocasião se evitou um conflito militar em potencial. Se não tivesse sido feito um acordo, a Coréia do Norte, até 2002, poderia ter produzido plutônio suficiente para fabricar dezenas de armas nucleares, ou se tornado uma fornecedora de plutônio, vendendo pelo maior lance a mais letal substância que existe.

As ações de Bill no palco mundial deram-lhe um empurrão nas pesquisas de opinião da última semana de outubro e ele foi exortado a se envolver na campanha de apoio aos candidatos democratas. Como sempre, pediu a opinião de uma variedade de amigos, confidentes e de consultores formais e informais.

Eu achava que talvez fosse melhor Bill não se envolver tanto na campanha, já que o povo americano preferia vê-lo como um estadista e não um político. No final, Bill não conseguiu resistir ao fascínio de uma campanha e se tornou o principal cabo eleitoral do seu partido.

A estação vinha sendo marcada pela agitação, tanto nas tribunas políticas como na Casa Branca, onde ocorreram dois incidentes perturbadores. Em setembro, um homem caiu com um pequeno avião na Executive Mansion, logo a oeste da entrada do Pórtico Sul. Felizmente, nessa noite, estávamos dormindo em Blair House, pois a reforma nos sistemas de aquecimento e ar condicionado da residência nos forçou a deixar os nossos aposentos particulares. O piloto morreu no desastre e ninguém sabe exatamente por que ele realizou a tal proeza. Aparentemente, estava deprimido e procurava atrair atenção, mas não pretendia se matar. Em retrospecto, o fato de ele ter conseguido facilmente romper a segurança deveria ter deixado a todos mais atentos aos perigos que até mesmo um pequeno avião podia oferecer.

Depois, em 29 de outubro, eu estava em um evento de campanha com a senadora Dianne Feinstein, no Teatro do Palácio das Belas-Artes em San Francisco, quando o Serviço Secreto me conduziu para um pequeno aposento lateral. O chefe do meu serviço especial, George Rogers, disse-me que o presidente estava ao telefone e queria falar comigo. "Não quero preocupar você", disse Bill, "mas vai ouvir falar que alguém atirou contra a Casa Branca." Um homem, vestido com uma capa de chuva, andava lentamente diante da cerca ao longo da Avenida Pensilvânia, quando, de repente, tirou um rifle semi-automático de baixo da capa e abriu fogo. Vários transeuntes atracaram-se com ele, antes que pudesse recarregar a arma e, miraculosamente, ninguém se feriu. Era um sábado e Chelsea estava na casa de uma amiga, enquanto Bill se encontrava no andar de cima assistindo a um jogo. Em momento algum eles correram risco, mas foi desconcertante saber que, pouco antes de começar a disparar, o atirador tinha visto nos jardins um visitante alto de cabelos brancos, que, à distância, parecia o presidente. O atirador era um desequilibrado defensor das armas que dera telefonemas ameaçadores para o gabinete de um senador, pois estava irritado com a Lei Brady e a proibição das armas de ataque. A nova lei o impedira de comprar, um mês antes, uma pistola. Quando voltei à Casa Branca, com os olhos vermelhos, tudo parecia normal, exceto por alguns buracos de bala na fachada da Ala Oeste.

Mais tarde, naquele dia, Bill e eu conversamos com Dick Morris pelo interfone, em meu pequeno escritório ao lado do quarto de dormir principal da Casa Branca. Ele analisara os dados das pesquisas que havia reunido e nos disse que, decisivamente, íamos perder, tanto na Câmara como no Senado.

Absorvi a má notícia que confirmava o meu instinto visceral. Bill também acreditou na afirmação de Morris. E fez a única coisa que achava poder ajudar, dedicando-se com mais afinco à campanha. Naquela semana, percorreu Detroit, Duluth e pontos a oeste e leste. Não fez muita diferença.

Cumpri a minha agenda do dia da eleição como se fosse qualquer outro. Recebi Eeva Ahtisaari, a primeira-dama da Finlândia, e Tipper Gore e eu nos encontramos com Marike de Klerk, a ex-primeira-dama da África do Sul que estava em visita a Washington. Perto do final da tarde, a atmosfera na Casa Branca era fúnebre.

Bill e eu jantamos com Chelsea na pequena cozinha do segundo andar. Queríamos ficar sozinhos para absorver o resultado da eleição, que previa um desastre de grandes proporções. Embora o senador Feinstein por pouco não tenha sido reeleito, os democratas perderam oito cadeiras no Senado e espantosas 54 na Câmara — conduzindo a primeira maioria republicana desde o governo Eisenhower. Por toda parte, os democratas com mandatos sofreram uma derrota fragorosa. Gigantes do Partido, como o presidente da Câmara Tom Foley, de Washington, e o governador Mario Cuomo, de Nova York, não foram reeleitos. Minha amiga Ann Richards perdeu o governo do Texas para um homem de nome famoso: George W. Bush.

Chelsea recolheu-se ao seu quarto para se preparar para mais um dia de aulas. Bill e eu ficamos sozinhos, sentados à mesa da cozinha, monitorando os cálculos na tela da televisão e tentando entender os resultados. O povo americano tinha nos enviado uma forte mensagem. O comparecimento às eleições foi deploravelmente baixo, com menos da metade dos eleitores registrados indo votar, e, significativamente, mais democratas do que republicanos ficaram em casa. O único bruxuleio de luz naquela paisagem sombria foi que a "imensa maioria" republicana refletiu os votos de menos de um quarto do eleitorado.

Esse fato, porém, em nada diminuiu o júbilo de Newt Gingrich ao encarar as câmeras naquela noite, para reivindicar o crédito pela extensa vitória republicana. Ele já sabia que se tornaria o próximo presidente da Câmara, o primeiro republicano a ter esse cargo desde 1954. Magnânimo, ofereceu-se para trabalhar com os democratas, a fim de fazer o Contrato com a América ser aprovado em tempo recorde pelo Congresso. Era desanimador imaginar os próximos dois anos com a Câmara e o Senado controlados pelos republicanos. As lutas políticas seriam mais duras ainda, e o governo ficaria na defensiva para manter intactas as conquistas já obtidas para o país. Com a liderança republicana dando as cartas, o Congresso provavelmente demonstraria a exatidão do aforismo de Lyndon Johnson: "Democratas legislam; republicanos investigam".

Arrasada e decepcionada, perguntei-me quanto de culpa me cabia pelo fracasso: se tínhamos perdido a eleição por causa do sistema de saúde; se eu tinha apostado na aceitação, pelo país, do meu papel ativo — e perdera. E pelejei para entender como eu tinha me tornado um pára-raios para a ira das pessoas.

Bill estava inconsolável e era doloroso ver alguém que eu amava tanto ficar tão profundamente magoado. Ele tentara fazer o que achava certo para os Estados Unidos e sabia que tanto os seus sucessos como os seus fracassos tinham ajudado a derrotar os seus amigos e aliados. Lembro-me de como ele se sentiu, ao perder, em 1974 e 1980; isso era pior. As apostas foram altas e ele achava que falhara com o seu partido.

Levaria tempo, mas Bill estava determinado a entender o que dera errado com aquela eleição e a imaginar um meio de articular e reafirmar as suas metas. Como sempre, iniciamos uma conversa que se prolongaria por meses. Realizamos reuniões com amigos e assessores para definir o que Bill faria a seguir. Mais que tudo eu queria que o mandato presidencial de Bill fosse bem-sucedido. Acreditava nele e na esperança que tinha no futuro da nação. Sabia, também, que queria ser uma parceira útil para ele e uma eficiente defensora das questões que acalentei por toda a minha vida. Eu só não sabia como ir daqui para lá.

19

CONVERSAS COM ELEANOR

HÁ UMA ANTIGA MALDIÇÃO CHINESA, "Que você viva em uma época interessante", que se tornou uma piada recorrente em nossa família. Bill e eu costumamos nos perguntar: "E então, já está tendo uma época interessante?". Interessante não descreve a experiência. As semanas que se seguiram à desastrosa eleição de metade do mandato estiveram entre as mais difíceis dos anos que passei na Casa Branca. Nos dias em que me sentia melhor, tentava ver a derrota como parte de um fluxo e refluxo de um ciclo eleitoral, análogo a uma correção de mercado da política. Nos dias ruins, culpava a mim mesma por atabalhoar o sistema de saúde, promovendo-o fortemente e galvanizando os nossos oponentes. Havia muita gente — dentro e fora da Casa Branca — disposta a fazer acusações. Era difícil ignorar os grunhidos, mas Bill e eu tentamos nos concentrar no que podíamos fazer para recuperar as nossas forças. Precisávamos de uma nova estratégia para novas circunstâncias.

Numa lúgubre manhã de novembro, passei no meu escritório após uma reunião com Bill no Salão Oval e olhei as fotos emolduradas de Eleanor Roosevelt arrumadas sobre uma mesa. Sou uma grande fã da sra. Roosevelt e há muito coleciono fotos e recordações de sua carreira. Ao ver o seu tranqüilo e determinado semblante, veio à mente algumas de suas sábias palavras: "A mulher é como um saquinho de chá", disse a sra. Roosevelt. "Nunca se sabe quanto ela é forte até estar em água quente." Estava na hora de outra conversa com Eleanor.

Em meus discursos, sempre brincava que eu tinha conversas imaginárias com a sra. Roosevelt, para pedir sua orientação sobre uma gama de assuntos.

Trata-se realmente de um exercício mental para ajudar a analisar problemas, desde que você escolha a pessoa certa para visualizar. Eleanor Roosevelt era ideal. Eu seguia o rastro de sua carreira como uma das mais polêmicas primeiras-damas dos Estados Unidos, às vezes literalmente. Aonde quer que eu me aventurasse, a sra. Roosevelt parecia ter estado lá antes de mim. Eu tinha visitado cidades poeirentas, bairros pobres de Nova York e lugares tão remotos quanto o Uzbequistão, onde Eleanor já abrira caminho. Ela lutou por muitas causas importantes para mim: direitos civis, leis contra a exploração do trabalho infantil, refugiados e direitos humanos. Fazia duras críticas à mídia e a alguns do governo por se atreverem a definir o papel da primeira-dama em seus próprios termos. Eleanor foi chamada de tudo, desde agitadora comunista a velha feia intrometida. Ela exasperava membros do governo do marido — o secretário do Interior Harold Ickes (pai do subchefe da Casa Civil de Bill) reclamava que ela devia parar de interferir e "cuidar do seu tricô" — e enlouquecia o diretor do FBI J. Edgar Hoover. Mas o seu espírito e compromisso eram indomáveis e jamais deixou que os críticos a abatessem.

Pois bem, o que sra. Roosevelt teria a dizer sobre o meu apuro de então? Não muito, pensei. Na opinião dela, não fazia sentido agonizar por causa de reveses do dia-a-dia. Você simplesmente tinha de seguir adiante e fazer o melhor possível diante das circunstâncias.

A controvérsia pode isolar terrivelmente uma pessoa, mas Eleanor Roosevelt tinha bons amigos em quem confiava para lhe dar apoio quando se sentia insegura ou acossada no mundo da política. Louis Howe, o confiável assessor de FDR, fora confidente dela, como também a repórter da Associated Press, Lorena Hickok, e sua secretária pessoal Malvina "Tommy" Thompson.

Eu era afortunada por ter uma maravilhosa assessoria leal e um grande círculo de amigos. Embora achasse difícil imaginar a sra. Roosevelt desabafando com os seus confidentes, foi isso o que eu fiz. Minhas velhas amigas do Arkansas, Diane Blair e Ann Henry, que visitaram a Casa Branca naquelas semanas após a eleição, me conheciam bem e sempre me davam apoio pessoal, como também proveitosas perspectivas sobre política e história.

Amigos de todo o país e do exterior ligaram para saber como eu estava me ajeitando. A rainha Noor, uma espécie de viciada em notícias, acompanhava em Amã a política americana. Telefonou-me logo após as eleições de meio do mandato, para levantar o meu ânimo. Quando a família dela enfrentava momentos difíceis, contou-me, diziam uns aos outros para "persistir com firmeza". Gostei da frase e passei a usá-la para incentivar a minha equipe. Às vezes, porém, era eu quem precisava de incentivo.

Certa manhã, perto do final de novembro, Maggie Williams marcou uma reunião com dez mulheres cuja opinião era especialmente valiosa para mim: Patti, que cuidava da minha agenda; Ann, a secretária de Comunicação Social da Casa Branca; Lisa, minha secretária de imprensa; Lissa, minha redatora de discursos; Melanne, a minha subchefe de pessoal; Mandy Grunwald; Susan Thomases; Ann Lewis, uma ativista democrata de longa data, astuta analista política, que vez por outra aparecia na televisão defendendo as minhas metas e as do governo; e Evelyn Lieberman, uma admirável presença em Hillarylândia, onde cuidava de problemas de administração e logística. Posteriormente, tornou-se a primeira mulher a servir como subchefe da Casa Civil da Casa Branca e, subseqüentemente, foi nomeada subsecretária de Estado para diplomacia pública e assuntos públicos de Madeleine Albright. Essas mulheres se reuniam uma vez por semana para debater idéias e estratégias políticas. Evelyn, com o seu jeito brincalhão, tinha inventado um nome para essas reuniões femininas: "Encontros das Mulherzinhas". Por serem alegres, de amplo espectro e totalmente confidenciais, sempre que podia eu participava dessas reuniões.

Para esse encontro, as Mulherzinhas haviam se reunido na histórica Sala dos Mapas, no primeiro andar da Residência. Durante a Segunda Guerra Mundial, o presidente Franklin D. Roosevelt planejou movimentos de tropas sobre os mapas militares nas paredes. Era ali que ele se encontrava com Winston Churchill e outros líderes dos Aliados. Trinta anos depois, durante a Guerra do Vietnã, o então secretário de Estado Henry Kissinger e o embaixador soviético nos Estados Unidos encontraram-se na Sala dos Mapas, após o presidente Nixon ordenar a colocação de minas no porto de Haiphong. No início do governo Ford, a sala foi tristemente transformada em depósito.

Quando descobri a sua história, decidi recuperar a Sala dos Mapas e devolver-lhe a sua grandeza. Localizei um dos mapas estratégicos originais de FDR, mostrando as posições dos Aliados na Europa em 1945. O mapa fora enrolado e guardado pelo jovem ajudante-de-ordens do presidente, George Elsey, que o doou à Casa Branca ao saber que eu pretendia restaurar a sala. Eu o pendurei sobre a lareira.

O mapa evocava reações emocionais dos visitantes que viveram à época da Segunda Guerra Mundial. Quando professor Uwe Reinhardt, um economista nascido na Alemanha que me dava assessoria para o plano do sistema de saúde, viu-o na Sala dos Mapas, seus olhos se encheram de lágrimas. Contou-me que, quando menino, ele e a mãe ficaram confinados na Alemanha, enquanto o pai era enviado para a frente russa. Uwe utilizou o mapa para me mostrar onde ele e a mãe se esconderam para evitar o combate e o bombardeio, e como os soldados americanos os resgataram. Em outra ocasião, Bill e eu jantamos diante da lareira da Sala dos Mapas, com Hilary Jones, um velho amigo do Arkansas que havia servido na Europa durante a guerra. Ele usou o mapa para traçar o caminho percorrido pela sua unidade, ao abrir caminho lutando até o norte da Itália.

Por causa da história da sala, parecia apropriado que se realizasse ali uma reunião para mapear a minha estratégia. Maggie convocava essas reuniões porque entendia que, na panela de pressão da Casa Branca, era importante eu ter um lugar onde pudesse dizer o que me passasse pela cabeça, sem me preocupar com interpretações errôneas ou com vazamentos para a imprensa. Ela achava que essas reuniões nos ajudariam a todas — especialmente a mim — a voltar a focalizar as questões que importavam e a reafirmar o nosso compromisso com as metas do governo.

As mulheres já estavam sentadas em torno de uma grande mesa quadrada quando entrei. Até aquele momento, tinha conseguido ocultar a minha aflição e o meu desânimo de todos da minha equipe, exceto de Maggie, que parecia saber exatamente como eu me sentia, mesmo sem que eu o demonstrasse. Então, tudo veio à tona. Contendo as lágrimas, a voz falhando, extravasei desculpas. Lamentei por ter decepcionado alguém e contribuído para as nossas perdas. Isso não voltaria a acontecer. Em seguida, informei a elas que estava pensando em abandonar o ativismo político e as ações políticas, especialmente porque não queria ser um estorvo para o meu marido. E estava cancelando a minha participação em um fórum das primeiras-damas que se realizaria naquela tarde, um evento promovido pela Universidade George Washington e mediado por um amigo meu, o historiador Carl Sferrazza Anthony. Eu não via sentido em ir. Todas ouviram calmamente, em total silêncio. Depois, uma por uma, cada mulher me disse por que eu não devia desistir nem recuar. Muitas outras pessoas, inclusive mulheres, contavam comigo.

Lissa Muscatine descreveu uma palestra que tinha dado recentemente, como redatora de discursos da Casa Branca, para alunos da American University, para explicar o seu trabalho. Ela disse aos estudantes que não era da boca para fora o apoio que o presidente e eu dávamos aos direitos das mulheres no local de trabalho. A Casa Branca havia contratado Lissa, mesmo ela estando grávida de gêmeos quando concorreu ao cargo. Ela contou aos estudantes que, quando voltou a trabalhar para mim em tempo integral, depois da licença-maternidade, eu a incentivei a planejar o seu horário e trabalhar em casa, se necessário, a fim de que pudesse passar mais tempo com os filhos. Após a palestra, uma dezena de jovens mulheres reuniu-se em volta dela para lhe fazer perguntas e dizer quanto havia sido estimulante saber a respeito das mães que trabalhavam para a Casa Branca.

"Os jovens nos procuram para uma orientação em suas vidas. Você é modelo!", afirmou Lissa. "Que tipo de mensagem a gente transmitiria, se deixasse de se envolver ativamente?"

Animada pelo apoio das minhas amigas, marchei obedientemente para o Mayflower Hotel naquela tarde, a fim de participar do fórum das primeiras-damas. A platéia mostrou-se entusiástica e estava claramente do meu lado, o que foi encorajador. Senti-me energizada e esperançosa, pela primeira vez desde a eleição, e pronta para voltar à luta, agora que Bill teria de enfrentar um Congresso controlado pelos republicanos e seus líderes que iam direto ao assunto. Certa vez, Eleanor Roosevelt disse: "Se me sinto deprimida, trabalho". Esse me parecia um bom conselho.

Newt Gingrich deu-me a chance perfeita. O dentro em breve republicano presidente da Câmara estava ansioso para exercitar o músculo político. Quase que imediatamente, sua impulsividade e linguagem bombástica direitista fizeram com que aparecesse o sinal vermelho para ele e seu partido, quando surgiu uma pequena controvérsia a respeito de declarações que ele fizera sobre a reforma da previdência social e dos orfanatos. Alguns republicanos haviam sugerido que a nação conseguiria reduzir os gastos com a seguridade, colocando-se em orfanatos os filhos das pensionistas. A idéia era os estados proibirem pagamento de pensão a dois grupos de crianças: aquelas cuja paternidade não fosse determinada e as nascidas de ligações extraconjugais com mulheres abaixo dos dezoito anos. O dinheiro economizado, de acordo com essa proposta, seria usado para criar e operar orfanatos e residências comunitárias para mães solteiras.

Eu achava uma idéia horrível. Todo o trabalho que eu fizera em benefício das crianças me convenceu de que, quase sempre, elas ficavam melhor com as suas famílias, que a pobreza não era desqualificação para uma boa criação pelos pais, que o apoio financeiro e social para famílias com problemas especiais, incluindo pobreza, devia ser um primeiro passo antes de desistirmos delas e tomarmos os seus filhos. Somente quando crianças correm perigo de maus-tratos e negligência é que o governo deve intervir em benefício delas e transferi-las para locais alternativos fora de suas casas.

Em discurso perante a New York Women's Agenda, no dia 30 de novembro de 1994, critiquei Gingrich e seu grupo de republicanos por promoverem uma legislação que castigava as crianças por circunstâncias sobre as quais elas não tinham controle. Falei que suas declarações sobre orfanatos eram absurdas e inacreditáveis. Que ironia, pensei: durante a campanha de 1992, os republicanos me rotularam de "antifamília" porque apoiei o afastamento de crianças que sofriam maus-tratos e eram negligenciadas por pais que não podiam ou não queriam cuidar delas. Agora, os mesmos republicanos estavam propondo o afastamento de crianças de seus pais simplesmente porque nasceram fora do casamento ou de mães pobres.

Poucos dias depois, Gingrich participou do *Meet the Press* da NBC e revidou: "Eu sugeriria a ela para ir à Blockbuster e alugar um filme de Mickey Rooney sobre Boys Town [um orfanato]... Eu não entendo liberais, que vivem em enclaves de segurança e dizem: 'Oh, isso seria terrível. Vejam só a família de Norman Rockwell se desfazendo...'". Respondi a Gingrich com um longo artigo na *Newsweek*. Minha conclusão: "Trata-se de uma enorme interferência do governo, da pior maneira, na vida dos cidadãos".

O artigo na *Newsweek* pôs um fim no debate sobre os orfanatos, mas o clima piorou depois que a mãe de Gingrich, pensando estar falando confidencialmente, contou a Connie Chung, uma entrevistadora de televisão, que o filho dela normalmente se referia a mim como uma "vaca".

Resolvi ignorar a mais recente rodada de fanfarronadas e tentar outra linha de ação com Gingrich: enviei-lhe um bilhete manuscrito, convidando a ele e sua família para um passeio pela Casa Branca. Poucas semanas depois, Gingrich, sua então mulher Marianne, a irmã Susan e sua mãe juntaram-se a mim para o tal passeio. Além do fato de ter acontecido, a visita não foi memorável, salvo por uma breve troca de palavras enquanto tomávamos chá no Salão Vermelho. Olhando em volta, para a mobília de época, Gingrich começou a pontificar sobre a história americana. Sua mulher logo o interrompeu.

"Sabe, ele fala e fala, mesmo se souber ou não do que está falando", observou Marianne.

A mãe de Gingrich rapidamente saiu em sua defesa: "Newty é historiador", disse ela. "Newty *sempre* sabe do que está falando."

De certo modo, o tumulto do período pós-eleitoral foi benéfico para mim, pois aguçou a minha percepção para os meios de responder às diatribes da direita. Concluí que precisava contar a minha história e definir os meus valores em um formato capaz de ser avaliado diretamente pelas pessoas, sem distorções ou descaracterizações. Escrever o artigo para a *Newsweek* tinha me alertado para o potencial da minha própria voz. Comecei a pensar mais ambiciosamente em redigir projetos que expusessem minha opinião sobre a necessidade de sistemas de amparo social e de autoconfiança para a melhoria da vida das pessoas. Queria escrever um livro sobre a criação de filhos no mundo atual e unir as pessoas em torno da idéia de que, citando um provérbio africano, "é preciso uma aldeia para criar uma criança". Eu nunca havia escrito um livro, mas logo conheci pessoas que já o haviam feito e elas me orientaram.

Em um de nossos Fins de Semana do Renascimento, Bill e eu conhecemos Marianne Williamson, escritora de *best-sellers*, e ela sugeriu que nos reuníssemos com pessoas fora do mundo político, a fim de discutir os objetivos de Bill para os dois anos restantes de seu governo. Isso me deu uma idéia, e lhe pedimos que convidasse pessoas para uma reunião em Camp David nos dias 30 e 31 de dezembro.

Os convidados de Williamson incluíam Tony Robbins, cujo livro *Awaken the Giant Within* [*Acordando o gigante interior*] foi um *best-seller* nacional, e Stephen R. Covey, que escreveu o imensamente popular *7 Habits of Highly Effective People* [*7 hábitos de pessoas altamente eficientes*]. Se milhões de americanos ouviam os seus conselhos, imaginamos que talvez ajudasse ouvir o que eles tinham a dizer. Williamson também convidou Mary Catherine Bateson e Jean Houston. Professora, escritora, antropóloga e filha dos seminais antropólogos Gregory Bateson e Margaret Mead, Bateson se especializara em antropologia cultural em assuntos de identidade sexual. Eu já era fã de seu livro de 1989, *Composing a Life* [*Construindo uma vida*], no qual discorre como mulheres constroem suas vidas combinando os ingredientes do dia-a-dia que melhor funcionam para elas. Opções não são mais governadas pelos tipos de convenções que tradicionalmente determinavam os papéis das mulheres. Nós não apenas podemos como devemos imaginar e improvisar, enquanto seguimos em frente, tirando vantagens de talentos e oportunidades ímpares, e reagir a desvios e reviravoltas imprevistos que surgirem no caminho.

Eu me vi absorvida em horas de conversa com Mary Catherine e Jean Houston, autora e palestrante sobre a história da mulher, culturas indígenas e mitologia. Ao passo que Mary Catherine é uma acadêmica de voz amena, que se veste com cardigãs e usa sapatos macios, Jean envolve-se em mantos e caftãs de cores vivas e domina o ambiente com sua presença imponente e contundente espirituosidade. Ela é uma enciclopédia ambulante, e, de um fôlego, recita poemas, trechos de grandes obras da literatura, fatos históricos e dados científicos. Também é um repositório de ótimas piadas e trocadilhos, e está sempre disposta a dividir suas provisões com qualquer um que estiver precisando de uma boa gargalhada.

Jean e Mary Catherine eram especialistas em dois assuntos de imediata importância para mim. Ambas tinham escrito numerosos livros, e eu precisava de ajuda e orientação de autores experientes. Eu também tinha sido convocada pelo Departamento de Estado para representar os Estados Unidos em uma viagem a cinco países do Sul da Ásia. Para mim, essa viagem seria um divisor de águas e estava ansiosa para me dedicar aos preparativos. Jean e Mary Catherine tinham viajado bastante pela região e as convidei a partilhar comigo e a minha equipe as suas impressões, antes de eu partir para o Sul da Ásia, em março, e novamente depois do meu retorno.

Sempre resisti à idéia de explorar o título de primeira-dama, preferindo concentrar-me em ações e políticas específicas. Desconfiava do modo como símbolos podem ser manipulados e empregados incorretamente, e sempre acreditei que as pessoas devem ser julgadas com base em atos e conseqüências, não apenas pelo que dizem e alegam defender. Uma primeira-dama ocupa uma posição representativa; seu poder é derivado, e não independente, do poder do presidente. Isso explica parcialmente o meu ocasional desconforto no papel de primeira-dama. Desde menina, trabalhei para ser eu mesma e manter a minha independência. Por mais que amasse o meu marido e o meu país, era difícil, para mim, adaptar-me a ser uma coadjuvante em tempo integral. Mary Catherine e Jean ajudaram-me a entender melhor que o papel de primeira-dama é profundamente simbólico, e que era melhor eu encontrar um meio de tirar um melhor partido dele, internamente e no palco mundial.

Mary Catherine argumentou que ações simbólicas são legítimas e que "simbolismos podem ser eficazes". Ela acreditava, por exemplo, que o simples fato de eu viajar para o Sul da Ásia como primeira-dama, com Chelsea, transmitiria uma mensagem sobre a importância das filhas. Visitar mulheres da zona rural sublinharia sua importância. Compreendi seu ponto de vista e logo passei a acreditar que poderia levar adiante as metas de Clinton, por meio de ações simbólicas.

Minha amizade com Jean veio à tona um ano depois, em um livro de Bob Woodward, *The Choice* [*A escolha*], lançado perto da campanha política de 1996. Woodward referiu-se melodramaticamente a Jean como a minha "conselheira espiritual" e descreveu alguns dos exercícios verbais que ela criara para mim e minha equipe, para nos ajudar a encontrar novas maneiras de pensar em nosso trabalho. Ele foi particularmente perspicaz em falar sobre quando Jean pediu que eu imaginasse uma conversa com Eleanor Roosevelt. Como eu sempre evocava Eleanor em meus discursos, e até mesmo citava conversas imaginárias com ela para reforçar um argumento, não tive problema em atender à sugestão de Jean, e não esperava que isso gerasse qualquer interesse. Mas uma passagem do livro de Woodward sobre o meu exercício foi citada na primeira página do *Washington Post*, como a revelação de algo comprometedor.

Naquela noite, Jim e Diane Blair jantavam conosco na Sacada de Truman, e Jim, impassível como sempre, comentou: "Bem, Hill, depois dessa história de Eleanor Roosevelt, creio que não terá mais que se preocupar com Whitewater".

"Como assim?"

"Bem, se eles agora vierem para cima de você, poderá alegar insanidade."

Um dia depois da matéria do *Post*, compareci a uma reunião de família anual promovida por Al e Tipper Gore, no Tennessee. "Pouco antes de eu chegar, tive uma das minhas conversas com Eleanor Roosevelt", falei, sob explosões de gargalhadas e aplausos. "E ela também acha que isso é uma idéia genial."

Rir de mim mesma era um instrumento essencial de sobrevivência e preferível à alternativa de subir pelas paredes — embora eu também tivesse sido tentada a isso, em algumas ocasiões, durante os meses após a perda do controle da Câmara e do Senado pelos democratas.

Bill e eu sabíamos que um Congresso republicano garantiria pelo menos mais dois anos de investigações sobre Whitewater, e Kenneth Starr parecia revigorado com o resultado da eleição. No final de novembro, Webb Hubbell caiu na rede de Starr.

No último mês de março, Webb havia renunciado ao seu cargo no Departamento de Justiça para evitar qualquer polêmica, segundo ele, enquanto se defendia das alegações de trapaça em suas cobranças dos clientes no escritório de advocacia Rose. Webb nunca admitiu que houvesse um pingo de evidência com relação a qualquer acusação contra ele. Mesmo quando foi a

Camp David no verão anterior para jogar golfe com Bill, garantiu para nós que era inocente.

Mas, no dia de Ação de Graças de 1994, estávamos em Camp David quando ouvi uma notícia no rádio de que Webb Hubbell e Jim Guy Tucker, o governador do Arkansas que substituiu Bill, seriam denunciados. Por essa ocasião, já estava acostumada a notícias imprecisas da imprensa. Embora tivesse ficado perturbada com a notícia, deduzi que estava errada. Eu também sabia que, incomprovada ou não, essa história se espalharia como um incêndio incontrolável, e Webb ou seu advogado teriam que reagir imediatamente. Bill e eu telefonamos para Webb em casa, onde ele estava ocupado em assar um peru. Após lhe desejar uma feliz Ação de Graças, Bill passou o telefone para mim.

Contei a Webb o que ouvira sobre as denúncias eminentes. "Você precisa refutar isso imediatamente", falei. "Não pode deixar essa desinformação ficar por isso mesmo. Isso é terrível."

Webb disse que não havia recebido uma carta citatória dos promotores, informando-o de que era um alvo potencial de uma denúncia criminal. Em seguida, mudou rapidamente de assunto e passou a contar quem ia comparecer ao jantar e o que ele e a esposa Suzy estavam cozinhando. Fiquei desconfortável com a sua indiferença. Ou ele não havia levado a sério a notícia da imprensa, pensei, ou simplesmente não ia deixar que isso o incomodasse. Esse telefonema de Ação de Graças foi a última vez que Bill e eu falamos com Webb. Em suas próprias memórias, *Friends in High Places* [*Amigos nas altas esferas*], Webb explica que o seu advogado recebera uma carta citatória um dia antes de nossa conversa telefônica, mas que decidira esperar até depois do dia de Ação de Graças para lhe comunicar. Também admite que as acusações contra ele eram verdadeiras e que tinha furtado do escritório de advocacia numa fútil tentativa de se livrar de uma dívida terrível que ocultara da família e dos amigos.

No dia 6 de dezembro de 1994, o gabinete de Starr anunciou que Hubbell alegaria culpa em relação a fraude postal e evasão de impostos. Ele confessou que, entre 1989 e 1992, apresentou mais de quatrocentas notas adulteradas, em torno de 394 mil dólares, de ressarcimento por despesas pessoais, trapaceando os seus clientes e sócios do escritório de advocacia Rose.

Eu fiquei chocada. Webb fora um colega confiável e era enormemente admirado como líder cívico no Arkansas. Tratava-se de um caro amigo. Eu havia passado mais horas em sua companhia do que era capaz de computar. E a idéia de que ele fraudou e enganou aqueles que lhe eram mais próximos era perturbadora e inexprimível. O seu apelo para um acordo marcou uma nova escalada no campo de batalha de Whitewater e isso era duro de agüentar.

Durante a época do Natal, recebi dois presentes idênticos. Anne Bartley, uma amiga filantropa do Arkansas que fazia trabalho voluntário para a Casa Branca, e Eileen Bakke, que eu conhecia dos Fins de Semana do Renascimento e do meu grupo de orações, deram-me cada qual um exemplar de *The Return of the Prodigal Son* [*A volta do Filho Pródigo*], de Henri Nouwen, um padre holandês. Nouwen explora a parábola que Jesus contou sobre o mais novo de dois filhos, que deixara o pai e o irmão para levar uma vida dissoluta. Quando finalmente voltou para casa, foi bem recebido pelo pai, mas repelido pelo obediente irmão mais velho. Durante as tensões de 1993 e 1994, eu lia a minha Bíblia e outros livros sobre religião e espiritualidade. Como família, freqüentávamos regularmente a igreja metodista Foundry, no centro de Washington, e eu retirava um grande sustento dos sermões e do apoio pessoal dado pela congregação e seu pastor decano, o reverendo dr. Phil Wogaman. Meu grupo de orações continuava rezando por mim, como também numerosas pessoas ao redor do mundo. Mas uma simples frase do livro de Nouwen manifestou-se para mim como uma epifania: "a disciplina da gratidão". Eu tinha tanto por que ser grata, mesmo em meio a eleições perdidas, reforma do sistema de saúde fracassada, ações partidárias e ataques de promotores, e as mortes daqueles a quem amava. Apenas precisava me disciplinar para lembrar o quanto eu era abençoada.

20

AQUI NÃO SE FALA EM SILÊNCIO

EM UMA FRIA TARDE DO FINAL DE MAIO DE 1995, parti para a minha primeira longa viagem ao exterior sem o presidente. Quarenta e um passageiros lotavam um antiquado jato do governo que decolou da base de Andrews para uma visita oficial de doze dias por cinco países do Sul da Ásia. Meus acompanhantes incluíam assessores da Casa Branca, ajudantes-de-ordens do Departamento de Estado, membros da mídia, agentes do Serviço Secreto, Jan Pierce, minha amiga da Wellesley e diretora executiva do Banco Mundial nos Estados Unidos, e o melhor de tudo, Chelsea. A viagem, felizmente, coincidiu com as férias de primavera da sua escola. Ela acabara de fazer quinze anos e estava desabrochando em uma jovem mulher séria e equilibrada. Eu queria participar de algumas das últimas aventuras de sua infância e observar a reação dela ao extraordinário mundo em que estávamos para entrar, vê-lo pelos seus olhos, além dos meus.

Após um vôo de dezessete horas, pousamos em Islamabad, Paquistão, no final da tarde, em meio a uma chuva torrencial. O Departamento de Estado havia pedido que eu visitasse o subcontinente, a fim de destacar o compromisso do governo com a região, porque nem o presidente nem o vice-presidente poderiam fazer uma viagem tão cedo. A minha visita tinha por objetivo demonstrar que essa parte estratégica e volátil do mundo era importante para os Estados Unidos e para assegurar aos líderes de todo o Sul da Ásia que Bill apoiava o empenho deles para fortalecer a democracia, expandir o livre mercado e promover a tolerância e os direitos humanos, inclusive os direitos da mulher. Minha presença física na região era considerada um sinal de nossa preocupação e envolvimento.

Embora tivéssemos apenas pouco tempo em cada país, eu queria me encontrar com o máximo possível de mulheres, para destacar a correlação entre o progresso das mulheres e a condição econômica e social de um país. Temas relacionados com o desenvolvimento vinham me interessando desde os anos em que trabalhei com Bill em benefício das comunidades rurais pobres do Arkansas, mas aquele era o meu primeiro contato sério com o mundo em desenvolvimento. Eu havia feito alguma preparação anterior, em março, quando viajei a Copenhague, Dinamarca, para representar os Estados Unidos na Cúpula Mundial das Nações Unidas para o Desenvolvimento Social. Essa conferência sublinhou a minha convicção de que indivíduos e comunidades por todo o mundo já estão mais ligados e interdependentes do que em qualquer outra época da história humana, e que os americanos serão afetados pela pobreza, doença e desenvolvimento de pessoas do outro lado do planeta.

Os chineses têm um antigo ditado que diz que as mulheres sustentam a metade do céu, porém, na maior parte do mundo, é realmente mais do que a metade. As mulheres são responsáveis por uma parcela muito maior do bem-estar de suas famílias. Normalmente, no entanto, o seu trabalho não é reconhecido nem recompensado no seio da família ou pela economia formal. Essa iniquidade é claramente visível no Sul da Ásia, onde mais de meio bilhão de pessoas vivem em sufocante pobreza — a maioria delas mulheres e crianças. Mulheres e meninas pobres são oprimidas e discriminadas, têm negadas educação e assistência médica, e são vitimadas pela violência sancionada culturalmente. As autoridades legais costumam fazer vista grossa para os crimes de espancamento de esposas, aplicação de queimaduras em noivas para recebimento de dote e infanticídio feminino, e, em certas comunidades, mulheres que são estupradas podem ser presas por adultério. Apesar dessas tradições preconceituosas, há sinais de mudança ao longo do subcontinente indiano, em escolas que educam meninas e programas de microempréstimos que dão às mulheres acesso ao crédito, permitindo que elas tenham renda própria.

O governo dos Estados Unidos tem apoiado muitos projetos bem-sucedidos, mas as novas maiorias republicanas no Senado e na Câmara estão reavaliando a ajuda externa, que equivale a menos de 1% do orçamento federal, para fazer grandes reduções. Há muito tempo apóio a Agência Americana para o Desenvolvimento Internacional — a USAID —, e esperava usar os refletores da mídia que seguem a primeira-dama para mostrar o impacto palpável de programas financiados pelos Estados Unidos no desenvolvimento do mundo. Cortar essa ajuda afetaria tanto individualmente as mulheres em terríveis dificuldades, como contradiria as estratégias que vinham sendo colocadas em prática para beneficiar os países pobres como também os Estados Unidos. Quando as mulheres sofrem, os filhos sofrem e as suas economias ficam estagnadas, e, em última análise, enfraquecem mercados potenciais para os produtos americanos. E, quando as mulheres são vitimadas, a estabilidade de famílias, comunidades e nações é desgastada, comprometendo as possibilidades de democracia e prosperidade globalizadas.

Violência e instabilidade atormentavam todos os países planejados para a minha visita. Apenas três semanas antes de nossa chegada ao Paquistão, extremistas muçulmanos tinham emboscado, em Karachi, uma perua que transportava funcionários do consulado americano. Dois deles foram mortos. E Ramzi Yousef, um dos principais conspiradores do atentado contra o World Trade Center em 1993, tinha sido preso recentemente no Paquistão e extraditado para julgamento nos Estados Unidos.

O Serviço Secreto estava nervoso com a viagem e preferia que eu restringisse os meus percursos a prédios do governo e *resorts* isolados. Ele estava completamente em desarmonia com o Departamento de Estado, que queria enviar-me para locais agitados pelo mundo — locais onde conflitos em curso tornavam muito difícil a segurança. A finalidade da minha missão era realizar encontros com mulheres tanto rurais como urbanas, para descartar os itinerários previsíveis e entrar nas aldeias onde vivia a maior parte das pessoas. Grupos avançados e especialistas em segurança planejaram cuidadosamente cada parada, e fiquei dolorosamente a par de como é difícil e torturante para os países anfitriões e nossas embaixadas acomodarem uma visita tão pouco ortodoxa. O trabalho extra que realizaram em meu benefício fez-me sentir mais obrigada a tornar o mais produtiva possível a minha presença.

Quando o sol se elevou sobre as colinas Margalla, vi Islamabad pela primeira vez. Cidade planejada com amplas avenidas margeadas por baixos morros verdes, é um mostruário da arquitetura moderna de meados do século e de projetos de reflorestamento, característico de muitas capitais de Estado, que se desenvolveram depois da independência nacional, construídas em solo neutro, com boas intenções e ajuda estrangeira. A princípio, não sentia de modo algum estar no Sul da Ásia. Mas essa sensação evaporou-se assim que fiz uma visita de cortesia a Begum Nasreen Leghari, a mulher do presidente paquistanês Farooq Ahmad Khan Leghari.

Uma mulher elegantemente vestida, a sra. Leghari falava um excelente inglês com um ritmado sotaque britânico. Ela vivia em condições de um rigoroso isolamento conhecido por "purdah", e nunca era vista por homens que não fossem membros diretos de sua família. Nas raras ocasiões em que precisava deixar a casa, tinha de se cobrir completamente com véus. Não participou da posse marido e assistiu à cerimônia pela televisão. Ao ser convidada para ir aos seus aposentos no segundo andar da residência presidencial, só pude ir acompanhada por auxiliares e agentes do Serviço Secreto femininos.

A sra. Leghari crivou-me de perguntas sobre os Estados Unidos. Fui igualmente curiosa em relação à sua vida e lhe perguntei se desejava uma mudança para a geração seguinte de mulheres de sua família. Eu sabia que sua filha recém-casada estava na lista de convidados de um grande jantar em Lahore ao qual eu iria comparecer na noite seguinte e questionei a sra. Leghari sobre essa contradição. "Trata-se de uma opção do marido dela", frisou. "Ela não pertence mais ao nosso lar. Portanto, faz o que ele quer." Ela aceitava a condição social e a mobilidade da filha, porque o genro havia optado por elas em benefício da esposa. A mulher do filho da sra. Leghari, contudo, vivia com ela, em "purdah", pois este escolheu o modo tradicional do pai.

As contradições dentro do Paquistão tornaram-se ainda mais aparentes no meu compromisso seguinte, um almoço formal em minha homenagem oferecido pela primeira-ministra Benazir Bhutto, com a participação de várias dezenas de mulheres realizadas do Paquistão. Foi como ser impulsionada à frente vários séculos no tempo. Entre essas mulheres, encontravam-se professoras universitárias e ativistas, como também uma piloto, uma cantora, uma banqueira e uma delegada superintendente da polícia. Elas tinham as suas próprias ambições e carreiras, e, é claro, éramos todas convidadas da líder feminina eleita do Paquistão.

Benazir Bhutto, uma mulher brilhante e admirável, na ocasião na metade dos quarenta anos, nasceu de uma importante família e foi educada em Harvard e Oxford. Seu pai, Zulfikar Ali Bhutto, o primeiro-ministro do Partido Popular do Paquistão durante os anos 70, foi deposto por um golpe militar e posteriormente enforcado. Depois de sua morte, Benazir passou anos sob prisão domiciliar. No final dos anos 80, ela surgiu como líder do antigo partido do pai. Bhutto foi a única celebridade que me levou a ficar de pé atrás de um cercado de corda para vê-la. No verão de 1989, Chelsea e eu passeávamos por Londres durante uma viagem de férias. Percebemos uma multidão reunida do lado de fora do Ritz Hotel e eu perguntei às pessoas do que se tratava. Disseram-me que Benazir Bhutto ia se hospedar no hotel e que devia estar chegando. Chelsea e eu esperamos até a chegada da comitiva de carros. Vimos Bhutto, envolta em *chiffon* amarelo, emergir da limusine e deslizar para o saguão. Parecia elegante, tranqüila e decidida.

Em 1990, o governo dela foi dissolvido por uma acusação de corrupção, mas, em 1993, o seu partido venceu outra vez, em novas eleições. O Paquistão foi progressivamente perturbado pela crescente violência e desordem generalizada, particularmente em Karachi. A lei e a ordem deterioraram na mesma medida em que aumentaram os assassinatos étnicos e sectários. Houve também ferozes rumores de corrupção envolvendo o seu marido, Asif Zardari, e partidários de Bhutto.

No almoço formal que me ofereceu, Benazir conduziu uma discussão sobre o papel transformador da mulher em seu país e contou uma piada sobre a condição social do marido como cônjuge de uma política. "De acordo com os jornais do Paquistão", disse ela, "o sr. Asif Zardari é primeiro-ministro de fato do país. E o meu marido me diz: 'Somente a primeira-dama pode perceber que isso não é verdade'."

Bhutto reconheceu as dificuldades enfrentadas pelas mulheres que romperam com as tradições e assumiram papéis de destaque na vida pública. Habilmente, conseguiu referir-se a ambos os desafios que enfrentei durante a ocupação de meu cargo na Casa Branca e à própria situação dela. "Mulheres que enfrentam questões difíceis e se arriscam em novos territórios geralmente são alvo da ignorância", concluiu.

Em um encontro privado com a primeira-ministra, conversamos sobre a sua próxima visita a Washington, em abril, e passei algum tempo com seu marido e seus filhos. Por eu saber que o casamento deles foi arranjado, achei a interação dos dois particularmente interessante. Eles se relacionavam bem e pareciam verdadeiramente enamorados um do outro. Poucos meses depois da minha viagem, acusações de corrupção contra eles ficaram mais graves e, em agosto de 1996, Bhutto promoveu o marido a um posto no gabinete. No dia 5 de novembro de 1996, ela foi demitida em meio a alegações de que Zardari tinha usado o cargo para enriquecimento pessoal. Foi condenado por corrupção e preso; ela deixou o país com os filhos sob ameaça de prisão e impossibilitada de retornar.

Não tenho como saber se as acusações contra Bhutto e o marido são fundamentadas ou sem base. Sei apenas que, durante o tempo em que estive lá, fui arrastada para um mundo de insondáveis contrastes. Nasreen Leghari e Benazir Bhutto são produtos da mesma cultura. O presidente Leghari colocou a mulher em "purdah", ao passo que Ali Bhutto enviou a filha para a Harvard. Um casamento arranjado parecia produzir uma verdadeira satisfação. Paquistão, Índia, Bangladesh e Sri Lanka têm sido governados por mulheres eleitas como presidentes e primeiras-ministras, em uma região onde mulheres são tão desvalorizadas que algumas meninas recém-nascidas podem ser mortas ou abandonadas.

Eu queria saber o que seria da futura geração de mulheres paquistanesas que tiveram educação, algumas das quais Chelsea e eu conhecemos no dia seguinte na Escola para Moças de Islamabad, o estabelecimento de ensino secundário de Benazir Bhutto. Muitas de suas preocupações eram conhecidas da mãe de uma jovem mulher curiosa e empreendedora. Elas externaram as suas preocupações sobre como podiam mudar a sua sociedade e onde poderiam se encaixar nela como mulheres de educação superior. "Você nunca vai encontrar o homem ideal", disse uma moça. "É preciso ser muito mais realista." Sua voz permaneceu comigo. Ela fazia parte de uma cultura na qual raramente a escolha do casamento era da mulher. Contudo, conhecia bastante as realidades da vida moderna para refletir sobre as opções incertas de mulheres por toda parte.

Continuei essa conversa sobre as opções das mulheres ao visitar a Universidade de Ciência Administrativa de Lahore, onde mulheres estudavam economia. O programa era mantido em parte pelos americanos paquistaneses, que entendiam que a economia e o padrão do Paquistão nunca avançariam a não ser que as mulheres fossem educadas e desempenhassem um papel ativo. Ninguém duvidava do sucesso dos imigrantes do Sul da Ásia nos Estados Unidos, onde prosperavam nos negócios e nas profissões.

O sucesso deles em nosso país ilustrava a importância de um governo não corrupto e bem administrado, de um mercado livre, de uma sociedade que valoriza os indivíduos, inclusive moças e mulheres, de uma cultura que tolera todas as tradições religiosas, e de um ambiente livre de violência e guerra.

Nenhum país do Sul da Ásia ainda havia conseguido todas essas condições. Homens e mulheres, que poderiam ter contribuído para o progresso de seu próprio país, em vez disso estavam contribuindo para o nosso. O Sri Lanka, por exemplo, onde encerrei a minha viagem, tinha uma alta taxa de alfabetização, tanto entre homens como entre mulheres, mas o país vivia em meio ao terror havia anos, por causa da guerrilha insurgente de minoria hinduísta dos Tigres Tâmeis contra a maioria budista cingalesa da população e do governo. A incansável campanha de terror minou o seu potencial de crescimento econômico e de investimentos estrangeiros.

Antes de deixarmos Islamabad, Chelsea e eu fizemos uma visita de deferência à mesquita Faisal construída pelos sauditas, batizada com o nome do ex-rei saudita e uma das maiores mesquitas do mundo. Com seus minaretes com quase noventa metros de altura e cúpula magnífica, essa moderna mesquita era uma das mais de 1.500 que o governo saudita e pessoas físicas estavam construindo em seis continentes. Tiramos os sapatos e caminhamos silenciosamente em volta de enormes salas e pátios de orações projetados para acomodar mais de 100 mil fiéis. Chelsea, que estudava história e cultura islâmica na escola, fez perguntas bem fundamentadas ao nosso guia. Do mesmo modo que a Bíblia judaico-cristã, o Alcorão é aberto a diferentes interpretações, a maioria delas promovendo a coexistência pacífica com pessoas de outras religiões; algumas, como a wahabita, não. A religião wahabita é um ramo ultraconservador do islamismo que vem conquistando adeptos por todo o mundo. Se por um lado respeito os dogmas básicos do Islã, por outro a wahabita preocupa-me, pois é uma forma de fundamentalismo islâmico que vem se espalhando rapidamente, exclui as mulheres de uma participação plena em sua sociedade, promove a intolerância religiosa e, em sua versão mais radical, como vimos com Osama bin Laden, promove o terror e a violência.

No dia seguinte, visitei a embaixada para uma conversa com os funcionários americanos e paquistaneses, terrivelmente abalados pelo recente assassinato de seus colegas em Karachi. Quis reconhecer a coragem deles em servir ao nosso país e reafirmar que, a despeito de vozes isolacionistas no Congresso, o seu serviço era valioso e estimado pelo presidente e milhões de cidadãos americanos. Não se tratou de uma referência assim tão velada a alguns membros republicanos da Câmara, que se vangloriavam de não ter passaporte, nunca ter viajado para fora de nosso país e que planejavam reduzir o orçamento do Departamento de Estado. Também quis agradecer aos funcionários da embaixada por todo o trabalho extra que a minha viagem exigiu deles. Da perspectiva deles, a melhor parte da visita de uma personalidade é o momento em que o avião diplomático decola — e podem dar uma festa de "bota-fora", para se recuperar. Eu disse brincando que talvez só fingisse viajar e que sorrateiramente voltaria, para festejar com eles.

Debaixo de uma extraordinária segurança, voamos para Lahore, a capital do Punjab. Os paquistaneses temiam tanto um incidente que posicionaram centenas de soldados ao longo do caminho até o aeroporto. Diferentemente da moderna Islamabad, Lahore é um antigo local com gloriosa arquitetura mongol. As estradas tinham sido aliviadas de seu tráfego normal e a cidade normalmente fervilhante parecia despovoada. Em partes de nossa rota, tecidos com estampas coloridas tinham sido pendurados em varais para ocultar as favelas ao longo da auto-estrada. Mas, onde estes haviam caído, pude ver crianças e cães macilentos disputando pilhas de lixo.

Fomos levados de carro a uma aldeia rural que, apesar da falta de eletricidade, era considerada adiantada, pois tinha uma clínica médica e uma escola para a educação de meninas. A clínica era uma edificação em blocos de concreto provida de um punhado de médicos e especialistas responsáveis por uma área com uma população de 150 mil pessoas. A equipe era heróica em seu empenho, mas necessitava recursos, muitos deles cruciais. Levamos doações de suprimentos médicos e artigos de primeira necessidade, como tentávamos fazer onde quer que fôssemos visitar. Os pacientes, na maioria mães com os filhos, estavam sentados em silêncio nos bancos encostados às paredes. Pareceram espantados ao ver tantos americanos em sua aldeia, mas, amavelmente, permitiram que Chelsea e eu segurássemos os seus bebês, e responderam às nossas perguntas feitas por intermédio de um intérprete.

Outro prédio de concreto, distante cerca de cem metros, abrigava a escola primária para meninas. Esse era o máximo até onde devia ir a educação delas, pois a escola superior mais próxima — escola secundária — era apenas para meninos. Conversei com uma mulher que tinha dez filhos, cinco meninos e cinco meninas. Ela mandou os cinco meninos para a escola secundária, mas as meninas não tinham aonde ir, pois não podiam viajar para a escola mais próxima a fim de freqüentá-la. Ela queria uma escola secundária mais perto, para meninas. Falou muito abertamente sobre controle da natalidade e disse que, se tivesse sabido na ocasião o que sabia agora, não teria tido tantos filhos. Visitamos um apinhado conjunto habitacional familiar que abrigava várias gerações, logo atrás da escola, com crianças e animais vagando pelo pátio. Os membros mais velhos da família, sentados em redes, observavam a comoção causada pela minha visita, enquanto o chefe da família me saudava calorosamente e mostrava várias residências de um só aposento do conjunto, que continham as áreas de dormir e de comer individuais das famílias. As atividades comunais eram realizadas ao ar livre, onde as mulheres se reuniam para preparar e cozinhar os alimentos. Duas moças mostraram a Chelsea como usar *kohl* preto para colorir as pálpebras. A moda é um padrão feminino universal.

Eu tinha pensado bastante em como Chelsea e eu devíamos nos vestir na viagem. Queríamos nos sentir à vontade, e, sob o calor do sol, fiquei contente pelos chapéus e roupas de algodão que havia levado. Não queria ofender as comunidades que visitava, mas também estava cautelosa em parecer adotar costumes que refletissem uma cultura que limitava as vidas e os direitos das mulheres. Durante a histórica viagem de Jackie Kennedy pela Índia e Paquistão, em 1962, ela foi fotografada usando blusas sem mangas e saias na altura dos joelhos — sem mencionar um sári descoberto no abdome, que causou sensação internacional. Desde então, a opinião pública no Sul da Ásia tornara-se mais conservadora. Consultamos os especialistas do Departamento de Estado, que nos deram dicas de como nos comportarmos em países estrangeiros, sem ficarmos constrangidas ou ofendermos nossos anfitriões. O texto com as instruções sobre o Sul da Ásia alertava para não cruzar as pernas, apontar com o dedo, comer com a "impura" mão esquerda ou iniciar contato físico com o sexo oposto, incluindo o aperto de mão.

Fiz questão de colocar na mala vários lenços de pescoço compridos, que eu poderia jogar sobre os ombros ou colocar sobre a cabeça se entrasse em uma mesquita. Eu havia notado o modo como Benazir Bhutto cobria o cabelo com um pequeno lenço. Ela usava uma espécie local de roupa chamada *shalvar kameez*, uma túnica comprida e frouxa sobre calças folgadas, que era igualmente prática e atraente. Chelsea e eu decidimos experimentar essa moda. Para o espetáculo daquela noite no Forte Lahore, vesti uma *shalvar kameez* de seda vermelha, e Chelsea usou uma em verde-turquesa, que combinava com os seus olhos. O governador de Punjab convidara quinhentas pessoas para a fortaleza de arenito vermelho, outrora a sede do império medieval mongol, que assomava em uma colina com vista para a cidade. Chegamos em uma noite clara e estrelada, e saímos de nossos carros para um cenário de *As mil e uma noites*. Debaixo de um espetáculo pirotécnico, grupos de músicos e dançarinas nos saudaram de cada lado do tapete vermelho. Camelos guarnecidos com mantos e capacetes adornados com jóias arrastavam os pés e rodopiavam ao som da música. Chelsea e eu ficamos extasiadas e, maravilhadas, comprimimos a mão uma da outra. Dois enormes torreões esculpidos pelo vento protegiam a entrada para o interior do forte, onde milhares de bruxuleantes lamparinas a óleo iluminavam os pátios e os acessos, e o ar era fragrante como pétalas de rosa. Olhei para a minha encantada e subitamente adulta filha envolta em seda brilhante, e desejei que Bill estivesse presente para vê-la também.

A noite terminou com uma incursão ao aeroporto e um vôo para Nova Delhi. Sempre quis visitar a Índia, desde que era caloura na universidade, e Margaret Clapp, a reitora de Wellesley, saiu para dirigir uma escola feminina em Madurai, Índia. Antes de partir, fez uma ronda pelos nossos dormitórios, para descrever o que ia fazer. Fiquei intrigada. Antes de me decidir pela faculdade de direito, considerei a hipótese de ir para a Índia, estudar ou ensinar. Um quarto de século depois, eu fazia a minha primeira visita àquele lugar, representando o meu país. Bill me pedira para ir porque queria supervisionar o desenvolvimento de boas relações com a Índia, após quarenta anos da política indiana de não-alinhamento e seus laços com a União Soviética durante a Guerra Fria. Eu queria ver por mim mesma a maior democracia do mundo e aprender mais sobre os esforços da sociedade para estimular o desenvolvimento dos direitos da mulher. Eu estava empolgada com o que iria ver, mesmo sabendo que o meu tempo e o contato com as pessoas seriam limitados.

No primeiro dia, eu tinha uma agenda cheia, que incluía uma visita a um dos orfanatos de madre Teresa, onde as meninas superavam em muito os meninos, pois filhas não eram tão valorizadas como os filhos por suas famílias. Madre Teresa estava viajando fora da Índia, mas irmã Priscilla nos levou para uma visita. Bebês bem cuidados estendiam os braços e Chelsea e eu os segurávamos, enquanto irmã Priscilla nos contava a respeito de cada um deles. Alguns bebês tinham sido abandonados nas ruas; mais freqüentemente, eram deixados no orfanato por mães que não conseguiam cuidar deles ou alegavam que os maridos não os queriam. Havia bebês com pés tálipes, lábio leporino ou outras deformações, abandonados por famílias pobres demais para pagar por tratamento médico. Muitas dessas crianças eram adotadas por ocidentais, embora a adoção na própria Índia estivesse se tornando mais comum. Irmã Priscilla disse-me que a minha visita fizera com que o governo local asfaltasse a estrada de terra, o que ela, sorrindo, supunha ser um pequeno milagre.

Almocei com um grupo de indianas em Roosevelt House, a residência do embaixador, e jantei com o presidente Shanker Dayal Sharma. No dia seguinte, tinha agendado um encontro com o primeiro-ministro P. V. Narasimha

Rao. Era importante repetir o que eu fizera no Paquistão, para não ofender os dois países, pois eu sabia que ambos competiam.

Eu havia concordado em fazer um importante discurso sobre os direitos das mulheres na Fundação Rajiv Gandhi, mas estava encontrando problemas para o redigir. Procurava uma imagem clara, que expressasse o que eu queria dizer. No almoço formal feminino, Meenakshi Gopinath, a diretora da Escola Lady Sri Ram, um estabelecimento de ensino secundário, presenteou-me com a inspiração — um poema escrito e pintado a mão por uma de suas alunas, Anasuya Sengupta. Chamava-se "Silêncio", e começava assim:

Muitas mulheres
Em muitos países
Falam a mesma linguagem.
Do silêncio...

Não consegui tirar o poema da cabeça. Enquanto trabalhava no meu discurso, tarde da noite, me dei conta de que poderia usá-lo para transmitir a minha convicção de que temas relativos a mulheres e meninas não deviam ser descartados como "delicados" ou marginais, mas integrados inteiramente em decisões de política interna e externa. Negar ou impedir educação e cuidados básicos de saúde para a mulher é uma questão de direitos humanos. Restringir a participação econômica, política e social da mulher é uma questão de direitos humanos. Há muito tempo, as vozes de metade dos habitantes do mundo não têm sido ouvidas pelos governos. As vozes das mulheres tornaram-se o meu tema e resolvi encerrar o discurso citando o poema.

A Fundação Rajiv Gandhi, batizada com o nome do primeiro-ministro assassinado, foi criada pela viúva dele, Sonia, que havia me convidado para fazer o discurso. Italiana de nascimento, com uma fala mansa, Sonia Gandhi apaixonou-se por Rajiv, o belo filho da primeira-ministra Indira Gandhi, quando eram estudantes na Universidade de Cambridge, Inglaterra. Casaram-se e foram morar na Índia. Sonia criava feliz os seus dois filhos, quando, de repente, a catástrofe atingiu sua família. Primeiro, seu cunhado Sanjay — que muitos acreditavam seguiria a carreira política da mãe e de Jawaharlal Nehru, o avô — morreu em um acidente aéreo. Depois, em 1984, Indira Gandhi foi assassinada pelos próprios guardas de sua segurança. Rajiv, o suposto herdeiro da liderança do Partido do Congresso, tornou-se primeiro-ministro. Mas, quando fazia campanha para a eleição de 1991, Rajiv foi assassinado por um homem-bomba da guerrilha tâmil, que travava uma guerra contra o governo de Sri Lanka e contra o governo indiano que o apoiava. Sonia Gandhi foi alçada à vida pública como símbolo da continuidade do Partido do Congresso. Ela encontrou a sua própria individualidade pública no rastro de uma devastadora tragédia pessoal.

Quando fui pronunciar o meu discurso, a diferença de fuso horário e as noites em claro cobraram o seu preço. Eu mal conseguia enxergar as páginas, mas concluí com este trecho do poema de Anasuya:

> *Nós só buscamos dar palavras*
> *a quem não pode falar*
> *(muitas mulheres*
> *em muitos países)*
> *Eu só busco esquecer*
> *A dor do silêncio*
> *da minha avó.*

O poema tocou fundo nas pessoas da platéia, muitas delas comovidas com o fato de eu extrair os pensamentos de uma colegial para evocar a condição da mulher em todo o mundo. Anasuya, adorável, humilde e tímida, diante de toda a publicidade gerada pelo seu poema, ficou espantada por mulheres de todo o planeta pedirem cópias dele.

As palavras dela também afetaram os meus companheiros de viagem do batalhão da imprensa de Washington, que reagiram pessoalmente ao que eu disse sobre as vidas e os direitos das mulheres. Repórteres me perguntaram, depois do discurso, por que eu ainda não havia me ocupado antes desse tema. Entendi a pergunta, apesar de vir trabalhando, há 25 anos, para melhorar a condição e a dignidade de mulheres e crianças nos Estados Unidos. Na região onde eu me encontrava, onde a "purdah" e os bebês-meninas abandonados coexistem com primeiras-ministras, consegui enxergar o tema com maior clareza — e, do mesmo modo, a imprensa. A reforma do sistema de saúde, a Family Leave, o Earned Income Tax Credit, programa de crédito para suplementação de renda dos trabalhadores pobres, ou o término da lei da mordaça global do livre debate sobre o aborto, tudo fazia parte do mesmo tema: permitir que as pessoas façam as escolhas que consideram corretas para elas e suas famílias. Viajar até a outra metade do mundo ajudou a deixar isso claro. Parte do motivo era simples: os repórteres designados para cobrir a minha viagem eram uma platéia cativa. Mas também era verdade que a minha mensagem no exterior continha poucas das implicações políticas das minhas propostas de ações específicas em meu país.

A transformação que ocorreu em meu relacionamento com a imprensa foi uma das agradáveis surpresas da viagem. Como veteranos de exércitos diferentes de uma antiga guerra, começamos a nossa viagem desconfiando um do outro. Mas, com o passar dos dias, passamos a nos ver sob uma perspectiva diferente. Para mim, as regras básicas de comportamento ajudaram. Tudo o que acontecia no avião ou nos hotéis era rigorosamente vedado para publicação, do mesmo modo como tudo o que Chelsea dizia ou fazia por conta própria. Depois que passei a confiar que os repórteres respeitariam o "código de viagem", me senti mais à vontade para me abrir com eles. Também ajudou o fato de a imprensa e eu compartilharmos as mesmas experiências, desde o nosso mergulho em culturas estrangeiras a momentos de frivolidades entre comensais de jantares informais.

O pessoal da imprensa, que nunca havia antes interagido com Chelsea, agora notava o seu equilíbrio e a firmeza de caráter. Certo dia, ela foi ajudar a pesar crianças mal nutridas, tão frágeis que elas se sobressaltavam diante do mais delicado dos toques; poucas horas depois, jantou com a primeira-ministra. Chelsea fez ótimas perguntas e comentários perspicazes e, naturalmente, muitos dos jornalistas passaram a me pressionar para que eu permitisse que ela fosse citada. Cedi, finalmente, após uma visita que fizemos ao Taj Mahal, e ela declarou: "Quando eu era pequena, isto era a personificação de um palácio de contos de fada para mim. Eu via fotos dele e sonhava que era uma princesa ou coisa semelhante. E agora que estou aqui, é espetacular".

Foi um comentário adorável e inocente, mas, imediatamente, desejei não ter aberto essa porta. Foi difícil voltar a fechá-la. Assim que os repórteres dos jornais anotaram a declaração, Lisa Caputo, a minha secretária de imprensa, foi inundada por pedidos de jornalistas de televisão, desesperados para fazer com que Chelsea a repetisse para ser gravada em vídeo. Precisei lembrar a todos das regras básicas de comportamento e fiz uma anotação mental para considerar a possibilidade de colocar Chelsea num "purdah" quando retornássemos a Washington!

As minhas lembranças mais nítidas da Índia não foram o Taj Mahal, por mais que ele fosse de tirar o fôlego, mas duas visitas que fiz na cidade de Ahmadabad, no estado de Gujarat. A primeira, à modesta *ashram* de Mahatma Gandhi, onde ele buscava um retiro meditativo das intensas pelejas para criar uma Índia independente. A privação que vi e a simplicidade de sua vida lembraram-me o excesso da minha. A crença de Gandhi na resistência não-violenta à opressão e a necessidade de organizar grandes grupos de oposição às políticas de um governo influenciaram o movimento americano pelos direitos civis e foram decisivos da campanha de Martin Luther King para acabar com a segregação racial. Em seu próprio país, a vida e os princípios de Gandhi, de independência e rejeição ao sistema de castas, inspiraram uma mulher excepcional, Ela Bhatt. Seguindo o exemplo de Gandhi, ela fundou a Self-Employed Women's Association (SEWA) [Associação das Mulheres Autônomas], em 1971. Liz Moynihan, a extraordinária mulher do Senador Moynihan, tinha me apresentado a Bhatt e me estimulado a ir até a SEWA e ver por mim mesma o que uma mulher determinada é capaz de criar.

Ao mesmo tempo sindicato e movimento feminino, a SEWA contava com mais de 140 mil afiliadas, incluindo algumas das mais pobres, menos instruídas e mais segregadas mulheres da Índia. Essas mulheres tiveram casamentos arranjados e passaram a morar nas residências dos maridos, sob os olhos vigilantes de suas sogras. Algumas viveram em "purdah" até os maridos morrerem, ficarem incapacitados ou irem embora; e tinham que sustentar as suas famílias, todas batalhando dia a dia para sobreviver. A SEWA oferecia pequenos empréstimos, para permitir que elas obtivessem renda própria, e também fornecia instrução básica e treinamento para o comércio. Ela Bhatt mostrou-me os enormes livros mantidos no escritório de um cômodo da SEWA, com os registros dos empréstimos e reembolsos. Por meio do seu sistema de "microfundos", a SEWA estava propiciando trabalho para milhares de mulheres e mudando as atitudes profundamente arraigadas sobre o papel da mulher.

A notícia de minha visita espalhou-se pelas aldeias de Gujarat e cerca de mil mulheres reuniram-se para o encontro, algumas delas tendo caminhado nove ou dez horas por trilhas quentes e poeirentas da região rural. Lágrimas inundaram os meus olhos quando as vi à minha espera sob uma enorme tenda. Abanando-se em seus sáris com as cores safira, esmeralda e rubi, pareceram-me um ondulante arco-íris humano. Eram muçulmanas e hindus, inclusive intocáveis, a mais baixa casta indiana. Havia fabricantes de pipas, catadoras de sucata e vendedoras de verduras, e Chelsea sentou-se no meio delas.

Uma a uma, as mulheres levantaram-se e contaram-me de que modo a SEWA mudara suas vidas, não apenas por causa dos pequenos empréstimos que recebiam e da ajuda que a SEWA dava aos seus negócios, mas também por causa da solidariedade que sentiam por parte das outras mulheres que pelejavam. Uma mulher tocou num ponto comum, ao explicar que não mais tinha medo da sogra. Na cultura delas, a sogra, caracteristicamente, passa a exercer um rígido controle sobre a esposa do filho, depois que o casal se casa e vai morar com a família dele. O fato de ter uma barraca na feira e renda própria deu a essa mulher uma bem-vinda independência. Ela acrescentou que também não tinha mais medo da polícia, pois um grupo de vendedores financiado pela SEWA agora a protegia de ser importunada pelos guardas autoritários da feira. O porte digno, os rostos bem marcados e os olhos pintados com *kohl* das oradoras contradiziam suas vidas difíceis.

Finalmente, pediram-me para fazer as observações finais. Após eu ter terminado, Ela pegou o microfone e anunciou que as mulheres queriam expressar sua gratidão por eu ter vindo dos Estados Unidos visitá-las. Num estonteante clarão de cores em movimento, todas ficaram de pé e começaram a cantar "We Shall Overcome" ["Nós triunfaremos"] em gujarati. Fiquei profundamente emocionada e enaltecida por estar entre mulheres que batalhavam para sobrepujar as adversidades, como também séculos de opressão. Para mim, elas eram a afirmação viva da importância dos direitos humanos.

Ainda pensava em seus rostos e palavras no dia seguinte, ao voarmos do nível do mar para Katmandu, a capital do Nepal, que se situa em meio às montanhas do Himalaia, em um vale baixo e a uma altitude de apenas 1.280 metros, a mesma de Salt Lake City. Num dia claro, pode-se ver um panorama de picos cobertos de neve rodeando a cidade.

As paisagens do Nepal estão entre as mais belas do mundo, mas as regiões habitadas do país são apinhadas. Os dejetos humanos são utilizados como fertilizante e água limpa é uma raridade. Todos os americanos que conheci tinham histórias de doenças após uma temporada no Nepal, fazendo isso parecer um inevitável rito de passagem. Membros do Peace Corps apareceram para me ver, vestidos com camisetas que relacionavam as doenças às quais haviam sobrevivido.

Tomamos precauções extraordinárias, já que estávamos apenas na metade de nossa viagem e mesmo um dia doente afetaria todo o restante de nossa programação. Os nossos anfitriões foram incomuns em apaziguar as nossas preocupações. "Mamãe, você não vai acreditar no que os agentes do Serviço Secreto me contaram", disse uma surpresa Chelsea no nosso primeiro dia. "Falaram que a piscina do hotel foi esvaziada, antes da nossa chegada, e foi enchida novamente com água mineral!" Nunca soube se isso era verdade, mas não seria surpresa para mim.

Durante uma visita de cortesia ao palácio real, fui recebida pelo rei Birendra Bir Bikram Shah Dev e a rainha Aishwarya em um aposento com uma enorme pele de tigre no chão. A rainha tinha ido me receber no aeroporto e dissera que aguardava com prazer uma oportunidade de conversar comigo. Eu esperava ter uma chance de discutir com ela o sistema de saúde e a educação de meninas, mas foi o rei que falou o tempo todo. Até pouco tempo, ele vinha governando um reino essencialmente fechado ao mundo exterior. Na ocasião, o país passava por uma transição para um governo representativo, e ele queria discutir potenciais ajudas e investimentos americanos. O Nepal também enfrentava a violência e a agitação de guerrilhas maoístas na área rural. Essa, contudo, mostrava-se uma ameaça menor à família real do que uma patologia no interior do palácio. Continua difícil aceitar o fato de o rei, a rainha e oito membros da família terem sido assassinados à bala naquele mesmo palácio, poucos anos depois. O assassino deles, de acordo com os relatos oficiais, o príncipe coroado, ficou furioso porque não teve permissão para se casar por amor.

Bem cedo, na manhã seguinte, Chelsea e eu saímos para um longo passeio a pé pelas colinas acima da cidade. As pessoas paravam na beira da estrada para nos ver passar e uma menina de olhos inteligentes e cerca de dez ou onze anos juntou-se a nós. Ela falava um inglês superficial, na maioria nomes de lugares como "Nova York" ou "Califórnia", que acentuava com um adjetivo como "grande" ou "feliz". E também assentia ou ria, como se fôssemos amigos tendo uma longa conversa. Ela me conquistou completamente. Quanto mais alto subíamos, mais eu via quanto cada centímetro quadrado de terra era usado para alguma coisa — casas, lavoura de aclive, estradas ou mosteiros budistas que pontilhavam as encostas. Ouvi o tilintar de sinos do mosteiro mais próximo de nós e vi os brancos estandartes de orações ondulando nos seus parapeitos. Ao caminharmos de volta para os nossos carros, o pai da menina estava à espera. Na ocasião, eu já descobrira que ela não havia freqüentado uma escola, mas aprendera o pouquinho de inglês acompanhando turistas e caminhantes. Cumprimentei o pai pela inteligência e curiosidade da filha, mas duvido que eu tenha me comunicado direito. Embora eu soubesse que dinheiro era uma inadequada prova de gratidão e apreço, quis que o pai soubesse que eu valorizava a sua filha. Esperava que o trabalho, a conduta e a inventividade da menina pudessem aumentar o seu valor na família, e os estimulei a considerar opções de vida diferentes para ela. Freqüentemente fico imaginando no que ela se tornou.

Mais tarde, naquela mesma manhã, visitamos uma clínica médica feminina fundada por mulheres americanas que viviam no Nepal. O país tinha uma das mais altas taxas de mortalidade materna e infantil do mundo — desconcertantes 830 mortes maternas para 100 mil partos, em comparação com a média mundial de quatrocentos, e a americana, de menos de sete. A clínica, uma parceria entre a USAID, a Save the Children [Salvem as Crianças] e o governo nepalês, utilizava o bom senso e a metodologia de baixa tecnologia de cuidados preventivos, e criara um programa de distribuição para grávidas e parteiras de um "kit de parto caseiro seguro". Os kits continham um lençol de plástico, um sabonete, um pedaço de barbante, graxa e uma lâmina de barbear. No Nepal, um lençol de plástico para a mulher em trabalho de parto se deitar, sabonete para a parteira lavar as mãos e os utensílios, barbante para amarrar o cordão umbilical e uma lâmina limpa para cortá-lo, podiam fazer a diferença entre a vida e a morte para uma mãe e seu recém-nascido.

Numa parada que fizemos no Parque Nacional Royal Chitwan, no Sul do Nepal, Chelsea e eu montamos em um elefante. Para ser honesta, se eu não soubesse que ia ser fotografada para a posteridade, teria usado apenas jeans. Em vez disso, me vi trajada ao estilo do filme *Entre dois amores*, com blusão e saia cáqui e chapéu de palha. Minha foto com Chelsea, publicada em todo o mundo, mostrava uma feliz dupla de mãe e filha, empoleirada num paquiderme, observando um raro rinoceronte asiático. Posteriormente, quando voltamos a Washington, James Carville comentou: "Isso não é fantástico? Você passou dois anos tentando conseguir um sistema de saúde melhor para as pessoas e elas tentaram matá-la. Você e Chelsea montaram num elefante e elas adoraram vocês!".

Bangladesh, o país com a maior densidade populacional da Terra, ofereceu o mais violento contraste entre riqueza e pobreza que vi no Sul da Ásia. Olhando pela janela de nosso quarto de hotel em Daca, eu podia ver uma cerca de madeira que seguia por entre choças e montes de lixo de um lado e, do outro, a piscina e cabines de banho onde visitantes como eu podiam desfrutar um drinque e nadar. Era como olhar para um estereótipo da economia global. Ali, as autoridades não fizeram qualquer tentativa de esconder os indigentes atrás de panos de cores berrantes. A cidade era só gente de um lado a outro, mais pessoas por metro quadrado do que eu já tinha visto em qualquer lugar, todas se movimentando em pequenos carros que engarrafavam as ruas ou em imensas multidões que se derramavam por essas ruas. Mais de uma vez engoli em seco quando um carro quase roçava um grupo de pessoas. Caminhar lá fora, no calor e umidade, era como entrar numa sauna. Mas era um país que há muito eu desejava visitar, pois era a terra natal de dois projetos reconhecidos internacionalmente — o International Center for Diarrheal Disease Research (ICDDR/B) [Centro Internacional de Pesquisa da Disenteria], em Daca, Bangladesh, e o Banco Grameen, um pioneiro do microcrédito. O ICDDR/B é um importante exemplo dos resultados positivos resultantes da ajuda estrangeira. A disenteria é uma das causas principais de morte, principalmente entre as crianças, em partes do mundo onde há recursos limitados de água potável. O ICDDR/B desenvolveu a "terapia de reidratação oral" (ORT), uma solução composta de sal, açúcar e água, fácil de ser administrada e responsável pelo salvamento de milhões de vidas de crianças. Essa simples e barata solução foi considerada um dos mais importantes avanços da medicina do século e o hospital pioneiro em sua utilização depende de ajuda americana. O sucesso da ORT é também um modelo para o tipo de tratamento de baixa tecnologia e baixo custo, desenvolvido no exterior, que pode ser imitado nos Estados Unidos.

Eu tinha tomado conhecimento do Banco Grameen havia mais de uma década, quando Bill e eu convidamos o seu fundador, o dr. Muhammad Yunus, a ir a Little Rock para discutir como os programas de microempréstimos poderiam ajudar algumas das mais pobres comunidades rurais do Arkansas. O Banco Grameen faz empréstimos para mulheres muitos pobres, sem nenhum outro acesso ao crédito. Com empréstimos girando em torno dos cinqüenta dólares, mulheres deram início a pequenos negócios — como de costura, tricô e lavoura — que as ajudaram e às suas famílias a saírem da pobreza. Essas mulheres não apenas provaram ser excelentes riscos de crédito — o Banco Grameen tem uma taxa de 98% de reembolso dos empréstimos —, como também dedicadas poupadoras, que tendem a reinvestir os lucros em seus negócios e suas famílias. Eu ajudei a instalar um banco de desenvolvimento e microempréstimos no Arkansas, e queria promover o microcrédito por todos os Estados Unidos, calcada no sucesso de Yunus e do Banco Grameen. Eles têm fornecido ou facilitado assistência a programas semelhantes por todo o mundo, distribuem 3,7 bilhões de dólares em empréstimos, sem fiador, para 2,4 milhões de associados, com mutuários em mais de 41 mil aldeias em Bangladesh e outros lugares.

Mas o sucesso em ajudar mulheres sem-terra a obter auto-suficiência tem tornado o Banco Grameen (e outros programas semelhantes) alvo dos fundamentalistas islâmicos. Dois dias antes de chegamos a Daca, cerca de 2 mil extremistas marcharam pela capital para denunciar organizações seculares de ajuda, as quais acusavam de aliciar as mulheres para desafiar uma rigorosa interpretação do Alcorão. Nos meses que se seguiram à nossa visita, bancos de aldeias e escolas de meninas foram incendiados, e uma das principais escritoras de Bangladesh recebeu ameaças de morte.

Um dos mais desconcertantes aspectos da segurança é que nunca se sabe como identificar um momento realmente perigoso. O Serviço Secreto recebera informações da inteligência de que um grupo extremista poderia tentar impedir o progresso da minha viagem. Quando viajei para fora da capital, a fim de visitar duas aldeias no Sudoeste de Bangladesh, voando em um avião de transporte C-130 da Força Aérea dos Estados Unidos, ficamos novamente em alerta máximo. Na aldeia de Jessore, visitamos uma escola primária, onde o governo estava testando um programa que recompensava famílias com dinheiro e comida se permitissem que suas filhas a freqüentassem. Em primeiro lugar, parecia um novo tipo de indução para convencer as famílias a mandar suas meninas para a escola — e depois deixá-las ficar lá. Comparecemos à escola, que ficava no meio de um campo a céu aberto, e fomos às salas de aula conversar com as meninas e professoras. Enquanto conversávamos com as alunas, notei uma comoção do lado de fora e vi agentes do Serviço Secreto correndo em volta. Milhares de aldeões haviam se materializado em pleno ar e desciam de uma pequena elevação em grupos de dez ou vinte pessoas, até onde eu conseguia ver. Não fazíamos idéia de onde tinham vindo, nem que mensagem queriam transmitir. E nunca soubemos, pois os meus agentes nos arrancaram dali, temerosos de uma multidão que talvez não fossem capazes de controlar.

A nossa visita ao Banco Grameen, na aldeia de Mashihata, valeu a pena de atravessar multidões e a longa estrada esburacada. Eu tinha sido convidada para visitar duas aldeias — uma hindu e outra muçulmana — mas não daria para fazer isso, por causa da minha programação. Espantosamente, as mulheres muçulmanas decidiram ir à aldeia hindu, para o nosso encontro.

"*Swagatam*, Hillary, *swagatam*, Chelsea!", cantaram as crianças em bengalês. "Bem-vinda, Hillary, bem-vinda, Chelsea!" O meu velho amigo Muhammad Yunus estava lá para me receber, portando amostras de roupas que as mulheres mutuárias do Grameen faziam para vender. Tanto Chelsea como eu vestíamos trajes semelhantes que ele havia enviado para o hotel e então ficou encantado. Ele pronunciou algumas palavras, fazendo eco ao tema que eu vinha desenvolvendo em meus discursos.

"Mulheres têm potencial", afirmou. "E o acesso ao crédito não é apenas um meio eficaz de combater a pobreza, mas também um direito humano fundamental."

Sentei sob um abrigo com teto de sapê, cercada por mulheres hindus e muçulmanas, e elas me contaram como se uniram, desafiando os fundamentalistas. Disse-lhes que estava ali para ouvi-las e para aprender.

Uma muçulmana levantou-se e falou: "Estamos fartas dos mulás, eles estão sempre tentando desmerecer as mulheres".

Perguntei que tipos de problemas enfrentavam, e ela respondeu: "Eles tentam nos banir, se tomarmos empréstimos no banco. Dizem para nós que o pessoal do banco vai roubar os nossos filhos. Eu falei para eles nos deixarem em paz. Nós estamos tentando ajudar os nossos filhos a terem uma vida melhor".

As mulheres fizeram-me perguntas para tentar relacionar as minhas experiências com as delas. "Você tem gado na sua casa?", quis saber uma delas.

"Não", respondi, sorrindo para os integrantes da mídia, que, a essa altura, eram como membros de uma grande família, "a não ser que se inclua a sala de imprensa."

Os americanos deram gargalhadas, enquanto os bangladeshianos avaliavam o significado do meu gracejo.

"Você tem renda própria?", indagou uma mulher com uma pinta vermelha, ou *teep*, na testa, entre os olhos, significando, segundo a tradição, que era casada.

"Eu não tenho renda própria, agora que o meu marido é presidente", falei, imaginando como explicar o que eu fazia. Disse-lhe que costumava ganhar mais do que o meu marido e que planejava voltar a ganhar o meu próprio dinheiro.

As crianças da aldeia encenaram uma peça para nós e algumas mulheres se aproximaram de Chelsea e de mim para nos mostrar como usar os nossos *teeps* decorativos e de que modo enrolar um sári. Fiquei impressionada com o espírito positivo das pessoas que encontrei nessa aldeia pobre e isolada, que viviam sem eletricidade ou água corrente, mas com esperança, graças ao trabalho do Banco Grameen.

Eu não fui a única a me comover com as mulheres da aldeia. Um dos jornalistas americanos que estava perto de mim, ouvindo a nossa conversa, inclinou-se e cochichou: "Aqui não se fala em silêncio".

21

OKLAHOMA CITY

"A PRIMEIRA-DAMA LAMENTA por não estar conosco esta noite", disse Bill Clinton à multidão de jornalistas e políticos de Washington, em março de 1995. "Se puderem acreditar", prosseguiu, "eu tenho algumas terras no Arkansas, que gostaria de vender." Tratava-se de outro jantar do Gridiron, mas, dessa vez, eu não pude comparecer por estar viajando pelo Sul da Ásia, e deixei gravado um vídeo de cinco minutos com uma paródia do filme de sucesso *Forest Gump*, para ser exibida ao final do show.

A fita rodava e uma pena branca flutuava no céu azul e pousava diante da Casa Branca, perto de um banco de parque, onde eu, Hillary Gump, estava sentada com uma caixa de chocolates no colo.

"A minha mãe sempre me disse que a Casa Branca é como uma caixa de chocolates", falei com a minha melhor interpretação de Tom Hanks. "É bonita por fora, mas dentro tem uma porção de *nuts* [em inglês, "nozes", mas também "malucos"]."

O esquete, criado e dirigido pelo escritor e comediante Al Franken, do *Saturday Night Live*, era uma caricatura tanto do filme quanto da minha vida, mostrando cenas da minha infância, da época de estudante e da carreira política. Mandy Grunwald, Paul Begala e Jay Leno, o apresentador do *Tonight Show*, contribuíram com idéias. Cada vez que a câmera voltava para mim, no banco, eu estava usando uma peruca diferente, fazendo troça com a minha eterna mudança de estilos de penteado. Ao final da sátira, Bill fez uma participação especial. Sentava-se no banco, ao meu lado, pegava a caixa de chocolates, oferecia-me um deles e, em seguida, perguntava se eu não tinha batata frita.

Quando Chelsea e eu ligamos para Bill para lhe falar das viagens, ele me contou que a apresentação tinha sido aplaudida de pé. Poucas outras coisas que tentamos fazer em Washington surtiram tanto efeito.

Ao voltar do Sul da Ásia, o presidente e seu governo estavam preparando-se para resistir ao Congresso republicano com relação ao Contrato com a América. Nos primeiros cem dias do 104? Congresso, Newt Gingrich forçou a aprovação da maioria do seu Contrato em uma Câmara dominada pelos republicanos, mas apenas duas medidas tinham sido transformadas em lei. A ação legislativa mudara-se para o Senado, onde ainda havia democratas suficientes para fazer obstrução ou sustentar um veto presidencial. Bill tinha de decidir se tentaria dar outra forma às propostas de leis dos republicanos, com a ameaça de veto, ou oferecer suas próprias alternativas. Acabou fazendo as duas coisas. Também recuperou o ímpeto, por confrontar um oponente que, grosseiramente, havia declarado a sua presidência "irrelevante".

Desde a eleição de metade do mandato, a Casa Branca ficara presa a um padrão de compasso de espera, e estava na hora de estabelecer um novo curso. Mas Bill é bem conhecido por ser mais paciente do que eu, e, quando alguém o exortou a ser mais combativo e ainda mais agressivo em relação a Gingrich, explicou que, em primeiro lugar, as pessoas tinham de entender exatamente em que ele e os republicanos diferiam sobre as questões. Desse modo, a luta não seria entre Bill Clinton e Newt Gingrich, mas sobre as suas discordâncias em relação aos cortes no Medicare, no Medicaid, na educação e na proteção do meio ambiente.

Bill tinha uma habilidade incomum de enxergar mais além na política, avaliar as conseqüências dos movimentos dos atores e planejar a longo prazo. Ele sabia que a verdadeira batalha seria em torno do orçamento, a ser travada mais adiante, naquele ano, e que, para ele e sua presidência, 1996 era o alvo para o sucesso. A princípio Bill recomendava paciência, pois supunha — certamente, como veio a ocorrer — que os eleitores ficariam importunados com a superabrangência dos republicanos e passariam a temer as mudanças radicais que eles propuseram. Quando, porém, Gingrich anunciou a intenção de comemorar as conquistas do Congresso republicano com algo sem precedentes, um discurso à nação em horário nobre da televisão, Bill decidiu que era hora de renovar a iniciativa.

Em Dallas, no dia 7 de abril de 1995, Bill transformou o que estava programado como um discurso sobre educação em um manifesto a favor de sua administração. Delineou o que conseguira na redução do déficit e criação de empregos, e aonde ele queria chegar: aumento do salário mínimo, incremento das melhorias na cobertura do sistema de saúde e alívio tributário para a classe média. Atacou os piores aspectos do Contrato republicano, como a lei da previdência deles, chamando-a de "fraca para o trabalhador e penosa para as crianças". Investiu contra os cortes na educação e programas como merenda escolar e vacinação infantil. E estabeleceu os fundamentos para acordos que evitariam a imobilização do governo. Se os republicanos não cooperassem, a responsabilidade do fracasso com o povo americano seria imputada a eles e a Gingrich. Foi um excelente discurso, que expôs os seus pontos de vista e colocou a oposição em alerta.

Durante a primavera de 1995, Bill consultou incessantemente amigos e aliados, reunindo e filtrando opiniões, para formular e desenvolver a sua estratégia. Estimulei-o a incluir Dick Morris em suas consultas sobre uma nova estratégia, pois a percepção dele sobre o que os republicanos pensavam poderiam ser úteis, à medida que Bill tentasse avançar. Morris também podia ser um útil canal sigiloso com a oposição, quando Bill quisesse plantar uma idéia.

A princípio, o envolvimento de Morris foi mantido em completo segredo, mas, depois do discurso de Dallas, Bill resolveu apresentá-lo à equipe. Os assessores de Bill da Ala Oeste ficaram desagradavelmente surpresos, ao saberem que Dick Morris vinha assessorando o presidente havia mais de seis meses. Harold Ickes ficou estarrecido, já que ele e Morris alimentavam uma inimizade ideológica e pessoal, que recuava 25 anos, desde a época da intransigente política democrata do Upper West Side de Manhattan. George Stephanopoulos ficou perturbado com o fato de Bill ouvir um político vira-casaca como Morris, e descontente por ter de competir com um consultor rival. Leon Panetta não gostava da personalidade de Morris nem do modo como ele evitava a hierarquia da Ala Oeste. As preocupações de cada um deles eram justificadas, mas a presença de Morris ajudou de formas inesperadas.

Após a perda do Congresso, muitos dos consultores de Bill perambulavam pela Ala Oeste como se fossem soldados com trauma de guerra. Nada, porém, une mais do que um inimigo comum. Agora, não havia apenas o Congresso republicano para motivá-los, como eles também tinham Dick Morris.

Um dos maiores poderes de Bill é a disposição para obter opiniões discrepantes e então ordená-las, a fim de tirar as suas próprias conclusões. Ele desafiava a si mesmo e à equipe juntando pessoas com experiências variadas e cujas perspectivas eram geralmente conflitantes. Tratava-se de uma maneira de manter todo mundo, especialmente a si mesmo, arejado e alerta. Num ambiente rarefeito como a Casa Branca, não creio que você possa se dar ao luxo de se cercar de pessoas cujos temperamentos e pontos de vista estão sempre em sincronia. As reuniões talvez tocassem adiante o planejado, mas o consenso fácil pode levar quase sempre a decisões falhas. Jogar Dick Morris no meio da mistura de egos, atitudes e ambições da Ala Oeste melhorou a performance de todo mundo.

Para números e análises, Morris dependia de Mark Penn, um brilhante e excelente pesquisador contratado pelo Comitê Nacional Democrata. Penn e seu sócio Doug Schoen, outro veterano estrategista político, forneciam a pesquisa que costumava ajudar a dar forma à comunicação da Casa Branca. Morris e ele passaram a freqüentar as reuniões semanais das quartas à noite, no Salão Oval Amarelo. Bill e eu tínhamos aprendido a aceitar as opiniões de Morris com um pé atrás e a fazer vista grossa para suas histrionices e auto-exaltação. Ele era um bom antídoto à sensatez nacional e uma sacudida na inércia burocrática de Washington. Sua influência no governo Clinton tem sido freqüentemente exagerada, às vezes por críticos liberais, e, mais reiteradamente, pelo próprio Morris. Contudo, ele ajudou Bill a desenvolver uma estratégia para romper a muralha de obstruções que os republicanos ergueram para bloquear as suas metas legislativas e promover as deles.

Quando dois campos opostos estão em posições polarizadas, e nenhum deles acredita que se pode dar ao luxo de avançar em direção ao outro, eles podem decidir se dirigir a uma terceira posição — como o vértice do triângulo, ou o que veio a ser chamado de "triangulação". Essa era, essencialmente, a reafirmação da filosofia que Bill desenvolvera como governador e como presidente do Conselho das Lideranças Democratas. Na campanha de 1992, ele defendeu um avanço além da política de "morte cerebral" de ambas as partes, a fim de urdir um "centro dinâmico". Mais do que a ultrapassada política conciliatória de pôr de lado as diferenças, a triangulação refletia a abordagem que Bill prometera levar para Washington.

Quando, por exemplo, os republicanos tentaram reivindicar a propriedade da reforma da previdência, uma questão na qual Bill vinha trabalhando desde 1980, e pela qual se comprometera a tornar lei antes de terminar o seu primeiro mandato, ele evitou desmentir a afirmação. Em vez disso, apoiou os objetivos da reforma, mas insistiu em mudanças que aperfeiçoariam a legislação e atraiu o apoio político suficiente dos republicanos e democratas mais moderados para derrotar a posição extremista republicana. É claro que, na política, como na vida, o inferno está nos detalhes. Os detalhes da reforma da previdência ou das negociações do orçamento foram uma batalha dura e difícil, e às vezes ficaram parecendo mais com um Cubo Mágico do que com um triângulo isósceles.

Embora Morris levasse energia e idéias às iniciativas de Bill, ele não foi o responsável pela implementação delas. Isso coube a Leon Panetta e ao resto da equipe de governo. Leon tornara-se chefe da Casa Civil, em junho de 1994, em substituição a Mack McLarty, que havia realizado um excelente trabalho sob circunstâncias muito difíceis durante o primeiro ano e meio. Panetta, um falcão do déficit, quando serviu ao Congresso pela Califórnia, tinha sido a escolha de Bill para chefiar o Gabinete de Administração e Orçamento, e desempenhara um papel principal em elaborar o plano de redução do déficit e, em seguida, fazer o seu acompanhamento pelo Congresso. Como chefe da Casa Civil, foi de grande eficiência, impondo um maior controle sobre a agenda do presidente e evitando que auxiliares aparecessem no Salão Oval quando lhes desse na telha. Sua experiência no Congresso e com o orçamento mostrou ser de crucial importância na batalha do orçamento mais adiante.

A nova maioria republicana procurava meios de legislar sua meta radical. Começaram com o projeto de lei do orçamento anual, tentando liquidar com programas por lhes negar verbas. Desejavam desmantelar as funções normativas do governo, tais como a proteção dos consumidores e do meio ambiente, apoio à lei tributária para o trabalhador pobre e regulamentação de associações. O programa da Grande Sociedade do presidente Lyndon Johnson — que resultou no Medicare, no Medicaid e na histórica legislação dos direitos humanos — foi denunciado por Newt Gingrich como um "sistema de valor contracultural" e "uma longa experiência de governo profissional que fracassou".

Bill e eu estávamos cada vez mais perturbados com o fervor com o qual os líderes do GOP jorravam retórica atacando o governo, a comunidade e até mesmo noções convencionais de sociedade. Eles pareciam acreditar que o ultrapassado e rudimentar individualismo era tudo que importava no final do século XX nos Estados Unidos, exceto, é claro, quando os seus partidários queriam favores legislativos. Eu me considerava bastante individualista e um tanto quanto rude — talvez, igualmente, um pouco maltrapilha —, mas também acreditava que, como cidadã americana, fazia parte de uma rede de direitos, privilégios e responsabilidades mutuamente benéfica.

Foi no contexto dessa retórica radical republicana que eu apressei o meu livro It Takes a Village [É preciso uma aldeia]. A defesa de Gingrich de orfanatos para crianças pobres e as nascidas fora do casamento havia me energizado. Após passar anos preocupando-me com o modo de proteger e alimentar crianças, eu agora temia que uma política extremista pudesse sentenciar os pobres e vulneráveis a um futuro dickensiano. Embora não se tratasse de política, em sentido partidário, eu queria que o meu livro descrevesse uma visão diferente da desapiedada, elitista e irreal que emanava do Capitólio.

A despeito do mantra da direita em denunciar "a preconcebida mídia liberal", a realidade era que as vozes mais fortes e mais eficazes da mídia eram tudo, menos liberais. Em vez disso, o discurso público estava cada vez mais sendo dominado por gurus reacionários e personalidades do rádio e da TV. Resolvi transmitir as minhas idéias e opiniões diretamente ao público, redigindo-as eu mesma. No final de julho, comecei a escrever uma coluna semanal distribuída para vários jornais do país chamada "Talking It Over" ["Conversando"], seguindo mais uma vez os passos de Eleanor Roosevelt, que havia escrito seis vezes por semana uma coluna chamada "My Day" ["Meu dia"], de 1935 a 1962. As primeiras colunas abrangeram tópicos que iam desde o 75º aniversário do sufrágio feminino a uma comemoração das férias familiares. O exercício de colocar as minhas idéias no papel deu-me um sentido mais claro sobre como mudar o meu desempenho como advogada dentro do governo, ao começar a pôr em evidência projetos nacionais bem definidos, que eram mais fáceis de serem colocados em prática do que empreendimentos maiores, como a reforma do sistema de saúde. Agora, da minha meta faziam parte questões relacionadas com a saúde infantil, prevenção ao câncer de mama, além de fundos de proteção para a televisão pública, serviços jurídicos e as artes.

Aprendi mais sobre a predominância e o impacto do câncer de mama, como também os obstáculos à sua prevenção e tratamento, conversando com médicos, pacientes e sobreviventes, nas "audições" que promovia em abrigos de idosos e hospitais por todo o país. Começando com um encontro do National Breast Cancer Coalition (NBCC) [Aliança Nacional do Câncer de Mama], em Williamsburg, Virginia, durante a campanha de 1992, fiquei impressionada com a capacidade de recuperação de sobreviventes do câncer de mama. O ônibus que levava os participantes quebrou na estrada e as mulheres simplesmente desceram e foram pegando carona o resto do caminho. Durante todo o governo, eu trabalhei com a NBCC, fundada por Fran Visco, uma determinada sobrevivente e advogada, ajudando a obter mais verbas para pesquisa e ampliação do tratamento a mulheres não-seguradas.

Freqüentemente, eu me encontrava, na Casa Branca, com sobreviventes do câncer de mama. Por meio da experiência da minha sogra e de muitas outras mulheres, passei a entender o medo e a incerteza que acompanham um diagnóstico de câncer. Uma das mais leais voluntárias do meu escritório na Casa Branca, Miriam Leverage, batalhou por seis anos contra o câncer de mama até sucumbir à doença, em 1996, após um luta corajosa. Professora aposentada e mãe orgulhosa, Miriam submeteu-se a duas cirurgias, tratamento com radiação e cinco rodadas de quimioterapia, e sempre lembrava a mim e à minha equipe a realizarmos o auto-exame e mamografias regulares, coisa que tenho feito desde que completei quarenta anos.

Lancei a Campanha de Consciência da Mamografia do Medicare, associada ao Dia das Mães, em 1995, para aumentar a consciência sobre a importância do diagnóstico precoce, para que as mulheres habilitadas pelo Medicare tirassem vantagem da mamografia. Apenas 40% das mulheres mais velhas, cujas mamografias eram pagas pelo Medicare, tinham essa proteção. Porque era esperado que uma em cada oito mulheres americanas em nosso país desenvolvesse câncer de mama durante a sua existência, era essencial que este fosse descoberto no início. Trabalhei com empresas patrocinadoras, profissionais de relações públicas e representantes de grupos de consumidores, na campanha do "Mama-grama", para incentivar mulheres mais velhas a fazer mamogramas e educá-las sobre os benefícios do diagnóstico precoce. A campanha incluiu inserções em cartões do Dia das Mães e nos de floristas, lembrando às mães da importância da mamografia habitual, juntamente com anúncios em sacos de compras e divulgação pelos serviços públicos. Durante os cinco anos seguintes, trabalhei para expandir a cobertura do Medicare, a fim de que mulheres pudessem se candidatar a uma mamografia anual sem ter que fazer um pagamento complementar, e adorei quando Bill anunciou novas regras para garantir a segurança e a qualidade da mamografia. Esses esforços vieram se combinar ao meu trabalho em apoio a um aumento de verbas para a pesquisa de diagnósticos, prevenção, tratamento e curas potenciais do câncer de mama, e o lançamento de um selo do câncer de mama, por intermédio dos Correios do EUA, com parte de sua renda revertida para a pesquisa.

Uma das questões mais aflitivas e dolorosas que chamaram a minha atenção, ao viajar pelos EUA, foi a síndrome da Guerra do Golfo. Milhares de homens e mulheres, que lutaram pelo nosso país na ação militar no Golfo Pérsico, durante a operação Tempestade no Deserto, em 1991, sofriam de uma série de enfermidades, entre elas fadiga crônica, desordens gastrointestinais, urticária e problemas respiratórios. Recebi cartas assombrosas de veteranos, que haviam arriscado a vida no exterior em benefício do nosso país, e não conseguiam se manter nos empregos ou sustentar as famílias em casa por causa dessas doenças. Um veterano que conheci, o coronel Herbert Smith, levava uma vida saudável e produtiva, antes de sua passagem pelo Golfo Pérsico. Ao servir na operação Tempestade no Deserto, passou a ser acometido por gânglios linfáticos, urticária, dores nas juntas e febre. Após seis meses no Golfo, foi forçado a voltar para casa. Porém os médicos foram incapazes de diagnosticar a sua doença ou prescrever um tratamento.

Fiquei penalizada ao ouvir o cel. Smith descrever a agonia de viver, dia após dia, ano após ano, sem saber por que ficou doente. Pior ainda, para o cel. Smith, foi o ceticismo sobre a sua doença que ele enfrentou de alguns médicos militares. Um médico militar acusou-o de "sangrar" a si mesmo, para forjar uma anemia e receber os benefícios da invalidez. O cel. Smith sofreu danos em nervos do cérebro e do sistema vestibulococlear, o que o deixou incapacitado para o trabalho. Mesmo assim, seus apelos e de outros veteranos não foram ouvidos. Pedi um estudo abrangente sobre a síndrome da Guerra do Golfo, incluindo providências para determinar a possibilidade de as nossas tropas terem sido expostas a agentes biológicos ou afetadas por incêndios de poços de petróleo, radiação ou outras toxinas. Encontrei-me com funcionários do Departamento de Defesa, Associações de Veteranos de Guerras e Serviços de Saúde e Recursos Humanos, para determinar o que o governo devia fazer para reagir às necessidades desses veteranos e prevenir problemas semelhantes no futuro. Eu recomendei uma Comissão Consultiva Presidencial, que Bill nomeou, a fim de estudar o assunto. Posteriormente, ele assinou um decreto para fornecer benefícios a veteranos incapacitados da Guerra do Golfo com doenças não-diagnosticáveis, e ordenou que a Veterans Administration criasse sistemas apropriados para resguardar e monitorar as nossas tropas, no futuro.

Assuntos internos como esses dominaram os meus objetivos na Casa Branca durante a primavera de 1995. Então, a atenção de toda a nação voltou-se para uma insondável tragédia.

Para mim, o 19 de abril começou como um dia normal de reuniões e entrevistas. Por volta das onze da manhã, estava sentada na minha poltrona favorita na Sala de Estar Oeste, examinando com Maggie e Patti os pedidos de audiência, quando Bill telefonou com urgência, do Gabinete Oval, com a notícia de que tinha havido uma explosão no edifício do governo federal Alfred P. Murrah, em Oklahoma City. Mecanicamente, nós três fomos para a cozinha, ligamos o pequeno televisor e vimos a tela repleta com as primeiras cenas horrendas transmitidas do local.

Nas horas seguintes, soubemos que o dano fora provocado por um caminhão-bomba, mas não havia nenhuma informação concreta sobre os responsáveis. Imediatamente, Bill enviou turmas da FEMA (a agência federal de emergências), do FBI e de outros órgãos do governo para Oklahoma, a fim de cuidar da emergência e dirigir as investigações. Como os escritórios federais tinham sido destruídos pela explosão, muitos dos funcionários essenciais estavam mortos ou feridos. Um agente do Serviço Secreto, que havia deixado a Casa Branca apenas sete meses antes, para servir em Oklahoma, foi um dos cinco agentes mortos naquele dia. Entre as 168 pessoas inocentes que morreram no atentado, havia dezenove crianças, a maioria freqüentadoras da creche que funcionava no segundo andar do prédio.

As imagens que extravasavam de Oklahoma City eram sugestivamente perturbadoras: uma menina, mole como uma boneca de trapo, sendo carregada para fora dos escombros esfumaçados por um bombeiro desolado, um aterrorizado funcionário de escritório carregado em uma maca. O cenário familiar e o número de vítimas evidenciaram a tragédia para os Estados Unidos de um modo que até então outras atrocidades não haviam conseguido. Foi esse o objetivo do atentado.

Fomos lembrados também que os burocratas que viviam sob ataque dos fanáticos antigovernistas podiam ser nossos vizinhos, amigos ou parentes, que eles tinham vidas verdadeiras e podiam perdê-las.

A primeira coisa de que as pessoas necessitavam era informação sobre o atentado, e depois a garantia de que todo o possível estava sendo feito para protegê-las de novos atentados. Fiquei particularmente preocupada com as crianças que souberam da explosão na creche e poderiam achar que as suas escolas não eram seguras. Conversamos com Chelsea e pedimos sua orientação sobre como tranqüilizar crianças pequenas.

No sábado após o atentado, em transmissões de rádio e televisão, Bill e eu conversamos com um grupo de crianças cujos pais eram funcionários federais que trabalhavam para as mesmas agências federais como as que foram atacadas em Oklahoma. Achamos que era importante nós dois, como mãe e pai, falarmos sobre as aflições provocadas por essa terrível tragédia.

"É normal ter medo de uma coisa tão ruim como essa", disse Bill às crianças sentadas no chão do Salão Oval, enquanto os pais permaneciam de pé perto delas.

"Quero que saibam que os seus pais amam vocês, farão tudo para cuidar de vocês e proteger vocês", falei. "Há muito mais gente boa no mundo do que gente ruim e malvada."

Bill disse às crianças que íamos prender e castigar quem tinha causado a explosão. Em seguida, pediu-lhes que falassem o que pensavam a respeito.

"Foi maldade", disse uma criança.

"Sinto pena das pessoas que morreram", afirmou outra.

Uma pergunta partiu o meu coração, e não consegui respondê-la. "Quem ia querer fazer isso com crianças que nunca fizeram nada para eles?"

O resto do país estava vendo Bill como eu o conhecia: um homem com uma habilidade e empatia incomparáveis para unir as pessoas em tempos difíceis. Antes de partirmos, no dia seguinte, a fim de visitar as famílias das vítimas e participar do serviço religioso, plantamos um pé de corniso no Gramado Sul, em memória das vítimas. Bill e eu nos encontramos em particular com vítimas e suas famílias, antes de comparecermos ao extenso culto memorial, durante o qual Bill e o reverendo Billy Graham discursaram, ajudando a cicatrizar uma nação ferida. Toda vez que via Bill abraçar familiares soluçantes, falar com amigos entristecidos ou consolar os doentes terminais, voltava a sentir todo o meu amor por ele. Sua compaixão provém de um profundo manancial de desvelo e emoção, que facilita sua aproximação de pessoas que sofrem.

Por ocasião de nossa chegada a Oklahoma, haviam detido um suspeito, que tinha ligações com grupos militantes antigovernistas. Aparentemente, Timothy McVeigh escolhera o 19 de abril para atacar o país que passou a desprezar por ser o aniversário do terrível incêndio de Waco, que matou mais de oitenta membros da seita Ramo de Davi, inclusive crianças. McVeigh e sua espécie representavam os elementos mais alienados e violentos da extrema direita, cujas ações enojavam cada cidadão americano sensível. Programas de rádio e *sites* da Internet da extrema direita intensificaram o clima de hostilidade, com a sua retórica de intolerância, ira e paranóia antigovernista, mas o atentado em Oklahoma City pareceu esvaziar o movimento de milícias e marginalizar os piores insufladores do ódio das ondas do rádio.

Bill falou energicamente contra os fomentadores do ódio e facções anti-governistas, em um discurso de formatura da Universidade Estadual de Michigan, no início de maio. "Nada há de patriótico em odiar o seu país, ou fingir que é capaz de amar o seu país, mas desprezar o seu governo."

Enquanto o país lidava com a tragédia de Oklahoma City, o gabinete da promotoria independente não descansava. No sábado, 22 de abril, depois do encontro com as crianças no Salão Oval, Kenneth Starr e seus auxiliares chegaram à Casa Branca para tomar depoimentos juramentados de mim e do presidente. Eu fora entrevistada por Robert Fiske, no ano anterior, antes de ele ser substituído, mas aquele seria o meu primeiro encontro com Starr e sua equipe. A preparação para uma entrevista não era algo que David Kendall ou eu encarássemos como algo superficial. Sabedor de que cada palavra que eu pronunciasse seria dissecada pela promotoria, David insistiu para que eu encontrasse um tempo para me preparar, por mais ocupada que estivesse. Em geral, isso significava reuniões tarde da noite ou passar horas compilando informações que ele me passava em grandes fichários pretos. Passei a temer a visão desses fichários, pois eram lembranças palpáveis das trivialidades e minúcias às quais seria submetida sob juramento, todas elas podendo ser usadas para me forçar a um tropeço jurídico.

Bill entrou primeiro, para a sua entrevista, no Salão do Tratado, o gabinete do presidente no segundo andar da residência. Representando a Casa Branca, estavam Abner Mikva, um ex-congressista e juiz federal, na ocasião consultor da Casa Branca, e Jane Sherburne, uma experiente advogada, que deixara o seu escritório particular de advocacia para cuidar das questões legais relativas à investigação. A eles juntaram-se os nossos advogados particulares David Kendall e sua sócia Nicole Seligman, duas das pessoas mais inteligentes e responsáveis que já conheci. Starr e três outros advogados ficaram sentados de um lado de uma comprida mesa de reuniões, quando fomos conduzidos para as entrevistas. Nós nos sentamos do outro lado.

Ao sair de sua entrevista, Bill disse-me que seu encontro com Starr fora agradável, e, para meu espanto, pedira a Jane Sherburne que levasse Starr e seus assistentes para uma visita ao Quarto de Lincoln, ao lado. Um tanto caracteristicamente, eu não estava preparada para ser tão tolerante quanto o meu marido, e esse foi apenas um primeiro exemplo da diferença entre mim e Bill na maneira de lidarmos com Starr. Ambos estávamos no olho da tempestade, mas eu parecia estar sendo fustigada para fora da rota com cada rajada de vento, ao passo que Bill simplesmente navegava em frente. A idéia de explícitos partidários republicanos esquadrinhando as nossas vidas, verificando cada cheque que havíamos preenchido durante vinte anos e perturbando os nossos amigos, com base nas desculpas mais implausíveis, deixava-me furiosa.

Os republicanos abriram uma nova frente, quando Al D'Amato, senador republicano de Nova York e presidente da Comissão de Transações Bancárias do Senado, conseguiu, finalmente, convocar uma audiência plena sobre Whitewater. Desde então, já fiz as pazes com o senador D'Amato, atualmente um dos meus mais destacados colegas, mas as audiências que ele, seus companheiros senadores republicanos e assessores realizaram infligiram grandes danos emocionais e monetários a pessoas inocentes.

Embora a conclusão de Fiske de que a morte de Vince Foster foi um suicídio sem relação com Whitewater, D'Amato pareceu se fixar nela, fazendo desfilar funcionários passados e presentes da Casa Branca diante das câmeras, para um interrogatório cerrado sobre esse triste acontecimento. Maggie Williams, normalmente equilibrada e forte, foi levada às lágrimas pelo interrogatório implacável sobre os acontecimentos em torno da morte de Vince. Foi insuportável ver Maggie voltar a remexer nas cinzas repetidamente e saber que a conta do seu advogado aumentava diariamente.

D'Amato chamou a minha amiga Susan Thomases de mentirosa, enquanto ela tentava responder às perguntas dele. Sua batalha de décadas contra a esclerose múltipla havia deteriorado sua memória e ela tentou o máximo que pôde responder ao interrogatório intimidador. Eu não podia consolar a ela nem a ninguém colhido por aquele pesadelo, pois qualquer conversa que eu pudesse ter com alguém sobre qualquer aspecto da investigação escolhido para perguntas poderia sugerir conluio ou coação. Eu tinha que evitar qualquer situação que levasse alguém a responder "sim", se fosse perguntado se havia falado comigo.

Permanecer de lado, incapaz de me expressar para defender os meus amigos e colegas, ou nem mesmo falar com eles sobre as injustiças que estavam suportando, foi uma das coisas mais difíceis que já fiz. E ia piorar, antes de melhorar.

22

DIREITOS DAS MULHERES SÃO DIREITOS HUMANOS

A PRISÃO DE UM DISSIDENTE NÃO É INCOMUM NA CHINA e o encarceramento de Harry Wu talvez tivesse tido pouca repercussão na mídia americana. Mas a China fora escolhida para sediar a próxima Quarta Conferência Mundial da Mulher das Nações Unidas e eu fui designada como presidente honorária da delegação dos Estados Unidos. Wu, um ativista dos direitos humanos que passara dezenove anos como prisioneiro político nos campos de trabalho chineses antes de imigrar para os Estados Unidos, foi preso pelas autoridades chinesas em 19 de junho de 1995 ao entrar na província de Xinjiang, vindo do vizinho Cazaquistão.

Apesar de ter um visto válido para visitar a China, foi acusado de espionagem e jogado em uma prisão, à espera de julgamento. Da noite para o dia, Harry Wu tornou-se amplamente conhecido e a participação dos Estados Unidos na conferência das mulheres foi colocada em dúvida pelos grupos de direitos humanos. Ativistas sino-americanos e alguns membros do Congresso exigiram um boicote por parte de nossa nação, porém me decepcionava o fato de que, mais uma vez, a questão da mulher pudesse ser sacrificada.

Caracteristicamente, os governos (inclusive o dos Estados Unidos) limitam as suas políticas externas a questões diplomáticas, militares e comerciais, o estabelecimento da maioria dos tratados, pactos e negociações. Raramente assuntos como saúde da mulher, educação de meninas, ausência de direitos legais e políticos das mulheres ou seu isolamento econômico constam do debate da política externa. Para mim, porém, estava claro que, na nova economia global, países e regiões, individualmente, teriam dificuldade de conseguir progresso econômico ou social se a desproporcional porcentagem de sua população feminina permanecesse pobre, sem instrução, sem saúde e desfavorecida.

Esperava-se que a conferência da mulher da ONU fornecesse um importante fórum para as nações discutirem temas como a saúde da parturiente e do bebê, microcrédito, violência doméstica, educação de meninas, planejamento familiar, voto da mulher e seus direitos legais e à propriedade. Também seria uma rara oportunidade para mulheres de todo o mundo partilhar histórias, informações e estratégias para uma ação futura em seus próprios países. A conferência era realizada aproximadamente a cada cinco anos e eu esperava que a minha presença sinalizasse o compromisso dos Estados Unidos com as necessidades e direitos das mulheres na política internacional.

Há 25 anos eu vinha trabalhando nos Estados Unidos em questões envolvendo mulheres e crianças, e, embora as mulheres em nosso país tivessem lucrado econômica e politicamente, o mesmo não se podia dizer da vasta maioria de mulheres do mundo. Contudo, ninguém capaz de atrair a atenção da mídia estava falando em benefício delas.

Por ocasião da prisão de Harry Wu, minha equipe e eu estávamos intensamente envolvidas no planejamento da conferência. Mas já havia resmungos dos suspeitos de sempre do Congresso, que achavam que os Estados Unidos não deveriam participar. Entre eles estavam os senadores Jesse Helms e Phil Gramm, que anunciaram que a conferência estava "se tornando um inadmissível festival de sentimento antifamiliar e antiamericano". Alguns membros do Congresso eram céticos em relação a qualquer evento patrocinado pelas Nações Unidas e repudiavam igualmente um encontro centrado em questões femininas. O Vaticano, vociferante sobre a questão do aborto, uniu forças com alguns países islâmicos, preocupados que a conferência pudesse se tornar uma plataforma internacional para promover direitos das mulheres aos quais eles se opunham. E alguns políticos da esquerda americana estavam descontentes com a perspectiva da participação dos Estados Unidos porque o governo chinês indicava que as organizações não governamentais, as ONGs, que defendiam a saúde da parturiente, direitos de propriedade para a mulher, microcrédito e muitos outros temas, poderiam ser excluídas do encontro oficial. Ativistas tibetanos e outras autoridades chinesas estavam dificultando a concessão de visto para entrar na China. Além disso, havia o propalado desconforto, que eu também sentia, sobre o desolador recorde do país-sede em relação aos direitos humanos e à bárbara regra de tolerar abortos forçados como meio de impor a sua "política de um filho".

Sensível às preocupações de todo o espectro político, trabalhei com Melanne e a assessoria do presidente a fim de reunir uma delegação para Pequim. Bill designou pessoas de várias tendências para representar a nossa nação, incluindo o republicano Tom Kean, o ex-governador de Nova Jersey, a irmã Dorothy Ann Kelly, diretora da Universidade de New Rochelle, e a dra. Laila Al-Marayati, vice-presidente da Liga Feminina Muçulmana. Madeleine Albright, a então embaixadora dos Estados Unidos na ONU, era a chefe oficial da delegação.

Meses de reuniões e sessões de estratégia com os representantes das Nações Unidas e de outros países foram lançados no limbo após a prisão de Wu. Durante as seis semanas seguintes, não houve escassez de opiniões sobre se os Estados Unidos deviam enviar uma delegação à conferência e se eu devia fazer parte dela. Fiquei particularmente perturbada com uma carta pessoal da sra. Wu, que, compreensivelmente, estava preocupada com o destino do marido, e achava que a minha participação na conferência "enviaria um sinal confuso aos líderes de Pequim sobre a decisão dos Estados Unidos de pressionar para a libertação de Harry".

Tratava-se de uma preocupação legítima para mim e para outras pessoas da Casa Branca e do Departamento de Estado. Eu sabia que o governo chinês queria usar a conferência como um instrumento de relações públicas para melhorar a sua imagem por todo o mundo. Se eu fosse, ajudaria a China a melhorar a sua aparência. Se eu boicotasse, desencadearia uma publicidade negativa para a liderança chinesa. Nós nos encontrávamos numa enrascada diplomática, na qual a prisão de Harry Wu e a minha participação na conferência estavam associadas. O nosso governo continuava afirmando reservada e publicamente que eu não participaria se o sr. Wu continuasse preso. Quando os desacordos se tornaram mais veementes e uma solução parecia improvável, levei em conta ir de qualquer maneira, como uma simples cidadã.

Para complicar a decisão, havia igualmente sérias preocupações sobre a condição global das relações Estados Unidos-China. As tensões estavam bem elevadas por causa dos desacordos sobre Taiwan, proliferação nuclear, a venda pela China de mísseis M-11 para o Paquistão e os continuados abusos dos direitos humanos. As relações se deterioraram ainda mais, em meados de agosto, quando os chineses realizaram a bravata de exercícios militares no estreito de Taiwan.

Menos de um mês antes do início da conferência, o governo chinês, evidentemente, decidiu que não podia se dar ao luxo de gerar mais publicidade negativa. Em um arremedo de julgamento, em Wuhan, no dia 24 de agosto, um tribunal chinês condenou Harry Wu por espionagem e o expulsou do país. Alguns analistas da mídia, e o próprio Wu, ficaram convencidos de que os Estados Unidos haviam feito um acordo político com os chineses. Wu só seria libertado se eu fosse à conferência e me abstivesse de fazer comentários críticos sobre o governo anfitrião. Foi, claramente, um delicado momento político, mas não houve uma coisa pela outra entre o nosso governo e a China. Assim que o caso Wu foi resolvido, a Casa Branca e o Departamento de Estado determinaram que eu deveria fazer a viagem.

De volta à sua casa na Califórnia, o sr. Wu criticou a minha decisão, reiterando que a minha presença poderia ser interpretada como uma aprovação tácita da postura da China em relação aos direitos humanos. A congressista dele, Nancy Pelosi, ligou para me dizer que a minha presença seria um golpe de relações públicas para os chineses. Bill e eu estávamos passando férias em Jackson Hole, Wyoming, e discutimos exaustivamente os prós e os contras. Ele concordou com o meu ponto de vista de que, após a libertação de Wu, a melhor maneira de confrontar os chineses com relação aos direitos humanos seria frente a frente, em seu próprio território. Em um evento no Wyoming para festejar os 75 anos da emenda na Constituição americana estendendo o direito de voto às mulheres, Bill jogou uma pá de cal sobre o assunto e defendeu a participação dos Estados Unidos, pela sua importância em prol dos direitos da mulher: "A conferência", disse ele, "oferece uma chance significativa de planejar conquistas adicionais para a condição feminina".

* * *

Perto do final de agosto, as férias de nossa família nos Tetons estavam acabando. Estávamos hospedados na confortável casa ao estilo do Oeste do senador Jay Rockefeller e sua mulher Sharon, onde passei grande parte do tempo trabalhando no meu livro, observando, invejosa, Bill e Chelsea saírem para caminhar e cavalgar em pêlo por um dos mais majestosos cenários de nossa nação. Chelsea, que havia passado cinco semanas sob os rigores de um acampamento no sul do Colorado, fazendo canoagem, escalando, construindo abrigos em cumes de montanhas e desenvolvendo outras habilidades de vida ao ar livre, nos convenceu a ir acampar. Eu não acampava desde o tempo da faculdade e Bill nunca tinha feito isso, a não ser que se levasse em conta uma noite em que nós dormimos no seu carro, no Parque Yosemite, quando atravessamos o país dirigindo. Topamos o jogo, mas não fazíamos idéia das regras. Quando informamos aos agentes do Serviço Secreto a nossa disposição de fazer uma caminhada e acampar em um local isolado do Parque Nacional do Grande Teton, eles entraram em atividade. Ao chegarmos ao nosso local de acampamento, toda a volta estava cercada com estacas e havia agentes patrulhando com óculos de visão noturna. Chelsea riu da nossa idéia de "rústico" — uma barraca com chão revestido de tábua e colchões de ar!

Fomos do Wyoming para o Havaí, onde Bill discursou na cerimônia dos cinqüenta anos do V-J Day [Dia da Vitória sobre o Japão], em Pearl Harbor, e no Cemitério Nacional Memorial do Pacífico, no dia 2 de setembro de 1995. O cemitério, mais conhecido como Punchbowl [Poncheira], por causa de sua localização no meio da cratera de um vulcão extinto, é o local de mais de 33 mil sepulturas dos que perderam a vida no teatro de operações do Pacífico, durante a Segunda Guerra Mundial, inclusive as dos mortos em Pearl Harbor, e, posteriormente, nas guerras da Coréia e do Vietnã. A visão daquelas sepulturas e dos milhares de veteranos da Segunda Guerra e seus familiares, que participaram do serviço religioso, foi uma recordação solene do extraordinário sacrifício feito pelas nossas liberdades.

Passei a noite toda acordada, no pequeno chalé que ocupamos na base naval de Kaneohe, trabalhando em meu livro e no último rascunho do meu discurso para Pequim. Um feliz subproduto do incidente com Harry Wu foi que isso havia gerado uma enorme publicidade em torno da conferência da ONU. Todos os olhos estavam voltados para Pequim, e eu sabia que todos os olhos também estariam voltados para mim. Minha equipe e eu estivemos elaborando comentários que defenderiam com convicção a posição dos Estados Unidos em relação aos direitos humanos e à ampliação da noção habitual dos direitos da mulher. Eu criticaria os abusos do governo chinês, inclusive os abortos forçados e a rotineira repressão à livre expressão e à liberdade de reunião. Não demorou, e eu estava em um jato da Força Aérea para a viagem de cerca de catorze horas até Pequim, mas sem a minha companheira de viagem favorita. Chelsea teve de voltar para Washington com o pai, por causa das aulas.

Depois do jantar a bordo do avião, as luzes da cabine foram desligadas e a maioria dos passageiros se agasalhou com cobertores e se aninhou para dormir, enquanto atravessávamos o Pacífico. Os redatores de discursos, porém, ainda tinham trabalho a fazer. Estávamos no quinto ou sexto esboço, e precisávamos mostrar o texto aos nossos diplomatas especialistas em política externa, que haviam se incorporado ao grupo em Honolulu, junto com outros funcionários do governo e equipe de apoio. Winston Lord, o cavalheiresco ex-embaixador na China a quem Bill nomeou subsecretário de Estado para assuntos da Ásia Oriental e Pacífico, Eric Schwartz, um especialista em direitos humanos do Conselho de Segurança Nacional, e Madeleine Albright se acotovelaram em uma mesa de trabalho fracamente iluminada e estudaram o texto com todo o cuidado. O trabalho deles era pinçar quaisquer imprecisões ou involuntárias gafes diplomáticas. Em vista de tudo o que havia acontecido antes, uma palavra errada no discurso poderia causar uma comoção diplomática. A revisão deles era decisiva, eu sabia, mas ficava cautelosa sempre que especialistas faziam uma avaliação. Em geral, ficavam tão preocupados em deixar o seu cunho diplomático cuidadosamente gravado em um esboço, que transformavam um excelente discurso em um angu. Não foi esse o caso.

"O que você pretende realizar?", havia me perguntado mais cedo Madeleine Albright.

"Eu quero pressionar o máximo possível em benefício das mulheres e das meninas", respondi.

Madeleine, Win e Eric recomendaram que eu reforçasse um trecho em que definia os direitos humanos e me referia a uma recente afirmação desses direitos na Conferência Mundial dos Direitos Humanos em Viena. Sugeriram um aumento nas passagens sobre o efeito das guerras nas mulheres, particularmente a devastadora proliferação do estupro como tática de guerra, e o aumento do número de mulheres refugiadas como resultado de violentos conflitos. O mais importante foi que eles entenderam que a força do discurso residia em sua simplicidade e emotividade. Eles agiram para que eu não tivesse problemas, mas tiveram o cuidado de não forçar a barra.

Brady Williamson, um advogado do Wisconsin que chefiava o meu grupo avançado, era questionado diariamente por funcionários do governo chinês para saber o que eu ia dizer no meu discurso. Deixaram claro que, se por um lado a minha presença física na conferência seria bem recebida, por outro não desejavam constrangimentos por causa de minhas declarações, e esperavam que eu "apreciasse a hospitalidade chinesa".

Com insinuações como essa, dormir era um artigo precioso. Nós raramente conseguíamos o suficiente, e nos acostumamos a participar de reuniões, jantares e outros eventos com as pálpebras se fechando e a cabeça pendendo. Quando, finalmente, chegamos ao China World Hotel, um dos estabelecimentos mais luxuosos de Pequim para visitantes estrangeiros, já passava da meia-noite. Tive tempo apenas para algumas horas de sono, antes de seguir para o meu primeiro compromisso oficial, na manhã de terça-feira, um seminário sobre a saúde da mulher promovido pela Organização Mundial de Saúde, onde falei sobre o abismo entre a saúde da mulher de países ricos como o nosso e a de países pobres.

Finalmente chegou o momento de entrar no Salão do Plenário, que parecia uma ONU em miniatura. Embora eu já tivesse feito milhares de discursos, fiquei nervosa. Eu sentia o assunto apaixonadamente e estava falando como uma representante do meu país. As apostas eram altas — para os Estados Unidos, para a conferência, para as mulheres em todo o mundo e para mim. Se nada de proveitoso saísse da conferência, ela seria vista como outra oportunidade perdida para galvanizar a opinião global em benefício da melhoria das condições e do aumento das oportunidades para mulheres e meninas. Eu não queria constranger nem frustrar o meu país, meu marido ou a mim mesma. E não queria desperdiçar uma rara oportunidade de avançar com a causa dos direitos da mulher.

Nossa delegação ocupava-se em negociar com outras delegações sobre a linguagem do plano de ação da conferência. Alguns delegados discordavam claramente das metas americanas para as mulheres. O fato de os direitos humanos serem uma questão emotiva tornava o pronunciamento do meu discurso ainda mais difícil para mim. Durante a reforma do sistema de saúde, eu tinha aprendido que a força dos meus sentimentos raramente me ajudava quando eu fazia um pronunciamento público. Agora eu tinha de cuidar para que o tom ou a altura da minha voz não atrapalhasse a mensagem. Goste-se ou não, as mulheres sempre são alvo de críticas se mostram emoção demais em público.

Olhando para a platéia, vi mulheres e homens de todas as compleições e raças, alguns usando roupas ocidentais, muitos vestidos com as roupas tradicionais de suas nações. A maioria usava fones de ouvido, para escutar a tradução simultânea dos discursos. Isso foi uma desagradável e inesperada surpresa: enquanto discursava, não havia resposta às minhas palavras, e senti dificuldade para encontrar o ritmo ou aferir a reação da platéia, pois as pausas em minhas frases e parágrafos em inglês não coincidiam com as dezenas de outras línguas que os delegados estavam ouvindo.

Após agradecer a Gertrude Mongella, secretária-geral da conferência, comecei dizendo que me sentia grata por fazer parte daquela grande reunião global de mulheres:

Esta é verdadeiramente uma celebração — uma celebração das contribuições que as mulheres dão a cada aspecto da vida: no lar, no trabalho, na comunidade, como mães, esposas, irmãs, filhas, alunas, trabalhadoras, cidadãs e líderes... Embora possamos parecer diferentes, há muito mais coisas que nos unem do que as que separam. Compartilhamos um futuro comum. E aqui estamos para encontrar uma posição comum a fim de que possamos ajudar a levar uma nova dignidade e respeito para as mulheres e meninas de todo o mundo — e, ao fazermos isso, levar igualmente uma nova força e estabilidade para as famílias.

Eu quis que o discurso fosse simples, acessível e sem ambigüidades em sua mensagem de que os direitos das mulheres não são separados nem subsidiários dos direitos humanos, e transmitir quanto é importante para as mulheres fazerem por si mesmas as suas opções na vida. Utilizei a minha própria experiência e descrevi mulheres e meninas que conheci por todo o mundo, que trabalhavam para promover a educação, a saúde, a independência econômica, os direitos legais e a participação política, e acabar com as iniqüidades e injustiças que recaem desproporcionalmente sobre as mulheres na maioria dos países.

Comunicar a mensagem do discurso significava explicitar a injustiça do comportamento do governo chinês. Os líderes chineses haviam proibido as organizações não governamentais de realizar o seu fórum no recinto principal da conferência em Pequim. Forçaram as ONGs, dedicadas a causas que iam do cuidado pré-natal ao microempréstimo, a se reunir num local improvisado na pequena cidade de Huairou, a 65 quilômetros ao norte, onde havia poucas acomodações e recursos. Apesar de eu não ter citado nominalmente a China ou qualquer outro país, restou pouca dúvida sobre os notórios violadores dos direitos humanos a quem me referi.

Eu acredito que, às vésperas de um novo milênio, está na hora de rompermos o nosso silêncio. Está na hora de dizermos aqui em Pequim, e para o mundo ouvir, que não é mais aceitável discutir os direitos da mulher como algo separado dos direitos humanos... Há muito tempo, a história da mulher tem sido uma história de silêncio. Mesmo hoje, há aqueles que estão tentando silenciar as nossas palavras.

As vozes desta conferência e as das mulheres em Huairou precisam ser ouvidas alto e claro: é uma violação dos direitos humanos quando bebês são privados de comida, ou afogados, ou asfixiados, ou têm suas espinhas quebradas, simplesmente porque nasceram meninas.

É uma violação dos direitos humanos quando mulheres e meninas são vendidas para a escravidão da prostituição.

É uma violação dos direitos humanos quando encharcam mulheres com gasolina, ateiam-lhes fogo e elas morrem queimadas porque os dotes de seus casamentos são considerados pequenos demais.

É uma violação dos direitos humanos quando mulheres, individualmente, são estupradas em suas próprias comunidades, e quando milhares de mulheres são sujeitadas ao estupro como uma tática ou espólio de guerra.

É uma violação dos direitos humanos quando a causa mundial preponderante de morte de mulheres entre catorze e 44 anos é a violência a que são sujeitadas em suas próprias casas pelos seus próprios parentes.

É uma violação dos direitos humanos quando mulheres jovens são brutalizadas pela prática dolorosa e degradante da mutilação genital.

É uma violação dos direitos humanos quando às mulheres é negado o direito de planejar sua família, e isso inclui serem forçadas a abortar ou serem esterilizadas contra a sua vontade.

Se há uma mensagem que deva ecoar forte desta conferência, que seja: direitos humanos são direitos das mulheres ... e direitos das mulheres são direitos humanos, de uma vez por todas.

Encerrei o discurso com uma chamado à ação, ao voltarmos aos nossos países, e à renovação do nosso empenho em melhorar as oportunidades de educação, de saúde, políticas e legais para as mulheres. Quando as últimas palavras saíram da minha boca — "Deus abençoe vocês, o seu trabalho e todos que dele se beneficiam. Muito obrigada" — os delegados de rostos sérios e inexpressivos levantaram-se de seus assentos e me aplaudiram de pé. Delegados correram para me tocar, gritar palavras de apreço e me agradecer por ter ido. Até mesmo o delegado do Vaticano elogiou o meu discurso. Do lado de fora do salão, mulheres debruçaram-se sobre corrimões e desciam correndo por escadas rolantes para apertar a minha mão. Fiquei emocionada com a ressonância da minha mensagem e foi um alívio ver que a reação da imprensa também foi boa. A página editorial do *New York Times* publicou que o discurso "pode ter sido o seu melhor momento na vida pública". O que eu não sabia, na ocasião, era que o meu discurso de 21 minutos se tornaria um manifesto para mulheres de todo o mundo. Até hoje, quando viajo para o exterior, mulheres se aproximam de mim citando trechos do discurso de Pequim ou segurando cópias para eu autografar.

A reação do governo chinês não foi tão positiva assim. Soube, posteriormente, que o governo proibiu a transmissão do meu discurso pelo circuito interno de TV da conferência, que vinha apresentando os destaques do encontro.

Ao mesmo tempo em que as autoridades chinesas tentam controlar o que os seus cidadãos ouvem, elas se mantêm surpreendentemente bem informadas, como vim a descobrir depois que nós nos recolhemos ao hotel para relaxar durante algumas horas após o meu discurso. Eu não havia lido jornais desde que deixara o Havaí e mencionei casualmente aos meus auxiliares que gostaria de ver um exemplar do *International Herald Tribune*. Em poucos minutos, ouvimos uma batida na porta do meu quarto. O *Tribune* apareceu lá, como se em resposta. Mas não fizemos idéia de quem ouviu dizer que eu queria o jornal e nem de quem o entregou.

Antes de viajar para a China, recebi um relatório do Departamento de Estado e do Serviço Secreto que incluía informações de inteligência, como também questões relacionadas ao protocolo e à diplomacia. Fui alertada para que tudo o que dissesse ou fizesse seria gravado, sobretudo no quarto do hotel.

Quer a chegada do jornal tenha sido uma coincidência ou um exemplo da segurança interna do governo chinês, isso provocou algumas boas gargalhadas e percebemos que todos nos encontrávamos extraordinariamente tensos pelo fato de estarmos sendo vigiados e gravados. Daí em diante, o meu pessoal habitualmente piscava para a tela do aparelho de televisão e falava para abajures, fazendo pedidos em voz alta de pizzas, filés e *milk-shakes*, na esperança de que os operadores de nossa segurança fizessem outras entregas. Mas, passados três dias, apenas o jornal havia aparecido na porta.

No dia seguinte ao discurso de Pequim, fui a Huairou falar para os representantes das ONGs, cujo fórum havia sido exilado da conferência principal. Acompanhando-me, estava outro membro da delegação americana, a dedicada secretária de Saúde e Serviços Humanos do governo, Donna Shalala, que serviu por oito anos no gabinete de Bill. Ela era conhecida por seu rígido compromisso em melhorar a saúde e o bem-estar dos americanos, e também pelo seu temperamento, que seria testado em Huariou. Era um dia sombrio. Caía uma chuva torrencial; o ar estava úmido. Seguimos de carro para o norte, numa pequena caravana, passando por campos uniformes e fileiras de arrozais, até o local do que então era tido como o Fórum das ONGs. Embora tivessem tido a precaução de mudar o fórum para um local a uma hora de viagem da reunião principal da ONU, as autoridades chinesas ainda se preocupavam com os milhares de ativistas femininas em Huairou. A minha presença, no entender desses chineses, apenas aumentava os riscos. Estavam descontentes com o fato de eu ter criticado o seu governo no discurso pronunciado no dia anterior e deviam estar ainda mais preocupados com o que eu diria às mulheres que eles haviam banido de Pequim.

Por causa da chuva, o fórum tinha sido transferido para o interior de um cinema adaptado, e, quando chegamos, ele estava abarrotado com 3 mil pessoas, o dobro de sua capacidade. Outras centenas ainda tentavam entrar. Paradas do lado de fora, sob a chuva torrencial, durante horas, poças de lama sob os pés, os ativistas estavam sendo contidos pela polícia chinesa. Quando o meu carro se aproximou do cinema, a polícia, agitando cassetetes, empurrou a multidão para longe da entrada. Não foi um confronto educado. Enquanto a polícia empurrava com mais e mais força, muitos na multidão pelejavam para se manter de pé. Alguns caíram no escorregadio mar de lama.

Mellane chegara antes de mim, com Neel Lattimore, o meu excelente subsecretário de imprensa, que era famoso por suas exatas tiradas espirituosas e pela habilidade de cuidar de minhas relações com a mídia. Ele levou profissionalismo e humor a um dos serviços mais delicados da Casa Branca. Ao ser empurrada de um lado para o outro pela multidão ondulante, Mellane foi reconhecida por um agente do Serviço Secreto que estendeu o seu longo braço ao qual ela se agarrou como se fosse um salva-vidas, enquanto ele, literalmente, a puxava para dentro. A intrépida Kelly Craighead voltou com agentes do Serviço Secreto para procurar na multidão Donna e outros membros desaparecidos do meu grupo, e os puxaram para a segurança. Quando eles foram nos apanhar estavam ensopados, mas, fora isso, não exibiam nada pior. Neel, que cuidava do contingente da nossa imprensa, retirou os jornalistas do ônibus e ficou para trás, para ter certeza de que estavam todos ali. Ao tentar atravessar a multidão empapada de chuva, não conseguiu. Quando pediu ajuda a um dos funcionários chineses que monitoravam a multidão, foi empurrado aos gritos e também forçado a deixar a área. Neel não conseguiu entrar para nos encontrar e também não deixaram que ficasse esperando perto dos nossos carros. Finalmente, ele acabou dando um jeito de voltar sozinho para Pequim.

A polícia chinesa, por causa de sua severa atuação fora do cinema, fizera um extraordinário trabalho para energizar os representantes das ONGs, que cantaram, gritaram, aplaudiram e deram vivas quando subi ao palco.

Adorei a sensação transmitida pela platéia e disse a ela o quanto admirava e defendia o trabalho daqueles grupos, geralmente feito em situações perigosas, na formação e amparo da sociedade civil e da democracia. As ONGs são forças amenizadoras que ajudam a pôr em xeque o setor privado e o governo. Falei sobre as ONGs que eu vira em ação ao redor do mundo, e depois li "Silêncio", o poema escrito para mim pela estudante de Nova Delhi. Isso pareceu o antídoto perfeito à supressão do fórum das ONGs por parte do governo chinês e sua tentativa de silenciar as palavras e as idéias de tantas mulheres. Fui animada pela coragem e pela paixão de mulheres que viajaram milhares de quilômetros, à custa de grandes despesas pessoais, para romper o silêncio e levantar a voz em benefício de suas causas. Anos depois, as cenas que testemunhei em Huairou permanecem gravadas em minha memória. Raramente pode-se ver com tanta nitidez, em um cenário, as diferenças entre viver em uma sociedade livre e viver sob controle governamental.

* * *

Assim que ficou claro que eu faria a polêmica visita à China, o nosso governo pediu-me que fizesse uma escala de pernoite para uma visita à Mongólia, um ex-satélite soviético que escolhera o caminho da democracia em vez de seguir a liderança comunista da vizinha China. A nova democracia fazia um grande esforço, pois a torneira da ajuda soviética fora fechada, e o país enfrentava um difícil momento econômico. Era importante para os Estados Unidos mostrar apoio ao povo mongol e sua liderança eleita, e um modo de fazer isso era a visita da primeira-dama a uma das mais remotas capitais do mundo.

Ulan Bator é a capital mais fria do mundo e não é incomum a neve no início de setembro, mas chegamos em um dia claro com uma brilhante luz solar. Viajamos cerca de 45 minutos de carro, pelos planaltos, para visitar uma das milhares de famílias nômades da Mongólia. Três gerações dessa família viviam em duas enormes tendas, conhecidas como *gers*, feitas de um feltro grosso estendido sobre uma armação de madeira. Eu havia levado uma sela feita à mão para presentear, e, ao entregá-la ao avô patriarca, expliquei que o meu marido era de uma região onde havia cavalos e gado. Ao fazer perguntas por intermédio de um intérprete, soube que aquele era o local da residência de verão deles, e que estavam se preparando para partir em breve para a residência de inverno, perto do deserto de Gobi, onde o clima é mais ameno. Eles viajavam com o seu gado, a cavalo e em carroças, e subsistiam de carne, leite de égua e outros laticínios feitos dele, do mesmo modo como os seus ancestrais há centenas de anos.

O pano de fundo da vida deles nas estepes era estonteante em sua vastidão, serenidade e beleza natural. As crianças pequenas da família montavam em cavalos em pêlo, e a jovem e bela mãe delas mostrou-me como ordenhar uma égua. No interior do *ger* da família, cada centímetro quadrado servia a um propósito. O único vestígio de tecnologia moderna era um velho e enferrujado rádio a pilha. Como é o costume da hospitalidade da Mongólia, ofereceram-me uma tigela com leite de égua fermentado.

Embora tivesse o gosto de um iogurte morno passado, coisa que não tomaria, não era tão horroroso a ponto de eu não conseguir engolir educadamente. Generosamente ofereci um pouco à imprensa americana, mas todos recusaram. No dia seguinte, quando um dos médicos da Casa Branca que viajava conosco nas viagens de além-mar — nós o chamávamos de Dr. Doom [Dr. Ruína] — soube da minha aventura culinária, ordenou que eu tomasse uma dose de um forte antibiótico para evitar uma terrível oxiuríase.

"Não sabia que se pode contrair brucelose através do leite cru?", repreendeu-me.

Fiquei hipnotizada por aquele lugar e aquelas vidas, mas tinha um almoço marcado com o presidente Ochirbat, seguido de um chá com um grupo de mulheres, e depois um discurso para os alunos da Universidade Nacional. Tínhamos de ir embora.

Em Ulan Bator, não há vestígios da cultura nativa mongol, já que os soviéticos haviam destruído a maior parte dos incomparáveis prédios e monumentos mongóis e os substituído pelas estéreis estruturas da era stalinista. As pessoas tinham sido proibidas até mesmo de falar o nome de Gêngis Khan, o líder que governou o vasto império mongol do século XIII. Ao seguirmos para Ulan Bator, havia pessoas paradas nas calçadas, a dez graus abaixo de zero, para olhar a passagem dos nossos carros. Não acenavam nem chamavam, como faziam as multidões em muitos países; o respeito era transmitido silenciosamente. Gostei da extraordinária afluência gerada por um dignitário americano, embora eu tenha sabido depois que o nosso comboio de carros foi uma atração maior do que eu.

Após cada parágrafo do meu discurso na universidade, eu tinha de fazer uma pausa enquanto minhas palavras eram traduzidas para o mongol. Falei da coragem do povo mongol e de sua liderança, incentivando-os a prosseguir na luta em direção à democracia. Wiston Lord apresentara a idéia de que a Mongólia devia ser encarada como um exemplo para quem duvidasse do poder da democracia de deitar raízes em lugares tão improváveis. E Lissa criou o refrão "Que eles venham à Mongólia!". Daí em diante, sempre que visitávamos um país que pelejava para se tornar democrático, irrompíamos num coro de "Que eles venham à Mongólia!". E eles deviam mesmo.

Ao voar para casa, pensei no quanto muitas das mulheres com quem me encontrei pareciam se identificar com os meus desafios, e umas com as outras, o que me deu um profundo sentimento de vínculo e solidariedade com mulheres do mundo inteiro. Posso ter conseguido manchetes por causa dessa viagem, mas foram as mulheres que conheci, com suas vidas e conquistas contra grandes obstáculos, que mereceram o respeito mundial — o meu certamente elas têm.

23

FECHAMENTO

VOLTEI DA ÁSIA A TEMPO DE ACOMODAR CHELSEA NA ESCOLA. Apesar de ainda condescender ao meu impulso maternal de ajudá-la, ela era uma típica adolescente de quinze anos ansiosa por experimentar a sua independência. Cedi, quando ela implorou para poder ir para a escola com as amigas, em vez de sempre ser seguida por um carro do Serviço Secreto. Queria que ela vivesse como uma adolescente típica, embora nós duas soubéssemos que a sua situação era tudo menos típica. A despeito das óbvias diferenças que havia por ela morar na Casa Branca, sua vida girava em torno de amigos, escola, igreja e balé. Cinco dias por semana, depois da escola, ela fazia algumas horas de aula na Escola de Balé de Washington, e depois voltava à Casa Branca, para enfrentar a montanha de deveres de casa passados para alunos do penúltimo ano que se preparavam para o processo de seleção às universidades que viria pela frente. Chelsea não mais necessitava e nem sempre aceitava a minha presença à sua volta, e, portanto, eu tinha tempo para me dedicar a terminar o meu livro *It Takes a Village*. Precisei passar longas horas escrevendo e recrutando ajuda a fim de cumprir o meu prazo final, no dia de Ação de Graças.

Eu estava planejando ir à América Latina em outubro, pela primeira vez, para participar da reunião anual das primeiras-damas do hemisfério norte. Em 1994, Bill e eu havíamos realizado uma Cúpula das Américas em Miami, o que nos deu a oportunidade de conhecer todos os líderes do hemisfério e suas esposas. Bill estava determinado a que os Estados Unidos desempenhassem um papel positivo na promoção dos valores democráticos na região, já que todos os países — com exceção de Cuba — eram agora uma democracia.

Tratava-se de uma boa notícia para todos e para os Estados Unidos, mas o nosso governo precisava ajudar os nossos vizinhos a terem progresso em melhorar a sua economia, em minorar a pobreza, em diminuir o analfabetismo e em melhorar a saúde pública. O encerramento dos conflitos internos e a promessa de expansão das oportunidades de comércio e investimentos poderiam elevar o padrão de vida e talvez, algum dia, levar a uma aliança de todo o hemisfério, do Canadá ártico até a ponta meridional da Argentina. Mas uma tremenda quantidade de trabalho precisava ser feita para criar a possibilidade de tal prosperidade.

Nessa viagem, porém, eu seguiria até o Sul, para visitar os programas desenvolvimentistas dos Estados Unidos que assistiam mulheres e crianças, cuja situação refletia diretamente o progresso econômico de uma nação. Estava ansiosa pela oportunidade de trabalhar com as minhas colegas a fim de desenvolver e implementar uma meta comum para erradicar o sarampo e reduzir as taxas de mortalidade infantil em todo o hemisfério. No passado, a política americana na região levava à concentração de ajuda externa às juntas militares que se opunham ao comunismo e ao socialismo, mas que, às vezes, reprimiam os seus próprios cidadãos. Sucessivos governos americanos apoiaram regimes que cometiam violações dos direitos humanos contra o povo, desde El Salvador ao Chile. A administração Clinton esperava deixar claro que os dias em que os Estados Unidos ignoravam tais abusos haviam chegado ao fim.

Minha primeira escala foi na Nicarágua, um país de mais de 4 milhões de habitantes, devastado pela guerra e um grande terremoto que, em 1972, quase arrasou a capital Manágua. Violeta Chamorro, a primeira mulher a presidir a Nicarágua, encabeçava um ambicioso mas frágil governo em um país que, nas últimas décadas, só conhecera ditadura e guerra. Em 1990, em uma das primeiras eleições legitimamente democráticas da história da Nicarágua, a presidente Chamorro obteve uma surpreendente vitória como líder de um movimento de oposição. Uma mulher elegante e admirável, recebeu-me em sua casa tipo fazenda, em Manágua. Ela a havia transformado em um santuário para o falecido marido, um combativo editor de jornal assassinado em 1978 pelas tropas leais ao ditador Anastasio Somoza. Em exibição no pátio, encontrava-se o carro crivado de balas do marido — uma lembrança agonizante do perigoso ambiente que envolvia o seu governo. Mais uma vez, fiquei impressionada com uma mulher cuja tragédia pessoal a levou a lutar pela democracia e contra o poder irresponsável.

Em um dos bairros mais pobres de Manágua, visitei um grupo de mulheres que haviam formado um sistema de crédito de microempréstimos chamado "Mães Unidas". Patrocinado pela USAID e dirigido pela Foundation for International Community Assistance (FINCA) [Fundação para Assistência Comunitária Internacional], essas mulheres eram um excelente exemplo de uma bem-sucedida ajuda externa americana em ação. Mostraram-me os produtos que fabricavam ou compravam para revender — redes contra mosquitos, bolos, peças de automóveis. Uma das mulheres surpreendeu-me, ao contar que tinha me visto na televisão visitando a sede do projeto da SEWA, em Ahmadabad, Índia. "As indianas são como a gente?", quis saber ela. Disse-lhe que as indianas que conheci também queriam melhorar de vida, ganhando dinheiro que lhes permitiria mandar os filhos para a escola, ajeitar as suas casas e reinvestir os lucros nos seus negócios. O encontro deixou-me mais determinada em minha tentativa para aumentar o volume de dinheiro que o nosso governo investia em projetos de microcrédito por todo o mundo e para o estabelecimento de projetos de microcrédito em nosso país. Em 1994, eu havia defendido a criação do fundo de apoio Community Development Financial Institutions (CDFI) [Instituições Financeiras de Desenvolvimento Comunitário], para financiar bancos comunitários por todos os Estados Unidos, dedicados a fornecer doações, empréstimos e financiamento de ativos para pessoas de áreas em dificuldades, que haviam sido abandonadas pelos bancos tradicionais. Estava convencida de que o microcrédito podia ajudar os indivíduos, mas os países precisavam de uma boa política econômica nacional como a que estava em curso no Chile, que eu visitaria a seguir.

Durante anos, o Chile sofrera com a brutal ditadura do general Augusto Pinochet, que deixou o cargo em 1990. Sob o governo eleito democraticamente do presidente Eduardo Frei, o Chile estava se tornando um modelo global de sucesso econômico e político. Sua mulher, Marta Larrachea de Frei, era uma primeira-dama a meu gosto. Assessorada por uma equipe profissional, ela enfrentava questões que iam da microfinança à reforma da educação. Em um projeto de microcrédito em Santiago, a capital do Chile, Marta e eu conhecemos uma mulher que usou o empréstimo para comprar uma máquina de costura nova para o seu negócio de costureira. Quando ela nos contou que se sentia "como um pássaro engaiolado que tinha sido libertado", tive a esperança de que todas as mulheres se tornariam finalmente livres e preparadas para fazer suas próprias escolhas na vida — exatamente como as quatro filhas de Marta e a minha.

Fernando Henrique Cardoso, presidente do Brasil desde 1994, também havia tomado posse determinado a revitalizar a economia, após um período de instabilidade. Sua mulher, Ruth Cardoso, socióloga, assumiu um cargo formal no governo do marido, a fim de trabalhar pela melhoria das condições de vida de brasileiros pobres, nas cidades apinhadas e nas vastas áreas rurais. Encontrei-me com os Cardoso na residência presidencial, em Brasília, um conjunto modernista de vidro, aço e mármore. Na reunião, da qual Ruth participou, discutimos a condição das mulheres no Brasil. A avaliação foi conflitante. Para as mulheres instruídas e emergentes, as opções eram escancaradas, em um radical contraste com a vasta maioria das brasileiras que careciam de educação e oportunidades. Os Cardoso contaram-me que estavam se concentrando na mudança do sistema de educação, no qual as disparidades eram intensificadas porque, em muitas áreas do país, a educação primária era disponível apenas por poucas horas diárias, limitando a oportunidade de uma boa educação apenas para aqueles que podiam pagar uma escola particular ou um professor. O acesso à educação superior era totalmente gratuito para estudantes habilitados, mas a maioria deles pertencia às classes mais altas.

Essa disparidade entre ricos e pobres ficou mais evidente em uma escala em Salvador, Bahia, na costa do Brasil. Bem conhecida por sua formidável mistura de influências culturais, Salvador é uma cidade vibrante com as influências dos afro-brasileiros, cujos ancestrais foram levados para lá como escravos. Em uma praça transbordante de alegres brincantes, assisti a uma apresentação do grupo Olodum, uma sensação local, que passou a ser conhecida internacionalmente como banda de acompanhamento de Paul Simon. Composta de dezenas de jovens batendo tambores de todos os tipos e tamanhos, a música que o Olodum fazia era elétrica e ensurdecedora, levando a multidão a dançar sobre os paralelepípedos.

Se, por um lado, o Olodum evocava a expressão positiva da vida das pessoas de Salvador, por outro, uma maternidade que visitei, na manhã seguinte, revelava as adversidades da vida do dia-a-dia. Metade das pacientes eram mães com seus recém-nascidos; a outra, pacientes ginecológicas, muitas internadas por causa de abortos clandestinos malfeitos. O ministro da Saúde, que me serviu de guia na visita ao hospital, disse-me com toda a franqueza que, apesar da lei contra o aborto, "mulheres ricas, se optarem, têm acesso à contracepção; as pobres não têm".

Ao chegarmos a Assunção, capital do Paraguai toda cercada de terra, para o Encontro das Primeiras-Damas do Hemisfério Ocidental, eu já tinha visto evidências da miríade de problemas enfrentados pela América Latina, como também soluções vindas do povo. Na conferência, trabalhamos juntas em um plano de vacinação de todas as crianças contra o sarampo, e para aumentar as oportunidades de meninas freqüentarem a escola. A caminho da recepção oferecida pelo presidente Juan Carlos Wasmosy e sua mulher, Maria Teresa Carrasco de Wasmosy, no palácio presidencial, ao entrar no ônibus notei um lugar vago ao lado de uma senhora de cabelos grisalhos e aparência amável. Ela me parecia familiar, mas não conseguia me lembrar de quem se tratava. À procura de pistas, perguntei-lhe quanto tempo ela havia levado para chegar ao Paraguai (o que me daria uma idéia da localização geográfica de seu país) e como iam as coisas em sua terra natal. "Ótimas", respondeu-me, inexpressiva. "Exceto pelo embargo."

Eu tinha me sentado ao lado de Vilma Espin, a cunhada de Fidel Castro, que o estava representando na conferência. Agradeci por não haver fotógrafos oficiais para registrar a ocasião, o que me poupou de mais uma possível controvérsia.

Embora essa viagem tenha durado apenas cinco dias, ela se tornou um anteprojeto para minhas futuras viagens às Américas Central e do Sul e ao Caribe, e as interações pessoais fortaleceram o valor de construir relações capazes de amenizar o caminho em direção à cooperação em torno de projetos importantes.

Eu já havia visto a importância de tais relações, no contexto do Oriente Médio. Poucas semanas antes de minha viagem, a rainha Noor da Jordânia, Leah Rabin de Israel e Suzanne Mubarak do Egito tinham vindo a Washington com os maridos para a assinatura do histórico acordo de paz encerrando a ocupação militar de Israel em algumas cidades da Cisjordânia. Antes da cerimônia formal de assinatura, no Salão Leste, no dia 28 setembro de 1995, recebi para um chá as consortes dos líderes do Oriente Médio presentes.

No Salão Oval Amarelo, no segundo andar, Leah, Suzanne, Noor e eu nos cumprimentamos como velhas amigas. Fizemos o melhor possível para dar uma boa acolhida a um novo membro do grupo, Suha Arafat, mulher do líder palestino. Eu estava curiosa a respeito dela. Sabia que era de uma importante família palestina, e sua mãe, Raymonda Tawil, famosa poeta e ensaísta, uma mulher nada convencional na cultura dela. Suha, que havia trabalhado para a OLP, a Organização para a Libertação da Palestina, antes de seu surpreendente casamento, era muito mais jovem do que Arafat. Recentemente, dera à luz uma filha, e isso nos forneceu um assunto comum para uma conversa. Cada uma de nós tentou deixá-la à vontade, mas Suha parecia constrangida.

Leah, Suzanne, Noor e eu discutíamos freqüentemente o avanço das negociações. Nenhum segredo de Estado era trocado, mas servíamos como condutoras informais de informação e retorno e Noor ou Leah às vezes me telefonavam com uma mensagem de que o rei ou primeiro-ministro desejavam conversar com o presidente por meio de canais informais.

Lembro agora daquela tranqüila tarde do outono de 1995 como um período de calmaria que antecedeu uma terrível tempestade.

Naquele dia, ao comentar a assinatura do tratado que ocorreria mais tarde no Salão Leste, o rei Hussein brincou comigo sobre a regra de proibição de fumar que estabeleci na Casa Branca. "Pelo menos o primeiro-ministro Rabin e eu não fumamos enquanto estivemos aqui... Muito obrigado pela sua boa influência a esse respeito." Eu propusera abrir mão dessa regra para ele e o primeiro-ministro Rabin, mas ele recusou qualquer "privilégio especial". "Além do mais", acrescentou, "isso vai assegurar reuniões de curta duração!"

A recepção, naquela noite, na Corcoran Gallery, ali perto, tornou-se uma maratona de oratória. Quando Yitzhak Rabin, após a duração épica do discurso de Yasser Arafat, finalmente subiu à tribuna, olhou diretamente para Arafat e falou: "Sabe, em Israel há uma piada que diz: Qual é o esporte favorito dos judeus? Discursar". Ele fez uma pequena pausa. "Eu começo a acreditar, presidente Arafat, que você está perto de ser judeu." Arafat juntou-se às gostosas gargalhadas da platéia.

Depois de voltar para casa, Rabin ampliou os seus esforços para assegurar um futuro no qual Israel ficaria protegido da violência e do terrorismo. Tragicamente, ele não viveu para ver realizado o seu sonho.

No sábado, 4 de novembro de 1995, eu estava no andar de cima, trabalhando no meu livro, quando Bill ligou para me informar que Rabin tinha sido baleado ao deixar um comício pela paz em Tel Aviv. Seu assassino não foi um palestino ou um árabe, mas um fanático da direita israelense que condenou Rabin por negociar com palestinos e concordar em trocar terra por paz. Desci correndo as escadas e encontrei Bill cercado por assessores. Joguei os braços em volta dele e o mantive abraçado. Fora uma terrível perda pessoal. Admirávamos Rabin como um líder e Bill o considerava um amigo — às vezes, até mesmo como uma figura paterna. Bill e eu nos recolhemos ao nosso quarto, para ficarmos a sós com a nossa dor. Duas horas depois, no Jardim das Rosas, Bill pronunciou um dos mais eloqüentes e sentidos discursos de sua presidência, ao dar adeus ao grande líder e amigo: "Esta noite, a terra pela qual ele deu a vida está pranteando. Mas quero que o mundo lembre o que o primeiro-ministro Rabin disse aqui, na Casa Branca, apenas um mês atrás: 'Não podemos deixar que a terra onde mana leite e mel se transforme numa terra onde mana sangue e lágrimas. Não deixem isso acontecer'".

"Agora cabe a nós, a todos de Israel, por todo o Oriente Médio e ao redor do mundo, que anseiam e amam a paz, cuidar para que isso não aconteça. Yitzhak Rabin foi meu parceiro e amigo. Eu o admirava e gostava muito dele. Como as palavras não conseguem expressar os meus verdadeiros sentimentos, quero apenas dizer *shalom, chaver* — adeus, amigo."

Estas últimas palavras, em hebraico, tornaram-se um grito de enaltecimento e arregimentação. Ao chegarmos a Israel, para o funeral de Rabin, vimos cartazes e adesivos de pára-choque citando Bill.

Bill convidou uma eminente delegação, que incluiu os ex-presidentes Jimmy Carter e George H. W. Bush, o chefe do Estado-Maior das Forças Armadas e quarenta membros do Congresso, para viajar conosco e comparecer ao funeral em Jerusalém, no dia 6 de novembro. Após a nossa chegada, Bill e eu fomos imediatamente visitar Leah em sua residência. O meu coração estava despedaçado por sua causa. Como Jackie Kennedy, ela estava com o marido no momento em que ele foi baleado. Leah parecia abatida e mais velha do que apenas semanas atrás, quando esteve em Washington. Encontramos poucas palavras adequadas para transmitir o nosso pesar. Durante o funeral, no Cemitério dos Reis Árabes em Har Herzl, primeiros-ministros e presidentes demonstraram o seu respeito a um guerreiro que morreu pela paz. Após Bill prestar o seu tributo, Leah deu-lhe um demorado e afetuoso abraço. O tributo mais comovente foi o mais pessoal. A neta de Rabin, Noa Ben Artzi-Pelossof, falou para o seu amado avô: "Vovô, você foi a coluna de fogo diante do acampamento, e agora somos apenas um acampamento deixado às escuras, e estamos com muito frio".

Por motivo de segurança, Arafat não compareceu ao funeral, mas Bill encontrou-se com Mubarak, Hussein e Shimon Peres, o primeiro-ministro interino, que havia negociado o Acordo de Oslo e dividido o Prêmio Nobel da Paz com Arafat e Rabin em 1994. Como a neta de Rabin nos lembrou eloqüentemente, a paz é como uma frágil fogueira, que precisa ser constantemente cultivada, ou apagará.

Durante o demorado vôo de volta para Washington, Bill convidou os presidentes Carter e Bush a se juntarem a ele na sala de reuniões do Força Aérea Um, para recordarem Rabin e discutirem a situação do processo de paz do Oriente Médio. Carter surpervisionara o bem-sucedido Acordo de Camp David entre Israel e Egito, e Bush fora convocado para a Conferência de Madri, que, pela primeira vez, reuniu todos os partidos do Oriente Médio para conversações de paz. Quando finalmente resolvemos descansar um pouco, Bill e eu seguimos para os aposentos particulares do presidente, na parte da frente do avião, que incluía um escritório, um banheiro e um compartimento com dois sofás-camas. Bill e eu não sabíamos direito como acomodar dois ex-presidentes, e oferecemos a eles as camas dobráveis do confortável e relativamente espaçoso quarto dos médicos e enfermeiros. O restante de nossos convidados esticou-se em suas poltronas das cabinas VIP na traseira do avião. Poucos dias depois, soubemos que Newt Gingrich ficou ofendido com suas acomodações no avião e com a informalidade, de acordo com ele, da saída pela escada dos fundos, à qual ele e outros convidados foram conduzidos, quando o avião chegou à Base Aérea de Andrews.

Um confronto estava se formando em relação ao orçamento federal desde a primavera anterior, quando os republicanos que controlavam o Congresso passaram a apresentar projetos de lei que expressavam os princípios do seu Contrato com a América. Pretendiam igualmente uma enorme redução de impostos e um orçamento equilibrado em sete anos, uma combinação que desafiava as leis da aritmética e só poderia ser obtida com profundas reduções em educação, proteção ao meio ambiente e programas de saúde, como os Medicare e Medicaid. Eles propunham um pacote de reforma da previdência que incluía draconianas idéias de engenharia social como a negação de despesas previdenciárias — por toda a vida — para mães solteiras com menos de dezoito anos. Prometiam cancelar um decréscimo programado dos prêmios de seguro do Medicare, aumentando os custos para os idosos.

Bill sempre se dispôs a trabalhar com os republicanos, mas o orçamento apresentado por eles era inaceitável. Ele deu sinais de que vetaria qualquer projeto de lei que enfraquecesse o Medicare, afetasse crianças e deixasse os pobres sem uma garantia. E anunciou que apresentaria o seu próprio orçamento contingenciado, sem os cortes cruéis e valores falsos do plano de Gingrich. Perto do final do recesso de verão, os republicanos ainda não tinham chegado a um acordo em relação ao orçamento, e, ao se encerrar o ano fiscal federal, em 30 de setembro, o governo ficou sem verbas operacionais. O Congresso e o presidente concordaram com uma "resolução de continuidade" ou RC — um prolongamento temporário do orçamento — que autorizava o Tesouro a fazer pagamentos enquanto prosseguiam as negociações. Mas essa resolução tapa-buraco expiraria à meia-noite do dia 13 de novembro, e então não haveria nem um novo orçamento, nem um acordo de prolongamento da RC.

Ao se aproximar o prazo final para o orçamento, eu tentava cumprir o meu próprio prazo final, escrevendo e reescrevendo loucamente à mão os capítulos do meu livro inacabado. Mas eu argumentava, diretamente e por intermédio da minha equipe, quanto achava crucial Bill se opor às prioridades orçamentárias articuladas por Gingrich.

Apesar das ameaças republicanas de fechar o governo, Bill rejeitou a nova resolução que lhe fora enviada depois do funeral de Rabin, ainda mais drástica. Gingrich parecia estar brincando de um jogo político de "pedir arrego", mas ele subestimara o seu adversário. Bill também vetou essa resolução.

Enquanto Bill estava envolvido em tempo integral com as negociações na Ala Oeste, aparecia com freqüência para perguntar o que eu achava de determinado assunto. Ele sabia que eu estava preocupada com as propostas republicanas em relação aos Medicare e Medicaid, e lhe perguntei se um dos membros da minha equipe, Jennifer Klein, poderia participar das negociações e ajudar a analisar e documentar de forma exata de que modo as propostas republicanas colocariam em perigo o Medicare e desmontariam o Medicaid. Eu queria um canal direto com a equipe de Bill em relação a essas questões sensíveis. Ele concordou e, enquanto durou a batalha do orçamento, Jen ajudou Chris Jennings — a principal consultora do presidente em assuntos de saúde e uma pessoa em quem eu confiava, por causa de sua orientação durante o meu período na Casa Branca — no empenho do governo em proteger esses e outros programas de saúde.

No dia 13 de novembro, a administração ficou sem dinheiro para gastar, e o presidente, com base na lei, teve de fechar o governo. Foi uma decisão martirizante para Bill e isso ficou visível. Ele se preocupava com os efeitos do fechamento das portas do governo e de licenciar 800 mil funcionários federais. Apenas funcionários supostamente "essenciais" podiam legalmente permanecer nos cargos, trabalhando sem receber. Um programa como Meals on Wheels [Refeições Sobre Rodas] ficou sem verba, colocando em risco os cerca de 600 mil idosos que dependiam dele. A Federal Housing Administration [Administração de Moradias Federais] não podia processar milhares de vendas de casas. O Department of Veterans Affairs [Departamento de

Assuntos dos Veteranos] deixou de pagar às viúvas e a outros beneficiários os dividendos das apólices de seguro dos veteranos. Os monumentos nacionais do Mall fecharam as portas. O Parque Nacional de Yellowstone e o Grand Canyon recusaram visitantes. Dois caminhões repletos de árvores de Natal, destinadas ao Pageant Peace [Desfile da paz] anual de Washington ficaram retidos em alguma parte do leste de Ohio, porque o Serviço Nacional de Parques não podia descarregá-los nem plantar as árvores para a cerimônia.

Um estranho silêncio instalou-se na Casa Branca. A maioria dos empregados da residência e da Ala Leste foi mandada para casa. O Serviço Secreto era considerado essencial; vendedores e floristas, não. A equipe da Ala Oeste foi reduzida de 430 para cerca de noventa; a minha equipe oficial foi reduzida para quatro pessoas. Voluntários atuaram como substitutos, na tentativa de tocar o trabalho que não podia parar em nenhuma circunstância. Mas essas foram pequenas inconveniências. Se não houvesse nenhuma resolução, os verdadeiros problemas começariam ao final do mês, quando deveriam ser distribuídos os contracheques do governo. E eu me preocupava com o que faríamos, se surgisse outra emergência nacional ou uma crise internacional.

Cada lado culpava o outro pelo fechamento do governo federal, mas Gingrich revelou as suas intenções em um café-da-manhã com repórteres, no dia 15 novembro. Ele admitiu que havia enviado para a Casa Branca uma versão mais dura da resolução de orçamento porque achava que Bill o tinha desconsiderado, no Força Aérea Um, durante a viagem de volta do funeral do primeiro-ministro Rabin.

"Trata-se de algo banal, mas creio que é humano", disse Gingrich. "Você passa 25 horas em um avião e ninguém fala com você, e depois pedem que saia pela rampa dos fundos... Você é levado a pensar: onde está o senso de boas maneiras deles? Onde está o senso de cortesia deles?"

No dia seguinte, a primeira página do *New York Daily News* estampou a enorme manchete BEBÊ CHORÃO acima de um cartum de Gingrich usando fralda. Naquela tarde, o governo divulgou uma foto, tirada por Bob McNeely, o fotógrafo da Casa Branca. Nela, via-se Gingrich, durante o vôo, conversando com o presidente e Dole, o líder da maioria, parecendo perfeitamente contente. A declaração de Gingrich — e a fotografia — apareceram em toda a mídia. Por causa de uma observação auto-indulgente, ele abalou a sua credibilidade e mostrou que o povo americano soube culpar o Congresso, e não a administração, pelo fechamento do governo. A luta não tinha chegado ao fim, mas o campo da batalha estava mudando de lado.

O governo ficou fechado por seis dias, o maior fechamento da história. Ambos os lados, finalmente, concordaram com outra RC, que financiaria o governo até 15 de dezembro. Muita gente havia sofrido uma enorme aflição e privações, mas, em benefício da nação a longo prazo, foi essencial Bill não ter arredado pé.

Quando olho a nossa agenda de compromissos dos últimos três meses de 1995, é difícil acreditar quantos eventos e assuntos estávamos atacando. Finalmente, dei os toques finais em *It Takes a Village* durante outro dia de Ação de Graças em Camp David, cercada pela nossa família e bons amigos. Então, chegou a hora de iniciar a temporada do Natal, com Pageant of Peace e a National Tree Lighting Ceremony [Cerimônia do Acendimento da Árvore Nacional], que incluía os tais pinheiros-bravos de Ohio, finalmente entregues quando o governo reabriu.

Em 28 de novembro, Bill e eu embarcamos em uma viagem oficial à Inglaterra, Irlanda, Alemanha e Espanha. Fui pela primeira vez à Inglaterra em 1973, com Bill, quando fugimos de nossa formatura na Faculdade de Direito de Yale. Como alunos duros, voamos por menos de mil dólares cada, pagando a tarifa de estudante em fila de espera, dormimos em pensões baratas ou em sofás de casas de amigos e planejamos o que queríamos fazer. Em 1995, porém, voltamos à Inglaterra no Força Aérea Um, andamos pelas ruas numa limusine blindada e com o tempo planejado minuto a minuto.

As relações de Bill com o primeiro-ministro Major tinham entrado num caminho difícil, depois que soubemos que o governo Major cooperou com a primeira administração Bush ao tentar desenterrar registros das atividades de Bill na Inglaterra durante os protestos estudantis contra a Guerra do Vietnã. Tais registros não existiam, mas uma intromissão na política americana por parte dos tóris era desconcertante. As relações tornaram-se mais tensas em 1994, quando Bill concedeu um visto a Gerry Adams, o chefe do Sinn Fein, o braço político do Exército Republicano Irlandês.

Nenhum presidente americano jamais se envolvera na mediação dos conflitos irlandeses, mas Bill estava determinado a ajudar a encontrar uma solução. Não havia dúvida que, no passado, Adams se envolvera de alguma forma com as atividades do IRA e o Departamento de Estado dos Estados Unidos concordou com os argumentos do governo britânico contra a concessão do visto. O governo irlandês, porém, decidira que fazia sentido negociar com Adams e o Sinn Fein. Eles argumentaram que Bill poderia desempenhar um papel na criação de um ambiente que conduziria às negociações de paz.

Nesse e em outros casos, Bill estava disposto a assumir riscos políticos para demonstrar que não se faz a paz com amigos e só se faz a paz com o inimigo se se estiver disposto a conversar com ele. A decisão foi pela concessão do visto e a aposta de Bill valeu a pena. A Irlanda do Norte estava desfrutando um cessar-fogo e logo estaríamos a caminho de Belfast para comemorar.

De todas as viagens que fizemos durante os oito anos da presidência de Bill, essa foi uma das mais especiais. Bill orgulhava-se de seus ancestrais irlandeses, por parte de mãe, uma Cassidy. Quando criança, Chelsea apaixonou-se pelos contos folclóricos irlandeses. Ela viu a Irlanda pela primeira vez em 1994, em nosso vôo para a Rússia, durante uma escala para reabastecimento, no meio da noite, no aeroporto de Shannon. Perguntou se podia sair do avião e tocar o solo irlandês. Observei-a apanhar um pouco de terra e colocar numa garrafa para levar para casa. Um dos livros favoritos de Bill e de Chelsea era *How the Irish Saved Civilization* [*Como os irlandeses salvaram a civilização*], de Thomas Cahill, que Bill presenteava a amigos e colegas. Contudo, exceto pela escala no aeroporto de Shannon, nenhum de nós havia estado na Irlanda, do Norte ou do Sul. Agora, sentíamos a ressonância emocional da bela saudação tradicional gaélica: *Céad míle fáilte* — "Cem mil boas-vindas".

Nossa primeira parada em Belfast foi nas indústrias Mackie, uma fábrica que montava máquinas têxteis e uma das poucas na Irlanda do Norte que havia sido bem-sucedida em integrar operários católicos e protestantes em sua força de trabalho. Duas crianças, uma estudante católica, cujo pai fora assassinado em 1987, e um garoto protestante, deram as mãos para apresentar Bill. Por causa da história de separatismo sectário, muita gente em Belfast vivia em bairros onde havia segregação religiosa e freqüentava escolas mantidas por igrejas. Essa aparição em conjunto das crianças pretendia simbolizar uma nova visão para o futuro.

Bill encontrou-se com as várias facções, enquanto eu me separava para um contato com as mulheres líderes do movimento pela paz. Elas haviam encontrado um campo comum, por estarem dispostas a trabalhar contra a divisão religiosa. No restaurante Lamplighter Traditional Fish and Chips, encontrei-me com Joyce McCartan, de 65 anos, uma senhora notável que havia fundado, em 1987, o Women's Information Drop-in Center [Centro Informal de Informação à Mulher], após o filho de dezessete anos ter sido morto a tiros por pistoleiros protestantes. Ela havia perdido mais de uma dúzia de familiares para a violência. Joyce e outras mulheres montaram o centro como um refúgio seguro: um lugar para mulheres de ambas as religiões se reunirem e conversarem sobre suas necessidades e seus temores. O desemprego era alto, e mulheres, tanto católicas como protestantes, preocupavam-se com os jovens que nada tinham para fazer. As nove mulheres sentadas em volta da mesa descreveram quanto ficavam amedrontadas e preocupadas quando os filhos e os maridos saíam de casa e como ficavam aliviadas quando chegavam em casa em segurança. "É preciso a mulher para fazer o homem ter juízo", afirmou Joyce.

Essas mulheres tinham a esperança de que o cessar-fogo continuaria e que a violência terminaria de uma vez por todas. Serviam chá de bules comuns de aço inoxidável e, quando observei que eles mantinham o chá bem quente, Joyce insistiu para que eu levasse um bule, para me lembrar delas. Usei todos os dias esse bule amassado em nossa pequena cozinha familiar da Casa Branca. Joyce morreu pouco depois de nossa visita e tive a honra de ser convidada a voltar a Belfast, em 1997, para fazer a primeira palestra no Memorial Joyce McCartan, na Universidade do Ulster. Levei o bule comigo e o coloquei sobre a tribuna, enquanto falava sobre a coragem de mulheres irlandesas como Joyce, que, em mesas de cozinhas e diante de bules de chá, tinham ajudado a construir um caminho para a paz.

De Belfast, fomos levados de helicóptero para o *Marinha Um* e seguimos para Derry, ao longo da costa da Irlanda do Norte. Derry é a terra natal de John Hume, um dos arquitetos do processo de paz, que dividiu o Prêmio Nobel da Paz com David Trimble, o líder do maior partido protestante, o Partido Unionista do Ulster. Um homem grande e enrugado, com um rosto afável e fala fluente, Hume era o líder do SDPL, o Social Democratic and Labour Party [Partido Trabalhista Social Democrático], fundado em 1970 para lutar por uma solução pacífica para os conflitos. Há décadas, ele estava nas linhas de frente da não-violência e da reconciliação, e Bill queria reconhecer, em sua própria comunidade, os riscos pessoais que Hume tinha corrido em favor da paz. Entoando "Nós queremos Bill, nós queremos Bill", dezenas de milhares de pessoas se aglomeraram nas ruas, em meio ao frio congelante, para gritar o seu apoio a Bill e aos Estados Unidos, e eu me enchi de orgulho e respeito pelo meu marido.

Outra enorme multidão nos aguardava na Prefeitura, quando voltamos para Belfast, para a cerimônia de acendimento da árvore de Natal. Um jovem camareiro naval, que acompanhava o presidente, examinou o mar de rostos.

"Essas pessoas se parecem umas com as outras", comentou. "Por que elas andam se matando?"

Fui para diante da multidão e li trechos de cartas escritas por crianças, que expressavam suas esperanças de uma paz duradoura. Em seguida, Bill, tendo ao lado dois dos missivistas, acionou o interruptor que acendeu as luzes da árvore de Natal. Ele também falou de esperança e paz, e disse a todos que estavam reunidos naquela ocasião festiva que o nosso dia em Belfast, em Derry e em Londonderry permaneceria muito tempo conosco como um dos mais extraordinários de nossas vidas. Concordei plenamente.

Encerramos a noite em uma recepção, na Queens University, oferecida pelo secretário inglês para a Irlanda do Norte, sir Patrick Mayhew, à qual compareceram representantes das várias facções. Muitos só tinham estado juntos, num mesmo local, uma vez antes, quando foram à Casa Branca para comemorar o dia de São Patrício, no mês de março anterior. Na reunião em Belfast, a liderança católica permaneceu perto da orquestra, enquanto os protestantes se juntaram do outro lado do salão. Ian Paisley, o líder protestante radical do Partido Unionista Democrático, compareceu, mas não quis apertar a mão dos "papistas". Como os fundamentalistas por toda parte, ele parecia preso em uma descontinuidade temporal, incapaz de admitir uma nova realidade.

Na manhã seguinte, voamos para Dublin, a capital da Irlanda. Desde o início dos anos 1990, a Irlanda vinha sendo rotulada pelos economistas como o "Tigre Celta", por causa do explosivo crescimento econômico e uma nova onda de prosperidade que estavam levando imigrantes de volta para casa. Bill havia nomeado, em 1993, Jean Kennedy Smith, irmã do presidente Kennedy, como embaixadora na Irlanda, e ela estava realizando um excelente trabalho. Em Dublin, fizemos uma visita de cortesia a Mary Robinson, a primeira mulher a presidir a Irlanda, em sua residência oficial, Áras an Uachtaráin. A presidente Robinson e o marido Nick, pessoas diretas e fáceis para conversar, estavam comprometidos com o processo de paz irlandês e ansiosos para saber a respeito de Belfast e Derry. Ela nos mostrou um lampião que é sempre mantido aceso na janela da frente para acolher qualquer irlandês que, tendo deixado a Irlanda, encontre o caminho de volta.

De lá fui à National Gallery para me dirigir a mulheres do Norte e do Sul da Irlanda. Num discurso transmitido ao vivo pela televisão nacional irlandesa, elogiei a bravura das irlandesas que combatiam pela paz. Brinquei com a frase de uma personalidade da televisão irlandesa que, recentemente, havia recebido em seu programa um grupo de deputadas com a frase: "Quem ficou cuidando das crianças?". Eu sorri e disse: "Anseio pelo dia em que essa mesma pergunta seja feita aos homens". Na Irlanda, havia o debate sobre que escolhas as mulheres deviam ter "permissão" de fazer, especialmente no âmbito da vida familiar. Uma semana antes, os irlandeses haviam aprovado por uma estreita margem um plebiscito sobre a legalização do divórcio, sob os veementes protestos da Igreja Católica Romana. As mulheres presentes ao evento sabiam muito bem que, apesar do progresso que elas haviam feito, econômica, política e socialmente, ainda restavam muitos obstáculos.

Encontrei-me com Bill no Banco da Irlanda, próximo ao College Green da Trinity University, onde passamos um tempo com Bono e outros componentes da banda U2, que, desde então, se tornaram nossos amigos. Bill e eu temos trabalhado com Bono nas questões globais que ele defende, como o cancelamento da dívida externa de países pobres e mais recursos para o combate à AIDS. Quando subimos ao palanque construído para o discurso de Bill, engoli em seco. Havia talvez 100 mil pessoas comprimidas nas ruas estreitas e pelo gramado, para ouvir o presidente americano falar. Bill exortou a imensa multidão a trabalhar pela paz, afirmando que nenhuma divergência é por demais inegociável para permanecer eternamente sem solução, e que os conflitos na Irlanda também podiam admitir um futuro pacífico.

Depois de outro discurso, diante do Parlamento irlandês, conhecido como Dáil, saímos pelas ruas para algumas compras e uma visita ao Cassidy's Pub. Nossos grupos avançados usaram informações genealógicas para localizar quaisquer Cassidy que pudessem ser aparentados com Bill, e eles se juntaram a nós lá dentro para um quartilho de Guinness. Eu logo concluí que todos os irlandeses, de um modo ou de outro, são aparentados.

Na residência da embaixadora Smith, no início daquela tarde, ficamos emocionados ao conhecer Seamus Heaney, o poeta ganhador do Prêmio Nobel, e sua esposa Marie. O poema "The Cure at Troy", de Seamus, havia inspirado o mote de Bill que, na Irlanda, aquela era a ocasião em que "a esperança e a história rimam".

A Irlanda me revigorou e me inspirou, e gostaria que tivéssemos podido engarrafar os bons fluidos para levá-los para casa.

24

A HORA DE FALAR

AS PALAVRAS DE DESPEDIDA DE BILL EM BELFAST — "Que o espírito de paz e boa vontade do Natal viceje e cresça em vocês" — não tinham penetrado em Washington, onde a luta partidária continuou pelos feriados. Ao Baile do Congresso anual, promovido pela Casa Branca no dia 5 de dezembro, compareceram as mesmas pessoas que combatiam Bill por causa do orçamento e revestiam os nossos corredores com intimações judiciais. Mesmo assim, elas se dispunham a esperar na longa fila de recepção, na Sala de Recepção Diplomática, para serem fotografadas conosco. Bill, é claro, recebeu a todos calorosamente. Somente no dia seguinte, ele mostrou sua força aos líderes republicanos, ao vetar o projeto de lei de compatibilização do orçamento de sete anos para o ano fiscal de 1996.

Os republicanos haviam incorporado cortes brutais na proteção do meio ambiente, nas verbas para a educação e programas que ajudavam mulheres pobres, crianças e idosos, incluindo o Medicaid e o Medicare. Bill assinou o veto com a mesma caneta que Lyndon Johnson usara trinta anos antes ao assinar a lei do Medicare. Em jogo, destacou Bill, estavam "dois futuros diferentes para os Estados Unidos". Ele sabia que os republicanos não tinham os votos necessários para anular o veto presidencial e lhes recomendou que amenizassem suas posições e negociassem com a Casa Branca para acabar com o impasse. Os calouros revolucionários de Gingrich, porém, recusavam-se a arredar pé de sua cruzada ideológica para demolir o poder do governo federal.

A autorização para o governo gastar dinheiro expirou novamente à meia-noite de 16 de dezembro. Dessa vez, houve um fechamento "parcial" —

alguns funcionários federais entraram de licença, preocupados e sem um contracheque até o governo voltar a reabrir. Foi uma terrível provação imposta às pessoas, principalmente durante a época natalina. E, antes de entrar em recesso de Natal, em 22 de dezembro, os republicanos de Gingrich acrescentaram à insensibilidade a aprovação de um decreto de reforma da previdência que, se posto em prática, colocaria em perigo milhões de mulheres e crianças vulneráveis.

A reforma da previdência vinha sendo debatida pela equipe de Bill desde a campanha presidencial, quando ele prometeu "acabar com a previdência social como a conhecemos". Eu concordava que o sistema estava falido e necessitava de um ajuste, mas era inflexível num ponto: qualquer reforma que defendêssemos deveria garantir uma rede de proteção que fornecesse incentivos para a volta ao trabalho, após o término da licença. Eu expressava veementemente as minhas opiniões, e geralmente para o meu marido e os membros de sua assessoria encarregados de preparar a reforma. Argumentava que qualquer pacote de reforma precisava preservar o Medicaid e fornecer creches para mães trabalhadoras. Apesar de afastada do debate público, participei ativamente das discussões internas. Deixei claro para Bill e seus assessores da Ala Oeste que, se eu achasse que estivessem cedendo a um mesquinho projeto de lei republicano nocivo para mulheres e crianças, eu me oporia a ele publicamente. Eu entendia o dilema de Bill e queria influenciar sua decisão. A equipe de Bill trabalhou em conjunto com a minha e fizemos algum progresso verdadeiro em moldar uma réplica para os republicanos. Como havia prometido, o presidente vetou o decreto de previdência social republicano.

Os republicanos, finalmente, estavam sendo responsabilizados tanto pelo impasse do orçamento como pelos fechamentos do governo, e a queda nas pesquisas do seu índice de aprovação levou a um racha na frente unida do partido. Em janeiro, o senador Bob Dole, provavelmente olhando adiante para o lançamento de sua campanha presidencial em New Hampshire, começou a falar em acordo. A estratégia de Gingrich de Bill "pedir arrego" fracassara e senti um grande alívio quando pudemos reabrir o governo e colocar de volta os funcionários da folha de pagamento, depois que Bill levou vantagem.

Ao ser aberta a segunda sessão do 104º Congresso, em 3 de janeiro de 1996, apenas três pequenas partes do Contrato de Gingrich tinham sido transformadas em lei. Bill mantivera onze vetos. Ele havia conseguido protelar os desastrosos cortes no Medicare e no Medicaid e salvar programas como o AmeriCorps e o Legal Aid, que estavam destinados ao decepamento. Perto do final do mês, ambos os lados chegaram a um acordo em relação à concessão de verbas e o governo foi reaberto.

Uma instituição não afetada pelo fechamento foi a Comissão de Transações Bancárias do Senado, cujo trabalho foi considerado "essencial". Sem uma pausa, ela continuou a convocar nossos amigos, advogados e colegas ao Capitólio para procurar evidências de danos, enquanto hospitais dos veteranos de guerra ficaram proibidos de tratar da maioria dos pacientes e funcionários do governo federal foram colocados em licença sem vencimentos.

Em 29 de novembro, enquanto estávamos na Europa, a testemunha-chave dos republicanos, L. Jean Lewis, tinha sido interrogada pelo senador Paul Sarbanes de Maryland e pelo consultor jurídico democrata na comissão D'Amato, Richard Ben-Veniste. Lewis foi a funcionária da RTC que havia feito uma denúncia criminal, em agosto de 1992, ao FBI e à Procuradoria Federal em Little Rock, acusando como suspeitos de delito grave não apenas o casal McDougal, mas todos os que contribuíram para uma arrecadação de fundos que McDougal manteve para Bill na Madison Guaranty em 1985. Ela citou Bill e a mim como possíveis testemunhas. Ben-Veniste acusou Lewis de ser politicamente tendenciosa contra nós e de ter feito a denúncia pouco antes da eleição de 1992 para afetar o resultado. De acordo com o relatório final de Whitewater, publicado em 2002, esse esforço pré-eleitoral para nos envolver em uma investigação criminosa foi incentivado por pessoas da Casa Branca de Bush e do seu Departamento de Justiça.

Para refutar o depoimento dela perante a Comissão de Transações Bancárias, Ben-Veniste interrogou Lewis intensivamente, sugerindo que ela mentiu ao dizer que, acidentalmente, fizera uma longa gravação em fita de uma conversa que teve com um funcionário da RTC que a visitou no escritório de Kansas City. Ben-Veniste levou Lewis a afirmar que, enquanto foi uma republicana conservadora, não teve nenhum preconceito político em relação a Bill e que nunca o havia chamado de mentiroso; então, ele apresentou uma carta, que ela havia escrito em 1992, que fazia exatamente essa acusação. Os democratas também apresentaram provas de que Lewis tentou comercializar uma linha de camisetas e canecos contendo mensagens que criticavam Bill e a mim. Antes de ser concluído o interrogatório, Lewis desmaiou e precisou ser ajudada fora do recinto da audiência.

O público em geral soube muito pouco sobre essa evolução no interminável drama de Whitewater. Entre as redes de televisão, apenas a C-SPAN (canal público) cobriu em detalhes o depoimento de Lewis. Dias depois de seu testemunho memorável e autodestrutivo, o *New York Times* continuava a dar crédito às acusações sem substância de Lewis e referia-se a ela como a "testemunha principal". Sem desanimar com os fatos, a comissão D'Amato continuou a sondar a minha associação à firma de empréstimos e poupança de McDougal. A investigação de Ken Starr era confidencial, mas sua equipe demonstrava um extraordinário talento para fazer vazamentos planejados para a mídia.

No final de 1995, Dick Morris procurou-me para transmitir uma esquisita mensagem: eu ia ser denunciada por algo ainda indefinido e "pessoas ligadas a Starr" sugeriram que eu aceitasse a denúncia e pedisse a Bill um perdão presidencial antes do julgamento. Deduzi que Morris estava servindo de intermediário para seus clientes ou contatos republicanos e por isso escolhi as minhas palavras com todo o cuidado: "Diga às suas fontes para informar ao pessoal de Starr que, mesmo se eu tivesse feito algo errado, estou bem ciente das imortais palavras de Edward Bennett Williams: 'se assim o desejar, um promotor é capaz de denunciar um sanduíche de presunto'. E, se Starr me denunciar, eu jamais apelarei por um perdão. Irei a julgamento e mostrarei o farsante que ele é".

"Tem certeza que quer que eu diga isso?", perguntou Morris.

"Palavra por palavra", retruquei.

Em meio ao tumulto em torno do orçamento e do fechamento do governo, um dado importante no desenvolvimento da investigação sobre Whitewater passou quase despercebido: as conclusões do relatório da RTC sobre Whitewater foram finalmente divulgadas um pouco antes do Natal. Esse relatório independente corroborava a nossa alegação de que Bill e eu tivemos um envolvimento mínimo com o investimento de Whitewater e nenhuma responsabilidade na falência da Madison Guaranty. Após colher o depoimento de 47 testemunhas, compilar 200 mil documentos e gastar 3,6 milhões de dólares, os investigadores da RTC não descobriram nenhuma evidência de má conduta de nossa parte e nenhuma base factual para qualquer aspecto do "escândalo" Whitewater.

Do mesmo modo que o desacreditado depoimento de Jean Lewis, o relatório foi minimamente divulgado pela mídia impressa. O *USA Today* não tomou conhecimento, o *Washington Post* enterrou a notícia em um parágrafo da continuação, em página interna, de uma matéria de capa sobre os indiciamentos de Whitewater, e o *New York Times* publicou alguns parágrafos no seu noticiário sobre o caso. Os republicanos rejeitaram a investigação da RTC por considerá-la limitada e prosseguiram com as suas audiências.

Fui encorajada por essa notícia quando me encontrei com David Kendall na Casa Branca, em 4 de janeiro de 1996, para uma de nossas periódicas sessões de atualização. David sempre tentava manter um clima descontraído em nossas reuniões, ao xerocar para mim os seus cartuns políticos favoritos, ou recortar as matérias mais absurdas dos tablóides, tais como "Hillary dá à luz um bebê alienígena", ou fosse lá o que fosse que eles tivessem inventado naquela semana.

Nós nos reunimos na Sala da Família, entre o grande quarto de dormir principal e o Salão Oval Amarelo, no segundo andar da residência. Os casais Bush e Reagan relaxavam e assistiam à televisão ali, e Harry Truman e Franklin Roosevelt tinham usado a sala como quarto de dormir. Bill e eu a mobiliamos com um televisor e uma mesa de carteado, junto com um confortável sofá e uma poltrona. Em meio à reunião, um recepcionista bateu na porta e entregou um bilhete a David, que ele dobrou e enfiou no bolso. Depois que terminamos a nossa conversa, David foi embora.

Na manhã seguinte, ele telefonou e perguntou se podia ir falar comigo. "Surgiu uma coisa", disse ele.

David explicou que o bilhete que recebera no dia anterior era de Carolyn Huber, pedindo que, ao sair, ele passasse na sala dela, na Ala Leste. Carolyn, a nossa assistente de longa data no Arkansas, foi para Washington cuidar da nossa correspondência pessoal e organizar, catalogar e arquivar documentos particulares — tudo, desde antigos boletins escolares, passando por fotos de férias, a discursos importantes — que na ocasião se encontravam guardados em centenas de caixas espalhadas pela residência e em um depósito especial da Casa Branca em Maryland. Freqüentemente, David pedia a Carolyn para ajudá-lo a localizar documentos solicitados pelo procurador independente e, por todos os meses anteriores, ela já havia passado milhares de páginas de documentos de nossas caixas para o arquivo dela.

Quando David chegou à sala de Carolyn, ela lhe entregou um maço de papéis. Rapidamente ele percebeu do que se tratava: a cópia feita por uma impressora detalhando um serviço jurídico que eu e outros havíamos feito no escritório de advocacia Rose para a Madison Guaranty, entre 1985 e 1986. Embora os arquivos de pagamentos da Madison Guaranty tivessem sido incluídos nas intimações da promotoria especial, o lugar lógico para encontrá-los era nos arquivos da Rose e da Madison. A ausência deles em nossos arquivos não surpreendeu nem a David nem a mim, embora estivéssemos ansiosos para que aparecessem, já que tinha certeza de que comprovariam as minhas lembranças do pouco trabalho jurídico que eu havia feito. Fiquei aliviada por eles, finalmente, terem sido encontrados.

"Onde, diabos, estavam?", perguntei a ele.

"Não sei", respondeu David. "Carolyn examinava uma caixa, na sala dela, e deu com eles. Assim que percebeu do que se tratava, me mandou um bilhete."

"O que isso significa?", quis saber de David.

"Bem, a boa notícia é que os encontramos. A má notícia é que isso dá uma chance para que a imprensa e os promotores voltem a enlouquecer."

E enlouqueceram. William Safire, um ex-redator de discursos de Nixon, chamou-me de "mentirosa congênita" em sua coluna do *New York Times*. Minha foto saiu na capa da *Newsweek*, com o título SANTA OU PECADORA? E voltou renovada a conversa de uma intimação para um júri de instrução e uma possível denúncia na investigação sobre Whitewater.

A cópia dos registros de cobranças, concluímos posteriormente, deve ter sido feita provavelmente durante a campanha de 1992, para que os assessores de campanha de Bill e o escritório de advocacia Rose pudessem responder às perguntas da mídia sobre a Madison Guaranty, Jim McDougal e Whitewater. Vince Foster, que na época cuidava das indagações, fizera anotações nos documentos. Eu acreditava que eles comprovariam o que vinha dizendo o tempo todo: que o meu trabalho para a firma de empréstimos e poupança de McDougal, tantos anos atrás, tinha sido mínimo, em tempo e compensação.

* * *

No dia 9 de janeiro de 1996, diante dos olhos vigilantes dos recepcionistas da Casa Branca, o Salão Verde foi transformado em um estúdio de televisão temporário para a minha entrevista com Barbara Walters. Técnicos arrastaram cabos pelo chão e instalaram um equipamento que banhou o aposento com uma luz dourada tão suave e lisonjeira, que até mesmo o retrato de Benjamin Franklin de peruca empoada sobre a lareira parecia irradiar juventude. Barbara e eu conversamos fiado brevemente enquanto a equipe ajustava o nível do som.

A entrevista fora marcada para 9 de janeiro de 1996, como uma divulgação antecipada para *It Takes a Village*, que estava prestes a ser lançado. Eu esperava, porém, que Barbara tivesse imaginado outros temas para me entrevistar. Não era a melhor maneira de dar a partida para uma viagem de divulgação do livro por onze cidades, mas estava grata pela chance de responder à mais recente saraivada de alegações. Quando as câmeras começaram a gravar, ela, a quem eu admirava e de quem gostava, foi direto ao assunto.

"Senhora Clinton, em vez de seu novo livro ser o assunto, a senhora se tornou o assunto. Como foi que se meteu nessa trapalhada, na qual toda a sua credibilidade está sendo questionada?"

"Ah, eu me pergunto isso todos os dias, Barbara", respondi, "porque, para mim, é muito surpreendente e confuso. Mas, durante os últimos quatro anos, dúvidas têm sido levantadas, e elas acabaram por ser esclarecidas e esquecidas, e mais perguntas surgiram, e estamos fazendo o melhor possível para respondê-las."

"Está angustiada?"

"De vez em quando, fico um pouco angustiada, um pouco triste, um pouco zangada, irritada. Eu acho que é natural. Mas sei que faz parte do caminho e continuamos percorrendo-o, tentando chegar ao fim disso tudo."

Quando Barbara Walters me perguntou sobre os arquivos sumidos, eu falei: "Sabe, um mês atrás, as pessoas criaram a maior confusão porque os arquivos estavam desaparecidos e pensavam que alguém devia tê-los destruído. Agora, os arquivos foram encontrados e elas estão fazendo a maior confusão. Mas estou contente por eles terem sido encontrados. Gostaria que tivessem sido encontrados há um ou dois anos, pois mostram o que eu venho afirmando desde o início. Eu trabalhei por cerca de uma hora, durante quinze meses. Para mim, certamente, não foi tanto trabalho assim".

Barbara não conseguia imaginar por que os documentos foram tão difíceis de ser achados.

"Como é que são os seus arquivos?"

"Uma bagunça..."

"Isso é difícil de entender."

"Mas creio que as pessoas precisam entender que há milhões de pedaços de papel na Casa Branca e que há mais de dois anos temos gente fazendo uma busca minuciosa."

Era difícil transmitir a desordem em que vivíamos desde que nos mudamos para a Casa Branca. Chegamos em 1993, com todas as nossas posses terrenas guardadas ao acaso em caixas, sobretudo porque não possuíamos uma casa onde guardar as coisas. Pouco depois de mudarmos para a residência, nós nos vimos em meio a uma grande reforma dos sistemas de aquecimento e ar condicionado, para fazer a Casa Branca se adequar aos padrões ambientais em relação à energia. Tivemos de enfiar caixas em armários e aposentos vazios, enquanto os operários colocavam a nova tubulação pelo interior de tetos e paredes. A cada semana, tínhamos de mudar novamente as caixas de lugar, para ficar um passo à frente da obra.

Durante o verão de 1995, o serviço de tubulação estava sendo feito no telhado e no terceiro andar, uma área informal com quartos extras para hóspedes, o Solário, um escritório, uma sala para exercícios, lavanderia e várias áreas de depósito. Uma destas, que chamávamos de "sala dos livros", era uma área de depósito onde havíamos construído prateleiras para abrigar a nossa enxurrada de livros. Com várias portas, que davam para a lavanderia, a sala de exercícios e um corredor usado pelos funcionários da residência, a sala dos livros era um dos locais mais movimentados da residência, com pessoas passando por ela em todas as horas do dia e da noite. Havíamos colocado mesas na sala dos livros, para as caixas de documentos e objetos pessoais, que eram regularmente trazidas para a Casa Branca de um armazém distante, e levadas novamente de volta, depois de examinadas e catalogadas. Carolyn Huber também tinha, na sala, vários armários para os documentos que ela estava organizando. E, para complicar, as mesas geralmente estavam cobertas com toalhas de plástico, para protegê-las do reboco e da poeira que caía do teto durante a obra.

A constante procura de documentos, para atender às intimações, aumentava a bagunça. David Kendall pediu-nos para instalar uma copiadora na sala dos fundos, a fim de que ele e seus assistentes pudessem copiar os documentos antes de entregá-los ao gabinete da promotoria independente. E foi onde, no verão de 1995, conforme Carolyn testemunhou posteriormente, ela encontrou, em cima de uma das mesas, um maço de papéis dobrados. Carolyn pensou que eram antigos registros deixados ali para ela arquivar. Sem saber do seu significado, ela o jogou numa caixa com outros registros, que haviam sido levados para a sua sala, já congestionada com caixas, que ela pretendia classificar quando tivesse mais tempo. Meses depois, ao começar a remexer neles, desdobrou os papéis e os reconheceu como sendo os registros há tanto tempo sumidos.

Carolyn fez a coisa certa ao convocar David imediatamente para lhe contar a respeito da descoberta. Ela vinha fazendo o máximo possível para permanecer à frente de uma avalanche de revisão de papéis e solicitações judiciais de documentos, e, como ela mesma admitiu, às vezes levava muito tempo para conseguir isso. Não falei com Carolyn sobre os registros de cobranças ou a investigação, pois não queria ser acusada de influenciar seu testemunho. Mas confio nela totalmente e sei que seu descuido foi um erro inocente e compreensível.

A comissão do senador D'Amato saiu imediatamente à procura de provas — jamais encontradas — de obstrução e perjúrio, após a descoberta dos registros de cobranças. Logo em seguida, a comissão requereu verba extra para uma prorrogação de dois — ou três — meses, para completar as suas audiências, que já haviam custado 900 mil dólares aos contribuintes. Poucos meses depois, a RTC divulgou um relatório complementar, confirmando que os registros de cobrança estavam de acordo com a contabilidade de minhas atividades como advogada. Com toda a certeza, eu não tinha motivos para escondê-los e lamentei por não terem sido encontrados antes.

E assim foi. As audiências e a cobertura da mídia continuaram, e todas as vezes que eu me sentava para dar uma entrevista a um apresentador de rádio ou a um *talk show* matutino de televisão, para falar sobre *It Takes a Village*, perguntavam-me sobre os registros de cobranças. Os únicos momentos luminosos, durante aquele mês, foram quando compareci a livrarias, escolas, hospitais infantis e outros programas que assistiam crianças e famílias por todo o país. A afluência era imensa, e as platéias calorosas e favoráveis, evidenciando ainda mais a desvinculação entre Washington e o resto da nação.

Essa desvinculação foi um dos motivos pelos quais quis escrever *It Takes a Village*. Ao meditar acerca das crescentes pressões sobre as crianças dos Estados Unidos, eu percebia quanto era ineficaz a crescente retórica partidária de Washington para solucionar os problemas que essas crianças enfrentavam.

Muitas das minhas convicções sobre o que é melhor para crianças e famílias não são aceitas facilmente por nenhuma classe política ou ideologia, e muita gente que conheci durante a viagem de divulgação do livro disse-me que achava a mesma coisa. As pessoas que passaram horas na fila não queriam conversar sobre o mais recente episódio da suja campanha na capital da nação. Elas queriam conversar sobre como é difícil conseguir uma creche de qualidade e por um preço razoável; o desafio de criar crianças sem o amparo de famílias grandes; as pressões de criar crianças em uma cultura de massas, que muito freqüentemente celebra os comportamentos de risco e valores distorcidos; a importância de boas escolas e custos de faculdades que se possam pagar; e uma gama de assuntos que pesam na mente de pais e outros adultos no mundo atual de rápidas mudanças. Eu me senti encorajada por essas conversas e esperava que o meu livro ajudasse a promover um debate nacional sobre o que é melhor para as crianças americanas.

It Takes a Village forneceu informações sobre idéias e programas desenvolvidos no nível da comunidade que estavam fazendo diferença nas vidas de crianças e famílias. Freqüentemente, um programa-modelo de uma comunidade não é reproduzido em outra parte porque há poucos canais para a comunicação. Um grupo de pais responsáveis de Atlanta, por exemplo, podia se beneficiar ao tomar conhecimento de um inovador programa pós-escola de Los Angeles para adolescentes em risco. Eu queria dar visibilidade a bem-sucedidos esforços da sociedade capazes de ressoar em comunidades por todo o país. Também esperava poder gerar direitos para obras de caridade que assistiam crianças, já que eu estava doando todos os lucros como autora. Ao final, consegui contribuir com quase 1 milhão de dólares.

A viagem de divulgação do meu livro teve, ainda, momentos pessoalmente reconfortantes. Em Ann Harbor, Michigan, no dia 17 de janeiro, dezenas de pessoas compareceram à livraria usando camisetas com os dizeres "Fã-clube Hillary". Ruth e Gene Love, um casal aposentado de Silver Spring, Maryland, havia fundado o clube em sua cozinha em 1992. Havia centenas de membros por todo o país e alguns no exterior. Os Love, com um nome bastante apropriado, tornaram-se amigos fabulosos, que, invariavelmente, pareciam saber quando eu precisava de uma força. Por onde eu viajava, mandavam os seus "fãs" me receberem com sorrisos, camisetas e cartazes feitos à mão.

Em San Francisco, James Carville ofereceu-me um jantar em um restaurante que ele acabara de comprar e convidou alguns dos meus amigos mais íntimos, especialmente para me animar. A minha extrovertida amiga Susie Bell comentou que não acompanhava tudo o que estava acontecendo em Washington, mas tinha algo a me dizer: "Bendito seja o seu coração". Isso era tudo o que eu precisava ouvir.

Durante a viagem de divulgação do livro, discursei na minha *alma mater*, Wellesley, em 19 de janeiro de 1996, e pernoitei na encantadora residência de sua extraordinária reitora, Diana Chapman Walsh. A casa da reitora está localizada nas margens do lago Waban e acordei cedo para dar um longo passeio pela trilha que circunda o lago. Eu tinha acabado de voltar quando David me telefonou para dizer que Kenneth Starr havia emitido uma intimação convocando-me a comparecer diante de um júri de instrução para testemunhar sobre os registros de cobranças desaparecidos. Dessa vez não haveria um depoimento tranqüilo na Casa Branca. Eu teria de testemunhar diante de um júri de instrução completo, na semana seguinte. Fiquei transtornada, mas sabia que não podia expressar os meus sentimentos a ninguém além de Bill e os meus advogados.

Melanne insistira em viajar comigo, pois sabia como seria a viagem de divulgação do livro com a pressão diária do questionamento da imprensa. Esse ato de amizade pessoal custou-lhe emocional e financeiramente, já que ela precisou enfrentar comigo a ocasião difícil e também pagar pela sua viagem. Aquele dia em Wellesley foi particularmente difícil, pois não podia contar-lhe o que estava acontecendo. Sempre perspicaz, ela percebeu a minha agitação e cuidou de todos os assuntos enfadonhos para mim. Jamais esquecerei sua gentileza e lealdade.

Retornei à Casa Branca desencorajada e constrangida, preocupada com o fato de que essa mais recente reviravolta pudesse destruir qualquer credibilidade que ainda me restava e que fosse afetar de algum modo a presidência de Bill. Ele ficou chateado e preocupado por minha causa. Não parava de me dizer quanto lamentava por não ter podido me proteger daquilo tudo.

Chelsea também estava preocupada comigo. Ela acompanhava de perto o desenrolar das investigações, às vezes muito mais do que eu desejaria. Do mesmo modo que eu queria protegê-la, ela queria me amparar e confortar. No início, tentei evitar sobrecarregá-la com o que eu estava vivenciando, mas, finalmente, percebi que, à medida que crescia, ela se sentia melhor quando sabia o que eu estava sentindo.

Bill havia sobrepujado os republicanos em relação aos fechamentos do governo, mas seu sucesso político não podia proteger nenhum de nós dois do abuso do processo criminal. Eu sabia que ele se sentia impotente diante de Starr e seus aliados. A raiva não é o melhor estado de espírito para alguém se preparar para comparecer diante de um júri de instrução. O fato de eu ser advogada ajudava-me de algum modo, pois eu entendia de processo. Entretanto, não consegui comer nem dormir na semana que antecedeu ao meu comparecimento e perdi quatro quilos e meio — uma dieta que não recomendaria a ninguém. Embora eu tivesse preparado meu testemunho, que era simples e franco, estava mais concentrada em controlar a minha raiva com o processo todo. Os jurados de instrução estavam realizando o seu trabalho como cidadãos. Eles mereciam o meu respeito, mesmo que os advogados que trabalhavam para Starr não o merecessem.

David argumentou firmemente com os promotores de Starr que me convocar para um júri de instrução era injustificado e um abuso do processo. Eu poderia ser interrogada particularmente, sob juramento, como o fora antes, e até mesmo apresentar um depoimento em vídeo. Starr, porém, insistiu em convocar-me a um tribunal. Um dos seus objetivos pode ter sido me humilhar publicamente, mas eu estava determinada a não deixar que ele dobrasse o meu ânimo. Talvez eu tenha sido a primeira mulher de um presidente a depor diante de um júri de instrução, mas o fiz à minha maneira. David disse-me que podíamos evitar os fotógrafos e as equipes de televisão do lado de fora do edifício, levando a limusine do Serviço Secreto para o estacionamento subterrâneo e pegando o elevador para o terceiro andar. Rejeitei a sugestão. Entrar sorrateiramente no prédio faria parecer que eu tinha algo a esconder.

Assim que o meu carro encostou diante do Tribunal Distrital dos Estados Unidos para o Distrito de Columbia, às 13h45 daquela agradável tarde de 26 de janeiro de 1996, eu saí, sorri e acenei para a multidão, e me encaminhei para o corte da justiça federal. Sabia que precisava ocultar os meus verdadeiros sentimentos em relação a Starr e seu absurdo comportamento. Por toda a semana eu tinha me preparado mental e espiritualmente para aquele momento. Respire fundo, dizia a mim mesma, e reze a Deus por ajuda.

Ao me preparar para entrar na sala do júri, acenei para os meus incansáveis advogados e falei: "Olá! Para o pelotão de fuzilamento!".

O júri de instrução reúne-se em uma grande sala de julgamentos no terceiro andar. De acordo com os procedimentos federais que regulamentam os júris de instrução, testemunhas não podem levar um advogado para a sala do tribunal. Eu estava sozinha. Todos, menos dois dos jurados de instrução, estavam presentes — dez eram mulheres e a maioria afro-americanas. Eles pareciam representar perfeitamente o distrito em que atuavam. Cada um dos oito homens assistentes de Kenneth Starr se parecia exatamente com ele.

Starr deixou as perguntas para um dos assistentes, enquanto permanecia sentado à mesa do promotor, olhando fixamente para mim. Respondi a todas as perguntas, muitas delas várias e várias vezes. Eu me encontrava no corredor externo, durante um dos três intervalos, quando um dos jurados se aproximou e perguntou se eu poderia autografar o seu exemplar de *It Takes a Village*. Olhei para David, que sorria, e então assinei o livro. Posteriormente, soube que, após uma investigação sobre esse "incidente", o jurado foi dispensado do grupo.

Depois de quatro horas, estava tudo terminado. Em uma sala lateral, me reuni rapidamente com os meus advogados, David e Nicole Seligman, com

Jack Quinn, o novo consultor jurídico da Casa Branca, e Jane Sherburne. Conversamos sobre o que eu diria aos repórteres, que estavam esperando ansiosamente por mim. Ao me encaminhar para a saída, passei por salas do prédio e notei que, aparentemente, ninguém tinha ido para casa. Muita gente ficara por ali para cumprimentar-me ou dizer-me algo positivo.

Estava quase escurecendo quando pisei do lado de fora e, sorrindo novamente, concordei em responder a algumas perguntas dos repórteres. Eles queriam saber como eu estava me sentindo.

"Foi um dia cansativo", falei.

"A senhora preferia ter estado em algum outro lugar, no dia de hoje?"

"Ah, em milhões de outros lugares."

Quando me perguntaram sobre os registros de cobranças, disse-lhes: "Eu, como todo mundo, gostaria de saber a resposta sobre como esses documentos apareceram depois de todos esses anos. Tentei ser o mais prestativa possível no trabalho desenvolvido durante as investigações".

Acenei ao entrar na limusine para a viagem de volta à Casa Branca. Ao entrar na Sala de Recepção Diplomática, Bill e Chelsea estavam à minha espera, para fortes abraços e perguntas ansiosas sobre como tinha sido tudo. Disse-lhes que apenas estava contente por aquilo ter terminado.

Na cobertura de imprensa que se seguiu, muito foi falado sobre o comprido casaco preto de lã com bordados que usei naquele dia. Um repórter observou que a roupa era "engalanada nas costas com um dragão dourado", o que levou os gurus da capital a deduzir o seu significado simbólico: Seria aquilo um totem? Seria eu a Lady Dragão? A Casa Branca foi obrigada a divulgar uma nota explicando que os apliques espiralados do casaco, feitos por Connie Fails, uma amiga designer de Little Rock, não tinham nenhum significado: tratava-se apenas de um padrão abstrato, que, segundo escreveu uma colunista de moda, parecia uma "representação *art déco* de conchas". A minha assessoria de imprensa lembrou aos repórteres que eu vesti o casaco durante os eventos de posse, em 1993 — quando ninguém comentou os desenhos —, mas isso não encerrou o falatório. O casaco "tornou-se um teste de Rorschach político de Washington", observou outro repórter. Era realmente verdade.

Na noite seguinte, forcei a mim mesma a comparecer a mais um dos rituais de Washington, o jantar do Alfafa Club. Trata-se de um clube com apenas um propósito: nomear um presidente de mentira durante um jantar anual formal. Eu estava sentada sobre o tablado do salão de baile do Capitol

Hilton Hotel, com o meu marido e uma porção de secretários de gabinete e juízes da Suprema Corte. O escolhido de mentira, naquele ano, foi Colin Powell. Ele levantou-se para falar, saudou os dignitários presentes, senhoras e senhores extremistas republicanos, democratas e outros menos importantes; e convidados denunciados. Essa era, supus, uma categoria composta por apenas uma pessoa — eu. Levantei os braços e sorri, quando Powell se virou e sorriu maldosamente na minha direção. Depois que Powell encerrou a sua fala, Bob Rubin, o então secretário do Tesouro, aproximou-se de mim e cochichou: "Enquanto não comparecer cinco vezes perante um júri de instrução, como eu, você é fichinha".

25

ZONAS DE GUERRA

SABENDO DA IMPORTÂNCIA DO LONGO e complexo relacionamento com a França, Bill e eu estávamos ansiosos por causa do nosso primeiro jantar cerimonial para o presidente francês Jacques Chirac e sua mulher Bernadette, em fevereiro de 1996. Chirac, um político conservador do partido de De Gaulle, tinha sido prefeito de Paris por dezoito anos. E, apesar de Chirac ser fluente em inglês e ter viajado muito pelos Estados Unidos, quando jovem, o seu afeto pessoal pelos Estados Unidos nem sempre se traduzia com o apoio do seu governo às nossas políticas. Bill, contudo, trabalhou arduamente para conseguir a cooperação francesa, mais notadamente em 1999, quando convenceu a França a concordar com os ataques aéreos da OTAN para acabar com a limpeza étnica no Kosovo, apesar da falta de uma resolução específica da ONU.

A diplomacia é algo estranho, mesmo quando se trata de relações com os nossos aliados. O vínculo e o respeito mútuo entre os nossos países têm origem na época em que eles ajudaram a nossa Revolução, mas há ocasiões em que as políticas francesa e americana divergem, e as relações ficam tensas, como vimos em relação à guerra dos Estados Unidos contra o Iraque, contra a qual o governo francês opôs-se sonora e veementemente.

O primeiro obstáculo do jantar foi o menu. Os franceses são lendários por causa de sua cozinha e eu me preocupava com a refeição perfeita a ser servida a eles na Casa Branca. O nosso chef, Walter Scheib, nascido e formado nos Estados Unidos, não se intimidou nem um pouco e me garantiu que combinaria o melhor das duas tradições culinárias.

As mesas redondas da Sala de Jantar Cerimonial estavam cobertas com toalhas cor de damasco e repletas de cristal, prata e rosas. Enquanto caía em Washington uma neve de meio de inverno, diplomatas, líderes empresariais, artistas plásticos e estrelas do cinema tagarelavam diante de lagostas com limão e tomilho, sopa de berinjela assada, costelas de carneiro e purê de batata-doce, acompanhados dos melhores vinhos americanos. A partir dessa primeira refeição e dos nossos encontros subseqüentes com os Chirac, Bill e eu descobrimos que, se o mundo da diplomacia é estranho, ele também pode ser repleto de surpresas.

"É claro que eu adoro muitas coisas dos Estados Unidos, inclusive a comida", disse-me o presidente Chirac, sentado à minha direita. "Sabe, eu trabalhei num restaurante Howard Johnson."

A despeito das sérias diferenças políticas ocasionais entre os Estados Unidos e a França, Bill e eu mantivemos um confortável diálogo com os Chirac durante os anos que passamos na Casa Branca, e adorei a visita que fiz com Bernadette Chirac à França central. Sobrinha do ajudante-de-ordens do general De Gaulle, Bernadette é uma mulher elegante e culta, que desde 1971 tem sido a representante eleita de um distrito eleitoral da região de Corrèze, na parte central da França. Foi a única esposa de presidente que conheci que havia sido eleita por sua própria conta. Fiquei fascinada com o papel independente que ela criou para si mesma e pelas histórias de andar e dirigir sozinha, de casa em casa, pedindo votos. Posteriormente, ela me convidou para visitar os seus eleitores e, em maio de 1998, passei um dia glorioso com ela, em Corrèze, conhecendo as pessoas que representava.

* * *

Em pouco tempo, chegou o momento de festejar outro marco da família: o aniversário de dezesseis anos de Chelsea. Mal podia acreditar como nossa filha estava crescendo depressa. Parecia ter sido ontem que ela fez a primeira aula de dança e rastejou até o meu colo para ler um livro. Agora, estava quase da minha altura e queria tirar licença de motorista. Isso era bastante aterrorizador; mais medonho ainda era o fato de o pai a estar ensinando a dirigir.

Fora dos campos de golfe, o Serviço Secreto nunca deixava Bill sair sozinho dirigindo por aí, o que era uma boa coisa. Não que o meu marido não tenha habilidade mecânica, mas a questão era que havia tanta informação em sua cabeça em certos momentos, que ele nem sempre percebia aonde estava indo. Mas ele insistia em cumprir o seu dever de pai e pegava emprestado um carro da frota do Serviço Secreto, em Camp David.

Depois da primeira lição de marcha à ré e estacionamento paralelo, encontrei-me com Chelsea quando ela retornava para o Aspen Lodge. "Como é que foi?"

Ela respondeu, "Bem, acho que papai aprendeu bastante".

Ser filha de um presidente nunca é fácil, desde a perda do anonimato à segurança 24 horas. Mesmo depois que ela cresceu mais, Bill e eu resolvemos que devia levar uma vida o mais normal possível. Nós fazíamos de tudo a fim de manter as nossas agendas livres para jantarmos na cozinha da família, colocar a conversa em dia e falar sobre os planos para o fim de semana ou viagens da família. Não importava o que mais estivesse acontecendo, eu tentava permanecer no segundo andar quando Chelsea chegava do balé, para o caso de ela desejar conversar. No mínimo, queria dar uma olhada nela, antes de ela desaparecer dentro do quarto.

Também fazíamos o melhor possível para protegê-la das investigações e da dura cobertura da mídia, mas tenho certeza de que essa pressão a mais tornava a vida na Casa Branca ainda mais desafiadora para Chelsea. Eu a forcei a amadurecer mais cedo e tornar-se uma boa julgadora de caráter, para identificar e descartar os bajuladores e falsos amigos e edificar relações com amigos de verdade, que continuam até hoje fiéis a ela.

Festejamos o seu 16? aniversário, em 27 de fevereiro de 1996, com uma apresentação de *Les Misérables*, no National Theatre. Depois, Bill e eu levamos um ônibus repleto com os amigos dela para um fim de semana em Camp David. Chelsea planejou as atividades, que incluíram uma tarde com um jogo de *paintball*. Os fuzileiros alojados em Camp David eram poucos anos mais velhos do que os convidados e eles organizaram turmas oponentes de adolescentes, cobertos com camuflagem, que passaram a correr pelos bosques para acertar uns aos outros com bolas cheias de tinta. Bill gritava ordens e estratégias de batalha para quaisquer dos grupos que parecessem estar em desvantagem. Após o jantar de aniversário na Laurel Lodge, concluído com um gigantesco bolo de cenoura preparado pelo incomparável chef de pastelaria da Casa Branca Roland Messier, voltamos a nos reagrupar na Hickory Lodge para assistir a filmes e jogar boliche na pista instalada pelo presidente Eisenhower. Pouco depois da meia-noite, Bill e eu finalmente admitimos para nós mesmos que não tínhamos mais dezesseis anos.

Chelsea e os amigos já estavam pensando além da escola secundária, e, apesar da minha aflição de nós dois não a termos em casa por muito mais tempo, eu tentava não sobrecarregá-la com os meus sentimentos a respeito disso. Apenas torcia para que ela escolhesse uma universidade perto de Washington.

Todos os anos a escola Sidwell Friends promove uma "noite universitária" para alunos do penúltimo ano e seus pais. Bill e eu fomos com Chelsea, para ouvir representantes de várias universidades discorrerem sobre o que era preciso para se habilitar e como se candidatar. Chelsea ficou calada durante toda a curta viagem de volta à Casa Branca. Então, de repente, ela falou: "Sabem, acho que talvez seja interessante eu visitar Stanford".

Esquecendo tudo o que sabia sobre psicologia inversa e relação mãe e filha, eu deixei escapar: "O quê? Stanford é muito longe! Não pode ficar tão distante. Isso fica na Costa Oeste... três fusos horários de distância. Nunca conseguiremos ir visitar você".

Bill apertou o meu braço e disse a Chelsea: "Meu bem, você pode ir para onde quiser". E, é claro, eu sabia que, se Chelsea quisesse ir para Stanford, e fosse aceita, ficaria emocionada por ela. Eu lembrava muito bem do meu pai eliminando as nossas opções, e Bill e eu juramos nunca fazer isso. Contudo, eu esperava com fervor que ela permanecesse no fuso horário de Washington. A conversa, porém, forçou-me a encarar a realidade: não importava para onde ela fosse, dentro de um ano e meio estaria nos deixando. Podia ser que Chelsea estivesse pronta, mas eu não estava, e decidi passar mais tempo com ela, ou pelo menos o máximo que ela me permitisse passar!

O Departamento de Estado pedira-me para ir como emissária à Bósnia-Herzergóvina, a fim de reforçar a importância do Acordo de Paz de Dayton, que havia sido assinado em novembro. Avanços no solo pela coalizão croata-muçulmana que os Estados Unidos tinham ajudado a apoiar, junto com os ataques aéreos da OTAN que Bill havia defendido, finalmente forçaram os sérvios a negociar um acordo. Eu também estava agendada para fazer escalas nas bases militares dos Estados Unidos na Alemanha e na Itália, e passar uma semana na Turquia e na Grécia, dois importantes aliados dos Estados Unidos e da OTAN, que estavam em uma difícil e tensa negociação por causa de Chipre e outras questões não resolvidas.

Bill e eu conversamos sobre se Chelsea devia evitar a parte da viagem a Bósnia. Avaliamos os riscos com a segurança e decidimos que, se tomássemos as devidas precauções, ela e eu ficaríamos bem. Chelsea era madura o suficiente para aproveitar essa experiência. Além do mais, estávamos viajando com a trupe da USO [United Service Organizations], que incluía a cantora Sheryl Crow e o comediante Sinbad, todos dispostos a correr os riscos relacionados com a viagem.

Eu achava que Bill, o secretário de Estado Warren Christopher e seu enviado especial, o embaixador Richard Holbrooke, tinham realizado um milagre em Dayton, ao convencerem sérvios, croatas e muçulmanos a encerrarem os combates e concordarem com uma nova estrutura de governo. A fim de isolar os grupos combatentes e estabelecer uma segurança básica, os Estados Unidos tinham enviado cerca de 18 mil soldados das tropas de paz, que se juntariam a 40 mil de outros países. O governo queria um forte sinal de que os acordos de paz eram para ser honrados e seriam cumpridos. A minha equipe brincava comigo, sugerindo que o Departamento de Estado tinha uma diretriz: se o lugar é pequeno demais, perigoso demais ou pobre demais — mandem Hillary. Por mim, não havia problema, pois, em geral, os lugares longínquos e arriscados eram os que mais necessitavam de uma atenção urgente. Senti-me honrada em ir à Bósnia.

No domingo, dia 24 de maio, o nosso 707 adaptado chegou à Base Aérea de Ramstein, na Alemanha, perto de Baumholder, a região da Primeira Divisão de Blindados que fornecia a maior parte das forças americanas na Bósnia.

Dois anos antes, os alemães tinham recebido calorosamente Bill e a mim durante uma comemoração em uma unidade em Berlim, quando atravessamos o Portão de Brandemburgo com o chanceler Kohl e senhora e pisamos no solo que, até 1989, fora parte da Alemanha Oriental comunista. Um homem comprometido, emotivo e até mesmo brincalhão, Helmut Kohl tornou-se amigo e parceiro político de Bill. Kohl dedicou-se a superar quarenta anos de divisão do seu país e unir os lados ocidental e oriental em uma só nação alemã. Também foi atuante na construção da União Européia, adotando a moeda comum e apoiando os esforços dos Estados Unidos para acabar com o conflito nos Bálcãs. A cooperação entre os nossos dois países foi um nítido exemplo de uma ativa aliança de pós-guerra para alcançar a paz e a segurança na Europa.

Após chegarmos em Baumholder, Chelsea e eu fomos à igreja, nos encontramos com as famílias de nossos soldados e desfrutamos uma breve apresentação de Sheryl e Sinbad no refeitório. Por volta das seis e meia da manhã seguinte, a nossa comitiva embarcou num avião de transporte C-17 e decolamos para a base aérea de Tuzla, na Bósnia-Herzegóvina. Além dos artistas, levamos uma carga com correspondência e presentes para as tropas, inclusive doações de empresas americanas de 2.200 cartões telefônicos para ligações de longa distância e trezentos filmes em vídeo. A Casa Branca contribuiu com seis caixotes com chocolates M&M, cada qual contendo o selo presidencial. Às crianças da Bósnia, que haviam perdido anos escolares por causa da guerra, as empresas americanas doaram material escolar e brinquedos.

Passei o vôo de uma hora e quarenta minutos percorrendo o cavernoso bojo do imenso avião de transporte, conversando com a tripulação e membros da imprensa, que se mantinham presos a correias no banco normalmente utilizado para saltos de pára-quedas. Era como passear no interior de um dirigível, só que mais barulhento. O piloto, na ocasião uma das somente quatro mulheres pilotos de C-17 da Força Aérea, mantinha o avião viajando bem acima da devastada zona rural, distante do alcance dos mísseis terra-ar e disparos de franco-atiradores. Para lembrar dos perigos que permaneciam, apesar do cessar-fogo oficial, foi exigido que cada um de nós usasse no avião um colete à prova de balas e o Serviço Secreto, durante o pouso, levou Chelsea e a mim para a cabina blindada. Acima da pista, a capitã mergulhou uma asa e fez um pouso quase perpendicular, a fim de evitar um possível fogo de terra.

As condições de segurança mudavam constantemente na ex-Iugoslávia e recentemente tinham voltado a se deteriorar. Devido a informações de que havia franco-atiradores nas colinas em volta do aeroporto, fomos forçados a abreviar um evento na pista de pouso com as crianças do local, mas tivemos tempo para conversar com elas e suas professoras e tomar conhecimento do árduo trabalho que tiveram, durante a guerra, para continuar as aulas em qualquer lugar seguro que puderam encontrar. Uma menina de oito anos me deu a cópia de um poema que havia feito, intitulado "Paz". Chelsea e eu entregamos o material escolar que havíamos levado e cartas de crianças da escola elementar de Baumholder, cujos pais e professores haviam iniciado um programa de troca de correspondência. Em seguida, fomos levados às pressas para a base americana fortificada em Tuzla, onde cerca de 2 mil soldados americanos, russos, canadenses, ingleses e poloneses encontravam-se acampados em uma enorme cidade de barracas.

Sheryl Crow, Sinbad, Chelsea e eu voamos em helicópteros Black Hawk para visitar soldados em posições avançadas. Fomos escoltados por helicópteros de combate, uma indicação do quanto pode ser perigoso o trabalho de manutenção da paz. Pousamos em Camp Bedrock e Camp Alicia, postos avançados do Exército no nordeste da Bósnia. Vimos nossas tropas demonstrar como desarmavam minas em campos e estradas, uma missão assustadora e outra lembrança da vida precária que os nossos soldados levavam. Muitas vozes em nosso país estavam levantando dúvidas sobre o papel dos Estados Unidos na Bósnia. Algumas argumentavam que os soldados não deviam se envolver na "manutenção da paz", embora isso tenha sido parte de nossa histórica missão militar em locais e épocas tão diferentes quanto o deserto do Sinai depois do acordo e paz entre Israel e Egito, e a zona desmilitarizada, depois da Guerra da Coréia. Outras alegavam que as tropas européias, e não as americanas, deviam assumir a responsabilidade de manter seguras as fronteiras da região. Por causa dessas preocupações, passei algum tempo conversando com soldados e oficiais, pedindo a opinião deles e ouvindo sua avaliação sobre a missão. Um tenente disse-me que só veio a compreender o papel que os Estados Unidos podiam desempenhar depois de ver a Bósnia por si mesmo.

"Antes de chegarmos", disse ele, "era difícil avaliar o que estava acontecendo aqui." Contou que grupos étnicos, que viviam juntos e em paz, de repente passaram a se matar por causa de suas religiões. "A gente foi às aldeias e viu a destruição", observou. "Viu telhados de casas arrancados. Viu vizinhanças inteiras completamente bombardeadas. Viu pessoas que precisaram sobreviver durante anos com praticamente nenhuma comida para comer ou água para beber. Mas, agora, aonde quer que a gente vá, as crianças acenam e sorriem para nós", falou. "Para mim, é motivo suficiente para estarmos aqui."

Da janela do nosso helicóptero, vi por mim mesma a desolação da guerra. À distância, a extensa zona rural parecia bela e verde, típica da Europa pastoral. Ao voar mais baixo, porém, pude ver que havia poucas casas de fazenda com o telhado intacto e era rara a edificação que não estivesse perfurada por balas. Os campos não estavam cultivados; encontravam-se dilacerados pelos bombardeios. Era primavera, mas ninguém estava plantando, por causa do perigo das minas e dos franco-atiradores. As florestas e as estradas também não eram seguras. Foi terrível ver a extensão do sofrimento e reconhecer quanto trabalho teria de haver até o povo da Bósnia poder retornar a algo semelhante a uma vida normal.

Eu havia planejado uma escala em Sarajevo, para um encontro com uma delegação multiétnica, a fim de ouvir suas idéias sobre o que o governo dos Estados Unidos e empresas privadas poderiam fazer para ajudar a curar uma sociedade dilacerada pela guerra. A situação da segurança forçou-me a cancelar a viagem a Sarajevo, mas as pessoas com quem eu ia me reunir ficaram tão decepcionadas que insistiram em se aventurar a fazer a viagem ao longo de oitenta quilômetros de estradas traiçoeiras para se encontrar comigo em Tuzla.

O encontro foi na sala de reuniões do quartel-general do Exército americano. Os meus visitantes, que incluíam o primeiro cardeal bósnio da Igreja Católica Romana e o líder da Igreja Ortodoxa da República Sérvia, pareciam exaustos e arrasados, por causa da provação, mas estavam ansiosos para falar. Descreveram o que tinham tentado fazer para manter um senso de normalidade em um mundo virado de cabeça para baixo por uma guerra. Contaram o choque da descoberta de verem amigos e colegas de longa data não falarem mais com eles e, às vezes, tornarem-se extremamente hostis. Quando começou a violência, bombas e franco-atiradores viraram um modo de vida. O diretor bósnio do setor de traumatologia do Hospital do Kosovo disse-me que o estabelecimento foi mantido aberto, mesmo depois de se acabarem os suprimentos e o fornecimento de energia. Uma professora de jardim-de-infância, que havia perdido o próprio filho de doze anos durante o cerco de Sarajevo, contou que a sua turma diminuía à medida que as crianças fugiam com as famílias, deixavam de freqüentar a escola ou se tornavam baixas da violência caótica e arbitrária. Um jornalista sérvio, que fora surrado e preso por colegas sérvios por tentar proteger bósnios muçulmanos, confirmou que os danos psicológicos são freqüentemente mais prejudiciais do que a devastação física. Em muitos lugares que visitei, o efeito nocivo da guerra nos corações e mentes dos cidadãos ainda serão evidentes décadas e até séculos depois. Recuperar uma infra-estrutura destruída em conseqüência da guerra é uma coisa; recuperar a confiança entre as pessoas é outra completamente diferente.

Após o encontro, dei uma volta pelo acampamento para examinar as condições de vida dos soldados e passei pela enfermaria, refeitório e salão de recreação. Depois que Cheryl e Sinbad retornaram para Tuzla, realizaram um dos maravilhosos shows da USO. Durante toda a viagem, Chelsea foi um grande sucesso com os soldados e suas famílias, apertando mãos e dando autógrafos, com sua cordialidade e graça habituais. Até mesmo foi convocada a participar do entretenimento, quando o mestre-de-cerimônias a chamou de seu assento na platéia para subir ao palco. Sem um pingo de inibição, ela foi até o microfone para participar de uma brincadeira.

"O seu nome é Chelsea?", brincou o sargento-ajudante.

"Mais ou menos", respondeu ela, rindo.

Em seguida, ele pediu que Chelsea fizesse uma demonstração do grito de incentivo do Exército, que ela tinha ouvido da multidão.

"Huuuu-ra!"

"Muito bem", disse ele. "Tente novamente."

"HUUUU-ra!", berrou ela. A multidão irrompeu em aplausos e voltou a bradar os seus hurras roucos.

Embora estivesse valendo a regra imposta à mídia — nada de entrevistas com Chelsea, nem fotos não autorizadas —, obviamente, ela foi mais autoconfiante e brincalhona nessa viagem do que nunca. Como o pai, Chelsea era naturalmente amigável e curiosa, e desembaraçada em meio a uma multidão. Quando visitamos as tropas americanas alojadas em Aviano, Itália, mais tarde, naquele mesmo dia, ela revelou mais de sua espontaneidade. Acompanhou-me nas poses para as fotos com um grupo de pilotos e mecânicos da Força Aérea. Estávamos nos afastando, quando uma voz gritou mais atrás:

"Ei, Chelsea! Como vão as suas aulas de direção?"

Ela deu meia-volta para responder ao jovem em roupas de combate que, obviamente, havia lido uma recente reportagem sobre ela.

"Vão bem", respondeu, sorrindo. Ela deu mais alguns passos, virou-se novamente e gritou: "Tome cuidado quando você for a Washington!".

Essa viagem deixou impressões duradouras em Chelsea e em mim. Ficamos muito orgulhosas de nossos homens e mulheres uniformizados, que exemplificavam o melhor dos valores e da diversidade dos Estados Unidos. Se os povos dos Bálcãs precisassem de mais provas dos benefícios do pluralismo, tudo o que teriam a fazer seria sentar-se à mesa do refeitório dos campos de Tuzla, Bedrock ou Alicia, cercados por uma variedade de cores de pele, religiões, sotaques e maneiras de ser. Essa diversidade é uma das forças dos Estados Unidos e também poderia ser a deles.

Antes de arrematarmos a viagem em Istambul e Atenas, voamos de Ancara, a capital da Turquia, para Éfeso, uma antiga cidade grega na costa sul da Turquia, que havia sido maravilhosamente restaurada. Era um dia impecável, claro e ensolarado, com vistas de tirar o fôlego do litoral e do mar Egeu azul-esverdeado abaixo. Lembro-me de ter pensado: que dia perfeito para voar e que momento perfeito para estar vivo.

Cheguei de volta a Washington no último dia de março, fisicamente exausta, mas repleta de informações e impressões para dividir com Bill. Os problemas que vi na Bósnia fizeram as sagas correntes em Washington parecerem pequenas e inconseqüentes. E as sagas continuavam. Mas, para variar, Ken Starr estava sob escrutínio.

Em um editorial criticando o gabinete da promotoria independente, o *New York Times* censurava Starr por continuar com sua prática advocatícia de 1 milhão de dólares anuais, ao mesmo tempo em que investigava a Casa Branca. O caso, dizia o editorial, "exige um promotor imparcial e desimpedido", mas deixava de pedir a renúncia de Starr como promotor independente, argumentando — absurdamente, creio eu — que a sua investigação possivelmente contaminada estava "adiantada demais para ser reiniciada". De qualquer modo, era revigorante a imprensa alertar o público sobre a atuação de Starr como representante legal de empresas, como fábricas de cigarros, cujos interesses estavam em transparente conflito com os do governo Clinton. Quando nomearam Kenneth Starr promotor independente, não lhe foi exigido, nem o pressionaram, para que renunciasse à sua participação como sócio decano do escritório de advocacia Kirkland & Ellis, nem ele se sentiu obrigado a abandonar sua lucrativa participação em ações judiciais — que eram afetadas diretamente pela política da administração Clinton.

Alguns poucos jornalistas intrépidos — Gene Lyons, do *Arkansas Democrat Gazette*, e Joe Conason, do *New Yorker Observer* — haviam mostrado os conflitos de interesses de Starr em publicações de circulação limitada, mas agora a história começava a aparecer nos jornais principais de Washington.

Como um veterano do governo Reagan e do primeiro de Bush, as credenciais partidárias republicanas de Starr eram bem conhecidas. E também, em menor escala, as suas ligações com a direita religiosa e com Paula Jones. Mas, até recentemente, fizera-se vista grossa para as relações comerciais de Starr com os nossos adversários políticos.

No dia 11 de março de 1996, o USA *Today* informou que Starr estava recebendo 390 dólares por hora para representar o estado de Wisconsin, em sua tentativa de defender o programa de *voucher* escolar [um crédito para alunos poderem optar por uma escola particular], uma política educacional à qual a administração Clinton se opunha. Seus honorários eram pagos pela arquiconservadora Fundação Bradley. A lista prosseguia: um artigo na revista *The Nation* apresentava fatos provando que ocorria um verdadeiro conflito de interesses em relação a Starr, pois, como promotor em meio expediente, ele estava investigando a RTC ao mesmo tempo em que a RTC investigava o seu escritório de advocacia Kirkland & Ellis. A RTC havia processado por negligência o escritório Kirkland & Ellis em um caso de uma firma de empréstimo e poupança de Denver. Os próprios interesses pecuniários de Starr na sociedade de seu escritório de advocacia estavam diretamente em jogo, e como, no mínimo, havia um aparente conflito de interesses, que a mídia ignorava, ele deveria ter se recusado a participar da investigação contra a RTC. Enquanto o acordo feito entre a RTC e o seu escritório de advocacia, no qual este pagou 325 mil dólares, era mantido em segredo de justiça, cada detalhe do trabalho jurídico do escritório Rose para a Madison Guaranty era minuciosamente investigado pela RTC, pelo Congresso e pela imprensa. Não houve investigação sobre o acordo e os atos de Starr.

O súbito surgimento de noticiário desfavorável, em março, não causou nenhum efeito perceptível em Starr. Ele ignorou a repreensão feita pelo *New York Times*, para que "se licenciasse de seu escritório e de todos os casos dele, até serem encerrados os seus deveres em relação a Whitewater". Pelo contrário: no dia 2 de abril, o promotor independente defendeu um importante caso em benefício de quatro grandes fabricantes de cigarros, no Quinto Tribunal Itinerante Distrital de Apelação, em New Orleans.

Eu estava desalentada com a existência de dois pesos e duas medidas que protegiam Starr e seus clientes de responsabilidade, enquanto a facção conservadora jogava abertamente a carta do "conflito de interesses" para eliminar juristas e investigadores apartidários. Robert Fiske, o promotor especial original, fora afastado de seu cargo em agosto de 1994 para dar lugar a Starr. Fiske foi afastado por causa de uma alegação de conflito de interesses muito mais tênue do que os diversos conflitos políticos e financeiros que deveriam ter evitado a nomeação de Starr, e, em várias ocasiões durante o processo, teriam exigido a renúncia dele.

Starr utilizou uma queixa ilegítima de conflito de interesses para afastar, de um caso não relacionado, um dos mais prestigiados juristas da magistratura federal do Arkansas, porque o juiz havia decidido contra ele. Esse caso não estava relacionado com Bill ou comigo, e nem sequer envolvia a Madison Guaranty, os McDougal ou qualquer um ligado ao investimento de Whitewater. Starr usara o seu poder como promotor independente para denunciar Jim Guy Tucker, o governador democrata do Arkansas, que havia sucedido Bill, sob acusação de fraude e conspiração, envolvendo a compra feita por Tucker de estações de televisão a cabo no Texas e na Flórida. Em junho de 1995, Starr usava ameaças e indiciamentos como instrumentos de intimidação, ameaçando qualquer um que conseguisse e oferecendo-lhes acordos, se contassem alguma coisa — qualquer coisa! — que incriminasse Bill ou a mim. O juiz distrital federal Henry Woods foi designado para o caso do indiciamento de Tucker feito por Starr, e, após examinar os fatos, rejeitou a acusação, pois ela nada tinha a ver com a investigação de Whitewater. Baseado na interpretação que Woods fez da lei da promotoria independente, Starr havia abusado de sua autoridade. Starr apelou da decisão e pediu que o juiz Woods fosse retirado do caso.

O juiz Woods, um ex-agente do FBI e eminente advogado, fora nomeado magistrado pelo presidente Jimmy Carter. Aos 77 anos, concluía uma carreira estelar como jurista e defensor dos direitos civis no Sul. Em mais de quinze anos de magistratura, o juiz Woods ficou famoso por decisões justas, praticamente incontestáveis, e que raramente eram derrubadas — até ele surgir no caminho de Starr.

Os três juízes do tribunal federal, que ouviram o recurso de Starr, eram republicanos conservadores indicados para o Oitavo Tribunal Distrital Itinerante de Apelações pelos presidentes Reagan e Bush. O colegiado de juízes aceitou ambos os recursos de Starr, reintegrando a acusação e concordando em afastar Woods, não porque acreditasse que ele pudesse ser tendencioso, mas porque críticas a ele em matérias de jornais e revistas poderiam dar uma "impressão" de prejulgamento.

Essa decisão incomum e sem precedentes me ofendeu como advogada. Um promotor não deveria poder tirar um juiz de um processo por não ter gostado de uma decisão. E, nesse caso, Starr não fez inicialmente uma petição ao juiz Woods para que este se julgasse impedido. Se o tivesse feito, o juiz poderia ter apresentado a sua defesa, respondido às alegações de Starr, colocado a questão em audiência de instrução e julgamento e obtido um veredicto. Já que Starr fez a moção diretamente a uma corte de apelação, o juiz Woods não teve nenhuma oportunidade de contestar.

As matérias jornalísticas depreciativas que os juízes de apelação usaram para desqualificar o juiz Woods podiam ter o rastro seguido até o juiz Jim Johnson, um velho politiqueiro segregacionista do Arkansas, que já havia merecido o endosso da Ku Klux Klan em sua disputa para o governo estadual e desprezava Bill e o juiz Woods, por causa de suas opiniões liberais do Novo Sul sobre o racismo. O editorial de Johnson atacando Woods e praticamente quase todos os políticos do Arkansas foi publicado no direitista *Washington Times*. O editorial estava repleto de informações falsas, que a maioria dos outros veículos de imprensa aceitou como fatos. Depois de seu afastamento, o juiz Woods declarou ao *Los Angeles Times*: "Tenho a honra de ser o único juiz na história anglo-americana, pelo que me consta, a ser afastado de um processo com base em relatos de jornais, artigos de revistas e transcrições da televisão".

Eu me senti péssima por Jim Guy Tucker e sua mulher Betty terem sido colhidos pela expedição de pesca de Starr. A despeito do empenho de Starr, Jim Guy, que perdera as eleições primárias para governador em 1982 para Bill, não mentiu sobre nós. Isso não impediu Starr de ir mais adiante, com outra denúncia, que levou Tucker a ser julgado com Jim e Susan MacDougal, em Little Rock, Arkansas, em março de 1996.

Dessa vez, Tucker e os McDougal foram acusados de conspirar para fraude telegráfica, fraude postal, má aplicação de fundos de firma de empréstimos e poupança e fazer lançamentos falsos na sua contabilidade. A maior parte das acusações contra eles podia ser rastreada até David Hale, um empresário republicano do Arkansas de reputação duvidosa. A denúncia alegava que Hale fora conivente com Jim McDougal para conseguir empréstimos da Madison Guaranty e da Small Business Administration para vários projetos, inclusive compras de terrenos, ou para empresas de Hale, dos McDougal e de Jim Tucker; que esses empréstimos não foram pagos e que a utilização e a justificativa para os empréstimos eram geralmente falsas. A denúncia, com 21 enquadramentos, não fazia referência à Whitewater Development Co., Inc., ao presidente ou a mim.

Hale era consumado ladrão e vigarista — e foi motivado. Ele estava cooperando com Starr na esperança de evitar uma longa sentença de prisão por seus crimes anteriores. A Small Business Administration, que emprestara milhões de dólares à empresa de Hale com a intenção de beneficiar pequenos negócios e pessoas de baixa renda, informou que havia perdido 3,4 milhões de dólares por causa das atividades impróprias, autopagamentos e transações proibidas de Hale. A SBA finalmente colocou a sua empresa em sindicância, e, em 1994, Hale confessou-se culpado de conspirar para defraudar a SBA em 900 mil dólares, mas a sua sentença foi adiada até pouco antes do julgamento McDougal-Tucker, dois anos depois. Sua história mudou bastante com o passar do tempo e ele sempre estava disposto a fornecer quaisquer testemunhos que os promotores quisessem. Os advogados de defesa argumentaram veementemente a fim de convencer o juiz para que fossem admitidos testemunhos sobre as ligações de Hale com ativistas de direita, os pagamentos feitos pelo escritório do promotor independente, as suas mais de quarenta ligações telefônicas para o juiz Jim Johnson antes e depois de seu acordo com Starr, e o serviço jurídico gratuito que teve do advogado Ted Olson, um velho amigo de Kenneth Starr e advogado do Projeto Arkansas e do *American Spectator*, a publicação de propaganda da direita. Posteriormente, Olson enganaria a Comissão de Justiça do Senado sobre o seu envolvimento nessas atividades, durante a apreciação de sua indicação para a Advocacia Geral do presidente George W. Bush. Apesar de suas evasivas, ele foi confirmado no cargo.

Embora o juiz que presidiu o julgamento McDougal-Tucker não tivesse admitido que constassem dos autos as provas das lucrativas ligações de Hale e a história completa não fosse revelada durante anos, os detalhes do secreto Projeto Arkansas começaram a ser, pela primeira vez, divulgados para o público. Hale foi um peão bem pago em uma furtiva campanha projetada para desacreditar Bill e derrubar o seu governo. Hale não só recebeu pelo menos 56 mil dólares em dinheiro do escritório do promotor independente, após ter concordado em testemunhar, como também foi pago secretamente pelo Projeto Arkansas. O jornalista David Brock revelou, posteriormente, que Hale foi pago pela caixinha "educacional" do *American Spectator*, financiada por Richard Mellon Scaife. Segundo Brock escreveu mais tarde, "Em sua origem... o Projeto Arkansas foi um meio de dar apoio secreto a Hale para implicar Clinton em um crime".

O juiz Henry Woods, ao ver evidências da cumplicidade do grupo na campanha de tentativa de difamação contra ele, exigiu uma investigação federal sobre o Projeto Arkansas. Os juízes federais do seu distrito — que haviam sido indicados por democratas e republicanos — unanimemente uniram-se a ele nessa exigência. Mas nenhuma investigação sobre as acusações ao juiz Woods jamais foi feita. O juiz Woods atingiu a compulsória em 1995 e morreu em 2002. Ele foi uma entre as muitas pessoas de bem maculadas pela pinceladas partidárias de Starr.

Depois que o gabinete da promotoria especial terminou a apresentação do seu caso, baseado extensamente no testemunho de Hale, Jim McDougal, cada vez mais caprichoso, insistiu em fazer a sua própria defesa. Muitos observadores acreditam que seu testemunho danificou seriamente o caso da defesa em relação a todos os três acusados. Os promotores conseguiram condenar os três com base em vários delitos graves. Tucker renunciou ao mandato de governador, enquanto entrava com os seus recursos. E Kenneth Starr aumentou a pressão sobre Jim e Susan McDougal para conseguir provas incriminadoras que não existiam.

Quando os intrincados fatos de Whitewater finalmente começaram a aparecer no tribunal, senti uma sutil mudança na pressão atmosférica em Washington. No Capitólio, o senador D'Amato interrompeu as suas audiências sobre Whitewater depois que os democratas ameaçaram uma obstrução para bloquear as suas verbas. Pela primeira vez em anos, eu começava a ter esperança de que deixaríamos Whitewater para trás.

Contudo, apesar desses momentos de esperança, a primavera de 1966 não estava destinada a ser uma época para comemorações. No dia 3 de abril, um jato T-43 da Força Aérea, transportando o secretário de comércio Ron Brown, sua equipe e uma delegação de líderes empresariais americanos, chocou-se contra a encosta de uma colina no litoral da Croácia, em meio a uma violenta tempestade. Ron tinha ido aos Bálcãs promover investimentos e o comércio, como parte da estratégia de longo prazo do governo para a paz naquela região conturbada. Isso era característico da abordagem da secretaria de Ron. Instintivamente, ele sabia que promover as oportunidades da economia global era bom para os interesses estratégicos dos Estados Unidos e bom para os seus negócios. Ron e outros 32 americanos e dois croatas morreram no desastre.

Eu fiquei arrasada. Ron e a sua mulher Alma eram amigos queridos. Figuravam entre os nossos mais fiéis aliados desde a campanha de 1992, quando Ron desempenhou com eficiência o cargo de presidente do Comitê Nacional Democrata. Ele conduziu o partido ao longo dos altos e baixos da campanha, com segurança e bom humor. Mesmo quando as expectativas de Bill decresceram em função dos ataques implacáveis, Ron nunca fraquejou. Acreditava que Bill podia e ia ganhar, se os democratas perseverassem. E estava certo. Ron também era muito divertido. Com um sorriso no rosto e um perpétuo piscar de olhos, conseguia alegrar qualquer um, e eu fui beneficiária dele por várias e várias vezes. "Não deixe os lamurientos abaterem você", advertia-me.

Depois de ouvirmos a notícia, Bill e eu fomos visitar Alma e os filhos de Ron, Michael e Tracey. A casa deles, repleta de familiares e amigos, parecia o local de uma reunião saudosista, enquanto todos nós ríamos, chorávamos e contávamos histórias sobre Ron. Eu soube depois que o avião de Ron era o mesmo aparelho — e contava com a mesma tripulação — que, apenas uma semana antes, naquela clara tarde resplandecente, tinha levado Chelsea e a mim em um vôo sobre a Turquia.

Bill e eu fomos receber o avião da Força Aérea dos Estados Unidos que transportou os 33 caixões cobertos com a bandeira na base aérea de Dover, em Dover, Delaware. Entre as vítimas estavam Lawry Payne, um homem inteligente e empreendedor, que precedeu algumas das minhas viagens, e Adam Darling, com 29 anos de idade, um assessor do Departamento do Comércio, que se tornara um dos meus favoritos e de Bill, após ter se oferecido para percorrer o país, na sua bicicleta, em apoio à campanha de Bill de 1992.

Em seu breve pronunciamento na pista, Bill lembrou-nos que as vítimas do desastre, que morreram a serviço de seu país, representavam o que de melhor os Estados Unidos tinham a oferecer.

"O sol hoje vai se pôr", disse ele, pestanejando para conter as lágrimas. "Da próxima vez que ele nascer, será manhã da Páscoa, um dia que marca a passagem da privação e do desespero para a esperança e a redenção, um dia que, mais do que qualquer outro, lembra-nos que a vida é mais do que conhecemos... às vezes, mais até do que conseguimos suportar. Mas a vida também é eterna... O que eles fizeram, enquanto o sol esteve ausente, permanecerá conosco para sempre."

26

VERÃO DE PRAGA

QUANDO ME AVENTUREI PELA PRIMEIRA VEZ pelas Europas Central e Oriental depois do 4 de julho, no verão de 1996, jovens democracias haviam substituído o comunismo nos países do antigo bloco soviético. Centenas de milhões de pessoas tinham se libertado de uma vida de tirania atrás da Cortina de Ferro, mas, como estava para ver por mim mesma, adotar valores democráticos é apenas o primeiro passo. Construir ativos governos democráticos, criar mercados livres e instituir sociedades civis, após décadas de ditadura, tudo isso requer tempo, empenho e paciência, como também ajuda e investimentos financeiros, treinamento técnico e apoio moral de países como o nosso.

Como parte de sua meta de política externa, Bill apoiava a expansão da OTAN para o leste do Atlântico, a fim de incluir países do antigo Pacto de Varsóvia. Ele acreditava que esse objetivo era essencial para fortalecer as relações de longo prazo dos Estados Unidos com a Europa e o incremento da integração européia. Havia uma significativa oposição à expansão da OTAN nos Estados Unidos e na Rússia, que não queria ver a OTAN em suas próprias fronteiras. O desafio para Bill e sua equipe era determinar que países já eram candidatos qualificados a membros da OTAN e manter as portas abertas para outras nações das Europas Central e Oriental que aspiravam a uma futura posição na OTAN, assegurando-lhes o continuado apoio dos Estados Unidos. Fui solicitada a representar Bill em uma parte da região que ele acreditava necessitar do incentivo e de uma demonstração de solidariedade dos Estados Unidos.

Durante parte da viagem, eu trabalhei junto com a nossa embaixadora nas Nações Unidas e depois secretária de Estado Madeleine Albright, cuja família havia fugido do nazismo, conseguido dinheiro para voltar à sua terra natal, a Tchecoslováquia, e fugido novamente, depois da dominação comunista. Finalmente, estabeleceu-se nos Estados Unidos. Madeleine era, por si só, um símbolo das oportunidades e promessas que a democracia representa.

Minha viagem teve início em Bucareste, Romênia, outrora uma das mais belas capitais da Europa. Na virada do século XX, Bucareste era comparada a Paris, mas perdera muito de sua elegância e brilho durante os quarenta anos de governo comunista. Pude ver vestígios de uma antiga era cosmopolita nos desleixados prédios fim-de-século ao longo dos largos bulevares, animados outrora por seus cafés. Agora, a arquitetura dominante era a do realismo socialista ao estilo soviético, visível até mesmo nas carcaças vazias de gigantescos edifícios inacabados.

Ninguém era capaz de quantificar os horrores sofridos pela Romênia antes da violenta queda de Nicolau Ceausescu, o ditador comunista que, junto com a esposa, aterrorizou a nação durante anos, até sua deposição e execução em 25 de dezembro de 1989. A minha primeira parada foi na praça da Revolução, onde depositei flores no monumento em homenagem às vítimas da revolta que, finalmente, derrubou o casal Ceausescu. Encontrei-me com representantes da Associação 21 de Dezembro, que leva o nome do primeiro dia da insurreição, e eles relataram a história de sua revolução. Uma multidão de 3 mil romenos havia se reunido para me receber na praça principal da cidade, um cenário adorável prejudicado pelos buracos de balas nas paredes dos prédios vizinhos. Fiquei surpresa com as matilhas de cães selvagens perambulando pelas ruas — algo que nunca vira em nenhuma outra cidade —, e perguntei ao nosso guia sobre eles. "Estão por toda parte", disse-me. "As pessoas não conseguem mantê-los como animais de estimação e não há nenhum órgão para recolhê-los." Os cães provaram ser um prenúncio de um desleixo bem maior havido na Romênia.

Entre os terríveis legados do regime comunista, havia uma exagerada população de crianças com AIDS. Ceausescu proibira o controle da natalidade e o aborto, insistindo que as mulheres tivessem filhos para o bem do Estado. Mulheres contaram-me como eram levadas de seu trabalho, uma vez por mês, para serem examinadas por médicos do governo, cuja missão era verificar se não estavam usando contraceptivos ou tinham abortado. Uma mulher identificada como grávida era vigiada até dar à luz o seu bebê. Eu não consegui imaginar uma experiência mais humilhante: filas de mulheres despidas, à espera de que os burocratas médicos as examinassem, sob os olhares vigilantes da polícia. Ao defender, em meu país, a minha posição pró-escolha nos debates sobre o aborto, refiro-me com freqüência à Romênia, onde a gravidez era monitorada em benefício do Estado, e à China, onde ela podia ser interrompida à força. Um motivo pelo qual continuo me opondo a tentativas de criminalizar o aborto é porque acredito que nenhum governo deve ter o poder de impor, por meio de lei ou de ação policial, uma das decisões mais pessoais de uma mulher. Na Romênia, como em outros lugares, nasceram muitas crianças indesejadas ou em famílias sem condições para cuidar delas. E tornaram-se tuteladas do Estado, armazenadas em orfanatos. Geralmente doentes ou desnutridas, eram tratadas com transfusões de sangue que Ceausescu fomentava como uma política de governo. Quando o suprimento de sangue romeno se tornou contaminado pelo vírus da AIDS, o país sofreu uma catástrofe de AIDS pediátrica. Em um orfanato de Bucareste, meus assessores e eu vimos algumas crianças cobertas por tumores e outras visivelmente moribundas, enquanto a AIDS devastava seus corpos frágeis. Enquanto alguns dos meus auxiliares se retiravam para um canto do hospital, soluçando, eu lutava contra as lágrimas pois sabia que, se perdesse a compostura, isso apenas confirmaria a situação desesperadora enfrentada por aquelas crianças e pelos adultos que cuidavam delas.

O novo governo romeno trabalhava incansavelmente com a ajuda de assistência estrangeira para melhorar a saúde das crianças, a fim de permitir mais adoções por famílias de outros países. O sistema de adoção, porém, era vitimado pela corrupção. Acusações de que crianças eram vendidas pela maior oferta resultaram, em 2001, na proibição de adoção internacional após a União Européia criticar as práticas romenas. Ainda é necessário um trabalho para acabar com a corrupção e modernizar o sistema de saúde infantil, mas, desde a minha visita, a Romênia tem feito um impressionante progresso, lutando contra grandes desvantagens. Ela tornou-se membro eleito tanto da OTAN como da União Européia.

Em 1996, a Polônia já havia feito um impressionante progresso econômico e político. Seu novo presidente, Aleksander Kwasniewski, falava um excelente inglês e viajara por todos os Estados Unidos antes de entrar para a política como membro do Partido Comunista Polonês. Tendo tomado posse em 1995, com a idade de 41 anos, ele representava um contraste de geração com o primeiro presidente polonês eleito democraticamente, Lech Walesa, o heróico líder da greve do sindicato operário Solidariedade no Estaleiro Lenin, em Gdansk, em 1980. O Solidariedade foi atuante na derrubada do comunismo na Polônia, e Walesa, que ganhou o Prêmio Nobel da Paz de 1983, era o presidente durante a primeira visita que Bill e eu fizemos a Varsóvia, em 1994. Em um jantar cerimonial que ele e a mulher Danuta nos ofereceram, irrompeu uma animada discussão entre o casal Walesa, que defendia um ritmo mais veloz em mudanças na economia, e um representante dos agricultores, que argumentava por uma mudança mais lenta e uma maior proteção econômica. Muitas das difíceis decisões econômicas da Polônia, inevitáveis na troca de uma economia controlada pelo Estado para a de livre mercado, foram tomadas durante o mandato de Walesa. Seu partido perdeu a eleição seguinte, em 1995, e ele foi substituído por Kwasniewski, que foi bem-sucedido em ampliar a base pós-comunista do seu partido para incluir os jovens.

Jolanta Kwasniewski, a nova mulher do presidente, juntou-se a mim em Cracóvia, onde torres góticas e cinzentas flechas de campanários decoram uma das mais conservadas cidades medievais européias. Ela e eu somos mães de filhas únicas, e isso serviu de assunto para animadas discussões sobre os perigos e os prazeres de criá-las. Juntas, visitamos dois intelectuais dissidentes — Jerzy Turowicz e Czeslaw Milosz. Turowicz havia publicado um semanário católico durante cinqüenta anos, a despeito da constante pressão das autoridades comunistas polonesas para que fosse fechado. Milosz, vencedor do Prêmio Nobel de 1980 por uma obra que incluía *The Seizure of Power* [*A tomada do poder*] e *The Captive Mind* [*A mente cativa*], defendeu, durante toda a era comunista, as liberdades de pensamento e de expressão. Esses dois homens extraordinários, cuja coragem e convicção serviram de amparo durante décadas a dissidentes de mesma opinião por todo o mundo, pareciam quase melancólicos por causa da clareza moral de sua luta contra o comunismo.

Conheci um sentimento semelhante entre outros que sobreviveram ao nazismo e ao comunismo, quando o bem e o mal eram facilmente definidos. Não pode haver um testemunho mais arrepiante do que os campos de concentração de Auschwitz e Birkenau. Documentários e material filmado nas edificações de tijolos surpreendentemente comuns de Auschwitz e os longos e silenciosos trilhos da ferrovia de Birkenau não conseguem transmitir o horror desses lugares, onde judeus, dissidentes poloneses, ciganos e outros eram entregues para morrer. Visitei aposentos repletos com roupas de crianças, óculos, sapatos, dentaduras e cabelo humano — testemunhos mudos, mas execráveis, das atrocidades nazistas. Senti-me entorpecida e nauseada ao pensar nos milhões cujos futuros foram tão brutalmente subtraídos. Ao seguirmos pelos trilhos da ferrovia que levava às câmaras de gás, a minha guia contou-me que, quando as tropas aliadas libertaram a Polônia, os nazistas dinamitaram o crematório para destruir as provas do que haviam feito.

Quando eu tinha uns dez anos, lembro de ter ido com meu pai a um bar e restaurante de beira de estrada, em Susquehanna River, perto do chalé Rodham, em Lake Winola. Enquanto ele falava com meu pai, notei que o atendente do bar tinha uns números tatuados no pulso. Mais tarde, ao perguntar ao meu pai o que era aquilo, ele explicou que aquele homem tinha sido um prisioneiro de guerra americano capturado pelos nazistas. Fiz mais perguntas e meu pai me contou que os nazistas também tatuaram números nos braços de milhares de judeus e os mataram em câmaras de gás ou usaram-nos como escravos em campos de concentração. Eu sabia que Max Rosenberg, o marido da minha avó Della, era judeu, e fiquei horrorizada com o fato de alguém como ele ter sido assassinado só por causa da sua religião. À distância, é difícil entender a existência de tal maldade, mas, na minha escala seguinte, em Varsóvia, encontrei pessoas para quem esse desafio tinha se tornado profundamente pessoal.

À espera, em uma sala de reuniões da Fundação Ronald S. Lauder, um centro comunitário judeu, havia vinte pessoas que, em anos recentes, tinham sabido que eram judias. Um homem, na casa dos cinqüenta anos, fora informado pela mulher, que conhecia como sua mãe, que os seus pais biológicos o tinham entregue a ela para poupá-lo do holocausto. Uma adolescente soubera, pelos pais, que os seus avós maternos fingiram não ser judeus, a fim de evitar que fossem enviados para campos de concentração. Agora, aquela jovem mulher teria de decidir quem ela era. Em uma outra viagem à Polônia, em outubro de 1999, visitei a Fundação para verificar a restauração do judaísmo na Polônia. Depois que a imprensa polonesa publicou o meu discurso, a Fundação recebeu telefonemas e cartas de judeus poloneses, habitantes da zona rural, dizendo que, antes de lerem a respeito da minha visita, acreditavam ser os únicos que haviam restado. Assim como as sociedades judaicas enfrentaram as suas histórias, o mesmo aconteceu com incontáveis indivíduos.

Aliás, Madeleine Albright, a quem conheci na República Tcheca, teria uma experiência semelhante. Enquanto crescia, não fazia idéia de que seus pais eram judeus. Ela havia sido criada como católica, mas logo saberia — por intermédio de um jornalista que escrevia a sua biografia — que três dos seus avós haviam morrido em campos de concentração nazistas. Sua família imigrou da Tchecoslováquia para a Inglaterra, indo parar em Denver, onde Madeleine terminou o curso secundário antes de entrar para a Wellesley. Apesar de se surpreender com a notícia de sua herança judaica, ela me disse que entendia o aflito zelo dos pais para proteger os seus filhos.

Madeleine e eu nos encontramos com o presidente Václav Havel, o dramaturgo e ativista dos direitos humanos que passou anos na prisão por causa de suas atividades como dissidente. Após a Revolução de Veludo, em 1989, que transformou pacificamente a Tchecoslováquia comunista numa democracia, Havel tornou-se o primeiro presidente da nação. Três anos depois, quando a Tchecoslováquia se dividiu em dois países diferentes — Eslováquia e República Tcheca — ele foi eleito presidente da nova República Tcheca.

Encontrei-me com Havel, pela primeira vez, em Washington, na inauguração do Museu do Holocausto, em 1993. Ele era um grande amigo de Madeleine, que passara parte da infância em Praga e falava o tcheco fluentemente. Na ocasião, já um ícone internacional, Havel era tímido, mas eloqüente, engraçado e totalmente encantador. Eu o achei muito atraente, e ele e Bill fizeram amizade por causa do seu comum amor pela música. Havel presenteou Bill com um saxofone durante a primeira viagem que ele fez a Praga, em 1994, quando visitaram um clube de jazz que estivera no centro da Revolução de Veludo. Havel insistiu para que Bill tocasse com os músicos e depois o acompanhou no pandeiro! A interpretação de Bill de "Summertime", "My Funny Valentine" e outras músicas que eles tocaram juntos se transformou num CD, que acabou se tornando *cult* em Praga.

Recém-viúvo, Havel convidou Madeleine e a mim para jantar em sua casa, em vez de nos aposentos oficiais do presidente, no Castelo de Praga. Quando o meu carro encostou, ele estava esperando na calçada com um buquê de flores e um pequeno presente, uma travessa esculpida em alumínio feita por um dos seus amigos artistas plásticos.

Depois de um animado jantar, Havel nos levou para um passeio a pé pela cidade velha cruzando a famosa ponte do rio Charles, um popular destino de músicos, adolescentes e turistas. Durante seus anos como dissidente, a ponte tinha sido um ponto de encontro onde as pessoas podiam tocar música ou trocar discos e fitas adquiridos no mercado negro — e onde podiam trocar mensagens sem ser descobertas pelas autoridades. A música, principalmente o rock americano, foi determinante em manter viva a esperança, após a repressão soviética de 1968. Em 1977, Havel liderou os protestos que se seguiram à prisão e ao julgamento de uma banda de rock tcheca chamada Plastic People of the Universe, como na música de Frank Zappa. Tendo sido condenado a trabalhos forçados por ser "subversivo" e por ter assinado o manifesto pelos direitos humanos conhecido como Decreto 77, ele se amparou em suas idéias literárias e intelectuais para resistir. Uma coletânea de cartas, que escreveu da prisão para a falecida mulher Olga, é agora um clássico da literatura dissidente.

Havel, um filósofo político tanto quanto um dramaturgo, acreditava que a globalização freqüentemente exacerbava o nacionalismo e as rivalidades étnicas. Em vez de unir as pessoas em torno de uma cultura global comum, uma cultura de massas, na qual todos usam os mesmos jeans, comem os mesmos lanches rápidos e ouvem a mesma música, não aproxima inevitavelmente as pessoas. Ao contrário, argumentava, torna as pessoas menos seguras sobre quem são e, como resultado, leva a tentativas radicais — inclusive ao fundamentalismo religioso, violência, terrorismo, limpeza étnica e até mesmo genocídio. A teoria de Havel tinha particular relevância nas Europas Central e Oriental, onde a intolerância e as tensões nacionalistas começavam a se desencadear, particularmente em lugares como as antigas Iugoslávia e União Soviética.

Havel foi bem-sucedido ao convencer Bill e outros líderes americanos a mudar a sede da Rádio Europa Livre de Berlim para Praga. Durante a Guerra Fria, o governo dos Estados Unidos havia patrocinado a Rádio Europa Livre para contestar a propaganda comunista ao longo do império soviético. Na Europa pós-Guerra Fria, não mais dividida por uma Cortina de Ferro, Havel argumentou que a Rádio Europa Livre devia assumir um novo papel — promover a democracia. Tanto Bill como o Congresso americano concordaram com a lógica de Havel, e, em 1994, aprovaram a mudança da sede da rádio para Praga, onde foi instalada no velho prédio em estilo soviético do Parlamento, em um dos cantos da histórica praça Wenceslas. Ali foi o local onde os tanques soviéticos estacionaram, após percorrer a cidade, para esmagar um nascente movimento democrático no verão de 1968. Havel entendia de simbolismo político.

Eu falei na sede da Rádio Europa Livre no dia 4 de julho — a transmissão de uma mensagem do Dia da Independência para 25 milhões de ouvintes na Europa Central, Europa Oriental e nos Novos Estados Independentes. Aplaudi o papel que ela desempenhara antes da revolução, quando muitos tchecos mantinham os seus rádios voltados para a janela a fim de poder captar o sinal da REL e sintonizar transmissões do Ocidente. Inspirada pelo alerta de Havel para as desvantagens da globalização e da homogeneização cultural, exortei a "uma aliança de valores democráticos" que ajudaria as pessoas a enfrentar "as inevitáveis questões do século XXI", como o equilíbrio dos direitos individuais e comuns, a criação de famílias em meio à pressão da comunicação de massas e uma cultura consumista, e mantendo os nossos orgulho étnico e identidade nacional, ao mesmo tempo em que cooperamos regional e globalmente.

Eu disse que a democracia é uma obra em desenvolvimento, uma obra que a nossa própria nação, após mais de dois séculos, ainda tenta aperfeiçoar. Construir e manter uma sociedade livre é como um banco com três pernas: a primeira é um governo democrático, a segunda, uma economia de livre mercado, e a terceira, uma sociedade civil — as associações cívicas, as instituições religiosas, os esforços voluntários, as ONGs e as ações individuais de cidadania, que, juntos, tecem a trama da vida democrática. Nas nações recém-libertadas, a sociedade civil é tão importante quanto as eleições livres e livres mercados para interiorizar os valores democráticos no coração e na mente dos cidadãos, e na vida do dia-a-dia.

Encerrei com uma história que Madeleine me contou sobre uma excursão que ela fizera pela República Tcheca ocidental, em 1995, para festejar o qüinquagésimo aniversário do final da Segunda Guerra Mundial. Em cada cidade que visitou, os tchecos agitavam bandeiras americanas com 48 estrelas. As tropas americanas haviam distribuído essas bandeiras há meio século e os tchecos as tinham preservado durante os anos de domínio soviético, do mesmo modo que mantiveram a esperança de que a liberdade acabaria chegando.

Fiquei encantada por passar algum tempo com Madeleine depois da nossa viagem à China, em 1995, para a conferência das mulheres promovida pela ONU. Ela e eu estávamos determinadas a usar Pequim como base e continuar a defender a importância das questões femininas e do desenvolvimento social na política externa dos Estados Unidos. Depois que ela se tornou secretária de Estado, almoçávamos regularmente em sua sala de refeições particular no sétimo andar do Departamento de Estado, junto com Elaine Shocas, a chefe de gabinete dela, e Melanne. Com o tempo, mudamos algumas idéias e ajudamos a transformar as metas da política externa, a fim de que esta refletisse mais adequadamente os valores democráticos de igualdade e de inclusão de nossa nação.

Madeleine e eu nos tornamos aliadas por causa da visão e da experiência que partilhávamos, o que incluía a Wellesley. Também nos tornamos amigas, e nos três dias que passamos em Praga conversamos sem parar, durante a esplêndida viagem de barco pelo rio Vltava, passando pelo Castelo de Praga. Enquanto fogos de artifício em comemoração ao 4 de julho eram acesos em nossa homenagem, caminhamos por Praga, com ela mostrando os pontos turísticos locais e desejando boa sorte em seu tcheco materno.

Um momento da viagem resume o pragmatismo e a criatividade de Madeleine. Antes de um encontro com o primeiro-ministro Václav Klaus, nós duas precisávamos repassar algumas informações diplomáticas confidenciais, mas não havia um lugar privativo para nos reunirmos. De repente, ela segurou a minha mão e me rebocou em direção a uma porta.

"Siga-me", disse ela. Quando me dei conta, estávamos acoteveladas no sanitário feminino — o único e perfeito local disponível para duas mulheres terem uma conversa particular.

Madeleine e eu deixamos Praga e fomos para Bratislava, a capital da Eslováquia e o centro de um governo então liderado pelo primeiro-ministro Vladimir Meciar, um retrocesso à era dos regimes autoritários. Ele queria banir as organizações não governamentais, pois as via como ameaças ao seu governo. Antes de nossa viagem, ONGs representativas perguntaram-me se eu podia comparecer a uma reunião dessas organizações, marcada para ocorrer durante a minha visita, a fim de atrair uma maior atenção para o tratamento repressivo de Meciar a elas e realçar a sua má vontade em adotar a democracia. Minha presença no encontro, realizado na Sala de Concertos, sede da Orquestra Filarmônica da Eslováquia, incentivou os participantes a falar francamente sobre temas como direitos das minorias, danos ao meio ambiente e procedimentos eleitorais viciados, e a criticar as tentativas do governo de impedir e criminalizar o trabalho das ONGs.

De todos os líderes mundiais com quem me encontrei em particular, apenas dois tinham agido de um modo que achei pessoalmente perturbador: Robert Mugabe, no Zimbábue, que dava risadinhas incessantes e de modo inconveniente, enquanto sua jovem mulher prosseguia com a conversa, e Meciar, com quem me encontrei depois, naquela tarde, na sede do governo. Ex-boxeador, ele sentou-se na extremidade de um pequeno sofá; eu sentei-me na outra. Disse-lhe que ficara impressionada com o encontro das ONGs na sala de concertos e com o trabalho que os grupos estavam realizando. Ele inclinou-se na minha direção e, num tom ameaçador, constantemente cerrando e descerrando os punhos, vociferou contra a má-fé daqueles e seus traidores desafios ao Estado. Ao final do nosso encontro, eu estava pressionada fortemente contra o canto do sofá, horrorizada com a sua atitude tirânica e ira quase incontrolável. O povo eslovaco votou sua saída do cargo em setembro de 1998, com uma considerável ajuda das ONGs, que mobilizaram os eleitores a votar a favor da mudança.

Todos os países que visitei queriam discutir a possibilidade de seu ingresso com membro da OTAN e, na Hungria, discuti as perspectivas do país em um encontro privativo com o primeiro-ministro Gyula Horn. Eu apoiava a expansão da OTAN, e, portanto, tentava ser animadora. Encontrei-me também com o presidente Arpád Göncz, uma figura heróica com a distinção de ter se oposto tanto aos nazistas quanto aos comunistas. Dramaturgo como Havel, ele foi o primeiro eleito pelos húngaros durante a transição democrática. Ao me receber na ampla casa que servia como residência presidencial, Göncz confessou que não sabia o que fazer com todos os cômodos. "Somos apenas minha mulher e eu", falou. "Usamos somente um quarto de dormir. Talvez devêssemos convidar uma porção de gente para morar aqui!" Göncz, um homem grisalho e engraçado, parecia com uma imagem de São Nicolau. Sua conduta tornou-se séria quando discutimos sobre os Bálcãs e ele expressou o temor que a Europa, e sem dúvida o Ocidente, sentia por causa de uma longa peleja com o conflito étnico. No que se tornou uma observação profética, ele alertou contra os extremistas islâmicos e argumentou que os mesmos impulsos expansionistas que levaram o Império Otomano aos portões de Budapeste, no século XVI, estavam novamente medrando entre os fundamentalistas muçulmanos, que rejeitavam o pluralismo secular das democracias modernas e a liberdade dos outros em relação a crenças religiosas e às opções das mulheres.

As pessoas costumam imaginar o quanto de liberdade eu tive para percorrer as cidades que visitei e se podia ir aonde quisesse sem a minha escolta do Serviço Secreto. Na maioria das vezes, viajava em cortejo de veículos e cercada por agentes. Mas, em Budapeste, tive o raro prazer de ir ao famoso Gundel's Restaurant, onde comi em uma mesa do jardim iluminado por lanternas penduradas e ao som de violinos. Depois, em uma esplêndida tarde, tive algumas horas livres para visitar a pé a velha cidade. Melanne, Lissa, Kelly e Roshann Parris, a minha excelente batedora de Kansas City, fizeram o melhor possível para se disfarçar como turistas. O chefe dos meus agentes, Bob McDonough, o único deles a me acompanhar, fez a mesma coisa. Eu usei chapéu de palha, óculos escuros, camisa e calça esporte, e percorremos as estreitas ruas da cidade, passamos por lojas, banhos públicos e a catedral neogótica. O único fato denunciador foi que o governo anfitrião insistia em me "proteger" enquanto eu estivesse no país e, portanto, dois agentes de segurança húngaros — usando ternos escuros, sapatos com solas grossas e portando armas — caminhavam vários passos à frente. Ficamos fora mais de uma hora, até um turista americano gritar do outro lado da rua: "Hillary! Oi!". Com o meu disfarce arruinado, as pessoas começaram a olhar boquiabertas, acenar e gritar saudações. Apertei mãos, disse olá, e retomei a caminhada por mais algumas horas.

Mais tarde, fomos saudados por um jovem casal americano, que perguntou se podia ser fotografado comigo. O homem era do Exército e estava servindo na Bósnia. Ele sabia que eu tinha ido até lá meses antes e estava ansioso para me contar as suas experiências. "Até agora, tudo bem", disse-me, com a clássica falta de ênfase americana. Encontrar esse jovem sério e sua esposa fez-me lembrar dos temores do presidente Göncz sobre um futuro repleto de conflitos, e fiquei imaginando o que haveria adiante para eles e para todos nós.

27

MESA DE COZINHA

SOU FASCINADA POR CERIMÔNIAS IMPORTANTES E ARREBATADORAS, e uma das mais sensacionais foi a abertura da Olimpíada de Verão, no dia 19 de julho de 1996, em Atlanta. Bill declarou abertos os jogos, diante de uma fanfarra de trompas e pratos, seguida por um ascendente coro operístico que envolvia as dezenas de milhares de atletas e espectadores apinhados no Estádio Olímpico. Muhammad Ali, trêmulo por causa do mal de Parkinson, firmou o braço direito e levantou a tocha chamejante para acender a pira olímpica. Foi um momento inesquecível para o mundo e para o campeão doente.

Os festejos transformaram-se em horror, uma semana depois, quando um cano com explosivo foi detonado no Parque Olímpico Centenário perto do local dos jogos, matando uma mulher e ferindo 111 pessoas. Bill condenou o atentado como um "maldoso ato de terror". Eu depositei flores no parque, próximo ao local do ataque.

Dias depois do atentado, o FBI indicou Richard Jewell, um guarda de segurança que trabalhava em meio expediente, como o provável suspeito. Jewell, que a princípio fora tido como herói por descobrir a bomba, pelejou para se defender do peso da acusação. Durante dias, a mídia ficou de vigília do lado de fora da casa dele, transmitindo 24 horas. Finalmente, em outubro, Jewell foi inocentado e o atentado acabou sendo atribuído a Eric Rudolph, um fanático ativista antiaborto, que, segundo se acredita, fugiu para o agreste dos Apalaches e nunca foi capturado.

A bomba na Olimpíada indicou o intranqüilo final de um verão marcado por trágicos acontecimentos, inclusive o desastre do Vôo 800, um avião de passageiros que caiu no Atlântico após decolar do Aeroporto Kennedy de

Nova York, e o atentando terrorista a bomba contra as Torres Khobar, uma instalação militar dos Estados Unidos na Arábia Saudita, matando dezenove americanos.

Desde o seu primeiro Estado da União, Bill já havia soado o alarme contra o terrorismo global. Nos anos 80, o terrorismo não era encarado como uma ameaça à segurança nacional, ainda que mais de quinhentos americanos tivessem sido mortos por terroristas nessa década. Os atentados de 1993 no World Trade Center e de 1995 em Oklahoma City aumentaram as preocupações de Bill. Freqüentemente ele falava, publicamente e em particular, sobre como a facilidade das viagens, as fronteiras abertas e a tecnologia davam aos terroristas novas oportunidades e meios para disseminar violência e medo. Ele mergulhou na literatura sobre o assunto e se encontrava habitualmente com especialistas em guerras químicas e biológicas. Em geral, voltava à residência ansioso para me contar a respeito desses encontros. O que ele aprendia o deixava aflito. Em 1995, enviou ao Congresso uma ampla legislação antiterror, a fim de endurecer leis para processar terroristas, banir entidades de arrecadação de recursos que canalizavam dinheiro para causas ou organizações terroristas, e para aumentar o controle sobre materiais de armas biológicas e químicas. O conjunto de leis, que finalmente foi aprovado em 1996, omitiu elementos-chave que Bill havia pedido, e portanto ele voltou ao Congresso para obter um aumento de verbas e de autoridade, inclusive medidas para realização de grampos e identificação química. Foi difícil, porém, canalizar a atenção pública ou concentrar o apoio do Congresso para as medidas que ele achava necessárias.

Nos meses que antecederam as convenções políticas de verão, as questões internas dominaram os objetivos tanto dos democratas quanto dos republicanos. Os republicanos martelavam os seus assuntos de sempre, atacando os programas liberais perdulários e de "engenharia social": previdência, direito ao aborto, controle de armas e proteção ao ambiente. A campanha de reeleição de Bill centralizava-se em políticas de governo que, ele argumentava, iam edificar a comunidade, expandir as oportunidades, exigir responsabilidade e recompensar a iniciativa.

Eu imaginava de que modo apresentar as questões que defendia e qual a melhor maneira de relacioná-las com as preocupações do povo. Incontáveis famílias, inclusive a minha, costumavam reunir-se, depois da escola ou do trabalho, para discutir os assuntos do dia, geralmente em volta da mesa da cozinha. Passei a chamar os temas do Partido Democrata de "assuntos de mesa de cozinha", o que se tornou um bordão da campanha. A discussão dos assuntos de mesa de cozinha levou alguns críticos de Washington a ridicularizar "a feminização da política", uma tentativa de marginalizar, até mesmo trivializar, políticas como as da Family Leave, ou estender a cobertura da mamografia para mulheres mais velhas, ou adequar a permanência no hospital para as mães após darem à luz os seus bebês. Com isso em mente, cunhei o meu próprio termo — "a humanização da política" — para divulgar antecipadamente a idéia de que assuntos de mesa de cozinha importavam a todos e não apenas às mulheres.

Em 1966, como prometera na campanha de 1992, Bill tinha reduzido em mais da metade o déficit nacional, dirigido uma expansão econômica que havia criado 10 milhões de empregos, cortado inteiramente a taxação do Earned Income Tax Credit para 5 milhões de trabalhadores de baixa renda, protegido trabalhadores de ficarem sem seguro-saúde ao perderem o emprego e aumentado o salário mínimo. E estávamos tendo sucesso na aprovação da reforma inicial de nossas leis de adoção: um crédito não reembolsável de mais de 5 mil dólares por criança para todos os pais que fizessem adoção e 6 mil dólares para pais que adotassem crianças com necessidades especiais; além da proibição da rejeição ou impedimento de adoções com base em raça, cor ou origem nacional. Desde a época em que havia trabalhado em benefício de crianças adotivas, como estudante de direito, eu esperava melhorar as chances de crianças adotivas encontrarem famílias permanentes e amorosas. Esses novos dispositivos ajudavam, mas eu sabia que precisava ser feito mais. Convoquei especialistas em adoção para uma série de reuniões na Casa Branca, em 1996, e esbocei um projeto que levaria à aprovação da Lei da Adoção e da Segurança das Famílias, de 1997, a qual, pela primeira vez, provia incentivos financeiros para os estados transferirem crianças de instituições para lares adotivos permanentes.

O tempo também se esgotava para o sistema previdenciário de sessenta anos de idade, que ajudara a criar gerações de americanos dependentes da previdência social. Bill prometera que ela seria reformada e a Casa Branca engajara-se em meses de difíceis negociações e conflitos de corpo-a-corpo político. Os republicanos sabiam que o público apoiava fortemente a reforma da previdência e esperavam ou atropelar Bill na aprovação de uma lei dura demais para mulheres e crianças, negando serviços essenciais a milhares de beneficiários necessitados, ou usar contra ele os vetos presidenciais a suas propostas punitivas na eleição que se aproximava. Em vez disso, a reforma da previdência tornou-se um sucesso para Bill. Eu argumentei veementemente que precisávamos mudar o sistema, embora o meu endosso à reforma da previdência tivesse algum custo pessoal.

O primeiro programa de seguridade dos Estados Unidos foi introduzido nos anos 30, para ajudar viúvas com filhos numa época em que havia poucas oportunidades para mulheres ingressarem no mercado de trabalho. Em meados dos anos 70, a porcentagem de filhos de mulheres não casadas estava aumentando e, em meados da década de 80, as mães solteiras eram a esmagadora maioria dos beneficiários da previdência. De modo geral, tratava-se de mulheres com baixa instrução e poucas aptidões para empregos. Mesmo se conseguissem encontrar trabalho, não ganhariam o suficiente para escapar à pobreza, nem teriam empregos que dessem assistência médica aos seus filhos; portanto, havia pouco incentivo para elas deixarem a previdência social por um emprego. Ficar em casa tornou-se, a curto prazo, uma opção racional para algumas delas, porém isso levou a uma classe previdenciária permanente e alimentava o ressentimento dos contribuintes, especialmente de pais trabalhadores de baixa renda. Não creio que seja justo uma mulher solteira ser obrigada a procurar uma creche e levantar cedo todos os dias para ir trabalhar enquanto outra permanece em casa à custa da previdência social. Eu compartilhava da convicção de Bill de que precisávamos dar incentivos e apoiar coisas como creche e seguro-saúde, a fim de ajudar as pessoas a trabalhar, em vez de contar com a previdência.

Durante o primeiro mandato de Bill como governador, o Arkansas participou de um projeto de "demonstração" da administração Carter idealizado para dar mais apoio e incentivo para as pessoas trocarem a previdência pelo trabalho. Sete anos depois, em 1987, e novamente em 1988, Bill foi o principal governador democrata a trabalhar com o Congresso e a Casa Branca de Reagan numa reforma previdenciária. Ele presidiu as audiências da Nacional dos Governadores, nas quais apresentou os testemunhos de mulheres que haviam deixado a previdência e optado pelo plano criado no Arkansas, e elas revelaram o quanto se sentiam melhor consigo mesmas e em relação ao futuro dos filhos. Bill foi convidado para a cerimônia de 1988 na qual o presidente Reagan transformou em lei um projeto de reforma da previdência, que incluía muitos dispositivos que ele e os governadores buscavam.

Em 1991, quando Bill lançou a sua campanha para presidente, estava claro que as reformas não haviam produzido muitas mudanças, pois a administração Bush não havia destinado verbas para os novos programas, nem as implementara fortemente nos estados. Bill prometeu "acabar com a previdência social como a conhecemos" e criar o programa pró-emprego e pró-família.

Na ocasião em que ele tomou posse, o programa de assistência Aid to Families with Dependent Children [Ajuda para Famílias com Filhos Dependentes], ou AFDC, recebia mais da metade de sua verba do governo federal mas era administrado pelos estados, que contribuíam com 17% a 50% dos pagamentos. A lei federal exigia a proteção de mães e filhos pobres, mas os estados estipulavam os benefícios mensais. Como resultado, havia cinqüenta sistemas diferentes de fornecimento de benefícios, que iam de um alto valor de 821 dólares para uma família com dois filhos no Alasca, a um baixo de 137 dólares no Alabama. Os beneficiários do AFDC também estavam habilitados a cupons de alimentos e ao Medicaid.

Na meta legislativa de 1993 e 1994, o plano econômico NAFTA, o decreto de combate ao crime e a assistência médica tiveram precedência sobre a reforma previdenciária. E depois que os republicanos assumiram o controle do Congresso, passaram a ter idéias próprias sobre como reformar o sistema. Defendiam rigorosos limites sobre quanto tempo as pessoas podiam depender da previdência; o bloqueio de concessões de verbas aos estados, inclusive para o Medicaid; merenda escolar e cupons de alimentação; o término de todos os benefícios para imigrantes legalizados, mesmo aqueles que trabalhavam e pagavam impostos; e, de acordo com o proposto por Newt Gingrich, um sistema de orfanatos para abrigar e criar crianças nascidas fora do matrimônio e de mães adolescentes. Os republicanos planejavam fornecer o mínimo de amparo para ajudar as pessoas a fazerem a transição para um emprego.

Bill e eu, que desejávamos uma reforma produtiva, ao lado de membros do Congresso, acreditávamos que as pessoas capacitadas deviam trabalhar. Mas reconhecíamos que assistência e incentivos eram necessários para ajudar as pessoas a deixarem permanentemente a previdência pelo emprego, e que uma reforma bem-sucedida exigiria grandes investimentos em educação e treinamento, subsídios para creches e transporte para crianças, abatimentos de impostos para incentivar empregadores a contratar beneficiários da previdência e um conjunto de esforços mais intensos de amparo à criança. Também nos opúnhamos ao corte dos benefícios dos imigrantes legalizados e ao envio de filhos de pais pobres para orfanatos.

No final de 1995, o governo e o Congresso iniciaram sérios esforços para aprovar a legislação. Seguiu-se muita postura política. Creio que muitos republicanos achavam que, se incluíssem bastantes despesas proibitivas na lei, colocariam o presidente em uma sinuca. Se ele assinasse a lei, decepcionaria os eleitores democratas representativos e deixaria milhões de crianças pobres vulneráveis. Se a vetasse, os republicanos teriam um tema popular para explorar na eleição de 1996 junto a eleitores que queriam a reforma e desconheciam os detalhes da legislação.

Alguns assessores da Casa Branca recomendaram que o presidente assinasse qualquer coisa que lhe fosse enviada. Se fizesse o contrário, argumentavam, haveria um imenso custo político tanto para o governo como para a bancada democrática do Congresso na campanha eleitoral que se aproximava. Muitos discordaram, alegando que a única solução seria Bill contornar as manobras republicanas e convencer o público de que a reforma era uma meta sua. Meus sentimentos em relação à previdência eram profundos e, provavelmente, mais complicados do que os do meu marido. Eu acreditava que o sistema precisava desesperadamente de reforma, mas tinha atuado algum tempo como advogada de crianças e mulheres alcançadas pelo sistema, e sabia que a previdência era freqüentemente necessária como um amparo temporário para famílias pobres. Sim, vi o sistema ser explorado; mas também o vi salvar pessoas que o usavam para amenizar um período difícil. Embora eu tivesse argumentado antes, em particular, contra decisões do governo, nunca me opus publicamente às suas políticas ou qualquer decisão tomada por Bill. Na ocasião, porém, disse a ele e a seus principais assessores que me manifestaria contra qualquer projeto de lei que não fornecesse assistência médica por meio do Medicaid, uma garantia federal de cupons de alimentos, e de creches para pessoas, fazendo a transição da previdência para um emprego. Também acreditava que esses tipos de amparo deveriam estar disponíveis para os trabalhadores pobres, a fim de elevá-los acima da linha de pobreza.

Os republicanos aprovaram um projeto de lei com rigorosos limites de tempo para alguém depender da previdência, sem amparo para a transição para o emprego, sem benefícios para imigrantes legalizados, acabando com a supervisão e a responsabilidade do governo sobre de que modo os estados gastavam o dinheiro federal da previdência. Em suma, os estados ficariam livres para determinar o que fornecer em pagamentos mensais, creches, cupons de alimentos e assistência médica, ou se deviam ou não fornecer. Após um veemente debate na Casa Branca, o presidente vetou o projeto. Em seguida, os republicanos aprovaram outro, com mudanças mínimas. Não precisei me esforçar para convencer Bill, que sabia que também não podia assinar esse. Bill vetou-o, insistindo que todas as crianças pobres tinham direito a creche, nutrição e assistência médica.

O terceiro projeto de lei aprovado pelo Congresso teve o apoio da maioria dos democratas da Câmara e do Senado. Ele continha mais ajuda financeira para deslocar pessoas para um trabalho, propunha nova verba para creches e devolvia as garantias federais de cupons de alimentos e assistência médica. Mas cortava a maioria dos benefícios para os imigrantes legalizados, impunha um limite de cinco anos, durante toda a vida, para os auxílios da previdência e mantinha as condições de limites dos pagamentos mensais, deixando aos estados a liberdade para o estabelecimento desses limites. As subvenções previdenciárias federais aos estados foram estabelecidas nos valores que estes recebiam no início dos anos 90, quando o número de inscritos na previdência era extremamente alto. Isso significava que os estados teriam os recursos financeiros para fornecer a proteção que uma verdadeira reforma exigia e incentivar uma significativa distribuição de verbas a programas que amparavam e incentivavam o trabalho e a independência.

O presidente acabou por assinar esse terceiro projeto, tornando-o lei, e, mesmo com suas imperfeições, foi um decisivo primeiro passo para reformar o sistema de previdência de nossa nação. Concordei que Bill devia assinar e trabalhei com afinco para conseguir os votos para a sua aprovação — já que ele e a legislação foram bastante criticados por alguns liberais, grupos de defesa dos imigrantes e a maioria das pessoas que trabalhavam com o sistema previdenciário. Bill prometeu lutar para devolver os benefícios aos imigrantes e, em 1998, fez alguns progressos limitados, agindo com o Congresso para reintegrar o Seguro Social e o benefício dos cupons de alimentos para determinadas classes de imigrantes legalizados, incluindo crianças, idosos e inválidos. O bloqueio da concessão de fundos previdenciários foi aceitável para nós dois, já que os estados, os quais de qualquer forma estabeleceriam os níveis dos benefícios, receberiam muito mais dinheiro para ajudar as pessoas a deixarem a previdência para trabalhar. Fiquei mais preocupada com o limite de cinco anos durante a vida toda, pois isso tinha a ver com a condição da economia e a disponibilidade de empregos, mas senti que, levando tudo em conta, tratava-se de uma oportunidade histórica para mudar um sistema direcionado à dependência para outro que incentivava a independência.

A legislação estava longe de ser perfeita e era aí que entrava a política pragmática. Era preferível assinar a medida, sabendo que um governo democrata tinha condições de implementá-la humanamente. Se vetasse a reforma uma terceira vez, Bill estaria dando aos republicanos um potencial presente político. Como conseqüência da desastrosa eleição de 1994, ele estava preocupado com mais perdas eleitorais democratas que pudessem pôr em risco a sua influência na proteção de políticas sociais no futuro.

A decisão de Bill e o meu endosso a ela indignaram alguns de nossos mais leais partidários, inclusive os amigos de longa data Marian Wright Edelman e seu marido, Peter Edelman, subsecretário da Health and Human Services [Serviços de Saúde e Humanos]. Por causa do meu histórico com o Children's Defense Fund [Fundo de Defesa das Crianças], esperavam que eu me opusesse à medida, e não conseguiram entender o meu apoio a ela. Eles acreditavam realmente que a legislação era vergonhosa, impraticável e prejudicial às crianças, o que Marian transmitiu em "Uma carta aberta ao Presidente", publicada no *Washington Post*.

Como dolorosa conseqüência, dei-me conta de que havia atravessado a linha que separava a defensora de idéias de uma fomentadora de políticas. Eu não havia mudado as minhas convicções, mas discordei respeitosamente das convicções e paixões dos Edelman e de outros que fizeram objeção à legislação. Como defensores de idéias, eles não podiam transigir, e, ao contrário de Bill, não tiveram de negociar com Newt Gingrich e Bob Dole, nem se preocupar em manter um equilíbrio político no Congresso. Eu me lembrava muito bem da derrota dos nossos esforços pela reforma do sistema de saúde, que, em parte, pode ter ocorrido porque não transigimos o bastante. Em política, não se deve transigir de princípios e valores, mas estratégias e táticas precisam ser flexíveis o suficiente para que os progressos possíveis sejam feitos, especialmente diante das difíceis condições políticas que enfrentamos. Nós queríamos aprovar um plano de previdência que motivasse e dotasse mulheres a obter uma vida melhor para elas e para seus filhos. Também esperávamos convencer o povo americano de como o antigo sistema previdenciário havia mudado para enfrentar o problema maior da pobreza e suas conseqüências: apenas um dos pais e nenhuma família dos pais, habitações inadequadas, escolas ruins e falta de assistência médica. Eu esperava que a reforma da previdência fosse o início, e não o fim, de nosso interesse pelos pobres.

Semanas após Bill assinar a lei, Peter Edelman e Mary Jo Bane, outra amiga e subsecretária da HHS que havia trabalhado na reforma da previdência, renunciaram em protesto. Foram decisões, baseadas em princípios, que aceitei e até mesmo apreciei, apesar de minha opinião bem diferente dos méritos e expectativas da legislação. Ainda me encontro socialmente, de vez quando, com Marian e Peter, e fiquei emocionada quando, em 9 de agosto de 2000, Bill outorgou a Marian a Medalha da Liberdade pela sua vida dedicada aos direitos civis e às crianças. Ela foi uma importante mentora em minha vida e a nossa desavença por causa da previdência foi triste e penosa.

Quando Bill e eu deixamos a Casa Branca, os inscritos na previdência tinham diminuído em 60%, de 14,1 para 5,8 milhões, e milhões de pais estavam trabalhando. Os estados apoiavam o trabalho de meio expediente e baixos salários, e continuavam a fornecer assistência médica e cupons de alimentos para esses trabalhadores. Em janeiro de 2001, a pobreza infantil havia decrescido para 25%, o índice mais baixo desde 1979. A reforma da previdência, o aumento do salário mínimo, a redução de impostos para trabalhadores de baixa renda e o *boom* da economia tiraram quase 8 milhões de pessoas da pobreza — cem vezes o número de pessoas que deixaram os índices de pobreza durante os anos Reagan.

Uma contribuição significativa para o sucesso da reforma foi o Welfare to Work Partnership [Parceria da Previdência para o Trabalho], que Bill pediu para um dos seus velhos amigos, Eli Segal, lançar, como um meio de incentivar empregadores a empregar ex-beneficiários da previdência. Eli, um empresário bem-sucedido, trabalhara com Bill na campanha de McGovern e atuara como chefe de equipe na campanha de 1992. Como assistente do presidente, ele foi encarregado da criação do National Service Corporation e do AmeriCorps. Eli trabalhou em conjunto com Shirley Sagawa, uma assessora política da minha equipe, para esboçar a legislação que instituiu o programa, e se tornou o primeiro presidente executivo da empresa. O AmeriCorps forneceu oportunidades de serviço comunitário e bolsas escolares a mais de 200 mil jovens entre 1994 e 2000, trabalhando em parceria com firmas e comunidades. Eli seguiu o mesmo modelo para o Welfare to Work Partnership, que arregimentava empregadores para contratar e treinar ex-beneficiários da previdência. Sob sua liderança, a parceria prosperou, com mais de 20 mil empresas dotando de aptidões, empregos e independência a 1,1 milhão de beneficiários da previdência.

A reforma da previdência foi implementada durante uma época de economia forte. O teste verdadeiro ocorrerá quando a economia for desfavorável e voltarem a crescer os inscritos na previdência. A legislação está para ser sancionada novamente e, como senadora, pretendo trabalhar para construir o seu sucesso e consertar suas deficiências. Benefícios para imigrantes legalizados, que trabalham e pagam mais de 5 bilhões em impostos, deverão ser repostos totalmente. O limite de cinco anos por toda a vida para benefícios deverá ser ampliado para pessoas que perdem empregos em uma economia com alta taxa de desemprego. Mais dinheiro deverá ser gasto em educação e treinamento e algumas horas de educação deverão contar como requisitos para emprego. E os estados deverão prestar contas de como gastam os dólares federais da previdência.

À medida que Bill recebia um apoio maior do povo americano, durante os meses antecedentes à eleição de 1996, seus adversários procuravam desesperadamente qualquer coisa capaz de enfraquecer o ritmo do seu avanço. A revista *Time* reconheceu a tendência, ao publicar uma matéria intitulada "O fator Starr". De acordo com ela, "Há meses, Clinton tem estado à espera de um adversário do Velho Partido que torne a corrida presidencial de 96 uma batalha de verdade. Ao que tudo indica, ele, finalmente, o encontrou — e não é Bob Dole. Cada assunto sério a atormentar o presidente tem Kenneth Starr ligado a ele em algum lugar... Com a campanha de Dole ainda incapaz de ganhar impulso sozinha, as esperanças republicanas estão depositadas em uma presidência desgastada por intimações e acusações".

O mais recente pseudo-escândalo pareceu estar sincronizado com a época da convenção de verão e ligado a atos de dois funcionários de nível médio da Casa Branca, Craig Livingstone e Anthony Marceca, do Office of Personnel Security [Escritório de Segurança Funcional]. Em 1993, eles haviam pedido ao FBI as folhas corridas de detentores de passes para a Casa Branca, a fim de montar um arquivo de todos que possuíam liberação de segurança válida para entrar na Casa Branca. O escritório de segurança funcional, a despeito de seu título imponente, não executa "checagens de segurança" — o que é feito pelo FBI. Nem é responsável pela segurança — que é trabalho do Serviço Secreto. Nunca entendi bem o que mais ele fazia, mas era responsável por ficar de olho nos funcionários correntes da Casa Branca, garantir que os seus passes estivessem atualizados e dar orientação a novos funcionários em relação à segurança da Casa Branca. Quando o presidente Bush deixou a Casa Branca, em 1993, seu pessoal levou todos os arquivos do escritório de segurança pessoal — o que estava autorizado a fazer, de acordo com a Lei de Arquivos Presidenciais — para a Biblioteca Bush. A nova administração, portanto, não tinha um arquivo próprio (diferentemente do Serviço Secreto) dos funcionários permanentes da Casa Branca. Livingstone e

Marceca estavam tentando reconstruir os arquivos do OPS, quando receberam do FBI centenas de folhas corridas, inclusive algumas de servidores de Reagan e Bush. Eles não perceberam o engano. Depois que um outro funcionário percebeu, eles enviaram as fichas para o arquivo, em vez de devolvê-las ao FBI. A Casa Branca reconheceu essa confusão burocrática e se desculpou por ela. Mesmo assim, o "Filegate" foi adicionado à lista de investigações de Kenneth Starr.

Antes de essa história ser deixada de lado, um agente do FBI disse à Comissão de Justiça do Senado que a verificação feita no passado de Craig Livingstone sugeria que este fora contratado como chefe da segurança pessoal da Casa Branca porque sua mãe era minha amiga. Aliás, a sra. Livingstone e eu não nos conhecemos, mas fomos fotografadas juntas, certa vez, em um enorme grupo que compareceu a uma festa de Natal da Casa Branca. Eu me encontrava em Bucareste, em uma escola cujo currículo o nosso governo estava ajudando a renovar, quando um jornalista americano, que se encontrava de passagem, me perguntou sobre a minha relação com a família Livingstone. Disse-lhe que não me lembrava de conhecer Craig nem sua mãe, mas, se algum dia a encontrasse, eu diria: "Sra. Livingstone, eu suponho".

Durante o mês de agosto, levei Chelsea para visitas a faculdades da Nova Inglaterra. Embora temesse o momento em que ela sairia de casa para cursar a universidade, eu gostava de visitar faculdades com ela. Também, secretamente, torcia para que ela se apaixonasse pela minha *alma mater*, Wellesley, ou, pelo menos, escolhesse uma faculdade na Costa Leste, por ser mais fácil eu ir visitá-la e ela poder vir em casa quando lhe desse na veneta. Fiz um acordo com o Serviço Secreto para viajar de um campus a outro em uma perua sem identificação, com o mínimo possível de agentes à vista. Visitamos seis campi, praticamente sem chamar muita atenção, e eu teria ficado emocionada se ela se decidisse por um deles.

Chelsea, contudo, estava ansiosa para visitar Stanford e seguimos para Palo Alto. A reitora à época, Condoleezza Rice, recebeu-nos gentilmente no início de uma demorada visita de um dia inteiro, que cativou Chelsea. Ela adorou a localização da universidade, em meio a sopés de colinas, o clima temperado e a arquitetura ao estilo das antigas missões espanholas. Ao ligar para Bill, nessa noite, contei-lhe que Stanford parecia ser claramente a primeira opção dela — o preço, achava eu, de ter criado uma filha independente.

Para as nossas férias de verão, escolhemos novamente Jackson Hole, Wyoming. No ano anterior, eu estivera furiosamente tentando terminar *It Takes a Village*, mas agora estava livre para caminhar com Bill e Chelsea pelos prados de flores silvestres de fim de verão do Grande Teton e explorar mais de perto o Parque Nacional de Yellowstone. Em 1872, as vastas pradarias e bacias de gêiseres foram preservadas para gerações futuras de americanos, quando o governo dos Estados Unidos nomeou Yellowstone como o primeiro parque nacional do país — e do mundo. Desde então, os parques nacionais dos Estados Unidos têm servido de modelo e inspiração para outras nações protegerem suas heranças naturais. Sempre que visito um dos nossos parques nacionais, lembro-me de como o nosso país foi abençoado com tal abundância de recursos naturais. A nossa missão vai além de preservar o belo cenário; temos de ser protetores de um ambiente saudável e equilibrado. Em Yellowstone, onde lobos cinzentos foram exterminados por caçadores com armadilhas, os biólogos do governo reintroduziram uma pequena população deles para ajudar a devolver ao parque a relação natural entre predador e presa. Durante a nossa visita a Yellowstone, Chelsea, Bill e eu fizemos uma caminhada até os cercados onde uma alcatéia de lobos estava sendo aclimatada para soltura. Não havia repórteres por perto, apenas os guardas-florestais, nós e alguns assustados agentes do Serviço Secreto, que nunca esperaram ter de proteger a primeira-família de uma alcatéia de lobos *de verdade*.

Bill anunciou um histórico acordo para acabar com a ameaça que uma grande mina de ouro de propriedade estrangeira, nos limites de Yellowstone, apresentava ao ambiente imaculado. Quanto mais velha eu fico, mais apaixonada me torno em relação à proteção de nossa terra contra danos desnecessários e irreversíveis. Uma economia forte e um meio ambiente limpo não são objetivos mutuamente excludentes — de fato, eles andam lado a lado, já que toda a vida e a atividade econômica dependem, em última análise, da administração de nosso ambiente natural. Durante os meus anos na Casa Branca, apoiei o seu "verdejar", um projeto com o intuito de melhorar o desempenho ambiental do complexo de edificações, com a racionalização do uso de energia, a reciclagem total e outras medidas. Por meio de um programa iniciado por mim, o Save America's Treasures [Salvem os tesouros americanos], arrecadei dinheiro para os nossos parques e visitei muitos deles. Apoiei o compromisso de Bill e de Al para a proteção de mais terras, despoluição do ar e da água, ataque ao problema da mudança global do clima e a adoção de fontes de energia naturais e alternativas. A minha concentração principal, porém, tornou-se o efeito dos fatores ambientais em nossa saúde. O estudo que fiz sobre as enfermidades dos veteranos da Guerra do Golfo e o meu trabalho sobre os riscos da incidência de asma entre as crianças e câncer de mama entre as mulheres convenceram-me de que os efeitos ambientais na saúde pediam uma pesquisa a longo prazo.

* * *

A Convenção Republicana iniciou-se em San Diego, no dia 12 de agosto. Por tradição, o partido que faz sua convenção obtém publicidade irrestrita na indicação de seus candidatos e na divulgação da mensagem de sua campanha. O partido do outro candidato permanece em silêncio e fora de campo, o que para mim era ótimo, já que tudo de que precisávamos era algum tempo à distância. Não assisti aos discursos pela televisão, mas logo ouvi de amigos a respeito dos comentários de Elizabeth Dole feitos a delegados, na segunda noite da convenção. A ex-secretária de gabinete de Reagan e Bush avançou pela multidão, microfone à mão, e falou amorosamente do marido, de sua carreira e de suas convicções. Equilibrada e inteligente, ela era advogada por formação e uma política profissional, cujas presença e eloqüência fortaleciam a campanha do marido. E, apesar de Bob Dole ser um duro oponente para nós, fiquei contente em ver uma mulher sob pressão aproveitar a ocasião e obter os louvores que merecia. Trata-se de um estranho capricho do destino que nós duas atualmente estejamos atuando no Senado.

Inevitavelmente, o discurso da sra. Dole levou a uma comparação entre nós duas e, mal ela tinha deixado o palco, minha equipe foi bombardeada com perguntas sobre de que modo eu pretendia conduzir o meu discurso na Convenção Democrata. Os repórteres perguntavam-se se eu subiria à tribuna ou caminharia no meio da multidão, como ela o fez. Por mais tentador que fosse experimentar algo novo, senti que era melhor eu conservar os meus próprios temas e estilo.

Cheguei a Chicago no domingo, 25 de agosto, três dias antes de Bill, que estava vindo em um trem de West Virginia com Chelsea. Betsy Ebeling havia organizado uma reunião com a minha família e amigos no Riva's Restaurant, que ficava no molhe do cais da marinha e tinha vista para o lago Michigan. Rapidamente, captei a emoção de Chicago por hospedar a convenção. O prefeito Richard M. Daley, homônimo e filho do falecido gigante político de Chicago, fizera um excelente trabalho ao preparar a cidade: as ruas estavam ladeadas de árvores recém-plantadas, e não com manifestantes protestando contra uma guerra impopular, como ocorrera durante a convenção de 1968, quando o pai dele era o prefeito. Dessa vez, tudo transcorreu sem a mínima falha.

O meu discurso aos representantes, na noite de terça-feira, marcaria a primeira vez que uma primeira-dama faria um discurso transmitido pela televisão em horário nobre em uma convenção política. Eleanor Roosevelt foi a primeira a discursar numa convenção, mas isso foi em 1940, na era pré-televisão. As 48 horas que antecederam o meu discurso foram abarrotadas de eventos. Discursei para as Democratic Women's Caucus [líderes políticas regionais femininas do Partido Democrata], encontrei-me com delegações de vários estados, inaugurei um parque em homenagem a Jane Addams e visitei uma escola comunitária. Também trabalhei no discurso, que ainda estava sendo desenvolvido na noite de segunda-feira, quando fui ao United Center, praticar a leitura pelo teleprompter. O United Center é a sede do time de basquete campeão do mundo Chicago Bulls, que se tornou a inspiração de um dos meus *buttons* políticos favoritos em todos os tempos. O Bulls de 1996 contava com o incomparável Michael Jordan, Scottie Pippen, que eu conhecia do Arkansas, e o "bad boy" da NBA Dennis Rodman. Um *button* político vendido na convenção mostrava uma foto do meu rosto com o cabelo multicolorido de Rodman e a frase: "Hillary Rodman Clinton: Tão má quanto quer ser".

Cedo, na manhã de terça-feira, eu não me sentia satisfeita com o meu discurso. Sentia falta de Bill, que ainda estava no trem e fora de alcance para o tipo de tranqüilização e ajuda que recebia dele. Em pouco mais de doze horas, eu estaria me dirigindo à maior platéia da minha vida e pelejava para encontrar as palavras certas a fim de comunicar os meus temas e convicções.

Bob Dole tornou-se o meu inconsciente salvador. Ocorreu-me repentinamente. Em seu discurso de aceitação de candidatura, na Convenção Republicana, havia atacado a premissa do meu livro *It Takes a Village*. Erroneamente, ele usou a minha idéia de aldeia como metáfora para "o Estado", e pressupôs que eu, e por extensão os democratas, éramos a favor da intromissão do governo em todos os aspectos da vida americana. "E depois da virtual devastação da família americana, a pedra sobre a qual esta nação está baseada, dizem-nos que é preciso uma aldeia, isto é, o coletivo, e, portanto, o Estado, para se criar uma criança", disse ele no discurso. "... E, com todo o devido respeito, estou aqui para lhes dizer que não é preciso uma aldeia para se criar uma criança. É preciso uma família para se criar uma criança."

Dole não entendeu o propósito do livro, de que as famílias estão na linha de frente na responsabilidade pelas crianças, mas a aldeia — uma metáfora para a sociedade como um todo — partilha a responsabilidade pela cultura, economia e ambiente no qual as nossas crianças crescem. O policial fazendo a ronda, o professor na sala de aula, o legislador aprovando leis e o executivo decidindo que filmes produzir, tudo tem influência sobre as crianças americanas.

Aproveitei o tema da aldeia e rapidamente esboçamos um discurso em torno dele. Em seguida, fui para o minúsculo aposento no porão do United Center, para um último ensaio com Michael Sheehan, um extraordinário instrutor de mídia, que fez um esforço hercúleo para me ensinar a usar o teleprompter, que eu nunca tinha usado e não conseguia dominar. Embora tivesse encontrado, afinal, as palavras que procurava, eu estragaria o discurso se o pronunciasse parecendo um robô; portanto, ensaiei até ele sair direito.

Finalmente, chegou o momento. Chelsea passara dois dias com Bill na viagem de trem, mas o tinha deixado para ficar comigo. Ela se juntou à minha mãe e irmãos, Dick Kelley, Diane Blair, Betsy Ebeling e uma multidão de amigos em um camarote-suíte no alto do estádio, de onde tinham uma ótima visão da tribuna.

Cerca de 20 mil pessoas estavam apinhadas no salão de convenções e o humor era estrondoso. Dois dos maiores oradores de nosso partido — o ex-governador de Nova York, Mario Cuomo, e o líder dos direitos civis, Jesse Jackson — falaram antes de mim, alimentando a lealdade democrata com antiquados discursos incendiários de promoção dos valores do partido.

Ao me dirigir ao palco, a multidão irrompeu em delirantes aplausos, cantando e batendo o pé, o que me comoveu e ajudou a diminuir o meu nervosismo. Os gestos que fiz para pedir que a multidão se sentasse foram em vão, e, portanto, apenas acenei e me deixei cobrir pelos aplausos.

Finalmente, o bramido diminuiu e comecei a falar. Os meus comentários foram simples e diretos. Pedi às pessoas que imaginassem como seria o mundo quando Chelsea tivesse a minha idade, no ano 2028. "De uma coisa temos certeza, a mudança é certa", falei. "Mas o progresso não é. O progresso depende das escolhas que fazemos hoje para o amanhã e se enfrentamos os nossos desafios e protegemos os nossos valores."

Após mencionar assuntos como expandir a lei da Family Leave, simplificar as leis de adoção e aprovar um decreto para garantir que mães e bebês não sejam mandados do hospital para casa antes de 48 horas após o parto, entrei no trecho escrito em resposta a Bob Dole:

Para Bill e eu, não houve experiência mais desafiadora, mais recompensadora e mais humilde do que criar a nossa filha. E aprendemos que, para criar uma criança feliz, saudável e promissora, é preciso uma família. É preciso professores. É preciso o clero. É preciso empresários. É preciso líderes comunitários. É preciso aqueles que protegem a nossa saúde e segurança. É preciso todos nós.

Sim, é preciso uma aldeia.

E é preciso um presidente.

É preciso um presidente que acredite não apenas no potencial de sua criança, mas de todas as crianças, que acredite não apenas na sua família, mas na família americana.

É preciso Bill Clinton.

Novamente, as pessoas explodiram em aplausos. Elas não apenas acreditaram que Bill se importava com as crianças, como entenderam que eu estava confrontando diretamente o individualismo radical e a visão estreita e irrealista dos republicanos em relação ao que a maioria dos americanos precisava para criar os seus filhos no final do século XX.

Na quarta-feira à noite, Chelsea e eu fomos encontrar Bill, que desembarcou do trem com uma notícia perturbadora. Um tablóide vendido em supermercados estava para publicar uma reportagem afirmando que Dick Morris havia pago por visitas freqüentes feitas por uma garota de programa ao hotel em que ele ficava quando estava em Washington. A matéria do tablóide, que foi publicada na quinta-feira, citava longamente a garota de programa. Ela dizia que Morris se gabara de ter escrito o meu discurso lido na convenção, como também o do vice-presidente — ele não escreveu nenhum dos dois. Morris demitiu-se da campanha e Bill divulgou uma nota agradecendo-lhe pelo seu trabalho e chamando-o de um "esplêndido estrategista político". Depois da saída de Morris, a campanha prosseguiu consistente, pois Mark Penn continuou a fornecer pesquisas e análises cuidadosas.

O comparecimento de Bill à convenção, para aceitar a sua indicação, desencadeou uma impetuosa manifestação por parte dos representantes, quando ele se dirigiu ao palco na noite de quinta-feira. Desde o instante em que ele começou a falar, concentrou a atenção do público, utilizou-a com intensidade e paixão, e explicou por que queria continuar governando os Estados Unidos. Recapitulou o progresso do país, começando de onde estávamos como nação, em 1992, e aonde tínhamos chegado durante a sua presidência. Lá em cima, no camarote, Chelsea e eu observamos com enorme orgulho, enquanto ele realizava a performance de um virtuose. Por volta dos dois terços da duração do discurso, nós descemos, para nos aprontar e nos juntar a ele no palco, para o encerramento da convenção. Quando chegamos aos bastidores, Bill aproximava-se da conclusão. Ele encerrou, recuando à sua campanha de 1992, ao afirmar que "após esses quatro anos bons e difíceis, ainda acredito num lugar chamado Esperança, um lugar chamado Estados Unidos". Eu também.

28

SEGUNDO MANDATO

BILL E EU PASSAMOS O ÚLTIMO DIA de sua última campanha voando pelo interior, numa furiosa investida para conseguir votos, vivendo no limite da exaustão, sem contar com coisa alguma garantida até o encerramento da votação ou, como diria ele, até morrer o último cachorro. A cada hora que passava, o ambiente no Força Aérea Um ficava mais leve, ao ganharmos a confiança de que Bill se tornaria o primeiro presidente democrata desde Franklin Roosevelt a cumprir dois mandatos consecutivos. Na véspera da eleição, Bill, Chelsea e eu estávamos tontos pelo entusiasmo e a falta de sono. Naquela estação, os Estados Unidos estavam tomados pela mania de uma dança tola e, no meio da noite, em alguma parte acima do Missouri, Chelsea comandou a nossa comitiva em uma improvisada rendição à macarena (todos nós parecendo um pouco como campistas estapeando-se para se livrar de um enxame de mosquitos). Mike McCurry, o secretário de Imprensa do presidente, ao relatar aos repórteres as atividades realizadas na parte da frente do avião, teve o cuidado de informar que o chefe do poder executivo dançou "de uma maneira presidencial". Um pouco depois das duas da madrugada, pousamos em Little Rock.

Não havia dúvida de que votaríamos e depois esperaríamos o resultado no Arkansas, onde havia começado a viagem de Bill até a Casa Branca. Nós nos instalamos em uma suíte de um hotel no centro da cidade, descansamos e recebemos visitas de amigos e familiares. Assim que a votação foi encerrada, dezenas de milhares de pessoas já estavam reunidas em Little Rock, antecipando uma comemoração da vitória. Nós nos mantivemos longe dos olhares, a não ser para ir até o nosso local de votação e comparecer a um almoço oferecido pelo senador David Pryor, que se aposentava naquele ano.

Eu estava feliz por me encontrar cercada de rostos familiares, em meio à enxurrada de apoio de uma multidão da cidade natal, mas havia um toque de nostalgia no ar já que todo mundo sabia que aquela era a última eleição de Bill para o cargo. Um presidente só pode cumprir dois mandatos. O homem que vivia para fazer campanhas tinha, finalmente, alcançado a linha de chegada de sua última corrida. Havia outra discreta corrente correndo na direção contrária da multidão radiante. Ao discursar durante o almoço, o senador Pryor lembrou-nos da promotoria independente que, dois anos antes, se instalara em Little Rock e ainda não concluíra suas investigações. "Acredito que a maior salva de aplausos que você conseguiu no Arkansas quis dizer: 'Vamos ganhar esta eleição e mandar Ken Starr para casa'", disse ele. A investigação, destacou, "arruinou muitas vidas, quebrou muitas pessoas financeiramente... Achamos que está na hora de eles nos deixarem seguir em frente."

Ao sabermos que Bill tinha ganho a eleição por uma sólida vantagem de oito pontos percentuais, senti que foi mais do que uma vitória do presidente: foi uma vingança do povo americano. As pessoas mostraram que essa eleição dizia respeito a coisas que interessavam a elas — trabalho, moradia, família e a economia — e não a velhos ressentimentos políticos e falsos escândalos. A nossa mensagem atravessara a atmosfera tóxica de Washington e alcançara os eleitores. O mantra da campanha de 1992 — "Trata-se da economia, idiota" — ainda estava valendo, mas com uma nova ênfase no que a repercussão econômica podia fazer para melhorar a vida de todos os americanos. Nós percebemos que as preocupações pessoais podiam se tornar políticas se as pessoas usassem suas vozes e seus votos para serem ouvidas.

Dias de eleição são uma tortura, pois nada há que fazer além de esperar. Para me distrair, reuni alguns amigos para almoçar no Doe's Eat Place, um restaurante de carnes, filial do lendário Doe's de Greenville, Mississippi. Depois do almoço, resolvi dirigir até a casa de minha mãe, no bairro de Hillcrest, em Little Rock, e adulei Don Flynn, o chefe dos meus agentes, para ele se sentar ao meu lado. Por algum motivo, ao chegarmos, os nós dos dedos de Don estavam brancos como um dado. Desde então, eu nunca mais dirigi.

Pouco depois da meia-noite, seguindo-se ao discurso de admissão de derrota de Dole, Bill e eu demos as mãos e, com os Gore, caminhamos para fora da Old State House, o primeiro prédio da Assembléia Legislativa do Arkansas e o lugar do lançamento da campanha de Bill, em 3 de outubro de 1991.

Eu podia ver os rostos de nossos amigos e partidários no meio da enorme multidão e lembrei da primeira vez que visitei a Old State House, em janeiro de 1977, em uma recepção que oferecemos a todos que tinham ido ver Bill fazer o juramento como procurador-geral do Arkansas. Eu estava grata ao povo do Arkansas, que tinha me dado tanto ao longo dos anos, e senti a intensidade da emoção de Bill: "Agradeço ao povo do meu amado estado natal", disse ele. "Eu não estaria em qualquer outro lugar do mundo esta noite. Diante desta maravilhosa antiga Assembléia, que presenciou muito de minha vida e da história do nosso estado, quero agradecer por vocês estarem comigo há tanto tempo, por nunca terem desistido, por sempre saberem que podíamos fazer melhor".

Bill teria a sua chance de "construir uma ponte para o século XXI" e eu daria o melhor de mim para ajudá-lo. A experiência que adquiri trabalhando, durante o primeiro mandato, me ensinara a usar o meu cargo com mais eficiência, tanto por trás da cena quanto publicamente. Eu tinha deixado um papel altamente visível, como a principal assessora de Bill para assuntos de saúde, depondo perante o Congresso, discursando, viajando pelo país e me encontrando com líderes congressistas, para assumir um papel mais reservado — mas igualmente ativo — durante os dois anos que se seguiram à eleição de meio de mandato de 1994.

Eu havia começado a trabalhar dentro da Casa Branca e com outros funcionários do governo, para salvar serviços e programas vitais que eram alvos de Gingrich e dos republicanos. Também passei dois anos auxiliando os principais assessores do presidente a aprimorar a reforma da previdência e evitar cortes em serviços jurídicos, nas artes, na educação, no Medicare e no Medicaid. Como parte de nosso contínuo esforço para a reforma do sistema de saúde, pressionei democratas e republicanos no Capitólio, a fim de iniciar um programa abrangente para tornar disponíveis vacinas a baixo custo, ou gratuitas, para crianças.

Olhando à frente do segundo mandato de Bill, eu planejava falar publicamente para ajudar a formatar a política da Casa Branca em relação a questões que afetam mulheres, crianças e famílias. A despeito de melhores condições materiais entre muitas das economias avançadas como a nossa, as famílias estavam sob grande tensão. O abismo entre ricos e pobres aumentava. Eu queria resguardar a rede de proteção social — assistência médica, educação, pensões, salários e empregos — que corria perigo de se rasgar, por causa de cidadãos menos capacitados a absorver as mudanças que resultaram da revolução tecnológica e uma cultura consumidora global. Durante a campanha presidencial de 1996, eu havia trabalhado com Bill para destacar temas como a licença do trabalhador, empréstimos para estudantes, assistência médica para crianças e idosos e aumento do salário mínimo. O povo ratificara a liderança dele, nas eleições, e podíamos concentrar esforços para produzir mudanças positivas na vida das pessoas. O revigorado grito republicano contra um governo de grandes proporções tinha como objetivo minar a confiança do povo na eficácia de programas federais amplamente aceitos, como o Seguro Social, Medicare e educação pública. Por meio de uma iniciativa conhecida como "Reinventando o Governo", coordenada pelo vice-presidente Gore, o governo federal era o de menor tamanho desde a administração Kennedy. Eu sabia que qualquer papel federal de continuidade teria que se demonstrar eficiente, com a colocação de mais policiais na rua, por exemplo, ou mais professores nas salas de aulas. Isso significava ouvir os americanos.

Em 1994, conduzi a maior pesquisa sobre mulheres trabalhadoras já feita pelo Departamento do Trabalho dos Estados Unidos. Chamada de "Mulheres trabalhadoras contam", a pesquisa refletiu as inquietações de milhões delas, que constituíam quase metade da força de trabalho da nação. Independentemente de renda ou formação, as mulheres tinham duas preocupações dominantes: creche barata e de qualidade para os filhos e equilibrar o trabalho com a vida familiar. Enquanto criava Chelsea, me vali de amigos, familiares e de uma série de babás que iam à nossa casa quando Bill e eu estávamos trabalhando. A maioria dos pais não tem tanta sorte.

Encontrei-me com mulheres que haviam participado da pesquisa, para saber mais sobre a vida delas. Uma mãe solteira da cidade de Nova York forneceu a chave de sua sobrevivência diária. "Tudo é cronometrado", declarou. Ela resumiu o seu planejamento: acordar às seis da manhã, aprontar-se para ir trabalhar, fazer o café-da-manhã, alimentar o gato e acordar o filho de nove anos. Passar a roupa enquanto ele se apronta para a escola. Levar o filho na escola, trabalhar até às cinco da tarde e depois apanhá-lo no programa de pós-escola. Preparar o jantar, ajudar com o dever de casa, pagar as contas ou arrumar a casa e depois cair na cama para dormir. Ela se orgulhava de poder sustentar sua família e de ter conseguido subir na vida, indo de guarda-livros em meio-expediente para secretária executiva em tempo integral, mas se tratava de uma obrigação exigente e exaustiva. Como me disse uma enfermeira de unidade de tratamento intensivo de Santa Fe, com 37 anos de idade: "Nós temos que ser esposa, mãe e profissional, além de nós mesmas, o que, geralmente, fica em último lugar".

A mãe de Nova York estava grata pelo programa de pós-escola, coordenado pela Police Athletic League (PAL). A polícia local me informou que apóia tais programas, pois entende que, se pais que trabalham querem manter o filho longe de problemas, é preciso haver um ambiente seguro e produtivo nas horas subseqüentes às aulas da escola. Muitos pais, contudo, não têm acesso a bons programas para após as aulas ou um serviço de pré-escola de qualidade. Não há locais de trabalho suficientes que fornecem ou subsidiam creches para os funcionários; a maior parte das creches costuma recusar crianças doentes; e a maioria cobra altas multas para as que são apanhadas depois da hora. Uma mãe de Boston disse-me que, às vezes, sacrificava a hora do almoço para poder sair do trabalho a tempo de apanhar o filho de três anos na creche. O apuro pelo qual ela passava era comum. Uma assistente da vice-presidência de um banco, que conheci em Atlanta, contou-me: "Eu quase atropelo pedestres, na tentativa de chegar na creche a tempo e evitar as multas por atraso cobradas depois das seis da tarde". Uma juíza federal e mãe explicou: "Quando eu era advogada, todos os meus colegas tinham esposas que não trabalhavam. Eles não precisavam se preocupar em pegar a roupa na lavanderia ou apanhar as crianças". Isso pareceu com o que Albert Jenner me falou, em 1974, quando lhe dei a entender que talvez quisesse ser uma advogada de tribunal, e ele me disse que não daria certo, porque eu não tinha uma esposa.

Em 1994, o dr. David Hamburg, presidente da Carnegie Corporation, incentivou-me a usar o meu papel como primeira-dama para destacar as deficiências das creches americanas e estimular um maior apoio federal a pais que trabalham. Durante o debate da reforma da previdência, em 1996, eu havia insistido para que o governo fixasse o acesso de crianças a creches como um ingrediente essencial para ajudar mães pobres a abandonar a previdência pelo trabalho. Posteriormente, eu ampliaria a minha proposta, ao estudar os resultados de nova pesquisa, que indicava a importância de estimular o cérebro da criança na tenra idade. A idéia era descobrir de que modo a creche poderia refletir essa pesquisa e acentuar o desenvolvimento infantil a partir da tenra idade. Apoiei o inovador programa Reach Out and Read [Avance e leia], que estimulava os médicos a "receitarem" que os adultos lessem para bebês e crianças pequenas. Encontrei-me com numerosos especialistas em pediatria e organizações-chave de defesa da criança, e viajei pelo país para ver diferentes abordagens para aperfeiçoar a qualidade do cuidado infantil e remediar a escassez de opções de creches disponíveis para pais que trabalhavam fora. Em Miami, reuni-me com líderes empresariais, para discutir a responsabilidade das empresas com o cuidado infantil, e prossegui com um evento da Casa Branca destacando os programas bem-sucedidos de diferentes empresas. Na base da Marinha, em Quantico, Virginia, visitei um dos mais impressionantes centros de creches para famílias de militares, que eu gostaria que servisse de exemplo para o restante da sociedade.

Promovi duas conferências na Casa Branca, a primeira sobre Desenvolvimento e Aprendizado na Tenra Idade, e a segunda sobre Creches. Reunimos especialistas, advogados, líderes empresariais e políticos, para concentrar a atenção da nação nas áreas críticas da vida familiar e delinear as iniciativas federais a fim de dar, aos homens e mulheres que trabalhavam, a ajuda de que necessitavam para serem empregados produtivos e pais responsáveis. A minha equipe continuou trabalhando junto com os assessores do presidente para assuntos internos, com o objetivo de desenvolver as políticas de impacto que Bill anunciou em seu discurso do Estado da União de 1998. Fiquei orgulhosa pelo fato de o governo dotar um investimento de 20 bilhões de dólares para o aperfeiçoamento dos cuidados com as crianças, durante os cinco anos seguintes. A verba seria usada para aumentar o acesso de famílias de baixa renda a creches e a programas de pós-escola, para as crianças mais velhas, expandir o Head Start e dar incentivos fiscais a empresas e instituições de educação superior que investissem em creches. Criou-se o Early Learning Fund [Fundo de Ensino Fundamental], com o propósito de dar assistência financeira a estados e comunidades em seus esforços para melhorar a qualidade dos profissionais de cuidados infantis, diminuir a relação funcionários-crianças e aumentar o número de profissionais formados. Trabalhei arduamente para tornar os programas de pós-escola mais acessíveis e, em 1998, o governo introduziu o programa 21st. Century Community Learning Centers [Centros Comunitários de Aprendizado do Século XXI], que fornece enriquecedoras oportunidades de pós-escola e escolas de verão a aproximadamente 1,3 milhão de crianças. Os programas de pós-escola têm mostrado um aumento no aprendizado de leitura e matemática, além de diminuir a violência juvenil e o uso de drogas, e dar aos pais a muito necessária paz de espírito.

Continuei a fomentar iniciativas internas por meio de aparições públicas, discursos e reuniões, e ligações telefônicas para membros do Congresso, como também para outras organizações. Durante o transcorrer dos oito anos, a minha talentosa equipe de política interna — Shirley Sagawa, Jennifer Klein, Nicole Rabner, Neera Tanden, Ann O'Leary, Heather Howard e Ruby Shamir — foi de um valor incalculável. Bill e eu também realizamos sessões de estratégia na Casa Branca sobre como reprimir a violência da mídia dirigida à criança, melhorar a educação para estudantes hispânicos, que tinham alta taxa de evasão escolar, e aumentar as oportunidades de trabalho e aprendizado para adolescentes americanos.

O primeiro ato legislativo que Bill transformou em lei, em 1993, foi o Family and Medical Leave Act, apresentado pelo senador democrata Christopher Dodd, de Connecticut, que permitiu a milhões de trabalhadores tirar até doze semanas de licença sem vencimentos, para cuidar de emergências na família ou cuidar de um familiar doente, sem temer a perda do emprego. Milhões de americanos tiraram proveito da proteção da lei e descobriram a profunda diferença que ela fez em suas vidas. Uma mulher do Colorado escreveu-me dizendo que o marido havia falecido recentemente, de insuficiência cardíaca congestiva, após vários anos de enfermidade. Sob a proteção do Family and Medical Leave Act, ela pôde se afastar do emprego para levá-lo às consultas médicas, aos hospitais e confortá-lo nos momentos finais. Ela passou os últimos meses críticos de vida do marido sem precisar se preocupar por não ter um emprego depois da morte dele.

Estimulei a minha equipe a apresentar idéias para aperfeiçoar a lei e atuamos junto ao Departamento do Trabalho, ao Office of Personnel Management [Escritório de Administração Funcional] e ao National Partnership for Women and Families [Parceria Nacional para Mulheres e Famílias] visando modificar a licença familiar e médica, a fim de que os funcionários federais pudessem usar até doze semanas sucessivas de licença remunerada para cuidar de um membro enfermo da família. Eu esperava que esse sistema federal pudesse se tornar um modelo para todo o país e pressionei para que fosse feita uma regulamentação, permitindo aos estados usarem o seu sistema de seguro-desemprego para oferecer licença remunerada aos novos pais. Pelo menos dezesseis assembléias legislativas estavam estudando essas propostas, quando a administração Bush eliminou a regulamentação, um caminho de acesso a uma ajuda para os novos pais.

A proposta de reforma da lei de falências, que percorria o Congresso, ameaçava minar o apoio à esposa e ao filho do qual dependiam alguns pais. O número de americanos que apresentavam pedidos de falência havia crescido 400% em vinte anos, uma estatística estarrecedora, com graves implicações para a estabilidade econômica de nossa nação. Estaria um número crescente de americanos simplesmente utilizando a falência como um instrumento de planejamento financeiro para escapar de débitos pessoais acumulados? O aumento seria devido a uma irresponsável indústria de transações bancárias e cartões de crédito, que, ao ser solicitada, aprovava imprudentemente portadores de cartões sem as devidas qualificações? Ou estariam americanos responsáveis enfrentando despesas pessoais crescentes, que eles simplesmente não conseguiam pagar, como contas de assistência médica não cobertas pelo seguro? O modo pelo qual os políticos respondiam a essas perguntas levavam a soluções políticas que eles defendiam. Os que acreditavam que a indústria de cartões de crédito era a grande culpada pelo aumento do débito alcançado pelos americanos defendiam soluções que se limitavam a táticas agressivas para relacionar os portadores de cartões reconhecidos como sendo um risco de crédito. Os que achavam que as pessoas estavam usando o sistema para evitar pagamento de dívidas reais preferiam soluções que tornariam ainda mais difícil a decretação de falência ou limitariam o montante de débito a ser perdoado em casos de falência.

Descobri que faltava a esse debate qualquer discussão do que aconteceria com mulheres e crianças que dependiam de pensões alimentícias legalmente concedidas, para o sustento da esposa e do filho que não estavam sendo pagas. Centenas de milhares de casos de falência estavam levando mulheres aos tribunais, porque tentavam receber as pensões que haviam sido tiradas delas e dos filhos por pais caloteiros ou ex-maridos que haviam declarado falência. Eu reconhecia que as mudanças na lei de falências teriam profundas implicações para mulheres e famílias. Em casos de falência, as empresas de cartões de crédito queriam que suas contas não pagas tivessem a mesma prioridade das pensões alimentícias. Isso significava que mulheres solteiras teriam de competir com o Visa e o MasterCard para cobrar na justiça as pensões devidas. Eu achava que as pensões alimentícias deveriam vir em primeiro lugar e que a reforma das falências devia ser equilibrada, presumindo-se mais responsabilidade tanto de devedores quanto de credores. Em 1998, influí na decisão do veto do presidente a uma versão do projeto de lei que favorecia de modo desproporcional a indústria dos cartões de crédito em relação aos consumidores e depois trabalhei com membros do Congresso para melhorar a lei de proteção ao consumidor e acrescentar condições para proteger mulheres e suas famílias. No Senado, uma das primeiras medidas que aprovei aumentava proteções para mulheres e crianças.

A capacitação econômica das mulheres também significava continuar a luta por salários e aposentadorias iguais. As mulheres continuam sem receber o mesmo que os homens e muitas trabalhadoras não recebem qualquer rendimento, ou recebem um valor inadequado de pensões e precisam contar com o Seguro Social. A estrutura do Seguro Social é baseada na idéia ultrapassada da mulher como o ganha-pão secundário, ou nem mesmo como o ganha-pão. O pagamento recebido por uma pessoa é determinado pela contribuição que ela faz durante os anos de serviço. A maioria das mulheres não apenas ganha menos do que os homens, e, em geral, não recebe pensões de previdência privada, como também é levada a trabalhar em meio expediente, passa períodos sem fazer parte da força de trabalho e vive sozinha em seus anos de aposentadoria, pois, em média, elas vivem mais tempo do que os maridos. Para muitas mulheres idosas, o Seguro Social é tudo que existe entre elas e a pobreza abjeta. Determinada a preservar a solvência dessa rede de segurança essencial, presidi um painel na Conferência sobre Seguro Social da Casa Branca, em 1998, para estudar a discriminação estrutural do sistema contra as mulheres.

Mulheres e crianças também sofrem as iniqüidades de nosso sistema de saúde, uma das minhas motivações originais para atuar na reforma. Orientei as tentativas para pôr fim à prática do "parto *drive-trhu*", por meio do qual hospitais davam alta a novas mães 24 horas após darem à luz. Atualmente, as mulheres podem permanecer por 48 horas após um parto normal e 96 depois de uma cesariana.

Inspirada na vida da ativista da AIDS Elizabeth Glaser, também passei a trabalhar para melhores testes e rotulagem de remédios pediátricos, inclusive aqueles para tratamento de crianças com HIV. Conheci Elizabeth na convenção democrata de 1992, onde ela discursou, de forma comovente, como havia contraído o HIV em uma transfusão de sangue depois de dar à luz a filha Ariel, em 1981. Sem saber que estava contaminada, passou a doença para a filha durante o aleitamento e depois para o filho Jake, no ventre. Elizabeth ficou indignada com o fato de os medicamentos disponíveis para ela serem negados à filha e ao filho, pois sua eficácia e segurança não tinham sido testadas para crianças. Ela e o marido, Paul Glaser, viram, impotentes, a filha sucumbir à AIDS com a idade de sete anos.

Elizabeth transformou a perda pessoal em uma missão em benefício de crianças com HIV e criou a Fundação AIDS Pediátrica, para apoiar e incentivar a pesquisa para prevenção e tratamento da AIDS infantil. Até sua morte, em 1994, trabalhei com ela para exigir que os medicamentos fossem adequadamente testados e administrados às crianças e depois levei a causa adiante, em sua memória. Jake foi beneficiado pelos avanços obtidos no tratamento e está indo bem.

Enquanto alguns remédios não se acham disponíveis para crianças desesperadamente doentes, outros são receitados rotineiramente com pouca compreensão das dosagens apropriadas ou dos efeitos colaterais potencialmente nocivos. Jen Klein, minha assessora que coordenou com sucesso o empenho da Casa Branca para aperfeiçoar os testes e rotulagem dos medicamentos pediátricos, estava bem a par da questão, pois o seu filho Jacob tomava remédio contra asma. Em 1998, a Food and Drugs Administration [órgão de controle de alimentos e medicamentos] passou a exigir que a indústria farmacêutica testasse remédios para uso em crianças, mas algumas empresas impetraram uma ação e a justiça federal decidiu que a FDA não tinha autoridade para exigir testes. Como senadora, tenho atuado no sentido de aprovar uma lei que dá à FDA o poder necessário para fazer o que Elizabeth defendia.

* * *

Por causa do meu discurso em Pequim um ano antes, minha visibilidade em todo o mundo havia crescido enormemente e, nas visitas oficiais ao exterior, acompanhava Bill aonde era adequado e participava dos programas com as esposas. O meu escritório agora era bombardeado com pedidos para eu fazer discursos e participar sozinha de reuniões para debater assuntos relativos às mulheres dos países que visitava. Em meados de novembro, quando fizemos uma visita oficial à Austrália, Filipinas e Tailândia, fiz a minha programação e Bill, a dele. Nós também agendamos alguns R&R necessários. Visitamos a Grande Barreira de Recifes enquanto estivemos na Austrália, após escalas em Sydney e Canberra. Em Port Douglas, Bill anunciou o apoio americano à International Coral Reef Initiative [Iniciativa Internacional de Proteção aos Recifes de Coral], para deter a erosão dos recifes em todo o mundo, e depois pegamos um barco até os recifes do Mar de Coral. Fiquei ansiosa para entrar na água. "Vamos, pessoal!", chamei a minha equipe. "A vida é curta demais para a gente se preocupar em molhar o cabelo!"

Envolve sempre uma grande produção quando um presidente resolve nadar. Mergulhadores da Marinha e agentes do Serviço Secreto com nadadeiras e máscaras nos rodeavam, enquanto Bill e eu nos deslumbrávamos com um mexilhão gigante e cortinas de peixes iridescentes arremessando-se através das águas azul-turquesa.

Houve outros momentos maravilhosos nessa viagem. Bill jogou golfe com o mais famoso "Grande Tubarão Branco" da Austrália, o lendário Greg Norman, depois de treinar algumas tacadas nos corredores do Força Aérea Um durante o sobrevôo. Visitei a mundialmente famosa Opera House de Sydney, onde falei para uma distinta platéia formada por mulheres sobre a eleição presidencial e a ênfase que Bill e eu havíamos dado às questões relativas a mulheres e famílias, o que alguns críticos chamaram de "feminização da política", mas que eu considerava "humanização".

Em uma área de preservação animal, Bill acariciou uma coala chamada Chelsea. Foi um milagre — ou um exemplo de descuido feliz — ele ter conseguido chegar perto do animal. Um superansioso membro do grupo avançado da Casa Branca tinha assumido para si a missão de proteger Bill contra qualquer ataque alérgico no exterior. Durante uma visita de cortesia à casa do governador-geral em Canberra, Bill e eu passeamos com sir William e lady Deane admirando seu vasto gramado. Lady Deane dirigiu-se a Bill: "Desculpe-nos pelos cangurus", disse ela. "Creio que eles já capturaram todos."

Bill pareceu intrigado.

"Do que está falando?", perguntei.

"Ora", disse ela, "mandaram que a gente recolhesse todos os cangurus do gramado, pois, se um chegasse perto do presidente, poderia causar uma reação alérgica nele."

Pelo que lhe consta, Bill não é alérgico a cangurus, mas alguém falou que era e prevaleceu a exigência de protegê-lo. Os nossos leais e dedicados grupos avançados estavam ansiosos para ajudar, e sou grata pelos seus esforços diligentes em antecipar cada uma de nossas necessidades, mas eu me sentia péssima quando a dedicação deles se tornava uma imposição para as outras pessoas à nossa volta. No jantar cerimonial que o presidente François Mitterrand e sua mulher Danielle nos ofereceram, em 1994, no Palácio Elysée, em Paris, Madame Mitterrand desculpou-se comigo porque as mesas pareciam tão nuas, sem os arranjos de flores. "Como assim?", perguntei.

"Disseram-me que o presidente é alérgico a flores."

Ele também não é alérgico a cortar flores, como vinha dizendo há anos aos seus funcionários, quase sempre inutilmente. Não teríamos conseguido coisa alguma sem muitos dos maravilhosos auxiliares, mas em algumas ocasiões recebíamos mais ajuda do que necessitávamos!

Agora fica entendido por que, quando eu viajava com o presidente, enfatizava questões relacionadas a mulher, saúde, educação, direitos humanos, meio ambiente e iniciativas populares, tais como o microcrédito, para dar um empurrão em economias. Normalmente, eu me separava da delegação oficial de Bill, para me encontrar com mulheres em suas casas e locais de trabalho, ir a hospitais que usavam abordagens inovadoras para ampliar a assistência médica a crianças e famílias, e visitar escolas, especialmente as que educavam meninas. Nesses ambientes, aprendia a respeito da cultura local e reforçava a mensagem de que a prosperidade de uma nação está associada à educação e ao bem-estar de meninas e mulheres.

Em nossa primeira visita às Filipinas, em 1994, Bill e eu visitamos Corregidor, a base americana que havia caído nas mãos dos japoneses durante a Segunda Guerra Mundial. Ali, o general Douglas MacArthur foi forçado a abandonar as ilhas, mas prometeu: "Eu voltarei". Os soldados filipinos lutaram corajosamente ao lado dos americanos, pavimentando o caminho para o retorno definitivo de MacArthur, em 1944. As Filipinas passaram por bruscas mudanças políticas nas décadas que se seguiram à Segunda Guerra Mundial e o povo ainda se recupera dos efeitos dos 21 anos de governo autocrático de Ferdinand Marcos. Corazón Aquino, cujo marido foi assassinado como resultado de sua oposição a Marcos, tinha aberto o caminho para restaurar a democracia em seu país. Em 1986, "Cory" Aquino concorreu à Presidência contra Marcos. Ferdinand Marcos foi declarado vencedor, mas teve sua vitória atribuída a suspeitas de fraude e intimidação. Protestos populares derrubaram Marcos e Aquino tornou-se presidente, outra mulher levada à política como resultado de uma perda pessoal.

A presidente Aquino foi sucedida por Fidel Ramos, um ex-general educado em West Point, que dotou de um pouco de sorriso e senso de humor suas assustadoras responsabilidades. Ele e a mulher Amelita foram os anfitriões nas duas visitas que fizemos a Manila. No almoço cerimonial, em 1994, Ramos insistiu para que Bill tocasse saxofone e, quando ele se recusou, fez com que a banda chamasse Bill para tocar, acompanhado ao piano pela sra. Ramos. Ela também me mostrou alegremente um dos muitos armários da ex-residência presidencial ainda repleto de sapatos de Imelda Marcos.

Após discursar em uma conferência a que compareceram milhares de mulheres de toda a República das Filipinas, deixei Manila, segui para a região montanhosa do norte da Tailândia e me encontrei com Bill em Bangcoc, para uma visita ao rei Bhumibo e à rainha Adulyadej Sirikit, que coincidiu com o qüinquagésimo aniversário do rei no trono.

Ao voar para a cidade de Chiang Rai, perto da fronteira do Laos com a Birmânia, desfrutei a vista espetacular dos verdes arrozais e rios serpeantes que se estendiam abaixo de mim. Fui recebida na pista por músicos batendo tambores e pratos e tocando o *sah*, um instrumento de cordas com um som penetrante e melancólico. Meninas, com vestimentas tribais tradicionais da região de montanhas, dançaram, enquanto miraculosamente equilibravam os arranjos de flores e velas presas aos punhos. A minha chegada coincidiu com o Festival Loy Krathong, quando as ruas ficam repletas de celebrantes a caminho do rio Mae Ping, para jogar na água feixes flutuantes de flores e velas. O antigo costume, segundo me disseram, simboliza o fim dos problemas de um ano e as esperanças no próximo.

O lado esperançoso desse ritual é um completo contraste com a vida horrenda das moças, que visitei posteriormente, em um centro de reabilitação para ex-prostitutas. Essa região do norte da Tailândia era parte do "Triângulo Dourado", um epicentro de todo tipo de tráfico: drogas, mercadorias contrabandeadas e mulheres. Fui informada de que 10% ou mais das garotas da região eram coagidas à indústria do sexo. Muitas eram vendidas para prostituição antes de atingirem a puberdade, pois os clientes preferiam as mais jovens, erroneamente convencidos de que elas não tinham AIDS, endêmica entre as prostitutas. No New Life Center, em Chiang Mai, missionários americanos forneciam um porto seguro a ex-prostitutas e a chance de aprender uma profissão necessária para se sustentarem. Conheci uma menina no Centro que fora vendida pelo pai viciado em ópio quando tinha oito anos de idade. Alguns anos depois, ela fugiu e voltou para casa — só para ser vendida novamente para um prostíbulo. Na ocasião, com apenas doze anos, ela estava morrendo de AIDS no Centro. A pele pendia dos ossos, e a observei, impotente, reunir todas as suas forças para juntar as mãos minúsculas e fazer a tradicional saudação tailandesa quando me aproximei dela. Ajoelhei-me perto de sua cadeira e tentei uma conversa, por intermédio de um intérprete. Ela não tinha forças para falar. Tudo que pude fazer foi segurar a sua mão. A menina morreu pouco depois da minha visita.

Num passeio pela aldeia, testemunhei a perturbadora evidência da economia da oferta e da procura que levou aquela garota à morte. Meus guias explicaram-me que toda casa com uma antena de TV saliente em seu telhado de palha significava uma família abastada — e isso, quase sempre, queria dizer que ela havia vendido uma filha para o comércio do sexo. Famílias nas cabanas mais pobres de pau-a-pique, sem televisão, ou tinham se recusado ou não tinham filhas para vender. Essa visita reforçou minha decisão de reduzir as desconexões entre a política global e as vidas locais. Em uma reunião com representantes do governo tailandês e grupos de mulheres, discuti os planos do governo para acabar com o tráfico de mulheres, especialmente o de meninas, para o comércio sexual de Bangcoc, com o endurecimento e o cumprimento de suas leis antiprostituição, impondo sérias penas de prisão a donos de bordéis, clientes e famílias que vendem suas filhas para a prostituição. Traficar mulheres é uma violação de direitos humanos, que escraviza meninas e mulheres, distorce e desestabiliza economias de regiões inteiras, do mesmo modo que o tráfico de drogas. A Tailândia não era a única. Durante as minhas viagens, comecei a entender quão vasta a indústria do tráfico humano — particularmente o de mulheres — havia se tornado. Atualmente, o Departamento de Estado calcula que cerca de 4 milhões de pessoas, geralmente vivendo em extrema pobreza, são traficadas a cada ano. Passei a falar abertamente sobre essa terrível violação de direitos humanos e a pressionar o governo para assumir a liderança global de seu combate. Em Istambul, Turquia, na reunião de 1999 da OSCE [Organization for Security and Cooperation in Europe — Organização para Segurança e Cooperação Européia], participei de um painel para exortar uma ação internacional. Trabalhei com o Departamento de Estado e membros do Congresso, já preocupados com a questão. A Trafficking Victims Protection Act [Lei de Proteção a Vítimas de Tráfico], aprovada em 2000, é agora o mandamento que ajuda as mulheres traficadas nos Estados Unidos e dá assistência e ajuda a governos e ONGs a combater o tráfico no exterior.

* * *

Voamos de volta para Washington a tempo do dia de Ação de Graças e seguimos para Camp David para uma reunião de família. Nossos convidados incluíam Harry, Linda e o irmão de Harry, Danny Thomason, que conhecia Bill desde 1968, quando Danny ensinava em uma escola de Hot Springs. O melhor de tudo era que agora tínhamos dois sobrinhos, Zachary, o filho de Tony, e Tyler, o filho de Roger. Os homens jogaram golfe, apesar do frio congelante, disputando o que eles chamaram de troféu Camp David. Fazíamos as nossas refeições e passávamos o tempo em Laurel, para onde mandei levar uma televisão de tela grande, a fim de que jogos de futebol pudessem ser vistos de todos os cantos do aposento. Durante o jantar, votávamos para escolher o filme que seria visto naquela noite no cinema do acampamento, e, no caso de empate ou de uma forte discordância, às vezes fazíamos uma sessão dupla.

Os republicanos haviam perdido nove cadeiras na Câmara e duas no Senado, mas continuavam no controle de ambas as câmaras do Congresso e deram mais posições de liderança a ideólogos, em vez de a moderados ou pragmáticos. O novo Chairman of the House Government Reform and Oversight Committee [Presidente da Comissão da Câmara de Supervisão e Reforma do Governo], o republicano Dan Burton, de Indiana, era o principal teórico da conspiração. Ele obtivera pequena notoriedade por disparar uma pistola calibre 38 em uma melancia, em seu quintal, como parte de uma bizarra tentativa de provar que Vincent Foster fora assassinado.

Importantes republicanos, inclusive o líder da maioria no Senado Trent Lott, já haviam assegurado que era de sua "responsabilidade" continuar investigando o governo Clinton, mas o inquérito de Whitewater parecia estar perdendo ímpeto. O senador D'Amato suspendera as suas audiências em junho. Apesar do demorado interrogatório, Kenneth Starr fracassara em arrancar qualquer migalha condenatória de Webb Hubbell, que cumpria pena de dezoito meses em uma prisão federal por defraudar seus clientes e sócios.

Ao se aproximar a segunda posse de Bill, houve várias mudanças no gabinete e na assessoria da Casa Branca. Leon Panetta, chefe da Casa Civil de Bill, decidiu voltar à iniciativa privada na Califórnia. Erskine Bowles, um empresário da Carolina do Norte e amigo de confiança, que trabalhava como sub de Leon, assumiria o lugar dele. A mulher de Erskine, Crandall, uma empresária inteligente e bem-sucedida, tinha sido minha colega de turma na Wellesley. Harold Ickes, nosso amigo de longa data, que havia começado com Bill em 1991 e fizera um esplêndido trabalho organizando a campanha em Nova York em 1992, voltou ao seu escritório de advocacia e consultoria. Evelyn Lieberman assumiu a chefia da Voz da América. George Stephanopoulos deixou o governo, para lecionar e escrever as suas memórias.

Eu também perdi a minha chefe de pessoal. Maggie quis a sua vida de volta. Ela não pretendia mesmo permanecer por mais de um mandato e entendi a sua decisão. Maggie e o marido Bill Barrett estavam de mudança para Paris. Fiquei feliz por ela: Maggie suportara os piores abusos da interminável investigação. Claro que ela não foi a única pessoa a ser sugada pelo furacão, mas eu a via diariamente e sabia o tributo que os últimos anos lhe impuseram.

Melanne Verveer tornou-se a minha nova chefe de pessoal. Ela estivera a meu lado em praticamente todas as viagens ao exterior e era força galvanizadora por trás do movimento internacional que defendíamos para treinar e equipar mulheres para posições de liderança. Grande companheira, Melanne possui um impressionante domínio de questões legislativas, como também muitas amizades no Congresso.

Vários postos no gabinete haviam ficado vagos após a eleição, inclusive o de secretário de Estado. Desde que Warren Christopher anunciou sua iminente aposentadoria no início de novembro, Washington fora tomada pelo jogo de adivinhação sobre quem o substituiria. Havia uma lista de esperançosos, cada qual com seu próprio eleitorado.

Eu esperava que Bill levasse em consideração nomear Madeleine Albright como a primeira mulher a se tornar secretária de Estado. Eu achava que ela fizera um esplêndido trabalho nas Nações Unidas e estava impressionada com sua habilidade diplomática, compreensão dos assuntos mundiais e coragem pessoal. Também a admirava pela sua fluência em francês, russo, tcheco e polonês, sem falar no inglês — quatro línguas a mais do que eu falava. Ela havia defendido o pronto envolvimento militar dos Estados Unidos nos Bálcãs e, de muitas maneiras, a história de sua vida era um reflexo da jornada da Europa e dos Estados Unidos durante a última metade do século. De um modo visceral, Madeleine identificava-se com os anseios de liberdade da opressão e desejo de democracia das pessoas.

Parte do sistema da política externa forçava suas próprias preferências e se iniciou imediatamente uma silenciosa campanha contra Madeleine. Ela era atrevida demais, agressiva demais, despreparada, os líderes de determinados países não lidariam com uma mulher. Então, surgiu uma nota no *Washington Post*, em novembro de 1996, sustentando que a Casa Branca a considerava apenas como uma candidata de "segunda linha". A tática, plantada provavelmente por um dos seus oponentes para sabotar a candidatura dela, teve efeito contrário e chamou mais atenção para os atributos de Madeleine. Agora, a sua candidatura teria de ser levada a sério.

Nunca falei com Madeleine sobre a candidatura dela e mesmo os meus assessores mais próximos não sabiam que eu estimulava Bill a incluí-la na decisão que tomaria. Além do meu marido, a outra única pessoa com quem discuti a indicação foi Pamela Harriman, então embaixadora na França. Vários dias após a nota do *Washington Post*, Pamela foi me visitar na Casa Branca. Apesar dos quatro anos em Paris como embaixadora dos Estados

Unidos, ela continuava por dentro da sociedade e das fofocas de Washington e não se continha de curiosidade a respeito de Madeleine Albright.

"Estive falando com *todo mundo*", disse ela, naquele maravilhoso e cadenciado sotaque inglês. "Sabe, algumas pessoas acham mesmo que Madeleine pode ser nomeada secretária de Estado."

"Sério?"

"Sim, o que você acha?", perguntou.

"Bem, eu não me surpreenderia, se isso acontecesse."

"Não?"

"Não. Creio que ela tem feito um excelente trabalho e, como acho que todas as coisas devem ser iguais, seria ótimo ter uma mulher nesse cargo."

"Bem, não sei. Não estou certa disso. Há outras pessoas muito qualificadas, que também querem o cargo", ponderou Pamela.

"Eu sei que há, mas, se eu fosse você, não apostaria contra Madeleine."

Eu sabia que a minha opinião era uma entre as muitas que Bill pediu. Quando ele tomava uma decisão, esta era somente sua. Por isso, quando ele matutava, eu ouvia e, ocasionalmente, aparteava com um comentário ou uma pergunta. Ao me perguntar sobre Madeleine, disse-lhe que não havia ninguém que tivesse dado mais apoio às políticas dele e que ela era articuladora e persuasiva nas questões. Também acrescentei que a indicação dela deixaria as mulheres orgulhosas. Eu ainda não tinha certeza de quem Bill escolheria, até que, finalmente, em dezembro de 1996, ele convocou Madeleine e lhe perguntou se queria ser sua secretária de Estado. Fiquei encantada. Depois do anúncio, Pamela mandou-me um bilhete que dizia: "Eu nunca apostaria contra você *nem* Madeleine".

Madeleine tornou-se a primeira mulher na história a assumir o cargo e, pelo menos durante o seu mandato, os direitos e as necessidades das mulheres foram integrados às metas da política externa americana. Ela deixou isso claro ao comemorar o Dia Internacional da Mulher no Departamento de Estado em 1997. Eu tive a honra de dividir a tribuna com ela, ao discutirmos a importância dos direitos da mulher para o progresso global. Reagi veementemente contra a regra bárbara dos talibãs no Afeganistão. Eu acreditava que os Estados Unidos não deviam reconhecer o seu governo, por causa da opressão às mulheres; nem que empresas americanas deviam assumir contratos para a construção de oleodutos ou qualquer outro empreendimento comercial.

* * *

Eu estava muito mais descontraída na segunda posse e aproveitei os eventos sem me preocupar em estar prestes a dormir em pé. Ao mesmo tempo, estávamos menos empolgados e impressionados do que em 1993. Claro que, na ocasião, o nosso mundo era muito diferente. Eu sentia como se entrasse em um novo capítulo de minha vida, como aço temperado no fogo: um pouco mais dura nas bordas, porém mais durável, mais flexível. Bill amadurecera durante o seu período na Presidência e ela o havia dotado de uma seriedade que se revelava no rosto e nos olhos. Ele tinha apenas cinqüenta anos, mas o cabelo estava quase completamente branco e, pela primeira vez na vida, parecia ter a sua idade. Mas ainda mantinha aquele sorriso de menino, espírito aguçado e otimismo contagiante pelos quais eu me apaixonara 25 antes. Eu ainda me alegrava quando ele entrava num aposento e ainda me descobria admirando o seu belo rosto. Partilhávamos uma duradoura convicção na importância do serviço público e éramos o melhor amigo um do outro. Embora tivéssemos a nossa cota de problemas, ainda fazíamos rir um ao outro. Isso, eu tinha certeza, nos levaria adiante durante mais quatro anos na Casa Branca.

Eu não era a mesma pessoa que havia usado o vestido azul-violeta em 1993. Nem conseguiria entrar nele, após quatro anos de permanência na Casa Branca. Não tinha ficado apenas mais velha, como mais loura. A imprensa continuava sem perder de vista as minhas mudanças de penteado, mas, finalmente, estava me dando aprovação no setor moda. Tornara-me amiga do estilista Oscar de la Renta e de sua glamorosa mulher Annette, depois que nos conhecemos na recepção do primeiro Kennedy Center Honors que Bill e eu promovemos na Casa Branca em 1993. Eu usava um dos seus vestidos *prêt-à-porter* que havia comprado e, quando Oscar e Annette se aproximaram na fila de recepção e o viram, ele me confessou o quanto se sentia lisonjeado e me ofereceu sua ajuda. Eu adorava os seus desenhos elegantes e ele fez para mim um fabuloso vestido de tule com bordado dourado, com um casaco combinando, para a segunda rodada dos Bailes de Posse. Também usei um dos seus conjuntos de lã coral, com um casaco da mesma cor, na cerimônia de juramento. Quebrando a tradição e seguindo o decidido conselho de Oscar, livrei-me do chapéu. A única censura que recebi, naquele dia, em relação ao estilo, foi por ter usado um broche com o casaco, uma decisão somente minha. Eu gosto de broches!

Mas eu também tive do que me queixar. A nossa Chelsea, com dezesseis anos e a caminho dos dezessete, desceu a escada coberta com um casaco na altura da panturrilha e só me dei conta do que havia por baixo dele quando estávamos prestes a deixar a Casa Branca. Vi de relance a sua minissaia no meio da coxa e pedi para dar uma olhada na roupa. Ela abriu o casaco e a fotógrafa Diana Walker, que fazia uma matéria de bastidores para a *Time*, captou o meu rosto. Era tarde demais para Chelsea mudar de roupa — e ela não faria isso, mesmo se eu implorasse. Ela atraiu bastante a atenção ao caminhar no desfile sem o casaco, mas apenas acenou e sorriu, e se portou com confiança e naturalidade. Chelsea precisara de todo o seu equilíbrio — e senso de humor — mais cedo, naquele dia, durante o almoço no Capitólio.

Os republicanos controlavam o Congresso; portanto, determinaram os locais onde cada um se sentaria durante o tradicional almoço com os congressistas. Talvez tivesse sido idéia de alguém fazer um gracejo, colocando-me ao lado de Newt Gingrich e Chelsea entre Tom DeLay, o líder da bancada republicana na Câmara, e o ativo nonagenário senador da Carolina do Sul Strom Thurmond. DeLay, que andara dizendo todo tipo de coisas horrorosas do pai de Chelsea, foi amável e ela retribuiu. Ele contou que a própria filha trabalhava em seu gabinete e disse que era importante envolver a família na vida pública de um político. E se ofereceu para levá-la a um passeio pelo Capitólio.

Strom Thurmond também se dedicou à conversa fiada. — "Você sabe como consegui viver tanto tempo?", perguntou a Chelsea. Thurmond tinha 95 anos. Ele foi o soldado mais velho a saltar de pára-quedas atrás das linhas na Normandia, pouco antes do Dia D, e fora casado com duas ex-Misses. O senador teve quatro filhos aos sessenta, setenta anos de idade. "Flexões! Flexões com apenas um braço!", aconselhou a Chelsea. "E nunca comer nada maior do que um ovo. Faço seis refeições por dia, todas do tamanho de um ovo!"

Chelsea assentiu educadamente e comeu sua salada. O outro prato foi servido.

"Acho que você é quase tão bonita quanto a sua mãe", falou o senador, com aquele sedoso encanto sulista que lhe deu bastante fama.

Mas, no meio da refeição, ele refletiu: "Você é tão bonita quanto a sua mãe. Ela é muito bonita e você é bonita também. Sim, é. Você é tão bonita quanto a sua mãe".

Quando a sobremesa chegou, Thurmond estava dizendo: "Eu acho que você é mais bonita do que a sua mãe. Sim, é, e se eu tivesse setenta anos a menos, namoraria você!".

Minha conversa no almoço nem de perto foi tão pitoresca quanto a de Chelsea. Newt Gingrich parecia abatido. Durante toda a refeição, insisti com ele, conversando sobre nada em particular. *Como vai a sua mãe? Bem, obrigado. E a sua, como vai?* Tinham sido dois anos ruins para Gingrich.

Embora tivesse vencido a reeleição para presidente da Câmara, ele havia perdido a popularidade nacional e terreno na Casa Branca. Recentemente, também fora investigado pela comissão de ética da Câmara por falta de decoro. Acusado de usar inadequadamente organizações isentas de impostos para financiar uma série de conferências políticas e depois enganar a comissão com relação às verbas, Gingrich alegou que se tratara de um erro inocente e jogou a culpa para o seu advogado. A comissão concluiu que ele dera respostas questionáveis e enganadoras em treze ocasiões durante o curso da investigação. Recebeu uma multa e foi repreendido. Eu duvidava que o problema de Gingrich na Câmara o impediria de prolongar o máximo que pudesse as investigações sobre Whitewater. Aliás, não conseguia me livrar da impressão que vinha sentindo desde a cerimônia vespertina de juramento.

O dia estava um tanto nublado e frio, e o ar diante da cúpula parecia mais gelado ainda. Por tradição, o juiz presidente da Suprema Corte oficia a prestação de juramento do cargo a cada presidente eleito, mas nem Bill nem eu apreciávamos a idéia de compartilhar um momento tão importante com William Rehnquist, que desprezava a nós dois e a nossa política. No início de sua carreira, como oficial de justiça do juiz Robert Jackson da Suprema Corte, Rehnquist redigiu um memorando defendendo firmemente o apoio à principal decisão pró-segregação da Corte, em 1896, no caso denominado Plessy versus Ferguson, que enunciou a doutrina do "segregado, mas igual". Ele endossou uma lei do Texas permitindo eleições primárias apenas para brancos. "Está na hora de a Corte encarar o fato de que os brancos no Sul não gostam de pessoas de cor", escreveu ele em 1952. E, em 1964, segundo depoimento juramentado, Rehnquist liderou as tentativas de impugnar a habilitação de eleitores negros nas eleições no Arizona. Em 1970, como assistente do procurador-geral de Richard Nixon, ele propôs uma emenda constitucional para limitar e impedir a implementação da medida, que foi um marco da dessegregação nas escolas, o caso Brown versus Comissão de Educação. Desde 1971, quando foi nomeado para a Corte por Nixon, ele tentou, de forma consistente, reverter o progresso em relação ao racismo obtido pela Corte — e, por extensão, pelo país. Foi dele, por exemplo, o único voto a favor da concessão de condição legal de isenção de impostos federais para a Bob Jones University, que proibira o namoro inter-racial e tinha uma política de expulsão para esses casos. Ele não fazia nenhum esforço para esconder sua amizade com muitos dos conservadores radicais que tentavam minar a presidência de Bill, desde sua primeira posse como presidente. Como o país veio a descobrir depois, no caso da decisão da eleição Gore versus Bush, seu mandato vitalício como juiz da Suprema Corte não inibiu seu ardor ideológico ou partidário.

Sugeri que Bill pedisse a um dos dois magistrados que ele havia nomeado, a juíza Ruth Bader Ginsburg ou o juiz Stephen Breyer, para oficiar o juramento de posse. Mas o respeito dele à tradição prevaleceu. Seu discurso de posse, afinal de contas, tocou no tema da reconciliação e da cicatrização e se referiu especificamente à "divisão de raças" como "a maldição constante dos Estados Unidos". Bill conclamou os americanos a "forçar novos laços que se prendam uns aos outros".

No momento apropriado, Chelsea e eu seguramos a Bíblia sobre a qual Bill pousou a mão esquerda, ao mesmo tempo em que levantava a direita para fazer o juramento. Quando Rehnquist terminou de tomar o juramento, Bill estendeu a mão para apertar a do presidente da Suprema Corte.

"Boa sorte", disse Rehnquist, sem sorrir. Algo em seu tom de voz me fez pensar que íamos precisar disso.

29

NO CORAÇÃO DA ÁFRICA

NA SEGUNDA VEZ EM QUE MEU MARIDO se encontrou com Greg Norman para jogar golfe, acabou tendo que usar muletas durante dois meses. Bill não caiu em uma armadilha de areia, e não foi uma tacada mais violenta que o vitimou — ele simplesmente pisou em falso na escada às escuras diante da casa de Norman, na Flórida, e deu uma guinada para trás, dilacerando 90% do quadríceps. Isso aconteceu pouco depois de uma da madrugada da sexta-feira, dia 14 de março de 1997, e a caminho do hospital ele me telefonou para dar a notícia. Sentia dores terríveis, mas estava tentando, segundo disse, "seguir em frente com a perna boa". Fiquei aliviada pelo seu senso de humor não ter sido afetado, mas as minhas células de inquietação entraram em alta atividade. A única preocupação de Bill era voltar para a Casa Branca e voar para Helsinque, Finlândia, para um encontro há muito tempo agendado com Boris Yeltsin na quarta-feira seguinte — não importava o que dissessem os médicos. Liguei para a dra. Connie Mariano, diretora da Unidade Médica da Casa Branca e médica do presidente, para pedir sua opinião. Ela me disse que Bill precisaria fazer uma cirurgia, mas ele podia voar de volta da Flórida, sem problemas, e ser operado em Washington.

Fui encontrar o Força Aérea Um na Base Aérea de Andrews na manhã de sexta-feira e fiquei na pista observando uma linha de ataque de rúgbi formada por agentes do Serviço Secreto retirar o meu normalmente indestrutível marido do bojo do avião. Eles o colocaram em uma cadeira de rodas no topo de um elevador hidráulico portátil e o baixaram para o solo. Fui em uma perua com Bill até o Hospital Naval de Bethesda, onde cirurgiões operariam sua perna. Bill estava alegre, apesar da dor excruciante, e, mesmo assim, totalmente resolvido a ir a Helsinque. Pedi-lhe que esperasse até sabermos como seria a cirurgia, mas ele já havia decidido que ficaria tudo bem. Freqüentemente, Bill me lembrava o menino que cavava furiosamente em um celeiro cheio de estrume. Quando alguém lhe perguntou por que o fazia, ele respondeu: "Com todo esse estrume, tem que haver um pônei aqui, em algum lugar".

Ele se recusou a tomar anestesia geral ou analgésicos com narcóticos, porque, como presidente, precisava estar consciente e a postos 24 horas por dia. Isso representava um problema. A cirurgia de que ele precisava, para religar o tendão do seu quádriceps à parte superior da rótula, era dolorosa e meticulosa. Se tomasse anestesia geral, Bill precisaria recorrer à Vigésima-Quinta Emenda da Constituição, para transferir provisoriamente a Presidência ao vice-presidente, que estava atento à situação. Não tinha havido esse tipo de transferência desde 1985, quando o presidente Reagan submeteu-se a uma cirurgia de câncer no cólon. Bill estava determinado a não recorrer à transferência de poder. A próxima reunião com Yeltsin envolvia a expansão da OTAN, à qual os russos se opunham veementemente. Bill não queria notícias que pudessem indicar sua fraqueza ou vulnerabilidade. Optou por uma anestesia local e ficou conversando com os médicos sobre a música de Lyle Lovett que tocava na sala de cirurgia, enquanto o ortopedista e sua equipe faziam buracos em sua rótula com uma furadeira, puxavam por eles o quadríceps esfrangalhado e depois suturavam as suas extremidades à parte não danificada do músculo.

Esperei ansiosamente, durante toda a cirurgia, em uma suíte especial reservada ao presidente e sua família, para onde Chelsea foi depois das aulas me fazer companhia. A nossa família fora abençoada com uma boa saúde. A única vez em que estive internada em hospital foi quando dei à luz. Fora um procedimento ambulatorial nos sínus de Bill, no início dos anos 1980, e a retirada das amígdalas de Chelsea, alguns anos depois, nenhum de nós havia se submetido a cirurgias. Eu não queria contar como coisa certa a nossa boa sorte, pois sabia que "com a graça de Deus sigo adiante" — ou alguém que amo.

Finalmente, após três horas de cirurgia, Bill foi levado de cadeira de rodas para a suíte, às 4h43 da tarde. Parecia pálido e exausto, mas estava de alto-astral, pois a dra. Mariano e os cirurgiões nos disseram que a operação tinha sido um sucesso e que Bill tinha excelentes possibilidades de uma recuperação total. Chelsea e eu estávamos assistindo a um filme com Cary

Grant e as primeiras palavras de Bill foram: "Onde está passando o torneio de basquete?". Rapidamente mudamos o canal para um jogo do campeonato de basquete universitário.

Além dos Razorbacks, tudo de que Bill queria falar era de sua viagem à Finlândia. A dra. Mariano e os cirurgiões explicaram os possíveis riscos de uma longa viagem aérea e perguntaram se eu podia falar com ele para o demover da idéia. Disse que tentaria, já que sua saúde dependia disso, mas duvidava que seria bem-sucedida. Liguei para Sandy Berger, o consultor de segurança nacional de Bill, que, com a mulher Susan, eram nossos amigos desde os anos 70. Sandy tinha uma firme compreensão das questões e uma habilidade incomum para dispor fatos e argumentos ao apresentar opções para o presidente levar em consideração. Ele incentivava o meu trabalho no exterior e acreditava que o desenvolvimento e os direitos humanos eram peças decisivas para qualquer meta de política exterior. Sandy explicou a importância da viagem a Helsinque e por que esperava que Bill pudesse ir, mas admitia que, se a equipe médica achava que o presidente não deveria voar, ele não deveria voar. Transmiti a mensagem a Bill: Sandy lamenta, mas concorda com os médicos.

"Pois *eu* não concordo", disse Bill. "Eu vou."

Chamei de lado a dra. Mariano, que estava à cabeceira de Bill.

"Olhe, ele quer ir", disse-lhe. "Portanto, temos que imaginar como vamos levá-lo até lá e trazê-lo de volta em segurança."

"Mas ele não pode ficar muito tempo num avião", protestou a médica. "Podem se formar coágulos de sangue."

Olhei na direção do meu enfurecido marido e achei que poderiam se formar coágulos de sangue, se *não deixassem* que ele fosse.

"O que eles disseram?", quis saber ele.

"Yeltsin não pode vir aqui?", perguntei.

"Não! Eu tenho que ir."

"Ele vai a Helsinque", falei para a dra. Mariano. "Apenas cuide para que não se formem coágulos de sangue."

"Vamos ter que empacotá-lo em gelo seco."

"Tudo bem, podem empacotá-lo em gelo seco."

A dra. Mariano finalmente cedeu e começou a reunir uma equipe médica para o vôo até Helsinque.

Chelsea e eu deixamos a cabeceira de Bill no final daquela tarde, a fim de que ela pudesse se preparar para o Baile da Ópera Vienense, promovido pela embaixada da Áustria. Chelsea havia tomado lições de valsa e seu pai insistiu para que fosse. No sábado, voltei ao hospital, após dar uma volta pelos nossos aposentos à procura de quaisquer obstáculos que alguém numa cadeira de rodas ou de muletas poderia enfrentar. Com a ajuda de um médico terapeuta da Marinha, fiz uma lista do que precisava ser feito antes de Bill voltar para casa: tapetes e fios deveriam ficar presos, teria de ser instalado um corrimão no chuveiro e os móveis precisariam ser afastados. Esse exercício me deu a compreensão de como é a vida diária das pessoas em cadeiras de rodas, inclusive a de um ex-ocupante da Casa Branca, Franklin Delano Roosevelt.

No domingo, Bill chegou à Casa Branca em uma perua adaptada para transporte de cadeira de rodas, a perna estendida à frente. Ele foi direto para a cama, mas, em vez de dormir, engoliu um Tylenol extraforte e assistiu ao restante da final de basquete universitário na televisão.

Eu estava agendada para ir à África, com Chelsea, no sábado. Pensava se devia cancelar a viagem e acompanhar Bill a Helsinque, ou pelo menos adiar a nossa partida até depois de sua viagem, na terça-feira. Ele não quis saber disso. Se mudássemos os nossos planos, raciocinou, algumas pessoas poderiam pensar que a operação não fora bem-sucedida. Chegamos a um acordo: Bill seguiria para Helsinque no dia marcado e Chelsea e eu partiríamos para a África no domingo, atrasando apenas um dia a nossa viagem.

Além dos jornalistas e fotógrafos que normalmente me acompanhavam, a revista *Vogue* enviou a aclamada fotógrafa Annie Leibovitz para registrar a nossa jornada. Apesar de famosa pelos seus retratos de celebridades, ela dedicou-se a captar a beleza e a majestade dos africanos e da paisagem que habitavam. Eu havia concordado em escrever a matéria que acompanharia as fotos de Leibovitz e queria destacar os esforços da auto-ajuda mantida pela assistência externa dos Estados Unidos e obras de caridade particulares, falar sobre os direitos da mulher, apoiar a democracia e incentivar os americanos a aprender mais sobre a África. A importância deste último objetivo foi ilustrada quando um jornalista, antes da viagem, me perguntou: "Qual é a capital da África?". Ter a companhia de Chelsea, como sempre, foi um prazer especial para mim, e a sua presença enviaria uma mensagem aos lugares onde as necessidades e as habilidades de moças eram freqüentemente desprezadas: o presidente dos Estados Unidos tem uma filha para quem ele considera útil e valiosa a educação e a assistência médica necessárias para ajudar a desenvolver o seu próprio potencial fornecido por Deus.

Chelsea e eu fizemos uma primeira escala no Senegal, o lar ancestral de milhões de americanos que foram vendidos como escravos na ilha de Gorée, ao largo da costa de Dacar, a capital da República do Senegal. No pequeno forte onde escravos eram mantidos, argolas de tornozelos e grilhões ainda se encontravam presos às paredes das celas bolorentas, lembranças brutais da capacidade humana para o mal. Era dali que pessoas inocentes, despojadas do lar e da família e reduzidas à escravidão, eram arrebanhadas através da Porta Sem Volta nos fundos do forte, jogadas na praia e embarcadas em canoas que eram remadas até os navios negreiros ancorados. Fechei os olhos e inspirei o ar úmido e viciado, imaginando o meu profundo desespero, se eu ou a minha filha fôssemos raptadas e vendidas como escravas.

Posteriormente, soube das tentativas para ser eliminada uma prática cultural que considero outra forma de escravidão, a mutilação genital feminina. Na aldeia de Saam Njaay, a uma hora e meia de Dacar, estava em curso uma revolução na vida e na saúde das mulheres. Molly Melching, ex-integrante do Corpo de Voluntários da Paz, havia permanecido no Senegal e era uma das fundadoras da Tostan, uma inovadora organização não governamental que realizava projetos de educação e de instalação de comércios de pequena escala em aldeias. Como resultado do trabalho da Tostan, as mulheres começaram a falar sobre a dor e os terríveis efeitos para a saúde — inclusive morte — que viram ou vivenciaram, por causa da antiga prática da ablação genital de meninas na pré-adolescência. Depois que Tostan organizou um amplo debate na aldeia, as pessoas votaram para acabar com essa prática. Líderes masculinos dessa aldeia viajaram para outras, a fim de explicar por que a prática era ruim para meninas e mulheres e essas aldeias também votaram para proibi-la. O movimento virou uma bola de neve e seus líderes requereram ao presidente Abdou Diouf que declarasse essa prática ilegal em todo o país. Quando me encontrei com o presidente Diouf, elogiei o movimento de origem popular e endossei o pedido dos aldeões para que o Senegal aprovasse uma lei banindo a prática. Também enviei uma carta de apoio a Tostan, que foi usada em sua campanha. Um ano depois, a lei banindo a prática foi aprovada, mas o seu cumprimento tem sido difícil. Tradições culturais fortemente arraigadas são difíceis de morrer.

Esse exemplo de ação popular para melhorar a vida das pessoas deu-me esperança ao viajarmos para a África do Sul, o símbolo supremo da mudança no continente. Nelson Mandela foi um dos líderes dessa mudança. Outro, o arcebispo Desmond Tutu, a consciência vocal do movimento anti-*apartheid*, que inspirou Mandela a instituir a Comissão Verdade e Conciliação. Encontrei-me com o bispo Tutu e membros da Comissão na Cidade do Cabo, em uma sala simples de reuniões onde eles tomavam depoimentos de vítimas e praticantes de violência, como meio de expor a verdade e incentivar a reconciliação entre as raças depois de gerações de injustiça e brutalidade. Mandela e Tutu compreenderam o desafio e a importância de institucionalizar o perdão. Com o processo que instituíram, aqueles que haviam cometido crimes podiam se apresentar e confessar, em troca de anistia. E vítimas, finalmente, podiam ter respostas. Uma delas declarou: "Eu quero perdoar, mas preciso saber a quem e o que perdoar".

Mandela deu o exemplo do perdão. Ao levar Chelsea e a mim para um passeio pela prisão da ilha de Robben, onde ficou confinado durante dezoito anos, Mandela explicou que teve anos para pensar no que iria fazer quando e se saísse dali. Ele percorreu o seu próprio processo de verdade e reconciliação, o que o levou a fazer a notável declaração que ouvi, em sua posse, quando apresentou os seus ex-carcereiros. O perdão não é uma tarefa fácil em qualquer lugar, em qualquer ocasião. A perda da vida ou da liberdade é sempre dolorosa, mais ainda se resultar do que o dr. Martin Luther King chamou de "o pão dormido do ódio". Para a maioria de nós, simples mortais, o perdão é mais difícil de dar do que o desejo de saldar antigas diferenças. Mandela mostrou ao mundo como fazer a opção pelo perdão e seguir em frente.

Como o resto do continente, a África do Sul ainda luta contra a terrível pobreza, o crime e as doenças, mas me senti animada pela esperança que vi nos rostos dos estudantes — desde as crianças uniformizadas que estudavam inglês em uma sala de aula em Soweto (graças, em parte, ao projeto USAID) ao crescente número de cientistas e poetas da Universidade da Cidade do Cabo. E, por ocasião do discurso que fiz numa faixa poeirenta de terra nos arredores da Cidade do Cabo, conheci mulheres que estavam realmente construindo um futuro melhor para elas e seus filhos. Com desenhos cerimoniais pintados nos rostos e vozes elevando-se numa canção, empurravam carrinhos de mão, despejavam concreto e misturavam tintas para suas novas habitações. Grileiras sem-teto, que viviam em condições deploráveis, elas haviam formado a sua associação de crédito habitacional nos moldes da Associação das Mulheres Autônomas que eu visitara na Índia. Reunindo suas economias em um fundo comum, compraram pás, tinta e cimento, aprenderam a fazer alicerces, instalaram um sistema de esgoto e deram início à sua própria comunidade. Por ocasião da visita que fiz com Chelsea, elas já haviam construído dezoito casas; um ano depois, quando levei Bill até lá, já eram 104. Adorei um verso de uma das músicas que cantavam, que traduzi grosseiramente como "Força, dinheiro e conhecimento — não podemos fazer nada sem eles". É um bom conselho para mulheres em toda parte.

Deixei a África do Sul totalmente ciente dos desafios que seus líderes enfrentam, porém otimista com o futuro dela. Mas no Zimbábue, seu vizinho ao norte, confinado no interior do continente, encontrei um país cuja grande promessa de desenvolvimento fora tolhida por uma liderança desastrosa. Robert Mugabe, o chefe de Estado desde a independência do país em 1980, tornara-se cada vez mais autocrático e hostil em relação a pretensos inimigos. O presidente Mugabe falou pouco durante a visita de cortesia que fiz a ele na residência presidencial de Harare, a capital. Ele prestava bastante atenção a sua jovem mulher, Grace, enquanto eu conversava com ela, e, periodicamente, explodia em risadinhas, sem nenhum motivo aparente. Fui embora acreditando que ele estava em um estado perigosamente instável e que deveria deixar o poder. Em anos recentes, a minha opinião foi confirmada, depois que Mugabe suprimiu toda oposição política e aprovou uma campanha de terror para expulsar agricultores brancos de suas terras e para intimidar negros que se opõem a ele. Mugabe mergulhou o seu povo no caos e na fome.

Depois, encontrei-me com um grupo de mulheres que se dedicavam à política, às profissões liberais e ao comércio, em uma galeria de arte em Harare. Elas descreveram a tensão existente entre os direitos que lhes eram garantidos por escrito e os antigos costumes e atitudes que ainda prevaleciam. Contaram histórias de mulheres que foram agredidas pelos maridos por terem "maus modos" ou usarem calça comprida. Uma delas resumiu o problema que enfrentavam: "Enquanto você tiver uma lei dizendo que um homem pode ter duas esposas, mas que uma mulher não pode ter dois maridos, você não está realmente lidando com a realidade".

Parti de Harare desanimada com a deterioração dos serviços e das possibilidades e com o evidente fracasso de um líder que se mantinha tempo demais no poder. Mas o meu ânimo melhorou na nossa escala seguinte, cataratas de Vitória, onde o rio Zambeze cascateia numa magnífica garganta. Chelsea e eu caminhamos por entre a névoa que se eleva das águas agitadas, e a vimos se transformar em tremeluzentes arco-íris criados pelo sol matinal. A beleza da África, de tirar o fôlego, e seus recursos naturais precisam ser protegidos à medida que se expandem as oportunidades econômicas das pessoas. Não se trata, porém, de um desafio simples, como descobri durante a visita à Tanzânia, uma escarrapachada região da África centro-oriental formada em 1964 por duas ex-colônias, cujos nomes me extasiavam quando criança: Tanganica e Zanzibar. Na maior cidade e sede do governo, Dar es Salaam, encontrei o presidente Benjamin Mkapa, um jovial ex-jornalista que havia trabalhado arduamente para desenvolver uma economia nacional que se beneficiasse dos recursos naturais do país e sua localização estratégica no oceano Índico. Com o vigoroso assentimento da mulher, Anna Mkapa, e as mulheres ministras presentes ao nosso encontro, incentivei o presidente a eliminar leis que limitavam as mulheres de possuir e herdar propriedades, uma restrição não apenas injusta, mas que restringia o potencial econômico de metade da população do país. Em 1999, a Tanzânia aprovou a Lei da Terra e a Lei da Aldeia, repelindo e substituindo as leis que anteriormente discriminavam as mulheres.

A Tanzânia também tem um papel crucial para levar a paz e a estabilidade à África Central dilacerada pela guerra. Em Arusha, visitei o Tribunal Criminal Internacional para Ruanda, que estava investigando genocídio. O sucesso desse tribunal, que tem o poder de julgar e punir criminosos de guerra, é de vital importância para todos os africanos, mas especialmente para mulheres e crianças, que freqüentemente são as primeiras vítimas das guerras civis. Em Ruanda, estupro e violência sexual são cometidos em larga escala, como armas táticas da violência genocida que assolou a região em 1994. Em Kampala, Uganda, encontrei-me com uma delegação de mulheres ruandesas, cujas vozes suaves e musicais transmitiram os horrores por que passaram. Uma jovem mulher descreveu como, após ser atacada com um machete, tentou amarrar com um cordão o braço parcialmente decepado, enquanto procurava em vão obter cuidados médicos. Quando finalmente a inevitável infecção se manifestou, ela mesma amputou o braço. As mulheres me deram um álbum de fotografias repleto de imagens de ossos, caveiras, sobreviventes aturdidos e crianças tornadas órfãs. Precisei forçar a mim mesma para olhar. Lamentei profundamente o insucesso do mundo, inclusive o governo do meu marido, em agir para acabar com o genocídio.

Uganda foi memorável por outros motivos. Diante da epidemia de AIDS na África, o governo de Uganda assumiu o compromisso de evitar a disseminação do HIV por meio de ações e de uma campanha educativa. As conseqüências da AIDS global pandêmica foram e ainda são sentidas com mais gravidade na África subsaariana, uma região que responde por 70% de todos os casos de AIDS do mundo. Cada segmento social foi afetado pela crise. Em alguns dos países onde há maior incidência, como Uganda, a mortalidade infantil aumentou para índices alarmantes no final da década de 1990 e a expectativa de vida diminuiu. As economias estavam sofrendo sob o peso da diminuição da força de trabalho e dos sobrecarregados sistemas de assistência médica. Durante a administração de Bill, em apenas dois anos os Estados Unidos triplicaram a verba para os programas internacionais de AIDS, para prevenção, proteção e tratamento, e infra-estrutura de saúde. O USAID aumentou a distribuição de camisinhas, com o fornecimento de 1 bilhão em todo o mundo, e os Estados Unidos atuaram com outros países para criar e manter uma ampla parceria global, a Joint United Nations Program on AIDS [Programa Conjunto das Nações Unidas para a AIDS], que tem desenvolvido estratégias coordenadas para combater a doença. Sabedor da urgente necessidade da África, Bill assinou um decreto para ajudar a tornar mais baratos e acessíveis os medicamentos e tecnologias médicas relacionados com a AIDS, beneficiando os países africanos da região subsaariana. O Peace Corps iniciou o treinamento como educadores de AIDS de todos os 2.400 voluntários que atuam na África.

Com o apoio do USAID, foi instalado um centro pioneiro de exames e orientação anônimos em Kampala, na África subsaariana. Ao ser conduzida do aeroporto de Entebbe, vi cartazes ensinando o á-bê-cê da prevenção da AIDS: Abstenha-se, Seja Fiel, ou Use Camisinha. A campanha era coordenada pelo carismático presidente de Uganda, Yoweri Museveni, que acreditava em enfrentar de cara os problemas que tradicionalmente vinham sendo ignorados e negligenciados pelo resto do continente. Igualmente envolvida na campanha anti-AIDS estava a mulher de Museveni, Janet, uma ativa participante do National Prayer Breakfast. Ao participar da inauguração do Centro de Informação, descobri, por intermédio de um médico americano presente, que a política de exames e fornecimento de resultados no mesmo dia, pioneira na clínica, estava sendo introduzida nos Estados Unidos. A nossa ajuda externa auxiliava a pesquisa por uma vacina e a cura em Uganda, e os Estados Unidos também estavam se beneficiando.

Nenhuma questão é mais crucial na África do que deter os conflitos correntes — tribais, religiosos e nacionais — que destroem vidas e impedem o progresso em todas as frentes. A Eritréia é a mais nova das nações africanas, uma democracia nascida de trinta anos de guerra civil de independência da

Etiópia, na qual mulheres lutaram ao lado dos homens. Ao descer do avião, em Asmara, vi uma faixa vermelha, branca e azul com os dizeres: SIM, É PRE-CISO UMA ALDEIA. Mulheres com vestidos de cores vivas me saudaram, jogando pipoca em cima de mim, uma tradição de boas-vindas que tem a intenção de proteger os visitantes de forças malignas e para assegurar boa sorte. Na saída do aeroporto, outra enorme faixa proclamava: BEM-VINDA, IRMÃ.

O presidente da Eritréia, Isaias Afwerki, e sua mulher Saba Haile, uma ex-combatente pela liberdade, moravam em sua pequena casa própria, mas me receberam no palácio presidencial. Enquanto assistíamos a danças folclóricas executadas no pátio construído pelos italianos durante sua ocupação colonial, perguntei ao presidente Afwerki, que abandonara os estudos universitários para lutar na resistência, se ele havia encontrado tempo para dançar durante a longa guerra que travaram. "Claro", respondeu. "Nós tínhamos que dançar, para lembrar a nós mesmos um mundo sem guerra."

Em maio de 1998, irrompeu novamente o conflito entre a Etiópia e a Eritréia, por causa de uma disputa de fronteira. Milhares foram mortos e a promessa de paz para ambos os povos foi tragicamente protelada. Bill enviou para a região Tony Lake, seu ex-assessor de segurança nacional, e Susan Rice, subsecretária de Estado para assuntos africanos. Finalmente, a administração Clinton ajudou a conseguir um acordo de paz. Só espero que o potencial que vi para um futuro melhor — com pipoca, danças e tudo o mais — possa ser concretizado em ambas as nações.

Chelsea e eu voltamos da África e regalamos Bill com as nossas aventuras. Seu encontro de cúpula com Boris Yeltsin fora produtivo, mas nem de perto tão esclarecedor ou exótico quanto a nossa viagem. A perna de Bill estava sarando, mas ele ainda cambaleava pela Casa Branca sobre muletas. A oposição republicana não ia pedir tempo por causa de uma contusão. Um mês antes, em fevereiro de 1997, a carreira de querelante de Kenneth Starr tomou um rumo estranho, depois que ele anunciou sua renúncia como promotor especial para aceitar o cargo na Pepperdine University como reitor da faculdade de direito e presidente de sua nova escola de lei fundamental. Mas o recuo estratégico de Starr saiu pela culatra, quando os críticos de direita praguejaram contra ele por abandonar a investigação antes de encontrar algo para nos implicar. Ao mesmo tempo, parte da mídia pegou um fio de meada que ligava diretamente o suposto promotor independente imparcial a um dos seus inquestionáveis patronos partidários. Revelou-se que a reitoria de Starr era um generoso presente de responsabilidade de Richard Mellon Scaife, um membro da direção da Pepperdine University. Em questão de dias, Starr curvou-se à pressão da direita e mudou de idéia em relação a aceitar o cargo. Arrependido, anunciou que continuaria como promotor independente até o seu trabalho estar terminado.

Não sei se ficaríamos melhor com ou sem Starr. Mas uma possível conseqüência de sua permanência no gabinete da promotoria independente era o seu empenho mais desesperado ainda para encontrar qualquer coisa que justificasse o prosseguimento da investigação. David Kendall, que constantemente monitorava a cobertura da mídia sobre Whitewater, notou um aumento das notícias que emanavam do escritório de Starr. Reportagens de jornais indicavam que os investigadores do gabinete da promotoria independente estavam revisitando "fontes" no Arkansas, como os guarda-costas da polícia estadual, a fim de sondar a vida particular do presidente. Enquanto isso, Jim McDougal havia feito um acordo com os promotores para uma redução de sentença. Ele estava ansioso para conceder entrevistas e mudar a sua história, mais uma vez tentando implicar Bill e a mim em suas trapaças. A ex-esposa dele, Susan, sofria na cadeia por ter se recusado a testemunhar diante do júri de instrução de Whitewater, o qual ela insistia tratar-se de uma armadilha para acusá-la de perjúrio por dizer a verdade. Quem acredita que os promotores não são capazes de violar o sistema de justiça criminal americano devia ler o livro de Susan, *The Woman Who Wouldn't Talk: Why I Refused to Testify Against the Clintons and What I Learned in Jail* [*A mulher que não falou: por que me recusei a testemunhar contra os Clinton e o que aprendi na cadeia*]. Trata-se de um arrepiante relato dos abusos que sofreu da turma de Starr e uma sóbria advertência de que proteger a nossa liberdade depende de assegurar a regra da lei para todos.

Membros da equipe de Starr, e o próprio Starr, aparentemente vazaram segredos dos depoimentos do júri de instrução, o que é contra a lei. Em um artigo publicado na *New York Times Magazine*, em 1º de junho de 1997, Starr questionou a veracidade de minhas declarações e aludiu a uma possível acusação por obstrução. Para David Kendall, essa foi a gota d'água e ele sugeriu que estava na hora de uma contra-ofensiva. Escreveu uma carta, que Bill e eu aprovamos, acusando Starr de uma campanha "de vazamentos e desonras" pela mídia. Três ex-promotores especiais, incluindo um conservador republicano outrora promotor federal, concordaram publicamente com Kendall que o comportamento do gabinete da promotoria especial era absurdo. Mas a guerra de relações públicas continuou.

Enquanto isso, o caso de assédio sexual de Paula Jones ganhou um segundo fôlego. Em janeiro, Bob Bennett, o advogado de Bill para o caso Jones, havia argumentado diante da Suprema Corte dos Estados Unidos que um presidente, durante o mandato, não devia ser onerado com defesas em ações judiciais de direito civil. A questão de Bennett era que, se isso fosse permitido, qualquer presidente poderia ser envolvido em ações judiciais impetradas por seus inimigos políticos ou por quem buscasse publicidade e isso desgastaria a capacidade do chefe do Executivo de cumprir os seus deveres. Mas, em maio de 1997, todos os nove juízes concordaram que os privilégios do presidente não se estendiam a ações judiciais cíveis e o caso Jones versus Clinton poderia prosseguir. Achei que era uma decisão terrível e um convite aberto para adversários políticos processarem qualquer presidente.

* * *

Chelsea decidiu ir para Stanford, a quase 5 mil quilômetros de distância, e passei a olhar sua formatura na escola secundária e a partida para a faculdade com um nó no estômago. Tentei não lhe revelar o meu avultante sentimento de perda, por temer estragar esse momento especial da sua vida. Consolei-me passando o máximo de tempo possível com ela e me compadeci com outras mães que sofriam a ansiedade da iminente separação, durante o mês de intensos preparativos para uma consagrada tradição da Sidwell Friends: o Show Mãe-Filha. Mães de alunas da Sidwell são estimuladas a participar de uma noite de esquetes humorísticos, que ridicularizam levemente os formandos. Juntei-me a várias mães de amigas de Chelsea, para esquetes nos quais cada uma de nós interpretava a própria filha. O meu papel envolvia uma porção de piruetas, como as de uma bailarina, e papos no telefone sobre planos de ir embora. A cena de abertura exigia que nos envolvêssemos em lençóis, como se fossem togas, e cantássemos "I Believe I Can Fly" ["Eu acredito que posso voar"]. Eu estava disposta a mostrar a canastrona que há dentro de mim, mas, felizmente para Chelsea, a minha voz foi abafada pelas das outras mães durante o número musical de abertura.

A cerimônia de formatura da turma de 1997 da Sidwell Friends foi bem parecida com qualquer outra, só que o presidente dos Estados Unidos fez o discurso de colação de grau. Ele me levou às lágrimas ao pedir aos formandos que observassem que os seus pais talvez "pareçam um pouco tristes ou agindo de forma estranha. Sabem, hoje nós estamos lembrando o primeiro dia de vocês na escola e todos os triunfos e esforço mental entre aquele momento e este. Apesar de termos criado vocês para este momento de partida e estarmos muito orgulhosos de vocês, uma parte de nós anseia abraçá-los mais uma vez, como fazíamos quando vocês mal conseguiam andar, ler mais uma vez para vocês *Good Night, Moon* [*Boa-noite, Lua*], *Curious George* [*George curioso*] ou *The Little Engine That Could* [*A pequena locomotiva que podia*]". Quando retornamos da cerimônia, todos os funcionários da Casa Branca estavam reunidos no Salão Leste para parabenizar Chelsea. Cada qual carregava uma fatia do fabuloso bolo de formatura de Roland Mesnier, adequadamente montado como um livro aberto. Esses homens e mulheres a tinham conhecido como uma criança com aparelho nos dentes e a viram e ajudaram a desabrochar em uma notável jovem mulher.

30

VOZES VITAIS

COM A PROXIMIDADE DO VERÃO, o governo preparava-se para três grandes trabalhos: negociar um orçamento equilibrado com o Congresso, realizar uma reunião de cúpula econômica em Denver, Colorado, e organizar um encontro de alto nível, em Madri, sobre a polêmica expansão da OTAN.

Uma das mais importantes lições que aprendi durante os meus anos como primeira-dama foi de que modo os assuntos de Estado e as políticas das nações são dependentes das relações pessoais entre os líderes. Até mesmo países ideologicamente opostos podem chegar a acordos e forjar alianças, se os seus líderes se conhecerem e confiarem um no outro. Mas esse tipo de diplomacia requer um cuidado constante e diálogo informal entre os dirigentes, que é um dos motivos pelos quais o presidente, o vice-presidente e eu fazíamos freqüentes viagens ao exterior.

A cúpula do G-7, uma reunião anual dos países mais industrializados do mundo — Estados Unidos, Grã-Bretanha, França, Alemanha, Japão, Itália e Canadá — vinha crescentemente se tornando um fórum político além de econômico. A Rússia havia participado como convidada das cúpulas anteriores do G-7, mas, em 1997, quando os Estados Unidos sediariam o encontro em Denver, Boris Yeltsin fazia pressão para o seu país ser incluído como membro. Os ministros das Finanças de vários países-membros opunham-se à mudança, baseados no fato de que a Rússia ainda era economicamente fraca, dependente de ajuda do G-7 e de instituições financeiras internacionais, e freqüentemente resistia a reformas necessárias para uma prosperidade a longo prazo. Mas Bill e seus colegas líderes consideravam importante apoiar Yeltsin e achavam que isso enviaria uma importante mensagem ao povo russo sobre os benefícios positivos da cooperação com os Estados Unidos, Europa e Japão. Portanto, a Rússia foi convidada e o encontro de junho em Denver foi rapidamente rebatizado de "Cúpula dos Oito", para depois se tornar oficialmente o G-8.

Bill estava determinado a incluir Yeltsin no exclusivo círculo dos líderes mundiais. A estratégia era aumentar o *status* de Yeltsin na Rússia, já que este parecia ser a melhor esperança de democracia para o país, e atrair os russos para aceitarem a expansão da OTAN na Europa Oriental. Madeleine Albright e Strobe Talbot, subsecretário de Estado e especialista em Rússia, foram os principais arquitetos dessa abordagem dentro do governo. Madeleine trabalhava incessantemente para aliciar e às vezes empurrar Moscou para a órbita Ocidental, o que, segundo soube, lhe valeu o apelido "Madame de Aço" entre os russos.

Nos primeiros dias da presidência de Bill, questionei o valor das visitas de Estado, nas quais os homens se isolavam nas reuniões e às esposas eram oferecidas visitas planejadas a marcos culturais. Percebi, então, que forjar boas relações com minhas colegas esposas favorecia uma conveniente comunicação informal entre os chefes de Estado. Também achei muitas das minhas semelhantes companhias fascinantes e muitas se tornaram boas amigas.

Em Denver, convidei as primeiras-damas visitantes para um passeio panorâmico de trem até a estação de esqui de Winter Park, para um almoço com uma vista do alto das montanhas Rochosas do Colorado. Conhecia há pouco Cherie Blair, mulher de Tony Blair, novo primeiro-ministro inglês eleito, mas já gostava muito dela. Muitas das outras mulheres já eram minhas conhecidas de cúpulas anteriores e eu estava ansiosa para ver a evolução do papel de Naina Yeltsin desde que nos conhecemos em 1993, em Tóquio. Ela era uma engenheira civil que trabalhava com o abastecimento de água e então foi lançada nas águas traiçoeiras da política russa. Desde o início, ela era favorável e se expressava claramente sobre crianças e suas necessidades de assistência médica. Em 1995, eu a tinha ajudado a conseguir a doação de um composto nutritivo de que a Rússia precisava para tratar crianças que sofriam de fenilcetonúria (PKU), uma doença hereditária que afeta o sistema nervoso central.

Aline Chrétien, cujo marido Jean fora eleito primeiro-ministro do Canadá em 1993, era inteligente, observadora perspicaz e elegante. Fiquei impressionada com sua autodisciplina e disposição para enfrentar novos desafios. Durante os oito anos em que nos encontramos, ela estudava piano e ensaiava constantemente. Também sabia como se divertir. Em 1995, passamos ótimos momentos patinando juntas nos canais congelados em torno de Ottawa. Kamiko Hashimoto, do Japão, ativa e curiosa, dava uma excelente impressão. Flavia Prodi, da Itália, uma professora séria e atenciosa, tentava explicar a política italiana, que parecia mudar constantemente enquanto a sociedade e a cultura italianas persistiam em não ligar para quem estava governando.

À medida que o trem seguia pelo cenário espetacular, algumas pessoas apareciam à margem dos trilhos para acenar e alguns cartazes que levantavam saudavam as nossas visitantes. Então, num momento em que eu me encontrava de pé na plataforma do último vagão, dois rapazes pareceram surgir do nada, curvaram o corpo, arriaram as calças e nos mostraram os seus traseiros. Fiquei momentaneamente horrorizada, mas depois tive que rir dessa irreverente e inesquecível inclusão ao passeio que eu havia planejado cuidadosamente para as esposas.

Apesar de as reuniões em Denver serem sérias e geralmente tensas, tentamos deixar todos à vontade nos eventos sociais noturnos. Em deferência ao passado da região, o jantar principal teve como tema o Velho Oeste, completo com cascavéis e búfalos, um minirrodeio e uma banda *country*. Bill deu de presente aos convidados botas de caubóis. O primeiro-ministro Ryutaro Hashimoto, do Japão, e Jean Chrétien, do Canadá, calçaram alegremente as deles e, ao chegarem ao jantar, levantaram as pernas das calças para mostrá-las.

Partilhar refeições é um importante elemento de diplomacia e, às vezes, estranho. Na noite anterior ao encontro em Denver, Madeleine Albright convidou o seu colega russo, Yevgeny Primakov, para jantar em um restaurante local. Ela lhe ofereceu um manjar local chamado "ostras da montanha", um termo educado para testículos de boi fritos. Garanti às esposas que isso não fazia parte do meu menu.

Todas as vezes que viajávamos ao exterior, o Departamento de Estado sempre nos fornecia relatórios com fatos sobre os países que visitávamos, ao lado de úteis dicas de protocolo. Às vezes, eu era alertada sobre comidas incomuns que poderiam ser servidas e de que modo poderia evitá-las sem insultar os meus anfitriões. Um antigo funcionário do Serviço de Relações Exteriores sugeriu que eu devia "empurrar a comida para os lados" do meu prato, para simular que eu havia comido, um truque bem conhecido de qualquer criança de cinco anos. Nenhum manual diplomático, porém, seria capaz de ter me preparado para as experiências de jantar que tive com Boris Yeltsin.

Gosto de Yeltsin, o respeito e o considero um verdadeiro herói que salvou por duas vezes a democracia na Rússia: a primeira, em 1991, quando subiu num tanque na Praça Vermelha e discursou em desafio à tentativa de um golpe militar, e novamente em 1993, quando uma conspiração militar tentou assumir a Casa Branca russa e Yeltsin resistiu firmemente em nome da democracia, ajudado pelo forte apoio de Bill e outros líderes mundiais. Ele era também, a seu modo, uma companhia agradável. Tem um grande coração e sempre consegue me fazer rir. É claro que tem fama de ser imprevisível e, como costuma ficar aparente, ele gosta de uns tragos.

Nos jantares oficiais, eu costumava me sentar a um lado de Yeltsin, com Bill do outro, e Naina ao lado de Bill. Ele não falava inglês, mas um tradutor simultâneo sentado atrás de nós transmitia suas palavras para Bill e para mim, com a mesma voz grave e rouca e todas as inflexões. Boris raramente tocava na comida. A cada prato que era colocado à nossa frente, ele o empurrava para longe ou o ignorava, ao mesmo tempo em que continuava nos contando as suas histórias. Por vezes, a própria comida tornava-se uma história.

Em setembro de 1994, quando os Yeltsin nos receberam na embaixada russa nova em folha em Washington, Bill e eu nos sentamos com eles sobre o tablado diante de dezenas de mesas repletas de luminares da sociedade de Washington, além de funcionários americanos e russos. De repente, ele fez um sinal para nos inclinarmos em sua direção. "Ril-lary", disse ele. "Biil! Olhem só aquelas pessoas ali. Sabem no que elas estão pensando? Todas elas estão pensando: 'Por que é que Boris e Bill estão ali em cima, e nós não?'" Foi um comentário revelador. Boris era mais esperto do que imaginavam alguns dos seus adversários e estava bem ciente da campanha surda do Kremlin junto ao Departamento de Estado de que ele não era aceitável ou educado o bastante. Sabia, também, que algumas das mesmas pessoas desaprovavam a exuberância de Bill e viam com desprezo suas raízes do Arkansas. Sorrimos e levantamos os nossos garfos, mas Yeltsin prosseguiu: "Hahhh", gargalhou e se dirigiu ao presidente. "Eu tenho uma iguaria para você, Bill!"

Um leitão inteiro recheado foi colocado na mesa diante de nós. Com um golpe de sua faca, Yeltsin decepou uma orelha e entregou-a ao meu marido. Cortou a outra orelha para si mesmo, levou-a à boca, mordeu um pedaço e gesticulou para Bill fazer o mesmo.

"A nós!", brindou, levantando o restante da orelha como se fosse uma taça com um excelente champanhe.

Ainda bem que Bill Clinton tem um estômago de ferro. Sua capacidade de comer qualquer coisa que coloquem à sua frente é um dos seus muitos talentos políticos. Eu não compartilho sua firmeza intestinal e Yeltsin sabia disso. Ele adorava caçoar de mim e, naquele momento, fiquei contente por um porco ter apenas duas orelhas.

Anos depois, perto do final dos mandatos de Yeltsin e de Bill, tivemos um último jantar juntos, no Kremlin. Foi servido sob a cúpula do Salão de Santa Catarina, uma das mais adoráveis salas de jantar do antigo palácio. No meio da refeição, Yeltsin falou comigo, com sua voz trovejante e conspiradora: "Ril-lary! Vou sentir falta de ver você. Eu tenho uma foto sua, no meu gabinete, e a vejo todos os dias". Havia um brilho travesso no seu olhar.

"Ora, obrigada, Boris", falei. "Espero que a gente ainda se veja, de vez em quando."

"Sim, você precisa vir me ver, precisa prometer me ver."

"Espero que consiga ver você, Boris."

"Ótimo", disse ele. "Agora, Hillary, tenho uma iguaria especial para você esta noite."

"O que é?"

"Não vou dizer. Precisa esperar até ela chegar!"

Comemos um prato após o outro, fizemos um brinde após o outro e, finalmente, pouco antes da sobremesa, um garçom depositou tigelas de sopa quente diante de nós.

"Aí está, Hillary, a sua iguaria especial!", anunciou Boris, sorrindo e farejando a acre fumaça.

"O que é?", perguntei, ao pegar a minha colher.

Ele fez uma pausa dramática. "Lábios de alce!"

Realmente, flutuando no caldo escuro, estava o meu par de lábios de alce. As formas gelatinosas pareciam tiras de borracha que tinham perdido a elasticidade, e eu os empurrei em volta da tigela, até alguém levá-los embora. Pelo meu país, provei muita comida incomum, mas o meu limite foram os lábios de alce.

O encontro de Denver foi um sucesso, mas construir boas relações com os russos era um projeto de longo prazo, que foi levado para a cúpula de julho da OTAN em Madri. Bill e eu viajamos para a Europa poucos dias antes da conferência, para uma visita à ilha de Maiorca, no Mediterrâneo, como convidados do rei Juan Carlos I e da rainha Sofia da Espanha. Lá nos encontramos com Chelsea e Nickie Davison, sua melhor amiga da escola secundária, que estavam viajando juntas.

Sempre quis passar um tempo com Juan Carlos e Sofia, um casal que era excelente companhia, caloroso, espirituoso, franco e invariavelmente fascinante. Em 1993, conhecemos o rei, a rainha e Felipe, o filho deles, que cursava a Universidade de Georgetown, em Washington. Particularmente, eu admirava a coragem do rei em resistir ao fascismo em seu país. Ele tornou-se chefe de Estado aos 37 anos, após a morte de Franco, em 1975, e, de imediato, declarou sua intenção de restabelecer a democracia na Espanha. Em 1981, sozinho, impediu a tomada do Parlamento pelos militares, aparecendo na televisão para denunciar o líder do golpe e ordenar a volta de suas tropas aos quartéis. Sofia, uma princesa grega quando se casou com Juan Carlos, é enfermeira pediátrica formada, e encantadora e realizada como o marido. Uma grande mulher caridosa, defendeu programas de microcrédito anos antes de a maioria das pessoas terem ouvido falar nesse conceito.

Fomos a Madri, para a cúpula dos membros da OTAN. O primeiro-ministro espanhol José María Aznar e sua mulher, Ana Botella, ofereceram um jantar reservado no jardim do Palácio Moncloa, sua residência oficial, aos líderes da OTAN e suas esposas. O compromisso de Bill em expandir a OTAN finalmente se concretizou quando Polônia, Hungria e República Tcheca foram convidadas a se incorporar. Na noite seguinte, o rei e a rainha ofereceram um grande jantar no palácio de estilo neoclássico no centro de Madri, para comemorar a histórica expansão. Vimos o palácio pela primeira vez em 1995, quando o rei e a rainha ofereceram um pequeno jantar. A verdadeira diversão começou depois que comemos, quando o rei nos levou para uma volta pelo palácio. Ele confessou não fazer idéia do que havia na maioria dos aposentos, e portanto inventava histórias ao abrir as portas. Em pouco tempo, todos nós estávamos narrando eventos imaginários, que bem poderiam ter acontecido. Tanto o rei como a rainha tinham um formidável senso de humor, e a minha cena favorita foi Bill e o rei olhando a mais comprida mesa de jantar que eu já tinha visto (ela parecia poder conter uma centena de convivas) e discutindo a possibilidade de sair correndo e deslizar por cima dela. Dois anos depois, a mesma mesa comprida acomodou os chefes de Estado e governos de toda a Europa, em um jantar formal.

Encerrados os nossos compromissos oficiais, Sofia e Juan Carlos nos levaram — Bill, Chelsea e eu — ao palácio de Alhambra, em Granada. Quando Bill e eu começamos a namorar, ele me falou que a cena natural mais bonita que já tinha visto foi o do pôr-do-sol no Grand Canyon, e a mais bonita feita pelo homem, o palácio de Alhambra iluminado pelos raios do sol se pondo sobre as planícies de Granada. Ao contar isso ao rei, ele insistiu para que eu visse por mim mesma. Demos uma volta pelo castelo e depois jantamos num restaurante instalado em uma casa com séculos de idade, com uma estonteante vista do palácio. Vimos o sol se pôr e pintar as paredes com um rosa enferrujado. Demoramos um pouco e vimos as luzes do palácio se acenderem, algo também atordoante.

Depois de uma noite como essa, eu sentia que podia ir levitando até o meu destino seguinte: Viena, onde fui a oradora principal de um fórum intitulado "Vozes vitais: mulheres na democracia". Concebido e organizado por Swanee Hunt, a nossa embaixadora na Áustria, e acalentado por Melanne Verveer, essa reunião de mil mulheres importantes da Europa foi o lançamento oficial do Vital Voices Democracy Initiative [Iniciativa Democrática Vozes Vitais] do governo dos Estados Unidos.

O projeto era caro ao meu coração, um exemplo de primeira qualidade dos esforços do governo para incorporar as questões femininas à política externa. Uma conseqüência de Pequim, a iniciativa Vozes Vitais juntou representantes do nosso governo, ONGs e empresas internacionais para promover o progresso da mulher em três áreas: construção democrática, fortalecimento econômico e ação em prol da paz. Em muitos países ainda é negado à mulher o direito de participar da arena política, ter renda própria, possuir propriedades ou gozar de proteção jurídica contra abuso e violência. Com a ajuda das Nações Unidas, do Banco Mundial, da União Européia, do Banco Interamericano e outras organizações, o Vozes Vitais fornece assistência técnica, seminários de capacitação e oportunidades de participação em uma rede de contatos profissionais, que dão às mulheres os instrumentos e os recursos necessários para fazer avançar a sociedade civil, as economias de livre mercado e a participação política em seus próprios países.

Eu achava que faltava atenção pessoal para o desenvolvimento político e individual na retórica de nossa própria diplomacia sobre democracia e mercados livres. Mulheres e crianças sofreram de modo desproporcional durante a difícil transição do comunismo para o capitalismo, porque não podiam mais confiar na renda fixa, comum a economias centralizadas, ou na educação e na assistência de saúde gratuitas fornecidas pelo Estado. O Vozes Vitais incentiva o empreendedorismo das mulheres em lugares tão diversos quanto a África do Sul e os Estados bálticos, apóia esforços para incluir mulheres na esfera política, no Kuwait e na Irlanda do Norte, e estimula mulheres a combater o tráfico de mulheres e crianças na Ucrânia e na Rússia. Por intermédio de uma parceria global sem fins lucrativos, a organização continua a educar e a treinar mulheres por todo o mundo, muitas das quais se tornaram líderes políticos em seus próprios países.

Nossa agitada agenda de compromissos finalmente acalmou o suficiente para voltarmos a Martha's Vineyard em agosto, para férias de verão. Era um lugar onde nos sentíamos à vontade e descontraídos. Certo dia, fui convencida a experimentar uma partida de golfe com Bill, cuja perna havia sarado o bastante para permitir um retorno ao seu passatempo favorito. Honestamente, eu não gosto de golfe. E sou péssima jogadora. Concordo com Mark Twain: "Golfe é o desperdício de um bom passeio".

Consigo recuar a origem de minha aversão a esse esporte a um incidente ocorrido no verão antes do meu último ano do curso secundário, quando o único meio de convencer minha mãe a permitir que eu namorasse um certo rapaz do colégio era deixar que ele me levasse para jogar golfe no meio da tarde. Eu era cega como uma porta e, claro, vaidosa demais para usar óculos. Não conseguia enxergar a bola, mas resolvi bater em qualquer coisa branca. Dei uma forte tacada, e a bola explodiu e virou pó. Eu tinha atingido um cogumelo branco. Duas séries de aulas com profissionais e lentes de contato corretivas não melhoraram o meu padrão de jogo. Eu preferia ler e nadar na arrebentação, enquanto Bill aperfeiçoava sua tacada com Vernon Jordan e seus outros companheiros de golfe.

No último fim de semana de agosto, Bill e eu participávamos de uma festa vespertina na praia quando um assessor cochichou algo em seu ouvido. Observando à distância, vi o rosto de Bill registrar o choque. Em seguida, eu também ouvi a notícia. A princesa Diana tinha sofrido um terrível acidente de carro em Paris. Como todas as pessoas no mundo, ficamos num estado de incredulidade.

Deixamos a festa e imediatamente ligamos para o nosso novo embaixador na França, Felix Rohatyn, que havia substituído Pamela Harriman após sua morte prematura no início do ano. Passamos quase a noite toda ligando para Londres e Paris para saber o que tinha acontecido. Ainda era difícil aceitar que uma jovem mulher, bela e vibrante como Diana pudesse morrer tão repentinamente.

Eu tinha estado com Diana dois meses antes. Nosso encontro foi na Casa Branca, onde ela falou apaixonada e inteligentemente sobre duas de suas causas: o banimento das minas terrestres e a educação das pessoas em relação à AIDS. Ela parecia muito mais autoconfiante depois que se separou de Charles e senti que, finalmente, estava ganhando vida própria. Conversamos sobre a sua próxima visita à Tailândia, para a conscientização sobre a AIDS, e à África, para a erradicação das minas terrestres. Ela me disse que esperava que algum dia seus filhos fossem estudar nos Estados Unidos e me coloquei à disposição dela e deles. Claramente Diana pensava no futuro, o que tornou sua morte mais trágica.

Cedo, na manhã seguinte, recebi um telefonema de um representante da família de Diana, perguntando se eu poderia comparecer ao funeral em Londres. Senti-me honrada. Durante o culto religioso, na abadia de Westminster, onde fiquei em companhia do casal Blair e de membros da família real, o meu coração ficou com os filhos de Diana, a quem ela adorava. A venerável catedral, onde a sogra de Diana foi coroada rainha 44 anos antes, estava lotada, e mais de 1 milhão de pessoas, reunidas nas ruas do lado de fora, acompanhavam a cerimônia por meio de um serviço público de alto-falantes. Outras centenas de milhões em todo o mundo assistiam pela televisão. Quando o irmão de Diana, Charles, fez o laudatório, teceu excelentes críticas à realeza pelo tratamento dado à sua irmã e pude ouvir os aplausos da platéia do lado de fora da igreja. Soou como um trovão a quilômetros de distância, que avançou pela multidão e ganhou intensidade ao ribombar pelas ruas, através das portas da abadia e percorreu a nave central de pedra na frente da catedral. Todos em nosso setor pareceram congelar com o ecoar dos aplausos. Elton John executou "A Candle in the Wind", com uma nova letra, que captou a grandeza da frágil e efêmera vida da princesa.

Um dia antes do funeral de Diana, o mundo perdeu outra de suas mais fortes personalidades com a morte de madre Teresa em Calcutá. À parte as diferenças óbvias, cada uma dessa mulheres tinha talento para colocar em foco as pessoas mais vulneráveis e negligenciadas e usar premeditadamente a sua celebridade para ajudar os outros. Comoventes fotos de Diana e madre Teresa juntas transmitiram a doçura de seu relacionamento e ambas haviam me falado de seu afeto uma pela outra.

Do funeral de Diana, voei de volta para Martha's Vineyard e, dias depois, segui para Calcutá, para o de madre Teresa. A Casa Branca havia convocado uma eminente delegação de americanos que conheceram ou apoiaram madre

Teresa para me acompanhar. Entre eles se encontrava Eunice Shriver, que ficara doente recentemente. Ela desconsiderou as objeções do seu médico e viajou, permanecendo sentada o tempo todo, pois alegou que se sentia mais confortável assim do que no sofá na frente do avião, que insisti para que ela usasse. Rezou o rosário e orou com os Missionários da Caridade, que representavam a congregação de madre Teresa nos Estados Unidos. Fiquei grata por poder representar o meu marido e o meu país nas homenagens a uma mulher que havia comovido o mundo com sua fé inabalável e pragmatismo realista.

O caixão aberto de madre Teresa foi levado pelas apinhadas ruas de Calcutá até uma arena interna atulhada de gente. O culto religioso durou horas, pois os líderes de cada delegação nacional ou religiosa foram convocados, um de cada vez, para depositar uma coroa de flores brancas no ataúde. Eu tive bastante tempo para refletir sobre a minha curta mas enriquecedora relação com madre Teresa.

Nós nos encontramos pela primeira vez em 1994, no National Prayer Breakfast, no salão de baile de um hotel em Washington. Lembro de ter ficado admirada por ela ser tão pequenina e notei que usava apenas meias e sandálias no doloroso frio do inverno. Ela acabara de fazer um discurso contra o aborto e queria falar comigo. Madre Teresa foi diretamente ao assunto. Discordava da minha opinião sobre o direito de opção da mulher e me disse isso. Ao longo dos anos, enviou-me dezenas de bilhetes e mensagens com o mesmo pedido cortês. Madre Teresa nunca me fez preleção ou me repreendeu; sua censura era amorosa e sincera. Eu tinha o maior respeito pela sua oposição ao aborto, mas acredito que é perigoso dar a qualquer Estado o poder de impor penas criminais a mulheres e médicos. Considero uma ladeira escorregadia o Estado controlar a reprodução e testemunhei as conseqüências de tal controle na China e na Romênia comunista. Também discordava da oposição dela — e da Igreja Católica — ao controle da natalidade. Contudo, defendo o direito de as pessoas de fé combaterem o aborto e tentarem dissuadir mulheres, sem coerção ou criminalização, de escolherem abortar em vez de dar o bebê para adoção.

Apesar de não concordarmos em relação ao aborto e ao controle da natalidade, madre Teresa e eu tínhamos bastante em comum em muitas outras áreas, inclusive em relação à importância da adoção. Partilhávamos da convicção de que a adoção é uma opção muitíssimo melhor do que abortar um bebê não planejado ou não desejado. No nosso primeiro encontro, ela me falou sobre os seus lares para órfãos na Índia e pediu a minha ajuda para instalar locais semelhantes em Washington, DC, nos quais os bebês poderiam ser cuidados até a adoção.

Depois que concordei em ajudar no projeto, madre Teresa revelou suas habilidades como uma incansável lobista. Se achava que o trabalho estava atrasado, escrevia cartas perguntando sobre o progresso que havíamos feito. Enviava emissários para me estimular. Telefonava do Vietnã, ligava para mim da Índia, sempre com a mesma mensagem: Quando vou conseguir o meu centro para bebês?

Tornou-se mais difícil do que eu podia imaginar movimentar a burocracia de Washington a fim de instalar um lar para bebês entregues pelas mães para adoção. Nem mesmo a Casa Branca conseguia facilmente superar a burocracia das autoridades da habitação e dos funcionários dos serviços sociais. Finalmente, em junho de 1995, o Lar de Madre Teresa para Bebês foi inaugurado num bairro seguro e agradável de Washington, DC. Madre Teresa voou de Calcutá e me encontrei com ela para a cerimônia de inauguração. Como uma criança feliz, ela agarrou o meu braço com sua mão pequena e forte e me arrastou escada acima para ver o quarto recém-pintado e fileiras de cestos à espera de serem preenchidos com bebês. Seu entusiasmo era irresistível. Naquele momento, entendi plenamente como aquela humilde freira era capaz de movimentar nações à sua vontade.

A extensão de sua influência ficou evidente na arena em Calcutá, quando presidentes e primeiros-ministros se ajoelharam diante de seu caixão aberto. Imaginei madre Teresa, lá de cima, a olhar a cena e a se perguntar como poderia forçar todos os presentes a ajudar os pobres das nações ali representadas naquele dia.

Madre Teresa deixou um enorme legado e uma sucessora bem municiada na pessoa da irmã Nirmala, uma companheira dos Missionários da Caridade que havia trabalhado durante anos com ela. Após a cerimônia fúnebre, irmã Nirmala convidou-me para visitar o seu orfanato em Calcutá e pediu um encontro particular na Casa Mãe, a sede de sua ordem. Quando cheguei, irmã Nirmala levou-me para um aposento simples de paredes caiadas, iluminado apenas por fileiras de bruxuleantes velas de devoção dispostas contra as paredes. Depois que a minha vista se adaptou, vi que o caixão fechado de madre Teresa havia sido levado para lá, o seu lar, onde permanecerá para sempre. As freiras formaram um círculo em volta do caixão, permaneceram de pé orando silenciosamente e irmã Nirmala pediu-me para fazer uma prece. Fui apanhada de surpresa e hesitei, achando que era inadequado para a ocasião. Então, baixei a cabeça e agradeci a Deus pelo privilégio de ter conhecido aquela pequenina e poderosa mulher santa durante o seu tempo aqui na terra. Não tinha dúvida de que ela estaria observando do céu, enquanto cada um de nós, à sua própria maneira, tentava atender ao seu conselho de amar a Deus e uns aos outros.

* * *

Em meados de setembro, a ocasião que eu temia havia anos finalmente chegou: Chelsea estava se mudando para a Califórnia, para iniciar o seu ano de caloura na Stanford. Para minimizar a minha aflição em relação a essa passagem agridoce da vida, passei as semanas anteriores fazendo listas de tudo o que ela precisaria levar para a escola. Chelsea e eu fizemos compras na Linens'n Things and Bed Bath Beyond, onde comprei um miniaspirador de pó, um ferro de passar a vapor, papel adesivo para forrar gavetas e uma porção de coisas que somente uma mãe acharia essencial para a vida em residência universitária.

Nossa esperança era a de que a chegada de Chelsea ao campus em meados de setembro de 1997 chamasse a menor atenção possível. A direção da Stanford foi ao encontro de nossas preocupações para a privacidade dela e havia preparado um esquema de segurança com o Serviço Secreto a fim de permitir que Chelsea tivesse uma vivência universitária a mais exeqüível. Embora ela tivesse 24 horas de proteção, isso teria de ser imperceptível, tanto em relação a Chelsea como à universidade. Os jovens agentes designados para o serviço dela teriam de parecer e se vestir como estudantes e ficariam morando em uma residência universitária perto da de Chelsea. A Stanford, por sua vez, foi feliz em limitar o acesso da mídia ao campus, para impedir que jornalistas sem credenciais para eventos específicos acampassem perto da residência universitária de Chelsea ou a seguissem de sala de aula a sala de aula.

Chelsea, Bill e eu chegamos a Palo Alto num esplêndido dia de outono. A pedido da Stanford, concordamos em tirar uma foto do nosso primeiro dia no campus, para satisfazer quase duas centenas de jornalistas de todo o mundo em busca de fotos e declarações sobre a chegada de Chelsea. Fora isso, ela foi deixada em paz pela mídia e iniciou a sua carreira universitária praticamente igual aos demais 1.659 alunos da Turma de Stanford de 2001.

Fomos até a residência universitária de concreto com três andares, que seria o lar de Chelsea longe de casa. As compras de última hora e a arrumação das malas tinham me deixado exausta e, como é típico de muitas mães, entrei em grande atividade assim que chegamos à residência universitária. O quarto de Chelsea, que ela dividia com outra jovem, mal tinha espaço suficiente para abrigar um beliche, duas escrivaninhas e um par de armários. Eu me dedicava à missão de correr de um lado para o outro, na vã tentativa de organizar os pertences dela, arrumar espaço no armário, retirar lençóis e toalhas, medir e cortar o papel adesivo para ajustar nas gavetas, enquanto zombava nervosamente da minha filha. "Que tal guardar as roupas de cama limpas debaixo da cama? Eis aqui um bom lugar para você guardar o seu material de toalete. Não acho que deva arrumar a sua escrivaninha desse jeito."

Bill, enquanto isso, assemelhava-se à maioria dos outros pais, que pareciam entrar num estado de transe em câmera lenta assim que colocavam o pé no campus. Ele insistiu em carregar pessoalmente a bagagem de Chelsea e, depois, armado com uma minúscula chave inglesa, atracou-se com o beliche que Chelsea e a colega de quarto queriam separar. Após deduzir que, antes de tudo, o beliche teria que ser virado de cabeça para baixo, Bill completou a tarefa e então recuou para a janela, onde permaneceu com a expressão de abatimento, parecendo um boxeador atordoado que acabara de ir à lona.

O meu frenético método de lidar com a separação iminente de minha filha quase levou Chelsea à loucura e fiquei aliviada em saber que a nossa experiência não foi incomum. Ao reunir pais e alunos, Blake Harris, o representante dos estudantes, descreveu de forma hilariante o comportamento de sua mãe, anos antes:

"Pais, vocês fizeram o melhor possível. E vão sentir saudades de seus filhos, depois que forem embora, esta noite. E eles também sentirão saudades, mais ou menos daqui a um mês e durante quinze minutos. Vejamos os meus pais, por exemplo. Minha mãe chorou, quando fomos visitar faculdades. Quando nós chegamos aqui... minha mãe estava louca para oferecer aquela última migalha de maternidade. Resolveu que era absolutamente fundamental revestir as minhas gavetas com papel adesivo. Eu deixei. Não tive coragem de lhe dizer que, se as minhas roupas sempre estivessem limpas, era improvável que alguma vez encontrassem o seu caminho até uma gaveta." Chelsea e eu nos entreolhamos e caímos na gargalhada. Pelo menos, senti que não estava sozinha.

No final da tarde, chegou a hora de todos os pais irem embora, liberando os alunos para arrumar e rearrumar os seus objetos de uso, sem a interferência dos pais. A maioria das outras mães e eu juntamos os nossos pertences, inclusive o papel adesivo não utilizado, e rumamos para as saídas. Após semanas de planejamento, compras, arrumação de malas, desarrumação de malas e organização, tivemos que nos endurecer para aquele momento. Num certo nível, nós, as mães, estávamos de fato preparadas para dizer adeus e deixar que os nossos filhos iniciassem sua nova vida.

Observando os pais, entretanto, percebi que eles não estavam tão preparados assim. Ao chegar o momento de ir embora, eles pareceram emergir do nevoeiro coletivo, subitamente aflitos com a perspectiva de se separar de suas crias.

"Como assim, está na hora de ir embora?", perguntou Bill. "Temos mesmo que ir agora?" Ele parecia desolado. "Não podemos voltar depois do jantar?"

31

TERCEIRA VIA

VISITEI CHEQUERS, A RESIDÊNCIA DE CAMPO OFICIAL do primeiro-ministro britânico, no final de 1977, a convite do primeiro-ministro e da sra. Blair, para uma pequena reunião de pensadores políticos americanos e ingleses. Nossos anfitriões ofereceram-me um maravilhoso passeio pelo local. O anel da rainha Elizabeth I. A mesa que Napoleão usou em Santa Helena. A passagem secreta de Cromwell. A sala da prisão, assim chamada porque lady Mary Grey passou dois anos trancada lá, em meados dos anos 1500, por se casar sem permissão da rainha. Estas estavam entre as relíquias históricas com as quais vivia um primeiro-ministro em meio a corredores estreitos, escadas em espiral, recantos e passagens da imponente propriedade rural do século XVI.

Tony Blair fora eleito seis meses antes defendendo uma plataforma de idéias progressistas que reformularam o tradicional pensamento do Partido Trabalhista sobre assuntos econômicos e sociais. Posteriormente à sua eleição, creditou a Bill a inspiração que ele e seu partido tiveram de planejar uma direção diferente para o Reino Unido e a Europa confrontarem os desafios da globalização e segurança econômica e política.

Tony e Cherie Blair vinham colocando em evidência muitos dos mesmos temas nos quais Bill e eu vínhamos pensando havia anos. Descobri essa simbiose política quando Tony ainda era o líder do Partido Trabalhista. Nosso amigo comum Sid Blumenthal, jornalista e autor americano que havia escrito extensamente sobre as políticas americana e inglesa, insistiu para que nos reuníssemos. Sid era, há anos, um bom amigo de Bill e meu, e eu estimava a sua análise política e aguda sagacidade. Ele começou a trabalhar na Casa

Branca em 1997, e sua esposa, Jackie, uma experiente administradora e advogada, entrou para o governo em 1996.

"Vocês e os Blair são almas gêmeas políticas", disse-me. "Vocês precisam se encontrar."

Sid e Jackie recepcionaram Tony em sua residência, em 1996, e me convidaram. Encontrei Blair na mesa dos petiscos, onde permanecemos meia hora envolvidos em uma conversa sobre política e ações públicas em nossos respectivos países. Senti de imediato uma afinidade. Ele, também, tentava imaginar alternativas para a tradicional retórica liberal, pressuposições e posições, na esperança de encontrar caminhos para o crescimento econômico, capacitação individual e justiça social na era da informação global.

Seja lá como se denomine, Novos Democratas, Novos Trabalhistas, a Terceira Via ou o Centro Vital, Tony Blair e Bill Clinton compartilhavam claramente uma visão política. Mas a questão com a qual se defrontavam era como revigorar um movimento progressista que perdera muito do seu fôlego durante os anos 70 e 80, cedendo à ascensão do reaganismo nos Estados Unidos e do thatcherismo na Inglaterra.

O Partido Republicano nos Estados Unidos revelara competência em criar um maremoto de idéias conservadoras, após a retumbante derrota do senador Barry Goldwater para Lyndon B. Johnson na eleição presidencial de 1964. Chocados com as margens de perdas do seu partido, muitos multimilionários republicanos abraçaram uma estratégia para semear o conservadorismo e até mesmo a filosofia política de direita, a fim de desenvolver e avançar políticas específicas para incrementá-lo. Financiaram estrategistas políticos, criaram cadeiras universitárias e seminários e desenvolveram canais de mídia para comunicar idéias e opiniões. Por volta de 1980, também passaram a financiar campanhas de publicidade política por intermédio do National Conservative Politic Action Comitee [Comitê Nacional de Ação Política Conservadora], uma das primeiras organizações políticas a usar a comunicação de massa como veículo para campanhas negativas. Por meio de mala-direta e anúncios de televisão, o NCPAC quebrou um admitido tabu em eleições nacionais e regionais, ao atacar o passado e posições dos oponentes mais duramente e perseguir pessoal e incansavelmente candidatos democratas. Essa era a parte negra vulnerável da direita republicana, que galgou o poder com um rosto público diferente: o risonho e autoconfiante Ronald Reagan. Nos anos 80, Reagan venceu duas vezes a eleição para a Presidência e os republicanos obtiveram conquistas significativas no Congresso.

Duvidei da eficácia da propaganda negativa quando a vi de perto pela primeira vez durante a campanha de Bill para a reeleição ao governo, em 1980. Mas estava errada. Campanhas negativas, que todo mundo confessa abominar, provaram ser tão eficazes que ambos os partidos as haviam adotado, embora os republicanos e seus grupos de interesses aliados as utilizem com mais eficiência do que os democratas. A maioria dos candidatos acredita não ter outra escolha a não ser responder e contra-atacar, mas as distorções e as falsidades criadas pelos anúncios negativos têm minado a crença não apenas nos candidatos, mas também no sistema político.

Nós e os ingleses temos sistemas políticos e métodos diferentes de fazer campanha, mas Bill e eu partilhávamos com os Blair a mesma peleja para levar adiante as idéias mais progressivas na arena política. O sucesso eleitoral de Bill deveu-se a uma combinação de suas habilidades políticas do entendimento do quanto o Partido Democrata se tornara antiquado e das soluções que ele propunha. O partido havia conduzido o país ao longo da Depressão, da Segunda Guerra Mundial, da Guerra Fria e da revolução dos direitos civis. Agora os seus líderes precisavam repensar de que modo os nossos valores essenciais poderiam ser traduzidos em soluções modernas para os desafios da segurança global que enfrentamos no início do século XXI, e das mudanças nos padrões de trabalho e da família na vida americana. Bill tentou levar os democratas além do que ele chamou de "política de morte cerebral do passado" — direita contra esquerda, liberais contra conservadores, capital contra trabalho, crescimento contra meio ambiente, pró-governistas contra anti-governistas —, a fim de construir um "centro dinâmico". Atuando junto ao Conselho de Liderança Democrática e seu fundador e líder, Al From, entre outros, Bill tornou-se um dos primeiros democratas nos anos 80 a oferecer uma nova filosofia democrata e a organizar o partido em torno de uma visão moderna de como um governo deveria funcionar. Eles defendiam uma parceria com o setor privado e cidadãos para promover a oportunidade econômica, a responsabilidade individual e um senso maior de comunidade partilhada.

Em seu empenho para reformar o Partido Trabalhista, Blair delineou temas semelhantes do outro lado do Atlântico. Lembro de estar em Londres, no final dos anos 80, e assistir pela televisão à convenção do Partido Trabalhista. Fiquei impressionada pelo modo como a maioria dos oradores se referia aos demais como "camaradas", um retrocesso lingüístico a um passado desacreditado. Após quase duas décadas de domínio do Partido Conservador, Blair emergiu nos anos 90 como o novo rosto vigoroso e carismático do Partido Trabalhista. Após sua eleição, em maio de 1997, Blair convidou Bill para uma visita oficial a Londres, onde nos descobrimos em meio a uma conversa interminável.

Tony e Cherie, ambos "barristers", o termo inglês para defensores públicos, conheceram-se quando trabalhavam em uma das Inns of Court [as quatro escolas da Corte de Justiça da Inglaterra]. Mãe de três filhos em 1997, quando seu marido se tornou primeiro-ministro, Cherie continuou o seu trabalho jurídico, atuando em difíceis casos criminais e também representando clientes na Corte Européia de Direitos Humanos. Em 1995, ela foi nomeada QC [Queen's Counsel, Consultora Judídica da Rainha] — uma grande honra — e tem atuado de vez em quando como juíza. Admiro o modo como continuou em sua profissão, mesmo aceitando casos em que precisou atuar contra o governo. Ela se especializou em reclamações trabalhistas e vários de seus clientes eram famosos e até mesmo polêmicos. Em 1998, representou um trabalhador gay empregado da ferrovia federal na causa em que reclamava direitos iguais aos de seus colegas não-gays. Não consigo imaginar uma primeira-dama processando o governo dos Estados Unidos em circunstâncias semelhantes!

Como mulher do novo primeiro-ministro, Cherie subitamente se viu diante de uma avalanche de responsabilidades e exigências públicas, e não contava com a ajuda de uma grande equipe, a não ser os dois auxiliares que trabalhavam em meio expediente para cuidar da agenda de compromissos e da correspondência. A mulher de um primeiro-ministro tem um papel menos simbólico do que o de uma primeira-dama, pois a rainha e os outros membros da família real realizam muitas das tarefas dela. Quando Cherie e eu nos conhecemos, ela estava ansiosa para discutir comigo quaisquer idéias sobre como podia enfrentar as suas responsabilidades. Eu a incentivei a ser ela mesma, uma difícil incumbência, como descobri, e tentei fortalecer os seus instintos para proteger os seus filhos, mantendo-os ao máximo distantes dos *flashes* dos tablóides. Cherie já tinha passado pelo batismo de fogo, visto que, bem cedo na manhã antes da eleição, ela abriu a porta de sua casa particular para receber uma entrega de flores e foi fotografada de camisola.

Quando ela, Tony, Bill e eu nos reunimos para um demorado jantar no Le Pont de la Tour, um restaurante perto da Torre de Londres, no rio Tâmisa, a conversa não parou um só momento. Partilhamos idéias sobre problemas da educação e da previdência e nossas preocupações sobre a penetrante influência da mídia. Em meio ao jantar, decidimos iniciar uma discussão entre os nossos assessores, a fim de explorar idéias e estratégias comuns.

A organização do primeiro encontro levou meses, por causa da resistência de funcionários de ambos os nossos países. O Conselho de Segurança Nacional e o Ministério das Relações Exteriores britânico preocupavam-se com o fato de podermos ofender outras nações e governos amigos por realizarmos encontros com a participação apenas dos Estados Unidos e da Inglaterra. Eu argumentei que, se o suposto relacionamento especial entre nossos países significava alguma coisa, encontros informais bilaterais certamente não ofenderiam os nossos outros aliados. Bill e eu perseveramos, pois sabíamos que cada um dos nossos países podia aprender com o outro e criar um ambiente político construtivo. Fizemos concessões, entretanto. A fim de limitar a atenção, Bill não compareceria à primeira reunião que Tony queria realizar em Chequers. Também decidimos nos concentrar em assuntos internos, contornando as possíveis implicações de política externa dos encontros bilaterais, ao reconhecer que, numa era globalizada, a política interna agora tinha significativas conseqüências internacionais.

A relação final de participantes americanos incluía Melanne; Al From; Sid Blumenthal, na ocasião assistente do presidente; Andrew Cuomo, secretário de Desenvolvimento Habitacional e Urbano; Larry Summers, então subsecretário do Tesouro; Frank Raines, chefe do gabinete de Administração e Orçamento; o redator de discursos e consultor, Don Baer, e o professor Joseph Nye, da Kennedy School of Government da Universidade de Harvard. Blair convidou Anthony Giddens, diretor da London School of Economics, e membros do seu governo, que incluíam Gordon Brown, chanceler da Receita Pública; Peter Mandelson, ministro sem pasta; a baronesa Margaret Jay, vice-líder da Casa dos Lordes; e David Miliband, superintendente de Política.

Deixei Washington em 30 de outubro, parando antes em Dublin e Belfast. O novo *taoiseach* irlandês, Bertie Ahern, ofereceu uma grande recepção no St. Patrick Hall do Castelo de Dublin. Ahern, um político sagaz e afável, mostrava ser um eficiente primeiro-ministro e decidido defensor do processo de paz. Ele estava separado há vários anos da esposa e mantinha uma longa relação com Celia Larkin, uma mulher adorável e ativa. O envolvimento dos dois era um daqueles conhecidos segredos que todo mundo sabia, mas ninguém admitia publicamente. Bertie escolheu a ocasião da minha visita para tornar isso transparente. Quando a embaixadora Jean Kennedy Smith me acompanhou até o palco, para eu me dirigir à multidão, Bertie e Celia subiram a escada. A imprensa irlandesa ficou eletrizada. Assim que Bertie e eu terminamos de falar, os jornalistas correram para os seus telefones e computadores. A repórter do *Irish Times*, Susan Garrity, que era baseada em Washington e tinha voado comigo para cobrir a visita, disse-me depois que ouviu um colega berrar no telefone: "É o que estou lhe dizendo: ele colocou a amante no palco, com a primeira-dama. Dá para acreditar? Com a primeira-dama!". Essa notícia de grande importância não teve nenhum impacto no destino político de Ahern, que foi reeleito em 2002, e certamente não foi assunto do jantar privado de que Bertie, Celia e eu participamos depois, com alguns dos meus irlandeses favoritos, Seamus e Marie Heaney e Frank McCourt, autor de *Angela's Ashes* [*As cinzas de Ângela*].

Na manhã seguinte, fui a Belfast pronunciar a primeira palestra no Memorial Joyce McCartan, na Universidade do Ulster. Falei do persistente compromisso de Joyce com a paz e agradeci a mulheres como ela, que, apesar de suas perdas pessoais, haviam contribuído para uma maior compreensão entre as tradições durante os conflitos, e que agora desempenhavam um papel no processo de paz. Eu admirava em especial Monica McWilliams e Pearl Sager, que representavam a Coalizão das Mulheres nas conversações de paz que estavam sendo levadas a efeito pelo senador George Mitchell, a quem Bill designara para coordenar as negociações.

Nessa viagem, testemunhei em primeira mão a importância dos contatos que estavam sendo realizados por católicos e protestantes em uma mesa-redonda com jovens participantes de ambas as comunidades, no novo Waterfront Hall, um monumento ao otimismo de Belfast em relação ao futuro. Conferências como essa davam apoio ao processo de paz e reuniam estudantes que dificilmente se encontrariam sob quaisquer outras circunstâncias. Estes viviam em bairros segregados e freqüentavam escolas rigidamente sectárias. Sempre lembrarei o que um rapaz me disse, ao lhe perguntar o que ele achava necessário para se instituir uma paz duradoura. "Nós precisamos ir à escola juntos, como vocês fazem nos Estados Unidos", respondeu.

Um dos motivos pelos quais defendo a melhoria do nosso sistema de escolas públicas, pelos padrões mais altos e maior responsabilidade, e me oponho ao seu enfraquecimento pelo crédito. escolar, é que elas reúnem crianças de todas as raças, religiões e formações, e têm moldado e sustentado a nossa democracia pluralista. Poucos países do mundo se beneficiam de tal diversidade na educação. Ao se desenvolver cada vez mais diversificada, em nossa sociedade se tornará ainda mais importante as crianças estudarem juntas e aprenderem a tolerar e respeitar suas diferenças, ao mesmo tempo em que afirmam a sua humanidade comum.

Participando igualmente da conferência de Belfast, estava Marjorie "Mo" Nowlam, a secretária de Estado de Tony Blair para a Irlanda do Norte. Recentemente Mo havia terminado um debilitante tratamento de um tumor cerebral benigno, o que lhe causou a queda do cabelo. Ela usava peruca e logo perguntou se eu me importava se a tirasse. Disseram-me que ela fazia isso em reuniões oficiais, expondo a cabeça calva com alguns tufos de cabelos louros. Fiquei imaginando se a remoção da peruca era um modo sutil de sugerir que ela nada tinha a esconder em seu trabalho em prol do processo de paz — ou uma lembrança não tão sutil de que ela era uma mulher muito mais interessada em substância do que aparência. Mo tornou-se uma agradável nova amiga.

Voei de Belfast para Londres e depois segui de carro por 65 quilômetros ao norte até Buckinghamshire, onde Chequers está instalado em cerca de quatrocentos hectares da extensa zona rural inglesa, sua área cercada por trilhas de pedras e jardins bem tratados. Uma imensa porta frontal indica a entrada para a mansão senhorial de tijolos vermelhos, que tem servido de fuga de fim de semana para primeiros-ministros desde 1921, depois que a propriedade rural foi legada ao governo britânico. Tony recebeu-me na porta, usando jeans e exibindo a sua marca registrada, o sorriso de menino.

À noite, o casal Blair, Melanne e eu desfrutamos um jantar privativo e ficamos acordados até tarde da noite, sentados diante da enorme lareira de pedra do Grande Salão, conversando sobre uma grande variedade de assuntos, desde Yeltsin e seu círculo íntimo, passando pela deslealdade da França em relação ao Irã e Iraque, até o envolvimento dos Estados Unidos na Bósnia. Também discutimos o que Tony chamava de a "fadiga celular", que parecia afetar a vida pública naqueles dias, e a ligação entre nossa fé religiosa e o serviço público. Nós dois tínhamos enraizada a crença política em nossa fé, que moldava o nosso compromisso com a ação social. Falei sobre a invocação de John Wesley, à qual passei a me dedicar com grande empenho ao ser crismada na fé metodista — Viva cada dia fazendo o máximo de bem que puder, de todos os modos que puder —, e o que os teólogos têm descrito como "o empurrão do dever e o puxão da graça".

Na manhã seguinte, chegaram os demais participantes americanos e ingleses. Diante de um café na Grande Sala de Estar do segundo andar, debatemos ações capazes de sustentar famílias em sua atividade primordial de criar filhos, como também políticas de educação e emprego. Após as discussões, caminhamos pelos jardins, olhando além dos exuberantes prados verdes que pareciam se estender até o horizonte. A Inglaterra pode ser cinzenta e úmida no final do outono, mas naquele dia o céu era de um azul carregado, e o sol, brilhante, dava aos arredores um intenso colorido. Ao olhar além dos gramados e roseiras, dei-me conta de que, apesar de Chequers ser vigiado e seguro, não havia cercas visíveis ou qualquer indicação de que se tratava de uma isolada instalação do governo.

No jantar, sentei-me ao lado de Tony Giddens, um brilhante e prolífico erudito que havia escrito intensamente sobre a Terceira Via. Giddens disse-me que, quando for escrita a história do sangrento século XX, o avanço da condição da mulher será visto como uma mudança histórica tão profunda quanto a extraordinária marcha da tecnologia e da bem-sucedida defesa e proliferação da democracia ocidental.

Assim que voltamos aos Estados Unidos, Sid e eu fizemos um relato para Bill e recomendamos que ele prosseguisse com os encontros da Terceira Via, o que foi feito. Ele promoveu um deles no Salão Azul da Casa Branca, durante a visita oficial de Blair em 1998, e convocou reuniões de seguimento que contaram com outros líderes da mesma opinião, como o presidente italiano Romano Prodi e o primeiro-ministro sueco Goran Persson na Universidade de Nova York, em setembro de 1998, e o chanceler alemão Gerhard Schroeder, o primeiro-ministro italiano Massimo D'Alema e o presidente brasileiro Fernando Henrique Cardoso em Florença, em novembro de 1999.

Esses encontros da Terceira Via introduziram uma nova maneira de o governo atuar com os tradicionais aliados dos Estados Unidos. E tínhamos poucos aliados melhores do que a Itália. Bill e eu tínhamos visitado a Toscana e Veneza em 1987, com um grupo de governadores, e eu procurava uma desculpa para voltar lá. Em 1994, viajamos a Nápoles, para a Cúpula do G-7, que teve como anfitrião o primeiro-ministro Silvio Berlusconi. Realizei o desejo de uma vida ao explorar a arte e a cultura napolitanas, e visitar Pompéia, Ravello e a costa de Amalfi. Gostaria de ter podido me demorar por lá, ou, pelo menos, já ter voltado. Da mesma forma, ao fazermos a nossa visita oficial a Roma, desfrutei cada momento e fiquei encantada por Florença ter sido escolhida para a Conferência da Terceira Via, co-patrocinada pela Universidade de Nova York sob a liderança de John Sexton, o decano da faculdade de direito, atualmente reitor da universidade. Essas visitas à Itália deram-me a chance de passar um tempo com uma sucessão de primeiros-ministros —

Berlusconi, Prodi, D'Alema e Carlo Ciampi, todos bons aliados, particularmente em relação à Bósnia, ao Kosovo e à expansão da OTAN.

Em Palermo, Sicília, participei de um programa de treinamento de liderança da Vozes Vitais e discursei no restaurado teatro da ópera, em uma conferência patrocinada por Leoluca Orlando, o prefeito de Palermo. Orlando acreditava no poder da cultura para mudar vidas e sociedades. Ele liderou uma campanha popular para tirar Palermo das garras da Máfia. Organizou crianças de escolas para "adotarem" monumentos e cuidarem deles, como um meio de incutir valores de responsabilidade cívica e proteção. Conversava freqüentemente com o clero e líderes empresariais, a fim de incentivá-los a ajudá-lo a encerrar o reino de terror sob o qual o povo vivia. Finalmente, após uma série de assassinatos a sangue-frio de funcionários públicos, as mulheres de Palermo acharam que já era demais. Penduraram lençóis em suas janelas, proclamando em letras garrafais: BASTA. Essa demonstração coletiva de poder, combinada com protestos, foi a reviravolta na longa luta da Sicília contra a Máfia.

O criativo governo de Orlando era um nítido exemplo da abordagem da Terceira Via para a solução de problemas, que levou o seu povo a uma pausa no medo e na violência. A abertura a idéias para melhorar a vida das pessoas é marca de um líder, mas, às vezes, lideranças precisam de incentivo, principalmente em novas democracias que tentam implementar pela primeira vez princípios de igualdade e autonomia. Nosso governo acreditava que visitas de alto nível eram importantes para os nossos esforços em estabelecer laços diplomáticos com democracias nascentes. E foi por isso que me vi sentada em um avião prestes a decolar para Cazaquistão, Quirquizistão, Uzbequistão, Ucrânia e Rússia — Sibéria, para ser mais exata —, alguns dos locais mais remotos que visitei. Antes, porém, tínhamos de chegar lá, o que se revelou mais exasperante do que o esperado.

Novamente estava viajando com Kelly e Melanne, e com Karen Finney, minha subsecretária de imprensa, uma jovem alta, com grande resistência e humor. Decolamos da Base Aérea de Andrews na noite de domingo, 9 de novembro, a bordo de um Boeing 707 que, no passado, fora usado como o Força Aérea Um. Estávamos voando há cerca dez minutos e eu já havia me instalado com o meu livro com instruções sobre o Cazaquistão, a nossa primeira escala, quando um membro da tripulação veio me informar, calmamente, que precisaríamos voltar à Andrews por causa de problemas em uma das turbinas. Não fiquei particularmente preocupada. Sabia que um avião daquele tamanho era capaz de voar com três de suas quatro turbinas. E tinha total confiança nos pilotos da Força Aérea, os melhores do mundo. Voltei ao meu livro.

Aterrissamos suavemente na Andrews, com apenas três das turbinas funcionando, e, imediatamente, fomos recebidos por caminhões de bombeiros e suas luzes lampejantes. Enquanto mecânicos faziam uma verificação, liguei para Bill para informá-lo do atraso, esperando que pudéssemos decolar novamente depois que a turbina fosse consertada.

Finalmente, poucas horas depois recebemos a notícia de que só poderíamos partir na tarde seguinte, e, à meia-noite, fomos todos para casa. Ao chegar à Casa Branca, encontrei Bill falando ao telefone com Chelsea, que estava em sua residência universitária e tinha visto uma "notícia urgente" na CNN.com: "Avião com a primeira-dama retorna... combustível despejado... todos a bordo estão salvos". Precisei ligar para a minha mãe, que queria apenas ouvir a minha voz. Outros amigos telefonaram, após verem a manchete no *Washington Post*: JATO DA PRIMEIRA-DAMA RETORNA; VIAGEM À ÁSIA CENTRAL ADIADA. Todo esse estardalhaço fez parecer como se eu tivesse sido ejetada do avião e descido de pára-quedas.

Partimos no dia seguinte, depois de terminado o conserto. A viagem não era para fracos ou dóceis. Pousamos em pistas de terra sem iluminação, vimos homens com pás tentando retirar o gelo do nosso avião e supostamente tínhamos que provar uma enorme variedade de tipos de vodca em cada escala e a qualquer hora do dia ou da noite. Foi uma das viagens mais exóticas e memoráveis das que fiz durante a minha temporada na Casa Branca. Montanhosos, puros e sinistramente belos, os assim chamados "istãos" abrigavam a velha Rota da Seda percorrida por Marco Polo. Muitos dos cazaques, guirguizes e uzbeques, alguns dos quais ainda vestidos nas roupas tradicionais nativas, eram descendentes da Horda de Ouro, os soldados de Gêngis Khan e Kublai Khan. Na era pós-soviética, tentavam criar o equivalente moderno da Rota da Seda, para que suas nações e economias pudessem prosperar no século XXI. Apesar de russificado durante a era soviética, cada país ainda mantinha uma personalidade étnica bem definida e uma população surpreendentemente diversa.

O Cazaquistão é um país rico em petróleo e gás, com o potencial de melhorar o padrão de vida de seus cidadãos desde que, é claro, a corrupção pública e privada não escoe toda a renda. Visitei um pequeno centro de bem-estar da mulher financiado com a verba de ajuda externa americana. Por causa da indisponibilidade de métodos contraceptivos, o aborto tornou-se uma forma comum de planejamento familiar durante a época do comunismo. A política da administração Clinton era tornar o aborto "seguro, legal e raro". Trabalhamos para desencorajar o aborto e diminuir a disseminação de doenças sexualmente transmissíveis, por meio da ajuda ao planejamento familiar e da melhoria da saúde materna. Essa política contradizia a lei da mordaça global contra o livre debate sobre o aborto imposta pelo presidente Reagan, continuada pelo presidente Bush e anulada por Bill no segundo dia de sua presidência (posteriormente reinstituída por George W. Bush). A retomada da ajuda americana começava a mostrar resultados. Os médicos da clínica de Almaty disseram-me que as taxas de aborto e de mortes por parto estavam decrescendo, mais uma prova de que a nossa política prática era mais eficaz em tornar o aborto mais raro do que a abordagem anticoncepcional mais visceral dos republicanos.

Eu sabia que a região montanhosa do sudeste do Quirquizistão e do Cazaquistão precisava de acessórios médicos. Agindo em conjunto com Richard Morningstar, o assessor especial do presidente para os Novos Estados Independentes da ex-União Soviética, consegui o embarque de várias cargas de ajuda humanitária — 2 milhões de dólares em medicamentos, acessórios médicos e roupas.

Chegando a Tashkent, a capital do Uzbequistão, fui diretamente ao presidente Islam Karimov, um ex-comunista soviético com reputação de autoritarismo, o qual se revelou fascinado pelo meu marido. Ele quis saber como Bill continuava em contato com o povo sem perder a autoridade presidencial. Karimov, como seus colegas de todos os novos Estados independentes, não tinha experiência com a democracia. Não havia nenhum curso organizado para esses líderes aprenderem os formais e informais "hábitos do coração" que eram a base da teoria e da prática da democracia.

E estava sendo travada uma luta pelos corações e mentes dos muçulmanos por toda a Ásia Central. Karimov era criticado no Ocidente por reprimir os fundamentalistas islâmicos, mas ele os via como agitadores políticos. Para outros, estava disposto a promover a tolerância religiosa, como descobri ao visitar a recém-reaberta sinagoga no beco de uma rua lateral em Bukhara, uma das cidades do Antigo Comércio que ficavam no caminho das caravanas da velha Rota da Seda. Conheci o rabino, que também atuava como obstetra e ginecologista. Explicou-me como os remanescentes de uma outrora próspera comunidade judaica, que datava da época da diáspora que se seguiu à destruição do Templo em Jerusalém no ano 70, conseguiram sobreviver aos mongóis e aos soviéticos, e agora desfrutavam da tolerância e da proteção do governo de Karimov.

Na praça Registan, em Samarcanda, Karimov contou-me com orgulho que a madraça Shir Dor, uma histórica escola islâmica de educação de meninos, estava novamente aceitando estudantes e lhes ensinaria as interpretações tradicionais da formação do Islã que se enraizara na Ásia Central, em oposição às interpretações importadas de alguns países árabes que haviam radicalizado e militarizado alguns uzbeques. Descreveu as forças que queriam desestabilizar o seu governo e instituir um estado islâmico, como o do Talibã, que na ocasião dominava o vizinho Afeganistão. Ao mesmo tempo em que incentivava a retomada da atividade religiosa, ele não tolerava a oposição política patrocinada por estrangeiros camuflada de reivindicações religiosas.

Observando a madraça Shir Dor como americana, o meu sentimento foi conflitante. Após anos de opressão pelos soviéticos, as escolas religiosas foram abertas e prosperavam, mas eu me preocupava com a falta de oportunidades de educação para meninas e com o fato de que madraças em outros lugares haviam se tornado exportadoras do fundamentalismo radical. Nos dias subseqüentes ao 11 de setembro de 2001, lembrei da Shir Dor e de outras madraças que vi. Nos Estados Unidos, o termo agora está associado aos campos de lavagem cerebral para extremistas e terroristas em potencial.

Em nações em desenvolvimento, a infra-estrutura educacional, tanto para meninos quanto para meninas, precisa ser uma prioridade, e é crucial entender o papel que as madraças desempenham no mundo islâmico. Em países como o Paquistão, onde comumente não há escolas públicas disponíveis, as madraças podem ser a única oportunidade para filhos de pais pobres ambiciosos, embora a educação recebida ali talvez seja limitada estritamente à memorização em árabe do Alcorão. O novo fundamentalismo na Ásia pode ser rastreado nos movimentos de orientação árabe e nas madraças. Karimov receava essa influência estrangeira e tentava alimentar a tolerância religiosa que havia marcado a Ásia Central. Se os Estados Unidos fornecessem mais ajuda para países abrirem escolas não radicais, talvez isso pudesse poupar dinheiro e vidas e, por tabela, evitar conflitos e atos terroristas.

A notícia de nossa visita aparentemente espalhou-se por toda a Samarcanda. Quando Karimov e eu estávamos deixando um projeto patrocinado pelo USAID com o objetivo de promover a exportação de artesanato produzido pelas mulheres do lugar, vimos uma enorme multidão contida pela onipresente polícia, que havia formado um cordão de isolamento humano a fim de manter as pessoas ao longe. Falei para Karimov: "Sabe, senhor presidente, se o meu marido estivesse aqui, atravessaria a rua e apertaria a mão dessas pessoas".

"Ele faria isso?"

"Faria, pois numa democracia essas pessoas são os patrões. Bill atravessaria o cordão de isolamento não apenas porque é amistoso, mas porque sabe para quem ele trabalha."

"Muito bem, vamos lá."

Para espanto dos seus auxiliares, da polícia e da multidão, o presidente aproximou-se e estendeu a mão, que foi agarrada por alguns uzbeques ansiosos.

Voltei para casa para festejar uma vitória-chave legislativa, a assinatura da Lei da Adoção e da Segurança Familiar, em 19 de novembro. A reforma das leis da adoção e a assistência aos filhos de criação era importante para mim desde a minha época na Faculdade de Direito de Yale, quando representei uma mãe que queria perfilhar seu filho adotivo.

Durante o primeiro mandato de Bill, trabalhei com Dave Thomas, o fundador da cadeia de lanchonetes Wendy's e um dedicado republicano, e com outros líderes empresariais e fundações, para impulsionar a reforma das leis da adoção. Dave era adotado e dedicara consideráveis energia e recursos ao incremento do sistema de adoção. À época, 500 mil crianças americanas encontravam-se presas no limbo da adoção. Voltar para casa não era a opção para 100 mil delas, e, a cada ano, apenas 20 mil encontravam lares permanentes com famílias. A minha esperança era a de que, por meio da nova legislação, pudéssemos apressar o processo e remover barreiras arbitrárias que impediam que muitas famílias responsáveis fossem habilitadas para adoção.

Deanna Mopin, uma adolescente do Kansas que fora colocada para adoção aos cinco anos de idade após ter sido maltratada em sua própria casa, foi uma das oradoras principais na comemoração realizada na Casa Branca, em 1995, pelo Mês Nacional da Adoção. Tímida e nervosa, ela descreveu o que foi viver sob o mesmo teto com outras nove crianças num lar de adoção, impossibilitada de ir ao cinema ou comprar roupas para a escola sem a permissão de seus "pais visitantes" e duas assistentes sociais.

A minha equipe de política interna havia trabalhado incansavelmente com funcionários do governo e assessores do Congresso a fim de estruturar a nova legislação, que incluía incentivos financeiros para os estados, estímulos para manter famílias juntas em circunstâncias adequadas, períodos de tempo mais rápidos para se tomar decisões de acomodações permanentes de crianças e a cessação de direitos paternos em casos de maltratos e negligência. Aprovar essa legislação foi instrutivo. Aprendemos que, ao trabalhar com um Congresso recalcitrante, nós conseguíamos, freqüentemente, agir com mais desembaraço em uma questão objetiva do que em uma iniciativa mais ampla, como a assistência médica e a reforma da previdência.

As extensas mudanças na lei federal de adoção apressariam a acomodação de milhares de crianças como Deanna em lares seguros e permanentes. "A legislação representa uma mudança fundamental na filosofia do bem-estar da criança, passando de uma presunção na qual a consideração principal deveria ser a devolução da criança aos pais biológicos, para uma na qual a saúde e a segurança da criança são predominantes", observou o *Washington Post*. Um dos mais surpreendentes e satisfatórios aspectos desse sucesso legislativo foi a oportunidade de trabalhar com Tom DeLay, talvez o líder mais eficiente e partidário dos conservadores extremistas da Câmara. Mas, nessa questão, foi inabalável em seu apoio. DeLay e a mulher têm filhos adotivos, e depois que me tornei senadora, continuei a trabalhar com ele.

Cinco anos após a assinatura da Lei da Adoção e da Segurança Familiar, o número de crianças adotadas mais do que dobrou, ultrapassando os objetivos da legislação. Percebi, contudo, que aproximadamente 20 mil jovens "envelheciam" para o sistema de lares de adoção ao fazerem dezoito anos, sem jamais terem sido acomodados em um lar. Ao mesmo tempo em que enfrentavam a crítica transição para a independência, tornavam-se incapacitados para um amparo financeiro federal e um número desproporcional deles tornava-se sem-teto, vivendo sem seguro-saúde ou outra assistência crucial. Em uma viagem a Berkeley encontrei-me com um notável grupo de jovens da California Youth Connection, uma organização de apoio e defesa de crianças mais velhas em lares de adoção e das que haviam recentemente completado dezoito anos. Eles enfatizaram a dificuldade de atingir a idade adulta sem quaisquer dos amparos, emocional, social e financeiro, que as famílias costumam dar. Joy Warren, uma bela loura diplomada, passou a maior parte da adolescência em lares adotivos, mas conseguiu se concentrar em seus estudos, foi admitida na U. C. Berkeley e depois na Faculdade de Direito de Yale. Joy tinha duas irmãs mais novas, uma das quais ainda em lar de adoção, o que intensificava a pressão que ela sentiu ao assumir as responsabilidades da idade adulta em tenra idade. Joy tornou-se uma estagiária do meu gabinete na Casa Branca, auxiliando minha equipe no desenvolvimento de uma nova legislação voltada para as necessidades de jovens que superaram a idade para se enquadrar no sistema de adoção. Trabalhei com o senador republicano John Chafee, de Rhode Island, e o senador democrata Jay Rockefeller, de West Virginia, no que veio a se tornar a Lei dos Adotivos Independentes de 1999, a qual provê aos jovens que completaram a idade máxima para os lares de adoção oportunidades de educação, treinamento para emprego, assistência habitacional, orientação e outros serviços de apoio.

Fiz cinqüenta anos em outubro, e, apesar de a regra dizer que se trata de uma difícil transição, isso pareceu insignificante comparado ao que era viver sem Chelsea. Meus dias e noites estavam abarrotados com reuniões e eventos até os feriados de fim de ano, mas eu ficava surpresa em ver quanto a Casa Branca parecia árida sem o som da música que vinha do quarto de Chelsea ou das risadinhas de suas amigas enquanto fofocavam e comiam pizza no Solário. Sentia saudades de suas piruetas pelo longo corredor central. Às vezes, pegava Bill apenas sentado no quarto de Chelsea, olhando em volta, tristonho. Tive de admitir que meu marido e eu tínhamos sido afetados por um lugar-comum de uma geração, um marco na vida, que somente membros do nosso autoconsciente grupo etário definiria como uma síndrome. Éramos agora como um ninho vazio. Se por um lado sentíamos mais liberdade para sair à noite e relacionar-nos socialmente com os amigos, por outro era perturbador voltar para uma casa silenciosa. O nosso ninho precisava ser preenchido: estava na hora de conseguir um cachorro.

Não tínhamos uma companhia canina desde a morte de nosso *cocker spaniel*, Zeke, em 1990. Amávamos aquele cachorro e era difícil imaginar conseguir outro para tomar o seu lugar. Logo depois que enterramos Zeke, Chelsea levou para casa um gatinho preto-e-branco que ela chamou de Socks, e que se mudou conosco para a Casa Branca, onde, claramente, ele preferia ser o único gato.

Mas depois que Bill foi eleito para um segundo mandato, e sabedores de que Chelsea partiria para a faculdade, começamos a pensar em conseguir um outro cachorro. Compramos um livro sobre cães, e Bill, Chelsea e eu passamos uma porção de tempo analisando todas as diferentes fotos e lendo sobre as diferentes raças. Chelsea queria um pequenino, para poder carregá-lo de um lado para o outro, e Bill queria um grande, com o qual pudesse correr. Superamos essa fase e, finalmente, decidimos que um labrador tinha o tamanho e o temperamento adequados para a nossa família e a Casa Branca.

Eu queria dar um cachorro de presente de Natal a Bill e parti para localizar o filhote perfeito. No início de dezembro, um saltitante labrador cor de chocolate com três meses de idade foi levado pela primeira vez à presença do presidente. O filhote fugiu direto para os braços de Bill e os dois se apaixonaram no ato. Tudo que nos restava fazer era inventar um nome para o cachorro. Vacilamos e preparamos uma lista. Pessoas enviaram cartas com sugestões e inventaram concursos para batizar o cachorro. Os meus dois favoritos eram Arkanpaws e Clin Tin Tin.

O processo estava fugindo ao controle e nos demos conta de que era melhor nos apressarmos e batizar o pobrezinho. Finalmente, decidimos por um nome simples e, em nossa opinião, nobre: Buddy.

Buddy era o apelido do tio favorito do meu marido, Oren Grisham, um dedicado dono e treinador de cães que havia morrido na primavera anterior. Quando Bill morava em Hope, tio Buddy deixava que ele brincasse com os seus cães de caça. Quanto mais Bill falava no novo cachorrinho, mais ele se lembrava do tio Buddy, e se tornou evidente que devíamos batizar o cão em sua homenagem. O único senão, achava eu, era o fato de que um dos mordomos da Casa Branca se chamava Buddy Carter. Não queríamos que ele se sentisse ofendido por chamarmos um cachorro de Buddy. Mas lhe perguntamos e ele adorou a idéia. Aliás, acredito que ele passou a se identificar com o cachorro. "Buddy se meteu em encrenca novamente", brincava com a gente, quando o cachorro mastigava o jornal. "Mas eu não, o outro Buddy."

Meses depois, quando o nosso novo companheiro canino foi levado para ser castrado, Buddy Carter entrou na residência sacudindo a cabeça e murmurando: "Hoje não é um dia bom para Buddy. Não é um dia bom mesmo".

O pequeno labrador adaptou-se rapidamente à rotina do meu marido. Dormia a seus pés, no Salão Oval, e ficava acordado até tarde da noite. Eram perfeitos um para o outro, já que Buddy tinha, ou adquiriu, muitas das características de Bill. Buddy adorava gente, tinha um temperamento alegre e otimista, e a habilidade de concentrar sua atenção com singular intensidade. Buddy era obcecado por duas coisas: comida e bolas de tênis. Era um maníaco incondicional quando se tratava de perseguir bolas. Se você deixasse, ele buscava bolas até cair de exaustão. Depois, levantava-se e procurava pelo jantar.

Rapidamente Buddy se tornou o centro de nossa vida familiar, algo difícil para Socks enfrentar. Há anos o gato vinha recebendo toda a atenção. Uma das minhas fotos favoritas é a de Socks cercado por fotógrafos, do lado de fora do palácio do governo do Arkansas, antes de nossa mudança para

Washington. Infelizmente, Socks detestava Buddy. Tentamos tudo para fazer os dois se darem bem. Mas se os deixássemos sozinhos num mesmo aposento, quando voltássemos inevitavelmente encontraríamos Socks com as costas arqueadas, sibilando para Buddy, que tinha ido perturbar o gato debaixo do sofá. Socks tinha as unhas das patas aparadas, mas nunca deixava passar uma oportunidade de dar uma pancada em Buddy, e certa vez desferiu uma direta no focinho do filhote. Ambos tinham os seus fãs e cada qual recebia milhares de cartas, na maioria de crianças expressando o seu afeto — e preferência — por um ou outro. Aliás, precisei criar uma unidade separada de correspondência na U.S. Soldiers' and Airmen's House para responder às cartas enviadas a eles. Em 1998, publiquei algumas dessas cartas no livro *Dear Socks, Dear Buddy*, que teve sua renda revertida para o National Park Foundation, uma obra de caridade que arrecada fundos para o sustento de nosso sistema de parques nacionais.

* * *

Mal percebemos, o Natal chegou e passou, e partimos para a nossa viagem a Hilton Head, Carolina do Sul, para um Fim de Semana do Renascimento e uma reunião de 1.500 amigos e conhecidos.

Eu ansiava por ver os nossos amigos e adorava as demoradas e sérias conversas do Renascimento. Mas precisava de algum descanso e estava ávida pelos quatro dias que havíamos planejado em St. Thomas, nas Ilhas Virgens americanas, para depois do Ano-Novo. No ano anterior, tínhamos visitado a bela ilha do Caribe, onde ficamos em uma casa que dava vista para a baía de Magens. Naquele ano, voltaríamos ao mesmo local, levando Buddy com a gente.

Pousamos no pequeno aeroporto de Charlotte Amalie, a capital, e seguimos de carro pela arqueada estrada montanhosa margeada de coqueiros e mangueiras até o nosso local isolado no lado norte da ilha. O ar cálido e a brisa tropical eram muito agradáveis, como também a casa, engastada em uma montanha, com uma escada serpeante que levava a uma pequena praia abaixo. O Serviço Secreto ficou instalado na casa vizinha e a Guarda Costeira havia retirado os barcos da pequena baía para aumentar a segurança — e a privacidade. Ao olharmos para a água, não havia praticamente sinal de vida. Era um cenário idílico.

Bill, Chelsea e eu fizemos o que costumamos fazer nas férias: brincar de cartas e jogos de palavras e montar um quebra-cabeça com mil peças. Levamos uma porção de livros, que lemos, trocamos e discutimos durante as refeições informais. Ou, então, nadamos, conversamos, corremos, caminhamos e andamos de bicicleta juntos. Normalmente, Bill joga golfe em qualquer ocasião que pode e, como as nossas férias geralmente coincidem com as temporadas de futebol e basquete, as nossas acomodações precisam ter uma recepção de televisão apropriada. Não estávamos, porém, realmente sozinhos. O Serviço Secreto encontrava-se de prontidão ali perto e os camareiros da Marinha que viajam com o presidente estavam a postos para cozinhar ou lavar sempre que necessário. E, é claro, havia uma equipe essencial com a gente: médico, enfermeira, ajudante-de-ordens, secretaria de imprensa e assessor de segurança. Mas estávamos acostumados à comitiva e ela respeitava a nossa privacidade. Os *paparazzi* não.

Numa tarde, em meio à temporada, Bill e eu vestimos nossas roupas de banho e nos aventuramos a descer até a praia para nadar um pouco. Sem que soubéssemos, um fotógrafo da France-Presse, a agência de notícias francesa, estava escondido nos arbustos de uma praia pública do outro lado da baía. Ele devia ter uma potente teleobjetiva, pois, no dia seguinte, uma foto de nós dois dançando na praia apareceu nos jornais de todo o mundo. Mike McCurry, o secretário de imprensa da Casa Branca, ficou furioso por causa da invasão de privacidade e com o fato de o fotógrafo, segundo declarou aos jornais, "mover-se sorrateiramente por entre arbustos e tirar fotos sub-repticiamente". Obviamente o incidente levantou questões em relação à segurança, como também à privacidade. Se uma pessoa está perto o suficiente para tirar uma fotografia com uma teleobjetiva, também está para atirar com um rifle com mira telescópica. Bill não se perturbou. Ele gostou da foto.

Seguiu-se um debate pela imprensa sobre a possibilidade de o fotógrafo ter infringido a ética jornalística e invadido a nossa privacidade por interesses lascivos. Isso levou alguns jornalistas a especularem que havíamos "posado" para a foto, na esperança de que o nosso abraço fosse captado pelo filme.

Ora! Como disse em uma entrevista para uma rádio, algumas semanas depois: "Me mostre qualquer mulher de cinqüenta anos que, conscientemente, posaria de maiô — com as costas voltadas para a câmera".

Bem, talvez gente que pareça bem de qualquer ângulo, como Cher, Jane Fonda ou Tina Turner.

Mas eu não.

1

1. Ryan Moore, um menino de sete anos de South Sioux City, no Nebraska, inspirou a mim e à minha equipe de tal forma que penduramos uma foto gigante dele na parede do escritório de Hillarylândia. Queríamos um plano que assegurasse a todas as crianças a assistência à saúde de que necessitavam, independentemente das condições econômicas de seus pais e de possuírem ou não seguro-saúde.

2. Pela primeira vez, em 28 de setembro de 1993, uma primeira-dama foi a testemunha principal numa grande proposta legislativa para o Executivo.Eu queria que as minhas palavras traduzissem a dimensão humana da questão da assistência à saúde. Não percebi que as reações elogiosas ao meu depoimento pudessem apenas ser o mais recente exemplo da "síndrome do cachorro que fala".

2

3. Tanto para me informar melhor como para chamar a atenção do público para a reforma da assistência à saúde, viajei por todo o país, ouvindo relatos de pessoas sobre o aumento dos custos nos serviços de saúde, sobre desigualdades no atendimento e pesadelos burocráticos.
Ter o apoio do dr. Kopp foi de inestimável valia. Ele falou duras verdades sobre a necessidade de uma reforma na assistência à saúde.

4. James Carville, nosso amigo e mentor, tem uma capacidade estratégica das mais brilhantes dentro da política dos Estados Unidos, e realmente consegue me fazer rir.

5. Em 1994, no jantar Gridiron, decidimos fazer uma paródia do *spot* de TV veiculado pelo *lobby* anti-reforma das seguradoras, com Bill no papel de "Harry" e eu, no de "Louise". Al Franken e Mandy Grunwald nos ajudaram a expor as táticas de intimidação dos nossos adversários e a nos divertir um pouco com isso.

6. Inspirados pelos Viajantes da Liberdade que cruzaram o sul do país em ônibus, no início dos anos 60, para espalhar a mensagem da dessegregação racial, os defensores da reforma na saúde organizaram uma caravana de ônibus de âmbito nacional, no verão de 1994.
Em Seattle, os agentes do Serviço Secreto temeram que eu estivesse correndo algum perigo físico concreto.

7. Integrantes pró-reforma do Expresso pela Segurança na Saúde contaram suas histórias de vida durante um evento no Jardim Sul da Casa Branca. Toda vez que eu via Bill se identificando com o sofrimento de alguém, como aconteceu naquela tarde, me apaixonava perdidamente de novo por ele.

8 9 10

8, 9 e 10. O bando da Hillarylândia organizou uma festa surpresa para mim, na Casa Branca, pelo meu 46º aniversário. Coloquei uma peruca preta e uma saia-balão para me transformar em uma das minhas heroínas como primeira-dama, Dolley Madison. Também me tornei uma outra Dolly — Parton — numa festa que aconteceu depois, na qual fiz um rabo-de-cavalo e usei um vestido anos 50.

11. Qualquer um que teve o prazer de passar algum tempo com Virginia Cassidy Blythe Clinton Dwire Kelley conheceu uma americana legítima: generosa, bem-humorada, capaz de se divertir e totalmente desprovida de preconceitos ou arrogância. Custou algum tempo, mas ela e eu aprendemos a respeitar as nossas diferenças e desenvolvemos uma relação afetuosa e próxima.

12, 13, 14 e 15. Camp David era um dos poucos lugares nos quais podíamos relaxar totalmente, do jeito como fazíamos na cozinha da Mansão do Governador no Arkansas, com Lisa Ashley e Dick Kelley. O irmão de Bill, Roger, nos visitava no refúgio presidencial durante as férias, com o filho Tyler, assim como o meu sobrinho Zachary, filho do meu irmão Tony. Os dois meninos eram inseparáveis. Hugh e sua esposa Maria costumavam se reunir a nós nesses encontros de família.

11

12

13

15

14

16

17

18

19

20

16 e 17. Harold Ickes, um velho amigo e companheiro político, integrou a equipe administrativa como vice-chefe de gabinete. Em poucos dias, foi desviado para organizar uma "Equipe de Esclarecimentos sobre Whitewater". Mais tarde, me aconselhou quanto à candidatura ao Senado. Assim que me decidi, Mark Penn tornou-se pesquisador da opinião pública para a minha candidatura e estendeu a mim a mesma amizade e os mesmos bons conselhos que havia antes oferecido ao meu marido.

18, 19 e 20. Whitewater tornou-se uma investigação sem fim sobre as nossas vidas. Custou aos cidadãos mais de US$70 milhões, em custos da Promotoria Independente, além de destroçar a vida de muitos inocentes. David Kendall, nosso advogado pessoal, foi um enviado de Deus, assim como as advogadas Cheryl Mills e Nicole Seligman.

21. Bob Barnett, advogado e amigo íntimo, nos aconselhou nos bons e maus tempos.

21

22

22. Sid Blumenthal apresentou-me ao futuro primeiro-ministro britânico, Tony Blair, sabendo que nós e os Blair seríamos aliados políticos e pessoais.

23

24

23. Por volta de abril de 1994, a mídia tinha indagações sobre Whitewater e sobre negócios com mercadorias e futuros. Achei que estava na hora de dar-lhes o que eles queriam: eu. Embora, naquela manhã, tivesse escolhido ao acaso a roupa que iria usar, meu encontro de 68 minutos com o Quarto Estado entraria para a história como a "Coletiva de Imprensa 'Pink'".

24. O tecido bordado da capa do meu livro *It Takes a Village* foi um presente de Phyllis Fineschriber, uma voluntária da Hillarylândia. Doei toda a renda da venda do livro — perto de um milhão de dólares — a entidades assistenciais de crianças.

25

26

25. O Premiê israelense Rabin irradiava uma aura de força. Bill o considerava um amigo e até uma figura paterna. Sua esposa, Leah, transbordava energia e inteligência.

26. O imperador Akihito e a imperatriz Michiko chegam à Casa Branca. A imperatriz foi uma das mulheres mais fascinantes que conheci.

27

27. Seis das sete primeiras-damas vivas reuniram-se para a inauguração do Jardim Botânico dos Estados Unidos. A ausência de Jackie, para mim, lançou uma profunda sombra naquele evento. Ela faleceria no mês seguinte.

28

28. A primeira vez que estive com o Presidente Yeltsin, da Rússia, foi num jantar oficial. Ele falou o tempo todo sobre comida, informando-me que o vinho tinto protegia os marinheiros russos a bordo de submarinos nucleares dos efeitos nocivos do estrôncio 90.

29. Nelson Mandela desenvolveu uma ligação especial com Chelsea, que tinha lido sobre sua vida. Quando visitamos Mandela na África do Sul, em 1997, ele nos mostrou sua antiga cela na prisão na ilha Robben, e falou do perdão que havia concedido aos que o haviam mantido preso. Até então preocupada com a hostilidade em Washington, aquele encontro serviu-me para agradecer pelas bênçãos que eu recebia.

29

30. Enquanto a administração ia send alvejada por investigações intermináveis, Bill prosseguia no trabalho de presidir o governo. O chanceler alemão Helmut Kohl predisse em 1994, que Bill seri reeleito em 1996. Sua opinião era minoria no Estados Unidos, naqu época, e a convicção d Kohl me surpreendeu assim como seu senso de humor.

30

31. A Quarta Conferência Mundial da Mulher das Nações Unidas foi realizada em Pequim, em 1995, e fui a Presidente de Honra da delegação dos Estados Unidos. No discurso que proferi, declarei que "os direitos da mulher são direitos humanos". Foi uma declaração forte, de amplas conseqüências, para os Estados Unidos, para a conferência, para as mulheres do mundo todo e para mim.

31

32. Gingrich se queixou de que Bill o destratara no Air Force One, durante o regresso do funeral do primeiro-ministro Rabin. Essa foto em que Bill está com Gingrich e com o então líder da maioria no Senado, Bob Dole, prova o contrário.

32

33. As semanas que se seguiram à desastrosa eleição no meio do mandato estiveram entre as mais difíceis dos meus oito anos na Casa Branca. Eu sabia que as pessoas estavam dizendo "É culpa da Hillary. Ela estragou tudo com aquela história da reforma na saúde e fez com que perdêssemos a eleição". Fã de Eleanor Roosevelt há muito tempo, recorri novamente a ela, com a ajuda de uma imagem produzida por uma pessoa próxima.

34, 35, 36 e **37.** Quando o Departamento de Estado me enviou ao Sul da Ásia, preparei-me para destacar o papel das mulheres como essencial à prosperidade das famílias, comunidades e países. A presença de Chelsea simbolizava o valor das filhas, e eu também queria viver com ela algumas de suas últimas aventuras de infância. Visitamos o Dr. Muhammad Yunus, em Bangladesh (alto), Ela Bhatt em Ahmadabad, na Índia (centro), e Benazir Bhutto, no Paquistão (centro, à direita). Chelsea e eu demos uma volta fantástica de elefante, no Nepal.

38. De todos os lugares que visitei durante os oito anos do governo de Bill, nenhum me inspirou mais e me trouxe mais energia do que a Irlanda. Encontrei-me com Joyce McCartan, a ativista pela paz (à direita), com quem tomei muitas xícaras de chá no Lamplighter Traditional Fish and Chips, um restaurante em Belfast. Ela me disse: "É preciso uma mulher para colocar juízo na cabeça do homem".

38

40. Eu talvez passe para a história como a primeira esposa de um presidente a testemunhar diante de um grande júri, mas o fiz nos meus próprios termos.

4

39

39. Bill e eu trabalhamos com Jacques e Bernadette Chirac apesar de algumas significativas diferenças políticas. Bernadette foi a única esposa presidencial que conheci que realmente havia sido eleita pelos próprios méritos, e fiquei fascinada pelo papel individual que havia criado para si.

41. Viajei em 1996 para a Bósnia-Herzegóvina, para promover o Acordo de Paz de Dayton.
Tornei-me a segunda primeira-dama a visitar uma zona de guerra sem o presidente — seguindo, como de hábito, as pegadas de Eleanor Roosevelt. Chelsea fez sucesso com os soldados, que personificavam a diversidade dos EUA.

41

42. Após a segunda eleição, senti que estava abrindo um novo capítulo na minha vida, como aço temperado em fogo: um pouco mais dura nas pontas, mas mais resistente. Bill havia amadurecido como presidente, e essa nova gravidade transparece em seu rosto e olhar.

43. No dia da posse, a minissaia de Chelsea me pegou de surpresa. Era tarde demais para que ela fosse mudar de roupa — e duvido que o fizesse. Eu estava começando a me acostumar com a idéia de ser mãe de uma adolescente.

43

45

46

44, 45 e 46. No Arkansas, Chelsea tinha freqüentado uma escola pública mas, em Washington, escolhemos Sidwell Friends, uma escola de Quakers, pois as escolas particulares ficavam a salvo do assédio da mídia. No show "Mãe-Filha" que promoviam, as mães tinham de representar as filhas em números cômicos. A paixão de Chelsea por piruetas de balé me fez dar uma de palhaça.

47. A cozinha tem sido o coração de todas as casas em que morei, e o segundo andar da Casa Branca não foi exceção. A pequena mesa se tornou o centro da nossa família — ali comíamos, fazíamos nossos deveres, celebrávamos aniversários, ríamos e chorávamos juntos, e conversávamos até altas horas.

47

49

48. Todos os clichês sobre ninho vazio aplicavam-se no meu caso. Estava na hora de arrumar um cachorro. Esquecemos de consultar Socks que, tão logo conheceu Buddy, desprezou-o pelo resto de seus dias.

48

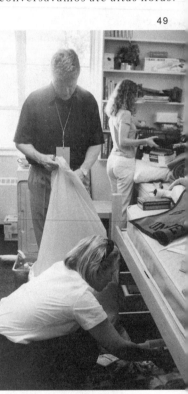

49. Depois de nossa experiência em Washington, compreendi por que Chelsea escolheria uma faculdade a quase 5 mil quilômetros de distância. Assim que chegamos ao seu dormitório em Stanford, me senti estafada de tanto dirigir. Bill parecia ter entrado numa espécie de transe em câmera lenta e ficou assim até chegar a hora de irmos embora. "Será que não podemos voltar depois do jantar?", ele perguntou.

50

50. Depois que o caso Lewinsky explodiu, mantive minha promessa de ir ao programa *Today*. Eu talvez pudesse ter tido mais habilidade para esclarecer minha posição, mas mantenho o que disse ao apresentador, Matt Lauer, sobre a existência de uma "vasta conspiração da Direita", uma rede emaranhada de grupos e pessoas que queriam voltar no tempo e anular os avanços que nosso país havia feito.

51   52   53

51, 52 e 53. Nunca fui aquela espécie de pessoa que tem por hábito despejar seus mais íntimos sentimentos o tempo todo. Mas me sentia melhor com meus amigos mais chegados por perto. Diane Blair (esquerda) e seu marido, Jim, estiveram entre os primeiros amigos que fiz no Arkansas, quando fui com Bill para lá, em 1974. Diane lecionou comigo na Universidade do Arkansas. Ann Henry foi a anfitriã de nossa recepção de casamento em Fayetteville. Vernon e Ann Jordan têm sido nossos afetuosos conselheiros já há muitos anos.

54

54. Nossas experiências em comum com Tony e Cherie Blair criaram não só uma ligação especial, mas também uma importante aliança filosófica e política. Quando Bill e eu nos encontramos com eles pela primeira vez, no nº 10 de Downing Street, começamos uma conversa sobre preocupações comuns, que ainda não terminou.

55   56   57

55, 56 e 57. Betsy Johnson Ebeling (centro) foi a amiga da sexta série que me mostrou a cidade como um cão-guia para cegos quando me recusei a colocar os óculos de lentes grossas que era forçada a usar desde os nove anos. Ricky Riketts puxou meu rabo-de-cavalo falso, quando estávamos na sétima série. Susan Thomas (esquerda), nossa amiga de longa data, ajudou na candidatura de Bill a presidente.

58. Houve muitas viagens inesquecíveis à América Latina. Em Antigua, na Guatemala, fui saudada por três mocinhas, uma das quais, espero, consiga tornar-se presidente de seu país um dia.

58

59. Depois de me ouvir falar entusiástica e interminavelmente sobre a minha viagem à África, Bill foi em 1998 o primeiro presidente em exercício a fazer uma extensa viagem àquele continente. Em Accra, Gana, fomos recebidos pelo presidente Jerry Rawlings e sua esposa, Nana Konadu, e pela maior multidão que eu já tinha visto. Visitamos também a Cidade do Cabo e vimos Nelson Mandela, que nos havia dito uma vez que "a maior glória de se viver não está em jamais falhar, mas em se levantar depois de cada queda". 59

60

60. Alguns dias eram melhores que os outros, como este em Botsuana. Bill e eu contemplávamos os últimos raios de sol sobre o rio Chobe, num dia que eu não queria que acabasse jamais. Em Washington luzes bem mais duras estavam à nossa espera.

61. Depois do depoimento de Bill ao Grande Júri em circuito fechado de televisão, dentro da Sala dos Mapas da Casa Branca, no qual havia afirmado que houvera um relacionamento íntimo impróprio com Mônica Lewinsky, encontrei-me no Solário com David Kendall, Chuck Ruff, Mickey Kantor e Paul Begala, sentindo-me aturdida, humilhada e indignada por ter acreditado nele. O motivo pelo qual ele me enganou cabe a ele esclarecer, e que o faça com suas próprias palavras.

61

62

62. A última coisa que eu queria fazer era sair de férias com Bill Clinton, mas estava desesperada para escapar de Washington. Eu necessitava focalizar a atenção no que precisava fazer para cuidar de mim, de minha filha, de minha família, de meu casamento e do meu país. Eu sabia que a Presidência estava na berlinda. O comovedor cuidado de Walter e Betsy Cronkite animou-me um pouco.

63

63. Stevie Wonder ofereceu-me uma das demonstrações mais queridas de todas, naquele período difícil, e sua mensagem, transmitida através da música foi arrebatadora. Ele veio até a Casa Branca e interpretou uma canção que havia feito para mim, sobre o poder do perdão. Enquanto ele tocava, fui aproximando a minha cadeira.

64. Após a votação do *impeachment*, uma delegação de democratas encabeçada por Dick Gephardt (centro), veio até a Casa Branca para demonstrar solidariedade para com o presidente. A equipe da Casa Branca, liderada por John Podesta, manteve-se concentrada nas questões do governo nacional.

65. Madeleine Albright e eu fugimos para o banheiro feminino em Praga, para podermos conversar em particular, longe do alcance da imprensa. A fotógrafa da Casa Branca, Barbara Kinney, cujo compromisso com seu trabalho a levava a muitos locais inesperados, nos seguiu lá dentro.

66

66. Susan McDougal ficou muitos meses presa por se recusar a depor no Grande Júri de Whitewater, que ela insistia ser uma armadilha para forçá-la a testemunhar e incriminar falsamente Bill e eu.

65

67. Forjar bons relacionamentos com esposas de outros presidentes abriu outros canais de contato com chefes de Estado. Durante fases trabalhosas do início das negociações, a rainha Noor, da Jordânia, telefonou para marcar uma entrevista comigo. Contou-me que quando os membros de sua família enfrentavam momentos difíceis, diziam uns para os outros para "persistir com firmeza". Estive com ela, em Amã, no funeral de seu rei-soldado.

67

68. Depois que o senador Moynihan anunciou sua aposentadoria, líderes do Partido Democrata incentivaram-me a concorrer. Fico feliz por ter aceito a idéia. Sua morte, em março de 2003, foi uma grande perda para a nação.

68

69

69. Uma das decisões mais difíceis que tive de tomar na vida foi concorrer a uma vaga no Senado, pelo estado de Nova York. Durante anos, discursei sobre a importância de mulheres participarem da política e do governo. Como me disse uma jovem atleta, estava na hora de eu "ousar competir". Aqui estou com meus maiores aliados, Bill, Chelsea e minha mãe.

70

71

70 e 71. Enquanto me aprontava para aquela noite, Chelsea chegou com as últimas notícias. Estava claro que eu iria ganhar por uma margem muito mais ampla do que o esperado. Por mais satisfeita que eu estivesse com o sucesso da campanha, a nossa alegria era atingida pelos efeitos da montanha-russa da corrida presidencial.

72. O candidato experiente e a novata conversam sobre política na Feira Estadual de Nova York. Minha jornada me havia levado de Illinois ao leste e depois ao Arkansas, onde eu me havia casado com o homem que se tornaria presidente. Em 2000, o filho de um ex-presidente iria ocupar o Gabinete Oval da Presidência, e uma primeira-dama iria, pela primeira vez na história, ocupar uma cadeira no Senado.

72

74

73. Uma das primeiras coisas que reparei em Bill Clinton foi o formato de suas mãos. Seus punhos são estreitos e elegantes e os dedos, ágeis, lembram os de um pianista ou cirurgião. Quando nos conhecemos na Faculdade de Direito, eu adorava apenas olhar enquanto ele virava as páginas de um livro. Agora, suas mãos exibem os sinais do tempo, depois de terem sido apertadas em milhares de cumprimentos e tacadas de golfe, e centenas de quilômetros de assinaturas.

73

75

74. Recentemente, Bill e eu demos início a um novo capítulo de nossas vidas. Mudamos para Chappaqua, em Nova York e, embora não possamos prever aonde irá nos levar esse último caminho que estamos trilhando, estou pronta para percorrê-lo.

75. Depois de eu haver segurado a Bíblia em todas as cerimônias em que Bill fez juramentos, ele e Chelsea seguraram a Bíblia para mim, enquanto Al Gore me empossou, nessa cerimônia simulada. Agora sou a senadora Clinton.

32

PERSEVERANDO

"OBRIGADO, SENHORA CLINTON", disse um dos auxiliares de Kenneth Starr. "Isso é tudo que precisamos por enquanto."

David Kendall estava sentado ao meu lado, na Sala do Tratado, durante uma entrevista com a promotoria independente, para esclarecer definitivamente algumas questões relativas à investigação do desvio das fichas do FBI. "Eles precisam fazer essas perguntas, só para dizer que as fizeram", assegurou David. Ele tinha razão: as perguntas foram breves e superficiais. Kenneth Starr estava presente, mas nada disse durante a sessão de dez minutos de perguntas e respostas.

Posteriormente, David observou que os promotores pareciam mais presunçosos do que o habitual — "como gatos que engoliram o canário", nas palavras de um advogado que estava na sala —, mas eu não captei nenhuma freqüência incomum naquela manhã. Apenas estava feliz por se encerrar mais um dos supostos escândalos sob a sindicância do gabinete da promotoria especial. O dia era 14 de janeiro de 1998, e a investigação de Starr estava no quarto ano. Como qualquer uma das outras investigações da coleção da promotoria independente, o Filegate era um poço seco. Um funcionário de nível médio da Casa Branca, lotado no Escritório de Segurança Funcional, dera uma mancada ao usar uma lista obsoleta para pedir ao FBI folhas corridas dos atuais funcionários, e, inadvertidamente, enviou as fichas de alguns portadores de liberação de segurança da administração Reagan e da primeira de Bush. Mas não se tratou de conspiração ou crime. No outono anterior, Starr finalmente admitira que Vince Foster havia realmente cometido suicídio (Robert Fiske chegara a essa conclusão três anos antes, mas foram necessárias mais quatro investigações oficiais, inclusive a de Starr, para confirmar isso). Starr também tinha chegado a um beco sem saída em sua sindicância original sobre as negociações de terrenos de Whitewater. A cultura da investigação continuou batendo às portas da Casa Branca depois que um erro burocrático no registro de presentes frutificou rapidamente e se transformou num escândalo de grandes proporções, gerando centenas de novas histórias durante vários meses.

A questão judicial mais trabalhosa que enfrentávamos era um caso cível não relacionado com a investigação do gabinete da promotoria especial. O grupo de advogados de Paula Jones estava sendo pago e orientado pelo Rutherford Institute, uma organização de assistência jurídica com uma meta de direita fundamentalista. Os advogados de Bill tinham total confiança de que o caso seria resolvido privativamente, de acordo com uma petição solicitando um julgamento sumário antes que este fosse parar num tribunal, mas a Suprema Corte decidiu deixar que o caso fosse adiante. Jones, portanto, estava autorizada a convocar testemunhas, inclusive o presidente. Bill foi agendado para depor sob juramento no sábado, 17 de janeiro de 1998.

Embora tivesse havido oportunidades de se fazer um acordo com Jones fora dos tribunais, eu tinha me oposto à idéia, por princípio, pois acreditava que o fato de um presidente dar dinheiro para se livrar de um processo incômodo estabeleceria um terrível precedente. As ações judiciais não terminavam nunca. Com a sabedoria de uma percepção tardia, é claro, não fazer um acordo logo de início no caso Jones foi o segundo maior erro tático que se cometeu ao lidar com a avalanche de investigações e processos judiciais. O primeiro foi ter solicitado uma promotoria independente.

Bill ficou acordado até tarde na noite anterior, preparando-se para o seu depoimento. Ao sair, desejei-lhe sorte e dei-lhe um abraço apertado. Esperei por ele, na residência, e quando voltou parecia agitado e exausto. Perguntei-lhe como achava que tinha se saído, e ele me disse que se tratava de uma farsa e que se sentia ofendido com tudo aquilo. Embora tivéssemos planejado ir com amigos a um restaurante de Washington, ele preferiu cancelar o compromisso em troca de um jantar tranqüilo em casa.

Como de costume, no início do novo ano, havia muita coisa para todo mundo fazer. A Casa Branca realizava novas iniciativas a cada semana em antecipação ao próximo Discurso do Estado da União. Ao mesmo tempo em que perseguia um orçamento equilibrado, o presidente planejava uma significativa expansão do Medicare e na educação, como também um grande aumento nos benefícios para creches, defendidos pela minha equipe, a fim de dobrar o número de crianças favorecidas.

Então, na manhã de quarta-feira, 21 de janeiro, Bill me acordou cedo. Sentou-se na beira da cama e falou: "Há algo nos jornais desta manhã que você precisa saber".

"Do que está falando?"

Falou-me que havia uma notícia dizendo que ele tivera um caso com uma ex-estagiária da Casa Branca e que lhe pedira para mentir a respeito para os advogados de Paula Jones. Starr havia solicitado e obtido permissão da procuradora-geral Janet Reno para ampliar sua investigação a fim de procurar possíveis denúncias criminais contra o presidente.

Bill contou-me que Monica Lewinsky era uma estagiária de quem ficara amigo, dois anos antes, depois que ela se apresentou para trabalhar como voluntária na Ala Oeste, durante o fechamento do governo. Ele tinha conversado com a moça algumas vezes e ela lhe pedira que a ajudasse a procurar um emprego. Isso combinava completamente com a personalidade de Bill. Ele disse que ela interpretara mal a atenção que lhe dera, o que era algo que eu já tinha visto acontecer dezenas de vezes anteriormente. Tratava-se de um cenário tão conhecido que eu não tive muito problema em acreditar que a acusação era sem fundamento. Por essa ocasião, eu também enfrentava mais de seis anos de acusações sem base, fomentadas por algumas das mesmas pessoas e grupos ligados ao caso Jones e à investigação de Starr.

Interroguei Bill repetidamente a respeito da história. Ele continuou negando qualquer comportamento impróprio, mas admitiu que a sua atenção podia ter sido mal interpretada.

Jamais entenderei realmente o que estava se passando pela cabeça do meu marido naquele dia. Tudo que sei é que Bill contou aos seus assessores e aos nossos amigos a mesma história que me contou: que nada de impróprio ocorrera. Por que ele achou que precisava me enganar e aos outros é coisa pessoal dele e precisa contar isso de sua própria maneira. Num mundo ideal, esse tipo de conversa entre marido e mulher não seria da conta de ninguém, além de nós dois. Embora durante muito tempo eu tivesse tentado proteger o que restou de nossa privacidade, nada posso fazer agora.

Para mim, o imbróglio Lewinsky parecia exatamente como outro escândalo maldoso fabricado por adversários políticos. Afinal de contas, desde que começou a concorrer a cargos públicos, Bill tem sido acusado de tudo, desde consumo de drogas a ter um filho com uma prostituta de Little Rock, e eu tenho sido chamada de ladra e assassina. Enfim, eu supunha que a história da estagiária seria apenas uma nota de pé de página em uma matéria de um tablóide.

Acreditei no meu marido quando ele me disse que não havia veracidade na acusação, mas me dei conta de que enfrentávamos a perspectiva de outra terrível e invasiva investigação, justamente numa ocasião em que eu achava que os nossos problemas judiciais tinham terminado. Eu sabia, também, que o perigo político era real. Uma incômoda ação cível fora dilatada para uma investigação criminal, por Starr, o qual, indubitavelmente, a levaria o mais longe possível. Vazamentos para a imprensa, por parte da turma de Jones e do gabinete da promotoria independente, subentendiam que as declarações de Bill, em seu testemunho juramentado, divergiam da descrição que outras testemunhas fizeram da relação dele com Lewinsky. Aparentemente, as perguntas feitas durante o depoimento no caso Jones foram planejadas unicamente para pegar o presidente em perjúrio, o que poderia então justificar o pedido de sua renúncia ou um processo de *impeachment*.

Era muita notícia ruim para ser absorvida numa única manhã. Mas eu sabia que tanto Bill como eu precisávamos levar adiante as nossas rotinas diárias. Assessores da Ala Oeste perambulavam aturdidos, murmurando em seus celulares ou cochichando atrás de portas fechadas. Era importante transmitir confiança à equipe da Casa Branca de que enfrentaríamos aquela crise e que estávamos preparados para reagir, exatamente como havíamos feito no passado. Eu sabia que todos estariam de olho em mim, à espera de uma deixa. A melhor coisa que eu poderia fazer para mim mesma e para os que me cercavam era seguir adiante. Eu podia ter utilizado mais tempo, a fim de me preparar para a minha primeira aparição em público, mas não era para ser assim. Eu estava agendada, naquela tarde, para pronunciar um discurso em prol dos direitos civis para uma grande assembléia na Goucher College, a convite do nosso velho amigo Taylor Branch, autor de um livro vencedor do Prêmio Pulitzer sobre Martin Luther King, *Parting the Waters* [*Dividindo as águas*]. Como eu não podia frustrar a universidade ou Taylor, cuja mulher, Christy Macy, trabalhava para mim, segui para a Union Station e peguei um trem para Baltimore.

David Kendall telefonou-me, durante a viagem de trem, e foi bom ouvir a voz dele. Além do meu marido, era a única pessoa com quem eu sentia que podia falar livremente. No ano anterior, Starr havia citado em juízo trechos de uma conversa que eu tivera com advogados da Casa Branca sobre Whitewater, e um tribunal decidira que a prerrogativa advogado-cliente não se aplicava a advogados pagos pelo governo. De acordo com David, o gabinete da promotoria independente devia estar planejando intimar cada empregado, amigo e membro da família que pudesse ter informações sobre o caso Lewinsky.

Enquanto o trem da Amtrak seguia lentamente pelos subúrbios de Maryland, David contou-me que andara ouvindo fragmentos de boatos desde o dia anterior ao depoimento de Jones. Jornalistas haviam lhe telefonado com perguntas sobre o envolvimento de outra mulher no caso. Ele achou que se tratava de uma evolução importuna, mas nada sério o bastante para disparar um alarme. Confirmou então que, em 16 de janeiro, a procuradora-geral Janet Reno redigiu uma carta para o corpo arbitral de juízes recomendando que Starr tivesse permissão para expandir a sua investigação à questão Lewinsky e uma possível obstrução de justiça. Soubemos posteriormente que a recomendação de Reno fora baseada em informação incompleta e falsa fornecida a ela pelo gabinete da procuradoria independente. Bill recebera um golpe baixo e toda essa deslealdade me deixou ainda mais determinada a ficar do lado dele para combater as acusações.

Optei por seguir em frente e reagir, mas não era agradável ouvir o que estava sendo dito sobre o meu marido. Eu sabia que as pessoas andavam se perguntando: "Como ela consegue se levantar pela manhã, quanto mais aparecer em público? Mesmo que ela não acredite nas acusações, deve ser arrasador só o fato de ouvi-las". Pois bem, era. A observação de Eleanor Roosevelt de que toda mulher com uma vida política precisa "criar uma pele tão dura quanto a de um rinoceronte" tornara-se um mantra para mim, à medida que enfrentava uma crise após a outra. Sem dúvida, a minha armadura engrossou com o passar dos anos. Isso deve ter deixado as coisas suportáveis, mas não as tornou mais fáceis. Você simplesmente não acorda num dia e diz: "Bem, não vou deixar que coisa alguma me perturbe, não importa o quanto tudo seja perverso ou maldoso". Isso, para mim, foi uma experiência segregadora e solitária.

Preocupava-me, também, que a armadura adquirida por mim pudesse me distanciar das minhas verdadeiras emoções, que eu pudesse me tornar a frágil caricatura que alguns críticos me acusavam de ser. Tive de me abrir para os meus sentimentos, para poder agir com eles e determinar o que era certo para mim, não importava o que qualquer um pensasse ou dissesse.

É árduo o bastante alguém manter o senso de si mesmo diante do olhar público, mas, na ocasião, era duas vezes mais difícil. Constantemente, eu me examinava à procura de vestígios de negação ou de endurecimento de artérias emocionais.

Fiz o meu discurso na assembléia de inverno da Goucher e depois retornei à estação de trens de Baltimore, onde uma multidão de repórteres e equipes de televisão estava à minha espera. Havia anos que eles não enxameavam tanto à minha volta. Jornalistas berravam perguntas e alguns gritaram mais alto do que os outros: "Acha que as acusações são falsas?". Parei e me dirigi aos microfones.

"Certamente eu acredito que são falsas... claro", afirmei. "É difícil e doloroso, a qualquer momento, alguém de quem você gosta, que ama, admira, ser atacado e ficar sujeito a tais acusações implacáveis, como tem sido feito com o meu marido."

Por que Bill Clinton está sendo atacado?

"Tem havido um esforço concentrado para minar sua legitimidade como presidente, para desfazer o muito que ele tem conseguido realizar; de atacá-lo pessoalmente, já que ele não pode ser derrotado politicamente."

Não foi a primeira vez que disse isso, nem seria a última. Com alguma sorte, as pessoas talvez começassem a entender o que eu estava dizendo. Na minha opinião, os promotores estavam minando o cargo presidencial, ao usar e abusar de sua autoridade, num esforço para recuperar o poder político que haviam perdido nas urnas. Naquele ponto, as ações deles tornaram-se uma preocupação de todos. Eu sentia como se tivesse a dupla responsabilidade de defender o meu marido e o meu país. Eles não podiam derrotar as posições de Bill ou o sucesso de sua política, e não conseguiam minar a sua popularidade. Portanto, eles o difamavam — e, por extensão, a mim. As apostas estavam no nível mais alto possível.

Como eu, Bill não cancelou nenhum compromisso já assumido. Seguiu adiante com as entrevistas marcadas anteriormente para a National Public Radio, Roll Call e televisão PBS. Falou sobre política externa e o próximo discurso do Estado da União agendado para a terça-feira, 27 de janeiro. Em seguida, pacientemente, respondeu a cada pergunta sobre a sua vida pessoal, dando, essencialmente, a mesma resposta: As alegações não eram verdadeiras. Não pediu a ninguém para mentir. Cooperaria com a investigação, mas seria inapropriado falar mais alguma coisa naquela ocasião.

Nosso velho amigo Harry Thomason apressou-se a oferecer ajuda e apoio moral. Invariavelmente um produtor de televisão, Harry achava que as declarações públicas de Bill estavam parecendo por demais hesitantes e legalistas, e insistiu para que ele mostrasse quanto se sentia indignado com as alegações. E foi o que ele fez. No dia 26 de janeiro, em uma coletiva de imprensa destinada a tratar sobre verbas para programas de pós-escola para crianças, tendo ao lado Al Gore, o secretário de Educação Richard Riley e eu, o presidente negou veementemente ter tido relações sexuais com Lewinsky. Achei que sua demonstração de cólera foi justificada diante das circunstâncias, do modo como eu as entendia.

Washington ficou obcecada com o escândalo ao ponto da histeria. Novos fatos emergiam diariamente sobre a mecânica do que se tratava essencialmente de uma operação irritante para apanhar o presidente numa armadilha, que incluía gravações secretas ilegais. O governo fez uma desprezível mas corajosa tentativa de antecipar as ações do próximo discurso do Estado da União, mas ondas aéreas estavam saturadas com especulações e previsões sobre a habilidade de Bill para permanecer no cargo.

O dia seguinte seria o do discurso do Estado da União, e mantive um compromisso marcado com bastante antecedência para ir a Nova York e participar do programa *Today* daquela manhã. Eu teria preferido fazer um tratamento de canal, mas um cancelamento criaria a sua própria avalanche de especulações. Fui em frente, confiante de que sabia a verdade, mas temendo a perspectiva de discutir tal assunto em rede nacional de televisão. Os assessores de Bill e os meus ponderaram com conselhos. Alguns temiam que eu pudesse hostilizar Starr, se falasse da natureza partidária de sua investigação. David Kendall achava que não havia necessidade de tais refreamentos.

Naquela manhã, Matt Lauer era o apresentador do programa, sem Katie Couric, cujo marido, Jay Monahan, havia perdido tragicamente sua batalha contra o câncer de cólon três dias antes. Todos estavam com um ânimo sombrio no cenário no Rockefeller Center de Nova York. Sentei-me diante de Matt e, imediatamente após o noticiário das sete, ele começou a entrevista.

"Ultimamente, senhora Clinton, tem passado uma pergunta pela mente das pessoas deste país. E ela é: qual é exatamente a natureza da relação entre o seu marido e Monica Lewinsky? Ele lhe descreveu em detalhes essa relação?"

Eu respondi: "Bem, nós conversamos longamente. E acredito que, com o desenrolar dessa questão, todo o país terá mais informações. Mas, no momento, estamos bem no meio de uma exploração bastante impiedosa por parte da mídia, e as pessoas falam todo tipo de coisas, publicam boatos e insinuações. E eu aprendi, durante os vários anos em que estive envolvida com a política, e especialmente desde que o meu marido concorreu pela primeira vez a presidente, que a melhor coisa a fazer nesses casos é simplesmente ter paciência, respirar fundo, e a verdade surgirá".

Lauer mencionou que o nosso amigo James Carville descrevera a situação como uma guerra entre o presidente e Kenneth Starr. "Eu soube que a senhora falou para amigos íntimos que esta é a última grande batalha. E que um lado ou o outro vai tombar."

"Bem, não sei se fui tão dramática assim", falei. "Essa seria uma boa frase para um filme. Mas acredito que se trata de uma batalha. Isto é, veja exatamente as pessoas que estão envolvidas nisso. Elas têm aparecido em outras situações. Essa é a grande reportagem para quem estiver disposto a pesquisar, escrever sobre ela e explicar que se trata de uma ampla conspiração de direita que tem tramado contra o meu marido desde o dia em que foi declarado presidente. Poucos jornalistas tiveram a compreensão disso e a expuseram. Mas ela ainda não foi totalmente revelada ao povo americano. E, realmente, você sabe, de um certo modo bizarro, talvez isto consiga revelar."

Mais tarde, quando David Kendall telefonou para comentar a minha apresentação, disse que tinha pensado nele ao ir para a entrevista.

"Ouvi as suas palavras de sabedoria ressoando em minha mente", falei.

"E que palavras de incrível sabedoria você ouviu?", quis saber David, engolindo a isca.

"'Ferra eles'!", gargalhei.

David, que foi criado como quacre, deu uma risadinha e comentou, acanhado: "É uma antiga expressão quacre".

"Ah, tipo 'ferrai-os'?"

Nós dois caímos na gargalhada, liberando a raiva.

Realmente, a frase "ampla conspiração" chamou a atenção de Starr. Ele deu um passo inusitado ao disparar uma nota queixando-se de que eu havia lançado calúnias contra os seus motivos. Chamou de "disparate" a idéia de uma conspiração. Como dizem no Arkansas, "é o cachorro atingido que gane". O meu comentário pareceu ter atingido um nervo.

Relembrando, percebo que devia ter expressado a minha opinião com mais astúcia, porém reafirmo a discriminação da investigação de Starr. Naquela ocasião, eu não conhecia a verdade sobre a acusação contra Bill, mas conhecia Starr e suas ligações com os adversários políticos do meu marido. Acredito que havia, e ainda há, uma rede interligada de grupos e indivíduos que desejam retroceder o relógio em relação a muitos dos avanços que o nosso país tem feito, desde os direitos civis e direitos da mulher, aos códigos do consumidor e do meio ambiente, e eles usam todos os instrumentos ao seu dispor — dinheiro, poder, influência, mídia e política — para conseguir os seus fins. Em anos recentes, também passaram a dominar a política da destruição pessoal. Alimentados por extremistas que há décadas têm combatido políticos e idéias progressistas, eles são financiados por empresas, fundações e indivíduos como Richard Mellon Scaife. Muitos de seus nomes já se encontram registrados publicamente para qualquer jornalista empreendedor ir atrás deles. Alguns membros da mídia já começaram a pesquisar.

Nesse meio-tempo, surgiram especulações nos jornais sobre o discurso do Estado da União daquela noite. O presidente mencionaria o escândalo? (Ele não mencionaria.) Os membros do Congresso boicotariam o discurso? (Apenas poucos o fizeram, apesar de alguns republicanos não terem aplaudido durante todo o discurso.) A primeira-dama apareceria para apoiar o marido? Pode apostar que sim.

Claro que estávamos todos nervosos sobre a recepção que Bill teria, mas soube que estava tudo bem assim que entrei para assumir o meu lugar na galeria da Câmara. Fui recebida por uma cascata de aplausos de solidariedade e gritos de torcida de várias mulheres da platéia. Bill pareceu descontraído e confiante ao entrar sob uma ovação ainda mais estrondosa. Achei o seu discurso eletrizante, realmente um dos melhores de sua carreira. Ele recapitulou os progressos que o país havia feito nos últimos cinco anos e delineou os passos que daria para solidificar as conquistas feitas durante a sua presidência. Para surpresa de alguns do nosso próprio partido, e consternação da oposição, ele prometeu apresentar um orçamento federal equilibrado três anos antes do prazo e "salvar primeiro o Seguro Social", a fim de preparar a iminente e gigantesca onda de aposentadorias da geração do pós-guerra. A economia estava progredindo e ele prometeu um aumento no salário mínimo. Também defendeu um aumento substancial dos programas de educação, assistência médica e creches para crianças. "Já superamos o debate estéril entre aqueles que dizem que o governo é o inimigo e aqueles que dizem que o governo é a solução", disse ele. "[Nós] encontramos uma terceira via. Temos o menor governo dos últimos 35 anos, porém mais progressista. Temos um governo menor, porém uma nação mais forte."

Meses antes eu aceitara um convite para falar no Fórum Econômico Mundial, que se realiza anualmente, na maioria das vezes em Davos, Suíça, uma pequena e linda estação de esqui nos Alpes. Todos os meses de fevereiro, cerca de 2 mil magnatas do comércio, políticos, líderes cívicos e intelectuais de todo o mundo reúnem-se para falar sobre questões globais, formar novas alianças ou reafirmar as antigas. Era a primeira vez que eu participaria do fórum e, mais uma vez, cancelar a minha ida estava fora de questão.

Fiquei aliviada em saber que alguns americanos presentes a Davos eram velhos amigos, que incluíam Vernon Jordan e o prefeito Richard Daley. Elie e Marion Wiesel foram particularmente gentis. Sua experiência como sobrevivente do holocausto deu a Elie uma espécie de dom da empatia. Ele jamais hesita diante do sofrimento de alguém, e o seu coração é grande o bastante para absorver, sem pestanejar, a dor de um amigo. Ele me recebeu com um demorado abraço e perguntou: "O que há de errado com os Estados Unidos? Por que estão fazendo isso?".

"Não sei, Elie", respondi.

"Bem, só quero que saiba que Marion e eu somos seus amigos e queremos ajudar você." A compreensão deles foi o maior presente que poderiam me dar.

Nenhuma das outras pessoas que eu conhecia e que se encontravam em Davos mencionaram o alvoroço que havia em Washington, embora muitos fizessem tudo para mostrar o seu apoio. "Por favor, venha jantar conosco", convidavam. Ou: "Sente-se ao meu lado. Como está passando?".

Eu sempre estava passando bem. Não havia nada mais que eu pudesse dizer.

O meu discurso foi bem, apesar do título nada cintilante sugerido pelos organizadores da conferência: "Prioridades individuais e coletivas para o século XXI". Descrevi os três componentes essenciais de qualquer sociedade moderna: um eficiente governo atuante, um livre mercado econômico e uma ativa sociedade civil. É nessa terceira área, fora do mercado e do governo, que tudo existe e faz valer a pena viver: família, fé, associação voluntária, arte, cultura. E falei sobre as expectativas e realidades da experiência humana. "Não existe uma instituição humana perfeita", disse eu. "Não existe um mercado perfeito, exceto nas abstratas teorias econômicas. Não existe um governo perfeito, exceto nos sonhos dos líderes políticos. E não existe uma sociedade perfeita. Precisamos trabalhar com seres humanos como eles são". Uma lição que eu estava aprendendo a cada dia.

Na manhã seguinte ao meu discurso, aproveitei a oportunidade para ir às rampas ali perto. Nunca fui uma boa esquiadora, mas adoro esse esporte. Foi formidável me entregar à pura sensação física — o frio, o ar puro correndo enquanto eu deslizava montanha abaixo, desejando poder esquiar durante horas. Mesmo com um destacamento do Serviço Secreto seguindo o meu rastro, por alguns momentos libertei-me da gravidade.

33

IMAGINE O FUTURO

INIMIGOS POLÍTICOS ÀS VEZES APARECEM em lugares inesperados. Como guardiões temporários da Casa Branca, Bill e eu abríamos as suas portas para festas de fim de ano e comemorações importantes — e não fazíamos uma lista negra dos que discordavam da nossa política. Isso levava a eventuais momentos constrangedores na fila de recepção. Em 21 de janeiro de 1998, logo após ser divulgada a história com Lewinsky, Bill e eu oferecemos um jantar *black-tie* para festejar a conclusão da captação de dinheiro para o White House Endowment Fund [Fundo de Dotação da Casa Branca], uma organização sem fins lucrativos dedicada a arrecadar verbas particulares para pagar projetos de restauração da Casa Branca. O fundo, iniciado por Rosalynn Carter e continuado por Barbara Bush, estabeleceu uma meta de arrecadação de 25 milhões de dólares. Cerca de metade dessa quantia havia sido captada quando me tornei primeira-dama, e eu estava feliz por termos conseguido e até superado a meta original. Para mim, tratava-se de uma obra de amor à Casa Branca e o jantar era uma oportunidade de agradecer a todos os doadores que haviam contribuído.

Bill e eu estávamos recebendo os nossos convidados no Salão Azul, quando um homem com cara de lua se aproximou para um aperto de mão. Assim que o ajudante-de-ordens anunciou o nome dele e um fotógrafo da Casa Branca preparou-se para tirar sua foto, percebi que se tratava de Richard Mellon Scaife, o bilionário reacionário que havia financiado a campanha a longo prazo para destruir a presidência de Bill. Eu nunca havia me encontrado com Scaife, mas o cumprimentei, como o faria com qualquer convidado da fila de recepção. Esse momento passou, e só notei bem depois, quando a lista dos convidados foi divulgada, que alguns jornalistas ficaram chocados ao saber que eu o havia aprovado. Ao me perguntarem por que o convidei, disse que Scaife tinha todo o direito de comparecer ao evento, por causa de sua contribuição financeira para a preservação da Casa Branca feita durante o governo Bush. Mas fiquei pasmada por ele ter entrado na fila para ir ao encontro do inimigo.

Nosso evento de gala seguinte foi o jantar oficial em homenagem a Tony Blair, no dia 5 de fevereiro de 1998. Por causa da amizade que Bill e eu desenvolvemos com Tony e Cherie, como também pelos laços históricos e relações especiais entre as nossas nações, quis oferecer aos Blair tudo de que dispúnhamos. E conseguimos, oferecendo o maior jantar que já havíamos realizado na Casa Branca, que teve lugar no Salão Leste, pois a Sala de Jantar Protolocar era pequena demais. Para o entretenimento após o jantar, consegui juntar sir Elton John e Stevie Wonder para se apresentarem juntos, uma verdadeiramente magnífica aliança musical anglo-americana.

Como o presidente da Câmara Newt Gingrich aceitou o nosso convite, decidi colocá-lo sentado à minha esquerda, enquanto Blair, de acordo com o protocolo, se sentaria à minha direita. Gingrich admirava Blair como um líder político transformacional, um termo que certa vez ele usara para descrever a si mesmo. Eu estava curiosa sobre o que um poderia dizer ao outro e também esperava compilar os pensamentos de Gingrich sobre as mais recentes acusações de Starr. Uma enxurrada de analistas havia introduzido o espectro do *impeachment* e, ainda que não houvesse qualquer base legal·constitucional para tal medida, eu sabia que isso talvez não impedisse os republicanos de tentarem. Gingrich era o elemento essencial: se ele desse sinal verde, o país ia sofrer.

Após uma demorada discussão em nossa mesa de jantar sobre a expansão da OTAN, Bósnia e Iraque, Gingrich inclinou-se na minha direção. "Essas acusações contra o seu marido são ridículas", disse ele. "E acho que é terrivelmente desleal o modo como algumas pessoas estão tentando tirar proveito disso. Mesmo se fosse verdade, não faz sentido. Não levaria a lugar nenhum." Isso era tudo que eu esperava ouvir, mas fiquei surpresa. Mais tarde, informei Bill e David Kendall de que Gingrich parecia acreditar que as alegações contra Bill não eram sérias. Ele mudou completamente de tom ao liderar o movimento republicano para o *impeachment* de Bill. Na ocasião, contudo, vi nessa conversa uma prova de que Gingrich era mais estranho e imprevisível do que eu pensava. (Meses depois, quando as infidelidades matrimoniais dele foram reveladas, entendi melhor por que Gingrich talvez quisesse desconsiderar o assunto.)

Em fevereiro, Starr decidiu intimar membros do Serviço Secreto para forçá-los a testemunhar diante de um júri de instrução. Starr andava à procura de algo que pudesse contradizer o depoimento de Bill no caso Jones, e queria que os agentes revelassem conversas que poderiam ter ouvido ou atividades que poderiam ter testemunhado durante o seu trabalho de proteção ao presidente. Não havia precedente em forçar agentes do Serviço Secreto a testemunhar e a intimação de Starr colocou-os em uma posição insustentável. Os agentes são profissionais apolíticos, cujo trabalho envolve longas horas, condições difíceis e enormes pressões. Inevitavelmente, estão a par das confidências daqueles que vigiam, confidências que, eles sabem, não devem comprometer. Se os agentes não fossem da confiança do presidente, não teriam permissão de se aproximar o suficiente para realizar o seu trabalho, que é manter o presidente e sua família protegida de qualquer risco — e não bisbilhotar em benefício de uma promotoria independente ou qualquer outro órgão investigativo.

Respeito e admiro os agentes que conheci ao longo dos anos. O protetor e o protegido fazem um esforço extraordinário para manter uma distância profissional, mas, quando as pessoas passam cada hora em que estão acordadas uma na companhia da outra, elas criam uma relação de confiança e desvelo. Minha família e eu também passamos a ver os agentes como seres humanos calorosos, engraçados e responsáveis. George Rogers, Don Flynn, A. T. Smith e Steven Ricciardi, que, sucessivamente, serviram como o meu agente principal, sempre conseguiram o equilíbrio exato entre a informalidade e o profissionalismo. Nunca esquecerei a tranqüila presença de Steve Ricciardi após o ataque de 11 de setembro, quando ele manteve contato telefônico com Chelsea, que estava com a amiga Nickie Davison no baixo Manhattan, para se certificar de que ela estava bem.

Lew Merletti, um veterano do Vietnã, que chefiara a Presidential Protective Division (PPD) [Divisão de Proteção Presidencial], e depois se tornou o diretor do Serviço Secreto, encontrou-se com os ajudantes de Starr e alertou-os de que obrigar agentes a testemunhar iria comprometer a necessária confiança entre agentes e presidentes, e minar a segurança presidencial na ocasião e no futuro. Tendo protegido os presidentes Reagan, Bush e Clinton, Merletti baseou a avaliação na sua longa experiência no ramo.

Diretores anteriores do Serviço Secreto concordaram. O Departamento do Tesouro, que supervisiona o Serviço, pediu à Corte que fosse negada a solicitação de Starr e o ex-presidente Bush redigiu cartas se opondo à tentativa de obrigar agentes a testemunhar. Mas Starr pressionou com as suas intimações. As condições sob as quais os agentes trabalhavam e o incomparável papel do Serviço Secreto significavam muito pouco para os métodos dele. Em julho, Starr forçou o testemunho de Larry Cockell, o chefe do PPD, e expediu citações para forçar o testemunho de outros. Por fim, os tribunais ficaram do lado de Starr, com a justificativa jurídica de que agentes e protegidos, diferentemente de advogados e clientes ou médicos e pacientes, não podiam lançar mão do "privilégio" de relacionamento confidencial. Antes de o ano terminar, Starr tinha forçado mais de duas dúzias de agentes da unidade da Casa Branca a testemunhar.

Por volta do início da primavera de 1998, o público parecia cansado da investigação de Starr. Muitos americanos ressentiam-se das revelações lascivas e sensacionalistas da investigação do gabinete da promotoria independente e reconheciam que, mesmo se Bill tivesse cometido erros na vida pessoal, a transgressão não interferiria em sua capacidade de cumprir suas obrigações como presidente.

A mídia passou a investigar a possibilidade de que havia alguma tentativa organizada contra nós. Em 9 de fevereiro, a revista *Newsweek* publicou um diagrama de duas páginas intitulado "Conspiração ou coincidência?". Ele rastreava as conexões que associavam 23 políticos conservadores, colaboradores, executivos da imprensa, escritores, advogados, organizações e outros que financiavam os vários escândalos investigados por Starr.

A seguir, no número de abril da revista *Esquire*, David Brock publicou uma carta aberta ao presidente desculpando-se pela sua reportagem sobre o Troopergate, que fora publicada em 1994 no *American Spectator*, que havia levado à ação judicial de Paula Jones. Esse foi o início da crise de consciência de Brock. Seu livro *Blinded by the Right* documenta plenamente sua cumplicidade na tentativa organizada de destruir Bill e seu governo, e a determinação, táticas e objetivos do movimento direitista dos Estados Unidos.

Fizemos a nossa ofensiva na linha de frente jurídica. O gabinete da promotoria independente era proibido, por lei federal, de revelar informações secretas do júri de instrução. Mesmo assim, esse tipo de informação rotineiramente vazava do gabinete de Starr, geralmente para um seleto grupo de repórteres cujas matérias eram favoráveis ao promotor independente. David

Kendall fez uma denúncia de desacato, e deu uma entrevista coletiva para anunciar que estava pedindo à juíza supervisora do júri de instrução de Whitewater, Norma Holloway Johnson, que proibisse a revelação de tais informações. Essa ação teve o efeito desejado. Por algum tempo os vazamentos cessaram.

Em 1º de abril, enquanto Bill e eu estávamos no exterior na etapa final de sua viagem presidencial à África, Bob Bennett telefonou para transmitir uma importante mensagem ao presidente: a juíza Susan Webber Wright decidira rejeitar a ação judicial de Paula Jones, sob o fundamento da falta de mérito factual ou jurídico.

Durante a primavera, Starr contratou Charles Bakaly, um guru das relações públicas, para melhorar sua imagem. Talvez orientado por Bakaly, Starr pronunciou em junho um discurso na Ordem dos Advogados da Carolina do Norte, no qual se comparava a Atticus Finch, o corajoso advogado sulista branco de *O sol é para todos*, o livro de Harper Lee. No romance, Finch aceita o caso de um negro acusado de estuprar uma mulher branca numa cidadezinha do Alabama. Finch, em um ato de coragem moral e heroísmo, opõe-se ao poder irrestrito de um promotor que deturpa evidências para servir a seus propósitos. Eu sempre vira muito de Atticus Finch em Vince Foster, e a apropriação do personagem por parte de Starr, um homem cujo senso de superioridade moral justificava desprezar regras e procedimentos decentes, era mais do que David e eu podíamos suportar. David disparou um artigo publicado no *New York Times* de 3 de junho. "Como Atticus", escreveu Kendall, "funcionários públicos precisam ser céticos — sobre os seus próprios motivos, sobre os motivos de seus adversários, e até mesmo sobre a versão deles da 'verdade'."

Em meados de junho, a juíza Johnson decidiu que era "causa provável" acreditar que o gabinete da promotoria independente estava ilegalmente vazando informações, e que David podia intimar Starr e seus auxiliares a descobrir a fonte dos vazamentos. O sigilo do júri de instrução é de vital importância porque um júri de instrução federal tem, muito adequadamente, amplos poderes de investigação. A lei é rigorosa em relação ao fato de que os procedimentos do júri de instrução devem ser mantidos em sigilo, para se fazer justiça às pessoas que são investigadas, mas que não são acusadas. A juíza Johnson decidiu que os vazamentos para a mídia sobre a investigação do gabinete da promotoria independente foram "graves e repetidos", e que a definição de "confidencial" da promotoria independente era muito limitada. Note-se que a ironia da decisão dela, a nosso favor e proferida como "irrevogável", pois se relacionava aos procedimentos do júri de instrução, foi, na ocasião, um dos poucos fatos sobre a investigação de Starr que não vazou para a imprensa.

Contra esse pano de fundo, Bill avançou com suas metas durante toda a primeira metade de 1998, combatendo a "gangue dos três" — Gingrich, DeLay e Dick Armey. Eu manobrei a oposição ao plano deles de vetar o orçamento do governo para o National Endowment for the Humanities [Dotação Nacional para as Ciências Humanas] e retirar a ajuda federal para atividades culturais em todo o país. Em 1995, eu havia escrito um artigo para o *New York Times* falando da importância do apoio federal às artes. Também defendi a televisão pública e levei Garibaldo e outros personagens da Vila Sésamo à Casa Branca, para uma conferência de imprensa. Os bonecos foram salvos, mas continuamos a lutar para preservar o limitado mas vital apoio do governo federal dado a todas as artes.

Bill tinha um novo indicado para embaixador nas Nações Unidas, Richard Holbrooke, a quem os senadores republicanos não estavam dispostos a confirmar. Holbrooke havia negociado o Acordo de Paz de Dayton e servira como embaixador de Bill na Alemanha e secretário-assistente de Estado para assuntos europeus e canadenses durante o primeiro mandato do governo. Dick também tinha feito fervorosos inimigos, geralmente por motivos que lhe davam crédito. Ele era ferozmente inteligente, forte e, com freqüência, rude e destemido. Durante as suas negociações para acabar com a guerra na Bósnia, Dick me chamava de vez em quando para discutir uma idéia ou transmitir informações a Bill. Quando Bill o designou embaixador, em junho de 1998, os detratores de Dick tentaram torpedear a sua nomeação. Melanne e eu trabalhamos arduamente para conseguir a sua confirmação e o exortamos a perseverar diante do processo que cada vez mais impede pessoas qualificadas de aceitarem nomeações para cargos importantes. Após catorze meses, Dick prevaleceu e foi para a ONU em agosto de 1999, onde orientou por intermédio do Congresso o pagamento da nossa dívida há muito atrasada com a ONU e atuou junto ao secretário-geral Kofi Annan para tornar uma prioridade das Nações Unidas a AIDS pandêmica.

O destaque da primavera foi a longamente antecipada viagem de Bill à África, a primeira dele ao continente e a primeira extensa visita à África subsaariana feita por um presidente em exercício. Desde que nos conhecemos, Bill passou a abrir os meus horizontes para o mundo além do nosso país, mas, na ocasião, foi a minha vez de lhe mostrar o que eu havia descoberto.

Chegamos a Accra, a capital de Gana, em 23 de março de 1998, sendo recebidos pela maior multidão que eu já tinha visto. Mais de meio milhão de pessoas se reuniram sob o sol causticante, na praça da Independência, para ouvir Bill discursar. Passei a adorar viajar com Bill, desde que ele me levou à Inglaterra e à França em 1973. Ele se sobressaía em cada ocasião pública, adorava o contato com pessoas desconhecidas e tinha um enorme apetite por novas experiências.

De pé no palanque e encarando a imensa multidão, pediu que eu olhasse atrás de nós, para as fileiras de reis tribais paramentados com mantos de cores vivas e engalanados com jóias de ouro. Ele apertou a minha mão. "Estamos muito longe do Arkansas, pequena Hi'ry."

E estávamos mesmo. O presidente de Gana Jerry Rawlings e sua mulher, Nana Konadu, nos ofereceram um almoço formal no Castelo de Osu, a residência oficial do presidente. Outrora, escravos e prisioneiros eram mantidos em suas masmorras. Rawlings, que primeiramente assumira o poder depois de um golpe militar em 1979, desconcertou os seus críticos ao levar a estabilidade para o país. Eleito presidente em 1992 e reeleito em 1996, ele cedeu pacificamente o cargo em uma eleição livre no ano 2000. Sua esposa Nana, uma mulher afável que usava surpreendentes roupas desenhadas por ela mesma e feitas com tecido de Kente, partilhava comigo uma amiga íntima: Hagar Sam, uma parteira ganense que ajudou no parto de Chelsea em Little Rock, e também fizera os partos dos quatro filhos de Rawlings. Como muitas pessoas empreendedoras por todo o mundo, Hagar continuou sua educação nos Estados Unidos, estudando no Hospital Batista em Little Rock e trabalhando para o meu obstetra.

Todos os dias eram de revelações surpreendentes para Bill. Em Uganda, o presidente e a sra. Museveni viajaram conosco até a aldeia wanyange, perto da nascente do Nilo. Eu havia pedido aos dois presidentes que destacassem os resultados positivos dos empréstimos por meio do microcrédito. De casa em casa, vimos a evidência do sucesso: mutuários haviam utilizado os seus empréstimos para construir um viveiro de coelhos, ou comprar uma panela maior para fazer mais comida para vender, ou adquirir produtos para revender na feira. Do lado de fora de uma das casas, meu marido ficou cara a cara com outro Bill Clinton — um bebê de dois dias cuja mãe lhe havia dado esse nome em homenagem ao presidente americano.

Bill quis ir a Ruanda para se encontrar com os sobreviventes do genocídio. A melhor das estimativas era a de que, em menos de quatro meses, tinham sido mortas entre 500 mil e 1 milhão de pessoas. O Serviço Secreto insistiu para que o encontro ocorresse no aeroporto, por questões de segurança. Estar no saguão de um aeroporto com sobreviventes de um dos piores genocídios da história da humanidade lembrou-me novamente o que os seres humanos são capazes de fazer uns aos outros. Durante duas horas, vítima após vítima relatou calmamente as circunstâncias de seu contato com a maldade. Nenhum país ou força internacional, inclusive os Estados Unidos, interveio para deter a matança. Teria sido difícil para os Estados Unidos enviar tropas tão prontamente após a perda de soldados americanos na Somália e quando o governo estava tentando acabar com a limpeza étnica na Bósnia. Bill, porém, expressou publicamente o arrependimento de que nosso país e a comunidade internacional não tivessem feito mais para deter o horror.

Na Cidade do Cabo, Bill e eu fomos recebidos pelo presidente Mandela, que introduziu o discurso de Bill diante do Parlamento sul-africano. Almoçamos depois com um grupo racialmente variado de parlamentares que, antes da independência, nunca teriam se encontrado socialmente. Bill também visitou Victoria Mxenge para ver as mais de cem novas casas construídas desde a visita que Chelsea e eu fizemos ao local um ano antes. As mulheres tinham batizado uma rua com o meu nome e me deram de lembrança uma placa com o meu nome.

O verão na África do Sul estava terminando e havia uma friagem no ar quando Bill caminhou com Mandela pelos blocos de cela na ilha de Robben. Os prisioneiros negros, mesmo no tempo frio, eram obrigados a vestir short quando trabalhavam na pedreira de calcário da ilha. Os prisioneiros pardos ou mestiços usavam calça comprida. Durante as horas monótonas de quebrar pedra, quando os guardas não estavam olhando, Mandela escrevia cartas no pó do calcário, na tentativa de ensinar os colegas prisioneiros a escrever. Anos de contato com a poeira cáustica danificaram os canais lacrimais de Mandela, o que fazia com que seus olhos umedecessem e coçassem. Mas eles se iluminavam toda vez que se encontrava perto de seu novo amor, Graça Machel, a viúva de Samora Machel, o presidente de Moçambique que morreu num suspeito desastre de avião em 1986. Ela era uma luz orientadora em seu próprio país devastado pela guerra e havia defendido as causas das mulheres e crianças por toda a África. O casamento de Mandela com Winnie, que incluíra décadas de separação, prisão e exílio, não sobreviveu. Ele parecia à vontade perto de Graça e visivelmente enamorado. Estimulado por um velho amigo, o arcebispo Tutu, os dois se casaram em julho de 1998.

Mandela insistiu para que Bill e eu o chamássemos de Madiba, o seu nome tribal coloquial. Ficávamos mais à vontade nos dirigindo a ele como "senhor presidente". Nós simplesmente o respeitamos e o admiramos demais. Várias vezes Mandela perguntou por que não tínhamos tirado Chelsea da escola para nos acompanhar. "Digam a ela que, quando eu for aos Estados Unidos, ela terá que ir me ver", disse ele. "Não importa onde eu estiver."

Bill e eu também queríamos que Chelsea estivesse conosco. Estávamos a caminho de Botsuana, uma nação árida no interior do continente, com a contrastante diferença de ter uma das maiores rendas per capita da África subsaariana e a maior taxa de contaminação por AIDS do mundo. O governo tentava carrear recursos para combater a expansão da doença e fornecer tratamento, mas os custos eram proibitivos sem a assistência internacional. Essa visita convenceu Bill a forçar a triplicação das verbas dos Estados Unidos para os programas internacionais de combate à AIDS em apenas dois anos e assumir um compromisso de substancial apoio financeiro para os esforços de desenvolvimento de uma vacina.

Embora a nossa visita estivesse longe de ser divertida, ela ainda não havia incluído nenhuma oportunidade para Bill ver a vida selvagem com a qual Chelsea e eu tínhamos nos maravilhado no ano anterior. Durante uma breve visita ao Parque Nacional de Chobe, Bill e eu acordamos antes do amanhecer para um passeio de observação de caça. Após avistarmos elefantes, hipopótamos, águias, crocodilos e uma leoa e quatro filhotes, passamos o final da tarde flutuando pelo rio Chobe. Ficamos sentados sozinhos na traseira de um barco, enquanto o sol se punha num dia que jamais esquecerei.

Em nossa última escala, no Senegal, Bill foi à ilha de Gorée, como eu tinha ido. Viu a Porta Sem Volta e pronunciou uma comovente desculpa pelo papel dos Estados Unidos na escravidão. A declaração causou polêmica entre os americanos, mas acredito que foi adequada. As palavras têm importância e as palavras de um presidente americano têm um grande peso para todo o mundo. Expressar arrependimento pelo genocídio em Ruanda e pelo nosso legado de escravidão transmitiu uma mensagem de preocupação e respeito pelos africanos que enfrentam os desafios entrelaçados da pobreza, doença, repressão, fome, analfabetismo e guerra. Mas a África precisa mais do que palavras; precisa de investimento e comércio, para que algum dia a sua economia venha a se desenvolver. Isso exige mudanças significativas na maioria dos governos e uma parceria com os Estados Unidos. É por isso que a Lei de Oportunidade e Crescimento Africanos, que Bill propôs e o Congresso aprovou, é tão crucial. Ela cria incentivos para companhias americanas fazerem negócios na África.

Um mês depois, ainda falando e pensando na África, Bill e eu fomos à China para uma visita de Estado. Fiquei encantada por podermos levar Chelsea e minha mãe, e emocionada por poder voltar para uma permanência mais demorada, que me permitiria ver mais do que tinha visto durante a minha visita em 1995.

A China já estava modernizando a sua economia e sua futura direção teria um impacto direto nos interesses americanos. Bill apoiava o envolvimento com a China, mas, como aprendi em 1995, falar é fácil, o difícil é fazer. Naquela primavera, embarcamos para uma visita de Estado há muito planejada, esperando confrontar a violação dos direitos humanos por parte da China e, ao mesmo tempo, abrir o seu imenso mercado para os produtos americanos e chegar a algum entendimento sobre Taiwan. Um número de equilíbrio bastante difícil.

Por ser uma visita de Estado, o governo chinês insistiu em uma cerimônia formal de chegada a Pequim. Normalmente fazemos essas cerimônias no Gramado Sul da Casa Branca e os chineses realizam as deles na praça da Paz Celestial. Bill e eu discutimos se devíamos participar de uma cerimônia na praça da Paz Celestial, onde, em junho de 1989, as autoridades chinesas haviam usado tanques para conter à força uma manifestação em favor da democracia. Bill não queria parecer que aprovava as táticas repressoras e as violações dos direitos humanos dos chineses, mas entendia a importância da praça ao longo dos séculos da história chinesa e concordou em respeitar o pedido chinês. Eu fiquei assombrada com os acontecimentos na Paz Celestial e lembrei da praça como a vimos em cenas pela televisão, em 1989 — estudantes construindo uma improvisada *Deusa da Democracia*, parecida com a nossa *Estátua da Liberdade*, em desafio aos soldados, iguais àqueles da guarda de honra, que se encontravam em formação, à espera de serem passados em revista pelo presidente dos Estados Unidos.

Conheci o presidente Jiang Zemin em outubro de 1997, quando ele e a mulher, madame Wang Yeping, foram aos Estados Unidos para uma visita de Estado. Jiang falava inglês e conversava facilmente. Antes da visita, muitos dos meus amigos me pediram para tocar com ele no assunto da supressão do Tibete. Eu havia me encontrado com o Dalai-Lama para discutir a situação difícil dos tibetanos e, portanto, pedi ao presidente Jiang para explicar a repressão da China contra os tibetanos e sua religião.

"Como assim?", indagou ele. "O Tibete historicamente tem sido parte da China. Os chineses são os libertadores do povo tibetano. Eu tenho lido as histórias em nossas bibliotecas e sei que atualmente os tibetanos estão melhor do que antes."

"Mas e as tradições deles e o direito de praticar a religião que escolherem?"

Ele tornou-se veemente e até mesmo bateu uma vez na mesa. "Eles eram vítimas da religião. Eles agora estão livres do feudalismo."

Apesar do desenvolvimento de uma cultura global, os mesmos fatos podem ser, e geralmente o são, vistos através de prismas históricos e culturais completamente diferentes, e a palavra "liberdade" é definida para se ajustar a uma determinada perspectiva política. Mesmo assim, não creio que Jiang, que é muito sofisticado e obteve sucesso em abrir e modernizar a economia chinesa, tenha sido bastante direto comigo em relação ao Tibete. Os chineses, por motivos históricos e psicológicos, eram obcecados em evitar a desintegração interna. No caso do Tibete, isso levou a uma reação exagerada e à opressão, como geralmente acontece com as obsessões.

Durante a nossa visita à China, Bill e eu novamente demonstramos a nossa preocupação em relação ao Tibete e à situação geral dos direitos humanos na China. De uma forma previsível, os líderes foram inflexíveis e indiferentes. Quando me perguntam por que um presidente americano visitaria um país qualquer com o qual temos sérias diferenças, a minha resposta é sempre a mesma: os Estados Unidos, a nação mais diversificada da história humana, exerce atualmente um poder sem paralelo. Mas somos um tanto insulares e desinformados sobre outros países e suas perspectivas. Os nossos líderes e o nosso povo se beneficiam ao aprender mais sobre o mundo no qual vivemos, competimos e tentamos cooperar. Independentemente do quanto temos em comum com gente de outros lugares, profundas diferenças são criadas pela história, pela geografia e pela cultura, e elas só podem ser superadas — se o forem — por meio da experiência e do relacionamento diretos. A visita de um presidente famoso, com a atenção que gera no país visitado e nos Estados Unidos, pelo menos consegue assentar a base para um maior entendimento e confiança. Por ser a China tão importante, o argumento para uma visita oficial foi particularmente forte.

O Centro de Estudos de Direito e Serviços Jurídicos para Mulheres em Pequim é um pequeno escritório de assistência jurídica surpreendentemente semelhante ao que dirigi como jovem professora de direito na Universidade de Arkansas. O Centro estava usando agressivamente a lei para avançar com os direitos das mulheres, um primeiro passo na aplicação de uma lei de 1992 de proteção a esses direitos. Ele tentara aumentar o alcance da lei, com a realização de ações coletivas em benefício de operárias de fábricas que não vinham sendo pagas havia meses, processando um empregador que forçava engenheiras a se aposentarem mais cedo do que os seus colegas homens e ajudando a condenar um estuprador. Conheci várias clientes do Centro, inclusive uma mulher que foi demitida depois que teve o seu primeiro filho sem a aprovação da unidade de planejamento familiar de sua empresa. Instalado em 1995, com financiamento da Fundação Ford, o Centro já havia orientado cerca de 4 mil pessoas e fornecido serviço jurídico gratuito para mais de uma centena de casos. Senti-me estimulada ao ver esse tipo de defensoria, como também a experiência de democracia em aldeia realizada pela China. A mudança no país é uma certeza; o progresso em direção a uma liberdade maior, não. Creio que os Estados Unidos têm um grande interesse em fomentar laços mais fortes e uma maior compreensão.

O governo chinês nos surpreendeu ao permitir a transmissão sem censura de uma conferência de imprensa com Bill e Jiang — durante a qual eles debateram longamente o assunto direitos humanos, incluindo o Tibete — e do discurso de Bill para estudantes da Universidade de Pequim, no qual ele frisou que "a verdadeira liberdade abrange mais do que a liberdade econômica".

Bill, Chelsea, minha mãe e eu visitamos a Cidade Proibida e a Grande Muralha. Participamos do culto religioso na igreja protestante de Chongwenmen, aprovada pelo Estado — um direito proibido a muitas —, a fim de mostrar publicamente o nosso apoio a uma maior liberdade religiosa na China. Cedo, pela manhã, visitamos a "feira de chão", um mercado de pulgas onde vendedores sem espaço na enorme barraca permanente expõem os seus produtos sobre cobertores no chão de terra do lado de fora. E o presidente Jiang recebeu Bill e a mim em um magnífico jantar cerimonial no Grande Salão do Povo, com destaque para a música tradicional chinesa e a ocidental. Antes de encerrada a apresentação, ambos os líderes se revezaram na condução da Banda do Exército de Libertação do Povo. Na noite seguinte, Jiang nos convidou, junto com Chelsea e minha mãe, para um pequeno jantar privativo no conjunto residencial onde ele e outros funcionários do alto escalão moravam com as famílias. Depois de jantar numa antiga casa de chá, fomos caminhando pelo lado de fora, em meio a uma suave noite de verão, até nos sentarmos à margem de um pequeno lago. As luzes de Pequim eram tênues à distância.

Se Pequim é a Washington DC da China, Xangai é a sua Nova York. A agenda de Bill estava repleta de reuniões com empresários e uma visita à Bolsa de Valores de Xangai. Também descobri outro exemplo engraçado, mas revelador, do controle do governo chinês. Nós tínhamos agendado um almo-ço informal em um restaurante, para uma pausa na implacável agenda oficial. Ao chegarmos, Bob Barnett, que tinha ido à frente para verificar o local, disse-me que, poucas horas antes, a polícia havia aparecido e mandado embora todas as pessoas que trabalhavam nas lojas próximas. Elas foram substituídas por jovens atraentes vestindo roupas ocidentais.

Na moderna Biblioteca de Xangai, que seria um tesouro arquitetônico em qualquer cidade, falei sobre a condição da mulher, construindo as minhas observações em torno do antigo aforismo chinês de que a mulher sustenta a metade do céu. Mas, na maioria dos lugares, acrescentei, quando se combi-na serviço doméstico não remunerado e trabalho gerador de renda, acabamos sustentando mais da metade.

Decididas a enfatizar a liberdade religiosa, a secretária Albright e eu visi-tamos a recém-restaurada sinagoga Ohel Rachel, uma das várias construídas pela enorme comunidade judaica que havia prosperado nos séculos XIX e XX após a fuga dos judeus da Europa e da Rússia para Xangai. A maioria dos judeus deixou a China depois que os comunistas assumiram o poder, pois o governo não reconheceu oficialmente o judaísmo e as sinagogas. A Ohel Rachel vinha sendo usada havia décadas como depósito. O rabino Arthur Schneier, da sinagoga de Park East na cidade de Nova York, junto com o car-deal Theodore McCarrick e o dr. Donald Argue, que haviam relatado a Bill a condição da liberdade religiosa na China, ofertaram uma nova Tora para a Arca restaurada.

Da agitada Xangai voamos para Guilin, um lugar há séculos prestigiado pelos artistas. O rio Li, suavemente serpeante, corre em meio a altas forma-ções de montanhas de calcário parecidas com agulhas. Muitas das estontean-tes pinturas com paisagens verticais da China reproduzem esse belo lugar.

Assim que retornamos da China, concentrei-me em nossa própria his-tória cultural e artística e na comemoração do milênio, na qual eu vinha pensando havia meses. A democracia requer uma grande reserva de capital intelectual para prosseguir o extraordinário empreendimento dos fundadores da nossa nação, gigantes intelectuais cuja imaginação e princípios filosóficos lhes permitiram imaginar, e depois planejar, o nosso duradouro sistema de governo. Sustentar a nossa democracia por mais de 225 anos supõe cidadãos americanos que conhecem o rico passado de nossa nação, inclusive suas produtivas alianças além-mar, e capazes de imaginar o futuro que devemos criar para os nossos filhos. Há vários anos venho me preocupando com um desdenhoso antiintelectualismo em nosso discurso público. Alguns membros do Congresso têm anunciado com orgulho que jamais viajaram para fora do país.

A chegada de um novo milênio ofereceu a oportunidade para um mostruário da história, da cultura e das idéias que têm feito dos Estados Unidos a mais duradoura democracia na história humana e são cruciais para a preparação de nossos cidadãos para o futuro. Eu quis concentrar a atenção na história cultural e artística dos Estados Unidos. Recrutei a minha criativa subchefe de pessoal, Ellen McCulloh-Lovell, para coordenar os nossos esforços para o milênio e juntas adotamos um tema que resumia a minha esperança para o nosso empreendimento: "Honre o Passado, Imagine o Futuro".

Organizei uma série de palestras e apresentações no Salão Leste da Casa Branca, na qual eruditos, historiadores, cientistas e artistas exploraram assuntos desde as raízes culturais do jazz americano à genética e à história da mulher. O brilhante cientista Stephen Hawking relatou as mais recentes conquistas da cosmologia. O dr. Vinton Cerf e o dr. Eric Lander discutiram o Projeto Genoma Humano, que está revelando os segredos de nossa composição genética. Já sabemos que todos os seres humanos são geneticamente 99,9% iguais, o que tem importantes implicações para a nossa coexistência pacífica em um mundo por demais violento. O grande trompetista Wynton Marsalis ilustrou por que o jazz é a música da democracia. Nossos laureados poetas juntaram-se a adolescentes para recitar suas próprias obras. Esses fóruns tornaram-se a primeira transmissão da Casa Branca para o ciberespaço, permitindo a pessoas de todo o mundo desfrutá-los e participar das sessões de perguntas e respostas realizadas posteriormente.

Como parte de uma comemoração com duração de dois anos, iniciei o Salvem os Tesouros da América, um programa para restaurar e identificar marcos e artefatos culturais e históricos por todo o nosso país. Em cada comunidade, há algo — um monumento, um prédio, uma obra de arte — que conta uma história sobre quem somos nós, os americanos. Mas quase sempre negligenciamos essa história e deixamos de aprender com ela. A bandeira americana, que inspirou o nosso hino nacional, pendia em farrapos no Museu Nacional de História Americana. Sua cuidadosa restauração custaria milhões; sua perda seria incalculável.

Como pontapé inicial para o Salvem os Tesouros da América, Bill e eu anunciamos uma doação de 10 milhões de dólares das empresas Ralph Lauren e Polo para a restauração da bandeira que inspirou o nosso hino nacional. Durante os dois anos seguintes, o Salvem os Tesouros da América juntou os 60 milhões de dólares do governo federal com os 50 milhões de doações particulares e utilizou essa verba para restaurar filmes antigos, reformar *pueblos*, consertar teatros e salvar muitos outros exemplos da herança americana.

Em julho, embarquei em uma viagem de ônibus com duração de quatro dias, de Washington a Seneca Falls, Nova York, parando no caminho em lugares significativos: o Fort McHenry de Baltimore; a fábrica de Thomas Edison em Nova Jersey; o quartel-general de George Washington em Newburgh, Nova York; um parque em Victor, Nova York, dedicado à cultura iroquês; a casa de Harriet Tubman em Auburn, Nova York.

Harriet Tubman é uma das minhas heroínas. Ex-escrava, ela escapou para a liberdade utilizando a Underground Railroad [rede secreta usada, antes da abolição, para ajudar escravos a fugirem nos Estados Unidos para estados livres], e depois, corajosamente, retornou várias vezes ao Sul para levar outros escravos para a liberdade. Apesar de não ter tido uma educação formal, essa mulher notável foi enfermeira e batedora do Exército dos Estados Unidos durante a Guerra Civil, e se tornou uma ativista de origem popular que arrecadava recursos para fornecer escola, roupas e habitação para crianças negras recém-libertadas durante a Reconstrução [período, após a Guerra Civil, em que os estados confederados foram controlados pelo governo federal antes de serem readmitidos na União]. Ela foi uma força em si mesma e uma inspiração para americanos de todas as raças. "Se está cansado, continue andando", dizia aos escravos que ela conduzia pelos traiçoeiros caminhos da escravidão em direção à liberdade. "Se está com medo, continue andando. Se está com fome, continue andando. Se quer ter o gosto da liberdade, continue andando."

O clímax emocional da nossa excursão foi um evento no Parque Histórico Nacional dos Direitos da Mulher, em Seneca Falls, ao qual compareceram 16 mil pessoas. Ele marcou o 150º aniversário da campanha pelo sufrágio feminino liberada por Elizabeth Cady Stanton e Susan B. Anthony.

Inspirada na história dessa pequena cidade e no que ela representou para as mulheres e para os Estados Unidos, comecei o meu pronunciamento com o caso de Charlotte Woodward, uma costureira de luvas com dezenove anos que viveu há 150 anos na vizinha Waterloo. Pedi à platéia que imaginasse a vida dela, ganhando salário mínimo e sabendo que, se se casasse, seu salário, os filhos e até mesmo as roupas do corpo pertenceriam ao marido. Imaginem a curiosidade e a crescente emoção de Charlotte, no dia 19 de julho de 1848, quando viajou a Seneca Falls, em uma charrete puxada a cavalo, para participar da primeira Convenção dos Direitos das Mulheres da América. Ela viu as estradas repletas de outras como ela, formando uma longa procissão no caminho da igualdade.

Falei de Frederick Douglass, o abolicionista negro, que foi a Seneca Falls para continuar a luta de sua existência pela liberdade. Perguntei o que os homens e mulheres corajosos, que assinaram essa declaração, "diriam, se soubessem quantas mulheres deixam de votar nas eleições? Ficariam pasmados e indignados... Cento e cinqüenta anos atrás, as mulheres em Seneca Falls foram silenciadas por outros. Hoje em dia, nós, mulheres, silenciamos a nós mesmas. Nós temos uma escolha. Nós temos uma voz".

Finalmente, exortei as mulheres a se guiarem para o futuro por intermédio da visão e da sabedoria daqueles que se reuniram em Seneca Falls.

"O futuro, como o passado e o presente, não será nem poderá ser perfeito. Nossas filhas e netas enfrentarão novos desafios, os quais, hoje em dia, nem conseguimos imaginar. Mas cada uma de nós pode ajudar a preparar esse futuro, fazendo o que pudermos para falar em favor da justiça e da igualdade, dos direitos das mulheres e dos direitos humanos, ficar do lado certo da história, não obstante o risco ou o custo."

Foi perfeito a minha primavera e o meu verão de descoberta terminarem naquele solo histórico. Eu tinha visto o frágil florescer da democracia deitar raízes na China, na África, na Europa Oriental e na América Latina. O ímpeto de liberdade nesses países foi o mesmo que formou os Estados Unidos. O elo entre Harriet Tubman e Nelson Mandela era uma parte da mesma jornada humana e eu buscava a melhor maneira de honrá-la. Por ter havido muito derramamento de sangue pelo direito de votar, aqui e por todo o mundo, passei a vê-lo como um sacramento secular. Optar por concorrer a um cargo eletivo é um tributo àqueles que se sacrificaram pelo nosso direito igual de votar em nossos líderes. Voltei para casa com uma reverência renovada pelo nosso imperfeito mas vigoroso sistema de governo e novas idéias de como colocá-lo para funcionar em favor de todos os cidadãos. E, quando pensava nos obstáculos que Bill e eu ainda enfrentaríamos em Washington, mergulhava fundo no poço de inspiração que Harriet Tubman havia legado a todos nós e prometia continuar andando.

34

AGOSTO DE 1998

AGOSTO DE 1998 FOI UM MÊS SANGRENTO e os seus acontecimentos pareceram sinalizar um ponto crucial ao final de uma década promissora. Na maior
parte do mundo, a metade dos anos 90 tinha sido uma época de conciliação
e crescente estabilidade. O império soviético se dissolvera sem causar outra
guerra mundial e a Rússia atuava junto aos Estados Unidos e à Europa para
construir um futuro mais seguro. A África do Sul realizara eleições livres.
Praticamente toda a América Latina abraçara a democracia. A limpeza étnica
na Bósnia havia cessado e começara a reconstrução. As conversações de paz
e o cessar-fogo na Irlanda do Norte eram bem-sucedidos. Apesar dos terríveis
reveses, os líderes do Oriente Médio pareciam avançar em direção à paz.
Como sempre, havia bolsões de conflitos e sofrimento em todas as partes do
globo, mas muitas hostilidades tinham diminuído.

Esse período de relativa tranqüilidade foi abalado no dia 7 de agosto, quando as embaixadas americanas no Quênia e na Tanzânia foram simultaneamente bombardeadas por terroristas islâmicos, ferindo mais de 5 mil pessoas e
matando 264, entre elas doze americanos. Funcionários africanos e pedestres
estavam entre a maioria das vítimas. Foi o mais devastador de uma série de ataques a alvos americanos no exterior e uma premonição do que viria pela frente.
Bill estava mais concentrado do que nunca para descobrir as causas da campanha terrorista e isolar os seus líderes. Ficava cada vez mais evidente para a
comunidade de informações que um diabólico exilado saudita chamado Osama
bin Laden organizava e financiava grande parte do terrorismo no mundo muçulmano e seus ataques estavam se tornando maiores e mais ousados.

No Iraque, Saddam Hussein desafiara novamente exigências da ONU para que os inspetores de armas tivessem acesso total e sem aviso prévio às suas instalações. Bill conferenciou extensamente com funcionários da ONU e aliados dos Estados Unidos para avaliar a resposta adequada a Hussein. Era notável para todos, exceto para quem o conhecia, o fato de Bill ser capaz de afastar as distrações políticas à sua volta em Washington e se concentrar em crises internacionais. Mas Bill e seu pessoal de segurança nacional estavam tendo dificuldades para direcionar a atenção do Congresso e recursos do governo para o crescimento das ameaças internas e externas. Talvez por causa da intensidade do noticiário da imprensa, o Congresso e o FBI foram direcionados a investigar a vida particular do presidente.

No final de julho, eu soube, por intermédio de David Kendall, que Starr havia negociado um acordo de imunidade com Monica Lewinsky. Ela testemunharia diante do júri de instrução de Whitewater — que não tinha mais nada a ver com Whitewater — no dia 6 de agosto. Starr resolveu intimar o presidente a depor e Bill teve de decidir se iria ou não cooperar. O corpo jurídico de Bill se opôs à idéia, alegando que o alvo de uma investigação jamais deveria testemunhar diante de um júri de instrução. Se o caso fosse parar num tribunal, tudo que dissesse poderia ser usado contra ele. Mas a pressão política para o depoimento era imensa. Outra eleição de meio de mandato estava a caminho, e Bill não queria que ela fosse obscurecida por esse assunto. Eu concordava que Bill devia depor e não achava que havia qualquer motivo para preocupação se ele fizesse isso. Tratava-se de mais um obstáculo. Regularmente, David Kendall informava Bill e a mim sobre os avanços da investigação de Starr, e eu sabia que a promotoria pedira uma amostra do sangue do presidente sem especificar o motivo. David achava que o gabinete da promotoria independente estivesse blefando, na tentativa de assustar Bill antes de seu depoimento.

Eu sabia, por experiência própria, que comparecer diante de um júri de instrução era de abalar os nervos. Na noite de sexta-feira, 14 de agosto, Bob Barnett encontrou-se comigo no Salão Oval Amarelo para conversar sobre assuntos não relacionados com o caso, e, como amigo, para ver como eu estava enfrentando tudo aquilo. Depois que encerramos, Bob perguntou se eu estava preocupada. "Não", respondi. "Só lamento todos nós termos que aturar isso."

Então, Bob sugeriu: "E se houver mais do que você sabe?".

"Não acredito que haja. Já perguntei várias vezes a Bill."

Bob insistiu: "E se Starr surgir com algo contra ele?".

"Eu não acreditaria em nada que Starr diga ou faça, baseada em minha própria experiência."

"Mas", continuou Bob, "você tem que encarar o fato de que algo a respeito disso pode ser verdade."

"Olhe, Bob", retruquei, "o meu marido pode ter os seus defeitos, mas ele nunca mentiu para mim."

Cedo, na manhã seguinte, sábado, dia 15 de agosto, Bill me acordou do mesmo modo como fizera meses antes. Dessa vez não se sentou na beira da cama, mas ficou andando de um lado para o outro. Pela primeira vez, disse-me que a situação era muito mais séria do que havia admitido anteriormente. Ele tinha se dado conta de que precisaria testemunhar que houve uma intimidade imprópria. Disse-me que o que tinha havido entre os dois foi breve e esporádico. Confessou que não conseguiu me contar, sete meses antes, porque ficou envergonhado demais para admitir o fato, e sabia o quanto eu ficaria zangada e magoada.

Eu mal conseguia respirar. Sufocando, comecei a chorar e a gritar com ele: "Como assim? O que está dizendo? Por que mentiu para mim?".

Eu estava furiosa e ficava mais a cada segundo. Ele apenas permaneceu parado ali, repetindo: "Sinto muito. Sinto muito. Estava tentando proteger você e Chelsea". Não conseguia acreditar no que estava ouvindo. Até aquele momento eu achava somente que ele tinha sido tolo em prestar atenção na jovem e estava convencida de que fora coagido. Não podia acreditar que ele tivesse feito algo para colocar em risco o nosso casamento e a nossa família. Fiquei estarrecida, inconsolável e indignada por ter acreditado nele.

Então, dei-me conta de que Bill e eu teríamos de contar a Chelsea. Ao lhe dizer que ele teria de fazer isso, seus olhos encheram-se de lágrimas. Ele havia traído a confiança em nosso casamento e ambos sabíamos que poderia ser uma brecha irreparável. E precisávamos dizer a Chelsea que ele também tinha mentido para ela. Foram momentos terríveis para todos nós. Eu não sabia se o nosso casamento poderia — ou deveria — sobreviver a uma traição tão lesiva, mas sabia que precisava agir cuidadosamente por meio dos meus sentimentos, de acordo com o meu próprio sistema. Precisava desesperadamente conversar com alguém e resolvi telefonar para uma amiga que também era advogada, em busca de orientação. Essa foi a experiência mais devastadora, chocante e dolorosa de minha vida. Eu não conseguia imaginar o que fazer, mas sabia que precisava encontrar um lugar tranqüilo no coração e na mente para ordenar os meus sentimentos.

Felizmente, naquela semana, não havia nenhum compromisso público em minha agenda. Supostamente estaríamos de férias, mas tivemos de adiar a nossa ida a Martha's Vineyard para depois do comparecimento de Bill diante do júri de instrução. Apesar dos destroços emocionais à sua volta, Bill precisava preparar o seu depoimento e redigir um pronunciamento à nação.

Enquanto nos debatíamos em meio a essa crise pessoal e pública, o mundo fornecia outra prova da cruel realidade: em Omagh, Irlanda do Norte, um bando renegado do exército republicano irlandês detonou um carrobomba em um mercado apinhado de gente, matando 28 pessoas, ferindo mais de duzentas e danificando seriamente o processo de paz que Bill havia longamente preparado e alimentado com tanta dificuldade junto aos líderes irlandeses. Enquanto eram noticiadas as baixas naquela tarde de sábado, lembrei das ocasiões em que estive com mulheres por toda a Irlanda, para falar sobre os conflitos e procurar um meio de alcançar a paz e a reconciliação. Agora, era isso que eu precisava tentar fazer com os conflitos do meu próprio coração despedaçado.

Bill prestou o seu depoimento de quatro horas na tarde de segunda-feira, na Sala dos Mapas. Starr havia concordado em retirar a intimação e o depoimento voluntário foi gravado em vídeo e transmitido por circuito interno para o recinto do júri de instrução. Isso poupou Bill da indignidade de comparecer a um tribunal como o primeiro presidente em exercício a ser convocado para um júri de instrução, mas foi a única humilhação de que foi dispensado naquele dia. Quando tudo acabou, às 18h25, Bill saiu da sala comedido, mas profundamente irritado. Eu não presenciei o seu depoimento, e não estava preparada para falar com ele, mas pude perceber, pela sua linguagem corporal, que havia passado por uma experiência penosa.

David Kendall avisara às redes de TV que Bill faria um breve discurso à nação às dez da noite, horário do Leste. Alguns dos assessores mais confiáveis de Bill — o advogado da Casa Branca Chuck Ruff, Paul Begala, Mickey Kantor, James Carville, Rahm Emanuel, Harry e Linda Thomason — reuniram-se no Solário, para ajudá-lo a redigir o pronunciamento. David Kendall estava presente, como também Chelsea, que tentava entender o que estava acontecendo. A princípio me mantive afastada. Não queria ajudar Bill a redigir a sua declaração pública sobre uma questão que violou o meu senso de decência e privacidade. Finalmente, porém, por força do hábito, talvez por curiosidade, talvez por amor, fui lá para cima. Quando entrei no aposento, por volta das oito da noite, alguém rapidamente desligou o som do televisor. Eles sabiam que eu não suportaria ouvir o que quer que estivesse sendo dito. Ao perguntar como estavam indo as coisas, ficou claro que Bill ainda não tinha decidido o que dizer.

Ele queria que as pessoas soubessem que estava profundamente arrependido por ter enganado sua família, seus amigos e seu país. Também queria que soubessem que não acreditava que havia mentido durante o depoimento sobre o caso Jones, pois as perguntas haviam sido por demais ineptas — mas soaram rigorosamente jurídicas. Ele havia cometido um erro terrível, depois tentara mantê-lo em segredo, e precisava se desculpar. Ao mesmo tempo, não podia se dar ao luxo de parecer vulnerável diante dos seus inimigos políticos ou dos inimigos da nação. Nos dias que antecederam à confissão que me fez, nós tínhamos discutido os perigosos impasses que se assomavam no Iraque, precipitados em 5 de agosto pelo anúncio de Saddam Hussein da proibição de uma contínua inspeção de armamentos. E apenas Bill e eu, além de seu grupo de política externa, sabíamos que, horas depois do pronunciamento sobre a sua transgressão pessoal, os Estados Unidos lançariam um ataque de mísseis contra um dos campos de treinamento de Osama bin Laden no Afeganistão, numa ocasião em que o nosso serviço de inteligência havia indicado que Bin Laden e seus principais lugares-tenentes estariam lá, como retaliação pelos atentados no Quênia e na Tanzânia. Com o mundo inteiro observando — a maior parte se perguntando que confusão era aquela —, Bill achava que o presidente dos Estados Unidos não podia se dar ao luxo de surgir na televisão parecendo fraco.

Ao se aproximar a hora do pronunciamento, todos davam palpites não solicitados, e isso não estava ajudando Bill. Ele queria aproveitar a oportunidade para destacar a parcialidade e o excesso da investigação de Starr, mas houve uma veemente discussão sobre se ele devia atacar o promotor independente. Embora eu estivesse furiosa com Bill, podia notar quanto ele estava perturbado e era horrível ver aquilo. Então, finalmente, eu falei: "Bem, Bill, o discurso é seu. Foi você quem se meteu nessa encrenca, e só você pode decidir o que dizer a respeito dela". Em seguida, Chelsea e eu deixamos o aposento.

Aos poucos, todos acabaram deixando Bill e ele terminou de redigir sozinho o pronunciamento. Imediatamente após o discurso, Bill foi criticado por não se desculpar o suficiente (ou, mais exatamente, por parecer menos do que sincero em suas desculpas, pois ele também criticou Starr). Eu ainda estava muito transtornada para emitir uma opinião. James Carville, que talvez seja o nosso amigo mais litigioso, provocador e não-cedo-um-milímetro, achou que provavelmente foi um erro atacar Starr. Que aquele era um momento para admitir algo malfeito, e só. Ainda não sei quem estava com a razão. A imprensa detestou o pronunciamento, mas, nos dias subseqüentes, a reação da maioria dos americanos indicou que eles consideravam um assunto particular a relação consensual entre dois adultos e não acreditavam que isso afetasse a capacidade de uma pessoa de realizar um bom trabalho, fosse num tribunal, numa sala de cirurgia, no Congresso ou no Salão Oval. A aprovação de Bill nas pesquisas de opinião continuava alta. Em relação a mim, sua aprovação tinha batido no fundo do poço.

A última coisa que eu queria fazer nesse mundo era sair de férias, mas estava desesperada para ir embora de Washington. Chelsea queria voltar a Martha's Vineyard, onde bons amigos a esperavam. Então, na tarde seguinte, Bill, Chelsea e eu partimos para a ilha. Buddy, o cachorro, foi também, para fazer companhia a Bill. Ele era o único membro da nossa família ainda disposto a isso.

Pouco antes de partirmos, Marsha Berry, a minha imperturbável secretária de imprensa, fez uma declaração em meu nome: "Obviamente, este não é o melhor dia na vida da senhora Clinton. Esta é uma ocasião em que ela conta com a sua forte fé religiosa".

Após nos instalarmos na casa emprestada, a adrenalina da crise havia se esgotado e não me restou nada além de uma profunda tristeza, decepção e uma ira não-resolvida. Eu mal conseguia falar com Bill, e, quando falava, era para fazer uma diatribe. Li. Caminhei pela praia. Ele dormia no andar de baixo. Eu dormia no andar de cima. Os dias eram mais fáceis do que as noites. A quem recorrer, quando o seu melhor amigo, o que sempre o ajuda nos momentos difíceis, foi aquele que a magoou? Eu me sentia insuportavelmente solitária, e podia notar que Bill também se sentia. Ele continuava tentando se explicar e se desculpar. Mas eu não estava preparada para estar no mesmo quarto com ele, quanto mais perdoá-lo. Eu teria de penetrar fundo em mim mesma e na minha fé para descobrir qualquer sobra de crença em nosso casamento, a fim de encontrar algum caminho para o entendimento. Naquela ocasião, eu não sabia realmente o que ia fazer.

Pouco depois de nossa chegada, Bill retornou por um breve momento à Casa Branca para supervisionar o ataque com mísseis Cruise contra um dos campos de treinamento de Osama bin Laden no Afeganistão. Os Estados Unidos haviam esperado para fazer o lançamento até haver confirmação de fontes da inteligência de que Bin Laden e seus principais auxiliares estariam nos locais escolhidos para alvos. Aparentemente, os mísseis deixaram de atingir Bin Laden por questão de horas. Esse foi um clássico nos anais de situações do tipo "se você fizer ou não fizer, maldito seja". Apesar das claras evidências de que Bin Laden foi o responsável pelos atentados às embaixadas, Bill foi criticado por ter ordenado o ataque. Foi acusado de ter feito isso para desviar a atenção dos seus próprios problemas e das crescentes referências a *impeachment*, tanto por parte dos republicanos quanto dos analistas políticos, que ainda não entendiam o perigo apresentado pelo terrorismo em geral e por Bin Laden e a Al Qaeda em particular.

Bill voltou para uma casa envolta em silêncio. Chelsea passava a maior parte do tempo com os nossos amigos Jill e Ken Iscol, e o filho Zack. Eles ofereceram sua casa e seus corações à minha desconcertada e magoada filha. Era martirizante para Bill e para mim ficarmos trancados juntos, mas era difícil sair. A mídia estava de tocaia na ilha e prestes a baixar assim que aparecêssemos em público. Eu não me encontrava com disposição de me relacionar, mas ficava comovida com o modo pelo qual os nossos amigos se arregimentavam à nossa volta. Vernon e Ann Jordan foram solidários, é claro. Katharine Graham, que tivera sua própria experiência com a agonia da infidelidade, insistia em me convidar para almoçar. E então Walter Cronkite ligou e fez questão que nós três fôssemos velejar em seu iate.

A princípio não queríamos ir. Mas Walter e sua mulher Betsy tiveram uma consoladora atitude em relação às pessoas que estavam pedindo a cabeça de Bill e me criticando por eu tolerar o que ele fez. "Isso é inacreditável", exclamou Walter. "Por que essas pessoas não cuidam da própria vida? Sabe, eu já vivi o bastante para saber que bons casamentos resistem a momentos difíceis. Ninguém é perfeito. Vamos velejar!"

Aceitamos o convite dele. Embora eu ainda estivesse bastante entorpecida na ocasião para dizer que me descontraí, foi refrescante estar no mar aberto. E a gentil solicitude do casal Cronkite aliviou o meu espírito.

Maurice Templesman, que ia todo verão a Martha's Vineyard, também foi maravilhoso comigo. Eu tinha passado a conhecê-lo melhor desde a morte de Jackie, e ele nos visitava na Casa Branca. Telefonou-me perguntando se podíamos nos ver. Encontrei-me com ele em seu iate, certa noite, e ficamos observando as luzes dos barcos entrando no porto de Menemsha. Ele falou um pouco sobre Jackie, de quem estava terrivelmente saudoso, e me disse que sabia quanto a vida dela tinha sido dura em certas ocasiões.

"Eu sei que o seu marido ama você de verdade", comentou. "E espero que o possa perdoar."

Maurice não pretendeu invadir a minha privacidade e o seu conselho foi dado de forma amável. Eu o aceitei agradecida. Após a nossa conversa, foi um imenso alívio ficar apenas sentada tranqüilamente sobre as águas em companhia de um bom amigo.

Olhei acima para o céu noturno e sua reluzente extensão de estrelas, exatamente como fazia quando criança em Park Ridge, deitada sobre um cobertor com a minha mãe. Meditei sobre o fato de que as constelações não haviam mudado desde que os primeiros marujos partiram para explorar o mundo, usando a posição das estrelas para encontrar o caminho de volta para casa. Eu tinha encontrado o meu caminho ao longo de uma existência de território não mapeado, com boa sorte e fé duradoura para me manter na rota. Dessa vez, precisei de toda a ajuda que pude conseguir.

Por toda a minha vida, confiei na boa sorte e na fé duradoura para me manter na rota, e tive uma porção de ajuda. Fiquei agradecida pelo apoio e orientação que recebi durante esse período, principalmente de Don Jones, o pastor de minha juventude, que havia se tornado um amigo por toda vida. Don lembrou-me de um sermão clássico do teólogo Paul Tillich, "Você é aceito", que, certa vez, ele leu para o nosso grupo de jovens em Park Ridge. Sua premissa é que pecado e graça existem ao longo da vida constantemente se influenciando reciprocamente; um não é possível sem o outro. O mistério da graça é que você não pode procurar por ela. "A graça nos alcança quando estamos em grande sofrimento e inquietação", escreveu Tillich. "Ela acontece; ou não acontece."

A graça acontece. Até ela acontecer, a minha missão principal foi colocar um pé diante do outro e percorrer mais um dia.

35

IMPEACHMENT

POR VOLTA DO FINAL DE AGOSTO, houve uma *détente*, se não a paz, em nossa família. Embora eu estivesse inconsolável e decepcionada com Bill, minhas longas horas sozinha me fizeram admitir para mim mesma que eu o amava. O que ainda não sabia era se o nosso casamento conseguiria ou deveria durar. O dia-a-dia era mais fácil de prever do que o futuro. Estávamos retornando a Washington e a uma nova fase da interminável guerra política. Eu não havia decidido se lutaria pelo meu marido e meu casamento, mas estava decidida a lutar pelo meu presidente.

Precisei controlar os meus sentimentos e me concentrar naquilo de que precisava para mim mesma. Cumprir as minhas obrigações pessoais e públicas em um recipiente de emoções diferentes, que exigia um pensamento diferente e um critério diferente. Por vinte anos, Bill fora o meu marido, o meu melhor amigo, o meu parceiro em todas as provações e alegrias da vida. Era um pai amoroso para a nossa filha. Agora, por motivos que precisará explicar, ele havia traído a minha confiança, me magoado profundamente e fornecido aos inimigos algo verdadeiro para ser explorado, após anos aturando as suas acusações falsas, investigações e ações judiciais motivadas pelo partidarismo.

Minhas emoções pessoais e convicções políticas estavam em rota de colisão. Como sua esposa, eu queria torcer o pescoço de Bill. Mas ele não era apenas o meu marido, era também o meu presidente, e eu pensava nisso, a despeito de tudo. Bill conduzia os Estados Unidos e o mundo de um modo que eu continuava a apoiar. Não importava o que tinha feito. Eu não achava que qualquer pessoa merecesse o tratamento abusivo dado a ele. Sua privacidade, minha privacidade, a privacidade de Monica Lewinsky e a privacidade de nossas famílias tinham sido invadidas de um modo cruel e gratuito. Acredito que foi moralmente errado o que o meu marido fez. Ele mentiu para mim e enganou o povo americano. Eu também sabia que a sua falha não foi uma traição ao seu país. Tudo o que aprendi com a investigação de Watergate convenceu-me de que não havia nenhuma base para o *impeachment* de Bill. Se homens como Starr e seus aliados eram capazes de ignorar a Constituição e abusar do poder, por causa de fins ideológicos e maldosos, para derrubar um presidente, eu temia pelo meu país.

A presidência de Bill, a Presidência institucional e a integridade da Constituição pendiam na balança. Eu sabia que o que eu fizesse e dissesse nos dias e semanas seguintes influenciariam não apenas o futuro de Bill e o meu, como também o dos Estados Unidos. Quanto ao meu casamento, ele também pendia na balança e eu não tinha certeza para que lado o ponteiro iria ou deveria se inclinar.

A vida seguia, e eu seguia com ela. Em setembro, acompanhei Bill a Moscou, em outra visita oficial, e depois fomos à Irlanda encontrar Tony e Cherie Blair e percorrer as ruas de Omagh, onde ocorreu o atentado. A detonação de mais de 220 quilos de explosivos em uma área movimentada de comércio não conseguiu abalar o cessar-fogo, como esperavam os responsáveis pela explosão. Isso simplesmente inspirou as pessoas a trabalhar ainda com mais afinco pela paz. Em reação ao atentado, os linhas-duras de ambos os lados amoleceram suas posições.

Gerry Adams, o líder do Sinn Fein, o braço político do IRA, anunciou publicamente que a violência em sua guerra de 77 anos para acabar com o domínio britânico era "uma coisa do passado". Em seguida à declaração de Adams, David Trimble, o líder dos Unionistas do Ulster, concordou em se encontrar pela primeira vez com o Sinn Fein. Todos os lados concordaram que esses esperançosos avanços não teriam sido possíveis sem a diplomacia direta de Bill Clinton e do seu enviado, George Mitchell, o ex-líder da maioria no Senado.

Entre todo o bem que ele havia realizado, a agonia de Omagh era um lembrete dos valiosos riscos que Bill estava disposto a correr para conseguir a paz em todo o mundo. Ele passou horas incontáveis tentando persuadir irlandeses, bósnios, servos, croatas, kosovares, israelenses, palestinos, gregos, turcos, burundienses e outros a superarem barreiras em prol da paz. Por vezes, seus esforços foram bem-sucedidos; por vezes, não. Grande parte do sucesso era frágil, como viemos a descobrir depois, com a derrocada do processo de paz no Oriente Médio. Mas mesmo os fracassos forçaram as pessoas a compreender a dor e a humanidade do outro lado. Sempre terei orgulho e serei grata por Bill perseverar na busca por paz e reconciliação.

O enorme contingente de repórteres que seguiu o presidente à Rússia e à Irlanda estava à procura de algo mais, além de uma reportagem sobre uma missão de paz. Todos nos observavam atentamente, à procura de indícios do estado em que se encontrava o nosso casamento. Ficaríamos juntos ou separados? Eu estava de cara fechada ou chorando atrás dos óculos escuros? E qual era o significado do suéter tricotado que comprei para Bill em Dublin, que ele usou em Limerick na sua primeira partida de golfe em mais de um mês? Eu queria desesperadamente recuperar uma zona de privacidade para mim mesma e minha família, mas me perguntava se isso ainda voltaria a ser possível.

Enquanto Bill negociava com líderes estrangeiros além-mar, Joe Lieberman, senador democrata por Connecticut, o repreendia publicamente. Lieberman, que fora um amigo desde que Bill havia trabalhado em sua primeira campanha para o Senado por Connecticut no início dos anos 70, usou a tribuna para denunciar a conduta do presidente como imoral e nociva porque "envia uma mensagem de que é um comportamento aceitável para a grande família americana".

Quando Bill foi solicitado a responder a Lieberman, pelos repórteres que se encontravam na Irlanda, ele declarou: "Basicamente, eu concordo com o que ele disse. Eu já falei que cometi um erro terrível. É indefensável, e estou arrependido. Estou muito arrependido". Foi a primeira das muitas desculpas incondicionais que o meu marido apresentaria em sua longa jornada de expiação. Mas percebi que desculpas nunca seriam suficientes para os irredutíveis republicanos e talvez não bastassem para evitar um racha dentro do Partido Democrata. Outros líderes democratas, incluindo o congressista Richard Gephardt do Missouri, o senador Daniel Patrick Moynihan de Nova York e o senador Bob Kerrey do Nebraska, condenaram os atos pessoais do presidente e afirmaram que, de algum modo, ele devia ser responsabilizado. Nenhum deles, porém, defendeu o *impeachment*.

Por ocasião de nossa volta à Casa Branca, havia vários desafios em minha mente, pessoais e políticos. Bill e eu concordamos em comparecer regularmente a sessões de orientação conjugal, para determinar se devíamos ou não salvar o nosso casamento. Em um nível, eu estava traumatizada e tentando lidar com a ferida em carne viva que havia sofrido. Em outro nível, acreditava que Bill era uma pessoa boa e um grande presidente. Eu considerava a agressão da promotoria independente à Presidência como a progressiva guerra política de sempre e estava do lado de Bill.

Quando as pessoas me perguntam como consegui seguir em frente durante uma época tão sofrida, respondo que não há nada de excepcional em se levantar todos os dias para ir trabalhar, mesmo havendo uma crise familiar em casa. Cada um de nós precisou fazer isso, em alguma ocasião de nossas vidas, e a habilidade necessária para resistir é a mesma para uma primeira-dama ou um operador de empilhadeira. Só que eu tinha de fazer tudo diante do olhar público.

Mesmo se eu estivesse indecisa sobre o meu futuro pessoal, estava totalmente convencida de que o comportamento particular de Bill e sua errônea tentativa de ocultá-lo não estabelecia, diante da Constituição, uma base legal ou histórica para um *impeachment*. Eu acreditava que ele devia ser responsabilizado pelo seu comportamento — por mim e por Chelsea —, mas não por um processo ilegal de *impeachment*. Mas também sabia que a oposição podia usar a imprensa para criar um clima no qual a pressão política progrediria para o *impeachment* ou a renúncia, independentemente da lei. Preocupava-me com os democratas, que podiam ser levados a pedir a renúncia de Bill, e tentava me concentrar no que podia fazer para ajudá-los a se reeleger em novembro. Apesar de as pesquisas mostrarem ampla maioria contra o *impeachment*, muitos democratas concorrentes à reeleição acreditavam que, a não ser que fossem duros com o presidente, perderiam as suas cadeiras no Congresso. Em alguns distritos, tratava-se de uma preocupação legítima. Na maior parte do país, contudo, o *impeachment* e a investigação de Starr poderiam prejudicar candidatos republicanos que procuravam explorar o processo.

No início de setembro, David Kendall descobriu que o gabinete da procuradoria independente estava prestes a enviar uma recomendação de *impeachment* à Comissão Jurídica da Câmara, que então decidiria se a questão devia seguir para votação no plenário da Câmara dos Deputados. Em 1974, eu havia estudado essa parte da lei, quando o meu trabalho para a assessoria para *impeachment* da Comissão Jurídica da Câmara incluiu a redação de um memorando resumindo os procedimentos para processar um presidente e um outro sobre as normas de provas exigidas para desencadear um *impeachment*. De acordo com a Constituição, a Câmara precisa aprovar por votação majoritária os artigos do *impeachment*, que são semelhantes aos de uma acusação criminal de um funcionário público. Os artigos, então, são enviados ao Senado, para julgamento. Embora a decisão do júri de um julgamento criminal precise ser unânime para um veredicto de culpado, é exigida uma maioria de apenas dois terços do Senado para a condenação e a destituição do cargo. A Constituição prevê o afastamento como um remédio apenas para os delitos mais graves: "Traição, Suborno ou outros sérios Crimes e Contravenções". Os Fundadores da Nação, que redigiram a Constituição, planejaram o *impeachment* como um processo lento e meticuloso, pois acreditavam que não deveria ser fácil destituir um funcionário federal, sobretudo o presidente, do seu cargo.

Em 1868, a Câmara dos Deputados instaurou um processo de *impeachment* contra o presidente Andrew Johnson por ele desafiar o desejo do Congresso de que uma severa política de reconstrução pós-Guerra Civil fosse imposta ao Sul. No meu entender, a Câmara estava errada, mas pelo menos agiu contra Johnson com base em seus atos oficiais como presidente. Johnson foi julgado e absolvido no Senado pela diferença de um voto. Richard Nixon foi o segundo presidente a enfrentar procedimentos de um *impeachment*, e eu sabia, de primeira mão, quão cuidadosamente esse processo salvaguardava a utilização das evidências do júri de instrução, seguindo o texto e o espírito da Constituição. Essa investigação foi conduzida sob rigorosa segurança e sigilo, durante oito meses, antes que os artigos do *impeachment* que tinham a ver com os atos de Nixon como presidente fossem apresentados à Comissão de Justiça. O presidente da comissão Peter Rodino e o promotor especial John Doar deram exemplos de discreto profissionalismo não-partidário.

David Kendall pediu uma cópia prévia da recomendação do gabinete da procuradoria especial à Comissão de Justiça da Câmara, para que ele pudesse delinear uma resposta — um pedido baseado na simples imparcialidade e no precedente havido no *impeachment* de Nixon. Starr negou. No dia 9 de setembro, os auxiliares de Starr levaram duas peruas até a escadaria do Capitólio e entregaram ao funcionário encarregado cópias do "relatório Starr" contendo 110 mil palavras e acompanhado de mais de 36 caixas de documentos procedentes. A ostentosa peça de Starr era de estarrecer; a rápida decisão da Comissão de Normas da Câmara de tornar disponível o relatório completo na internet, mais ainda.

Lei federal exige que evidências apresentadas ao júri de instrução sejam mantidas em sigilo, para que o depoimento de uma testemunha obtido pelo promotor, sem o efeito esclarecedor de uma nova inquirição pela parte contrária, não predisponha um caso ou prejudique uma pessoa inocente. Este é um dos princípios básicos de nosso sistema judicial. O relatório Starr era uma compilação de depoimentos em estado bruto feitos perante o júri de instrução e obtidos de testemunhas que nunca foram inquiridas pela parte contrária e colocados à disposição do público sem respeito à imparcialidade ou ao equilíbrio.

Eu não li o relatório Starr, mas me contaram que a palavra *sexo* (ou algumas de suas variações) aparece 581 vezes no texto com 445 páginas. *Whitewater*, o suposto assunto da apuração de Starr, segundo consta, aparece quatro vezes, para identificar algo, como "a promotoria independente de Whitewater". A distribuição de seu relatório, por parte de Starr, foi gratuitamente explícita e degradante para a Presidência e a Constituição. Sua divulgação pública foi um dos pontos baixos da história dos Estados Unidos.

Starr recomendou que a Comissão de Justiça da Câmara levasse em conta onze possíveis motivos para *impeachment*. Eu estava convencida de que ele havia excedido sua autoridade legal. A Constituição exige que o Poder Legislativo do governo — e não a promotoria independente, que é uma criação dos Poderes Executivo e Judiciário — investigue evidências de delitos passíveis de *impeachment*. O dever de Starr era proferir um sumário imparcial sobre os fatos conhecidos à comissão, que posteriormente utilizaria sua própria equipe para reunir evidências. Ele, porém, nomeou a si mesmo promotor, juiz e júri, no seu ardor de impedir Bill Clinton. E, quanto mais eu acreditava que Starr estava abusando de seu poder, mais eu me solidarizava com Bill — pelo menos politicamente.

A lista de Starr de delitos passíveis de *impeachment* incluía acusações de que o presidente mentiu sob juramento sobre o seu comportamento pessoal, obstruiu a Justiça e abusou do cargo. Bill nunca obstruiu a Justiça ou abusou de seu cargo. Ele sustentava que não havia mentido sob juramento. Se o fez ou não, uma mentira sob juramento a respeito de um assunto particular em uma ação cível não é motivo para um *impeachment*, de acordo com a vasta maioria de especialistas e historiadores constitucionais.

Um dia depois que Starr entregou o seu relatório ao Congresso, Bill e eu comparecemos a uma recepção do Conselho Empresarial Democrata, onde o apresentei como "meu marido e nosso presidente". Em particular, eu ainda tentava perdoar Bill, mas a minha fúria em relação àqueles que o haviam sabotado propositadamente me ajudou a fazer isso. Minha agenda estava repleta de compromissos, e compareci a cada um deles. Naquele dia, havia um encontro de redatores de discursos, um evento de prevenção ao câncer de cólon, uma recepção na AmericaCorps e vários outros aparecimentos. Se a equipe da Casa Branca me visse agindo como de costume, eu esperava que isso a encorajasse a fazer o mesmo. Se eu podia levar o dia adiante, eles também poderiam.

Por semanas, Bill desculpou-se comigo, com Chelsea e com os amigos. Membros do gabinete, assessores e companheiros que ele havia enganado e decepcionado. Em uma oração do café-da-manhã da Casa Branca com líderes religiosos, no início de setembro, Bill fez uma emotiva admissão de seus pecados e um pedido de perdão ao povo americano. Mas ele não desistiria do seu cargo. "Instruirei os meus advogados para prepararem uma vigorosa defesa, utilizando todos os argumentos adequados disponíveis", afirmou. "Mas a linguagem jurídica não deve ocultar o fato de que eu cometi um erro. Se o meu arrependimento é genuíno e reconhecido... então pode ser extraído dele um proveito para o nosso país, como também para mim e minha família. As crianças deste país podem aprender, de um modo profundo, que a integridade é importante e o egoísmo é errado, mas Deus é capaz de nos modificar e nos fortalecer nos locais rompidos."

Bill depositou o seu destino político nas mãos do povo americano. Pediu a compaixão do povo e então voltou a trabalhar para ele com o mesmo compromisso que havia levado para o desempenho presidencial desde o seu primeiro dia na Casa Branca. E continuamos com nossas sessões regulares de orientação conjugal, o que nos forçou a duras perguntas e respostas, que os anos ininterruptos de companheirismo haviam tolerado que adiássemos. Na ocasião, eu queria salvar o nosso casamento, se conseguíssemos.

A reação do povo ao sincero pedido de desculpas de Bill lavou a minha alma. A aprovação do trabalho do presidente manteve-se estável durante a crise. Uma sólida maioria de cerca de 60% dos americanos também declarou que o Congresso não devia iniciar o processo de *impeachment*, que Bill não devia renunciar, e que os detalhes explícitos do relatório Starr eram "impróprios". O meu índice de aprovação estava se aproximando do máximo já obtido e acabaria dando picos em torno dos 70%, o que prova que o povo americano é fundamentalmente justo e solidário.

Embora o processo de *impeachment* fosse impopular e injusto de acordo com os padrões constitucionais, eu supunha que a Câmara republicana o levaria adiante, se achasse que fosse possível. O único jeito de evitar o *impeachment* era por uma forte demonstração nas eleições de novembro. Mas, tradicionalmente, o partido que ocupa a Casa Branca perde cadeiras no Congresso nas eleições da metade do mandato, como ocorreu em 1994, e, especialmente, durante o segundo mandato de um presidente. Por toda parte os candidatos democratas, justificadamente, sentiam-se nervosos em relação à saúde política do presidente.

No dia 15 de setembro, uma delegação de cerca de duas dúzias de mulheres congressistas democratas reuniu-se comigo no Salão Oval Amarelo. As parlamentares sentaram-se em sofás e poltronas, e mordomos serviram-lhes café e biscoitos. As mulheres tinham vindo convencer-me a assumir um papel público nas próximas eleições, mas creio que também queriam ver e ouvir por si mesmas como eu estava me ajeitando e o que planejava fazer a seguir. Assim que se deram conta de que eu estava seriamente decidida a apoiar a Constituição, o presidente e o Partido Democrata, pediram que fosse para as ruas fazer campanha para elas.

Conversamos sobre como afastar a atenção dos eleitores do *impeachment*, a fim de que ela se voltasse para assuntos que lhes interessavam — ajuda federal para reduzir o número de alunos das classes e auxiliar na construção de escolas, reforma do sistema de saúde e do Seguro Social, melhoria da assistência a crianças para adoção e das práticas de perfilhação e proteção do meio ambiente.

"Eu ajudarei no que puder", prometi. "Mas também preciso que vocês ajudem a manter o partido unido e a colocar os membros da liderança democrata no lugar ao qual pertencem... atrás da Constituição e do presidente."

"Não estamos aqui para falar sobre o comportamento do presidente", disse a deputada Lynn Woolsey aos repórteres, após a reunião. "Estamos aqui para falar sobre o que é importante, mais importante para o povo deste país." Depois Woolsey explicou: "Dissemos a ela que, como mulheres, sabemos que numa emergência as mulheres sabem fazer mais de uma coisa ao mesmo tempo... Portanto, pedimos a ela que embarcasse em um avião e parasse em lugares onde a sua voz precisa desesperadamente ser ouvida".

E assim fiz. Fazendo campanha em dezenas de disputas eleitorais para o Congresso, minha frenética agenda mantinha-me ocupada durante o dia todo. Mas as noites foram difíceis, especialmente depois que Chelsea voltou para Stanford. Bill e eu só tínhamos a nós mesmos, e a situação ainda era embaraçosa. Eu não o evitava, como fizera antes, mas ainda havia tensão entre nós, e não dava muitas risadas, como eu estava acostumada a fazer no dia-a-dia com o meu marido.

Eu não sou do tipo de pessoa que rotineiramente desabafa os seus mais íntimos sentimentos, mesmo para os amigos mais chegados. Minha mãe também é assim. Nós temos uma tendência a guardar segredo e essa característica só se intensificou quando comecei a viver a minha vida diante do olhar público. Foi uma bem-vinda distração quando as minhas boas amigas Diane Blair e Betsy Ebeling vieram ficar comigo alguns dias, em meados de setembro. Fui abençoada com amigos íntimos, mas, assim que começou a implacável investigação, senti-me forçada a protegê-los para evitar que fossem arrastados para qualquer sindicância. Depois de agosto de 1998, me senti mais isolada e solitária, pois não queria conversar com Bill da mesma maneira como antes. Eu passava muito tempo sozinha, lendo e rezando. Mas me fazia sentir melhor ter amigos por perto, que me conheciam desde sempre, que tinham me visto grávida e doente e feliz e triste e podiam entender o que eu estava passando naquele período.

Em 17 de setembro, durante a visita de Diane e Betsy, Stevie Wonder telefonou perguntando se podia ir me visitar na Casa Branca. Na noite anterior, ele havia participado do jantar cerimonial para outro de seus fãs, o presidente tcheco Václav Havel, e sua nova mulher, Dagmar, e queria voltar para, em particular, tocar uma música que havia composto para mim.

Capricia conduziu Steve, seu assistente e um dos filhos dele pelo corredor do segundo andar da residência, onde havia um imponente piano sob um grande quadro de Willem de Kooning. Diane e Betsy sentaram-se num canapé, eu me sentei numa pequena poltrona perto do piano e Stevie começou a cantar uma inolvidável melodia cadenciada. Ele ainda não havia terminado toda a letra, mas a canção era sobre o poder do perdão, e tinha como refrão "Você não precisa andar sobre a água...". Enquanto ele tocava, fui avançando a minha poltrona para perto do piano, até ficar sentada ao lado dele. Quando Stevie terminou, lágrimas enchiam os meus olhos e, ao olhar em volta, as lágrimas escorriam pelos rostos de Diane e de Betsy. Foi um dos gestos mais generosos feitos por alguém durante aquele período incrivelmente difícil.

Fiquei igualmente comovida quando Anna Wintour, a editora-chefe da *Vogue*, telefonou para me propor um artigo e uma sessão de fotos para a edição de dezembro da revista. Foi corajoso da parte dela me oferecer e contrário à minha intuição aceitar. Aliás, a experiência fez maravilhas para o meu ânimo. Usei uma magnífica criação em veludo cor de vinho de Oscar de la Renta para a foto da capa. Por um dia, escapei para um mundo de maquiadores e alta-costura. As fotografias de Annie Leibovitz ficaram excelentes, dando-me a chance de parecer ótima quando deveria estar me sentindo péssima.

O 21 de setembro, dia em que Bill discursou na sessão de abertura das Nações Unidas em Nova York, transcorreu como uma farsa absurda. Como o relatório Starr não forçou o presidente a renunciar, a liderança republicana aumentou a aposta e divulgou a gravação em vídeo do depoimento de Bill para o júri de instrução. Quando Bill entrou no enorme Salão da Assembléia Geral, sob uma incomum e entusiasmada ovação de pé, as principais redes de televisão estavam transmitindo simultaneamente uma fita de seu interrogatório de agosto, feito por assessores de Starr. Ao mesmo tempo em que as horas de agonizante testemunho ocupavam monotonamente as ondas do ar, Bill fazia um firme discurso na ONU sobre a crescente ameaça do terrorismo internacional e a necessidade urgente de uma resposta em conjunto de todos os povos civilizados. Tenho certeza de que poucos americanos ouviram o alerta de Bill sobre os perigos que os terroristas representavam para nós. Ao término do discurso, presidentes, primeiros-ministros e delegados deram-lhe outra calorosa e demorada ovação. A receptividade de seus colegas internacionais afirmou a liderança de Bill, um oportuno reconhecimento do bom trabalho que vinha fazendo como presidente.

Bill também se encontrou com o primeiro-ministro paquistanês Nawaz Sharif, para discutir a contenção do programa nuclear do Paquistão e a ameaça global representada pela proliferação nuclear no subcontinente, e depois com o secretário-geral Kofi Annan para uma conversa sobre como reagir ao continuado desafio do Iraque às resoluções da ONU. Mais tarde, ele me acompanhou em um fórum sobre a economia global, na Universidade de Nova York, com o presidente italiano Romano Prodi, o primeiro-ministro sueco Goran Persson, o presidente búlgaro Petar Stoyanov e o nosso amigo, o primeiro-ministro britânico Tony Blair.

Ao voltarmos no dia seguinte à Casa Branca, aparentemente o golpe publicitário republicano havia fracassado. O espetáculo do presidente mantendo a compostura, ao ser metralhado por perguntas lascivas, que ninguém gostaria de responder, pareceu criar mais solidariedade no povo americano em relação ao apuro de Bill.

Na noite seguinte, Nelson Mandela, que também estivera presente na sessão da ONU, visitou-nos na Casa Branca com a mulher, Graça Machel. Em uma recepção para líderes religiosos afro-americanos no Salão Leste, Mandela falou de seu sincero amor e respeito por Bill. Após elogiar a relação que Bill havia criado com a África do Sul e o resto do continente, Mandela observou carinhosamente: "Temos afirmado com freqüência que a nossa moralidade não nos permite abandonar os nossos amigos". Voltou-se para Bill e falou diretamente para ele: "E esta noite temos de dizer que pensamos em você neste período difícil e incerto de sua vida". Mandela arrancou gargalhadas e aplausos ao afiançar não querer "interferir nos assuntos domésticos deste país". Mas, claramente, estava fazendo um apelo aos americanos para exigirem o fim do espetáculo do *impeachment*. Mandela, que havia controlado a ira e perdoado os seus carcereiros, estava sendo, como sempre, filosófico.

"Mas, se nossas esperanças, se nossas preces e sonhos mais acalentados não se realizam", disse ele, "então todos nós devemos ter em mente que a maior glória de viver não está em jamais cair, mas em se levantar todas as vezes que se cair."

Eu estava tentando me levantar. Vendo cada hora seguir até o fim e recomeçando a cada manhã, eu estava imperceptivelmente reconstruindo a minha vida, um dia a cada vez. Era um desafio perdoar Bill; a perspectiva de perdoar os matadores profissionais da direita parecia algo além de mim. Se Mandela conseguiu perdoar, eu tentaria. Mas era difícil, mesmo com a ajuda de muitos amigos e modelos a imitar.

Algumas semanas após a visita de Mandela, o Dalai-Lama telefonou-me na Casa Branca. Em nosso encontro na Sala dos Mapas, ele me presenteou com um lenço branco para orações e contou que freqüentemente pensava na minha peleja. Incentivou-me a ser forte e não ceder à amargura e à ira diante da dor e da injustiça. Sua mensagem encaixou-se com o apoio que eu estava recebendo do meu grupo de orações, especialmente de Holly Leachman e Susan Baker, que vieram me visitar e orar comigo, de Brian Stafford, agente do Serviço Secreto, na ocasião chefiando a Divisão de Proteção ao Presidente, e de Mike McCurry, o secretário de Imprensa do presidente nos dias mais difíceis. Cada qual saía de seus afazeres para ir conversar comigo e ver como eu estava passando diante daquela pressão. Membros democratas do Congresso telefonaram para saber o que eu queria que fizessem. Um parlamentar falou: "Hillary, se você fosse minha irmã, eu daria um soco na cara de Bill!". Garanti a ele que apreciava a sua preocupação, mas que não precisava realmente daquele tipo de ajuda. Alguns republicanos confidenciaram que discordavam da decisão do partido de levar adiante o processo de *impeachment*.

No dia 7 de outubro, uma delegação de membros novatos da Câmara foi me ver na Casa Branca. Novamente, nos reunimos no Salão Oval Amarelo, com a luz do sol jorrando pelas janelas. A preocupação deles era a de que os republicanos forçassem a votação do *impeachment* antes das eleições de meio de mandato. Exortei-os da melhor maneira que pude. "Não podemos deixar que eles arranquem o presidente do seu cargo", falei. "Não desse modo. Vocês são membros do Congresso. O seu trabalho é proteger a Constituição e fazer o que é certo para o país. Portanto, vamos superar isso." Em seguida, lançando mão da experiência que tive 25 anos antes, explanei o que diz a Constituição sobre *impeachment*, de que modo aqueles que a aprovaram imaginaram o poder da utilização do *impeachment* e como este vinha sendo interpretado há mais de duzentos anos. Ao encerrarmos o encontro, também assegurei aos parlamentares que, se o *impeachment* viesse a ser votado, o presidente e eu gostaríamos que eles consultassem a sua consciência e seus eleitores; nós entenderíamos o que quer que fosse que eles decidissem.

O consenso entre os democratas e alguns poucos republicanos moderados que ainda restavam no Capitólio era de que a censura — um voto de repreensão — seria a reação mais adequada ao comportamento de Bill. Mas poderosos republicanos faziam oposição inflexível à transigência. Henry Hyde, presidente da Comissão de Justiça da Câmara, zombou da idéia da censura, chamando-a de *impeachment light*. Ele era particularmente intransigente. Culpou a Casa Branca pela reportagem de 16 de setembro na *Salon*, uma revista da internet que afirmava que ele tivera um longo caso amoroso nos anos 60 enquanto estava casado com a esposa, já falecida. Hyde chamou a sua infidelidade, ocorrida quando ele estava na casa dos quarenta anos, de "indiscrição juvenil". Sentia-se ofendido e indignado pela mídia ter revelado tal transgressão pessoal e os republicanos pediram que a revista fosse investigada. A despeito de minhas muitas divergências políticas e ideológicas com Hyde, senti solidariedade pela sua aflição, apesar de ficar intrigada com o fato de ele não ter enxergado os dois pesos e duas medidas de sua reação.

Passei o outono viajando pelo país, em uma maratona de campanha. Exortava as pessoas a votar, como se suas vidas dependessem disso. Concentrei-me em áreas onde a disputa era apertada e a minha popularidade era alta. Como ocorrera seis anos antes, fiz uma campanha incansável por

Barbara Boxer, que defendia a sua cadeira no Senado contra um forte oponente na Califórnia, e para Patty Murray, a senadora de Washington, a própria "mãe de tênis". Também tentei ajudar a senadora Carol Mosley Braun, em Illinois. Antes do término da campanha, fiz escalas em Ohio e Nevada, e voltei ao Arkansas, em favor de Blanche Lincoln, uma dinâmica candidata ao Senado. "Precisamos enviar um sinal muito claro para a liderança republicana do Congresso de que os americanos se importam com temas verdadeiros", falei para uma multidão em Janesville, Wisconsin. "Eles se importam com educação, assistência médica e Seguro Social. E querem um Congresso que se importe com o que eles se importam."

Abri meu coração para conquistar votos a fim de que o deputado Charles Schumer derrotasse o senador Al D'Amato por Nova York. Um democrata inteligente e obstinado progressista, Chuck Schumer foi um dos mais firmes defensores de Bill. D'Amato presidira as audiências de Whitewater no Senado, por onde fizera desfilar, diante de uma comissão, inocentes secretárias, contínuos e uma babá da Casa Branca, e, sem achar nada, sobrecarregou-os com honorários de advogados. D'Amato encontrava-se vulnerável diante do vigoroso desafio de Schumer.

Eu estava em um evento para arrecadar doações para a campanha de Schumer, em Nova York, quando percebi que o meu pé direito estava tão inchado que mal conseguia calçar o sapato. Ao voltar à Casa Branca, liguei para a dra. Connie Mariano, que, após um exame superficial do meu pé, me enviou para o Hospital Naval de Bethesda, a fim de verificar se eu havia desenvolvido um coágulo sangüíneo por causa dos meus incessantes vôos pelo país. Realmente eu tinha um enorme coágulo atrás do joelho direito, e necessitava de um tratamento imediato. A dra. Mariano mandou que eu ficasse de cama, tomando anticoagulante, por pelo menos uma semana. Apesar de querer me cuidar, eu estava decidida a não cancelar nenhuma das minhas escalas de campanha. Então fizemos um acordo. Ela mandou que uma enfermeira me acompanhasse para administrar o medicamento de que eu precisava e monitorar o meu estado.

Com a proximidade do dia da eleição, o GOP desencadeou uma maciça campanha publicitária concentrada no escândalo. O plano fracassou. Os eleitores pareciam mais enojados com as táticas políticas dos republicanos do que com a vida particular do presidente. Acredito que teríamos conseguido mais cadeiras se mais democratas tivessem enfrentado os republicanos em seu fervor pelo *impeachment*. Mas ir contra o critério convencional de Washington era uma aposta muito alta para a maioria dos candidatos. Os analistas ainda previam um crescimento republicano.

No dia da eleição, as pesquisas de boca de urna começaram a ser divulgadas, e Bill estava num estado de ânimo otimista. Ele se reuniu com assessores na sala de John Podesta na Ala Oeste para acompanhar os resultados. John, um político inteligente e conselheiro eficiente, que fora secretário da assessoria durante o primeiro mandato de Bill, havia retornado recentemente como chefe da Casa Civil após Erskine Bowles terminar o seu período. Um auxiliar havia mostrado a Bill como acompanhar a apuração pela internet e ele se sentou diante do computador de John surfando avidamente pelos *sites* políticos. Como sempre, eu estava muito nervosa para acompanhar a apuração. Por isso convidei Maggie e Cheryl Mills, uma notável advogada da assessoria jurídica, para me acompanharem na sala de projeção para assistirmos ao novo filme de Oprah Winfrey, *Bem-amada*, baseado no romance de Toni Morrison. Mais tarde, naquela noite, quando saímos da sala, havia uma boa notícia: a votação foi histórica. Os democratas ganharam cinco cadeiras a mais na Câmara, diminuindo a vantagem dos republicanos. A diferença agora era de 223 a 211. O Senado manteve-se estável, com 55 republicanos contra 45 democratas. Barbara Boxer se reelegeu para o Senado e a melhor notícia da noite foi que Chuck Schumer derrotou Al D'Amato em Nova York. Republicanos e analistas da mídia achavam que os democratas iam perder cerca de trinta cadeiras na Câmara e de cinco a seis no Senado. Ao contrário, os democratas ganharam mais cadeiras na Câmara; a primeira vez, desde 1822, que o partido do presidente conseguia isso em seu segundo mandato.

Outra surpresa logo se seguiu. Três dias depois, 6 de novembro, sexta-feira, o senador Moynihan gravou uma entrevista com a lenda da televisão, Gabe Pressman, na qual anunciou que não ia concorrer a um quinto mandato. A entrevista era para ser veiculada no domingo, mas a notícia vazou antes.

Tarde da noite de sexta-feira, a telefonista da Casa Branca transferiu uma ligação do deputado Charlie Rangel, o veterano congressista do Harlem e um bom amigo.

"Acabo de saber que o senador Moynihan anunciou que vai se aposentar. Eu espero que você leve em consideração a hipótese de concorrer, pois creio que pode ganhar", sugeriu ele.

"Oh, Charlei", falei. "Sinto-me honrada por você ter pensado em mim, mas não estou interessada, e, além do mais, temos alguns outros assuntos importantes para resolver de imediato."

"Eu sei", disse ele. "Mas estou mesmo falando sério. Quero que você pense a respeito."

Ele podia estar falando sério, mas achei absurda a idéia de concorrer à cadeira do senador Moynihan, embora não fosse a primeira vez que o assunto era ventilado. Um ano antes, em uma recepção de Natal na Casa Branca, minha amiga Judith Hope, a presidente do Partido Democrata de Nova York, mencionou que não acreditava que Moynihan fosse concorrer novamente. "Se ele não concorrer", disse ela, "gostaria que você concorresse." Na ocasião, achei a sugestão de Judith inconcebível, e continuava achando.

Eu tinha outras coisas em minha mente.

36

À ESPERA DE GRAÇA

A ELEIÇÃO DE MEIO DE MANDATO DE 1998 produziu ainda uma outra surpresa, quando Newt Gingrich renunciou à presidência da Câmara e anunciou que ia deixar o Congresso. A princípio, isso pareceu uma vitória para o nosso lado e a provável interrupção do processo de *impeachment*. Bob Livingston da Louisiana ia suceder Gingrich, mas Tom DeLay, o orientador partidário e o verdadeiro poder da liderança política republicana, pressionou os republicanos a se oporem a qualquer solução conciliatória razoável, como um voto de censura. Quando Erskine Bowles perguntou a Gingrich por que os republicanos iam seguir um caminho que não era adequado nem constitucional, este respondeu: "Porque nós podemos".

O inquérito de Whitewater e a ação judicial de Paula Jones, que haviam desencadeado esse confronto constitucional, não foram de modo algum esquecidos. Os advogados de Jones haviam impetrado um recurso para a dispensa do juiz Wright do caso e há um mês vinham dando sinais de que ela estava disposta a fazer um acordo por 1 milhão de dólares. A lei era claramente a favor de Bill, mas o colegiado de três juízes do Oitavo Tribunal Distrital de Apelações era dominado pelos mesmos dois republicanos conservadores que haviam emitido o parecer juridicamente indefensável, com base em matérias de jornais, que anteriormente havia destituído o juiz Henry Woods de um caso relacionado com Whitewater. Em vista disso, Bill estava preocupado se haveria uma boa chance de, mais uma vez, a política partidária atropelar a lei e o precedente, e os juízes decidirem que o caso podia ir a julgamento por um tribunal. Em 13 de novembro, Bob Bennett, o advogado de Bill, disse-lhe que Jones havia concordado em retirar a ação mediante um pagamento de 850 mil dólares. Embora detestasse ter de fazer um acordo num processo que ele já tinha ganho e a respeito do qual o juiz Wright decidira não haver mérito jurídico ou factual, Bill concluiu que não existia outra maneira segura de deixar esse episódio de lado. Ele não se desculpou, nem admitiu ter cometido uma má ação. Bennett declarou simplesmente: "O presidente decidiu que não está preparado para perder mais uma hora com essa questão". E, então, tudo acabou.

Durante semanas, esperei que a Comissão de Justiça da Câmara emitisse uma porção de intimações, como foi feito em 1974 durante a investigação do *impeachment* de Nixon. A responsabilidade da comissão é conduzir o seu próprio inquérito, e não carimbar as alegações da promotoria independente. Fiquei enojada quando Hyde anunciou que a comissão ia convocar Kenneth Starr como sua testemunha principal. Starr falou ininterruptamente durante duas horas e depois respondeu a perguntas dos membros da comissão durante o resto da tarde. Eram quase nove horas da noite quando David Kendall finalmente teve a chance de interrogar Starr. Valendo-se de uma ridícula e irreal limitação de tempo imposta pela maioria republicana da comissão, David iniciou os seus comentários com um sumário do processo.

"A minha tarefa é responder ao testemunho ininterrupto de duas horas do promotor independente, como também aos quatro anos de sua investigação ao custo de 45 milhões de dólares, que incluiu pelo menos 28 advogados, 78 agentes do FBI e um número não revelado de investigadores particulares; uma investigação que já gerou, segundo cálculo de computadores, 114.532 matérias jornalísticas impressas e 2.513 minutos de tempo das redes de televisão, sem contar a cobertura 24 horas do escândalo em TV a cabo; um texto com 445 páginas; 50 mil páginas de documentos dos testemunhos secretos ao júri de instrução; quatro horas de depoimentos em vídeo; 22 horas de fitas de áudio, algumas das quais colhidas infringindo-se a lei estadual, e o depoimento de dezenas de testemunhas, sem que nenhuma delas tenha sido inquirida pelo advogado da parte contrária.

"E eu tenho trinta minutos para fazer isso."

Durante o julgamento-espetáculo com procedimento ao estilo soviético, Starr teve de admitir que não havia interrogado pessoalmente uma única testemunha diante do júri de instrução. Não tinha nada a acrescentar ao seu relatório. Mas anunciou que o gabinete da promotoria independente havia, finalmente, inocentado o presidente de quaisquer delitos passíveis de impeachment nas investigações dos assim chamados Travelgate e Filegate.

Barney Frank, o brilhante e habilidoso congressista democrata de Massachusetts, perguntou a Starr quando ele havia chegado a essa conclusão.

"Alguns meses atrás", respondeu Starr.

"Por que reteve essa informação antes da eleição, ao mesmo tempo em que produzia um relatório repleto de coisas negativas sobre o presidente, e somente agora... nos comunica a inocência do presidente nesses casos, várias semanas após a eleição?"

O promotor independente não teve resposta.

No dia seguinte, Sam Dash, o consultor de ética do gabinete da promotoria independente, que parecera fazer vista grossa aos deslizes anteriores de Starr e seus subordinados, renunciou em protesto ao depoimento de Starr. Dash, que fora o principal assessor da Comissão do Senado para Watergate, em 1973 e 1974, redigiu uma carta acusando Starr de abusar de sua posição, por se introduzir "ilegalmente" no processo de *impeachment*. Aparentemente, sua renúncia não causou nenhum efeito nos procedimentos. Nem tampouco uma carta aberta assinada por quatrocentos historiadores — inclusive os co-responsáveis Arthur M. Schlesinger Jr., da City University de Nova York; Sean Wilentz, da Universidade de Princeton, e C. Vann Woodward, da Universidade de Yale — que exortavam o Congresso a rejeitar o *impeachment*, por este não se enquadrar nas normas constitucionais. A declaração que fizeram deveria ter a sua leitura exigida nas aulas de civismo.

Como historiadores e também como cidadãos, deploramos o atual movimento pelo *impeachment* do presidente. Acreditamos que esse movimento, se bem-sucedido, produzirá as mais sérias implicações para a nossa ordem constitucional.

Sob a nossa Constituição, o *impeachment* do presidente é um passo grave e de extrema importância. Os subscritores da Constituição, explicitamente, reservaram esse passo para crimes sérios e contravenções no exercício do poder executivo. Impedi-lo por algo mais seria, de acordo com James Madison, levar o presidente a servir "ao bel-prazer do Senado"; mutilando, portanto, o sistema de controle e equilíbrio, que é a nossa principal salvaguarda contra abusos do poder público.

Embora não perdoemos o comportamento pessoal do presidente Clinton ou suas subseqüentes tentativas de logro, as atuais acusações contra ele divergem daquelas que os subscritores entenderam como motivos para *impeachment*. O voto da Câmara dos Deputados para conduzir um inquérito irrestrito dá margem a uma insólita investigação de múltiplas finalidades para qualquer delito pelo qual destituir um presidente do cargo.

A teoria do *impeachment* que fundamenta essas tentativas não tem precedente em nossa história. Os novos procedimentos são extremamente ameaçadores para o futuro de nossas instituições políticas. Se levados adiante, deixarão a Presidência permanentemente desfigurada e diminuída, à mercê como nunca antes dos caprichos de qualquer Congresso. A Presidência, historicamente o centro de liderança durante as nossas grandes provações nacionais, ficará inválida diante dos inevitáveis desafios do futuro.

Enfrentamos uma opção entre preservar ou solapar a nossa Constituição. Queremos estabelecer um precedente para atormentar futuros presidentes e amarrar o nosso governo com uma prolongada agonia nacional de investigações e acusações? Ou queremos proteger a Constituição e voltar a cuidar das questões públicas?

Nós exortamos você, seja um republicano, um democrata ou um independente, a se opor à perigosa nova teoria do *impeachment* e a exigir a volta do funcionamento normal do nosso governo federal.

No início de dezembro, o pai do vice-presidente, Albert Gore, Sr., morreu aos 99 anos em sua residência em Carthage, Tennessee. No dia 8 de dezembro, Bill e eu voamos para Nashville, para um culto religioso no War Memorial Auditorium. Al Gore ficou ao lado do caixão coberto com a bandeira e pronunciou um belo discurso fúnebre em homenagem ao pai, o outrora poderoso e corajoso senador dos Estados Unidos, que perdeu a sua cadeira em 1970 por se opor à Guerra do Vietnã. Al falou de dentro do coração, com humor e empatia. Foi o melhor discurso que eu o ouvi pronunciar.

Houve muita especulação sobre como o nosso relacionamento com os Gore fora afetado pelo escândalo do *impeachment*. Al e Tipper ficaram chocados e magoados como todo mundo em agosto, quando Bill admitiu a má ação, mas ambos foram solidários, pessoal e politicamente, durante a provação. Estiveram sempre onde precisávamos que estivessem, às vezes quando pedíamos a ajuda deles, às vezes quando sentiam que podíamos precisar dela.

Iniciada em 11 de dezembro e encerrada na madrugada do dia 12, a votação da Comissão de Justiça, de acordo com a sua linha partidária, decidiu acatar quatro artigos passíveis de afastamento e enviá-los para serem votados no plenário da Câmara. Não foi nenhuma surpresa, já que ainda mantínhamos a esperança de podermos conseguir apoio suficiente para a solução conciliatória da censura.

Enquanto o Congresso tentava o *impeachment*, Bill dedicava-se aos seus deveres oficiais, e eu, aos meus. Sentia fortemente que tinha um dever, como primeira-dama, de continuar com as minhas responsabilidades públicas, inclusive uma viagem que estava determinada a fazer com membros do Congresso a Porto Rico, República Dominicana e Haiti, para levar ajuda e consolo aos cidadãos de lá que se recuperavam do furacão Georges. Cumprir a minha agenda normal de compromissos freqüentemente me dava ânimo. Nunca acreditei em me dar ao luxo de deitar numa cama e puxar a coberta para cima da cabeça.

De 12 a 15 de dezembro, Bill e eu visitamos o Oriente Médio. Fomos com o primeiro-ministro Benjamin "Bibi" Netanyahu e sua mulher, Sara, a Masada, um símbolo da resistência e do martírio judaicos, que Bill e eu havíamos visitado pela primeira vez dezessete anos antes, quando fizemos parte de um passeio à Terra Santa promovido pelo pastor da Igreja Batista Sulista freqüentada por Bill, o dr. W. O. Vaught. Ele já é falecido, e freqüentemente gostaria que ele estivesse por perto, como pastor, para aconselhar e consolar Bill. Fiquei profundamente grata com o fato de três pastores estarem presentes para orientar Bill — os reverendos Phil Wogaman, Tony Campolo e Gordon MacDonald se encontravam e oravam com ele regularmente, enquanto procurava compreensão e perdão.

Na primeira visita que fizemos, fomos também a Belém; agora, voltávamos lá com Yasser Arafat para visitar a igreja da Natividade, onde cantamos canções de Natal com palestinos cristãos, ainda mantendo a nossa esperança no processo de paz. Bill estava agendado para fazer um discurso na cerimônia da abertura do Conselho Nacional Palestino e manter outros encontros com os palestinos, e pousamos no novo em folha Aeroporto Internacional de Gaza. Foi um importante acontecimento, pois a inauguração do aeroporto fora um dos pontos fundamentais do recente Acordo de Paz de Wye, que Bill intermediara entre Arafat e Netanyahu para ajudar a melhorar as condições econômicas dos palestinos.

Apesar de o Oriente Médio fornecer um quadro positivo àquela época, Bill continuou a monitorar de perto o desafio de Saddam Hussein, que se recusava a concordar com a retomada das inspeções de armas pela ONU no Iraque. Do ponto de vista político, essa era a pior ocasião possível para uma resposta militar a Hussein. Com a votação do *impeachment* se aproximando, qualquer ato do presidente poderia ser contestado como uma tentativa de distrair ou retardar o Congresso. Por outro lado, se Bill protelasse os ataques aéreos ao Iraque, poderia ser acusado de sacrificar a segurança nacional para evitar a tensão política. O mês sagrado islâmico do Ramadã era iminente e a janela da oportunidade para um ataque estava se fechando. Em 16 de dezembro, os conselheiros de defesa e inteligência de Bill informaram-no de que a ocasião era adequada. Bill ordenou ataques aéreos para destruir os locais conhecidos e suspeitos de conter armas de destruição em massa e outros alvos militares.

Ao se iniciarem os bombardeios, uma liderança republicana claramente cética adiou o debate sobre o *impeachment*. "A decisão de Clinton de bombardear o Iraque é um espalhafatoso e vergonhoso uso da força militar em proveito próprio", afirmou o congressista republicano Joel Hefley. Trent Lott, o líder da maioria republicana do Senado, contestou publicamente o critério do presidente. "Tanto o senso de oportunidade quanto o plano de ação são sujeitos a questionamento", disse ele sobre a ação militar. Lott recuou, quando a sua declaração foi interpretada como uma indicação de que, para aquele Congresso, a política partidária vinha antes da segurança nacional.

A liderança da Câmara estava determinada a forçar uma votação do *impeachment* na última sessão daquela legislatura, antes que a maioria republicana fosse reduzida para onze membros, em janeiro. No dia 18 de dezembro, enquanto as bombas caíam sobre o Iraque, teve início o debate do *impeachment*. Há vários meses, eu vinha me abstendo de fazer qualquer pronunciamento público direto, mas, naquela manhã, falei para um grupo de repórteres do lado de fora da Casa Branca. "Acredito que a ampla maioria de americanos compartilha a minha aprovação e o meu orgulho pelo trabalho que o presidente tem feito pelo nosso país", declarei. "E creio que, nesta época de festas, quando celebramos o Natal, a Chanuca e o Ramadã — uma ocasião para reflexão e conciliação entre as pessoas —, devemos acabar com as divisões, pois, unidos, podemos fazer muito mais."

Dick Gephardt pediu-me para comparecer ao Capitólio e participar da reunião da liderança democrata na Câmara, marcada para um pouco antes da votação dos artigos do *impeachment*. Diante dos democratas, na manhã seguinte, agradeci a todos por defenderem a Constituição, a Presidência e o líder do partido deles, o meu marido.

"Todos vocês talvez estejam zangados com Bill Clinton", falei. "Certamente, eu não estou contente com o que o meu marido fez. Mas o *impeachment* não é a solução. Há muita coisa em jogo aqui, para sermos desviados daquilo que realmente importa." Lembrei-os de que éramos todos cidadãos americanos, vivendo sob as normas da lei e que devíamos isso ao nosso sistema de governo, por cumprir a Constituição. O processo de *impeachment* fazia parte de uma guerra política travada por pessoas determinadas a sabotar as metas do presidente em relação a economia, educação, Seguro Social, assistência médica, meio ambiente e a busca pela paz na Irlanda do Norte, Bálcãs e Oriente Médio — tudo que nós, como democratas, apoiávamos. Não podíamos deixar que isso acontecesse. E não importava qual fosse o resultado da votação naquele dia, pois Bill Clinton não renunciaria.

Todos nós sabíamos que os derradeiros esforços para evitar o *impeachment* fracassariam. Caminhando pelos corredores de mármore que tanto haviam presenciado da história americana, fiquei entristecida pelo meu país, enquanto o nosso acalentado sistema de leis era maltratado, levando ao que equivalia a uma tentativa de golpe de Estado praticado pelo Congresso. Como uma recém-formada em direito, eu havia estudado a motivação política do *impeachment* do presidente Andrew Johnson. Como membro da equipe do Congresso que havia investigado Richard Nixon, eu sabia o quanto trabalhamos arduamente para garantir que o processo de *impeachment* fosse justo e conduzido de acordo com a Constituição.

Esse grave acontecimento quase teve roubada a sua cena por um drama bizarro no recinto da Câmara. Na noite anterior ao dia do início da votação, Bob Livingston, o presidente designado da Câmara, foi denunciado como adúltero. Na manhã de sábado, quando Livingston compareceu diante dos colegas no grande plenário da Câmara, no Capitólio, todos sabiam que ele admitiu ter tido um "desvio" em seu casamento. Momentos após ter exigido a renúncia do presidente, em meio a apartes e gritos furiosos da assembléia, ele deixou a todos atordoados ao renunciar ao cargo de presidente da Câmara, outra vítima involuntária da campanha de destruição pessoal levada a efeito pelo seu próprio partido. Como Gingrich, ele deixou a Câmara.

Dois artigos foram rejeitados e dois foram aprovados. Bill foi acusado de perjúrio diante do júri de instrução e obstrução de Justiça. Ele agora seria julgado pelo Senado dos Estados Unidos.

Após a votação do *impeachment*, uma delegação de democratas seguiu em caravana de ônibus, do Capitólio até a Casa Branca, numa demonstração de solidariedade ao presidente. De braços dados com Bill, saímos do Salão Oval e fomos encontrá-los no Jardim das Rosas. Al Gore deu uma comovente declaração de apoio e chamou a votação do *impeachment* pela Câmara de "um grande desserviço a um homem, que acredito será considerado pelos livros de história como um dos nossos maiores presidentes". A reprimenda de Al, como a minha, repercutiu. O povo americano tinha se dado conta do que estava acontecendo.

Bill agradeceu a todos que tinham se mantido a seu lado e prometeu não desistir. Ele exerceria o cargo, afirmou, "até o último momento do último dia do meu mandato". Foi uma reunião estranhamente feliz, em vista do terrível acontecimento que acabara de ocorrer, e fiquei grata pelo atestado público dado a Bill. Mas eu lutava seriamente para conter a dor que sentia se avolumar nas minhas costas. Após encerrado o evento, quando caminhei de volta para a residência mal conseguia ficar de pé.

O senso de oportunidade foi péssimo, porque era época de Natal, e, com *impeachment* ou sem *impeachment*, havia recepções dia e noite na Casa Branca, e isso significava ficar horas de pé recebendo filas de convidados. Sobrevivi a algumas delas, mas, em pouco tempo, estava deitada de costas, sem poder me mexer, resultado de tensão acumulada e, como veio a se descobrir, dos calçados.

Um dos médicos da Casa Branca que me examinou chamou um fisiatra da Marinha. "A senhora tem usado muito saltos altos ultimamente?"

"Tenho."

"Senhora", disse ele, "não deve voltar a usar saltos altos."

"Como assim? Nunca mais?"

"Bem, sim, nunca mais." Olhou-me intrigado, e perguntou: "Com todo o respeito, senhora, por que ia querer usá-los?"

Foi ao mesmo tempo consolador e estranho passar os feriados fazendo as mesmas coisas que sempre fazíamos, apesar do espectro do iminente julgamento pelo Senado pairar pelo aposento como uma visita não convidada e indesejada. Recebi centenas de cartas de apoio. Entre as mais carinhosas, estava a mensagem de lady Bird Johnson, que acompanhava os acontecimentos de sua casa no Texas:

Cara Hillary,
    Você fez valer o meu dia! Quando a vi com o presidente, pela televisão, com você ao lado dele (foi no Gramado Sul?), lembrando-nos do progresso do país em muitos setores, como o da educação e da saúde, e do muito que ainda

precisamos avançar, dirigi uma prece a você. Depois, soube que você foi ao Capitólio, falar com os democratas e arregimentar o apoio deles.

Isso me fez sentir bem e creio que isso dá a medida do que pensam muitos dos cidadãos da nossa nação.

Saudações a você e admiração,
Lady Bird Johnson

As palavras de experiência e carinho de lady Bird acalentaram o meu coração. Foram a reafirmação de que alguém, que entendia as pressões sob as quais eu me encontrava, reconhecia por que eu estava tão determinada a apoiar o meu marido.

Mais uma vez, passamos a véspera de Ano-Novo no fim de semana anual do Renascimento em Hilton Head, Carolina do Sul. Muitos amigos e colegas deixaram os seus afazeres para nos estimular e agradecer a Bill pela sua liderança como presidente. O tributo mais comovente foi prestado pelo almirante da reserva Elmo Zumwalt Jr., ex-chefe de operações navais durante a Guerra do Vietnã. O almirante Zumwalt fez um breve discurso, dirigido a Chelsea, intitulado "Se estas fossem as minhas últimas palavras". Pediu que ela nunca perdesse de vista as realizações do pai, se o que vinha ocorrendo no Congresso ameaçasse obscurecê-las.

"Seu pai, o meu comandante-em-chefe", disse ele, "será lembrado como o presidente: que inverteu quinze anos de decadência de nosso poderio militar, assegurando, desse modo, a viabilidade ininterrupta de nossas forças armadas... que deteve a matança no Haiti, Bósnia, Irlanda e Kosovo... que levou adiante o processo de paz no Oriente Médio... que iniciou o debate e a ação para aperfeiçoar a seguridade social, nossos sistemas de saúde e de assistência médica..."

O almirante Zumwalt disse também a Chelsea que a mãe dela seria lembrada "por abrir os olhos do mundo" para os direitos das mulheres e das crianças, e pelos meus esforços em melhorar suas vidas, como também pelo meu apoio à minha família em crise. Suas palavras foram um presente de valor inestimável para Chelsea — e para mim.

Lamentavelmente, essas seriam as últimas palavras que Chelsea ouviria do almirante Zumwalt, que faleceu um ano depois. Ele será lembrado pelo seu país como um dos grandes patriotas e humanitários de sua geração, e por mim e minha família como um amigo verdadeiro e leal.

* * *

O julgamento no Senado teve início em 7 de janeiro de 1999, logo depois do 106º Congresso tomar posse. O juiz presidente do Supremo, William Rehnquist, chegou à Câmara Alta vestido para a ocasião. Em vez da costumeira toga preta simples de magistrado, ele vestia uma roupa que havia desenhado, inclusive as divisas de debruns dourados nas mangas. Em resposta às perguntas da imprensa, ele explicou que tirou a idéia das roupas de uma encenação da ópera cômica *Iolanthe*, de Gilbert & Sullivan. Foi bem apropriado ele vestir uma roupa teatral para presidir uma farsa política.

Cuidadosamente, evitei assistir ao julgamento pela televisão, em parte porque via todo o processo como um colossal malogro da Constituição, e em parte porque nada havia que eu pudesse fazer para afetar o resultado. A causa de Bill estava nas mãos de uma esplêndida equipe jurídica — os advogados da Casa Branca, que incluíam o consultor jurídico Chuck Ruff, o consultor adjunto Cheryl Mills, Lanny Breuer, Bruce Lindsey e Greg Craig, que havia deixado um importante posto no Departamento de Estado para se juntar à assessoria da Casa Branca, e os advogados particulares de Bill, David Kendall e sua sócia Nicole Seligman.

Eu me reuni com a equipe jurídica, para oferecer sugestões sobre estratégia e apresentação, mas não houve muito com o que eu pudesse contribuir, além do meu apoio. Visto que a votação do *impeachment* na Câmara foi considerada semelhante a um indiciamento, deputados republicanos foram enviados ao Senado como prepostos ou "querelantes". Supostamente, eles deveriam apresentar "evidências" dos delitos passíveis de *impeachment,* e os advogados de Bill o defenderiam. Nenhuma testemunha foi apresentada. Em vez disso, os prepostos da Câmara contaram com os testemunhos e depoimentos diante do júri de instrução, que eles tomaram de Sid Blumenthal, Vernon Jordan e Monica Lewinsky. Sid Blumenthal escreveu um fascinante relato de bastidores de sua experiência durante o processo de *impeachment* em seu livro *The Clinton Wars* [*As guerras de Clinton*].

A Constituição exige dois terços de votos do Senado para condenar o presidente e destituí-lo do cargo. Isso ainda não tinha acontecido na história americana, e eu não esperava que viesse a acontecer agora. Nenhuma pessoa envolvida seriamente acreditava que 67 senadores iriam votar pela condenação; talvez por isso os prepostos da Câmara não viram nenhum motivo para realizar algo que ao menos se assemelhasse a um processo profissional. Havia poucos estatutos que regulassem os procedimentos ou as evidências apresentadas na causa dos prepostos. Como resultado, os procedimentos tiveram pouca semelhança com um julgamento de verdade — foi mais como uma porção de injúrias denunciando o meu marido.

Por todas as cinco semanas do espetáculo, os advogados do presidente fizeram uma apresentação baseada na lei e nos fatos, algo que, acredito, servirá de base para quando historiadores e estudiosos de direito tentarem entender esse lamentável momento da história americana. Com uma argumentação arrebatadora, Cheryl repudiou firmemente a tese dos prepostos da Câmara, de que inocentar o presidente iria não apenas minar as leis do direito, como também as leis de direitos civis da nação. Mills, um afro-americano, proclamou: "Não estou preocupado com os direitos civis, pois a folha corrida do presidente em relação aos direitos civis, direitos da mulher e a todos os nossos direitos é 'inimpichável'... Estou hoje aqui diante dos senhores porque o presidente Bill Clinton acreditou que eu podia estar aqui por ele".

Dale Bumpers, o ex-senador pelo Arkansas, argumentou fortemente a favor de Bill. Excelente orador e amigo íntimo de Bill, Bumpers entrelaçou a história dos Estados Unidos e as histórias do Arkansas e proferiu uma vigorosa demanda a favor da absolvição. De maneira convincente, lembrou-nos que a Constituição estava em julgamento. Em sua maravilhosa autobiografia, *The Best Lawyer in an One-Lawyer Town* [*O melhor advogado de uma cidade com um único advogado*], Bumpers relata como Bill telefonou a ele pedindo que falasse a seu favor. Após refletir, Bumpers percebeu que "Cada família dos Estados Unidos é capaz de se relacionar, em um ou outro grau, às provações e tribulações, e mais ainda à parte do drama humano que os Clinton vivenciaram". Em seguida, perguntou: "Onde estão os elementos básicos do perdão e da redenção, o próprio alicerce do cristianismo?".

Por todo o julgamento, não duvidei de que, no final, triunfaríamos. A cada dia eu confiava mais em minha fé. Isso me fez lembrar de um velho ditado da minha escola dominical: A fé é como cair de um penhasco e esperar um de dois resultados — ou você cairá no chão duro ou aprenderá a voar.

37

OUSE COMPETIR

O DUELO CONSTITUCIONAL NO CAPITÓLIO forneceu um estranho pano de fundo à crescente especulação sobre o meu ingresso na disputa para o Senado por Nova York. Eu ainda não estava interessada em concorrer à cadeira do senador Moynihan, mas no início de 1999 a liderança democrata passou a fazer uma marcação homem-a-homem para que eu mudasse de idéia. Tom Daschle, o líder da minoria no Senado, por quem eu tinha um enorme respeito, telefonou para me incentivar. O mesmo fizeram vários democratas de Nova York e de todo o país. Por mais lisonjeira que fosse a atenção, eu achava que outros democratas mais amadurecidos de Nova York seriam mais apropriados para entrar na disputa. A congressista Nita Lowey, auditora do estado de Nova York, H. Carl McCall e Andrew Cuomo, secretário de Habitação e Desenvolvimento Humano da administração Clinton, estavam no topo da lista.

O provável indicado do GOP, o prefeito de Nova York Rudolph Giuliani, seria um adversário difícil para qualquer candidato democrata. Líderes do partido, preocupados em perder uma cadeira há muito tempo pertencente aos democratas, tinham a intenção de lançar um candidato de peso, capaz de arrecadar as enormes quantidades de dinheiro que esse tipo de disputa requer. Em um certo sentido, eu era uma opção desesperada — uma figura bem conhecida do público capaz de contrabalançar a estatura nacional de Giuliani e os bolsos fundos do partido dele. Nesse contexto, não foi surpresa o fato de a minha candidatura ser ressuscitada poucos dias depois do Ano-Novo, durante a gravação do *Meet the Press* da NBC.

O convidado do programa de domingo, 3 de janeiro, foi o senador Robert Torricelli, de Nova Jersey, que, como presidente da Comissão de Campanha Senatorial Democrata, era o responsável pelo recrutamento de candidatos e levantamento de fundos para as campanhas dos democratas. O apresentador Tim Russert havia perguntado a Torricelli sobre a disputa antes do programa, e anunciou no ar que o senador acreditava que eu iria concorrer.

Ao saber do comentário de Torricelli, telefonei para ele. "Bob, você anda por aí falando da minha vida", observei. "Você sabe que eu não vou concorrer. Por que anda dizendo isso?" Torricelli saiu pela tangente, pois sabia muito bem que havia aberto a comporta. Andrew Cuomo e Carl McCall se retiraram da disputa, por preferirem se concentrar na corrida para o governo de 2002, e Nita Lowey declarou que ia esperar para decidir se faria a campanha por conta própria.

A cada evolução da questão, intensificava-se a especulação pública sobre a minha entrada na disputa. Mas, em particular, estava sendo aconselhada a recusar. Os poucos amigos com quem conversei foram unânimes em recomendar que eu não concorresse. Os meus principais assessores da Casa Branca também se opuseram. Sua preocupação era com o estresse a que eu seria submetida como candidata e com o custo emocional de uma demorada campanha.

Quando o rei Hussein da Jordânia morreu, em 7 de fevereiro, após uma corajosa luta contra o câncer, Bill e eu deixamos por alguns dias tudo o mais de lado para outra longa e pesarosa viagem a Amã, a capital da Jordânia, no Oriente Médio. Os ex-presidentes Ford, Carter e Bush viajaram no Força Aérea Um. As perspectivas de paz no Oriente Médio sofreram uma perda irreparável com as mortes de dois grandes homens, Rabin e depois Hussein. As ruas de Amã estavam apinhadas de pessoas enlutadas de todo o mundo. A rainha Noor, vestida de preto e usando um lenço branco na cabeça, saudou gentilmente os dignitários que foram prestar homenagem a seu notável marido. Pouco antes da morte, o rei havia indicado o filho mais velho, Abdullah, como seu sucessor. O rei Abdullah e sua talentosa rainha, Rania, haviam mais do que satisfeito às expectativas, levando grande energia e encanto às difíceis responsabilidades dos dois.

Ao voltarmos para casa, depois do funeral do rei, o julgamento do *impeachment* era uma nuvem negra pairando sobre a nossa família. Bill e eu ainda pelejávamos para consertar a nossa relação e tentar proteger Chelsea dos efeitos colaterais provocados pelo Capitólio. Em meio à mistura, estava a pressão pública que eu sentia para tomar uma decisão sobre a corrida ao Senado, uma decisão que teria conseqüências imediatas e a longo prazo na minha vida e na da minha família.

Uma conversa com Harold Ickes, um especialista em política de Nova York, convenceu-me de que precisava ceder à crescente pressão pública para concorrer e enfrentar seriamente a questão de uma campanha. A maior qualidade de Harold como amigo é a sua sinceridade, ainda que grosseira. Embora seja um homem doce e amável, ele tem um berro capaz de matar você de medo. Palavra sim, palavra não, solta um impropério, até mesmo quando está fazendo um elogio. Com o seu jeito exuberante, deu-me alguns conselhos.

"Se você decidiu que não vai concorrer, então vá e dê uma declaração", disse Harold. "Mas se estiver refletindo sobre isso, não diga nada ainda. Com o *impeachment* acontecendo, ninguém vai pressioná-la agora."

Harold e eu combinamos de nos encontrar em 12 de fevereiro, que acabou sendo o dia marcado para o Senado votar o *impeachment*. Eu estava confiante de que a maioria do Senado se guiaria pela Constituição e votaria pela absolvição. Enquanto esperávamos o resultado, eu ouvia atentamente Harold avaliar o panorama político nova-iorquino e explicar as vicissitudes de uma campanha para o Senado pelo estado de Nova York. Ele abriu um enorme mapa do estado, e, durante horas, nós o estudamos cuidadosamente, ao mesmo tempo em que ele fazia comentários sobre os obstáculos que eu enfrentaria. Mostrou-me cidades desde Montauk, passando por Plattsburg, até Niagara Falls, e ficou claro que, para fazer uma campanha para os 19 milhões de cidadãos de Nova York, eu teria de cobrir fisicamente um estado com quase 90 mil quilômetros quadrados. Além disso, eu teria de dominar as complexidades das políticas regionais, de enormes diferenças de personalidade, cultura e economia do norte de Nova York e dos subúrbios. A cidade de Nova York era um universo próprio: um caldeirão de políticos e grupos de interesses rivais. Os cinco distritos administrativos eram como miniestados individuais, cada qual apresentando necessidades e desafios diferentes de regiões e cidades do norte e também dos vizinhos subúrbios de Long Island e Westchester.

A nossa reunião se estendeu por horas, com Harold se concentrando em todos os pontos negativos de entrar na corrida eleitoral. Eu não era natural de Nova York, nunca tinha concorrido a um cargo eletivo, e enfrentaria Giuliani, um adversário amedrontador. Nenhuma mulher jamais ganhara em

Nova York em nível estadual, por sua própria conta. O partido nacional republicano faria tudo em seu poder para desmoralizar a mim e à minha política. Uma campanha seria detestável e emocionalmente desgastante. E como faria campanha em Nova York, sendo primeira-dama? A lista prosseguia.

"Eu nem mesmo sei se você é uma boa candidata, Hillary", comentou ele. Eu também não sabia.

Naquela tarde, por ampla margem, o Senado dos Estados Unidos votou pela absolvição de Bill das acusações para o *impeachment*. Nenhuma acusação contra ele recebeu uma maioria simples de votos, muito menos os dois terços exigidos. O resultado em si foi anticlimático, não causando nenhum entusiasmo, apenas alívio. O mais importante, a Constituição e a Presidência permaneceram intactos.

Eu ainda precisava decidir se ia concorrer, mas, graças a Harold, eu agora tinha uma opinião mais realista do que necessitaria uma campanha. Com o *impeachment* superado, estava na hora de me voltar para essa questão. Em 16 de fevereiro, o meu gabinete divulgou uma nota reconhecendo que eu estava pensando seriamente em uma candidatura em potencial, e tomaria a decisão mais tarde, naquele ano.

Harold forneceu-me uma lista de cem nova-iorquinos para eu entrar em contato, e, no final de fevereiro, passei a telefonar e me encontrar com cada um deles — começando pelo senador Moynihan e sua esposa, Liz, que havia coordenado as campanhas do marido e tinha um notável conhecimento da política de Nova York. O senador Moynihan ofereceu um generoso apoio público, ao dizer a Tim Russert, da NBC, que já havia trabalhado para ele, que o meu "magnífico, jovem, brilhante e capacitado entusiasmo de Illinois-Arkansas" combinaria com Nova York e os nova-iorquinos. "Ela será bem-vinda e vencerá", afirmou. Isso me deixou sem respiração — especialmente o adjetivo "jovem". Também consultei os ex-prefeitos da cidade de Nova York, Ed Koch e David Dinkins, que me deram apoio e incentivo. O senador Schumer foi prestativo e prático, tendo acabado de sair de sua própria brutal campanha estadual. O presidente da Assembléia Legislativa Sheldon Silver, a presidente do partido Judith Hope e membros do Congresso, prefeitos, legisladores estaduais, dirigentes regionais, líderes trabalhistas, ativistas e amigos, todos fizeram as suas avaliações. O mesmo aconteceu com Robert F. Kennedy Jr., um ativista ambiental cujo pai havia ocupado a cadeira antes do senador Moynihan. Ele ficou entusiasmado também e prometeu me orientar em relação às urgentes questões do estado.

Por outro lado, apesar do incentivo de muitas pessoas, várias outras agiram ativamente para me desencorajar. Amigos íntimos, em particular, não conseguiam imaginar por que eu estava considerando uma extenuante campanha para o Senado, depois de todos os transtornos dos últimos anos. Os caminhos da vida de campanha ficariam muito distantes do conforto e da segurança da Casa Branca. Cada dia começaria ao amanhecer e raramente terminaria antes das primeiras horas da madrugada. Essa existência ambulante significaria fazer refeições em vôos, viver carregando malas durante meses sem fim e contar com os amigos pelo estado para me deixarem ficar em suas casas quando eu estivesse com o pé na estrada. O pior de tudo, significaria pouco tempo para ficar com a minha família durante o nosso último ano na Casa Branca, e menos ainda com os amigos.

Também havia dúvidas se o Congresso agiria onde eu pudesse ser mais efetiva. Durante meses, meditei sobre as minhas opções de vida após a Casa Branca. Alguns amigos alegaram que eu teria mais influência em promover mudanças no campo internacional do que no Senado com cem membros. Depois de quase três décadas como advogada e oito anos como primeira-dama, eu acumulara uma larga experiência em trabalhar em benefício de mulheres, crianças e famílias. Mesmo se eu conseguisse ganhar, não era certo se valeria a pena desistir de uma plataforma visível por uma intensa campanha política e as exigências diárias da vida de um político. E havia mais oportunidades a considerar: eu havia sido sondada para dirigir fundações, apresentar um programa de televisão, assumir a reitoria de uma faculdade, ou me tornar presidente executiva de uma empresa. Eram opções atraentes e muito mais confortáveis do que a perspectiva de uma dura corrida pelo Senado.

Mandy Grunwald, uma hábil consultora de mídia que havia crescido em Nova York e tinha experiência com as recentes campanhas do senador Moynihan, fez eco aos alertas de Harold. Avisou que eu teria de aprender a lidar com os agressivos jornalistas de Nova York (o que não era uma das minhas especialidades). Explicou rudemente que eu não teria refresco só porque era nova no pedaço: a imprensa de Nova York não faria vista grossa para erros. Estes acabariam estourando nos tablóides, mostrados nos jornais locais da televisão das 6, 7, 12, 16, 17, 20 e 23 horas, e dissecados pelos colunistas dos jornais. Depois, seria a vez dos programas de entrevistas pelo rádio. E não seria tudo. Devido à natureza histórica de uma primeira-dama exercendo o cargo e concorrendo ao Senado, eu também poderia esperar que a imprensa de Nova York esmiuçasse a minha campanha mais do que o habitual. A mera perspectiva de eu concorrer levou as imprensas nacional e internacional a inundar a minha assessoria de imprensa com pedidos de entrevista.

As águas traiçoeiras da política de Nova York também me causavam alguma preocupação. Nova-iorquinos bem informados me advertiram com toda a franqueza que eu não poderia ganhar, pois não era irlandesa, italiana, católica ou judia, e uma identidade étnica era imperativa naquele estado tão diversificado. Outro eleitorado que poderia oferecer um inusitado desafio era o das mulheres democratas, em especial mulheres trabalhadoras com a minha idade, que normalmente seriam a minha base natural, mas estavam céticas em relação aos meus motivos e à minha decisão de continuar casada com Bill.

Num dia de primavera, eu repassava a lista de obstáculos que iria enfrentar, quando Patti Solis Doyle, controladora de minha agenda de compromissos e astuta conselheira política, interrompeu o meu monólogo e disparou: "Hillary, não creio que possa vencer essa corrida". Patti tinha tanta certeza de que eu não deveria — e não iria — concorrer, que ela e o marido, Jim, já faziam planos de se mudar para Chicago.

A minha equipe da Casa Branca tinha outros motivos para se preocupar sobre o que significaria se, de repente, a primeira-dama se tornasse candidata ao Senado dos Estados Unidos. Os meus assessores estavam a todo vapor levando adiante as minhas metas políticas. Eles queriam ter certeza de que eu continuaria a apoiar esses esforços, se fosse concorrer. Disse-lhes que, com candidatura ou não ao Senado, eu continuaria defendendo todas as nossas iniciativas — desde o Salvem os Tesouros da América à assistência pós-escola. A perspectiva de uma campanha também levantou a questão se eu continuaria a servir como uma representante dos interesses americanos no exterior. Durante todo o mandato de Bill, eu viajara pelo mundo, em nome dos direitos das mulheres, dos direitos humanos, da tolerância religiosa e da democracia. Pensando e agindo globalmente, talvez fosse exatamente o oposto do que eu precisaria fazer, no caso de concorrer por Nova York. Em meio às minhas deliberações, eu precisava manter compromissos de visitas oficiais ao Egito, Tunísia e Marrocos, e uma viagem ao campo de refugiados kosovares ao longo da fronteira da Macedônia. Eu havia me pronunciado vigorosamente a favor da liderança de Bill na OTAN durante a campanha de bombardeios para forçar a retirada das tropas de Slobodan Milosevic do Kosovo. Ajudei os macedônios a reabrir fábricas de tecidos, para colocar o povo de volta ao trabalho, a fim de evitar a instabilidade econômica que poderia ter minado o objetivo da OTAN de devolver os kosovares aos seus lares.

Enquanto a primavera avançava, eu destrinchava todos os cenários de campanha com assessores e amigos, e cada discussão se transformava num animado debate sobre o meu futuro. Uma das coisas sobre as quais conversávamos era chamada eufemisticamente de "o problema do cônjuge". No meu caso, tinha apenas um efeito retórico. Sempre é difícil imaginar o papel adequado da esposa ou do marido de um candidato a cargo político. O meu dilema era incomum. Algumas pessoas se preocupavam com o fato de que Bill ainda era muito popular em Nova York e uma figura política tão grandiosa nos Estados Unidos, que eu jamais seria capaz de criar uma voz política independente. Outros achavam que a polêmica que o cercava poderia soterrar a minha própria voz. As considerações logísticas relacionadas com o "meu cônjuge" eram complicadas. Se eu fosse anunciar a minha candidatura num evento de lançamento, o presidente dos Estados Unidos ficaria sentado tranqüilamente atrás de mim, no palco, ou também discursaria? Durante a disputa, ele faria campanha para mim, como faria para outros candidatos democratas por todo o país, ou isso me tornaria novamente uma coadjuvante dele? Uma linha tênue teria de ser traçada entre o fato de eu me afirmar como candidata, por direito próprio, e o de ter a vantagem do apoio e da assessoria do presidente.

Um benefício do meu processo de tomada de decisão foi que Bill e eu voltamos a conversar sobre outros assuntos, além do futuro da nossa relação. Com o tempo, ambos passamos a descontrair. Ele estava ansioso para ser útil, e eu dei graças à sua competência. Pacientemente, ele discutiu cada uma das minhas preocupações e, cuidadosamente, avaliou as desvantagens que eu enfrentaria. A situação invertera-se, e ele agora desempenhava para mim o papel que eu sempre desempenhei para ele. Uma vez dada a sua orientação, cabia a mim tomar a decisão. Nós dois sabíamos que, se concorresse, eu estaria sozinha como nunca estivera antes. Com cada conversa, eu me via oscilando de um lado para o outro. Num momento, concorrer parecia uma grande idéia. No momento seguinte, achava uma loucura. E, assim, eu continuava imaginando o que fazer, à espera de uma luz.

Eu precisava de um empurrão. Finalmente consegui um, mas este não veio de um assessor político ou de um líder democrata. Em março, fui à cidade de Nova York para participar, com a lenda do tênis Billie Jean King, de um evento para promover um especial da HBO sobre mulheres nos esportes. Nós nos reunimos na Lab School, nas vizinhanças de Chelsea em Manhattan, ao lado de dezenas de jovens atletas femininas reunidas em um palco adornado com uma faixa onde se lia "Ouse competir", o título do filme da HBO. Sofia Totti, a capitã do time de basquete, me apresentou. Quando fui apertar a sua mão, ela se curvou e cochichou no meu ouvido:

"Ouse competir, senhora Clinton", disse-me ela. "Ouse competir."

Seu comentário me pegou desprevenida, tanto que, ao deixar o evento, comecei a pensar: devo ter medo de fazer algo que tenho exortado inúmeras mulheres a fazer? Por que estou vacilando em entrar nessa disputa? Por que não estou pensando mais seriamente nela? Talvez eu deva "ousar competir".

O estímulo de Sofia Totti e de tantos outros me fez lembrar uma cena de um dos meus filmes favoritos, *Uma equipe muito especial*. A estrela de um time de basquete, interpretada por Geena Davis, quer deixar a equipe antes do término da temporada, para voltar para casa com o marido. O técnico do time, interpretado por Tom Hanks, contesta a sua decisão e ela alega: "Tem sido difícil demais". Hanks retruca: "É para ser difícil. Se não fosse difícil, qualquer um faria — o difícil é que torna isso notável". Após anos como a esposa de um político, eu não fazia idéia se podia deixar as laterais e ir para o campo, mas passei a achar que talvez eu gostasse de ter um papel independente na política. Por todos os Estados Unidos e em dezenas de países, falei sobre a importância da participação das mulheres na política e no governo, de sua busca por cargos eletivos e da utilização de suas próprias vozes para moldar as políticas públicas e planejar o futuro de suas nações. Por que eu deixaria passar uma oportunidade de fazer o mesmo?

Muitos de meus amigos não se convenceram. Numa tarde de primavera, Maggie Williams e eu saímos para uma longa caminhada. Uma de minhas assessoras e amigas mais íntimas, Maggie possui uma grande perspicácia política. Ela sabia que o tempo estava se esgotando para eu tomar uma decisão, e por mais de uma hora me ouviu falar se devia ou não entrar na disputa.

"Eu simplesmente não sei o que fazer", confessei-lhe.

"Eu acho uma loucura", disse ela. "E todos que se importam com você vão lhe dizer a mesma coisa."

"Bem, acho que devo concorrer", falei.

Não fiquei surpresa com a reação de Maggie. Ela tinha tendência a ser protetora e não queria que eu me magoasse. Mas, por tentar me convencer do contrário, Maggie ajudou-me a entender e enfrentar os motivos para seguir em frente.

Pessoas tinham me dito que ocupar uma vaga no Senado seria como um "rebaixamento" da minha condição como primeira-dama. Mas todas as questões com as quais me importava eram afetadas pelo Senado dos Estados Unidos. E, se eu não fosse uma senadora, certamente estaria tentando influenciar aqueles que o eram. "O Senado americano é a mais importante instituição democrática do mundo", disse-me Bob Rubin. "Seria uma honra ser eleita e servir a ela", concordei.

A mecânica de uma campanha também começou a parecer mais manejável. Eu acreditava que poderia ganhar se conseguisse levantar os 25 milhões de dólares necessários para uma campanha em Nova York, em nível estadual. Nosso bom amigo Terry McAuliffe, natural de Syracuse e experiente e eficaz arrecadador de fundos, disse-me que eu poderia ganhar se estivesse disposta a trabalhar com mais afinco do que eu já tinha trabalhado em minha vida. Isso foi animador. Eu também achava que podia fazer incursões em tradicionais redutos republicanos. Parte da área norte de Nova York me lembrava a vizinha Pensilvânia, onde meu pai tinha as suas raízes. E muitos dos problemas da Nova York rural eram semelhantes aos que haviam afligido o Arkansas: fazendeiros com dificuldades financeiras, diminuição de empregos na indústria e jovens partindo em busca de melhores oportunidades. Além disso, o prefeito Giuliani não parecia ansioso em passar algum tempo fora da cidade de Nova York, que continuava sendo predominantemente democrata. Se eu provasse aos eleitores de Nova York que entendia os problemas que suas famílias enfrentavam e estava determinada a trabalhar com afinco para resolvê-los, talvez conseguisse ser eleita.

Se a política eleitoral por vezes parecia ser um universo próprio, eu ainda tinha, por todo o final da primavera e o início do verão de 1999, muitas doses de realidade para manter as coisas em seu devido distanciamento. Susan McDougal finalmente foi absolvida, em 12 de abril de 1999, da acusação de obstrução de justiça no caso Whitewater, após cumprir dezoito meses de prisão por se recusar a testemunhar diante do júri de instrução de Whitewater. Durante o seu julgamento, outras testemunhas haviam se apresentado para afirmar que também tinham sido pressionadas por Starr. Foi mais um repúdio às táticas jurídicas de Starr, mas detestei o preço excessivo pago por Susan McDougal. Com firmeza, ela manteve a declaração de que Starr a havia pressionado para que falsamente comprometesse Bill e a mim, e, por se ter recusado, foi acusada de desacato e presa, cumprindo parte de sua sentença na solitária. No livro *Cisnes selvagens*, de Jung Chang, a história da provação de três mulheres na China antes da tomada do poder pelos comunistas durante a Revolução Cultural, me deparei com outro ditado chinês, que, na minha opinião, resumia as investigações de Starr: "Onde há disposição para condenar, há prova".

Então, em 20 de abril, dois estudantes da Escola Secundária de Columbine, no Colorado, abriram fogo contra os seus colegas de classe e, durante horas, mantiveram a sua escola sitiada, antes de dirigirem suas armas contra si mesmos. Doze alunos e um professor morreram no massacre. Segundo consta, os assassinos adolescentes sentiam-se hostilizados pela escola e haviam planejado o ataque meticulosamente, como uma demonstração de poder e desejo de vingança. Eles conseguiram obter um pequeno arsenal de pistolas, espingardas e outras armas, algumas das quais estavam escondidas dentro das capas que vestiam, ao entrarem na escola.

Um mês depois do tiroteio, Bill e eu fomos a Littleton, Colorado, para visitar as famílias de vítimas e sobreviventes. Foi revoltante ver os rostos de pais que viviam o pior dos pesadelos, por terem de enfrentar a perda dos filhos em semelhante ato de violência sem sentido e perturbador. Pais e adolescentes pediram providências a Bill e a mim para que as terríveis perdas não fossem em vão. "Vocês podem nos dar uma cultura de valores, em vez de uma cultura de violência", disse Bill a uma turma de alunos da Columbine reunidos no ginásio de uma escola vizinha. "Vocês podem nos ajudar a manter as armas longe de mãos inadequadas. Podem nos ajudar a ter certeza de que jovens com problemas — pois sempre haverá alguns — sejam identificados prematuramente, a fim de que haja uma aproximação para serem ajudados."

A tragédia de Columbine não foi o primeiro nem o último episódio envolvendo a violência armada em uma escola secundária americana. Mas ela acendeu um alerta para haver mais ação federal a fim de manter armas longe das mãos dos violentos, perturbados e jovens — uma combinação letal. Bill e eu convocamos uma reunião, à qual compareceram quarenta membros do Congresso, de ambos os partidos, para anunciar uma proposta da Casa Branca que aumentava para 21 anos a idade legalmente permitida para porte de arma e limitava a compra de revólveres a uma unidade por pessoa. E, novamente, falei sobre a manifestação da violência na televisão, em filmes e em videogames. Apesar do clamor público, o Congresso não conseguiu legislar sobre duas medidas simples: acabar com a brecha do assim chamado *gun-show*, que permite a compra de armas por pessoas sem que sejam verificados os seus antecedentes, e exigir travas de segurança nas armas para evitar que sejam manuseadas por crianças.

Essa falta de vontade política para fazer frente ao todo-poderoso *lobby* das armas e aprovar sensíveis medidas de segurança me fez pensar sobre o que poderia fazer, como senadora, para propor uma legislação baseada no bom senso. Em uma entrevista, no mês de maio, falei para Dan Rather, o âncora da CBS, que, se eu concorresse ao Senado, seria por causa de coisas que havia aprendido em lugares como Littleton, e a despeito do que eu havia passado em Washington.

A corrida ao Senado começou a tomar forma. Giuliani encontrou-se no Texas com o governador George W. Bush, que acabara de anunciar a formação de seu comitê pré-eleitoral. O prefeito também me rotulou como uma aventureira política e anunciou que ia ao Arkansas arrecadar recursos para a campanha dele. Uma manobra engenhosa, pensei, pois atrairia para ele atenção e dinheiro e me daria uma prova da campanha que haveria pela frente. A republicana Nita Lowey, um dos mais eficientes e populares membros do Congresso, anunciou que não concorreria. Em junho, dei os primeiros passos concretos necessários para uma campanha para o Senado, ao anunciar que montaria um comitê pré-eleitoral. Convoquei a ajuda da consultora de mídia Mandy Grunwald e de Mark Penn, o astuto e perceptivo pesquisador de opinião pública que havia trabalhado com Bill, e comecei a entrevistar potenciais assessores de campanha.

Durante os anos na Casa Branca, eu costumava dar umas escapadas até a cidade de Nova York, com minha mãe ou Chelsea, para assistir a espetáculos da Broadway, ir a mostras de museus, ou simplesmente visitar amigos. Mesmo antes de considerar uma candidatura ao Senado, o estado estava no topo de minha lista de lugares para morar após o término do mandato de Bill. Esse desejo aumentou com o passar dos anos e agora se tornava uma firme decisão. Ao mesmo tempo que Bill pretendia construir sua biblioteca presidencial no Arkansas e passar algum tempo por lá, ele também adorava Nova York. De um ponto de vista puramente prático, tratava-se de uma perfeita base de operações para ele, em vista da quantidade de tempo que despenderia viajando e fazendo palestras no país e no exterior, prosseguindo, por intermédio de sua fundação, o serviço público que prestava.

Já havíamos conversado sobre comprar uma casa, e, não demorou muito, estávamos à procura de uma. Mas esse processo normalmente rotineiro era complicado pelas preocupações com a segurança, por parte do Serviço Secreto.

Não podíamos morar em determinados tipos de ruas e qualquer casa que comprássemos teria de ter espaço para o pessoal da segurança. Mesmo assim, a procura foi divertida para mim. Nós tínhamos morado no palácio do governo do Arkansas e na Casa Branca, mas fazia vinte anos que não possuíamos casa própria. Finalmente, encontramos o lugar perfeito, uma antiga casa de fazenda com celeiro, em Chappaqua, no norte da cidade de Nova York, no município de Westchester.

Também comecei a contatar contribuintes em potencial, pela primeira vez em meu próprio benefício. Em um grande evento de arrecadação de fundos para o Partido Democrata, no dia 7 de junho de 1999, em Washington, Bill e eu fomos recebidos no palco pela ex-governadora do Texas Ann Richards, cuja espirituosidade aguçada e humor despretensioso eram lendários nos círculos políticos.

"Hillary Clinton, a próxima senadora novata por Nova York, e, é claro, o seu adorável marido Bill", anunciou ela, com o seu forte falar arrastado do Texas. "Puxa, aposto como ele vai sacudir o clube dos cônjuges do Senado."

Bill aceitou a amável brincadeira e ficou encantado com o apoio público que eu estava recebendo. Ele entendia o sacrifício que tive de fazer durante anos para que ele pudesse exercer cargos de governo. Agora, ao reconhecer que eu tinha uma chance de ir além do papel secundário de cônjuge de político e testar as minhas asas políticas, incentivou-me a avançar rapidamente. Seria embaraçoso para ele ficar observando das laterais, mas, mesmo assim, deu-me apoio incondicional e entusiasmado, como sua esposa — e como candidata.

No final de junho, recebi um empurrão de outra fonte inesperada: o padre George Tribou, o sacerdote que durante muitos anos dirigiu a escola secundária católica para rapazes de Little Rock. Ele se tornara um amigo, apesar de discordar da minha posição a favor da opção pelo aborto. Durante a visita papal a St. Louis, em 1999, ele pernoitou na Casa Branca, e eu consegui que se encontrasse com Sua Santidade, o papa João Paulo II. O padre Tribou escreveu-me uma carta datada de 24 de junho de 1999:

Cara Hillary:
Gostaria de lhe dizer o que tenho dito há 50 anos aos alunos:
Na minha opinião, no Dia do Juízo, a primeira pergunta que Deus faz não é sobre os Dez Mandamentos (embora Ele a faça depois!), mas o que Ele pergunta a cada um de nós é o seguinte:

O QUE VOCÊ FEZ COM O TEMPO E OS TALENTOS QUE LHE DEI?...

Aqueles que acham que você não tem condições de enfrentar a imprensa hostil de Nova York e o escárnio de seus adversários não percebem que, depois de ter enfrentado uma prova de fogo, você é capaz de enfrentar qualquer coisa. ... Em suma: concorra, Hillary, concorra! Minhas preces estarão o tempo todo com você.

As decisões mais difíceis que tomei em minha vida foram continuar casada com Bill e concorrer ao Senado por Nova York. Na ocasião, sabia que eu queria que o nosso casamento durasse, se pudesse, pois eu amava Bill e percebi o quanto acarinhava os anos que havíamos passado juntos. Eu sabia que não podia ter criado Chelsea sozinha tão bem quanto o fizemos juntos. Não tinha dúvidas de que eu poderia construir uma vida satisfatória para mim, sozinha, e viver bem, mas ainda esperava que Bill e eu envelhecêssemos juntos. Ambos estávamos comprometidos a reconstruir o nosso casamento com os instrumentos de nossa fé, amor e passado comum. Com a mente mais clara sobre até aonde eu queria ir com Bill, senti-me mais livre para dar os primeiros passos em direção à corrida pelo Senado.

Eu sabia que qualquer campanha era um batismo de fogo. Se bem que eu já fosse uma veterana em campanhas, indo de uma ponta do país à outra — e por todo lado no meio — trabalhando para candidatos a governo, Congresso e Presidência, eu nunca tinha falado em comícios em meu benefício. Teria de aprender a me dirigir a multidões na primeira pessoa — estava acostumada a dizer "ele", "ela" ou "nós", mas nunca "eu". E havia a real possibilidade de ter que falar contra políticas da administração Clinton, se elas não tivessem beneficiado Nova York. No momento, porém, concentrava-me em conhecer o meu possível eleitorado. Planejei uma "excursão auditiva" que me levaria por Nova York em julho e agosto, e me permitiria ouvir dos cidadãos e líderes regionais suas preocupações e aspirações para suas famílias e comunidades. A excursão começou no lugar mais apropriado para lançar a minha campanha para concorrer à cadeira do senador Daniel Patrick Moynihan — sua bela fazenda com 365 hectares em Pindars Corners. Ao chegar lá, em 7 de julho, encontrei o senador, sua mulher Liz, e mais de duzentos repórteres esperando para ouvir o anúncio de minha candidatura. O meu experiente homem de vanguarda, Rick Jasculca, estava atônito. "Tem repórter aqui até do Japão!", informou.

Com o senador a meu lado, anunciei que estava montando um comitê oficial de campanha pré-eleitoral para concorrer ao Senado dos Estados Unidos. "Suponho que as perguntas na mente de todos são: Por que o Senado? Por que Nova York? E por que eu?", falei para a imprensa reunida. Em seguida, discursei brevemente sobre questões que interessavam a mim e a Nova York, e reconheci a legitimidade das perguntas sobre eu concorrer por um estado onde nunca havia morado.

"Creio que se trata de uma pergunta muito justa e entendo plenamente o fato de as pessoas levantarem essa questão. E creio que tenho um verdadeiro trabalho pela frente, em sair por aí e ouvir e aprender com os habitantes de Nova York, para demonstrar que aquilo que pretendo fazer talvez seja tão importante, se não mais importante, do que de onde eu vim."

Alguns minutos depois, o senador Moynihan e eu caminhamos de volta à sua casa de fazenda, para um *brunch* com presunto e biscoitos. Logo eu estava seguindo o meu caminho.

38

NOVA YORK

COMO CANDIDATA NOVATA, eu esperava obstáculos e certamente encontrei alguns, mas não havia imaginado quanto eu gostaria da campanha. Desde o momento em que deixei a fazenda do senador Moynihan para dar início à excursão a fim de ouvir os eleitores, em julho de 1999, fui cativada pelos lugares que visitei e as pessoas que conheci por toda Nova York.

Os nova-iorquinos, com sua resiliência, diversidade e paixão pelo futuro, representavam tudo o que eu estimava em relação aos Estados Unidos. Conheci as cidadezinhas e fazendas da extensa zona rural do norte do estado, e cidades como Buffalo, Rochester, Syracuse, Binghamton e Albany, outrora centros da Revolução Industrial americana, e que agora se readaptavam à Era da Informação. Explorei os Andirondacks e os Catskills e descansei nas praias dos lagos Skaneateles e Placid. Visitei os campi das grandes faculdades e universidades públicas e privadas de Nova York. Encontrei-me com grupos de proprietários de comércios e fazendas, de Long Island à fronteira canadense, que me expuseram todos os desafios que enfrentavam. E me instalei na minha nova casa, nos subúrbios da parte sul do estado, cujas excelentes escolas públicas e parques me lembraram a vizinhança onde nasci.

Adorei a energia em estado bruto da cidade de Nova York, sua mistura de bairros étnicos e seu povo magnânimo e sincero. Fiz novos amigos em cada canto da cidade, ao visitar lanchonetes, sindicatos, igrejas, sinagogas, abrigos e apartamentos de cobertura. As variadas comunidades de Nova York são uma lembrança viva de que a cidade simboliza a incomparável promessa dos Estados Unidos para o resto do mundo, um fato que seria tragicamente sublinhado em 11 de setembro de 2001, quando Manhattan foi atacada por terroristas que odiavam e temiam a liberdade, a diversidade e as opções que os Estados Unidos representam.

Minha campanha foi uma imersão total na história do estado: os americanos nativos da Confederação dos Iroqueses, cujos compromissos com os princípios democráticos influenciaram o pensamento dos Fundadores da Nação, viveram por Nova York antes de se tornar um estado; a Guerra Revolucionária foi combatida e vencida nos vales Champlain, Mohawk e Hudson; o comércio feito em barcaças ao longo do canal de Erie levou para o resto da nação o desenvolvimento econômico; as artes, as letras e a cultura do mundo foram modeladas na cidade de Nova York; os movimentos pela abolição da escravatura, sufrágio feminino, sindicatos trabalhistas, direitos civis, política progressista e direitos dos gays, tudo isso brotou do solo de Nova York. Passei a adorar o ritmo dos acontecimentos por todo o imenso e escarrapachado estado. Dancei a salsa na Quinta Avenida, no Desfile do Dia de Porto Rico, comi cachorro-quente na Feira Estadual e ensaiei uns passos de polca no festival polonês em Cheektowaga.

Equilibrar as exigências da campanha com as minhas obrigações como primeira-dama foi desafio ímpar. Executar os dois trabalhos ao mesmo tempo pôs à prova igualmente a equipe da Casa Branca, que permaneceu comigo em todas as ocasiões por quase oito anos, e o dedicado grupo de ajudantes de campanha que trabalhava na disputa eleitoral para o Senado por Nova York. Ocasionalmente, a Casa Branca solicitava que eu fizesse uma viagem ou evento baseado nas prioridades do presidente ou em meus interesses como primeira-dama, levando os assessores de campanha a empalidecer diante da idéia do meu envolvimento em qualquer coisa que não estivesse relacionada com Nova York ou com suas questões. A despeito dessas tensões inevitáveis, todos tiveram um desempenho esplêndido.

Não que a campanha tenha sido idílica. Em especial no início, preenchi a minha cota de erros. E erros, na política de Nova York, não são facilmente apagados. Quando os Yankees foram à Casa Branca festejar a vitória deles na World Series de 1999, o empresário Joe Torre me deu um boné, que prontamente usei. Um péssimo gesto. Ninguém acreditou no que o *Washington Post* e o *San Francisco Examiner* haviam publicado, anos antes, que eu era fã de carteirinha de Mickey Mantle. Todos simplesmente pensaram que eu estava fingindo o que obviamente não era: uma nova-iorquina de longa data. Nos dias que se seguiram, os meus possíveis eleitores viram uma porção de fotos minhas com o tal boné dos Yankees, com legendas nada lisonjeiras abaixo delas.

O pior mal-estar ocorreu durante uma visita oficial a Israel, no outono de 1999, quando fui participar de um evento como primeira-dama com Suha Arafat, mulher do líder palestino. A sra. Arafat falou, antes de mim, em árabe. Ouvindo a tradução do árabe para o inglês, pelos fones, nem eu nem os demais membros da nossa delegação, inclusive a assessoria do embaixador americano, ouvimos a sua absurda declaração sugerindo que Israel havia usado gás venenoso para controlar palestinos. Momentos depois, quando me dirigi à tribuna para fazer o meu discurso, a sra. Arafat deu-me um abraço, uma saudação tradicional. Se tivesse tido conhecimento de suas palavras odiosas, eu as teria denunciado no ato. Os tablóides de Nova York publicaram fotos minhas recebendo de Suha Arafat um beijo no rosto, ilustrando uma matéria com as declarações dela. Compreensivelmente, muitos eleitores judeus ficaram irritados com os comentários da sra. Arafat e decepcionados por eu não ter aproveitado a oportunidade para repudiá-los. Minha campanha acabou por superar o incidente, mas eu tinha aprendido uma dura lição sobre os riscos de misturar o meu papel na arena da diplomacia internacional com as complexidades da política regional de Nova York.

Durante toda a campanha, houve uma engraçada divergência entre a visão nacional da disputa e o modo pelo qual ela era coberta pela imprensa de Nova York. Os colunistas da imprensa nacional e gurus das televisões a cabo previam rotineiramente que a questão "aventureira política" ia me liquidar e eu abandonaria a disputa. Em seus freqüentes comentários, também me repreendiam por eu me recusar a falar com a imprensa. Essa era uma fonte de grande diversão para a minha equipe, que insistia para que eu concedesse rotineiramente entrevistas aos repórteres de Nova York que cobriam a disputa. O meu relacionamento com a imprensa melhorou com o tempo, sob a tutela do meu diretor de comunicação Howard Wolfson. Howard havia trabalhado para Nita Lowey e Chuck Schumer, e entendia o corpo-a-corpo que era lidar com a mídia de Nova York. Ele se tornou uma presença familiar e eloqüente na televisão, falando em nome da campanha. Com sua ajuda, acabei aprendendo a descontrair e baixar a guarda diante da imprensa, e passei a desfrutar as interações diárias com os repórteres pautados para cobrir a minha campanha.

Por mais amedrontador que fosse firmar os pés nas areias mutáveis da política de Nova York, eu não fazia planos de abandonar a corrida. Simplesmente tentava me concentrar em conhecer o povo de Nova York e deixar que ele fizesse o seu juízo a meu respeito. Apesar do tamanho do estado, eu estava determinada a fazer uma campanha de contato popular, em vez de apenas me comunicar com os possíveis eleitores por meio da mídia paga. Se, por um lado, o rádio e a televisão são importantes, por outro nada substitui uma conversa cara a cara, na qual o candidato freqüentemente aprende mais que o eleitor.

O meu objetivo era visitar todos os 62 municípios, e por mais de um ano viajei pelo estado em uma perua Ford adaptada — batizada pela imprensa de "Speedwagon HRC" — com a minha auxiliar de longa data, Kelly Craighead, e Allison Stein, uma ativa assessora de campanha. Parei em lanchonetes e cafés ao longo da estrada, exatamente como Bill e eu tínhamos feito durante as campanhas dele. Mesmo se houvesse no interior apenas um punhado de gente, eu me sentava, tomava uma xícara de café e falava sobre quaisquer que fossem os tópicos que viessem à cabeça das pessoas. Profissionais de campanhas chamam isso de "política de varejo", mas, para mim, é simplesmente a melhor maneira de estar em contato com as preocupações do dia-a-dia das pessoas.

Essa existência agitada estava bem distante da vida na Casa Branca. Bill e eu havíamos transportado alguns dos nossos pertences para a casa que havíamos comprado no final de uma rua sem saída em Chappaqua, a menos de uma hora da cidade de Nova York, mas eu não tinha muito tempo livre para gastar por lá. O lugar ficava normalmente vazio, exceto pelo exigido contingente de agentes do Serviço Secreto, que montaram o seu posto de comando no quintal, num velho celeiro reformado. Raramente eu ia dormir antes da meia-noite, e normalmente estava na estrada às sete da manhã. Se havia tempo, eu parava para uns *muffins*, sanduíches de ovo e café no Lange's, uma excelente *delicatessen* familiar no outro extremo da rua onde ficava a minha casa.

Mas, em vez de me sentir cansada, eu achava que extraía energia da própria campanha. Eu não apenas estava fazendo um ininterrupto curso intensivo sobre Nova York e suas questões, como descobria as minhas capacidades e limites para uma vida como candidata a cargo político. E, finalmente, estava indo além do meu papel de coadjuvante numa campanha e permitindo a mim mesma agir por conta própria. Trata-se um lento processo, com uma íngreme curva ascendente num gráfico de aprendizado. Com tantos assessores, amigos e partidários dando constantes conselhos geralmente conflitantes, eu estava aprendendo a ouvir atentamente, avaliar as opções e então seguir o meu instinto.

Finalmente, senti que começava a ter uma ligação com os eleitores. De modo gradual, conseguia sentir a disposição do eleitorado mudando para o meu lado. Logo quando comecei a campanha, não importava que parte do estado eu visitasse, as pessoas iam me ver em grandes quantidades. Isso não significava necessariamente uma onda de apoio. Ao contrário, as multidões me viam como uma espécie de curiosidade. Depois de duas ou três visitas a muitas vilas e cidades, tornei-me uma presença mais familiar, e os meus possíveis eleitores pareciam genuinamente à vontade em dividir comigo suas histórias e preocupações. Tínhamos conversas de verdade sobre as questões que interessavam a eles, e as pessoas passaram a ligar menos para de onde eu era e mais para o que eu pretendia. Eleitores do norte do estado, mesmo republicanos, ouviam atentamente as minhas propostas para revitalizar a economia da região. Faziam perguntas, riam de algumas das minhas piadas desajeitadas e geralmente faziam um comentário bondoso sobre o meu cabelo. Cada vez mais, sentia uma melhor acolhida onde quer que parasse.

Era importante, para mim, entender a variedade e a complexidade do terreno político estadual. Como também me aproximar das mulheres, algumas decepcionadas ou ofendidas por eu ter continuado casada com Bill. Entendia suas perguntas e esperava que elas pudessem entender que eu tinha tomado uma decisão sobre o meu casamento que foi correta para mim e para a minha família.

Em vez de fazer longos e verborrágicos discursos para me explicar, comparecia a pequenas reuniões em casas de mulheres que me davam apoio, em diferentes partes do estado. A anfitriã convidava cerca de vinte amigas e vizinhas para tomar café comigo. Conversávamos informalmente, longe das luzes das câmeras e dos repórteres de política. Respondia a perguntas sobre o meu casamento, por que me mudei para Nova York, assistência à saúde e qualquer coisa que viesse à cabeça delas. Gradualmente, muitas mulheres que não estavam inclinadas a me apoiar pareciam dispostas a aceitar minha decisão de ficar com Bill, ainda que pudessem ter feito uma escolha diferente.

Minha campanha também se beneficiou daquilo que se chama "solavanco", um aumento repentino de apoio, depois da minha participação, em janeiro de 2000, no *Late Show with David Letterman*. Uma aparição em um programa de entrevistas tarde da noite gera tanto ou mais atenção do que dias de discursos sobre os temas. Eu nem sequer tinha planejado ir ao programa, pelo menos não tão antes da eleição. Mas Letterman ligava regularmente para Howard, pedindo que eu fosse ao programa. E, a cada vez, Howard protelava, o que se tornou uma piada corriqueira e assunto de abertura do monólogo que Letterman fazia todas as noites. Após um mês de zombarias de Letterman, concordei em ser convidada do programa do dia 12 de janeiro.

Eu esperava que fosse divertido, mas também sabia que às vezes humoristas de programas noturnos de entrevistas pressionavam os seus convidados, e, por isso, eu estava um pouco nervosa. Letterman, que mora perto de Chappaqua, perguntou sobre a nossa nova casa e me fez um alerta: "Agora, todo idiota que dirige pela área passa por lá buzinando".

"Ah, então é você?", falei. Letterman e a platéia caíram na gargalhada, e, depois disso, descontraí e me diverti muito. Alguns meses depois, ampliei a minha veia cômica participando de um prosaico quadro humorístico como uma "aventureira política" no jantar anual da imprensa, em Albany, e depois indo ao *Tonight Show* de Jay Leno.

Em fevereiro de 2000, declarei formalmente minha candidatura na Universidade Estadual de Nova York, em Purchase, perto de nossa casa de Chappaqua. A platéia estava repleta de partidários jubilosos e líderes políticos de todo o estado. Bill, Chelsea e minha mãe estavam presentes. O senador Moynihan apresentou-me e falou das visitas que fez a Eleanor Roosevelt, na casa dela, em Hyde Park. Ele me fez um derradeiro elogio, ao afirmar: "Hillary, Eleanor Roosevelt ia adorar você".

Patti Solis Doyle, a primeira pessoa que eu contratara em 1992, coordenava a minha agenda de compromissos da Casa Branca e da campanha, e depois tirou licença do governo para trabalhar em tempo integral em Nova York, supervisionando a logística e me ajudando a desenvolver a estratégia de campanha. Patti também trabalhou com a influente comunidade latina, que crescia rapidamente, e cujo apoio entusiasta à minha campanha me encantava. Fiquei muito orgulhosa de Patti e do trabalho excepcional que fez para mim. Recordo sempre o nosso primeiro dia na Casa Branca, quando os pais dela, imigrantes mexicanos que haviam sonhado uma vida melhor para os seis filhos, foram à cerimônia e choraram de alegria porque a filha estava na equipe da primeira-dama dos Estados Unidos.

Para a campanha, Patti reuniu um grupo experiente e talentoso, liderado pelo gerente Bill de Blasio, que provou ser um formidável estrategista e emissário de confiança das muitas comunidades de Nova York; o diretor de comunicação Howard Wolfson, que coordenou uma operação de reação extraordinariamente rápida; o diretor político Ramon Martinez, que compartilhou o seu aguçado instinto político e me incentivou a abranger novos eleitores e "mostrar a eles um pouco de amor"; Gigi Georges, que coordenou a minha campanha junto a outros candidatos democratas de Nova York e mobilizou um verdadeiro esforço em nível popular; a subgerente de campanha para políticas Neera Tanden, que se tornou uma mestra em cada detalhe e nuance das questões enfrentadas pelo estado; o diretor de pesquisas Glen Weiner, que provavelmente sabia mais sobre os meus adversários do que os próprios assessores deles; e o diretor de finanças Gabrielle Fialkoff, que elegantemente lidava com a ingrata mas crucial missão de arrecadar recursos para tornar a campanha possível. Todos eles trabalharam dia e noite, com dezenas de outros funcionários e milhares de voluntários, no que veio a se tornar uma das campanhas eleitorais mais bem-sucedidas que já vi.

Outra boa notícia foi que Chelsea fizera cursos extras suficientes em Stanford a fim de poder ir para casa, depois da primeira metade do seu ano de bacharelado, ajudar o pai na Casa Branca e a mim em Nova York. Ela se juntou à nossa tripulação da *Speedwagon* para me ajudar a fazer campanha onde quer que pudesse, o que sempre me elevava o espírito. Ela revelou um talento natural para campanhas políticas. Eu sentia tanto orgulho da jovem mulher que ela se tornara e agradecida por ela ter emergido de oito anos de provação como uma pessoa amável e responsável, com uma cabeça boa. Tenho sorte de ser sua mãe.

Nos primeiros meses da campanha, eu tinha atraído a maior parte do fogo da imprensa. Então chegou a vez do prefeito. Os nova-iorquinos e a imprensa observaram que Giuliani estava se esforçando pouco, a não ser para angariar fundos, para ganhar a cadeira do Senado. Ele não havia apresentado nenhuma idéia para enfrentar a vacilante economia do norte ou as tensões raciais que ferviam sob a superfície do estado de Nova York. E começou a cometer erros.

Um tiroteio da polícia ocorrido na cidade de Nova York em março, e que vitimou um negro chamado Patrick Dorismond, sublinhou a vulnerabilidade política do prefeito. O modo como Giuliani lidou com esse caso inflamou antigas hostilidades entre seu gabinete e as populações minoritárias da cidade. Nessa situação, o prefeito exacerbou uma crise no momento em que se fazia necessário um tom sereno e tranqüilizador. Cidadãos de muitos bairros, sobretudo os habitados por minorias, acharam que a polícia, sob a liderança do prefeito, não podia ser confiável. A cautela deles foi alimentada por casos bem conhecidos, como a morte a tiros de Amadou Diallo, no Bronx, um ano antes. Os policiais, por sua vez, sentiam-se legitimamente frustrados, por serem incompreendidos na tentativa de realizar o seu trabalho com eficiência, por causa de uma liderança municipal em guerra com as comunidades que eles se esforçavam para proteger. Quando Giuliani revelou a folha corrida de adolescente de Dorismond, desferindo difamações contra um homem que estava morto, ele simplesmente enfiou a lâmina mais fundo e intensificou a desconfiança.

Quanto mais Giuliani continuava com a sua retórica de dissensão, mais determinada eu ficava em oferecer uma abordagem diferente. Em um discurso na igreja de Riverside em Manhattan, expus um plano para aperfeiçoar as relações entre a polícia e as minorias, que incluía melhor recrutamento, treinamento e remuneração para a NYDP, a polícia de Nova York. Em seguida, fui ao Harlem, falar na igreja Bethel A.M.E.

O modo como Giuliani lidou com o caso Dorismond foi errado e eu pretendia chamar sua atenção. Em vez de atenuar as tensões e unir a cidade, ele jogou sal na ferida.

"Nova York tem um problema sério e todos nós sabemos qual é", falei. "Todos nós, menos o prefeito, ao que parece." A igreja lotada irrompeu em aplausos e aleluias.

A minha presença no Harlem foi um momento decisivo da campanha. Após ficar atrás de Giuliani durante meses, finalmente eu ganhava impulso e estava me saindo bem até mesmo no norte do estado. A atenção total aos eleitores e a seus problemas regionais revertia-se em um aumento de apoio. Eu me sentia como se estivesse pegando o jeito e descobrindo a minha voz política.

Em meados de maio, fui formalmente indicada como candidata ao Senado dos Estados Unidos pelo estado de Nova York na convenção democrata realizada em Albany. Uma assembléia entusiasmada reuniu mais de 10 mil ativistas partidários e líderes políticos urbanos, rurais e suburbanos, inclusive os senadores Moynihan e Schumer e muitos outros, cuja orientação e generoso apoio me carregaram até a reta final da campanha. No último momento, o presidente dos Estados Unidos compareceu, para a alegria da multidão e da candidata democrata.

Pouco depois da indicação, um abalo sísmico sacudiu a paisagem política de Nova York. No dia 19 de maio, o prefeito Giuliani anunciou sua desistência da disputa, após ter sido diagnosticado um câncer de próstata, e seguindo-se ao noticiário da imprensa sobre o seu duradouro caso extraconjugal. Subitamente era ele quem tinha a sua vida pessoal esmiuçada em público. Apesar de nossas diferenças políticas, não senti prazer nessa irônica reviravolta, por conhecer muito bem a dor particular de todos os envolvidos, especialmente os filhos de Giuliani.

O prefeito Giuliani terminou o seu mandato com força e compaixão, tranqüilizando a nação após os ataques de 11 de setembro de 2001. Por causa de nosso trabalho em conjunto em benefício da cidade e das vítimas do terrorismo, criamos uma relação de amizade produtiva e amistosa, a qual, creio eu, revelou-se uma surpresa para nós dois.

A desistência do prefeito não foi o alívio bem recebido que alguns anteciparam. Durante meses, eu planejara uma campanha contra ele. Talvez pudesse ser o meu adversário mais difícil, mas eu sentia que a minha candidatura apresentava uma clara opção para Nova York e os eleitores estavam reagindo a ela. Ao final da campanha dele, eu estava oito ou dez pontos na frente, de acordo com as pesquisas de opinião. Agora eu teria de recomeçar contra um adversário novo em folha, o congressista Rick Lazio.

Minha campanha não me deixava tempo para mais nada em minha vida. Quando tirava uma folga, ou era para eventos oficiais da Casa Branca, aos quais não podia deixar de comparecer, ou, tristemente, para o que parecia ser um interminável desfile de cultos religiosos para amigos ou colegas. Casey Shearer, o filho com 21 anos de nossos queridos amigos Derek Shearer e Ruth Goldway, sofreu um ataque cardíaco fatal enquanto jogava basquete, uma semana antes de se formar na Brown University. O rei Hassan II do Marrocos morreu em julho, e os Estados Unidos perderam um valioso amigo e aliado. Seu filho e sucessor, o rei Mohammed VI convidou Bill, Chelsea e a mim para o funeral, durante o qual, em sinal de respeito, Bill juntou-se aos milhares de homens acompanhantes do enterro que caminharam por cinco quilômetros atrás do caixão, pelas ruas de Rabat ladeadas por mais de 1 milhão de marroquinos.

No verão anterior, John F. Kennedy Jr., sua mulher Carolyn e a irmã dela, Lauren, morreram tragicamente em um desastre em Martha's Vineyard com um avião particular. Bill e eu tínhamos um grande afeto por John, com quem tivemos contatos em reuniões particulares na casa da mãe dele, em Vineyard, e em eventos públicos. Quisemos que John, sua irmã Caroline e os filhos dela se sentissem à vontade para visitar a Casa Branca a qualquer momento. Depois que se casou, John levou a mulher para um passeio privativo. Ao ver que Bill usava a escrivaninha do pai dele no Salão Oval, isso trouxe de volta a tênue lembrança de quando ele brincava debaixo dela e ficava olhando através da abertura da porta embutida, enquanto o presidente Kennedy dava os seus telefonemas. Lembro de John ficar parado silenciosamente diante do retrato oficial do pai, pintado por Aaron Shikler, e que ficava pendurado no lugar de honra no Andar Cerimonial. Foi muito penoso comparecer a um outro funeral de alguém com tanta vida e promessa, cercada por membros de uma família que tanto deu ao nosso país.

Recebi, também, notícias terríveis sobre a minha amiga Diane Blair. Freqüentemente durante a minha campanha eu a consultava. Ela havia se formado pela Universidade de Cornell e conhecia Nova York muito bem. Incentivava-me a descontrair e a me divertir, e sempre gargalhava das histórias sobre os meus passos em falso. Diane, uma ávida tenista, parecia em perfeita forma aos 61 anos. No início de março de 2000, poucos meses depois de receber um atestado de saúde perfeita durante um *check-up* de rotina, ela notou uns caroços suspeitos na perna. Uma semana depois, recebeu um diagnóstico de câncer metastático de pulmão. Ela me ligou para dar a notícia e eu fiquei mais do que arrasada. O prognóstico era sombrio. Eu simplesmente não podia imaginar atravessar sem Diane os altos e baixos dos anos que teria pela frente. Durante os meses seguintes, não importava quanto eu estivesse ocupada com a campanha, tentava telefonar-lhe todos os dias. Bill e eu voamos várias vezes a Fayetteville, Arkansas, para ficar com Diane e Jim, que tomou conta dela muito bem. Embora tenha se submetido a tratamentos altamente tóxicos de quimioterapia, que a deixaram fraca e fizeram o seu cabelo cair, Diane foi uma corajosa guerreira que nunca perdeu o sorriso ou o espírito amoroso. Mesmo nos seus últimos meses, ela e Bill competiam para ver quem conseguia fazer mais depressa as palavras cruzadas do *New York Times Sunday*.

Jim telefonou em junho para me avisar que o fim estava perto; deixei a campanha para trás e voei para ver Diane pela última vez. Na ocasião, as enfermeiras do hospital — santas vivas, na minha opinião — cuidavam dela 24 horas por dia. Cercada pela família e uma legião de amigos dedicados, Diane acordava e voltava a dormir, enquanto eu me mantinha de pé ao lado da cama, segurando sua mão e inclinada para perto dela, para ouvir o que se esforçava para dizer. Ao me preparar para sair, curvei-me para beijá-la. Ela apertou bem forte a minha mão e sussurrou: "Nunca desista de si mesma e daquilo no que acredita. Cuide de Bill e de Chelsea. Eles precisam de você. E ganhe essa eleição para mim. Eu gostaria de estar presente para ver isso. Eu amo você". Então, Bill e Chelsea se juntaram a mim ao lado da cama. Ela olhou atentamente para nós. "Lembrem", falou.

"Lembrar o quê?", perguntou Bill.

"Apenas lembrem."

Cinco dias depois, ela faleceu.

Bill, Chelsea e eu voamos depois para Fayetteville para a cerimônia fúnebre e para celebrar a vida extraordinária de Diane. Como era seu desejo, o culto foi para cima, animado e repleto de música e histórias de sua paixão pessoal e pública para seu melhor mundo. Ao presidir a celebração, falei que Diane espremeu mais de sua curta vida do que qualquer um de nós teria conseguido em trezentos ou quatrocentos anos. Não conheço ninguém que tentou com mais afinco ou teve mais sucesso na vida. Bill resumiu Diane, em sua comovente homenagem, afirmando: "Ela era bonita e bondosa. Era séria e engraçada. Era completamente ambiciosa em fazer o bem e ser bondosa, mas essencialmente altruísta". Diane, certamente, tornou a minha vida mais feliz. Nunca tive uma amiga melhor e sinto saudades dela todos os dias.

Em 11 de junho, Bill deu início, em Camp David, a uma reunião de duas semanas com o primeiro-ministro Ehud Barak e Yasser Arafat, em uma tentativa de resolver importantes questões nas negociações de paz que estavam sendo realizadas entre Israel e os palestinos, com base no Acordo de Oslo. Barak, um ex-general e o soldado mais condecorado de Israel, estava ansioso por um acordo final que viesse cumprir as intenções de Yitzhak Rabin, sob quem ele serviu. Barak e sua jovial esposa, Nava, rapidamente tornaram-se amigos, uma companhia de que eu gostava e cujo compromisso em prol da paz eu admirava. Infelizmente, Barak foi a Camp David para fazer a paz, mas Arafat não foi com essa intenção. Embora ele tenha dito a Bill que a paz precisava ser obtida enquanto este estivesse no cargo, Arafat nunca estava propenso a fazer as duras opções necessárias para se chegar a um acordo.

Ao mesmo tempo em que fazia campanha, eu mantinha contato constante com Bill, que expressava a sua crescente frustração. Certa noite, Barak até mesmo me telefonou pedindo idéias que eu pudesse ter para convencer Arafat a negociar de boa-fé. A pedido de Bill, Chelsea fazia-lhe companhia em Camp David e se juntava ao grupo para almoços, jantares e conversas informais. Bill também havia pedido que a minha assistente, Huma Abedin, ajudasse a recepcionar as delegações. Uma muçulmana-americana, criada na Arábia Saudita e que falava árabe, Huma demonstrou a habilidade e a cortesia de uma diplomata experimentada, ao interagir com os representantes palestinos e israelenses durante os intervalos das reuniões, nos jogos de dardos e sinuca.

Finalmente, ao meio-dia do 25 de julho, Bill anunciou o encerramento da fracassada cúpula de Camp David, reconheceu a profunda decepção que sentia e exortou ambos os lados a continuar trabalhando para chegar a uma "paz justa, duradoura e completa". Seus esforços prosseguiram, durante os últimos seis meses de Bill na Casa Branca, e quase foram bem-sucedidos nas conversas realizadas em Washington e no Oriente Médio, em dezembro de 2000 e janeiro de 2001, quando Bill apresentou a sua última e melhor oferta de uma proposta de acordo de paz, mas que Arafat recusou. Os trágicos acontecimentos de anos recentes revelam o erro terrível que Arafat cometeu.

Em meados de agosto de 2000, chegou o momento da Convenção Nacional Democrata em Los Angeles. Bill e eu estávamos agendados para falar aos delegados na primeira noite, 14 de agosto, e depois deixar a cidade, abrindo espaço para o vice-presidente Al Gore e o seu candidato a vice, o senador Joe Lieberman, aceitarem a indicação e assumirem o centro do palco.

Fui recebida no palco pelas senadoras democratas Barbara Mikulski, Dianne Feinstein, Barbara Boxer, Patty Murray, Blanche Lincoln e Mary Landrieu, esta última tendo participado de uma difícil disputa ao Senado em 1996. Com todas as atenções voltadas para o que eu faria a seguir, quis deixar claro que, ao assumir a tribuna, o povo americano soubesse quanto eu apreciava o privilégio de ter servido durante oito anos como primeira-dama. "Bill e eu estamos encerrando um capítulo de nossas vidas — e logo estaremos iniciando um novo... Obrigada por terem me dado a mais extraordinária oportunidade de atuar, aqui em casa e por todo o mundo, junto a questões que importam para a maioria de crianças, mulheres e famílias... [e] pelo apoio e pela fé nos tempos bons e nos ruins. Obrigada... pela honra e a bênção de uma existência."

O discurso de Bill seguiu-se ao meu e a simples presença dele causou um fluxo de nostalgia por todo o Staples Center, com as pessoas entoando *mais quatro anos* e o envolvendo em uma ensurdecedora e calorosa recepção. Ele apresentou um marcante balanço de sua presidência e um entusiasmado endosso à candidatura de Al Gore. Então, o nosso papel na convenção chegou ao fim, e fomos embora.

Dias depois, comecei a me preparar para os três próximos debates com Lazio. Um jovem e videogênico republicano de Long Island, Lazio desfrutava um forte apoio nos subúrbios. Diferentemente de Giuliani, ele não era desarmônico ou voluntarioso, nem muito conhecido fora do seu município. Com apoio e incentivo de líderes republicanos por todo o país, apresentou-se como o candidato anti-Hillary e fez uma campanha negativa durante a maior parte do verão. Isso não foi muito eficaz. Uma das estranhas vantagens que eu tinha era que todo mundo já achava que sabia tudo de bom ou de ruim que havia a meu respeito. Os ataques de Lazio foram notícias velhas. Minha campanha ignorou o tom pessoal da de Lazio e se concentrou nos antecedentes de sua votação, como também no seu trabalho no Congresso como um dos principais lugares-tenentes de Gingrich. As pessoas sabiam pouco a respeito dele e a nossa informação sobre as suas posições foi tudo de que elas precisavam para preencher as lacunas.

O nosso primeiro debate foi em Buffalo, no dia 13 de setembro, mediado por um nativo da cidade, Tim Russert, do *Meet the Press*, da NBC. Após uma série de perguntas sobre assistência médica, economia e educação do norte do estado, Russert exibiu um trecho da minha participação no programa *Today*, quando me vi em apuros para defender Bill depois que foi divulgada a história com Lewinsky. Em seguida, perguntou se me "arrependia de ter iludido o povo americano" e se eu queria me desculpar por "marcar pessoas como parte de uma ampla conspiração da direita".

Embora a pergunta tivesse me pegado de surpresa, eu tinha de responder, e foi o que fiz: "Sabe, Tim, essa foi uma época muito dolorosa para mim, para a minha família e o nosso país. Trata-se de algo que lamento profundamente por qualquer um ter sofrido. E desejaria que todos nós pudéssemos ver isso com a perspectiva da história, mas ainda não podemos. Teremos que esperar até os livros serem escritos. Tentei ser o mais aberta possível, dadas as circunstâncias que eu enfrentava. Obviamente, não iludi ninguém. Eu não conhecia a verdade. E há uma grande dor associada a isso, e o meu marido, certamente, reconheceu que iludiu o país, como também a família dele".

As perguntas também incluíram o *voucher* escolar, o meio ambiente e outros assuntos regionais, e foi aí que Lazio cometeu um erro crucial: ele afirmou que a economia do norte do estado havia "virado a esquina". Para qualquer um que vivia no norte do estado ou tivesse passado algum tempo por lá,

Lazio pareceu estar por fora. Por aquela ocasião, eu já tinha visitado freqüentemente a região e mantivera demoradas conversas com os moradores sobre os problemas da perda de vagas de trabalho e dos jovens que abandonavam a área. Eu também havia desenvolvido um plano econômico para a região, que os eleitores estavam levando muito a sério.

Quando o foco do debate se voltou para os comerciais de campanha e a utilização do assim chamado *soft money*, o dinheiro arrecadado livre de restrições por comitês políticos externos em benefício de um candidato ou questão, Russert exibiu clipes de um anúncio de Lazio mostrando o congressista em uma foto sobreposta à do senador Daniel Patrick Moynihan, uma união que nunca houve. O anúncio distorcia a verdade e explorava a popularidade de um venerável servidor público de Nova York. Ele foi pago com *soft money*, grandes contribuições que podiam ser usadas pelos partidos políticos ou grupos externos para apoiar um candidato ou atacar o adversário dele. Na primavera, eu exigira a proibição de todo o *soft money*, mas não ia me comprometer com uma trégua unilateral. Os republicanos haviam se recusado a renunciar ao uso do *soft money* dos grupos externos, alguns do quais se ocupavam ativamente em levantar 32 milhões de dólares para apoiar o ingresso de Lazio no Senado.

Perto do fim do debate, de trás de sua tribuna, Lazio começou a me intimidar com relação ao *soft money* e me desafiar a proibir as grandes contribuições do Partido Democrata à minha campanha. Mal consegui falar quando ele avançou na minha direção, brandindo um pedaço de papel chamado de "Pacto para livrar Nova York do *soft money*" e exigindo a minha assinatura. Eu recusei. Ele se aproximou mais, berrando: "Bem aqui, assine agora!".

Ofereci um aperto de mãos, mas ele continuou me importunando. Só tive tempo de pronunciar uma frase antes de Russert encerrar o debate. Não sei se Lazio e seus assessores acharam que podiam me perturbar ou provocar a minha ira.

Durante toda a campanha, protegi-me contra a possibilidade de ataques pessoais e me mantive determinada a permanecer concentrada nos temas, e não em Lazio como pessoa. Como uma espécie de mantra interno, repetia para mim mesma: "os temas, os temas". Além der ser mais útil para os eleitores, isso parecia um modo mais civilizado de fazer uma campanha política.

O debate foi outro ponto crucial da disputa, que ajudou a carrear alguns eleitores para o meu lado, apesar de eu não ter me dado conta de imediato. Ao deixar o palco, não fazia idéia de como me saíra e não tinha certeza de como seria recebida a manobra de confronto utilizada por Lazio. O pessoal de sua campanha imediatamente declarou a vitória dele no debate e a imprensa engoliu. A maior parte das primeiras notícias destacaram a façanha de Lazio e quase todas o declararam vencedor.

A minha equipe, porém, estava otimista. Ann Lewis e Mandy Grunwald sentiram que Lazio se revelara um valentão, ao contrário do sujeito legal que tentava transparecer. As pesquisas de opinião pública e grupos influentes logo deixaram claro que uma porção de eleitores, sobretudo mulheres, ficaram ofendidos com as táticas de Lazio. Como Gail Collins escreveu no *New York Times*, Lazio tinha "invadido" o meu espaço. E muitos eleitores não gostaram disso.

A reação do público não impediu que Lazio prosseguisse em uma campanha amplamente negativa e pessoal. Divulgou uma carta de pedido de doação, afirmando que a sua mensagem se resumia a seis palavras: "Estou concorrendo contra Hillary Rodham Clinton". Sua campanha não era a favor do povo de Nova York; era contra mim. Então passei a falar para as platéias em todo o estado: "Os nova-iorquinos merecem mais do que isso. Que tal sete palavras: emprego, educação, saúde, Seguro Social, ambiente, escolha?".

Lazio também ressuscitou a reforma do sistema de saúde, em uma série de anúncios planejados para tocar fundo um nervo dos eleitores. Mas, como eu já havia aprendido depois de meses na estrada, os nova-iorquinos em geral pareciam apreciar as minhas tentativas para a reforma da saúde, apesar de eu não ter sido bem-sucedida em renovar todo o sistema. Nos anos intermediários, os custos do sistema de saúde tinham ido às alturas, e os planos de saúde e as empresas de seguro ficaram mais restritivas em sua cobertura. Durante a campanha, eu falava freqüentemente sobre o incremento de reformas específicas que ajudara a aprovar e os modos pelos quais o Senado, por meio de legislação, poderia se ocupar dos altos custos da assistência médica.

Perto do final da campanha, no dia 12 de outubro, o USS *Cole* foi atacado por terroristas no Iêmen. A forte explosão matou dezessete marinheiros americanos e abriu um rombo no casco do destróier. Esse ataque, assim como o atentado à embaixada, foi depois rastreado até a Al Qaeda, a sombria rede de extremistas islâmicos liderada por Osama bin Laden, que havia declarado guerra aos "infiéis e cruzados". Esse rótulo foi aplicado a todos os americanos e muitos outros pelo mundo, inclusive muçulmanos, que denunciavam as táticas violentas e o extremismo. Cancelei eventos de minha campanha para ir com Bill e Chelsea à Base Naval de Norfolk, na Virginia, para a cerimônia fúnebre. Eu havia me encontrado com as famílias das vítimas do atentado à embaixada americana em agosto de 1998; agora, dava condolências às famílias de nossos marujos assassinados, homens e mulheres que serviam ao seu país e davam segurança a uma região crítica do mundo.

Abomino o terrorismo e o niilismo que ele representa, e fiquei estarrecida quando o Partido Republicano de Nova York e a campanha de Lazio insinuaram que eu, de algum modo, estava envolvida com os terroristas que bombardearam o *Cole*. Fizeram essa vil acusação doze dias antes da eleição, em um anúncio de televisão e em mensagens telefônicas automáticas dirigidas a centenas de milhares de eleitores nova-iorquinos. A história que eles maquinaram foi a de que eu havia recebido uma doação de alguém que pertencia a um grupo que, segundo eles, financiava os terroristas, "o mesmo tipo de terrorismo que matou os nossos marinheiros no *USS Cole*". A mensagem do telefonema pedia às pessoas que ligassem para mim e pedissem para eu "parar de apoiar o terrorismo". Fiquei enojada. Essa tática desesperada de última hora, porém, fracassou, graças a uma veemente reação de minha campanha e a ajuda do ex-prefeito da cidade de Nova York, Ed Koch, que retrucou, em um anúncio de televisão: "Rick, pare já com a pouca-vergonha".

Nas últimas semanas da campanha, comecei a sentir a confiança de que podia ganhar. Mas, antes da eleição, tivemos um último sobressalto, na reta final, quando subitamente a disputa começou a apertar. Lazio lançou um anúncio com duas atrizes interpretando mulheres suburbanas que se perguntavam como eu tivera a coragem de ir para Nova York e achar que merecia ser senadora. Não sabíamos se os eleitores estavam reagindo ao anúncio de Lazio, se tinham sido influenciados pelos telefonemas sobre terrorismo, ou se a mudança de lado na disputa era simplesmente um acidente momentâneo.

Repassei todos os detalhes com Mark e Mandy até duas da madrugada e decidi fazer um último esforço para alcançar as mulheres que ainda estavam hesitantes em relação à minha candidatura. Lazio era particularmente vulnerável, achava eu, na pesquisa sobre câncer de mama, um assunto com o qual eu vinha trabalhando havia oito anos. Após ele entrar na corrida para o Senado, a liderança da Câmara permitiu que Lazio se apoderasse de um importante projeto de lei de verbas para o câncer de mama, que fora imaginado por Anna Eshoo, republicana da Califórnia, e que desfrutava de amplo apoio bipartidário. Líderes da Câmara o registraram como o único autor do projeto, a fim de que ele pudesse destacá-lo em sua campanha como um sinal de seu comprometimento com os temas femininos. Isso era muito ruim. Pior: quando o projeto finalmente foi aprovado, ele apoiou um corte nas verbas do programa. Eu me importava de maneira apaixonada com o tratamento e a pesquisa do câncer de mama e fiquei desgostosa ao saber que Lazio fizera politicagem com um assunto tão importante e emotivo.

Marie Kaplan, uma sobrevivente do câncer de mama e advogada proveniente do próprio distrito de Lazio em Long Island, tornara-se uma de minhas mais fiéis voluntárias de campanha. "Por que não pedir a Marie para fazer um anúncio?", sugeri. E foi o que fizemos. De muitas maneiras, foi o melhor comercial da campanha. Marie explicava o que Lazio fizera às verbas do projeto de câncer de mama e depois dizia: "Tenho amigas com dúvidas sobre Hillary. E falo para elas: 'Parem com isso. Eu a conheço'. Em relação a câncer de mama, assistência médica, educação e o direito da mulher de fazer uma opção, Hillary jamais vai arredar pé. Ela sempre estará presente do nosso lado". Marie resumiu tudo aquilo em que eu desejava que as pessoas pensassem quando dessem seu voto.

Trabalhei até o último momento fazendo campanha em Westchester County com a deputada Nita Lowey, desde cedo, no dia da eleição, 7 de novembro. Bill e Chelsea votaram comigo em nossa seção eleitoral da região, na Escola Primária Douglas Grafflin, em Chappaqua. Depois de ver durante anos o nome de Bill na cédula, fiquei emocionada e honrada em ver o meu próprio nome.

Durante a tarde, à medida que saíam os resultados, ficou claro que eu venceria por uma margem muito maior do que a que esperava. Estava me vestindo em meu quarto de hotel quando Chelsea irrompeu pela porta para transmitir a notícia: o resultado final foi 55% contra 43%. O trabalho árduo valera a pena, e fiquei grata pela oportunidade de representar Nova York e contribuir para a nossa nação desempenhando um novo papel.

A corrida presidencial, enquanto isso, era uma montanha-russa. Mal sabíamos, na ocasião, que se passariam 36 dias até o país saber quem seria o novo presidente. Nem poderíamos imaginar as manifestações, ações judiciais, recursos e impugnações que surgiriam em torno da disputa dos votos da Flórida, nem o acréscimo ao nosso léxico político de termos como *butterfly ballot* [cédula borboleta] e *dimpled chad* [perfuração incompleta da cédula].

A incerteza na disputa presidencial moderou o meu entusiasmo na noite do dia da eleição, mas em nada conseguiu afetar a alegre festa da vitória no Grand Hyatt Hotel, perto do terminal Grand Central, na cidade de Nova

York. O salão de baile estava repleto com pessoal de campanha, amigos, partidários e leais auxiliares da Hillarylândia, que conseguiram licença dos cargos na Casa Branca durante a última semana da campanha, para ajudar com as atividades do "GOTV" (*get-out-the-vote*) [saia-e-vá-votar]. Fiquei encantada com a generosidade e a receptividade dos nova-iorquinos, que escutaram o que eu tinha a dizer, passaram a me conhecer e correram o risco comigo. Eu estava determinada a não desapontá-los. Juntei-me a Bill, Chelsea, minha mãe e dezenas de partidários sob um dilúvio de confetes e balões.

Dezenas de abraços e apertos de mãos depois, fui à tribuna para agradecer aos que tinham me apoiado. Disse a eles: "Sessenta e seis municípios, dezesseis meses, três debates, dois adversários e seis calças compridas pretas depois, e por causa de vocês, chegamos aqui!".

Oito anos depois, com um título, mas sem exercer nenhum cargo, eu era agora "senadora eleita".

* * *

Dois dias após a eleição, com o resultado da corrida eleitoral entre Al Gore e George W. Bush ainda em disputa, voltei a Washington para a comemoração dos duzentos anos da Casa Branca. Poderia ter sido uma noite embaraçosa, devido à tensão que havia no ar. Todos os ex-presidentes e ex-primeiras-damas vivos estavam presentes (exceto o presidente e a sra. Reagan, que ficaram em casa na Califórnia por causa do mal de Alzheimer do presidente Reagan), como também descendentes e parentes de outros presidentes. A esplêndida noite de gala *black-tie* promovida pela Associação Histórica da Casa Branca tornou-se uma prova evidente da democracia americana, depois que cada ex-presidente discorreu eloqüentemente sobre a resistência de nossa nação diante da polêmica e da convulsão política.

"Mais uma vez", declarou o presidente Gerald Ford, "a república mais antiga do mundo demonstrou a jovem vitalidade de suas instituições e a habilidade e a necessidade de se unir... após uma renhida campanha. O choque de idéias político-partidárias permanece simplesmente assim — é rapidamente seguido por uma pacífica transferência de autoridade."

Ali estava a prova de que os alicerces dos Estados Unidos eram mais fortes do que os indivíduos e a política, e que, enquanto presidentes, senadores e membros da Câmara vêm e vão, a continuidade do governo permanece intacta.

No final, Al Gore venceu na eleição popular por uma diferença de mais de 500 mil votos, mas perdeu no Colégio Eleitoral. A Suprema Corte resolveu por cinco votos a quatro, em 12 de dezembro, encerrar a recontagem dos votos na Flórida, decidindo para todos os efeitos a vitória para Bush. Raramente, ou nunca, em nossa história, o direito do povo de escolher os seus representantes foi frustrado por tal ostensivo abuso do poder judiciário.

Mesmo antes de os méritos do recurso serem examinados, o juiz Antonin Scalia deixou transparecer a irracionalidade da decisão partidária, ao conceder um efeito suspensivo que interrompeu abruptamente a contagem dos votos na Flórida, em 9 de dezembro de 2000. Prosseguir a recontagem, de acordo com Scalia, poderia causar um "dano irreparável" ao governador Bush. Scalia escreveu que a contagem de votos poderia lançar "uma nuvem de dúvida sobre o que [Bush] alega ser a legitimidade de sua eleição". Aparentemente, sua lógica foi: a contagem de votos tinha de ser interrompida, pois o resultado poderia revelar que, afinal de contas, Bush não tinha vencido. A decisão do caso Bush versus Gore fez com que a normalmente conservadora Suprema Corte fosse contra si mesma. Em vez de submeter ao mais alto tribunal da Flórida uma questão concernente às leis estaduais da Flórida, a Corte excedeu-se para encontrar questões federais e, com base nelas, impugnar uma lei estadual. E, em vez de prosseguir no seu rigoroso propósito na defesa da cláusula de proteção de igualdade, a maioria desviou-se de seu caminho para encontrar um meio de transgredir a defesa da igualdade.

De acordo com a maioria, a medida para a apuração da Flórida, exigindo a recontagem de qualquer urna se isso refletisse a clara intenção do eleitor, não era suficientemente específica, já que poderia ser interpretada de modo diferente por diferentes escrutinadores. A solução foi negar o direito de votar a todos os cidadãos sujeitos à recontagem, não importando quão claramente as suas cédulas estivessem marcadas. Espantosamente, a Corte alertou, de um modo cauteloso, que "nossa consideração limita-se às presentes circunstâncias, pois a questão da defesa da igualdade em processos eleitorais geralmente apresenta muitas complexidades". Eles sabiam que a decisão era indefensável e não tinham a intenção de deixar que o raciocínio pudesse ser aplicado em outros casos. Foi simplesmente o melhor argumento que conseguiram encontrar de imediato para obter o resultado que já haviam decidido impor. Não tenho dúvidas de que, se Bush, em vez de Gore, estivesse atrás na contagem incompleta, os cinco juízes conservadores teriam sido unânimes na decisão de recontagem de todos os votos.

Os americanos superaram a polêmica eleição e aceitaram a decisão da lei, mas, tendo em vista as próximas eleições, precisamos assegurar que todos os eleitores se sintam livres para votar sem medo, coerção ou confusão nas seções eleitorais, com equipamentos modernos e escrutinadores treinados. E só podemos esperar que a Suprema Corte exerça um maior controle e objetividade, se, por acaso, tiver de lidar novamente com uma eleição questionável.

Bill e eu ficamos consternados com o resultado da eleição e preocupados com o que poderia significar para a nossa nação a volta das malogradas políticas republicanas do passado. Meu único consolo era que, em breve, no novo trabalho, eu teria a oportunidade de usar a minha voz e o meu voto em benefício dos valores e políticas que achava melhor para Nova York e os americanos. Finalmente, o dia chegou. Uma vez que somente membros do Congresso e suas equipes têm permissão de permanecer no recinto do Senado — sem exceções para presidentes —, Bill teve de assistir ao meu juramento da galeria, ao lado de Chelsea e outros membros da família. Nos últimos oito anos, naquele mesmo prédio, eu olhei de cima enquanto Bill partilhava suas idéias para o nosso país. No dia 3 de janeiro de 2001, compareci ao recinto do Senado para jurar "apoiar e defender a Constituição dos Estados Unidos contra todos os inimigos externos e internos... e fielmente me desincumbir dos deveres das funções que estou para assumir". Ao me virar e olhar para a galeria acima de mim, vi minha mãe, minha filha e meu marido sorrindo para a mais nova senadora por Nova York.

* * *

Três dias depois, na tarde de um sábado chuvoso, demos uma festa de despedida, sob uma enorme tenda instalada no Gramado Sul, para todos que tinham trabalhado ou servido como voluntários na Casa Branca durante os oito anos anteriores. Veio gente de todo o país rever amigos e relembrar o seu trabalho para o governo. Foi uma reunião animada, que deu a Bill e a mim a oportunidade de dizer um último "obrigado" a centenas de homens e mulheres que passaram horas de sofrimento e fizeram sacrifícios pessoais para participar da administração de Bill e servir ao nosso país. Do auxiliar de escritório de 23 anos ao secretário de gabinete de sessenta e tantos, aqueles foram os homens e as mulheres que ajudaram Bill a avançar com as suas metas e visão para os Estados Unidos.

Enquanto funcionários brindavam uns aos outros, Al e Tipper Gore se juntaram a Bill e a mim durante horas na festa.

"Eis o candidato que teve a maioria dos votos na eleição presidencial", falei, ao apresentar Al diante de uma alegre ovação. Al pediu que levantassem a mão as pessoas que tinham encontrado um cônjuge ou tiveram bebês durante o tempo em que passaram no governo. Mãos se levantaram no meio da multidão. Seguiu-se então a surpresa que Capricia havia providenciado: a cortina se abriu e o Fleetwood Mac surgiu dos bastidores. Quando a banda começou os primeiros acordes de "Don't Stop Thinking About Tomorrow" ["Não deixe de pensar no amanhã"], o hino da campanha de Bill em 1992, a multidão irrompeu num coro ruidoso e desafinado, bradando o refrão.

Eu sabia a letra de cor. Talvez seja um lugar-comum, mas a frase que mais resume a minha filosofia política é esta: "É sempre acerca do futuro". Acerca do que precisa ser feito para tornar os Estados Unidos mais rico, mais seguro, mais dinâmico, mais forte e melhor, e para os americanos se prepararem para competir e cooperar com uma comunidade global. Ao pensar nos meus próprios amanhãs, sentia-me emocionada em poder servir ao Senado, mas também dominada pela saudade das pessoas que fizeram parte de nossa jornada, especialmente das que já não estavam conosco.

* * *

Durante as duas semanas seguintes, perambulei de aposento em aposento, tirando fotografias mentais de todas as minhas coisas favoritas na Casa Branca, maravilhando-me com os detalhes arquitetônicos, olhando atentamente os quadros nas paredes, tentando recuperar o deslumbramento que senti na primeira vez que entrei ali. Demorei-me nos quartos de Chelsea e tentei ouvir com a mente as risadas de suas amigas e o som das músicas que ela ouvia. Chelsea transformou-se de criança em uma jovem mulher naquele lugar. Muitas das suas lembranças da Casa Branca, como filha do presidente, são felizes. Estou certa disso.

Cada manhã e cada tarde eu me via mergulhada na minha poltrona favorita, na Sala de Estar Oeste, um confortável abrigo onde, por oito anos, recebi Chelsea em casa quando voltava da escola, me reuni com assessores, fofoquei com amigas, li livros e reunia os pensamentos. Agora, deliciava-me naquele momento extraordinário e naquele lugar extraordinário, observando a luz do sol escoar por entre a magnificente janela em forma de clarabóia.

Muitas vezes, até as últimas semanas, eu pensava na primeira posse de Bill, em 1993, um acontecimento tão nítido que era como se fosse ontem, e tão remoto que parecia ter sido há uma existência. Chelsea e eu fizemos um último passeio pelo Jardim das Crianças, oculto pela quadra de tênis, onde os netos dos presidentes deixaram a marca de suas mãos no cimento. Do outro lado do Gramado Sul, Bill e eu olhamos além da cerca para o Monumento a Washington como havíamos feito vezes incontáveis. Bill jogou bolas de tênis para Buddy ir pegar, enquanto Socks se mantinha à distância.

Os funcionários da Casa Branca estavam agitados, preparando a chegada da nova primeira-família, que se juntaria a nós para café e biscoitos no dia 20 de janeiro, antes de todos nós sairmos de carro para o Capitólio, para o juramento. Pela 43ª vez na história de nossa nação, os americanos veriam a pacífica transferência de poder, com o término de uma presidência e o início de outra. Ao entrarmos no Grande Vestíbulo, pela última vez como ocupantes da Casa do Povo, os funcionários permanentes da residência estavam reunidos para se despedirem de nós. Agradeci à florista pelas flores que, artisticamente, colocava em cada aposento; ao pessoal da cozinha, pelas refeições que preparava com dedicação; à governanta, pela sua atenção diária aos detalhes; à turma do térreo, pelo cuidado em tratar dos jardins; e a todos os demais dedicados funcionários que devotaram todos os dias o seu trabalho árduo à Casa Branca. Buddy Carter, o veterano mordomo da Casa Branca, recebeu o meu último abraço de despedida e o transformou em alegre dança. Deslizamos e rodopiamos pelo chão de mármore. Meu marido interrompeu-o, tomou-me em seus braços e valsamos juntos pelo longo corredor.

Então, dei adeus à casa onde eu havia passado oito anos vivendo a história.

AGRADECIMENTOS

PODE NÃO TER SIDO PRECISO UMA ALDEIA para escrever este livro, mas ele certamente precisou de uma esplêndida equipe, e sou grata a todos que ajudaram.

Antes de agradecer aos que me ajudaram a escrevê-lo, quero registrar a perda de um grande americano, o senador Daniel Patrick Moynihan de Nova York. Quando eu estava terminando este livro, o senador Moynihan faleceu, no dia 26 de março de 2003. Atualmente, ocupo a cadeira que foi dele por 24 anos, e também ocupo a sua antiga sala no Senado. Ele foi lá me visitar, no outono de 2002, e conversamos sobre os novos problemas de segurança enfrentados pelo nosso país. Eu ansiava por continuarmos essa conversa. Nossas conversas eram sempre animadas, e ele era invariavelmente gentil, mesmo no caso de discordarmos. Ao saber que eu tinha feito a minha tese na Wellesley sobre Saul Alinsky, pediu-me para lê-la. Enviei-lhe um exemplar com considerável temor. Ele, sempre um professor, devolveu-a com comentários e um conceito "A". Embora na época eu fosse a primeira-dama e a tese tivesse sido escrita 25 anos antes, fiquei encantada e aliviada. Com o falecimento de Daniel Patrick Moynihan, o povo e a vida cultural americana perdem uma de suas luzes mais brilhantes. Sentiremos saudades de sua sabedoria e talento, sempre desafiando nossas pressuposições, constantemente colocando o obstáculo mais alto.

A decisão mais inteligente que tomei foi pedir a Lissa Muscatine, Maryanne Vollers e Ruby Shamir que passassem dois anos de suas vidas trabalhando comigo. É delas o crédito de dar sentido às montanhas de informações sobre a minha vida e orientar as minhas tentativas de explicar e expressar os meus sentimentos sobre a época que passei na Casa Branca. Há dez anos conto com a força, a inteligência e a integridade de Lissa. Responsável por muitas das palavras de meus discursos como primeira-dama e deste livro, ela levou para essa tarefa o seu conhecimento sobre a política e os modos de Washington, e eu não a teria levado a cabo sem ela. Maryanne ajudou-me a conceber este livro e o orientou — e a mim — pelos seus altos e baixos; foi uma maravilha trabalhar com ela, pois tem o raro dom de compreender como ajudar a emergir a voz de outra pessoa. Cada palavra que eu pudesse usar para descrever Ruby e seu papel seria inadequada. Ela manteve o projeto de pé do início ao fim — acumulando, revendo e sintetizando milhões de palavras escritas sobre mim e esmiuçando cada uma das que eu escrevia. Sua atenção ao detalhe e espírito encantador são raros de se encontrar em uma única alma. Liz Bowyer, mais uma vez, veio em meu auxílio com habilidade e discernimento, ajudando-me a finalizar o texto — e a proteger a minha sanidade. Ao final desse intenso processo, Courtney Weiner, Huma Abedin e Carolyn Huber forneceram inestimável assistência em ajudar a cumprir o meu prazo iminente.

Agradeço à Simon & Schuster e à Scribner, especialmente a Carolyn Reidy, editora da Simon & Schuster, e a Nan Graham, vice-presidente e editora-chefe da Scribner. Este é o meu quarto livro produzido sob a vigilância de Carolyn e foi um prazer trabalhar com ela novamente. Nan é uma profissional cuidadosa e perspicaz, que maneja com precisão a sua lapiseira Paper Mate Sharpwriter, faz todas as perguntas adequadas e tem um ótimo senso de humor. Agradeço também a David Rosenthal, Jackie Seow, Gypsy da Silva, Victoria Meyer, Aileen Boyle, Alex Gargagliano e Irene Kheradi, que fizeram o impossível acontecer. O olho de Vicent Virga foi inestimável para a foto admirável. Como sempre, os meus advogados Bob Barnett e David Kendall, da Williams e Connolly, sempre estiveram onde precisei deles, com orientações sensatas e práticas. David Alsobrook, Emily Robinson, Deborah Bush e John Keller, da Clinton Presidential Materials Project, rastrearam muitos dos documentos e fotos para o livro.

Uma legião de amigos e colegas ofereceram o seu precioso tempo para serem entrevistados, checar fatos, revisar esboços e partilhar suas lembranças. Sou enormemente grata a cada um deles: Madeleine Albright, Beryl Anthony, Loretta Avent, Bill Barrett, W. W. "Bill" Bassett, Sandy Berger, Jim Blair, Tony Blinken, Linda Bloodworth-Thomason, Sid Blumenthal, Susie Buell, Katy Button, Lisa Caputo, Patty Criner, Patti Solis Doyle, Winslow Drummond,

Karen Dunn, Betsy Ebeling, Sara Ehrman, Rahm Emmanuel, Tom Freedman, Mandy Grunwald, Ann Henry, Kaki Hockersmith, Eric Hothem, Harold Ickes, Chris Jennings, Reverendo Don Jones, Andrea Kane, Jim Kennedy, Jennifer Klein, Ann Lewis, Bruce Lindsey, Joe Lockhart, Tamera Luzzatto, Ira Magaziner, Capricia Penavic Marshall, Garry Mauro, Mack McLarty, Ellen McCulloch-Lovell, Cheryl Mills, Kelly Craighead Mullen, Kevin O'Keefe, Ann O'Leary, Mark Penn, Jan Piercy, John Podesta, Nicole Rabner, Carol Rasco, Bruce Reed, Cynthia Rice, Ernest "Ricky" Ricketts, Steve Ricchetti, Robert Rubin, Evan Ryan, Shirley Sagawa, Donna Shalala, June Shih, Craig Smith, Doug Sosnik, Roy Spence, Gene Sperling, Ann Stock, Susan Thomases, Harry Thomason, Melane Verveer, Bill Wison e Maggie Williams.

A imensa família Hillarylândia ajudou-me a realizar o trabalho que descrevo nestas páginas, e me sustentou adiante em cada desafio. Ainda não citados: Milli Alston, Ralph Alswang, Wendy Arends, Jennifer Ballen, Anne Bartley, Katie Barry, Erika Batcheller, Melind Bates, Carol Beach, Marsha Berry, Joyce Bonnett, Ron Books, Debby Both, Sarah Brau, Joan Brieton, Stacey Roth Brumbaugh, Molly Buford, Kelly Carnes, Kathy Casey, Ginger Cearley, Sara Grote Cerrel, Pam Cicetti, Steve "Scoop" Cohen, Sabrina Corlette, Brenda Costello, Michele Crisci, Caroline Croft, Gayleen Dalsimer, Sherri Daniels, Tracy LaBrecque Davis, Leela DeSouza, Diane Dewhirst, Helen Dickey, Robin Dickey, Anne Donovan, Tom Driggers, Karen Fahle, Tutty Fairbanks, Sharon Farmer, Sarah Farnsworth, Emily Feingold, Karen Finney, Bronson Frick, John Funderburk, Key German, Isabelle Goetz, Toby Graff, Bradley Graham, Bobbie Greene, Jessica Greene, Melodie Greene, Carrie Greenstein, Sanjay Gupta, Ken Haskins, Jennifer Heater, Kim Henry, Amy Hickox, Julie Hopper, Michelle Houston, Heather Howard, Sarah Howes, Julie Huffman, Tom Hufford, Jody Kaplan, Sharon Kennedy, Missy Kincaid, Barbara Kinney, Ben Kirby, Neel Lattimore, Jack Lew, Peggy Lewis, Evelyn Lieberman, Diane Limo, Hillary Lucas, Bari Lurie, Christy Macy, Stephanie Madden, Mickie Mailey, Dra. Corine Mariano, Julie Mason, Eric Mssey, Lisa McCann, Ann McCoy, Debby McGinn, Mary Ellen McGuire, Bob McNeely, Noa Meyer, Dino Milanese, Beth Mohsinger, Eric Morse, Daniela Nanau, Matthew Nelson, Holly Nichols, Michael O'Mary, Janna Pascal, Ron Petersen, Glenn Powell, Jaycee Pribulsky, Alice Pushkar, Jeannine Ragland, Malcolm Richardson, Stacey Roth, Becky Saletan, Laura Schiller, Jamie Schwartz, Laura Schwartz, David

Scull, Mary Schuneman, Nicole Sheig, Janet Shimberg, David Shipley, Jake Simmons, Jennifer Smith, Shereen Soghier, Aprill Springfield, Jane Swensen, Neera Tanden, Isabelle Tapia, Marge Tarmey, Theresa Thibadeu, Sandra Tijerina, Kim Tilley, Wendy Towber, Dr. Richar Tubb, Tibbie Turner, William Vasta, Jamie Vavonese, Josephine Velasco, Lisa Villareal, Joseph Voeller, Sue Vogelsinger, Esther Watkins, Margaret Whillock, Kim Widdes, Pam Williams, Whitney Williams, Laura Wills, Eric Woodward e Cindy Wright.

A logística das viagens que fiz durante as campanhas de 1992, 1996 e 2000, e como primeira-dama, foi de responsabilidade de uma equipe avançada que cuidou muito bem de mim e (sobretudo) me evitou problemas, a quem agradeço: Ian Alberg, Brian Alcorn, Jeannie Arens, Ben Austin, Stephanie Baker, Douglas Band, David Beaubaire, Ashley Bell, Anthony Bernal, Bonnie Berry, Terry Bish, Katie Broeren, Regan Burke, Karen Burchard, Cathy Calhoun, Joe Carey, Jay Carson, George Caudill, Joe Cerrell, Nancy Chestnut, Jim Clancy, Resi Cooper, Connie Coopersmith, Catherine Cornelius, Jim Cullinan, Donna Daniels, Heather Davis, Amanda Deaver, Alexandra Dell, Kristina Dell, Tyler Denton, Michael Duga, Pat Edington, Jeff Eller, Ed Emerson, Mort Engelberg, Steve Feder, David Fried, Andrew Friendly, Nicola Frost, Grace Gracia, Todd Glass, Steve Graham, Barb Grochala, Catherine Grunden, Shanan Guinn, Greg Hale, Pat Halley (que escreveu um divertido relato da vida como membro de uma equipe avançada, em *On the Road with Hillary* [*Na estrada com Hillary*]), Natalie Hartman, Allan Hoffman, Kim Hopper, Melissa Howard, Rob Houseman, Stefanie Hurst, Rick Jasculca, Lynn Johnson, Kathy Jurado, Mike King, Michele Kreiss, Ron Keohane, Carolyn Kramer, Justin Kronholm, Stephen Lamb, Reta Lewis, Jamie Lindsay, Bill Livermore, Jim Loftus, Mike Lufrano, Marisa Luzzatto, Tamar Magarik, Bridger McGaw, Kara McGuire Minar, Rebecca McKenzie, Brian McPartlin, Sue Merrell, Craig Minassian, Megan Maloney, David Morehouse, Patrock Morris, Lisa Mortman, Jack Murray, Sam Myers Jr., Sam Myers Sr., Lucie Naphin, Kathy Nealy, David Neslen, Jack O'Donnel, Ray Ocasio, Nancy Ozeas, Lisa Panasiti, Kevin Parker, Roshana Parris, Lawry Payne, Denver Peacock, Mike Perrin, Ed Prewitt, Kim Putens, Mary Raguso, Paige Reefe, Julie Renehan, Matt Ruesch, Paul Rivera, Erica Rose, Rob Rosen, Aviva Rosenthal, John Schnur, Pete Selfridge, Geri Shapiro, Kim Simon, Basil Smikle, Douglas Smith, Tom Smith, Max Stiles, Cheri Stockham, Mary Streett, Michael Sussman, Paula Thomason,

Dan Toolan, Dave Van Note, Setti Warren, Chris Wayne, Todd Weiler e Brady Williamson.

Estas memórias da Casa Branca não podem fazer justiça devidamente a minha campanha de 2000 para o Senado e os milhares de funcionários, ativistas democratas, sindicalistas, contribuintes e cidadãos responsáveis que me apoiaram. Eu não teria sido bem-sucedida sem o talento e a dedicação de um importante grupo de profissionais e líderes voluntários que ofereceu a sua dedicação e ainda não tinha sido reconhecido: Karen Adler, Carl Andrews, Josh Albert, Katie Allison, Jessica Ashenberg, David Axelrod, Nina Blackwell, Bill de Blasio, Amy Block, Dan Burstein, Raysa Castillo, John Catsimatidis, Margo Catsimatidis, Tony Chang, Ellen Chesler, Alan Cohn, Betsy Cohn, Elizabeth Condon, Bill Cunningham, Ed Draves, Senta Driver, Janice Enright, Christine Falvo, Gabrielle Fialkoff, Kevin Finnegan, Chris Fickes, Deirdre Frawley, Scott Freda, Geoff Garin, Gigi Georges, Toya Gordan, Richard Graham, Katrina Hagagos, Beth Harkavy, Matthew Hiltzik, Ben Holzer, Kara Hughes, Gene Ingoglia, Tiffany JeanBaptiste, Russ Joseph, Wendy Katz, Peter Kauffmann, Heather King, Jill Iscol, Ken Iscol, Sarah Kovner, Victor Kovner, Justin Krebs, Jennifer Kritz, Jim Lamb, Mark Lapidus, Marsha Laufer, Cathie Levine, Jano Lieber, Bill Lynch, Chris Monte, Ramon Martinez, Christopher McGinness, Sally Minard, Luis Miranda, Libby Moroff, Shelly Moskwa, Frank Nemeth, Nick Noe, Ademola Oyefaso, Alan Patricof, Susan Patricof, Tom Perron, Jonathan Prince, Jeff Ratner, Samara Rifkin, Liz Robbins, Melissa Rochester, Charles Ross, David Rosen, Barry Sample, Vivian Santora, Eric Schultz, Chung Seto, Bridget Siegel, Emily Slater, Socrates Solano, Allison Stein, Susie Stern, Sean Sweeney, Jane Thompson, Megan Thompson, Melissa Thornton, Lynn Utrecht, Susana Valdez, Kevin Wardally, Glen Weiner, Amy Wills e Howard Wolfson.

Todo livro de memórias reflete as relações familiares e pessoais que definem a vida de uma pessoa. Eu não poderia ter vivido a minha vida sem o amor e o apoio de minha mãe Dorothy Rodham e do meu falecido pai Hugh E. Rodham; dos meus irmãos Hugh E. Rodham Jr. e Tony Rodham; e de uma legião de parentes e amigos que me mantiveram avançando e acreditando diante dos desafios, fossem grandes ou pequenos, públicos ou particulares.

Uma cara amiga, a dra. Estelle Ramey, certa vez resumiu sua eminente vida como médica e pesquisadora afirmando: "Eu amei e fui amada; todo o resto é música de fundo". Bill e Chelsea, cujo amor tem me dado coragem e consolo, e me forçado a ir além dos cômodos limites, atuaram como os meus principais críticos e chefes de torcida nesta primeira tentativa de explicar a temporada que partilhamos na Casa Branca. Eles viveram a história comigo, e por isso sou profundamente grata.

Finalmente, sou responsável pelas opiniões e interpretações expressas nestas memórias. Estas páginas refletem o modo como vivenciei os acontecimentos que descrevo. Estou certa de que há muitas outras — inclusive divergentes — opiniões sobre os acontecimentos e pessoas que descrevo. Mas essa história é para mais alguém contar.

ÍNDICE ONOMÁSTICO

American Association of Retired Persons [Associação Americana dos Aposentados], 264
American Spectator, 257, 392, 503
AmeriCorps, 195, 232, 285, 367, 414, 531
Andreson, Belle, 15
Annan, Kofi, 505, 534
Anne, princesa da Inglaterra, 249
Anthony, Beryl, 100
Anthony, Carl Sferrazza, 141, 295
Anthony, Sheila Foster, 100
Anthony, Susan B., 515
Aquino, Corazon, 434
Arábia Saudita, 309, 407
Arafat, Suha, 354, 567
Arafat, Yasser, 211, 212, 285, 355, 356, 544, 575
Argue, Donald, 512
Aristide, Jean-Bertrand, 288
Arkansas Democrat Gazette, 388
Arkansas, 7, 68, 69, 70, 71, 79, 80, 81, 82, 87, 88, 89, 90, 91, 92, 93, 95, 96, 97, 98, 99, 100, 101, 102, 103, 104, 106, 108, 109, 110, 112, 113, 114, 115, 116, 119, 120, 121, 124, 127, 130, 136, 142, 143, 148, 149, 151, 157, 160, 166, 167, 172, 173, 180, 181, 182, 199, 200, 201, 203, 204, 205, 218, 221, 222, 224, 225, 226, 227, 231, 236, 238, 239, 241, 251, 253, 257, 272, 279, 293, 295, 301, 302, 304, 320, 324, 369, 388, 389, 390, 391, 392, 409, 419, 423, 424, 425, 454, 460, 486, 496, 506, 511, 537, 550, 554, 559, 561, 562, 574
Armey, Dick, 505
Ashley, Eliza, 105
Assessoria de Imprensa da Casa Branca, 164, 254, 255, 315
Associação Americana dos Advogados, 98
Associação dos Advogados do Arkansas, 98

Associação dos Advogados do Condado de Washington, 88
Associação Histórica da Casa Branca, 582
Associação Médica Americana, 169, 183
Associação Nacional do Rifle (NRA), 284
Associação Nacional dos Governadores, 118, 120, 146, 157, 409
Associação Nacional dos Trabalhadores Rurais, 65
Atkinson, Dick, 93
Atwater, Lee, 185
Auschwitz, 195, 398
Austrália, 44, 432
Avent, Loretta, 140
Aznar, José María, 462

Bacall, Lauren, 163
Baer, Don, 475
Baile do Meio-Oeste, 149
Bakaly, Charles, 504
Baker, James, 193
Baker, Jerry, 39
Baker, Susan, 193, 194, 535
Bakke, Eileen, 302
Banco Grameen, 320, 321, 322, 323
Banco Interamericano, 463
Banco Mundial, 463
Bane, Mary Jo, 413
Bangladesh, 308, 319, 320, 321
Banks, Chuck, 228
Barak, Ehud, 575
Barak, Nava, 575
Barbieri, Arthur, 72
Barnett, Bob, 204, 223, 224, 237, 512, 518, 588
Barr, William, 228
Barrett, Bill, 437
Bartley, Anne, 589
Bassett, Bill, 88
Bateson, Gregory, 298

Franken, Al, 260, 324
Franklin, Aretha, 275
Freeh, Louis, 203
Frei, Eduardo, 352
Frei, Marta Larrachea de, 352
French, Mel, 143
Freud, Anna, 66
Friends in High Places [Amigos nas altas esferas] (Hubbell), 301
From, Al, 123, 124, 473, 475
Fugard, Athol, 265
Fulbright, J. William, 71, 108, 272
Fundação AIDS Pediátrica, 431
Fundação Bradley, 388
Fundação Ford, 511
Fundação Rajiv Gandhi, 313
Fundo de Defesa das Crianças (FDC), 81, 103, 125, 133, 413
Fundo de Defesa Legal do NAACP, 223
Fundo de Defesa Legal e Educacional da NAACP (National Association for the Advancement of Colored People), 63

G-7, 201, 457, 478
G-8, 458
Gana, 44, 506
Gandhi, Indira, 313
Gandhi, Mahatma, 54, 315
Gandhi, Rajiv, 313
Gandhi, Sanjay, 313
Gandhi, Sonia, 314
Garcia, Franklin, 75
Garrity, Susan, 476
Georges, Gigi, 571
Gephardt, Richard, 124, 174, 175, 176, 527, 545
Gergen, David, 229, 243
Gibson, Mahlon, 90
Giddens, Anthony, 475, 478

Gingrich, Kathleen Daugherty, 297
Gingrich, Marianne, 297
Gingrich, Newt, 238, 240, 250, 263, 279, 282, 290, 296, 297, 325, 326, 328, 329, 357, 359, 365, 366, 410, 413, 425, 441, 501, 505, 540, 577
Gingrich, Susan, 297
Ginsburg, Ruth Bader, 203, 443
Giroir, Joe, 105
Gist, Nancy, 49
Gitelman, Mort, 88
Giuliani, Rudolph, 551, 553, 559, 561, 571, 572, 573, 577
Glaser, Ariel, 431
Glaser, Elizabeth, 431
Glaser, Jake, 431
Glaser, Paul, 431
Gleckel, Jeff, 68
Glickman, Julius, 74
Goldberg, Arthur J., 63
Goldstein, Joe, 66
Goldwater, Barry, 35, 39, 268, 274, 472
Goldway, Ruth, 573
Göncz, Arpád, 404
Goodell, Charles, 50
Gopinath, Meenakshi, 313
Gore, Al, 134, 145, 176, 205, 240, 265, 426, 443, 495, 543, 546, 576, 577, 582, 583
Gore, Albert, III, 137
Gore, Albert, Sr., 543
Gore, Tipper, 134, 135, 136, 137, 143, 183, 189, 193, 202, 265, 266, 289, 300, 543, 585
Graber, Susan, 49
Grã-Bretanha, 274, 457
Graham, Billy, 333
Graham, Katharine, 206, 523
Gramm, Phil, 337
Grand Canyon, 359, 463
Grande Depressão, 14

Gray, C. Boyden, 229
Grécia, 382
Greenberg, Stan, 123
Greening of America, The [O despertar da América] (Reich), 60
Greer, Frank, 123
Griffith, Betsy, 47
Grisham, Oren "Uncle Buddy", 486
Grosch, Laura, 44
Grunwald, Mandy, 134, 217, 255, 260, 294, 324, 555, 561, 579
Guarda Nacional, 62, 109, 111
Guernica, 96
Guerra da Coréia, 385
Guerra de 1812, 162
Guerra do Golfo, 120, 273, 331, 417
Guerra do Vietnã, 46, 47, 51, 52, 61, 62, 92, 106, 272, 294, 360, 543, 548
Guerra Fria, 13, 27, 274, 401, 473
Guerra Russo-Japonesa, 172
Gundel's Restaurant, 404

Haile, Saba, 453
Haiti, 265, 288, 544, 548
Hale, David, 391
Hamburg, David, 427
Hamilton, Dagmar, 84
Hammerschmidt, John Paul, 82
Hank (de Lake Winola), 20
Hanks, Tom, 324, 558
Hannie, George Washington, Jr., 153
Harriman, Pamela, 270, 438, 464
Harriman, Winston, 270
Harris, Blake, 469
Hart, Gary, 70, 74
Hashimoto, Kamiko, 459
Hashimoto, Ryutaro, 459
Hassan II, rei do Marrocos, 573
Havaí, 201, 340, 345
Havel, Dagmar, 533

Havel, Olga, 401
Havel, Václav, 400, 401, 402, 404, 533
Head Start, programa de desenvolvimento infantil, 63, 268, 428
Health Insurance Association of America [Associação dos Planos e Seguros Saúde da América], 259
Healy, Tim, 145
Heaney, Marie, 364, 476
Heaney, Seamus, 364, 476
Hefley, Joel, 545
Heiden, Sherry, 36
Helms, Jesse, 276, 284, 337
Helsinque, 444, 445, 446, 447
Henry, Ann, 91, 93, 113, 124, 293
Henry, Morriss, 93
Hickok, Lorena, 293
Hillarylândia, 137, 156, 211, 220, 294, 582
Hitler, Adolf, 96
Hockersmith, Kaki, 231
Hoenk, Connie, 44
Holbrooke, Richard, 383, 505
Holden, Carolyn, 189
Holden, John, 189
Holocausto, 194, 400
Hoover, J. Edgar, 60, 293
Hope, 80, 203, 205, 241, 422, 486
Hope, Judith, 539, 554
Horn, Gyula, 404
Hot Springs, 73, 79, 99, 240, 244, 436
Houston, Jean, 298
How the Irish Saved Civilization [Como os Irlandeses Salvaram a Civilização] (Cahill), 361
Howard, Heather, 429
Howe, Louis, 293
Howe, Patty, 93
Howell, Della Murray (avó), 14
Howell, Dorothy (mãe) ver Rodham, Dorothy Howell
Howell, Edwin John, Jr. (avô), 14

Johnson, Samuel, 218
Joint United Nations Program on AIDS [Programa Conjunto de Nações Unidas, 452
Jones *versus* Clinton, 455
Jones, Don, 38, 96, 524
Jones, Hilary, 295
Jones, Jimmy Red, 114
Jones, Paula Corbin, 257, 258, 276, 388, 455, 490, 491, 503, 540
Jordan, Ann, 64, 207, 523
Jordan, Michael, 419
Jordan, Vernon, 63, 113, 140, 206, 464, 498, 549
Jovens Republicanas da Faculdade Wellesley, 47
Juan Carlos I, rei da Espanha, 462

Kantor, Mickey, 103, 118, 128, 140, 520
Kaplan, Marie, 581
Karimov, Islam, 481
Kassebaum, Nancy, 281
Katz, Jay, 66
Kean, Tom, 338
Kelley, Dick, 151, 183, 240, 420
Kelley, Virginia Cassidy Blythe Clinton Dwire (mãe de BC), 80, 81, 89, 92, 93, 111, 112, 117, 149, 151, 183, 200, 230, 231, 232, 235, 236, 240, 241, 242
Kelly, irmã Dorothy Ann, 338
Kemp, Jack, 193
Kemp, Joanne, 193
Kendall, David, 223, 224, 229, 235, 243, 244, 245, 252, 253, 255, 334, 369, 372, 454, 489, 492, 495, 496, 501, 504, 518, 520, 528, 529, 541, 549
Kennedy, Bill, 198
Kennedy, Caroline *ver* Schlossberg, Caroline Kennedy

Kennedy, Carolyn, 573
Kennedy, Ethel, 269
Kennedy, Eunice, 76
Kennedy, Jacqueline *ver* Onassis, Jacqueline Kennedy
Kennedy, John F., 30, 31, 33, 34, 50, 76, 142, 159, 161, 163, 206, 269
Kennedy, John F., Jr., 159, 160, 161, 268, 269, 426
Kennedy, Patrick, 269
Kennedy, Robert F., 48, 50, 51, 63, 76, 79, 82, 142
Kennedy, Robert F., Jr., 554
Kennedy, Ted, 207, 264, 279
Kennedy, Vicky, 207
Kenvin, sr., 30
Kerrey, Bob, 527
Kessler, Fritz, 62
King, Ben E., 149
King, Billie Jean, 557
King, Elisabeth, 28
Kirkland & Ellis, 276, 388
Kissinger, Henry A., 294
Klaus, Václav, 403
Klein, Jacob, 432
Klein, Jennifer, 358, 429, 432
Koch, Ed, 554, 580
Kohl, Helmut, 383
Konadu, Nana, 506
Koop, C. Everett, 215, 233
Kosovo, 379, 386, 479, 548, 556
Krause, sra., 28
Kremlin, 247
Krigbaum, Jan, 44
Kristol, William, 261
Kroft, Steve, 128
Ku Klux Klan, 390
Kumpuris, Dean, 119
Kumpuris, Drew, 119, 181, 184
Kumpuris, Frank, 119
Kupcinet, Irv, 59
Kusnet, David, 145

National Park Foundation, 487
National Partnership for Women and Families [Parceria Nacional para Mulheres e Famílias], 429
National Prayer Breakfast [Desjejum Nacional da Oração], 193, 452
National Service Corporation, 414
National Tree Lighting Ceremony [Cerimônia do Acendimento da Árvore Nacional], 360
Naughton, James, 163
NBC, 196, 297, 551
Nehru, Jawaharlal, 313
Nelson, Bill, 193
Nelson, Grace, 193
Nelson, Sheffield, 227
Nepal, 317
Netanyahu, Benjamin "Bibi", 544
Netanyahu, Sara, 544
New Haven, 61, 66, 67, 72, 73, 80, 89
New Life Center, 435
New York Daily News, 359
New York Observer, 388
New York Times Magazine, 187, 454
New York Times, 40, 46, 127, 163, 223, 227, 235, 254, 344, 368, 370, 388, 389, 504, 579
New York Yankees, 26, 566
Newsweek, 235, 297, 370, 503
Nicarágua, 351
Night (Wiesel), 195
Nirmala, irmã, 467
Nixon, Freddie, 93
Nixon, Richard M., 30, 51, 52, 57, 61, 62, 71, 73, 77, 82, 84, 85, 86, 92, 103, 127, 170, 187, 231, 257, 282, 294, 370
Nixon, Vic, 93, 189
Nobel, prêmio, 172, 195, 356, 362, 364, 398
Noor, rainha da Jordânia, 286, 293, 354, 552
Norman, Greg, 433, 444

North, Oliver, 243
Nouwen, Henri, 302
Nova York, 96, 104, 134, 158, 196, 269, 553, 557, 559, 561, 565, 569, 571
Nussbaum, Bernard, 83, 201, 203, 229, 235, 243, 251, 276
Nye, Joseph, 475

O sol é para todos (Lee), 504
O'Callaghan, Suzy, 25
O'Keefe, Kevin, 50
O'Laughlin, sra., 28
O'Leary, Ann, 429
O'Reilly, Jane, 34
Office of Personnel Management [Escritório de Administração Funcional], 429
Oklahoma City, atentado a bomba em, 332, 333, 334, 407
Old Executive Office Building [Prédio Antigo dos Escritórios Executivos] (OEOB), 155
Olimpíada de Verão de 1996, 406
Olimpíadas de Inverno de 1994, 249
Olson, Kris, 49
Olson, Ted, 392
Omagh, 520, 526
Onassis, Aristóteles, 159
Onassis, Jacqueline Kennedy, 155, 158, 159, 160, 162, 163, 190, 206, 268, 311, 356, 523
Organização do Tratado do Atlântico Norte (OTAN), 242, 244, 247, 379, 382, 395, 404, 445, 457, 458, 461, 462, 479, 501, 556
Organização Mundial de Saúde, 250
Organização para a Libertação da Palestina, 354
Oriente Médio, 211, 212, 285, 288, 354, 356, 357, 517, 527, 544, 546, 548, 552, 576

Orlando, Leoluca, 479
OSCE [Organization for Security and Cooperation in Europe – Organização para Segurança e Cooperação Européia], 436
Osenbaugh, Elizabeth "Bess", 88

Pacto de Varsóvia, 244, 395
"Pacto para Livrar Nova York do Soft Money", 578
Page, Patti, 79
Pageant Peace [desfile da paz], 359
Paisley, Ian, 363
Panetta, Leon, 140, 177, 260, 326, 328
Paola, rainha da Bélgica, 270
Paquistão, 303, 305, 306, 307, 308, 311, 313, 338, 482, 534
Paraguai, 354
Park Ridge Advocate, 26
Park Ridge, 20, 21, 24, 25, 26, 36, 37, 38, 52, 53, 67, 73, 189, 524
Parks, Rosa, 37
Parque Histórico Nacional dos Direitos da Mulher, 514
Parque Nacional de Yellowstone, 359
Parque Nacional do Grande Teton, 340
Parris, Roshann, 404
Parry, Shelley, 44
Partido Democrata, 30, 72
Partido dos Panteras Negras, 60
Partido Republicano, 47, 51, 52, 82, 218, 227, 239, 261, 262, 472, 580
Parting the Waters [Dividindo as Águas], 492
Payne, Lawry, 394
"Paz" (poema), 384
Peace Corps, 195, 317, 452
Pearl Harbor, 19, 47, 340
Peck, Gregory, 99
Pelosi, Nancy, 339
Penn, Mark, 327, 421, 561

Peres, Shimon, 356
Perot, Ross, 134
Persson, Goran, 478, 534
Philip, príncipe, 269
Philpott, Bret, 137
Philpott, família, 137
Picasso, 37
Pickering, Alice Stover, 246
Pickering, Thomas, 246
Piercy, Jan, 303
Pinochet, Augusto, 352
Pippen, Scottie, 419
Plano de Benefícios de Saúde dos Empregados Federais, 175
Plessy versus Ferguson, 442
Podesta, John, 538
Pogue, Don, 70
Police Athletic League (PAL), 427
Pollak, Louis, 61
Polônia, 195, 397, 398, 399, 462
Portland, 278
Powell, Colin, 266, 378
Powell, Jody, 95
Praga, 8, 242, 244, 395, 400, 401, 403
Presley, Elvis, 71
Press, Ellen, 39
Pressman, Gabe, 538
Primakov, Yevgeny, 459
Priscilla, irmã, 312
Prodi, Flavia, 459
Prodi, Romano, 478, 534
Projeto Arkansas, 392
Projeto Brady, 232
Projeto de Reforma do Sistema de Saúde, 264
Projeto Genoma Humano, 513
Projeto para o Futuro Republicano, 262
Provence, Sally, 66
Pryor, Barbara, 101
Pryor, David, 101, 424
Punchbow ver Cemitério Nacional Memorial do Pacífico

Pushkar, Alice, 156
"Putting People First" [O povo em primeiro lugar], 135, 138

Quarta Conferência Mundial da Mulher das Nações Unidas, 336
Quayle, Dan, 262
Quayle, Marilyn, 67
Quênia, 30, 517, 521
Quinn, Jack, 377
Quirguistão, 479

Rabin, Leah, 212, 287, 354
Rabin, Yitzhak, 211, 286, 355, 552
Rabinowitz, Steve, 137
Rabner, Nicole, 429
Rádio Europa Livre, 401
Raines, Frank, 475
Rainha-mãe, 269
Ramadã, 234
Ramo de Davi, 333
Ramos, Amelita, 434
Ramos, Fidel, 434
Rangel, Charlie, 538
Rania, rainha da Jordânia, 552
Rao, P. V. Narasimha, 313
Rasco, Carol, 167, 172
Rather, Dan, 561
Rawlings, Jerry, 506
Rawls, Lou, 275
Reach Out and Read [Avance e Leia], 427
Reagan, Nancy, 150, 155, 157, 268, 582
Reagan, Ronald, 116, 117, 150, 171, 215, 233, 369, 390, 409, 445, 472, 489, 582
Receita Federal, 86
Reed, Bruce, 123, 124, 145
Rehnquist, William, 276, 442, 549
Reich, Charlie, 60

Reinhardt, Uwe, 294
Reno, Janet, 235, 245, 248, 491, 493
República Sérvia, 386
República Tcheca, 399, 400, 402, 462
Resolution Trust Corporation (RTC), 221
Revolução de Veludo, 1989, 400
Rhodeen, Penn, 66
Ricchetti, Steve, 218
Ricciardi, Steven, 502
Rice, Condoleezza, 416
Rice, Susan, 453
Richards, Ann, 186, 290, 562
Richards, Richard, 89
Ricketts, Ernest "Ricky", 32
Riley, Richard, 495
Robbins, Tony, 298
Robinson, Mary, 363
Robinson, Nick, 363
Rockefeller, Jay, 339, 485
Rockefeller, Nelson, 51
Rockefeller, Sharon, 339
Rodham, Dorothy Howell (mãe), 14, 19, 22, 23, 24, 53, 93, 151, 181, 188, 190, 201, 236
Rodham, Hannah Jones (avó), 16, 18, 19
Rodham, Hugh (irmão), 21, 23, 151, 182, 230
Rodham, Hugh E. (pai), 14, 17, 18, 21, 24, 93, 151, 181, 188
Rodham, Hugh, Sr. (avô), 16, 18, 19
Rodham, Maria (cunhada), 151
Rodham, Nicole Boxer (cunhada), 151, 189, 231
Rodham, Russell (tio), 17
Rodham, Thomas (tio-avô), 17
Rodham, Tony (irmão), 22, 151, 181, 189, 230
Rodham, Willard (tio), 17
Rodham, Zachary, 436
Rodino, Peter, 83, 529
Rodman, Dennis, 419
Rodrik Fabrics, 21

Roesen, Severin, 151
Rogers, George, 289, 502
Rogers, Will, 174
Romênia, 396, 397, 466
Roosevelt, Eleanor, 87, 142, 160, 172, 216, 259, 292, 329, 419, 493, 570
Roosevelt, Franklin D., 169, 172, 215, 231, 244, 294, 369, 423, 447
Roosevelt, Theodore, 142, 169, 172
Rose, escritório de advocacia, 369
Rosenberg, Max, 399
Ross, Diana, 143
Rostenkowski, Dan, 217, 219, 263
Rothko, Mark, 69
Roy, Elsijane, 98
Ruanda, 451, 506, 508
Rubin, Robert, 140, 173, 209, 378, 559
Rudolph, Eric, 406
Ruff, Chuck, 520, 549
Rule, Herbert C., III, 98
Rusan, Fran, 49
Russert, Tim, 552, 554, 577
Rússia, 34, 219, 232, 242, 246, 247, 249, 257, 361, 395, 457, 458, 460, 464, 479, 512, 517, 527
Ruth, Babe, 79
Rutherford Institute, 490

Saam Njaay, 448
Sadat, Anwar, 286
Saddam Hussein, 145, 518, 521, 544
Safire, William, 370
Sagawa, Shirley, 414, 429
Sager, Pearl, 476
Saint-Gaudens, Augustus, 172
Salomon, Suzy, 44
Sam, Hagar, 506
San Francisco Examiner, 566
San Francisco, 71, 374
Sarbanes, Paul, 367

Sargent Shriver, 76
Save America's Treasures [Salvem os Tesouros Americanos], 417
Save the Children [Salvem as Crianças], 319
Sawyer, Diane, 196
Scaife, Richard Mellon, 238, 279, 392, 453, 497, 500
Scalia, Antonin, 583
Schatteman, Christophe, 133
Schechter, Alan, 50
Scheib, Walter, 163, 379
Scheibner, Nancy "Anne", 56, 57
Schlafly, Phyllis, 90
Schlesinger, Arthur M., Jr., 542
Schlossberg, Caroline Kennedy, 159, 160, 207, 268, 574
Schlossberg, Ed, 207
Schneier, Arthur, 512
Schoen, Doug, 327
Schroeder, Gerhard, 478
Schumer, Charles, 537, 554, 567, 572
Schwartz, Eric, 341
Schwarzlose, Monroe, 109
Scranton, 16, 17, 18, 19, 20, 189, 190
Seale, Bobby, 61
Secretaria de Administração e Orçamento, 177
Secretaria de Contabilidade Geral, 199
Secretaria de Viagens, 197
Secretaria de Imprensa, 196
Secretaria Jurídica, 198, 203
Segal, Eli, 414
Self-Employed Women's Association (SEWA) [Associação das Mulheres Autônomas], 316
Seligman, Nicole, 334, 376, 549
Senado, 10, 11, 26, 51, 56, 65, 86, 90, 103, 116, 124, 175, 176, 177, 179, 193, 195, 205, 216, 217, 218, 220, 223, 235, 250, 263, 264, 272, 273, 280, 289, 290, 300, 304, 325, 335,

367, 392, 412, 416, 418, 430, 437, 526, 529, 537, 538, 542, 545, 546, 547, 549, 551, 553, 554, 555, 556, 559, 561, 562, 563, 564, 566, 571, 572, 576, 578, 579, 580, 584, 585, 587, 591
Senegal, 448, 508
Sengupta, Anasuya, 313
Sentelle, David, 276
Serviço Nacional de Parques, 359
Serviço Secreto, 278, 279, 287, 289, 303, 305, 306, 317, 321, 332, 340, 345, 346, 350, 359, 376, 380, 381, 384, 404, 415, 416, 417, 432, 444, 468, 487, 488, 499, 502, 503, 507, 535, 561, 568
Sessions, William, 201
Sexton, John, 478
Shalala, Donna, 345
Shamir, Ruby, 429
Sharif, Nawaz, 534
Sharma, Shanker Dayal, 312
Shearer, Brooke, 126, 232
Shearer, Casey, 573
Shearer, Derek, 573
Sheehan, Michael, 420
Sherburne, Jane, 334, 377
Shikler, Aaron, 574
Shir Dor, madraça, 482
Shocas, Elaine, 402
Shriver, Eunice, 466
"Silêncio" (Sengupta), 313, 314, 347
Silver, Sheldon, 554
Simon, Paul, 353
sinagoga Ohel Rachel, 512
Sinatra, Frank, 52
Sinbad, 383, 384, 386
Sinn Fein, 360, 526
Sirikit, rainha da Tailândia, 435
Slate, Martin, 63
Slater, Rodney, 124
Small Business Administration, 391

Smith, Herbert, 331
Smith, Jean Kennedy, 363, 475
Smith, Peter, 238
Soames, Mary, 270
Social Democratic and Labour Party [Partido Trabalhista Social Democrático] (SDPL), 362
Socks (gato), 140, 485, 486, 487, 586
Sofia, rainha da Espanha, 462
Solidariedade, 397
Solis, Patti ver Doyle, Patti Solis
Solnit, Al, 66
Somália, 219, 507
Somoza, Anastasio, 351
Soweto, 449
Spence, Roy, 75
Sperling, Gene, 140
Sri Lanka, 308, 314
Stafford, Brian, 535
"Stand by Your Man", 129
Stanford, 46, 382, 416, 455, 468, 533, 571
Stanton, Elizabeth Cady, 47, 515
Starr, Kenneth, 276, 277, 300, 301, 334, 368, 374, 375, 376, 388, 389, 390, 391, 392, 415, 416, 424, 437, 453, 454, 489, 490, 491, 492, 493, 495, 496, 501, 502, 503, 504, 505, 518, 519, 520, 521, 522, 526, 528, 529, 530, 531, 534, 541, 542, 559, 560
Steenburgen, Mary, 166
Stein, Allison, 568
Stephanopoulos, George, 124, 128, 145, 229, 243, 244, 326, 437
Stock, Ann, 157
Stoyanov, Petar, 534
Streisand, Barbra, 149, 235
Stuart, Gilbert, 162
Styron, Bill, 206
Styron, Rose, 206
System, The (O Sistema), 279

Valentiner, Benedicte, 144
Vaticano, 337, 344
Vaught, W. O., 544
Verão da Liberdade (1964), 223
Verveer, Melanne, 156, 164, 211, 294, 338, 375, 402, 404, 438, 463, 475, 477, 479, 505
Verveer, Phil, 156
Vietnã, 47, 48, 52, 57, 71, 73, 187, 272, 340, 467, 502
Visco, Fran, 330
Vital Voices Democracy Initiative [Iniciativa Democrática Vozes Vitais], 463, 479
"Você é Aceito" (Tillich), 524
Volner, Jill Wine, 84
Volta meu amor [Lover Come Back], 27
Voz da América, 437

Waco, 194, 333
Wade, Chris, 224
Wagner, Carl, 118
Walesa, Danuta, 398
Walesa, Lech, 398
Walker, Diana, 441
Wall Street Journal, 199, 203, 204, 264
Walsh, Diana Chapman, 374
Walters, Barbara, 370
Walters, Gary, 234
Wang Yeping, 509
Wang, Bill, 69
Ward, Seth, 252
Wardlaw, Alvia, 49
Warren, Joy, 484
Washington Post, 40, 53, 200, 206, 221, 223, 229, 235, 245, 251, 300, 368, 413, 438, 480, 484, 566
Washington Times, 391
Washington, George, 162
Washington, Martha, 141

Wasmosy, Juan Carlos, 354
Wasmosy, Maria Teresa Carrasco de, 354
Watergate, 77, 82, 85, 95, 235, 242, 526
Waters, Alice, 163
Watkins, David, 192, 199
Watson, Clyde, 33
Wayne, John, 52
Weinberger, Caspar, 243
Weiner, Glen, 571
Weld, Bill, 84
Wellesley, 40, 42, 145, 187, 303, 312, 374, 375, 400, 403, 416, 437
Welfare to Work Partnership [Parceria da Previdência para o Trabalho], 414
Wesley, John, 36, 477
Wexler, Anne, 74
Whillock, Carl, 89, 124
Whillock, Margaret, 124
White House Endowment Fund [Fundo de Dotação da Casa Branca], 500
White, Byron "Whizzer", 201, 223
White, Frank, 110, 115, 130, 254
Whitewater, 7, 107, 108, 204, 221, 222, 223, 224, 225, 226, 227, 228, 229, 230, 232, 235, 239, 240, 242, 243, 244, 245, 250, 251, 252, 253, 255, 256, 261, 265, 267, 275, 277, 300, 302, 335, 367, 368, 370, 389, 390, 391, 393, 437, 442, 454, 490, 493, 504, 518, 530, 537, 540, 559
Wiesel, Elie, 498
Wiesel, Elsie, 195
Wiesel, Marion, 498
Wild Blue, The (Ambrose), 76
Wilentz, Sean, 542
Wilhelm, David, 124, 128, 135
Williams, Edward Bennett, 368
Williams, Irv, 153
Williams, Maggie, 125, 154, 202, 214, 229, 239, 252, 255, 265, 294, 332, 335, 437, 538, 558
Williamson, Brady, 341

ESTE LIVRO, COMPOSTO NA FONTE FAIRFIELD
E PAGINADO POR ALVES E MIRANDA EDITORIAL LTDA.,
FOI IMPRESSO EM POLÉN SOFT 70G NA LIS GRÁFICA.
SÃO PAULO, BRASIL, NA PRIMAVERA DE 2003